世界文化 1000 问

了解世界文化概貌，就看这一本
掌握世界文化精髓，只在一问一答间

世界文化1000问

文若愚 / 编著

江西美术出版社
全国百佳出版单位

图书在版编目（CIP）数据

世界文化1000问 / 文若愚编著 . -- 南昌 : 江西美术出版社 , 2018.8
ISBN 978-7-5480-6293-6

Ⅰ . ①世… Ⅱ . ①文… Ⅲ . ①世界史 – 文化史 – 通俗读物 Ⅳ . ① K103-49

中国版本图书馆 CIP 数据核字 (2018) 第 182654 号

出 品 人：周建森
企　　划：江西美术出版社北京分社
（北京江美长风文化传播有限公司）
责任编辑：楚天顺　朱鲁巍
责任印制：谭　勋

世界文化1000问

SHIJIE WENHUA 1000 WEN

文若愚　编著

出　　版：江西美术出版社
社　　址：南昌市子安路66号
网　　址：http：//www.jxfinearts.com
电子信箱：jxms@jxfinearts.com
电　　话：010-82293750　0791-86566124
邮　　编：330025
经　　销：全国新华书店
印　　刷：北京德富泰印务有限公司
版　　次：2018年8月第1版
印　　次：2018年8月第1次印刷
开　　本：830mm × 1180mm　1/32
印　　张：22
I S B N：978-7-5480-6293-6
定　　价：39.80元

前言

人类历史发展的成果有很多表现形式，其中非常重要的一个就是文化的积累。作为人类作用于自然界和社会的成果的总和，文化包括一切物质财富和精神财富。确切地说，文化是指一个国家或民族的历史、地理、风土人情、传统习俗、生活方式、文学艺术、行为规范、思维方式、价值观念等。世界文化源远流长，博大精深，是世界各民族文明和智慧的结晶。

一个人的文化知识储备往往是其综合素质和能力的体现，学习和掌握必要的世界文化知识，是推动社会文化发展繁荣的需要，同时也有助于人们开阔视野、启迪心智、陶冶性情、增长知识、完善个人素质，为走向成功的人生打下坚实的基础。然而，世界文化是一个庞杂的知识体系，包罗万象，浩如烟海，面对它，大多数人都会感到力不从心，很难在短时间内掌握其脉络及底蕴。即便是专业人士，所掌握的文化知识也不过是冰山一角。尤其是在知识爆炸、信息膨胀的今天，如何用较短的时间获取较多的文化知识和信息，是一个十分重要的问题。对于这一问题的解决，除了读者本身的努力和恰当的方法之外，知识信息的载体及其表现形式是否科学、简明，也是一个非常重要的因素。

为了帮助读者更方便、更轻松、更快捷地了解和掌握必要的世界文化知识，开阔文化视野，丰富知识储备，提高人文修养，编者对世界文化材料进行了适当的取舍，将浩如烟海的文化知识浓缩到近千个问答之内，内容丰富，且极具代表性、实用性和典型性。本书是一个瞭望世界文化的窗口，透过这个窗口，你可以对世界文化有一个全面、系统的了解。全书结合丰富的知识和史料，娓娓讲述各类事物的精彩历史，包括“神话传说·奇闻逸事”“史海钩沉·趣话帝王”“历史事件·玄机重重”“解读国名·诠释地名”“伟大发明·重大发现”“失落文明·历史碎片”“建筑雕塑·解疑释谜”“社会大观·奇闻趣事”“咬文嚼字·解读名著”“巨匠逸事·文坛趣闻”“乐舞风流·趣话体育”“传统风俗·节日宜忌”“天文地理·生物科学”等21个篇章，涉及政治、军事、经济、天文历法、礼仪习俗、文学艺术、地理名胜、科学技术等学科领域，基本涵盖了世界文化各方面的知识内容，回答了人们需要了解和学习的世界文化知识的一些基本问题。

本书在广泛收集资料的基础上，力求在“新、奇、趣”上下功夫。“新”就是鲜为人知的、很少被其他书籍提到的知识；“奇”就是不一般、能让人的精神为之一振的事物；“趣”既是兴趣，也是趣味，是人们想看、愿意看的东西。另外，为了方便阅读，本书采用了一问一答的方式，把本要数千字甚至数万字才能阐述清楚的问题压缩在数百字之中，以小见大，深入浅出，提纲挈领，几百字，最多上千字，就能传达出丰富的信息，让读者在最短的时间内获得尽可能多的知识。这是一本浓缩了世界文化常识的知识宝库，集知识性、趣味性、科学性于一体。全书覆盖面大，涉猎面广，既是一部容纳世界文化百科知识的实用工具书，又是休闲生活中不可或缺的文化快餐。一书在手，让你尽览世界文化全貌；一卷在手，让你轻松掌握世界文化精华。

目录

第一章　神话传说·奇闻逸事

1. 人类历史上是否存在过“食人之风”？ 001
2. 人类的发源地在非洲吗？ 002
3. 史前曾经爆发过核大战吗？ 003
4. “箕子入朝”是否确有其事？ 004
5. 匈奴人也会摆“鱼丽阵”吗？ 005
6. 亚马孙女儿国在历史上真的存在过吗？ 007
7. 传说中的“巨人”真的存在吗？ 008
8. 真的有“小人国”吗？ 009
9. 印加人为何要在“空中”建造城堡？ 010
10. 是腓尼基人发现了美洲大陆吗？ 010
11. “殷人东渡美洲论”可信吗？ 011
12. 玛雅潘的政治领袖亨纳克·赛尔真的是“神使”吗？ 012
13. 西班牙人征服玛雅得益于他们的长相吗？ 013
14. 中国人和玛雅人拥有共同的祖先吗？ 014
15. 玛雅是一个帝国吗？ 015
16. 弥生人是混血人种吗？ 016
17. 罗慕洛抢亲是人们编造的故事吗？ 017
18. 亚历山大究竟葬身何处？ 018
19. 日本人真是“吴太伯之后”吗？ 019
20. 古埃及人是黑人还是白人？ 020
21. 冈比西斯是因为刺杀了埃及神牛“阿庇斯”而死亡的吗？ 021

22. 冈比西斯的兄弟巴尔狄亚真的“死而复生”了吗？ 022
23. 北京猿人是日本最早的居民吗？ 023
24. 历史上曾有“书籍之路”吗？ 024
25. 日本入隋使臣携带的国书有鄙视中华之意吗？ 025
26. 传说中的桃太郎和金太郎为何会受到日本人的尊敬？ 026
27. 乔治五世和玛丽皇后是被人谋害的吗？ 027
28. 亚历山大一世真的爱上了自己的胞妹叶卡捷琳娜吗？ 028
29. 德国纳粹党党魁希特勒真的是犹太人吗？ 029
30. 希特勒真的有 25 万“最后部队”吗？ 030
31. 英军失掉诺曼底是因为“圣女贞德”的出现吗？ 031
32. 瑞士的“长矛阵”真的牢不可破吗？ 032
33. 现代尼雅村的人是古代尼雅人的后裔吗？ 033
34. 亚瑟王的故事是传奇还是历史？ 034
35. 茜茜公主的一生真是一部童话吗？ 035
36. 阿波罗登月是一场骗局吗？ 036
37. 拿破仑是被自己的心腹蒙托隆毒杀的吗？ 037

第二章　史海钩沉·趣话帝王

1. 印加是一个盛产黄金白银的国度，
但为什么每位印加王都要“白手起家”呢？ 039
2. 第 8 位印加王击退昌卡人的叛乱是因为维拉科查神的指点吗？ 040
3. 维拉科查王是如何预言印加的灭亡的？ 041
4. 拥有至高权力的古罗马皇帝提比略为什么要自我流放？ 042
5. 桓武天皇为什么要选择甲子之岁迁都？ 043
6. 路易十六为什么对他的王后说“法国更需要一条军舰，而不是一条项链”？ 044
7. 华盛顿真的死于庸医之手吗？ 045
8. 朱元璋对日本的怨恨从何而来？ 046
9. 苏格兰女王玛丽为什么会被英格兰女王伊丽莎白处死？ 047
10. 伊丽莎白一世为何终身不嫁？ 048

11. 亨利八世为何离异？ 049
12. 鲁道夫·赫斯为什么会突然飞往英国？ 051
13. 为什么说希特勒“消灭犹太种族”的想法是不可能实现的？ 052
14. 阿根廷总统庇隆的遗体为什么没有双手？ 053
15. 塞内加尔共和国的首任总统桑戈尔为何在任期未满时就宣布引退？ 053
16. 肯尼迪总统的遗孀为什么守寡不到 5 年就嫁给了一个希腊人？ 055
17. 幕府为什么要迫害和禁止天主教？ 056
18. 为什么印加王只用很少的法官就可以治理好国家？ 057
19. 美国为什么要开展禁酒运动？ 057
20. 古埃及的大臣朝见法老时要亲吻什么地方？ 058
21. 在古代玛雅的城市首领竞选中，
候选者为什么会被问及一些模糊、奇怪的问题？ 059
22. 拿破仑进军埃及为何会重现古代埃及文明？ 060
23. 摄关为什么敢号称“天子”，而天皇却要卑称“某院”？ 062
24. 英国保守党的第一位平民首相为何终身不娶？ 063
25. 谁是美国吞并夏威夷的主谋？ 064
26. “提尔西特的秘密”为何无人能揭晓？ 065
27. 奥古斯都的侄、孙为何连遭杀害？ 066
28. “国联”是由美国人参与设计和筹建的，
但为什么美国始终没能加入“国联”呢？ 067
29. “卐”为什么会成为纳粹的标志？ 068
30. 拉斯普庭为什么被人们视为妖孽？ 069

第三章　民族逸闻·种族趣事

1. 为什么有泰国人起源于中国人的说法？ 071
2. 犹太人与以色列人有何渊源？ 072
3. 今天的玛雅人什么样？ 073
4. 印加与秘鲁有什么关系？ 074
5. 吴哥城的 200 万居民为什么会神秘消失？ 075

6. 没有犹太血统的人也能成为犹太人吗？ 076
7. 犹太人有什么特殊的使命？ 077
8. 逾越节是为了提醒犹太人永不忘记出埃及的经历吗？ 078
9. 俄罗斯人为什么会具有亚洲人的气质？ 079
10. 俄罗斯的士兵究竟有多忠诚？ 080
11. 俄罗斯的国徽为什么要用罗马帝国的徽记？ 081
12. 日本皇室与中国的道教有什么不解之缘？ 082
13. 德川家族遗训是伪造的吗？ 083
14. 古坟时代为什么被称为“神秘的世纪”？ 084
15. 法国的国庆节有什么特别的意义？ 085
16. 多石少土的印加为何会成为农业大国？ 086
17. “月朔”为什么被犹太人视为“女人的节日”？ 087
18. 犹太植树节为何可以帮助国家筹募资金？ 088
19. 愚人节究竟源自法国还是印度？ 089
20. “端午节”为何被日本人称为“男儿节”？ 090
21. 日本的“七五三”节为什么要选在 11 月 15 日？ 091
22. “五一”国际劳动节是怎样来的？ 092
23. 什么是“杯水主义”？ 093
24. “非常法”是指什么？ 093
25. 为什么会有法兰西第一、第二、第三、第四、第五共和国？ 094
26. 亚里士多德为什么说“人是天生的政治动物”？ 096
27. 为什么罗马尼亚人对斯特凡大公和米哈伊特别尊敬？ 097
28. 犹太人为什么将六角星星称为“大卫之星”，
并以其作为犹太的象征物？ 098
29. 什么是文化地理上的“马赛克”现象？ 099
30. 危地马拉的国旗上为什么有一只克扎尔鸟？ 100
31. 日本户籍法为什么要实行“夫妻同姓”？ 101
32. 犹太人为什么多灾多难？ 102
33. 罗马人为什么要用处女守护圣火？ 102

34. 尼龙袜编织工人为什么会成为“拉德分子”？ 103
35. 日本人在命名时要计算哪些数字？ 104
36. 埃及法老的木乃伊为什么经常改葬？ 106

第四章 历史事件·玄机重重

1. 神秘的楼兰古国是怎样消失的？ 107
2. 曾经盛极一时的佩特拉古城为什么被遗弃？ 108
3. 阿兹特克人是如何在其他部落的土地上迅速崛起的？ 109
4. 罪恶之城所多玛是如何被毁灭的？ 110
5. 印加人有什么克敌制胜的法宝可以确保屡战屡胜？ 111
6. 终结了埃及法老王朝的亚历山大为什么被视为埃及人的“解放者”？ 112
7. 巨都平城京因何会突然遭弃？ 113
8. 克拉苏率领的罗马军为何在东征时神秘失踪？ 114
9. 苏我稻目“试令礼拜”为什么会引起瘟疫？ 115
10. 萨拉热窝事件为什么会成为第一次世界大战的导火索？ 116
11. 为什么说德国法西斯上台就意味着战争？ 117
12. 希特勒为什么要血洗冲锋队？ 118
13. 美国的舰艇是怎样命名的？ 119
14. 勃兰登堡门为什么被视为德国统一的象征？ 120
15. 为什么说“空军一号”是世界上最安全的飞机？ 121
16. 戈林自杀得到了谁的帮助？ 122
17. 法国的葡萄酒大灾难是怎样发生的？ 124
18. 为什么说俄国几乎是无法征服的？ 125
19. 彼得保罗要塞为何会成为“俄国的巴士底狱”？ 125
20. 特洛伊战争究竟发生在哪里？ 126
21. 在瓦尔米战役中，普鲁士军队为什么会意外后撤？ 128
22. “死亡天使”门格尔为什么可以逍遥法外？ 129
23. 在海湾战争中，伊拉克战机为什么会飞往伊朗？ 130

24. 英国历史上的“玫瑰战争”是怎么回事？ 131
25. 罗斯福事先就知道日本要袭击珍珠港吗？ 132
26. “敦刻尔克奇迹”是希特勒有意为之吗？ 133
27. 为什么说法国沦陷只用了 15 个法郎？ 134

第五章　人名称谓·正本清源

1. 俄国沙皇伊凡六世为什么会成为“一号囚徒”？ 136
2. “巴丁盖”是一个通俗且具有讽刺意味的绰号，
为什么人们会将其送给拿破仑三世呢？ 137
3. “列宁”这一笔名是为了纪念他的母亲和已故的姐姐吗？ 138
4. 伊万一世为什么会有“卡利塔（钱包）”的外号？ 139
5. 克里斯汀娜为什么被称为“北国的米娜薇女神”？ 140
6. 伟大的航海家哥伦布为什么会被人看成“吹牛大王”？ 141
7. 令人鄙夷的妓女为何会被古巴比伦人称为“爱的女神”？ 142
8. 年轻时凶狠残暴的阿育王为什么被后人称为“和平的皇帝”？ 143
9. “成吉思汗”这一名称有什么特别的意义？ 144
10. 克伦威尔为什么被称为“精神恶魔”？ 145
11. “东京玫瑰”是谁？ 146
12. 日本人的氏姓与血缘有关系吗？ 147
13. “厕所”也可以成为日本人的姓氏吗？ 148
14. “十三郎”有什么特殊的含义？ 149
15. 日本女性的名字为什么多以“子”结尾？ 150
16. 为什么从缅甸人的名字上无法判断其家族归属？ 151
17. 印度的姓氏称呼有什么特点？ 151
18. 人们为什么将难于解答的问题称为“斯芬克斯之谜”？ 152
19. 伯纳德为什么将自己的实验室称为“恐怖的厨房”？ 153
20. “西阵织”的名称从何而来？ 155
21. “四万六千日”的名称从何而来？ 155
22. 犹太人为什么将所有移民到以色列的人都称为“阿利亚”？ 156

23. 俄罗斯人为什么把代价高昂而又毫无用途的东西称为“克里姆林宫大炮王”？……157
24. 罪犯为什么会成为俄国人眼中“不幸的人”？……158
25. 印第安人为什么要称马铃薯为“爸爸”？……159
26. 对男人朝三暮四表示不满的日本女人为什么会被称为“妬女”？……160
27. 人们为何把渡鸦称为伦敦塔内“最后的囚徒”？……161
28. 英语为什么称漆器为“japan（日本）”？……161
29. 日本人为什么将景泰蓝称为“七宝烧”？……162
30. 英语里的 8 月为什么被称为“August”？……163
31. 为什么会有“大千世界”的说法？……164
32. 无花果叶子为什么会成为“遮羞布”的同义词？……165

第六章　解读国名·诠释地名

1. 繁华的美国首都华盛顿为什么会被称为“谋杀之都”？……166
2. 神秘的古城摩亨佐·达罗为什么被称为“死亡之丘”？……167
3. 俄国为什么被称为“军事封建帝国主义”？……168
4.“加利福尼亚”的名称从何而来？……168
5. 斯里兰卡为什么被称为“狮子国”？……169
6.“扶桑”指的是日本还是墨西哥？……170
7. 被誉为世界七大奇迹之一的巴比伦花园为什么被称为“空中花园”？……172
8.“山姆大叔”为什么会成为美国的象征？……173
9. 美国为什么被称为“托拉斯帝国主义”？……174
10.“阿根廷”的名称是怎么来的？……175
11. 日本为什么有“蜻蜓洲”的别号？……175
12.“印度”的名称从何而来？……176
13. 传说中的“黄金之国”指的是印加帝国吗？……177
14. 印加首都库斯科为什么又被称为“大地的肚脐”？……178
15. 英国为什么会被称为“殖民帝国主义”？……179
16. 有“高利贷帝国主义”之称的法国是因为高利贷交易猖獗而得名的吗？……179

17.“容克—资产阶级帝国主义”指的是哪个国家？ 180
18.“苏联”的名称从何而来？ 181
19. 底比斯为什么被称为“百门之都”？ 182
20.“爱琴海”的名称从何而来？ 183
21. 佩特拉为何被誉为“玫瑰城”？ 184
22. 尼尼微为什么会被称为“血腥的狮穴”？ 185
23. 巴比伦为什么被称为“冒犯上帝的城市”？ 186
24. 阿兹特克人为什么将自己建立起来的村落命名为“石头上的仙人掌”？ 186
25. 什么是“千年王国”？ 187
26. 美国“白宫”的名称是怎么来的？ 188
27. 威尼斯为什么被称为“水都”？ 189
28.“香蕉共和国”指的是生产香蕉的国家吗？ 189
29. 庞贝古城为什么被称为“天然博物馆”？ 190
30. 意大利报纸为什么称利比亚为“我们的乐土福地”？ 191
31.“罗德岛”与太阳神阿波罗有什么关系？ 192
32. 耶路撒冷的“西墙”为什么又被称为“哭墙”？ 193
33. 七大洲是怎样命名的？ 194
34. 四大洋是怎样命名的？ 195
35.“唐人街”的名称从何而来？ 196
36.“幽灵岛”因何得名？ 197
37. 特奥蒂瓦坎的中轴线为什么被命名为“亡灵大道”？ 198

第七章　伟大发明·重大发现

1. 人类何时开始用火？ 200
2. 人类最先发明的工具是石器还是木器？ 201
3. 玛雅的祭祀历法与中国的干支纪历有何相似之处？ 203
4. 玛雅人的数字进位为什么要采用 20 进位和 18 进位？ 203

5. 被誉为“白玉之精”的夜光杯是什么制成的？ 204
6. 粗陶文化是源于日本还是由中国传入的？ 205
7. 为什么说绳纹文化是一种“畸形”发展的文化？ 207
8. 水稻的发源地究竟在印度还是在中国？ 208
9. 银行是美索不达米亚人发明的吗？ 209
10.《汉穆拉比法典》为什么被称为石柱上的法律？ 210
11. 印加人是怎样开采和砍削石块的？ 212
12. 古埃及的木乃伊身上真的有“心脏起搏器”吗？ 213
13. 巴格达在两千多年前就已经有电池了吗？ 214
14. 为什么有考古学家称古埃及人使用过电灯呢？ 215
15. 玛雅预言上真的说过 2012 年是世界末日吗？ 215
16. 阿兹特克人的“太阳石”有什么特别之处？ 216
17. 最早发明木乃伊的是古埃及人吗？ 217
18. 胡夫金字塔有哪些数字关系之谜？ 218
19. 古埃及历法与天狼星、尼罗河有什么关系？ 220
20. 木乃伊可以自然形成吗？ 221
21. 古埃及人为什么要制作木乃伊？ 222
22. 制作木乃伊有哪些程序？ 223
23. 太阳门究竟有何神秘之处？ 224
24. 世界上最大的土城昌昌古城是用“混凝土”建造的吗？ 225
25. 斯通亨奇巨石阵是古人使用的一种天文仪器吗？ 227
26. 古埃及真的有飞行器吗？ 228
27. 水晶人头出自何人之手？ 229
28. 南极古地图是怎样绘成的？ 230
29. 塔罗牌源于何方？ 232
30. 三叶虫化石中为何会有神秘的“凉鞋”印？ 233

第八章　失落文明·历史碎片

1. 非洲本土到底有没有文明？……235
2. 为什么会有两个巴比伦国？……236
3. 为什么有人说巴比伦文明的本质是商业文明？……237
4. 玛雅文明与奥尔梅克文明有什么渊源？……238
5. 西班牙人为什么将玛雅文化视为“魔鬼之作”？……239
6. 两河流域文明的创立者苏美尔人究竟来自哪里？……240
7. 哈拉巴文化的突然消失是因为一次大爆炸吗？……241
8. 圣奥古斯汀文化是谁创造的？……242
9. 泰国班清文化是世界青铜文化的源头吗？……244
10. 传说中的亚特兰蒂斯真的存在吗？……245
11. 为什么说亚述人对人类最大的贡献是战争的艺术？……247
12. 古印度文明的发现与西方人的“黄金梦”有什么关系？……247
13. “哈拉巴”是一个英国逃兵发现的吗？……248
14. 谁是哈拉巴文化的真正主人？……249
15. 契穆人是莫奇卡人的后裔吗？……250
16. 莫奇卡文化为什么会神秘消失？……251
17. 高度发达的迈锡尼文明源自何方？……252
18. 为什么说桑海帝国代表着古代黑人文明的最高成就和最后的辉煌？……253
19. 奥林匹克运动起源于何时？……254
20.《圣经》中提到的尼尼微城究竟在哪里？……256
21. “黄金之城”哈马丹的城墙真的是用黄金装饰的吗？……257
22. 巴比伦帝国是苏美尔人建立的还是闪族人建立的？……258
23. 苏美尔人为什么选用泥版作书写材料？……259
24. 亚述人为何会成为一个尚武的民族？……261
25. 传说中的圣博罗东岛和安蒂利亚岛真的存在吗？……261
26. 米诺斯迷宫的传说是真实存在的吗？……262
27. “阿卡华林卡脚印”为什么会印在石头上？……263
28. 人迹罕至的撒哈拉沙漠为何会出现精美的岩画与雕刻？……264

29.《圣经》中提到的赫梯人真的存在吗？ 265
30. 阿伽门农的黄金面具真的属于他吗？ 267
31. 古埃及的法老城为何会整体沉入海底？ 268
32. 曾经繁华的吴哥古城为何会湮没在茫茫的丛林之中？ 269
33. 哈拉巴各种各样的印章有什么作用？ 271
34. 罗赛塔石碑为什么被誉为“通往古埃及文明的钥匙”？ 272
35. 繁荣富庶的加纳王国衰亡的原因是什么？ 273
36. 澳大利亚原始洞穴中的手印有什么特殊意义？ 274
37. 意大利人为什么将中世纪时期的艺术风格称为“哥特式”？ 275
38. 墨西哥的石雕为何会出现被肢解的女神形象？ 276
39. 班图文化的发祥地在哪里？ 277
40. 在查文遗址的石碑上发现的猫口犬牙且头上爬满蛇的生物是什么？ 278
41. 特奥蒂瓦坎地下的云母是从哪儿来的？ 279

第九章　建筑雕塑·解疑释谜

1. 日本的古坟与中国的祭坛有关系吗？ 281
2. 玛雅金字塔与埃及金字塔有什么不同？ 282
3. 被誉为古代世界“七大奇迹”之冠的埃及金字塔出自何人之手？ 283
4. 古埃及人是如何开采和运输石料的？ 285
5. 金字塔墓碑上的咒语真的灵验吗？ 286
6. “金字塔能”真的存在吗？ 287
7. 美洲金字塔与非洲金字塔有联系吗？ 288
8. 埃及和玛雅的金字塔都源于亚特兰蒂斯吗？ 289
9. 狮身人面像是按照妖魔斯芬克斯的形象雕刻的吗？ 290
10. 希罗多德曾对金字塔做了详细的描述，
却为什么对近在咫尺的狮身人面像只字不提呢？ 292
11. 什么是方尖碑？ 293
12. 克娄巴特拉石碑是谁建的？ 293
13. 新巴比伦王国真的修建过通天塔吗？ 294

14. 巴洛克建筑风格的特点是什么？……295
15. 印加王奢华的宫殿为何没有屋顶？……296
16. 哥斯达黎加的丛林大石球从何而来？……297
17. 远隔重洋的亚洲和太平洋诸岛为何都有“有段石锛”的踪影？……298
18. 古格王国用金汁、银汁书写经书吗？……299
19. 圆沙古城是《大唐西域记》中曷劳落迦城的原型吗？……300
20. 加里亚王国的国王摩索拉斯为什么要修建一座可与埃及金字塔相媲美的陵墓？……301
21. 传说中的“公主堡”究竟在哪儿？……302
22. 并不生产大理石的大莱波蒂斯古城为何随处可见大理石建筑和装饰品？……303
23. 为什么说太阳门是一本记录古代珍禽异兽的“图画书”？……304
24. 库斯科神庙中的“黄金花园”什么样？……304
25. 阿兹特克的“死亡之庙”为何令人恐惧？……305
26. 在墨西哥原始森林中发现的 11 颗石头是拉文塔人的杰作吗？……306
27. 玛雅人为何要在各个城市的重要位置放置大量的石碑？……307
28. 前古典时期的玛雅是一个蛮荒的世界吗？……308
29. 亚历山大灯塔是亚历山大建造的吗？……309
30. 罗马人为什么认为科洛塞穆竞技场可以“永不倒”？……310
31. 维苏威火山喷发时，赫库兰尼姆城的居民都及时逃脱了吗？……312
32. “世界的中心”泰诺克蒂兰城比当时的罗马城还要壮观吗？……312
33. 意大利的比萨城曾是罗马帝国的大港口吗？……313
34. 为什么有人认为传说中的“空中花园”并不在巴比伦城？……314
35. 阿布辛拜勒神庙为什么被称为“埃及古迹大搬迁”行动的“纪念碑”？……315
36. 马耳他的地下宫殿究竟是神殿还是墓地？……316
37. 特奥蒂瓦坎为什么又被称为“众神之城”？……317
38. 冥街是模仿太阳系建造的吗？……318
39. 卡拉萨萨雅广场上竖立的石柱是用来观测天象的吗？……319
40. 绳纹人雕塑绳纹“维纳斯”的目的是什么？……319

41. 古希腊雕塑为什么都是裸体的? 320
42. 古印度的女神雕像为何都有突出的乳房和臀部? 322
43.《多胡郡碑》为什么被誉为“日本第一名碑”? 322
44. 古希腊雕塑“阿贾克斯”为什么会沉睡在意大利的海底? 323
45. 布鲁塞尔的小于连为什么要站在那里不停地撒尿? 324
46. 美国自由女神像的原型是谁? 325
47.《大卫》是如何创作出来的? 326
48. 断臂前的维纳斯什么样? 327
49. 世界上第一尊佛像是谁塑造的? 329
50. 日本的飞鸟大佛与中国的龙门石窟有什么关系? 329

第十章　社会大观·奇闻趣事

1. 向印加臣服的部落首领为什么会将印加王赏赐的衣物看成是一种莫大的恩宠? 331
2. 古印度人会因为长相丑陋被判死刑吗? 332
3. 古印度人为什么认为人身上最神圣的部位是口? 332
4.“斯拉夫”本义为“奴隶”，可为什么俄罗斯人却视其为光荣? 334
5. 英国贵妇饮茶之后为什么要喝白兰地“解毒”? 334
6. 为什么说茶叶改变了世界? 335
7. 商博良为什么说自已要设法买一个大桶栖身? 336
8. 古埃及人为什么要接受“天平”的审判? 337
9. 人的心脏有记忆的功能吗? 338
10. 意大利人为何把“裹尸布”视为国宝? 339
11. 美国真有“蜥蜴人”吗? 340
12. 路易十四时期的“铁面人”究竟是谁? 341
13.“奥卡姆剃刀”说的是什么? 342
14. 什么是“因信称义”? 343
15.“笛卡儿式怀疑”是一种什么样的怀疑方式? 344
16.“人体哲学”是有关人体的哲学吗? 345

17. 蒙古人所说的“腾格里”究竟指什么？ 346
18. 用宇宙语言就可以与外星人对话吗？ 346
19. 蛇为什么会受到世界上多个民族的敬畏和赞美？ 347
20. 美国的特种部队怎样使用手势语？ 348
21. 出版《吉尼斯世界纪录大全》的吉尼斯公司是经营什么的？ 349
22. 下半旗志哀是要将国旗下降至旗杆的一半处吗？ 350
23. 美国的仪态学校都教些什么？ 351
24. 外国人也有属相吗？ 352
25.1 月 11 日对日本人来说有什么特别的意义？ 353
26. 苏摩酒为何被称为长春酒或不死之药？ 353
27. 美索不达米亚文献中提到的可以长出羊毛的树究竟是什么？ 354
28. 情人节与牧师有什么关系？ 355
29. 为什么笛福认为如果没有 1666 年的大火，伦敦的经济不会那么快就有起色？ 355
30. 罐头的发明是出于战争的需要吗？ 356
31. 多普勒为什么认为蓝色星球距观察者较近，而红色星球则较远？ 357
32. 帕特农神庙的大理石雕塑为什么会在英国？ 358
33. 一个图瓦卢流浪汉为什么要让 60 亿人道歉？ 359
34. 为什么说俄国为“大象的故乡”是对俄国的嘲笑？ 360
35. 真正的“雷米特杯”在哪里？ 361
36. 古埃及人为何要建造太阳船？ 362
37.NBA 各球队的名称是怎样产生的？ 363

第十一章 神秘事件·千古之谜

1. 庄严俊美的“琥珀屋”真的毁于战火了吗？ 365
2. 墨西哥的迪尔德比村为什么有那么多的盲人？ 366
3. “彩衣笛手”究竟是谁？ 367
4. “北京猿人”化石究竟在哪里？ 368
5. 真的有普里阿摩斯宝藏吗？ 369

6. 传说中的金银岛是否存在？ 370
7. 沙皇的 500 吨黄金哪里去了？ 371
8. 印加宝藏在哪里？ 372
9.“黄金船队”因何沉没？ 373
10.“拉比斯宝藏”在什么地方？ 374
11. 布尔人的黄金在哪里？ 375
12. 世界上真的有蓝色人种吗？ 377
13. 人真的可以“死而复生”吗？ 378
14. 肉身可以不腐吗？ 379
15.“催眠”是为了使人睡眠吗？ 380
16. 天才可以被创造出来吗？ 381
17. 双胞胎间真的存在奇妙的感应吗？ 382
18. 牛顿为什么会精神失常？ 383
19.《圣经》真的有不为人知的神秘密码吗？ 384
20. 尼斯湖真的有水怪吗？ 385
21. 特立尼达和多巴哥岛上的天然沥青湖是怎样形成的？ 386
22. 英国麦田的怪圈是怎么回事？ 387
23. 时空隧道是否存在？ 388
24. 时光能够倒流吗？ 389
25.“世纪瘟疫”是怎样产生的？ 390
26. 曾经称霸一时的恐龙为什么会忽然集体灭绝？ 391
27. 比萨斜塔为何斜而不倒？ 392
28. 墨西哥真的发现“外星宝宝”了吗？ 393
29. 巴黎的地下迷宫为什么是用尸骨堆砌而成的？ 394
30. 赤道线上的人类巨足到底是怎么回事？ 395
31. 马可·波罗所说的“男子岛”和“女子岛”真的存在吗？ 396
32. 美洲真的有“青春泉”吗？ 397
33. 曾经的美索不达米亚真的是人间天堂吗？ 398
34. 海市蜃楼意为摩根女巫，它的出现与女巫有关吗？ 399
35. 世外桃源甘美乐真的存在吗？ 399

36. “死亡谷”有何玄机？ 400
37. 传说中的挪亚方舟真的重现于世了吗？ 401
38. 火星上有运河吗？ 402
39. 哥伦布的七字母字谜图有什么特殊含义？ 403
40. 什么是黑匣子？ 404
41. 诺查丹玛斯真的可以预言人类未来的命运吗？ 405
42. 真有美人鱼吗？ 406

第十二章　咬文嚼字·解读名著

1. 象形文字是最古老的文字吗？ 407
2. 象形文字没有确定的书写方向吗？ 408
3. 玛雅的象形文字都是头像吗？ 409
4. 今天的玛雅人仍然讲玛雅语，
却为什么破译不了流传下来的玛雅文字呢？ 410
5. 楔形文字是怎样产生的？ 411
6.6000 年前爆发的超新星与楔形文字的形成有关吗？ 412
7. 破译楔形文字竟源于一个赌注？ 413
8. 拉丁字母表是怎样产生的？ 414
9. “OK”一词是怎样产生的？ 415
10. 瓦斯特卡语属于玛雅语系，但它的分布为什么远离玛雅文化区？ 416
11. 日文中含有汉字，但为什么不属于汉语语系？ 417
12. 日文为什么要把字母称作假名？ 418
13. 为什么同样使用汉字的中国人和日本人却无法用汉字沟通？ 418
14. “世界语”是指哪一种语言？ 419
15. 为什么日本最早的史书《古事记》不是一部“汉文”史书？ 420
16.《日本书纪》为什么要模仿中国正史“帝纪”的体例编撰？ 421
17.《万叶集》为什么被称为“日本的《诗经》”？ 422
18.《罗摩衍那》中的罗婆那尸体至今还存在吗？ 422

19.《荷马史诗》真的是荷马所作的吗？ 423
20. 普希金的《一号日记》是否存在？ 424
21.《圣经》究竟是谁写的？ 425
22. 苏美尔神话是《圣经》中天堂故事的原型吗？ 426
23.《约伯记》是由巴比伦作品改编的吗？ 427
24.《彼得大帝遗嘱》是伪造的吗？ 428
25.《尤利西斯》《查泰莱夫人的情人》和《北回归线》为什么被列为20世纪的三大禁书？ 430
26. 林肯为什么说《汤姆叔叔的小屋》导致了一场南北战争？ 430
27.《源氏物语》为什么被誉为“日本的《红楼梦》”？ 431
28.《君士坦丁赠礼》是伪造的吗？ 432
29. “死海书卷”是最古老的《圣经》吗？ 433
30.《三国志》中的《倭人传》是倭人社会的真实反映吗？ 434
31.《吉尔伽美什》史诗与挪亚方舟的故事有什么关系？ 435
32.《罗摩衍那》为什么被称为东方的《奥德赛》？ 436
33.《希伯来圣经》为什么说犹太人只比“上帝微小一点”？ 437
34.《妥拉》真的是上帝的著作吗？ 438
35. 普希金为什么仅读了5章就称拜伦的《唐璜》是个奇迹？ 438
36. 丹尼斯留在狮身人面像下的羊皮书就是传说中的《智慧之书》吗？ 439
37. 印度的“挪亚方舟”故事讲的是什么？ 440
38. 梅尔维尔的《白鲸》有什么寓意？ 441
39.《摩诃婆罗多》是广博仙人创作的吗？ 442

第十三章　巨匠逸事·文坛趣闻

1. 深爱祖国的拜伦为何长期漂泊国外？ 444
2. 安徒生真的是一位王子吗？ 445
3. 墨西哥女诗人索尔·胡安娜为什么会选择当修女？ 446
4. 哈姆雷特为什么要拖延复仇计划？ 447

5. 尼采的著作被人篡改过吗？ 448
6. 普希金为什么被称为“俄罗斯文学的太阳”？ 449
7. 儒学是何时传入日本的？ 450
8. 日本诗歌中的“乌发如云”，
为什么被男人们说成极具“感官刺激”呢？ 451
9. 索福克勒斯为什么被称为“戏剧艺术的荷马”？ 452
10. 少年维特有什么烦恼？ 453
11. 普希金笔下的奥涅金为什么会成为典型的“多余人”？ 454
12. 谁是杀害普希金的真正凶手？ 455
13. 人们为什么将精神恋爱称为“柏拉图式的爱情”？ 456
14. 恰达耶夫为什么说俄罗斯人是“世界上孤独的人”？ 456
15. 托尔斯泰为什么始终没有获得诺贝尔文学奖？ 457
16. 苏格拉底的死仅仅是因为“莫须有”的罪名吗？ 458
17. 马可·波罗曾经到过中国吗？ 459
18. 萨福是世界上第一位女诗人吗？ 460
19. 波德莱尔为什么自称“颓废派诗人”？ 461
20.“神奇的卡拉扬”是纳粹战犯吗？ 462
21. 弗洛伊德为什么要放弃性诱惑论？ 463

第十四章　乐舞风流·趣话体育

1. 自然界有哪些“乐器”？ 466
2. 卡拉 OK 是怎么产生的？ 467
3. 竖琴是哪个国家的象征和标志？ 468
4. 作曲家帕勒斯特里纳为什么会做修士？ 469
5. 贝多芬秘密抽屉中的三封情书是写给谁的？ 470
6. 莫扎特的死亡是因为“黑衣使者”吗？ 471
7. 爵士音乐为什么会发祥于美国的新奥尔良？ 472
8. 柴可夫斯基究竟死于霍乱还是自杀？ 473

9. 古埃及人有什么音乐成就？ 474
10. “钢琴大王”是谁？ 475
11. 世界名曲《我的太阳》中的“太阳”究竟指什么？ 476
12. 贝多芬的《第三交响曲》最初是献给拿破仑的吗？ 477
13. 美国的国歌是如何诞生的？ 478
14. 舒伯特为什么要与贝多芬葬在一起？ 479
15. 什么是“交响芭蕾”？ 480
16. 何为钢管舞？ 481
17. 为什么说拉丁舞是三种文化的融合体？ 482
18. 歌舞伎的创始人阿国一举成名后为何神秘消失？ 483
19. 古印度的巫师为什么可以赤着脚在灼热卵石上翩翩起舞？ 484
20. 百老汇为什么会成为世界戏剧艺术的代名词呢？ 485
21. 为什么金像奖又被称为“奥斯卡”？ 485
22. 历届奥运会吉祥物是什么？ 486
23. 古代奥运会有哪些竞赛章程和授奖仪式？ 487
24. 古代奥运会有哪些竞赛项目？ 488
25. 马拉松比赛的距离为什么不是整数呢？ 490
26. 什么是极限运动？ 491
27. 人类百米速度的极限是多少？ 492
28. 美国人认为最刺激、最具有挑战性的体育运动是什么？ 493
29. 现代五项运动的起源是怎样的？ 494
30. 橄榄球的起源与足球有关吗？ 494
31. “篮球之父”是谁？ 495
32. 关于羽毛球的起源有哪几种说法？ 496
33. 乒乓球运动是由网球运动派生出来的吗？ 497
34. 网球为何使用“15”“30”“40”这种怪异的计分方式？ 498
35.《蓝色多瑙河》的作者是老约翰·斯特劳斯还是小约翰·斯特劳斯？ 499

第十五章　传奇名画·神奇艺术

1. 为什么有人认为达·芬奇的很多发明是抄袭中国文明的成就？……501
2. 凡·高的艺术作品为什么到他死后才得到社会的认可？……502
3.《最后的晚餐》为何以院长的身份来塑造犹大？……503
4.《手拿烟斗的男孩》画的是谁？……504
5.《琉特琴演奏者》是男还是女？……505
6.《伽拉忒亚的凯旋》源于怎样的故事？……505
7. 名画《格尔尼卡》有什么象征意义？……506
8.《无名女郎》究竟画的是谁？……507
9.《吻》是一幅表现色情的绘画作品吗？……508
10.《奇袭》里被袭击的是谁？……509
11. 有人在凡·高的画作中看到了物理公式，这是真的吗？……510
12.《马拉之死》独特的艺术构图是因为马拉患有湿疹吗？……511
13.《蒙娜丽莎》的原型是谁？……512
14. 蒙娜丽莎在笑什么？……514
15.《拉·福尔纳里娜》是不是拉斐尔的真迹？……515
16.《查理四世一家》为什么要将王后置于画面中央？……516
17. 格列柯是艺术天才还是狂暴画家？……517
18.《亚威农少女》是怎样的一幅作品？……518
19.《微笑的蜘蛛》的蜘蛛形象出自何处？……519
20.《死神与樵夫》的寓意是什么？……520
21. 塞尚为何被誉为“现代艺术之父”？……520
22.《记忆的永恒》寓意何在？……521
23.《扑粉的女人》画的是谁？……523
24.《军官与微笑的少女》的作者是谁？……523
25. 维米尔的《绘画的寓言》为何让人困惑？……524
26. 马奈的《奥林匹亚》的主题是什么？……525
27.《三个哲学家》中的人物是什么身份？……526

28.《拿破仑加冕》为何会“跑题”？……527
29.《暴风雨》想要表达的主题是什么？……528
30. 浮世绘就是春宫图吗？……529
31. 纳斯卡的巨型地画有什么特殊含义？……530
32. 古埃及人为什么要在坟墓中绘制壁画？……531
33. 漫画是如何产生的？……532
34. 菲斯托斯圆盘上究竟印着什么？……533
35. 洛可可艺术为什么被称为“路易十五式”？……534

第十六章　传统宗教·要事趣事

1. 佛教起源于印度，为什么最大的佛塔却在印度尼西亚？……535
2. 为什么会有千手观音？……536
3. 观音为什么要转换性别？……537
4. 印度的僧人为何要结婚生子后才出家修行？……537
5. 古代的印度僧人穿什么样的僧服？……538
6. 为什么印度在佛教产生几百年后才开始出现人形佛像？……539
7. 日本佛教徒为什么要为猫超度灵魂？……540
8. 奈良时代，为何会有众多僧侣不顾朝廷的禁令离开寺院？……541
9. 普化宗的僧侣有什么奇特之处？……542
10. 日本的盂兰盆节与佛教有关吗？……542
11.“祇园会”与“祇园精舍”有什么关系？……543
12. 神像的前面为何要点油灯？……544
13. 佛教的宇宙观在桑奇大塔中得到了很好的体现吗？……545
14. 基督教产生于何地？……546
15. 圣诞节一直被认为是耶稣的诞辰纪念日，
但为什么有些学者认为它起源于太阳神节呢？……546
16. 什么是“三位一体”？……547
17. 墨西哥的土著宗教与基督教有关系吗？……548

18. 基督教徒在胸前画十字的手势有什么寓意？……549
19.“大文字烧”与弘法大师有什么关系？……550
20. 犹太教强大的凝聚力缘于何处？……551
21. 犹太人崇敬的摩西为什么会被认为是埃及人？……552
22. 摩门教徒为何要西迁犹他州？……553
23.“基路伯”究竟是什么？……554
24.“安息日”对犹太人来说有什么特别的意义？……555
25. 犹太人怎样称呼他们的上帝？……556
26. 犹太人为什么要将赎罪日安排在新年期间？……557
27. 在犹太人的宗教仪式中所使用的“四类”有什么特别的寓意？……557

第十七章 风俗礼仪·民间习惯

1. 原始巫师为什么爱吃毒蘑菇？……559
2. 雅典娜是怎样的神？……560
3. 普罗米修斯为什么要忍受神鹰的啄食？……561
4. 阿散蒂人为什么会将金凳子视为圣物？……561
5. 为什么用鸽子和橄榄枝来象征和平？……562
6. 塞浦路斯为什么被称为“爱神的故乡”？……563
7.“金比罗”是谁？……564
8. 富士山为什么会成为日本人崇拜的“灵峰”？……564
9. 为什么很多日本人要参拜杨贵妃？……565
10. 花草为何会受到日本人的敬重和崇拜？……566
11. 偶人为何会受到日本人的特别重视？……567
12. 日本人如何将自身的灾祸和污秽转移给偶人？……567
13. 美索不达米亚人为何求长生而不求永生？……568
14. 羊羔为什么会成为美索不达米亚人的主要祭品？……569
15. 在美索不达米亚的土地上，庙宇为何多得数不清？……569
16. 书吏为何会受到美索不达米亚人的崇拜和尊重？……570
17. 巴比伦人为什么认为 7 月 1 日阴天是不吉利的？……571

18. 库斯科的贞女宫和太阳神庙为什么会被隔开？ 572
19. 帕查卡马克是印加人极为尊敬的神，
但为什么人们对这位神既不筑神庙也不予祭祀呢？ 572
20. 印加为什么很少使用人牲祭祀？ 573
21. 印加统治者为什么要供奉其他民族的神像？ 574
22. 用黄金塑造太阳神像的是印加人吗？ 575
23. 印加人会对神灵发誓吗？ 575
24. 大象为何是古印度人十分热爱和崇拜的动物？ 576
25. 印度人为什么将以牛粪铺地、抹身视为洁净之事？ 577
26. 古代闪族中的“圣树”有什么象征意义？ 578
27. 诞生树和灵魂鸟是怎么回事？ 579
28. 羽蛇神与中国龙有关系吗？ 580
29. 西班牙男女如何在婚礼上争夺家庭的主导权？ 581
30. 太阳神阿波罗为何要戴着月桂花环？ 581

第十八章　传统风俗 · 节日宜忌

1. 原始人为什么要举行成丁礼？ 583
2. 绳纹时代有人工拔牙的习俗吗？ 584
3. 为什么有些原始人要残忍地杀害婴儿？ 584
4. 原始部落的“处女禁忌”是怎么回事？ 585
5. 古埃及人为什么要剃光头发戴假发？ 586
6. 沦为古罗马的女奴后还可以重获自由吗？ 587
7. 白鹅和狗为何会被古罗马人抬着在街道上游行？ 588
8. 印加的贵族男子为什么都必须接受“瓦拉库”考验？ 589
9. 日本的武士道精神是如何形成的？ 590
10. 古印度妇女为何宁愿被焚烧也不愿守活寡？ 590
11. 犹太男子为什么要行割礼？ 591
12. 犹太人为什么不能吃动物的后腿？ 592
13. 在“住棚节”的第 7 天，犹太人为何要用棕树枝拍打地面？ 593

14. 逾越节期间为何禁止食用一切含酵的食物? 594
15. 搬入新居时，犹太人要举行什么特别的仪式? 594
16. 犹太男子为何不在公共场合碰触自己的妻子，
也不与任何女人握手? 595
17. 犹太人为什么只为男孩举行成人礼? 596
18. 日本人为什么要“守灵”? 597
19. 为什么很多日本人都有大海情结? 598
20. 每逢新年，日本人为什么在家门口放一棵松树? 599
21. “拷问果树”是怎么回事? 599
22. “撒豆”是为了驱晦气，迎好运吗? 600
23. 七夕也是日本人的节日吗? 601
24. 玛雅人有供奉死去亲人的习俗吗? 601
25. 眼睛的造型为什么会成为古埃及人献给死者的重要祭品之一? 602
26. 古埃及医生在为病人治病时，为什么还要念咒语? 603
27. 犹太人为何排斥火葬? 604

第十九章 日常生活·千差万别

1. 观看角斗士表演因何会成为古罗马人的一大喜好? 605
2. 罗马新娘出嫁时，人们为什么要愉快地呼喊“塔拉西乌斯”? 606
3. 苏美尔时期会有人因为高价出售啤酒而被扔到河里吗? 607
4. 古巴比伦女性身戴橄榄枝有什么寓意? 607
5. 巴比伦的巫医给病人开的药方为什么多是一些让人呕吐的东西? 608
6. 亚述贵族为什么喜欢狩猎? 609
7. 美索不达米亚人是如何哀悼死者的? 610
8. 奉行近亲婚配的印加贵族为何个个生得相貌堂堂? 610
9. 印加人为什么都有硕大的耳朵? 611
10. 印加贵族享用的“库卡”与可卡因有什么关系? 612
11. 印加王为什么要佩戴两根“科雷肯克”鸟的羽毛? 612
12. 手持“钺”是印加王储的象征吗? 613

13. 印加百姓为何在中午和晚上吃饭的时候敞门开户？ 614
14. 发生月食时，印加人为什么要用棒子狠狠地打狗？ 615
15. 在印加，为什么身份越高贵的女子在婚姻上的选择空间越小？ 615
16. 古印度人奉行素食主义与牛有何关系？ 616
17. 在祈求赌博的好运气时，古印度人会念什么咒语？ 617
18. 练习瑜伽真的可以使人解脱吗？ 618
19. 犹太新郎送给新娘的戒指为何不镶任何珠宝？ 619
20. 犹太社会为何很少发生离婚的现象？ 620
21. 玛雅人为什么对狗有着深厚的情感？ 620
22. 玛雅妇女会因为没给丈夫准备洗澡水而挨打吗？ 622
23. 在结婚之前，玛雅男子都要在未来丈人家当六七年的“长工”吗？ 622
24. 绳纹人的典型形象是什么？ 623
25. 远古时代的日本人对颜色的感情怎样？ 624
26. 平安时代的日本女性为什么以黑齿为美？ 625
27. 日本人是怎么送礼的？ 626

第二十章　百事百物·探根求源

1. 古代的匈奴人为什么要用骷髅制作器物？ 627
2. 玛雅人为什么要用可可豆做货币？ 628
3. 箸墓有着怎样动人的传说？ 629
4. 酸奶是怎样产生的？ 629
5. 英国人为什么对红茶如此钟爱？ 630
6. 芳香四溢的香槟酒是如何产生的？ 631
7. 高跟鞋是怎样产生的？ 632
8. 最初的手套是用来保暖的吗？ 633
9. 早餐麦片是如何发明的？ 633
10. 港口、码头等地的服务队员为什么要戴红帽子？ 634
11. 厨师为什么要戴白色的高帽？ 635
12. 餐巾的产生与男人的大胡子有什么关系？ 636

13. 西服的衣袖上为什么要钉三颗纽扣？……637
14. 裤线是怎样产生的？……637
15. 军装为什么要用绿色？……638
16. 世界上最早的蹲式厕所是什么样的？……639
17. 芭比娃娃是如何产生的？……639
18. 香水本来是酬神上供的，为什么会变成一种香体液？……640
19. 高尔夫球上为什么会有小坑？……641
20. 一个星期为什么有 7 天？……642
21. 英语中的星期有什么特别的来历？……643
22.“闰秒”是怎么回事？……644
23. 邮票为什么会有齿孔？……645
24. 斑马线从何而来？……645
25. 交通灯为什么要选择红、黄、绿这三种颜色？……646
26. 圣马力诺共和国为什么没有红绿灯也不堵车？……647
27. 世界上最宽的马路在哪里？……648
28. 理发店为什么要以三色柱为标志？……648
29. 巴贝吉计算机的发明与提花丝织机有什么关系？……649

第二十一章　天文地理·生物科学

1. 银河系的中心到底是什么？……651
2. 太阳还能燃烧多久？……652
3. 真的有太阳系地外生命吗？……655
4. 火星上有生命吗？……658
5. 尼斯湖怪兽到底是什么？……661
6. 太平洋怪兽是蛇颈龙、鲨鱼，还是爬虫？……663
7. 动物为什么选择集体自杀？……666
8. 动物之间为什么会发生争斗？……668

第一章

神话传说·奇闻逸事

1. 人类历史上是否存在过“食人之风”？

在今天看来，食人现象不仅过于残忍，而且也是难以置信的。这种荒唐的事情应该只出现在艺术作品之中，而不应该出现在现实生活中。那么，人类历史上是否真的存在过“食人之风”呢？答案是肯定的。考古发现向人类的承受力提出了挑战，将人吃人的场景摆在了人们面前。

达尔文在《一个自然科学家在贝格尔舰上的环球旅行记》中描述过南美火地岛吃人的情形：“在冬天，火地岛人由于饥饿的驱使，就把岛内的老年妇女杀死和吃食，反而留下狗到以后再杀。”1863年出版的英国赫胥黎的《人类在自然界的位置》一书中也有类似的记载：“在非洲刚果的北部，过去住着一个民族叫安济奎，这个民族的人民非常残酷，不论朋友、亲属，都互相吃食。他们的肉店里挂满了人肉，以代替牛肉和羊肉。他们把在战争时捉到的敌人拿来充饥，又把卖不出好价钱的奴隶养肥了，宰杀果腹。”

从这些对现代吃人现象的记述便可得知，人类历史上一定是存在食人之风的，且现代的吃人现象应该就是古代食人之风的遗留。

其实，远古时代不仅存在食人之风，而且还一度盛行。在斐济群岛，土著人常将打死的敌人烤熟或煮熟后分食。到了氏族时期，阿兹特克人仍然保留着宰食战俘的习俗。在古希腊，阿卡地亚国王也有吃人的习惯，每当他杀死一个人后，就会将其分成两半儿，一半煮熟吃，另一半直接用火烤着吃。非洲中部的贝拉尔人，常生食死去的同族成员。达尼人则通过分吃战败者的尸体来表示对敌人的蔑视。此外，16世纪前的台湾土著和20世纪前的毛利人等也是著名的“食人部落”。

直到19世纪末，甚至20世纪中期，在太平洋地区、澳洲、欧洲与印度尼西亚的某些海岛上，以及非洲和南美洲的某些地区，还生存着数十种食人部落。

知识链接

最残忍的食人部落

食人之风虽然在远古时代比较普遍，但更多地表现为部落之间的冲突，食用本族成员的现象还是极个别的，即使有也是食用死去同胞的尸体。然而在澳洲，却生活着一个非常残忍的食人部落，他们分食的不仅有自己的同胞，而且还有自己的亲生骨肉。最为残忍的是，他们要将孩子活活杀死，然后再与其他人分享。据黎明志的《简明婚姻史》记载：“澳洲土著人中，如公社来了显贵的客人，而又没有好食物待客，便杀掉一个孩子，把他的肉煮给客人吃，这算是最高的礼遇。”

2. 人类的发源地在非洲吗？

关于人类的发源地，历来都是人们争论的焦点。起初，达尔文曾提出非洲起源说，但这一说法随着爪哇人和北京人的发现而被否定。不过，东非人和“能人”的发现又使考古学界倾向于人类起源于非洲的说法。那么，人类的发源地究竟在不在非洲呢？

人类的历史是随着考古发现而不断向前推进的。起初，人们认为人类的历史不过数千年；后来，随着尼安德特人、克鲁马农人的发现，人类历史向前推进到10多万年前；19世纪末至20世纪初，爪哇人、北京人的发现又将人类历史改写为50万年；到了20世纪50年代，人类历史被推进到百万年前；而20世纪50年代后，随着东非一系列人类化石的发现，人类的历史已经被改写为350万年。

目前发现的年代较早的人类遗迹，都是在非洲发现的。1959年在坦桑尼亚奥铎威峡谷一带出土的“东非人”、1963年在同一地层被发现的“能人”，以及1975年在坦尼亚北部的莱托利地区发现的“能人”足迹等，都让人们将目光投向了非洲大地。无论是距今175万年以前的“东非人”，还是距今185万年以前的“能人”，都要比其他地区发现的人类遗骨早得多。至于后来发现的人类足迹与化石，则更是将非洲的人类史向前推进了一大段。

达尔文曾得出过人类起源于非洲的推论，而他的这一推论也得到了大部分人类学家的肯定。他们的依据有三：一是只有在非洲大陆发现了迄今为止人类进化各个阶段的化石，从古猿到拉玛古猿、南方古猿，以及“完全形成的人”——能人、直立人、智人和现代人；二是非洲地域辽阔、地形多变，适合猿类的进化；三是分子生物学最近的研究也表明，非洲的大猩猩和黑猩猩与人有最近的亲缘关系，这也给达尔文的推论提供了有力的科学依据。

由此看来，人类的发源地很可能就在非洲。不过目前这种说法还只是人们根据科学发现做出的推论。相信随着科学的进步和考古的发现，人类的起源之谜最终会被解开。

3. 史前曾经爆发过核大战吗?

有一种观点认为，地球上曾先后出现过5次高度发达的文明，但由于自身或气候变化等原因最后都毁灭了。史前文明的发达程度目前还无法准确衡量，但从陆续发现的史前遗址中，我们也可以窥知一二。

随着考古工作的进行，人们一次又一次被史前文明的高度发达所震撼。于是，有人推想，史前可能也曾爆发过核大战。这听起来似乎有些不可思议，核武器是近代才出现的，遥远的史前时期连核武器都没有，又怎么可能爆发核大战呢?

1972年，考古工作者在非洲加蓬共和国境内发现了一个20亿年前的铀矿——奥克洛铀矿。在矿里还发现了一个不可思议的史前遗迹：一个古老的核反应堆。它是由6个区域的大约500吨铀矿石组成的，其运转时间已经有50万年之久。现代事物出现在遥远的50万年前，这足以让我们相信人类早期应该存在高度发达的文明。如果核反应堆确实存在，就具备了爆发核战争的条件，但这样的战争究竟有没有发生呢？

在秘鲁，人们发现了一座岩石呈玻璃化状的石壁。这样的石壁只有在极高的温度下——要么是核爆炸，要么是陨石坠落——才能形成。如果是陨石坠落，那就一定会在周围找到陨石坑，可在这座石壁的周围并没有发现任何陨石坑，因此可基本排除是陨石造成的。那么，剩下的可能就只有一种了。

其实，在世界上的很多地方都可以找到史前核大战的证据。如哈特萨城、摩亨佐·达罗古城等都是在极高的温度下毁灭的，而且在这两个城市都可以找到只有核爆炸才能形成的托立提尼物质。此外，如今残存的古巴比伦塔废墟上也有人工造成的高温痕迹。一位研究者曾这样写道："不仅烧红了数百块砖，还熔化了它们，全部塔的骨架和整个泥墙也被烧焦了。"这显然不是一般的火灾所能造成的。

由此看来，史前核大战并非耸人听闻，只是，要证实它的存在，还需要更多的考古证据。

4. "箕子入朝"是否确有其事？

古朝鲜位于中国东北部，包括现在的朝鲜和韩国。关于朝鲜的起源，存在"箕子入朝"的说法。不过对于其真实性，却始终有人持怀疑态度。那么，"箕子入朝"是否确有其事呢？

相传箕子是中国殷商时期的大贵族，有人说他是商纣的叔父，也有人说他是商纣的庶兄，说法不一。商朝末年，纣王昏庸无度，残暴成性，整日沉湎于酒色之中，不理朝政，且听信谗言，滥杀无辜，致使社会动荡，危机四伏。

当时，朝中有一批忠于殷商的大贵族，如箕子、微子、比干等，他们意识到了殷商危在旦夕，就劝谏纣王远酒色、亲忠良，勤于政事，改革朝纲，以挽救江山社稷。可屡次进谏都没有效果，还触怒了纣王，使得比干被杀，箕子被囚，微子出逃。

周武王灭商后，箕子被释放。获释后的箕子无法接受周武王取代商朝的事实，就率领5000不满现状的人逃到周朝的东部边陲——东夷，即朝鲜半岛北部一带定居下来，据地称雄，建立了古朝鲜。周武王听说后，就将朝鲜封给了箕子。

关于这段“历史”，有人表示认可，有人拒不承认，还有人保持中立。

肯定论者认为“箕子入朝”确有其事。最直接的证据是中国古籍和朝鲜古籍都有关于此事的记载。此外，学者们也通过考证得出了同样的结论。有学者认为，平壤附近的“箕田”即是“箕子入朝”的物证。“箕田井井方方的，和商代甲骨文田字相合，而一区七十亩则和孟子所说‘殷人七十而助’相合，这种划分的方法则是箕子从商朝传来的”。

否定论者认为根本就没有“箕子入朝”之事，在朝鲜出现的箕子墓和平壤的箕子井田也都是后人的附会。否定者中有人提出，《尚书大传》中记载的“释箕子之囚”是武王十三年，而东走朝鲜的箕子又“于十二祀来朝”，在同一年内往返朝鲜和镐京两地，这在交通工具极不发达的古代是不可能的，因此“箕子入朝”实是子虚乌有。

中立者则认为存在“箕子入朝”的可能性，但不能轻易下定论。从考古学上虽然不能证明箕子开辟朝鲜的传说，但从考古学上也还未证明其没有。

由此可见，在究竟有没有“箕子入朝”一事上，目前还无法形成定论。

5. 匈奴人也会摆“鱼丽阵”吗？

据《汉书·陈汤传》记载，公元前36年秋，西域都护甘延寿与副校尉陈汤率领的4万汉军与匈奴郅支单于的军队在康居对峙。在汉军营地，可以“望见单于城上立五采幡织，数百人披甲乘城，又出百余骑往来驰城下，步兵百余人夹门鱼鳞陈”。这里的“鱼鳞陈”

即“鱼丽阵”，引起了中国学者的兴趣，而这支会列布“鱼丽阵”的军队则引起了历史学家的关注。

“鱼丽阵”一说，在中国古籍中是绝无仅有的。如果没有经过严格的组织训练和相应的阵列条规指导，是不可能将军队列阵布局成鱼鳞状的。而对于匈奴这样的游牧部落来说，组织训练和条规指导都无从谈起，他们打起仗来往往凭借自身的勇敢，基本无章可循，因此要布列“鱼丽阵”可以说是天方夜谭。那么，这支会摆“鱼丽阵”的“匈奴”军队又是怎么回事呢？

1955年，英国牛津大学学院研究员德效骞教授在一次演讲中提出，汉军在郅支都城见到的“鱼丽阵”是典型的罗马阵列——龟甲型攻城阵。他们使用的是长方形盾板，其正面呈圆凸状，士兵手持盾板上端，并肩站在一起，极似鱼鳞，因此才有了“鱼丽阵”的说法。由于这种阵列只有罗马军队使用，因此甘延寿和陈汤见到的摆“鱼丽阵”的百余人可能并不是匈奴人，而是罗马人。

在这场战争中，甘延寿、陈汤共斩郅支阏氏、太子、名王以下1500余人，生擒145人，降虏千余人。德效骞断言，这生擒的145人即布以“鱼丽阵”的百余人，在郅支被杀后，可能自动停止了抵抗，也可能自愿降了中国人。汉军将他们安置在一个特设的边境城镇之中，并以汉代对罗马国或罗马人的称谓“骭”为该城命名。

对于德效骞的推测，中国著名的史学家余英时并不认同。他指出，依照汉朝制度，设县至少要有几千人口，145名罗马军显然不符合设县的条件。

中国是否曾有过“罗马城”暂且不论，但从未摆过“鱼丽阵”的匈奴人是不太可能忽然布设此阵的，因此，虽然这些会摆“鱼丽阵”的人出现在匈奴军中，却极有可能是善摆此阵的罗马人。

知识链接

匈奴军队中的罗马人

澳大利亚专家戴维·哈瑞斯对匈奴军队中的罗马人来历进行了解释。公元前55年，出任叙利亚总督的克拉苏因为缺少罗马人敬重的军事上的建树，急于通过战争来表现自己，遂发动了对帕提亚的战争。公元前54年，他率领4万余人的军队入侵帕提亚，与帕提亚军在卡雷进行了正面交锋。结果，克拉苏在这场战争中被杀，罗马军2万人丧生，1万人被俘，近1/4的士兵逃至叙利亚。此外，还有一支小部队由克拉苏的儿子率领，这支军队后来可能成了北匈奴的附庸，被编入匈奴军中。

6. 亚马孙女儿国在历史上真的存在过吗？

有关亚马孙女儿国的故事最早起源于古希腊神话，传说在黑海沿岸、小亚细亚地区有一个由女人组成的部落王国。这个王国的成员个个骁勇善战，为便于交战时拉弓射箭，她们甚至割去了右侧的乳房。为传宗接代，她们与邻近部落的男子婚配，之后又把丈夫送回部落，生下婴儿如果是女孩就留下抚养，长大后培养成勇猛的女将，如果是男孩或交还其父，或将其杀掉。她们自诩为战神阿瑞斯的后裔，黩武好战，经常出征到欧亚国家，据说还参加了著名的特洛伊战争。

这个神话传说在中世纪欧洲流传甚广。正因为如此，1539–1541年，当西班牙探险队在南美洲一条称为“圣玛丽亚淡水海”的河流附近遭到一群手持利器的印第安女勇士袭击时，立即使他们联想到了亚马孙女儿国，从此这条大河就以亚马孙命名了。

不仅在许多希腊神话传说中，就是在许多史籍中也有关于亚马孙女儿国的记载。希罗多德的《历史》就提到了亚马孙人；阿里安也在其著作中叙述了亚历山大讨伐亚马孙女人国的故事；普鲁塔克则干脆说庞培在宿敌米特拉达梯军队中看见过她们；中国的《大唐西域记》《西游记》《山海经》等名著中也有关于女儿国的记载，人们甚至还认为玄奘在《大唐西域记》中所描述的西女国指的就是亚马孙女儿国。

亚马孙女儿国的故事不仅在欧亚流传，而且在美洲也有关于女儿国的神奇传说和美妙故事，在加勒比人和纳瓦人中都有这类神话。

那么历史上确实存在过亚马孙女儿国吗？许多人把它看成纯属虚构的神话传说。其中一些人认为，希腊人与亚马孙人战争的故事，是黑海地区殖民地希腊文化与土著文化之间的冲突在神话中的反映。而现在一些学者认为，这些神话传说多少带有事实的成分，从希罗多德的历史著作来看，亚马孙人应该存在过，而且雅典人以战胜他们为荣。

1976年，苏联考古学家在伏尔加河中游古巴尔加斯附近发现了一座2000年前的女人墓，墓中有一把剑和几个箭头，这个发现成为亚马孙女儿国存在的一个佐证，因为这里与希罗多德所说的地理位置基本一致。

7. 传说中的“巨人”真的存在吗？

“巨人”是科幻小说和电影常见的题材。它们身材高大、力大无穷、面目狰狞、性情暴躁。这种形象多源于古代有关巨人族的神话传说，那么这种传说中的“巨人”是否真的存在呢？一系列考古发现为我们揭开了谜底。

1911年，一些矿工来到美国内华达州的垂发洞挖掘鸟粪，无意中发现了一具巨大的木乃伊。第二年，考古学家在同一洞穴发现了更多的巨人木乃伊。他们身高2米左右，长着红色的披肩长发，恰好与印第安传说中的红发巨人相吻合。

1950年，考古工作者在土耳其发现了许多巨大的骨头化石。这些骨头与人的骨头十分相似，只是比例要大很多。其中，一个大腿骨化石竟有120厘米长，据此推算，这个人的身高应该在5米左右。

1966年，印度生物学家在距新德里116千米的地方，发现了一具巨大的、酷似人类的骨骼。其身长可达4米，仅肋骨就有1米。经鉴定得知，这具骨骼并不属于人类，而是属于与人类相近的猿类，应该生存在100万年前。

1986年底，人们在墨西哥城东部又发现了一个完整的巨人头颅骨。这个头颅骨高50厘米，宽25厘米，犬牙比现代人大2.5倍，据此推算，该头颅骨主人的身高应该在3.5–5米之间。

考古发掘还在不断进行着，而有关巨人的消息也不时传来。如此多的考古证据让我们根本无法否定巨人的存在，而更为重要的是，这些巨人可能仍然在世界的某个角落存在着，只是目前还没有被发现而已。

8. 真的有“小人国”吗?

小说《格列佛游记》中讲述了一个关于“小人国”的故事：医生格列佛在海上遇险，死里逃生，漂到利立浦特小人国。格列佛帮助他们打败了同样是小人国的“不来夫斯古”，但后来遭到猜忌，被迫逃出利立浦特，回到英国。这当然是作者斯威夫特的杜撰，但故事中出现的“小人国”却引起了不少人的兴趣。那么，世界上是否真的存在“小人国”呢？答案是肯定的。

在哥伦比亚和委内瑞拉交界处的一个偏僻村落中，就生活着一群“小人”。他们虽然大多已经成年，但却身材矮小，一般都在1米以下。如果不仔细看，还以为是一群山村野孩子。别看个子小，但这些“小人”却个个身强力壮，肌肉非常发达，尤其是双手特别有力，这或许与他们长期参加体力劳动有关。虽然这个只有300多人的小部落还称不上“国”，但至少让我们知道了“小人族”确实是存在的。

如果说上面的“小人部落”还不能称之为“国”，那么非洲中部的“小人国”就绝对称得上名副其实了。它位于中非、刚果（布）和刚果（金）三国交界处的热带丛林里，据不完全统计，生活在那里的“小人”约有20万人。这群“小人”被称为俾格米人，他们的身材要比前面提到的“小人”略高一些，一般在一米二三左右，最高的不超过1.4米。

他们生活的热带原始森林地处赤道附近，气温一般都在30摄氏度以上，所以他们不穿衣服，只在下腹部挂上一点儿树叶。他们完全过着原始社会的生活。他们不知道时间，也不知道自己几岁，只是每天按部就班地生活着。男人外出打猎，女人则采集树根和野果。他们的存在早已不是秘密，中非共和国曾经试图让“小人”搬出丛林，过现代人的生活，但都失败了。

看来，“小人国”确实存在，但他们的身材为何矮小，则尚待科学家的进一步研究。

9. 印加人为何要在“空中”建造城堡？

在印加的多个城堡中，有一座建筑不可不提，那就是神秘的“马丘比丘”。它高耸在海拔约2350米的山脊上，于1911年6月被耶鲁大学的海勒姆·宾海姆教授发现。

马丘比丘可能是印加帝国全盛时期最辉煌的城市建筑，全用巨石建成，墙上石块和石块之间的缝隙连匕首都无法放进去。人们无法理解印加人究竟是如何把它们拼接在一起的。至于印加人是如何将重达20吨的巨石搬上山的，也同样成了未解之谜。

整个遗迹由约140个建筑物组成，包括寺庙、避难所、公园和居住区。神殿区中12座殿宇巍然矗立。主神殿坐北朝南，面向神圣广场。神圣广场的一面是三窗殿。传说印加人的祖先就是从其中的“富饶之窗”出发去建立帝国的。这里还建有超过100处的阶梯，几乎每处阶梯都是由一整块巨大的花岗岩凿成。

那么，印加帝国为什么要建造这样一座远远超越当时生产力水平的空中城堡呢？是为了军事目的吗？多少年来，考古学家对这个神奇的古城提出了众多的猜想。最有说服力的猜想是：印加人为了祭祀建造了马丘比丘。

印加人崇拜太阳，太阳神是最高地位的神，印加人都自诩为“太阳的子孙”。选择这样高的位置建设如此规模的一座城，无非是为了离太阳更近一些。马丘比丘并不是一座普通的堡垒，而是一个举行宗教祭祀仪式的活动中心。考古学家在城中发掘出173具尸骨，其中女性人数为150人，考古学家推断，这些女人都是敬献给太阳神的祭品。

10. 是腓尼基人发现了美洲大陆吗？

一般认为，最早发现美洲大陆的是哥伦布。但有一系列证据表明，在哥伦布登上美洲大陆以前，就已经有人来到了这里。那么，最早发现美洲大陆的究竟是什么人呢？一些学者将目光锁在了腓尼基人身上。

1872年，在巴西的一个村庄里发现的一块刻着奇特文字的石碑引起了人们的兴趣。巴西国立博物馆馆长拉尔·内特认为，这些碑文可能是腓尼基文。随后，他对碑文进行了解读：“……我们10艘船穿越红海，漂行2年，绕非洲航行了一周。由于遇上风暴，舰队被冲散了。现在我们12个男的和3个女的来到了这新的海滨。承蒙大慈大悲的神的赐顾，这块土地现在由船队队长我统治。”

无独有偶，1987年，在瓜纳巴拉湾，巴西潜水员发现了两具瓷锚和陶瓷花瓶，经测定，这些都是公元前1世纪的制品。那么，这些东西是谁留下的呢？有专家学者认为，这可能是腓尼基人留下的。文物加上碑文，而腓尼基人的航海能力又是众所周知的，因此，有人推测腓尼基人可能在公元前就已经到了美洲，这显然要比哥伦布早得多。

不过对于这种说法，很多欧洲学者却不以为然，有人甚至认为这一刻着奇怪文字的石碑是一件赝品，根本不足采信。遗憾的是，石碑现在已经失踪，因此，关于石碑以及碑文的争论就显得毫无意义了。

为此，支持腓尼基人是美洲最早发现者的学者又另辟蹊径，从地中海及中美洲古文化的相似之处进行阐述。从象形文字到金字塔，再到建筑艺术以及天文历法等，两个地区都有相似之处。如果不是腓尼基人给美洲带来了东方文明，那又该如何解释呢？

当然，无论是支持者还是反对者，都无法提供有力的证据。因此，关于美洲大陆发现者是谁的争论还将持续下去，直到真相大白的那天为止。

11.“殷人东渡美洲论”可信吗？

1761年，法国汉学家德·歧尼在他的一份研究报告中首次提出了“殷人东渡美洲论”。这一观点得到了很多学者的支持和认同，而近年来的考古发现也在向这一观点倾斜。那么，事情是否果真如此呢？

据考证，中国名僧慧深早在1000多年前就已经登上了美洲大陆，并在墨西哥等地活动了约40余年。回国后，他将自己在美洲的见闻写了下来，这一珍贵记录保留在姚察、姚思廉父子著的《梁书》中，成为最重要的物证。此外，在墨西哥和秘鲁的某些古国遗址中，也发现与中国一样的佛像。由此可见，中国人和美洲人应该早在1000多年前就已经开始交往，只是这种交往可能并非正式的官方交往，而仅限于以传播佛教文化为主的民间交往。

在美洲各地，已发现了大量的中国古代文物，其中有不少文物还印有古汉字，带有浓郁的中国殷商文化特色；而在中国，也同样发现了4000年前的碳化了的美洲花生和谷物。不仅如此，在文化习俗上，美洲人也与中国人有着惊人的相似，美洲威哥尔的印第安人甚至连长相都与中国人十分相近。如此多的“巧合”，再加上古代中国人先进的航海技术，大大增加了“殷人东渡美洲论”的可信度。

殷人为何要东渡美洲呢？英国翻译家梅德赫斯特认为，公元前1000多年武王伐纣时，可能有大批殷人逃亡，泛桴出海。逃亡者在途中遭遇风暴，漂到美洲。美国学者迈克尔·科在他的书中指出，奥尔梅克文明在历史上出现的时间，与中国古代文献中记载的大风暴发生时间接近，因此，奥尔梅克文明很可能来自殷商。

当然，也有人对此表示怀疑，甚至持否定意见。事实上，仅凭文化的相似就认定中国人是美洲大陆的发现者确有牵强之处，奥尔梅克文明与中国文明也不能简单地画等号。可以说，“殷人东渡美洲论”可能是成立的，但还存在很多不确定性，现在还不能急于下定论。

12. 玛雅潘的政治领袖亨纳克·赛尔真的是“神使”吗？

玛雅潘是中美洲古代玛雅文明后期的中心之一，位于墨西哥尤卡坦半岛境内。其政治领袖亨纳克·赛尔是一位杰出的人物，他所取得的成就让人尊敬，甚至被人们认为是“神使”，他真的是“神使”吗？

11世纪初，玛雅潘、奇琴伊察、乌希马尔三城结盟，玛雅从此进入三雄鼎立的局面，相互角逐、融合的结果，就是使这一地区因玛雅潘而闻名。其中的关键人物便是玛雅潘的政治领袖亨纳克·赛尔，而他的“神使”身份则与当地的祭祀和风俗有关。

奇琴伊察位于尤卡坦半岛北部的干旱地区，水源全部来自石灰岩层塌陷形成的两口天然井。在公元前1500–公元250年的玛雅文明形成期，就有先民在此地居住，后来奇琴伊察人占领了此地，他们把这两口性命攸关的天然淡水池奉为“圣井”“雨神之家”。为了取悦神灵，他们会把自己认为珍贵的金银财宝、刀斧贝雕，甚至人牲抛进井里。每当发生饥荒、瘟疫、旱灾等自然灾害，奇琴伊察人就会把活人抛进去，这叫作请活人前往“雨神之家”去询请雨神的谕旨。如果被推下去的人很快溺死，人们就会很失望，认为是不好的凶兆；但如果投下去的人能侥幸活着的话，人们就会放下绳子拉他上来，而这个生还的人则会被认为是“神使”——雨神的使者——而备受崇敬。

据说亨纳克·赛尔就曾经有过被投入圣井而不死的经历，是名副其实的“神使”，因而也成为玛雅政治史上的显赫人物。1194年，赛尔征服奇琴伊察城，随后又镇压乌希马尔，逐步形成了玛雅奴隶制政治实体。今天尤卡坦半岛数十万平方千米的土地被称为“玛雅地区”，很大程度上都要归功于“神使”亨纳克·赛尔给玛雅潘带来的力量和突出地位。

13. 西班牙人征服玛雅得益于他们的长相吗?

征服一个民族靠的是军事实力和政治手腕儿，靠长相去征服对手听起来似乎有些不可思议，不过这样的事情确实曾经发生过，比如西班牙人在征服玛雅的过程中，他们的长相就帮了大忙。

可以说，西班牙人征服玛雅没费太大的力气，虽然说他们也遇到了部分玛雅人的顽强抵抗，但他们几乎没吃过败仗。即使在以少敌多的情况下，西班牙人也可以出人意料地获胜。也许有人会说是玛雅的军事实力导致了他们的失败，但这恐怕不是最重要的原因，否则西班牙人不会如此迅速地占领玛雅。

在几百名西班牙士兵与7万玛雅大军的对阵中，玛雅人竟然输了。就算玛雅人缺乏现代军事知识，不懂得排兵布阵，武器也没有西班牙人的先进，但如此大的人数优势难道还不足以扳回他们的劣势吗？其实，这都是玛雅人的宗教信仰害了他们。

在玛雅的神系之中，大多数的神都长着长长的鹰钩鼻，与欧洲人十分接近。此外，一般的玛雅人是不留胡须的，只有上层人士和神祇才蓄胡须。因此，当胡须浓密且长着鹰钩鼻的西班牙人到来时，玛雅人顿时就惊呆了，他们把西班牙人看成了拥有超能力的神祇而将骑兵也看成了半人半马的天兵天将。所以，战争还没有开始，玛雅人就已经输了，不是输在武力上，而是输在了心理上。

此外，玛雅人的过分迷信也是他们早早败下阵来的重要原因。当西班牙人将屠刀架在他们的脖子上时，他们想到的不是如何抵抗，而是向祭司乞灵。祭司告诉他们雷电会击死邪恶的侵略者，所以他们放松了警觉，安心地到河对岸去等待侵略者被惩罚。

西班牙人一定没想到他们的长相会帮助他们征服玛雅人，这确实大大地减少了他们的损失。

知识链接

归来的羽蛇神

与征服玛雅相比，西班牙人征服阿兹特克要更具传奇色彩。阿兹特克有一个宗教传说：好战之神德兹卡却波卡用计赶走了慈善的羽蛇神，含恨而去的羽蛇神在离开时发誓要重返故地，夺回他应有的地位。当西班牙人科尔特斯来到阿兹特克时，阿兹特克人都把他看成了归来的羽蛇神，对其热烈欢迎。当时的国王蒙提祖玛二世作为好战之神的转世，相信自己终会被羽蛇神赶走。因此，他很轻易就成了科尔特斯的俘虏。

14. 中国人和玛雅人拥有共同的祖先吗?

玛雅文明是中美洲古代印第安人的文明，主要分布在墨西哥南部、危地马拉以及洪都拉斯和萨尔瓦多西部地区。玛雅人与中国人一样都是黄色人种，而且一些出土的文物和科学研究显示，中国人与玛雅人可能拥有共同的祖先。

古代中国文明和玛雅文明都是非常先进、发达的文明，而且这两种文明之间还存在着某种内在的联系。在玛雅浮雕上，曾发现一种长须的龙神图案，与中国的龙颇为相似。在玛雅的神话传说中，也认为月亮上住着可爱的玉兔。这样的相似之处还有很多。

文化上的相似虽然还不足以形成定论，但至少可以说明中国人和玛雅人存在某种必然的联系。著名史学家张光直先生提出了“同源异质”说，认为美洲古代文化和中国古代文化的相似性是“同一祖先的后代在不同时代、不同地点发展的结果”，他称之为“玛雅—中国文化连续体”。也就是说，太平洋两岸的蒙古人种“平行而独立”地发展起各自的文明。

此外，从人种上看，中国人和玛雅人都属于蒙古人种，不同的是中国人属于典型的蒙古人种，而玛雅人则出现了很大的变异。但毕竟中国人和玛雅人已经各自独立发展了几千年，发生适应所处环境的变异是很正常的。也就是说，中国人和玛雅人很可能源于同一祖先，但此后又走上了不同的发展道路，因此产生了两种各具特色的文化，而在这两种文化中，都保留了某些相似的古老文化因素。

15. 玛雅是一个帝国吗？

当西班牙殖民者踏上尤卡坦半岛的时候，他们想当然地认为玛雅也是一个帝国，并以9世纪末为分界线，将玛雅历史分为旧帝国和新帝国两个阶段。但近几十年来的考古发掘表明，玛雅并非帝国，那它又是如何进行政权组织的呢？

按照现在学术界的主流观点，玛雅文明可分为3个阶段：前古典期（约公元前2500–公元250年），即玛雅文化形成期；古典期（约公元250年–900年），在此期间，玛雅文化进入全盛；后古典期（约1000年–1520年）。如果说阿兹特克人、印加人还存在帝国的形式，那么在玛雅各自为政的军事版图上，则根本看不到帝国的影子，只有基于文化、语言和宗教组织起来的松散结构。就是在亨纳克·赛尔统治时期，玛雅潘也只是征服了奇琴伊察和乌希马尔，并没有形成真正意义上的帝国。

在玛雅历史上，没有古埃及式的法老，也没有罗马式的恺撒。玛雅的各个城市虽然同属于玛雅文化圈，但却彼此独立，互不干涉。著名的玛雅研究专家莫利认为：玛雅政权的组织形式，大致类似于公元前6世纪到公元前2世纪的希腊城邦，就像斯巴达、雅典和科林斯之间的关系，或者是13–16世纪期间威尼斯、热那亚和佛罗伦萨之间的关系。

另外，还有一种观点认为，玛雅的人口流动非常频繁，每隔一段时间就要集体迁徙。在频繁的流动中，文化的交融也是不可避免的，这从不同地区出土的、带有细微差别的文物中即可看出。也就是说，同一群玛雅人可能先后在多个地方建立了自己的聚居点，而所谓玛雅人的帝国，不过是这些聚居点的总和罢了。

看来，玛雅历史上并不存在帝国，只有按照相同文化组织起来的若干以城邦为中心的政治实体。

知识链接

玛雅古典时期的政治实体

在古典时期，玛雅的政治实体主要有5处：

（1）中心地带，包括危地马拉的佩腾中北部、墨西哥南部和洪都拉斯，中心城市是蒂卡尔。

（2）墨西哥乌苏马辛塔河谷地，中心城市可能是帕愣克。

（3）东南部地区，中心城市是科潘。

（4）西南部地区，主要政权所在地可能是托尼那。

（5）东北部面积广大的尤卡坦半岛，政治中心可能是奇琴伊察。

16. 弥生人是混血人种吗？

弥生人指的是日本弥生时代的原始人，他们取代了之前的绳纹人登上了日本历史的舞台。不过让人不解的是，这两种文化之间并没有明显的继承关系，而且弥生人也与绳纹人有着明显的不同。那么，弥生人从何而来，他们与绳纹人又有着怎样的关系呢？

关于弥生人的起源，历来争论不休。大致有3种观点：其一认为弥生人是本地土著，其二认为弥生人是外来移民，其三认为弥生人是本地土著与外来移民相结合的混血人种。那么，究竟哪种观点更有道理呢？

考古学家谷部言人、铃木尚等认为，弥生人是绳纹人发展而来的。虽说弥生文化取代绳纹文化是历史的必然，但绳纹人并不会凭空消失。随着生活状态的变化，绳纹人也发生了改变，从而发展成弥生人。这一观点得到了部分历史学家的支持，如井上光贞就认为："绳纹人放弃采摘经济，转而接受水稻耕作，从此进入弥生时代。"

持"外来移民说"观点的人则认为，弥生文化与绳纹文化存在着明显的差异，不可能是本地的土著人创造的，而考古学、民俗学、人类学、历史学的新成果也表明，弥生人可能是从其他国家移民到日本的。至于这些外来移民究竟来自何处，则说法不一，有人认为来自朝鲜，有人认为来自南洋诸岛，还有人认为来自中国北方和吴越地区等。

"混血人种说"是目前最流行的一种说法，最初是由清野谦次提出来的。从外形上看，弥生人要比绳纹人平均高出3厘米。研究者认为，之所以会出现如此明显的差异，主要是因为有身材高大的外来移民的介入，他们与本地土著共同孕育了弥生人。直原和郎甚至计算出外来移民和本地土著的混血率为1：1左右。

有人曾做过一个统计：除北海道以外的日本人口，绳纹后期为16万人，到弥生时代迅速增至60万人，两者相差近4倍。如果没有外来移民，这种人口的激增是难以想象的。

上述3种观点可以说各有支持者，但最具说服力的还是第三种观点，即"混血人种说"。目前，弥生人的混血身份已经基本被学术界所认可，只是对于这些外来移民的来历和规模还不太清楚。

17. 罗慕洛抢亲是人们编造的故事吗？

相传，罗慕洛是战神马尔斯之子，也是罗马城的建立者。这样一位英雄人物，应该是不缺少美女相伴的，那么，在罗马广为流传的罗慕洛抢亲是怎么回事呢？难道只是人们编造的故事吗？

原来，罗慕洛抢亲并非为自己，而是为罗马城所有的单身汉。如此为百姓着想，还真是一位“好”君主。据说在罗马城建立之初，罗慕洛下令大开城门，欢迎各色人等来罗马谋求发展。法令一出，果然大大促进了罗马经济的繁荣，但罗马城内的人丁却不兴旺，城内的大多数男子都没有妻子，而邻邦人又不愿意将女儿送进罗马城，这该如何是好呢？

罗慕洛心生一计。他对外宣称自己发现了隐藏在地下的“康苏斯”神的祭坛，并决定举行盛大的庆祝活动。庆祝活动当晚，罗马城热闹非凡，很多临近的部落也都赶来观看。就在庆祝活动达到高潮的时候，罗慕洛忽然下令待命多时的罗马青年冲进人群，抢走了很多萨宾妇女，并将其分给未婚的男子。

这就是罗慕洛抢亲的过程，不过对于其真实性，史学界却始终说法不一。有人认为这种传说根本就是人们杜撰出来的，不足为信；也有人认为传说虽然不可信，但却反映了罗马公社与萨宾公社结合的历史事实；还有人认为这个传说是可靠的，因为考古学家曾在罗马城东北40千米处发现了萨宾人的城堡。

如此种种，虽然各有说辞，但却都不足以让所有人信服，因此关于罗慕洛抢亲的真假还会继续争论下去。

18. 亚历山大究竟葬身何处？

据说，亚历山大逝世后，他的部将托勒密把他的遗体运到埃及，最后安葬在亚历山大城，并为他建立起一座富丽堂皇的陵墓。当罗马人占领亚历山大城时，恺撒、奥古斯都、卡拉卡尔皇帝等人都曾拜谒过亚历山大的陵墓。可是此后，亚历山大的陵墓就在历史上神秘消失了。

一些考古学家在亚历山大古城的废墟上，开始了对亚历山大陵墓的寻找和挖掘工作。根据希腊人的习俗来分析，城市的创建者在死后就成了神，一般会被葬在市中心，让他的灵魂永远保护全城。因此，考古学家认为亚历山大的陵墓很有可能位于亚历山大城东部的皇宫区，处在两条主要街道的交叉点上。

波兰大学教授玛丽亚·贝尔纳德在一只出土的古陶灯上，发现了古亚历山大城的图案。在这图案上的建筑群中，有一个圆锥形的建筑，她认为可能就是亚历山大的陵墓，因为奥古斯都的陵墓是带尖的圆柱形建筑，而这种墓制很有可能就是模仿亚历山大陵墓建造的。

英国人维斯认为，早期托勒密王朝陵墓可能与亚历山大陵相似，但亚历山大陵墓应该更宏伟。他推测亚历山大的棺椁很可能被安置在一座庙宇里，陵墓里一定会有许多珍贵的饰物、精美的艺术品、王权的标志、国王的雕像以及优良的武器等。

后来，考古学家发现了亚历山大父亲腓力二世的陵墓，印证了维斯的猜测。在这个陵墓的中央停放着高大的大理石石椁，上面设有镶着宝石的沉重的金质瓶状墓饰。国王的遗骨周围是一些银器和铜器、王权的标志、金箭袋、战盔，还有腓力二世及其妻子奥林匹亚德、儿子亚历山大的象牙雕像等。这个发现在考古界引起了轰动，被认为是20世纪最伟大的考古发现之一。

不过，尽管考古学家在寻找亚历山大陵墓的工作上取得了一些进展，但亚历山大究竟葬身何处却至今仍无人知晓。

19. 日本人真是“吴太伯之后”吗?

日本人相传是中国“吴太伯之后”，在中国和日本的古籍中，都可以找到相关的记载。不过对于这种说法，史学界却一直存在着争论。那么，日本人到底是不是“吴太伯之后”呢?

吴太伯即周太王的长子，据说此人十分贤德，曾礼让天下于三弟季历，被孔子称为“至德”。据《资治通鉴》记载：“今日本又云吴太伯之后，盖吴亡，其支庶入海为倭。”而日本人自称吴太伯后裔则最早见于诸鱼豢的《魏略》。此外，唐宋时代的《翰苑》《通典》《梁书》《北史》《晋书》《太平御览》等均有记录。

对此，很多日本学者表示反对。1940年，村尾次郎发表《吴太伯说研究》。在他看来，日本人绝不可能自谓“吴太伯之后”，所谓“自谓”，不过是中国史家的歪曲之笔，其目的即是将日本视为庶流，以此来夸示汉族的优越。

村尾次郎的观点得到了不少日本学者的响应。大森志朗在《吴太伯后裔说》中说道：“关于日本的始祖说，不过是汉民族中华思想的产物，绝非出自日本人之口。”山田孝雄虽然不认同此说是中国史家的刻意歪曲，但仍然否定了它的真实性。他在《神皇正统记述义》中指出：“此非中国人蓄意贬低日本，而是一些古今皆有的日本轻薄之徒，如此献媚弄言，以博彼邦欢心。”

但是不久后，千千和实发表的《吴太伯苗裔说之再探讨》则向村尾、大森的“中国人捏造说”提出挑战。他认为，汉民族创造了光辉灿烂的文明，这让周围的民族羡慕不已，尊崇汉人的心理在当时非常普遍。古代倭王为了强调家系正统和出身高贵，编造出汉人始祖说是非常有可能的。而且日本当时把自己称为汉人后裔，在外交上更为有利。此外，移民的进入也为“太伯后裔说”的产生创造了契机。

其实，汉人迁入日本并不稀奇，而在古代，日本人自称汉人后裔也合情合理。至于迁入日本的汉人有没有吴太伯之后，那就要另当别论了。

20. 古埃及人是黑人还是白人？

众所周知，勤劳聪慧的古埃及人创造了辉煌璀璨的埃及古文明，使古埃及成为四大文明古国之一。然而有趣的是，人们却并不知道古埃及人是谁，甚至一度为其是黑人还是白人而争论不休。

现代的埃及人多为白人，如果他们是古埃及人的直系后裔，那么古埃及人可能也是白人。这样的观点得到了不少西方学者的认同，尤其受到了白人殖民者的欢迎。在白人殖民者看来，只有白人才能创造如此灿烂的古文明，而黑人是绝对不可能办到的。白人殖民者的说法有刻意杜撰之嫌，而近年来的考古发现更是对其进行了有力的抨击。

人类学家通过对木乃伊的骨骼测定和在显微镜下的黑色素测

定，得出了古埃及人是黑人的结论。这在公元前4世纪古希腊哲学家亚里士多德的著作《容貌》中可以获得佐证，他说："太黑的人是懦夫，比如说埃及人和埃塞俄比亚人。但是，肤色太白的人也是懦夫，这点我们可从妇女身上看出来，勇士的肤色介于二者之间。从狮身人面像的头部轮廓也可以看出显著的黑人特征：厚嘴唇、圆脸、宽鼻子。"

不过从流传下来的古埃及人的肖像画中，却可以发现古埃及人的外表特征并不单一。有的颧骨高，有的平坦；有的鼻子扁平，有的则呈弓形；有的肤色白，有的呈棕色。所以，似乎单纯用黑人或白人来区分并不妥当，从埃及的特殊地理位置出发进行分析可能会更具说服力。一般来说，西亚或地中海周围的高加索人、地中海人肤色较白，而埃及处在亚、非、欧三大洲的交界处。独特的地理位置有利于民族的融合，到公元前18世纪，随着西亚和欧洲移民的增多，埃及尤其是尼罗河的下埃及地区，白种人逐渐占据大多数。

古埃及人究竟是黑人还是白人呢？可以这样说，古代埃及人应为黑人，但是后来随着民族的融合、战争等因素，早期白人逐渐在这一地区占据主导地位，而黑人则向南迁徙。

21. 冈比西斯是因为刺杀了埃及神牛"阿庇斯"而死亡的吗？

冈比西斯是古波斯的国王，公元前522 年，他在从埃及返回波斯的途中突然"自死"，死亡原因至今是个谜团。古埃及人认为他是因为刺杀了埃及神牛"阿庇斯"，遭到神的"报复"才死去的。事情果真如此吗？

据希罗多德的《历史》记载，冈比西斯是在盛怒之下杀死埃及神牛"阿庇斯"的。当时，冈比西斯远征埃塞俄比亚失败，正处在极度的懊恼和沮丧之中，可当他回到埃及的时候，却看到了埃及人正在举行庆祝阿庇斯"显现"的盛大祭祀活动。他的怒火马上被点燃了，于是下令杀死那些正在狂欢的埃及人，并在神殿中刺伤了神牛“阿庇斯”的腿，使其因为腿伤而死去。

当冈比西斯突然死去的讯息传来时，埃及人都认为是他刺杀埃及神牛“阿庇斯”的行为惹怒了神灵，所以才遭此“报应”。据说他死去的方式与神牛“阿庇斯”一样，都是因为腿伤而死，这更加坚定了埃及人的看法。

对于冈比西斯的死因，很多学者都提出了自己的观点。有人认为是他在得知高墨达起事之后，因为过度绝望而选择了结束生命；有人认为他的死亡不存在其他客观原因，只是自然死亡；有人认为他是被其他人所杀；有人认为他是“军人中的阴谋的牺牲品”；有人认为他在回国的途中不小心用剑刺伤了股部，结果导致伤口感染而死；等等。

虽然冈比西斯的死因至今仍无定论，但不管是何原因，恐怕都与埃及神牛“阿庇斯”无关，那只是古代埃及人迷信的说法罢了。

知识链接

阿庇斯与牛

在古埃及人看来，阿庇斯是一位伟大的神，起初它被视为创世神普塔赫的化身，后来又演变成了冥王奥西里斯的化身，而牡牛则是属于阿庇斯神的。阿庇斯一般要每隔14年才会出现一次，而每当阿庇斯出现的时候，埃及人都会举行盛大的庆祝活动。那么，阿庇斯如何出现呢？就是通过牛。根据古埃及人的传说，牡牛因为接受太阳的照耀而怀孕，就可以生出“阿庇斯”。事实上，它是一头永远也不会再怀孕的母牛所生的牛犊。“阿庇斯”有如下特点：全身黝黑，前额处有一块四方形的白斑，背上有一个像鹰的东西，尾巴上的毛是双股的，舌头下还有一个类似甲虫的东西。

22. 冈比西斯的兄弟巴尔狄亚真的“死而复生”了吗？

巴尔狄亚是冈比西斯的兄弟。据说，在冈比西斯出征埃及之前，曾命人将巴尔狄亚秘密处死。但就在他从埃及返回波斯的途中，巴尔狄亚居然“死而复生”，在宫廷中发动了政变，并夺取了王位。这是怎么回事？

死而复生的情况显然不可能发生，可能的情况只有两种，一种是巴尔狄亚当初就没死，另一种是后来出现的巴尔狄亚根本就是个“冒牌货”。真实的情况究竟是哪一种呢？古籍资料和考古发现都指向了后一种。

据希罗多德的《历史》记载，巴尔狄亚篡位发生在冈比西斯从埃及返回的途中，虽然冈比西斯还未来得及返回波斯就已经死去，但这个僭位者还是露出了破绽，而且他也只当了7个月的国王就被大流士所杀。希罗多德说，这个僭位者不仅与冈比西斯的兄弟司美尔迪斯（即巴尔狄亚）同名，而且长得十分相似，一般人根本分辨不出真伪。不过他之前曾由于犯罪被割下了两只耳朵，这才让他最后露出了马脚。

除了希罗多德之外，在伊朗西部的贝希斯敦岩壁上，也发现了关于假巴尔狄亚的记载。岩壁上的文字是夺取政权的大流士刻上去的，主要讲述了他夺取和巩固政权的经过，其中也提到了被他杀死的假巴尔狄亚。他说，这个僭位者并不是冈比西斯的兄弟巴尔狄亚，而是一个名叫高墨达的祭司。

虽然希罗多德和大流士的说法不尽相同，但有一点是可以肯定的，那就是真正的巴尔狄亚已经死去，而后来出现的根本不是“复活”的巴尔狄亚，只是一个篡权者。

23. 北京猿人是日本最早的居民吗？

关于日本民族的起源问题，一直都是人们探讨与争论的焦点，但就日本先民自生还是外迁一事，学术界已基本达成了一致。他们认为，日本先民并不是土生土长的，而是亚洲各地的原始人类陆续迁徙而来的。那么，究竟谁才是日本列岛最原始的居民呢？

20世纪，日本考古界曾掀起一股寻访化石人的热潮。在这股热潮的推动下，各个年代的化石人陆续出现在人们面前，其中包括明石人、牛川人、葛生人、港川人、三日人、圣岳人、夜见滨人、宫古岛人等。这些化石人的出土告诉我们，早在旧石器时代，就已经有原始人类登上日本列岛了。

在旧石器时代，亚洲已经存在了几种原始人类，其中就包括北京猿人。中国是日本的近邻，那么日本最早的居民是否就是从中国东渡而去的呢？日本著名的古代史学家井上光贞教授认为，北京周口店晚期猿人中的一支很可能是日本最早的居民，他们大概是在第三次冰川时期跨越陆桥追逐猎物而东迁到日本列岛的。

中国学者裴文中教授通过对比考证，为北京猿人东渡说提供了重要的佐证。他对比了同一时期的北京周口店遗址和日本九州早水台遗址，发现两者的石器类型及加工技术存在很多共同之处。他说，二者均“采用石英和石英岩作为制造石器的原料，砍砸器有的是两面加工的，有的是一面加工的，用砾石制成的砍砸器在底部保留着‘原生的’砾石面；两面加工的砍砸器的首端较为尖锐，采用了交互加工技术”。此外，日本考古学家芹泽长介教授也提到了早水台与周口店的诸多相似之处，并就此推断：“早水台遗址最下层的石器，与周口店文化一脉相传。”

当然，也有不少学者对北京猿人东渡的说法表示怀疑。因为在已经发现的日本各地的旧石器遗址中，西南地区的要比东北地区的更为古老，而且出土的人骨化石也主要集中在西南地区。据此，有些日本学者指出中国华南一带的猿人才是日本列岛的原始居民。不过，这种说法也只是猜测，同样没有可靠的科学依据。

虽然日本列岛上最早居民是谁暂时还不能确定，但可以肯定的是，日本人的祖先不是某一种原始人类，而是多个人种的复合体。

24. 历史上曾有“书籍之路”吗？

提起“丝绸之路”，大多数人都不会感到陌生。但要说到“书籍之路”，却很少有人知道。这也难怪，毕竟在史书中只有“丝绸之路”的相关记载，却根本找不到有关“书籍之路”的文字。既然如此，那是不是意味着历史上根本就不存在所谓的“书籍之路”呢？非也。

在古代，中华文明的光辉不仅照耀了整片神州大地，更是让很多近邻心驰神往。在这种情况下，前往中国求学、求书者不计其数。尤其在隋唐时期，中国与东亚各国之间的书籍交流更是盛况空前。各国遣隋、遣唐使带回了大量的中国书籍，使中国文化传到了东亚各国，并对很多国家的文化发展产生了重要的影响。频繁往来的使者成为中国文化的传播者，同时也开辟了一条充满着浓郁书香的“书籍之路”。

“书籍之路”这一概念，是由浙江大学日本文化研究所所长王勇教授提出来的。他在对中日文化的研究中，发现了中国的书籍是沿着既定的线路有序东传的，并指出其终点都是日本。无论这条“书籍之路”能不能被更多的人所认可，它在传播中国文化过程中所发挥的积极作用都是不容忽视的。

也许是“丝绸之路”的名声太响了，才会让人们忽略了同样重要的“书籍之路”；也许是它从没像“丝绸之路”那样得到一个确切的名称，才会被人们渐渐遗忘。但不管怎么说，中国的书籍远播海外是无可争议的事实，它曾经的壮丽辉煌也是不应被世人遗忘的。

知识链接

丝绸之路

丝绸之路简称为丝路，是西汉时由张骞出使西域开辟的一条贸易交通线路，因其西运的货物中多为丝绸，故被称为丝绸之路。丝绸之路分为东段、中段和南段3段，每段又分为3条路线。东段从长安到玉门关、阳关；中段出玉门关、阳关，往西到葱岭；南段自葱岭往西经中亚、西亚直抵欧洲。此外，还有专门与南亚交流的南方丝绸之路以及进行海上贸易的海上丝绸之路。丝绸之路这条横跨亚欧的贸易通道有力地促进了中西方的经济文化交流，而且至今仍在发挥着重要的作用。

25. 日本入隋使臣携带的国书有鄙视中华之意吗？

圣德太子统治日本期间，一改之前的外交政策，恢复了与中国断绝百余年的外交关系，并先后6次遣使者入隋，以求吸取中华的先进文化。所有入隋的使者都要携带一封国书，但目前在史书中只能见到其中的两封，分别是第二次遣隋使携带的国书和第四次遣隋使携带的国书。

在日本学术界，有关遣隋使的争论一直都没有停止过。其中，国书问题是争论较多的一个，而其争论的焦点就在于遣隋使携带的国书有无鄙视中华之意。在圣德太子所处的年代，日本还很落后，无论在哪个方面都无法同强大的隋朝相比。既然如此，圣德太子又怎么敢鄙视中华呢？可有些日本学者却坚持认为国书确有鄙视中华之意。那么，国书中究竟写了什么，让他们如此坚持自己的观点？

《隋书》载有的第二次遣隋使携带的国书是这样开头的："日出处天子，致书日没处天子，无恙云云。"载于《日本书纪》的另一封国书则在开首部分说："东天皇敬白西皇帝。"大部分日本学者认为，圣德太子自称"日出处天子""东天皇"，却将隋炀帝称为"日没处天子""西皇帝"，足见其对中华的鄙视。

其实，除了国书外，圣德太子还让使臣捎过口信："闻海西菩萨天子重兴佛法，故遣使朝拜，兼沙门数十人来学佛法。"与之前的称呼相比，这里的表意更清楚了。圣德太子明确表示是派使臣去朝拜，去学习佛法，话语中满是谦恭之词，又怎么可能有鄙视中华之意呢？至于那两个称呼，可能也并不含有贬义色彩。《大智度论》有云："日出处是东方，日没处是西方，日行处是南方，日不行处是北方。"在当时西方被视为佛祖圣地，而东方则是未化之地。因此，"日没处"和"西皇帝"即使不是尊称，也应该不含鄙视之意。

由此看来，所谓国书的鄙视中华之意，不过是某些日本学者的主观判断而已。

26. 传说中的桃太郎和金太郎为何会受到日本人的尊敬？

桃太郎和金太郎都是日本家喻户晓的人物，深受日本人的尊敬与喜爱。如今，日本的小学课本已经正式收录了桃太郎的故事，而金太郎的形象也出现在了舞台上，就连端午节时为男孩子摆放的武士都是以金太郎为模型塑造的。如此特殊的待遇，足见日本人对这两位人物的感情之深。那么，他们是怎样成为日本人“心中偶像”的呢？

传说在很久以前，一位老婆婆在河边洗衣服的时候捡到了一个大桃子，并将其带回了家中。当她将桃子切开的时候，发现里面有一个可爱的小男孩，这下可把老婆婆和老伴儿高兴坏了。他们决定收养这个孩子，并为其取名“桃太郎”。在老夫妻的精心照料下，桃太郎很快就长大了。这时，对岸的岛上出现了一个怪物，常常欺负岛上的百姓，百姓们苦不堪言，却拿怪物没有办法。桃太郎闻知后非常气愤，决心除掉那个妖怪。老夫妻虽然不舍得，但也为孩子的勇气而感到欣慰。后来，英勇的桃太郎在狗、猴子和雉鸡的帮助下打败了妖怪，为百姓除了害。

金太郎则被传为山中女妖的孩子。他不仅生得身高力大、虎背熊腰，而且非常有理想、有抱负。为了在将来成就一番大的事业，他自小就刻苦训练，山中的各种动物都是他的训练对象。几年后，他已经能够制伏山中的所有动物，连狗熊都不是他的对手。于是，他走出了大山，来到人世间实现自己的报复。当时，著名武将源赖光的家臣正在日本各地搜罗武艺高强之人，一次偶然的机会，他见到了金太郎，并将其推荐给了源赖光。源赖光见金太郎勇猛过人，十分喜爱，就收其为家臣，而金太郎也终于获得了施展才华的舞台。

桃太郎的正义勇敢值得尊敬，金太郎的励志传奇同样让人心生敬意，这或许正是他们的故事能够世代相传的主要原因。

27. 乔治五世和玛丽皇后是被人谋害的吗？

众所周知，乔治五世在临死前的几年内一直身患重病，最后因疾病而自然死亡。这样的说法似乎不需要怀疑，可就在乔治五世死去50多年后，一位叫沃森的人却宣称乔治五世并不是自然死亡，而是由于被御医多逊勋爵注射了药物而死亡的。另外，学者哥顿温特和约翰·詹姆斯也宣称乔治五世和玛丽皇后都是被人谋杀的。这是怎么回事？难道乔治五世和玛丽皇后真的并非自然死亡吗？

持这种观点的人认为，乔治五世是被多逊一步步推进坟墓的，而他的这种做法是由玛丽皇后授意的。据多逊当时的笔记记载，他不愿意看到他所尊敬的国王在弥留之际长时间痛苦挣扎，所以他选择为国王注射药物，提前终止了国王的生命，而且皇后和皇太子也有此意。此外，为了使国王的死讯登上《泰晤士报》的头条，他必须掌握好死亡时间。也许正是这些记载，才让有些人认定是多逊“谋害”了国王。

其实，自1928年起，乔治五世就患了重病，到1936年去世前夕，他的健康状况已经非常糟糕。因此，即使多逊不“谋害”他，他的生命也长不到哪儿去。况且谋害总要有动机，多逊本人既然是尊敬国王的，又怎么会谋害他呢？如果说是皇后和皇太子授意的，似乎也说不过去。玛丽皇后在乔治五世死后两个月就自己选择了死亡，而皇太子爱德华则在登基后不到10个月就放弃了王位，显然他不是利欲熏心的人。所以说，他们都不存在谋害乔治五世的动机。

如果说多逊真的为乔治五世注射了药物，那么其目的应该在于减少乔治五世的痛苦，也就是现在所说的“安乐死”。如果说玛丽皇后和皇太子授意多逊这么做，应该也是出于同样的考虑。至于玛丽皇后，她的死亡则完全是自己导演的。为了让孙女的加冕大典如期举行，她自愿选择早些死去，因此就更不存在被谋害一说了。

由此看来，乔治五世和玛丽皇后虽然都不是正常死亡，但也不是被人蓄意谋害的，只能说他们的死可能都属于“安乐死”。不过，对此事最有发言权的英国王室却始终没有表态，因此人们的猜测也只能一直进行下去了。

28. 亚历山大一世真的爱上了自己的胞妹叶卡捷琳娜吗？

亚历山大一世与叶卡捷琳娜是同父同母的亲生兄妹，二人之间的兄妹之情本来无可非议，但种种迹象表明，他们的亲密关系似乎不止于此。于是，关于亚历山大一世恋妹的传闻便就此传开了。那么，亚历山大一世是否真的爱上了自己的胞妹叶卡捷琳娜呢？

亚历山大一世生性贪恋美色，而至高无上的地位又给予了他满足其欲望的便利，因此与他有过暧昧关系的女人不计其数。从彼得堡上流社会的名流，到法国的女歌唱家，甚至连普鲁士王后都为其芳心大动。不过亚历山大的意乱情迷仅限于精神恋爱，并没有什么实质性的举动。也许正因为如此，那些贵妇的丈夫们非但不以妻子与皇帝的调情为耻，反倒引以为荣。至于宫廷内部，对亚历山大的风流韵事也早已习以为常，而亚历山大也从不避讳，唯独让人们疑惑不解的就是他与叶卡捷琳娜的关系。

宫廷中的人都认为亚历山大与叶卡捷琳娜的关系非同一般，他们不但经常深夜独处，举止亲昵，而且还保持着频繁的书信来往。在亚历山大写给叶卡捷琳娜的书信中，经常可以见到这样的词句："我亲爱的小鼻子在做什么呢？我多喜欢压扁和亲吻你的小鼻子……"，"我像疯子一般爱你！……看到你，我高兴得如痴如狂，我像个着魔的人，四处奔波，多希望能在你的怀里甜蜜地松懈下来"，"可惜，我已不能像过去那样，不能在你的卧室里最温柔地亲吻你"。如此肉麻的情话，让人如何相信是哥哥写给妹妹的呢？

此外，当拿破仑向叶卡捷琳娜求婚时，亚历山大一世拼命阻止了这场婚事，并很快将妹妹许配给了一位相貌平平、地位一般且生性懦弱的公爵。但结婚仅3年，可怜的公爵便一命呜呼了，而亚历山大则与叶卡捷琳娜恢复了以前的亲密关系。

由此看来，亚历山大一世与叶卡捷琳娜的关系确实不寻常，不过二人究竟是否存在所谓的不伦之恋，则说法不一。虽然二人的行为举止有些出格，但有些人认为亚历山大身边美女如云，根本没有必要冒天下之大不韪，况且也没有确切的证据指明二人的不伦关系。因此，要解开这个谜团，只能有待新证据的出现了。

29. 德国纳粹党党魁希特勒真的是犹太人吗？

众所周知，德国纳粹党党魁希特勒发动了对犹太种族的血腥大屠杀，给犹太人带来了一场空前的大灾难。犹太人痛恨他，诅咒他，恨不得将他千刀万剐，可颇具讽刺意味的是，这样一个疯狂屠杀犹太人的刽子手，竟然被某些人认定为犹太人。

为什么会有人怀疑希特勒的身份呢？因为目前还没有人能证明希特勒的祖父究竟是谁。希特勒的祖母玛丽安·安娜·施克尔格鲁勃是一个贫穷的农家女，她到40岁的时候仍未结婚，但在42岁的时候生下了一个私生子，并为其取名阿洛伊斯·施克尔格鲁勃，这个人就是希特勒的父亲。

后来，安娜嫁给了流浪打工的约翰·格奥尔格·希德勒。从此，阿洛伊斯就成了希德勒的儿子，不过希德勒始终不肯接受这个私生子，也一直都没去办理手续。不久，希德勒又外出流浪，而阿洛伊斯则由他的叔叔抚养长大。到阿洛伊斯40岁的时候，他的叔叔带他去办理了改名手续，正式认定他为希德勒的亲生儿子，并将希德勒改成了希特勒。

由于阿洛伊斯的亲生父亲得不到确认，因此希特勒的身份也就成了一个谜。有人认为阿洛伊斯的父亲是一个犹太人，因为安娜曾在一个犹太人家里当女佣，是这个家庭的少主人让她怀了孕。也有人认为阿洛伊斯的亲生父亲就是希德勒，否则也不会得到他的叔叔的照顾。两种说法都有一定的道理，可又都不足以让所有人信服。

其实，关于希特勒的血统问题，就连希特勒本人也无法证明。他曾经向许多德国人索取自己是雅利安人后裔的证据，可都无法证明其祖父的真正身份。他还曾下令烧毁所有能找到自己出身的材料，这就使问题变得更加扑朔迷离。

30. 希特勒真的有 25 万“最后部队”吗？

第二次世界大战结束时，希特勒在地下室中自杀了，曾经横行世界的纳粹党也就此瓦解了。不过有些人似乎“不甘于”希特勒就此沉没，于是便有了希特勒有25万“最后部队”的说法。何为希特勒有25万“最后部队”，这个部队从何而来，现在又生活在什么地方呢？

据日本著名记者落合信彦说，他曾听一个犹太记者提起了纳粹余党及其子孙正生活在南美的某个不为人知的角落。起初，他不相信这样的说法，但经过5年的调查之后，他改变了自己的看法，转而相信这是真的。他指出，希特勒的“最后部队”散居在世界上的很多地区，总人数有25万之多。这支最后的部队一直在研制最新的武器，以求有朝一日可以继承希特勒的衣钵，建立起新的第三帝国。

在查阅纳粹资料的过程中，落合信彦发现，希特勒在1945年盟军大反攻初期曾多次提到过“最后部队”。如希特勒说：“在这场战争中，没有胜利者，也没有失败者，有的只是死者和生存者。但是，世界上的‘最后部队’却是德国人。”“不久的将来，东西双方决一雌雄的日子一定会到来。到了那时，扮演左右这场战争并能最终起着决定性作用的角色不是别人，正是我们德意志人的‘最后部队’。”

为了证实希特勒的话，落合信彦查阅了纳粹德国当年的居民登记册，结果发现除死亡者及战俘等人数外，有25万德国人不知所终。那么，这25万德国人去哪儿了呢？落合信彦认为，这25万人就是希特勒的“最后部队”，他们如今正在世界上的某些神秘地区活动着。早在战败前夕，他们就开始营建堡垒，因此，在战败后，他们才能迅速地转移到那里。

落合信彦虽然举了大量的例证，试图让人们相信所谓的25万“最后部队”是真实存在的，但这毕竟只是他的一家之言，很难为大众所接受，很多学者更是直接给予了否定。当时，德军正处于盟军的紧密包围中，25人的逃脱都不太容易，更何况是25万人呢？退一步说，即使这25万人真的逃出去了，但这些人又如何千里迢迢地奔赴所谓的堡垒？在与世隔绝的地方，他们又如何长期地生存？连生存都维持不了，又如何制造先进的武器，重建第三帝国？由此推断，所谓的25万“最后部队”只是少数人不负责任的言论。

31. 英军失掉诺曼底是因为“圣女贞德”的出现吗？

诺曼底是法国的一个地区，曾经被英国人控制了200多年。那么，英军是怎样失掉诺曼底的呢？说到这段历史，还颇有些传奇色彩。帮助法国人赶走英军的并不是什么名门之后、将相之子，而是一个连字都不识的神秘女孩，这又是怎么回事呢？

在瓦可卢城堡，当该城的队长罗伯特·鲍德寇特正在指挥群众的时候，他遇到了一位身穿破烂红衣的女孩。这个女孩声称自己受命于圣玛格丽特、圣凯萨琳和圣麦可，前来协助法国人将英国人赶走，并让皇太子查理斯登基。这样的说辞或许有些可笑，但她的虔诚让鲍德寇特无法将它当成笑话来听。于是，他将这个女孩介绍给了洛林的查理公爵。

女孩的神奇让鲍德寇特刮目相看，她很快就说服了公爵不再过放荡的生活，并得到了公爵的馈赠。之后，鲍德寇特带她去找皇太子，但并没有告诉她哪个是，不过她还是一眼就认出了混在随从中的皇太子。在与皇太子的交谈中，她说出了很多只有皇太子和告解的神父才知道的秘密。所有这些似乎都在说明这个女孩非同凡响。

皇太子对这个女孩十分器重，不仅赏赐给她大量珍贵的物品，而且还将军权交给了她。虽然很多贵族都不愿意听命于一个小女孩，但她之后的作为却让所有人都闭上了嘴巴。因为在奥尔良战役中打败英军，她获得了奥尔良少女“圣女贞德”的称号。此后，她带领法军连连击溃英军，并最终帮助皇太子登上了王位。

让人遗憾的是，“圣女贞德”的结局并不圆满。当皇太子登上王位之后，就解散了军队，而没有了皇太子的军队，贞德也无法再发挥作用。结果，她成了勃艮第人的俘虏，后又被卖给了英军。英国人当然不会轻易放过这个给他们带来巨大麻烦的女孩，将其架在高高的木架上活活烧死了。

当然，事情最后的真相还有待进一步查证。

32. 瑞士的“长矛阵”真的牢不可破吗?

所谓“长矛阵”，顾名思义，自然就是由手持长矛的士兵组成的阵列。这种阵列虽然现在已经基本被废弃，但曾经却非常有名，在战场上出尽了风头。有人甚至称它毫无破绽，不可破解，真有那么神奇吗?

古代，瑞士的年轻男子大多喜欢打斗，并从小就开始练习打斗的技巧，而大多数家庭则会将家里的幼子送去当雇佣兵。一方面是家乡的生活既艰苦又单调，另一方面也是因为幼子很难获得耕地。瑞士的雇佣兵都使用长矛，并逐渐发展出了一种特殊的战斗方式——长矛阵。

“长矛阵”是一种由数千人组成的庞大阵列。这数千人经过专业的训练，行动一致，可以突然发起进攻，也可以瞬间停下来。他们可以举起长矛进行各个角度的防御，使得敌人很难近身，就连骑兵也拿他们无可奈何，所以说这种阵列几乎是不可破的。

“长矛阵”曾经让瑞士在欧洲盛极一时，很多国家都曾雇佣过瑞士的士兵为自己作战，而这些雇佣兵也因为自身的勇敢和“长矛阵”的威力获得了欧洲各国的极高评价。不过在火枪出现以后，由于战争的本质发生了变化，长矛阵也就无法再发挥其应有的效力了，这也使得这种阵法迅速走向了没落。

33. 现代尼雅村的人是古代尼雅人的后裔吗？

尼雅是一处坐落于塔克拉玛干沙漠中的古城遗址。1700多年前，曾有一群尼雅人在这里创造了辉煌璀璨的文化。它的名气虽没有同为沙漠古国的楼兰大，但其面积和遗址数量却都远远超过了楼兰。

古老的尼雅已经在沙漠中沉睡得太久了，它需要一个机会重新回到人们的视野之中。1901年，匈牙利人斯坦因给了它这样的机会。其实，此前就已经有人进入过尼雅遗址，只是他们并不知道尼雅的价值。直到斯坦因来到这里，才将尼雅展现在世人面前。这个被沙漠掩埋的古代文明，终于又重新走进了人们的视线。

尼雅的发现的确带给人们不小的惊喜，但在惊喜的同时却也出现了更多的疑问。比如说在进入尼雅遗址前必须经过的尼雅村，这里的人是不是古代尼雅人的后裔呢？这个问题似乎很难回答。因为现在的尼雅村与其他维吾尔族村落并没有什么差别，要找到古代尼雅的蛛丝马迹绝非易事，而史书上关于尼雅的记载又少之又少，因此很难判断古代尼雅人的后裔究竟去了什么地方。

史书上唯一提到尼雅的可能就是《汉书》中记载的精绝国，不过在尼雅出土的物品并没有发现西汉时期的物品，而且书中对精绝国的描述也仅有短短的81个字，就此妄下定论显然是不妥的。有人认为在唐玄奘西去的路途中可能会经过尼雅，但还没有人能确定

《大唐西域记》中的哪段文字是描写尼雅的。

《汉书》中提到的精绝国是西域三十六国中的一个，位于楼兰和于阗之间。在东汉末年，精绝国被附近的部族征服。从此，尼雅便消失在历史之中，而尼雅人也随之销声匿迹。没有人知道他们究竟去了哪儿。至于今天尼雅村的人是不是尼雅人的后裔，现在也无法得出结论。

34. 亚瑟王的故事是传奇还是历史?

大多数人对亚瑟王的故事都不陌生，这位传说中的国王曾率领圆桌骑士团统一了不列颠群岛，是中世纪英国最著名的传奇人物。传说中，他英勇善战，智慧过人，率领部族抗击入侵者，是一位神话般的英雄人物。

不过人们对亚瑟王的了解都来自传说和文学作品，亚瑟王的名字从未出现在史书之中。那么，亚瑟王的故事究竟是传奇还是历史?

有学者认为，亚瑟王的故事不过是文人杜撰出来的，历史上并不存在此人。事实上，“亚瑟”这一名字最早确实出现在文学作品中。公元800年左右，威尔斯写了一本《布灵顿人的历史》，书中描写的就是亚瑟王带领威尔斯人抵抗撒克逊人的故事。不过威尔斯的创作有没有史学依据，或者说亚瑟王有没有原型，则无法确定。

也有学者认为，亚瑟王的故事并不是虚构的，而是根据史实改编的。如果亚瑟王确有其人，那么他是谁呢?普遍的观点是他生活在公元5世纪末到6世纪初，其身份则是抵抗撒克逊侵略者的罗马—不列颠领袖。考古证据显示，在假定他生活的时期，撒克逊人出现了一次断代，因此才会被史书所忽略。

至于亚瑟的具体身份，则众说纷纭，莫衷一是。有人认为亚瑟是在罗马皇帝安特米乌斯统治时期活跃的人物，不过这个人物仍然是一个影子般的人物，我们对他的了解非常有限。也有人认为亚瑟是在对抗撒克逊人的重要战役中赢得胜利的安布罗修斯·奥里利厄斯，不过此人的活动时间要比亚瑟早。还有人认为亚瑟是安布罗修斯的副手，后来接替他成为领导者。

35. 茜茜公主的一生真是一部童话吗?

茜茜公主是巴伐利亚王国的伊丽莎白公主，昵称茜茜。影片中的茜茜公主聪明漂亮、典雅迷人，与英俊的奥地利国王上演了一场美丽动人的爱情故事，有如童话一般，让无数人为之着迷。那么，历史上真实的茜茜公主是什么样的？她的一生真是一部童话吗？

茜茜出生在一个贵族家庭，她的童年生活是自由而愉快的。当弗兰茨·约瑟夫登上奥地利皇帝宝座的时候，茜茜只有15岁。当时，她的姐姐埃莱娜公主被选为皇后候选人，可在相亲那天，弗兰茨·约瑟夫却一眼看上了冒失闯进来的小茜茜。当她接过弗兰茨·约瑟夫手中的花时，甚至还不懂爱情是什么。可当母亲和姨妈问她是否爱约瑟夫时，她却说："他，我又怎能不爱他呢？"于是，茜茜就成了奥地利的皇后。

成为皇后的茜茜并不开心。年幼的她在宫中显得很笨拙，宫里的人根本就不把她放在眼里。强烈的孤独感紧紧包围着她，烦琐的社交礼仪更是压得她喘不过气来。一年后，她怀孕了，深受妊娠反应折磨的她终日以泪洗面，而她的孩子则刚一出生就被婆婆抱走了。她曾多次跟随丈夫出访，但除了匈牙利外，其他地方的人民都对她充满了敌意，这让她对匈牙利有了特殊的感情，并开始学习匈牙利语。

在逆境中，茜茜渐渐长大了，但整日郁郁寡欢的她却得了严重的肺部疾病。于是，她离开了维也纳，在有温泉的城市、希腊的岛屿和娘家辗转漂泊了两年多，终于从死神的魔掌中逃脱了出来。当她再次回到维也纳时，她的丈夫做出了让步。从此，她可以挑选陪伴自己的命妇，可以管教自己的孩子，也有了一定的自由。

奥匈帝国成立后，匈牙利人选择茜茜做他们的女王。在布达佩斯，她受到了人们的尊敬与爱戴。不过为了补偿自己的孩子，她还是回到了维也纳。这次，她要求丈夫必须在自己和母亲之间做出选择。最后，约瑟夫站在了茜茜一边，让孩子们彻底回到了茜茜身边。然而，这一切都来得太晚了。她唯一的儿子已经被孤独和恐惧折磨了太久，以至于走上了自我毁灭的道路。1889年，她的儿子永远地离开了她，而她也已心灰意冷，空留下一副躯壳。此后，茜茜开始到处游历，最后在日内瓦被一位无政府主义者结束了生命。

由此看来，茜茜的一生虽可称得上传奇，但却并不是童话。尤其是她与约瑟夫的爱情，更是与电影中的描述相去甚远。从她对约瑟夫的态度及其留下的诗句中看，她可能从未爱过他。

36. 阿波罗登月是一场骗局吗?

50多年前，美国“阿波罗11号”飞船成功登陆月球。这是人类的一项伟大创举，在航天史上具有划时代的意义。然而就在人们为首次登月兴奋不已的时候，却传出了阿波罗登月纯属虚构的爆炸性消息，引起了社会各界的热议，而且一直持续到今天。这是怎么回事？登月也能造假吗？是某些人故意耸人听闻还是确有可疑之处呢？

第一个对登月表示质疑的是俄罗斯研究者亚历山大·戈尔多夫，他认为美国拍摄的登月照片及摄影记录都存在问题。首先，照片上看不到一颗星星，而月球表面没有大气层，应该可以清楚看到明亮的星星。其次，照片上的国旗像是在“迎风招展”，而月球表面是不可能有风的；再次，宇航员出现了多个影子，而月球表面只有一个光源，不可能出现多个影子。此外，2007年日本发射的探测卫星“月亮女神”经过“阿波罗”着陆区的上空时，没有发现任何着陆器及人为活动的痕迹。

当怀疑声出现的时候，人们都非常希望美国政府或当年登月的宇航员阿姆斯特朗出来澄清事实，可这样的事情并没有发生，这就使得事情变得更加扑朔迷离。可就在美国政府保持沉默的时候，有些航天专家坐不住了，他们站出来说明了真相。

事实上，怀疑论者所罗列的证据根本就称不上证据。首先，月球表面对太阳光的发射很强，在这种强光源的照射下，拍摄照片的曝光时间就必须很短，因此是不可能看到星星的。其次，宇航员带的国旗是用塑料制成的，本身就不平整，而月球表面是超高真空，因此可以长时间地摆动；再次，登月舱及月球表面都是极不平整的，对太阳光的反射也是多方向的，因此必然会出现多个影子。此外，“月亮女神”只能拍摄到大于50–60米的月面物体，而“阿波罗”号只有2–3米，显然是不可能被拍到的。

由此看来，所谓阿波罗登月骗局的论调根本就不堪一击，至于美国官方为何对此论调不做回击，则不得而知。

37. 拿破仑是被自己的心腹蒙托隆毒杀的吗?

法国一位著名的史学家曾说过：“在历史上，拿破仑这个名字后面总跟着一个问号。”的确，关于拿破仑，我们有着太多的疑问，而他留给后人最大的疑问就是他的死亡。这位法国皇帝曾经驰骋欧洲，让欧洲各国的君主闻风丧胆，可就是这样一位身经百战的风云人物，却在52岁壮龄时离开了人世，从而引起了人们的种种揣测。

有些人认为拿破仑与他的父亲一样，都死于癌症；有些人认为拿破仑在长期征战中染上了一种热带疾病，到流放地后旧病复发，最终导致死亡；还有些人认为拿破仑并非死于疾病，而是被人下毒谋杀的，而这个下毒者就是他曾经的心腹蒙托隆；等等。各种说法中，要数被心腹谋杀说最为离奇，那么，事实是否果真如此呢?

提出这一说法的是瑞典牙医与毒物学家斯坦·福苏弗波德，他在研究拿破仑史料的时候发现，拿破仑死前的身体特征不像是癌症的症状，倒是很像慢性砷中毒。为了证实自己的想法，他千方百计得到了拿破仑的遗发，并在史密斯博士的帮助下，用核子轰击法对其进行了测试。测试结果让福苏弗波德异常欣喜，因为拿破仑头发中的砷含量超出了正常值13倍之多。据史料记载，拿破仑的遗体在其死后20年运回法国的时候，人们发现其面色如常，尸体完好，几乎与下葬时没什么两样。福苏弗波德认为，正是砷保护了拿破仑的尸体。

经过反复研究，福苏弗波德认定拿破仑是被人谋杀的，而凶手就是他的心腹蒙托隆。为什么这么说呢？因为蒙托隆曾在拿破仑第一次退位时投靠了波旁复辟王朝，而当拿破仑兵败后，他却又回到了拿破仑的身边，并跟随拿破仑一起流放。此外，对于妻子与拿破仑的暧昧关系，蒙托隆似乎也并不介意。由此判断，他回到拿破仑身边的目的一定不单纯。据分析，他应该是受了波旁王朝阿图瓦伯爵的指使来毒害拿破仑的。

对于这种说法，很多学者都提出了质疑，尤其是当人们用更为精确的中子轰击法对拿破仑的头发进行测量后，这种说法就不攻自破了。因为测试结果表明，头发中的砷含量并不高，反倒是锑的含量比较高，但也绝不至于使人中毒身亡。

最近，法国的3位权威人士用同步加速器射线对拿破仑的头发进行了化验，证实了拿破仑的真正死因是胃癌，与中毒无关。由此看来，拿破仑被心腹谋杀的说法显然是不成立的。

知识链接

拿破仑的临终托付

据说，拿破仑在临终前曾嘱托其御医安托马什为其进行尸检，找到其死亡的真正原因。他在写给安托马什的信中说道："在我死后——我的死已为期不远了——我要你剖开我的尸体……我委托你在这次尸体检查中别漏掉任何可疑之处……"因为拿破仑怀疑曾有人暗中谋害他，所以才做了这样的托付。不过尸检结果并没能证实拿破仑的怀疑，而且进行尸检的7位医生分别得出了不同的结论，以至于人们对拿破仑的死因猜测了很多年。

第二章

史海钩沉·趣话帝王

1. 印加是一个盛产黄金白银的国度，但为什么每位印加王都要“白手起家”呢？

印加是一个中央集权的奴隶制帝国，有一套比较完整的社会组织结构和统治管理制度。印加王处于权力“金字塔”的最顶端，掌控着下面各等级的官员。因此，印加被誉为“有史以来世界上最成功的集权国家之一”。不过，印加帝国的王位继承制却有着先天性的缺憾，这种特殊的继承制中隐含着不可调和的经济矛盾。

对于印加王位的继承者来说，继承王位并不意味着继承先王的一切，他能得到的只有一样东西——印加王的头衔，其他如先王遗留下来的财物、宫殿等，他都无权分享。

众所周知，印加盛产黄金白银，在位的印加王都十分富有。但是正因为这种王位继承制度，使得每一位新继位的印加王都不得不自己去准备帝王生活所需要的一切，真可谓“白手起家”。

另外，印加人相信灵魂不死，他们相信到了一定时候，先王的灵魂将会回归肉体，躯体就会复苏。因此，先王的其他儿子继承先王遗留下来的住所，居住其中并负责维持先王（木乃伊）的“生活”，就如同对待活人一样，他们还会定期送先王的遗体出席国宴。这一切都与先王生前一致，他们等待着先王能在某一天突然醒来继续他的人间生活。而这些维持历代先王“生活”正常运转以及他们的后代生活、繁衍所产生的一切费用也必须由新的印加王去承担。

面对这种情况，在不能打破王国既有的经济与消费结构的前提下，印加王只有通过战争来获取新的土地，再通过划分土地、征收赋税来维持帝国的开支。

知识链接

印加赋税的征收

印加王在取得新的土地后，要做的第一件事便是土地的开垦和耕地的划分。首先，在印加人的指导下，被征服地区的土著人开始建造梯田，拓展可耕地的面积。然后对这些田地进行丈量和汇总，按照印加帝国通行的一定比例，分为太阳田、印加田、公社田。不同类型的田地征收的赋税也不一样。

除此之外，印加王还通过移民的方法来增加财税收入。比如征服地区的人口过多，耕地不够，印加王就会把一部分人迁往其他省份；如果印加王在征服过程中发现有些地区地广人稀，他就会把其他地区的人口迁徙过来开发，以此增加帝国的财税收入。

2. 第8位印加王击退昌卡人的叛乱是因为维拉科查神的指点吗？

印加文化后期有一个神话故事是这样讲的：创世神维拉科查在的的喀喀湖里创造了世界和人。之后，维拉科查神便隐身海中。不过，他留下了一个儿子——万物之主帕查卡马克。

从这个神话当中，我们可以看出，维拉科查神已然是世界最大、最具权威的神。其实在此之前，维拉科查在印加是排第三位的神，位居太阳神和帕查卡马克神之后。为何维拉科查神有如此高的地位？其实这与第8位印加王有很大关系。

据印加的历史传说，在第8位印加王还是太子的时候，有一位神经常出现在他的梦中，这位神就是维拉科查神。神自称是印加王的先祖，告诫他要警惕异族的叛乱。太子于是遵照神的指示，早早做好了御敌的准备。果真，过了不久，神的预言就变成了现实，昌卡人发动了大规模的起义，反抗印加的统治。但由于太子早就做好了准备，所以轻而易举地就镇压了叛乱，维护了王权。

由于太子平叛有功，他的威信也日益增加。不久，其父亲便让位于他，使他成为第8位印加王。为了感谢维拉科查神的指示，印加王沿用神的名字自称为维拉科查，并按照梦中的记忆为维拉科查神塑造了一座雕像，以宣扬神的功德。正是由于第8位印加王的推崇，维拉科查神才逐渐取代太阳神成了印加最具权威的神。

据说维拉科查神是一位十分人性化的神，但第8位印加王能够顺利地击退昌卡人并登上王位是否真的得益于他的指点呢？这其中恐怕也有人为杜撰的成分吧。

3. 维拉科查王是如何预言印加的灭亡的？

维拉科查王是第8位印加王，是一位功绩卓越的君主，也是一位颇具神话色彩的君主。据说他曾因感知了维拉科查神的指示而成功击败了昌卡人的叛乱，为了感谢神的指点，他便以神的名字称呼自己。在他以及他的儿子帕查库特克的统治之下，印加帝国走向了全面兴盛。不过维拉科查王在生前却预言印加的兴盛不会持续很长时间，在兴盛过后，印加必然会走向灭亡。为什么维拉科查王会做出如此可怕的预言呢？

据说他曾从梦中得到启示，再加上帝国显示的其他一些凶兆，于是郑重地预言道：印加的子孙在经历12代国王之后，将会有一些从未谋面的人占领印加，他们不仅会终结印加王的统治，而且还将废止人们对太阳神的信仰。因为维拉科查王的卓越功绩和特殊身份，印加人对他的预言深信不疑，并按照他的指示在库斯科建造了一座神庙，庙里供有维拉科查的神像。

事实上，类似的预言曾在整个印第安社会广泛流行。印第安人都相信，他们的世界将会被神奇的外来民族所吞并，而这样的毁灭是他们无法改变的。维拉科查王的预言不过是这种预言的印加版本，在其他印第安部落中，也同样流传着类似的预言。

那么，维拉科查王的预言是否兑现了呢？众所周知，印加帝国确实是被外来的民族——西班牙吞并的，可这种吞并却不是必然的。因为在西班牙人到来之时，印加人就宿命地认为他们大限将至，于是放弃了抵抗。这样看来，与其说是维拉科查王预言了印加的毁灭，倒不如说是维拉科查王的预言推进了印加的毁灭进程。

4. 拥有至高权力的古罗马皇帝提比略为什么要自我流放？

提比略生于公元前42年，直到公元14年奥古斯都死后他才成为罗马皇帝，此时他已经50多岁。提比略生性阴郁多疑，因几经周折才成为正式继承人，所以他总怀疑有元老反对他，对元老们的讨好和谄媚行为持厌恶和轻蔑态度。他宠信近卫军长官谢亚努斯，谢亚努斯便利用提比略的多疑，任意控告元老们有大逆不敬的行为，提比略对此深信不疑，致使很多宫廷元老遭到陷害。

公元26年的一天，提比略走出罗马城，自我放逐到当时罗马有名的流放地康帕尼亚，这一流放竟长达11年，直到提比略去世。一般来讲，流放的对象均为犯人，而拥有至高无上权力的提比略居然要自我流放，这一行为令人百思不得其解，也引起了很多史学家的兴趣，他们对提比略自我流放进行了研究，企图揭开这个谜底。

古代的一些史学家、学者多从提比略的体质弱点和伦理道德方面对其流放原因进行猜测与解释。据说，提比略长得比较高，但肩部下垂，又瘦得出奇，脑袋上一根头发也没有，满脸长着脓疮。所以有人认为提比略是由于长相丑陋、不愿见人而选择自我流放的。罗马史学家塔西佗则认为，提比略自我流放康帕尼亚是谢亚努斯的阴谋所致。但他同时也考虑到这样一个事实，即谢亚努斯被处死后，提比略继续待在康帕尼亚并没有回到罗马，所以，塔西佗也认为提比略是经过深思熟虑后才决定自我流放的。苏托尼乌斯从另一个角度进行了解读，他认为是由于提比略的两个儿子在叙利亚和罗马不幸死亡，所以他想独自一人静一静。

相对于古代学者，近现代的史学家则偏重于从社会和政治方面对提比略的流放原因进行推测。苏联史学家科瓦略夫认为，提比略自我流放是因为“病态的对人的厌恶和谢亚努斯的劝说”。狄雅可夫则认为提比略是因为恐惧，为躲避共和派元老贵族对他的暗杀和人身攻击而离开罗马的。

无论如何，猜测与推断都不能得出提比略长期自我放逐的真正原因。要解开这个谜，还有待更深入的研究与发现。

5. 桓武天皇为什么要选择甲子之岁迁都?

延历三年（公元784年），日本桓武天皇把王都从平城京迁往长冈京，这一年恰值甲子年，这是偶然巧合还是桓武天皇有意为之?

奈良时期，佛教迅速发展，几乎达到兴盛的顶点。但由此也产生了各种弊端，因为谙熟汉学的高僧往往能直接参与政治，这就与守旧的贵族集团在利益上产生了激烈的冲突。桓武天皇即位后，扫除僧侣参政的宿弊，确立天皇的绝对权威，成为迫在眉睫的大事。

为了摆脱盘踞奈良的僧侣及其背后的豪强势力，巩固中央集权，也为了改善王都的交通状况（当时的王都平城京三面环山，水道不通，交通十分不便），桓武天皇接受了藤原种继的建议，决定迁都。

众所周知，按照中国的谶纬学说，辛酉革命、甲子革令，皆是改弦更张的良机。这种学说在日本也很流行。为了实现酝酿已久的宏大政治抱负，桓武天皇根据中国的谶纬学说，谨慎地选择了延历三年这个利于改弦更张的甲子年，而这一年十一月更恰逢二十年一度的朔旦冬至，吉上加吉。由此我们可以看出，桓武天皇选择在延历三年这个甲子年迁都可谓用心良苦。

知识链接

桓武天皇再次迁都

在迁都长冈京的次年（公元785年），曾向桓武天皇提议迁都的藤原种继遭暗算身亡。由此，桓武天皇察知旧都势力有所图谋，于是将策划暗杀的大伴氏一族数十人一网打尽，并追究留守长冈京的皇太弟早良亲王的责任，废除早良亲王太子之位并把他流放淡路岛。早良亲王为表示自己清白无罪，在流放途中绝食自尽。此后，日本天灾人祸不断，民间谣传是早良亲王亡灵作祟，桓武天皇寝食不安，于是再次迁都，至平安京。

6. 路易十六为什么对他的王后说“法国更需要一条军舰，而不是一条项链”？

1755年11月2日，玛丽·安托瓦内特出生在维也纳的霍夫堡皇宫。她是奥地利女皇玛丽亚·特里萨和弗朗茨一世的第十五个孩子。

1766年，因为政治上的需求，法国王室正式向11岁的玛丽·安托瓦内特公主求婚。奥地利宫廷欣然应允。1770年，15岁的玛丽·安托瓦内特踏上法国国土，成为法国王储路易·奥古斯特·德·波旁（即日后的路易十六）的王太子妃。

1774年，路易十五驾崩，路易十六即位。玛丽·安托瓦内特成为法国王后。可惜的是，从进入法国宫廷之后，玛丽·安托瓦内特在政治上毫无建树，只喜欢奢侈华丽的享受，热衷于化妆、买衣服、买首饰、开舞会、装修别墅、布置花园。而路易十六也是一个昏庸、懦弱的皇帝，他对国家大事几乎放手不管，但对贪得无厌的王后玛丽·安托瓦内特却是言听计从。路易十六政治上的无作为以及玛丽皇后奢侈无度的行为使法国陷入严重的危机之中，宫廷大臣互相争权，社会矛盾尖锐，国库空虚，债台高筑。玛丽也因此获得了“赤字夫人”之称。

玛丽·安托瓦内特曾多次想说服路易十六给她买一条价值160万法郎的钻石项链。这条项链是前国王路易十五在巴黎一家珠宝店为他的情妇订制的。正当项链完工的时候，路易十五去世了。因这条项链价值连城，此后整整10年中竟无一位买主。

当时，路易十六面对危机四伏的王朝统治，先后任用杜尔哥、内克等为财政总监，企图进行改革，但均遭到特权等级的反对。此后，法国财政支出激增，经济濒于破产。因此对于王后的要求他十分干脆地说：“法国更需要一条军舰，而不是一条项链。”

7. 华盛顿真的死于庸医之手吗?

1799年12月14日，美利坚合众国的开国元勋华盛顿溘然长逝，死因是感染了风寒。当时很多人都不能相信，小小的风寒会使总统不治身亡。而主治医生为了证明不是他治死总统的，公开发表声明，向美国人交代了医治华盛顿的全部过程，但人们对华盛顿之死仍然心存疑虑。即使到了200多年后，美国媒体还会推出所谓的惊天内幕——华盛顿总统是庸医治死的！事实是这样的吗?

我们先来回顾一下华盛顿死前几天的状况。1799年12月12日，已经退休的华盛顿顶着寒风和大雪，骑马来到了他的家乡维尔农山庄，由于在外面待了5个小时，华盛顿的衣服全都湿透了。第二天，他便感冒了，咽喉有些嘶哑、疼痛，可是他还是步行到林场转了一圈。第三天凌晨，华盛顿开始发烧，全身发颤，喘气粗重，呼吸很困难。这时，他命令管家效仿农奴治病的土办法为他放血。后来，克雷格医生赶来了，又对他做放血治疗。然后，克雷格医生做了一碗用黄油、蜜糖和醋等配制的冲剂，让华盛顿漱口，结果，华盛顿每喝一口都会引起剧烈咳嗽、呼吸困难，并引发了咽喉肿胀、窒息。上午10时，医生又让华盛顿用撒尔维亚干叶和醋泡成的水漱口，这又引发了华盛顿严重的窒息，后来尽管服了消除呕吐的酒石和化解咽喉脓液的甘汞，都没能阻止病情的恶化。到了晚上10点钟，华盛顿在极度的痛苦中离开了人世。在整个治疗过程中，医生们为他放了4次血，放血量相当于他全身血液的1/3。

长期以来，学者们认为华盛顿是重感冒引发扁桃体脓肿而致肺部严重感染，最终因放血过多才导致死亡。

美国国家卫生研究所的著名流行病学家大卫·莫伦斯曾对华盛顿的死因作过深入的研究，他对于华盛顿之死提出这样的看法：他因患急性会厌炎而导致气管阻塞，最后窒息而死。对学者们认为是放血最终导致了华盛顿死亡的观点，莫伦斯提出了不同意见，他认为由于当时医疗水平的限制，医生不可能认识到华盛顿的死是因为细菌感染所致。

知识链接

放血疗法

放血疗法，又称“针刺放血疗法”，是用针具刺破人体特定的部位放出少量血液，以治疗疾病的一种方法。

华盛顿总统是一位放血疗法的狂热信奉者，他曾多次为他的佣人施行过放血疗法。因此，当他生病发烧时，他很自信地叫管家为他放血治疗，后来人们认为这是造成他死亡的重大原因之一。

随着医学科学的发展，放血疗法在今天已经没有人再使用了。

8. 朱元璋对日本的怨恨从何而来?

1336年，足利尊氏起兵攻克京都，囚禁后醍醐天皇，另立光明天皇。后来，后醍醐天皇逃往吉野山重新组阁，形成与京都政权对峙的割据局面。1338年，足利尊氏获得“征夷大将军”称号，在京都设立足利幕府。由此，日本进入了室町幕府时代。

1368年，朱元璋在金陵即位，定国号为“明”，年号为“洪武”。当时的中国，是世界最强大的国家之一。因此，朱元璋即位后，马上便派遣使节分赴日本、安南、占城、高丽等国宣告王朝更替，敦促周边诸国前来朝贡。

由于日本处于南北分治状态，天皇几乎形同虚设，大权都掌握在将军手里。朱元璋派出的使臣没有得到回应。洪武二年二月，朱元璋又派杨载为使节出使日本。当时，日本的一些流浪武士和沿海渔民演化成专事抢劫的倭寇，危及明朝山东沿海居民的生活与安全。因此，在杨载所携带的《赐日本国王玺书》中，朱元璋要求日本俯首称臣，并且管束海盗。

但接待杨载的不是日本国王，而是一个挂着“征西将军”却没有什么权力的怀良亲王。他没有能力管束强大的海盗，也无权答应明朝的入贡要求。于是，他把明朝使臣杨载一行囚禁起来。最后，杨载还是回到中国，但他以为怀良亲王就是日本国王，把这一切都汇报给了朱元璋。

洪武三年，朱元璋派赵秩再次出使日本，对日本进行最后通牒：如果再不迅速杜绝海盗，明朝将出兵进行征讨。这一恫吓果然起到了作用，次年，怀良派僧人祖来出使明朝奉表称臣，同时还把倭寇掠去的明朝居民70余人送还。朱元璋很满意，因为他的入贡与禁寇两项要求都得到了“日本国王”的承认。可是后来发生的事情却让他大发雷霆。

当朱元璋的使臣随着祖来抵达日本时，他们才弄明白怀良亲王并不是日本的国王，只不过是不一个不中用的边将而已。怀良亲王怕泄露了真相，就把明朝的使臣拘留起来。两年后，这些使臣才回国。朱元璋弄明白真相后，深感受到了愚弄。自此以后，朱元璋便对日本产生了怨恨之心，日本来使他一概挡回，甚至还准备对日本动武。

在朱元璋统治后期，宰相胡惟庸勾结日本势力准备谋反，这一事件败露后更是加深了朱元璋对日本的怨恨。从此以后，他断绝了与日本的一切来往。后来他在遗言中还将日本列为15个不与之交往的国家之一，足见其对日本的怨恨之深。

9. 苏格兰女王玛丽为什么会被英格兰女王伊丽莎白处死？

苏格兰女王玛丽可谓一生坎坷。1543年，不满一岁的玛丽在斯特灵城堡加冕为苏格兰女王。1548年，根据苏格兰贵族会议所既定的联法攻英的方案，5岁大的玛丽作为法国皇太子的未婚妻被送到法国宫廷。1559年，17岁的玛丽女王嫁给了同龄的法国皇太子弗朗索瓦。同年，弗朗索瓦成了法国国王，玛丽则成了法国王后。不料在1560年，弗朗索瓦去世，玛丽就此结束了在法国的生活，回到了苏格兰。

此时的苏格兰宗教斗争十分严重。由于缺乏有效的军事力量，玛丽容忍了新建立的基督新教。1567年，她邀请英格兰女王伊丽莎白一世访问苏格兰，但最终两人没能见面。1563年，伊丽莎白试图劝说玛丽嫁给她的心腹罗伯特达德利，并附加以可能立玛丽为英格兰继承人的条件，但被玛丽拒绝了。

1565年7月，玛丽一世出人意料地嫁给了表兄亨利·斯图尔特·达恩利爵士，达恩利是英格兰亨利七世的长女玛格丽特与第二位丈夫安古斯伯爵阿齐巴尔德·道格拉斯的外孙。玛丽与达恩利的联姻激怒了伊丽莎白，同时伊丽莎白觉察到这次婚姻带给她本人的威胁：达恩利具有英格兰和苏格兰王室的血统，任何达恩利和玛丽的子女都极有可能去继承玛丽和伊丽莎白的王位。

然而后来发生的事却改变了玛丽的命运。1567年2月9日，正在爱丁堡柯克欧菲尔德宫养病的达恩利被离奇地掐死在花园，而且当晚柯克欧菲尔德宫还发生了爆炸。人们认为这是玛丽的情人博斯韦尔伯爵所为。

1567年5月15日，玛丽和被怀疑杀害达恩利勋爵的博斯韦尔伯爵在圣十字架宫成婚。这次不得人心的婚姻使苏格兰贵族们开始公开反对玛丽一世的统治。最终女王被不信守诺言的贵族们囚禁在列文湖畔的城堡里，玛丽在这里被迫将王位传给了她和达恩利的儿子詹姆斯。

1568年，玛丽从列文湖城堡逃了出去，在组织几次军事政变都未成功之后，被迫逃到英格兰寻求表姐伊丽莎白一世的庇护，不料却被伊丽莎白软禁在卡莱尔城堡。

玛丽的囚禁生活足有20年之久。虽然伊丽莎白本人希望能够保住玛丽的性命，但因为这期间反对新教的起义接连不断，直接威胁着伊丽莎白一世的统治，1587年2月8日，伊丽莎白最终被迫下令处决玛丽。

10. 伊丽莎白一世为何终身不嫁？

伊丽莎白一世是英国都铎王朝最后一位杰出的女王，在她统治期间，英国国力达到了鼎盛的阶段。

伊丽莎白是英国国王亨利八世的女儿，她成为英国女王的机会其实十分渺茫，因为当年亨利八世死时立下一个有关继承人的遗嘱：他死后由爱德华继位；爱德华之后的顺位继承人是凯瑟琳之女玛丽及其后代；如果玛丽没有后代，玛丽死后由安妮·博林之女伊丽莎白及其后代继位；如果伊丽莎白没有后代，伊丽莎白死后将由亨利八世的妹妹玛丽·都铎的后代继位。也就说，除非爱德华与玛丽都绝后了伊丽莎白才有机会继承王位。但这一幕居然就发生了，爱德华10岁登基，16岁夭亡，然后玛丽继位，不久也抑郁而终，他们都没留下后代。于是，25岁的伊丽莎白登上英王宝座，成为新的女王。

在执政的45年间，伊丽莎白女王在内政外交上创造了无数的辉煌，但唯一让人感到遗憾的是她终身未嫁，未能留下后代，都铎王朝在她之后也宣告消亡。伊丽莎白终身不嫁亦成了后世人们百思不得其解的谜题。

据说伊丽莎白曾经有一次差点儿就结婚了。1587年，已经45岁的伊丽莎白与来英国做客的法国国王亨利二世的四弟、年仅23岁的安休公爵一见钟情，安休公爵向她求婚，伊丽莎白答应了。但就在要举行婚礼的前几天，伊丽莎白突然宣布解除婚约，并表示会一辈子独身。同时她向国民发表了一番这样的谈话："我无须再选佳婿结婚，因为我在举行加冕典礼时，已将结婚戒指戴与我国臣民的手指上，意即我与全体臣民为伴，将我的生命与贞节献于英国。"感动的英国人民也常用"贞洁女王"的美名来称呼伊丽莎白女王。

关于伊丽莎白女王为什么终身不结婚，人们有过很多种猜测。她的政敌攻击她有生理缺陷，因此不能够像正常的女人一样结婚生育；更多的人认为，父亲亨利八世六娶皇后，三次杀妻，使伊丽莎白从小就蒙上了一层心理阴影，不信任男人和家庭，患上了"婚姻恐惧症"；也有人认为伊丽莎白是不想再成为政治婚姻的牺牲品。据记载，伊丽莎白在少女时代曾与英国贵族汤姆斯·西摩尔关系密切，但西摩尔追求伊丽莎白的主要目的是想利用她争夺王位，后因阴谋败露，西摩尔被杀，他们之间的这段恋情也随之告终。宫廷中的斗争与利益交易让她心生畏惧，于是她就选择了"独善其身"。

11. 亨利八世为何离异?

亨利八世是英国都铎王朝的第二位国王，亨利七世的次子。亨利七世在位时，实施睦邻友好政策，将两个女儿分别嫁给苏格兰和法国的王储，并为自己的长子迎娶了西班牙公主凯瑟琳为妻。但不久他的长子因病去世，当时西班牙和法国不和，亨利七世为了维持中立不得罪西班牙王室，便请示教皇（根据天主教教规，夫妻结合是上帝的旨意，不允许离婚再嫁娶，丧偶再嫁也需要教皇批准）批准凯瑟琳再嫁他的次子亨利八世，教皇批准了这桩婚姻。

1509年，还不到18岁的亨利八世即位，接管英格兰的王权。几周以后，他迎娶了凯瑟琳。这场婚姻看起来只是一场政治婚姻，但受过良好教育的凯瑟琳却在婚后表现得十分忠诚贤惠，小到缝衬衫，大到在亨利八世率兵去法国作战时代理朝政，样样都不差。亨利八世也由衷地欣赏凯瑟琳的美德、学识和虔诚之心。

然而随着时间的推移，这段姻缘也慢慢地开始瓦解。亨利八世急需能传承都铎王朝血脉的男性后裔，但凯瑟琳却始终没有为他生下儿子，他们只有一个女儿玛丽。

一次偶然的机会，当亨利读到圣经中关于男人娶兄长的妻子为妻是不洁的行为，他们必定没有子女的内容时，他坚信这是因为他触怒了上帝，所以上帝诅咒他没有儿子。而同时，亨利八世疯狂爱上了凯瑟琳的一个宫女安妮·博林。安妮颇有心计，在亨利八世没有发誓要娶她做王后之前，她始终矜持地不肯对他表示任何好感。据说，她拒绝收下国王送给她的任何礼物，拒绝和国王见面，还躲到了乡下。当亨利八世费尽周折找到她，质问她为什么不肯接受自己的爱情时，安妮·博林冷漠地答道："我不愿意做你的情妇。"就这样，亨利八世下定决心要与凯瑟琳离婚。

他让自己的主教宰相向教皇申请离婚，因为他与凯瑟琳的婚姻是教皇亲自批准的，但当时教廷不想得罪有强大势力的西班牙，一直没有批准他的离婚请求。为了离婚，亨利宣布英国教会脱离罗马教廷，自任英国教会最高权威，发起自上而下的宗教改革，并最终于1533年废黜了凯瑟琳，娶了安妮·博林。

知识链接

亨利八世的6位妻子

在亨利八世统治的近40年时间里，他先后娶了6位妻子。第一位妻子阿拉贡的凯瑟琳，后离婚，生有一女玛丽；第二位妻子是安妮·博林，后以通奸罪名处死，生有一女伊丽莎白；第三位妻子是简·西摩，为亨利八世生下了一个儿子爱德华，在生产过程中感染离世；第四位妻子是克里维斯的安妮，因相貌丑陋被亨利八世遗弃；第五位妻子是凯瑟琳·霍华德，因通奸被亨利八世处死；第六位妻子是凯瑟琳·帕尔。

12. 鲁道夫·赫斯为什么会突然飞往英国？

1941年5月12日，德国电台广播了一则声明："民族社会主义党郑重宣布：党员鲁道夫·赫斯由于几年来持续患病，已被禁止从事任何飞行活动，但他违抗命令再次驾机。5月10日，赫斯由奥格斯堡起飞，从此他再未归来……"

声明中所提到的赫斯是德国纳粹党的领导人之一，曾十分得宠，是第三帝国的副元首。1941年5月10日，第二次世界大战正如火如荼地进行着，当时德、英双方还是交战国，但就在这一天，鲁道夫·赫斯却只身驾驶着一架ME110飞机飞往英国。

赫斯用降落伞在英格兰着陆后，声称他在完成一项和平使命，要求和与他有良好私交的汉密尔顿公爵相见。之后，根据丘吉尔的授意，汉密尔顿与英国前驻德国大使馆一等秘书伊冯·柯克帕特里克公爵于5月12日到15日在英格兰与赫斯进行了3次长谈。赫斯讲述了德国对英国和苏联的态度与政策。他认为德国必定能赢得这场战争，但英国是没有希望赢得这场战争的，因此建议德英双方共同讨论可行的和平方案。

赫斯在这一系列谈话中始终没有说他的这次英国之行是否经过希特勒批准，因此，这次只身突然飞英行动的动机就成了后来历史学家也说不清楚的难题。他究竟是自作主张，还是奉命行事，大家议论纷纷，莫衷一是。

有人认为赫斯是为了重新赢得希特勒的宠信和重用。赫斯曾经得宠于希特勒，但自大规模战争开始以后，他的才能在同僚中已相形见绌，在希特勒面前日渐失宠，对此他耿耿于怀，因此幻想以惊人之举给希特勒带来更大的成就。

苏联方面则认为，赫斯飞英后曾经有过某种深入的谈判或策划，计划德国和英国联合起来进攻苏联，但该项计划最终流产了。苏联方面后来公布的克格勃绝密文件表明，赫斯飞英是英国方面诱骗的结果。英国情报部门假意答应谈判一项和平解决方案，以此把赫斯骗到英国。而在希特勒于1941年6月22日进攻苏联前夕，赫斯相信能够说服英国与德国签订和平条约，因此只身飞往英国。

英国封存的审讯赫斯的有关档案，将于2017年解密。到那时，赫斯单独驾机飞英之谜的真相将大白于天下。

13. 为什么说希特勒“消灭犹太种族”的想法是不可能实现的？

1933年，希特勒开始了独裁统治。在他的领导下，纳粹党展开了大规模的反犹活动。这一年，纳粹德国政府撤销了所有犹太裔公务员的职位。1935年，《纽伦堡法案》将凡有一个犹太裔祖父母以上的德国人都定义为“犹太人”，此法案还剥夺了犹太人的德国国民权利。在第二次世界大战期间，纳粹政府更是对犹太人进行了惨绝人寰的种族清洗，共屠杀了近600万犹太人。希特勒还曾宣称要“消灭犹太种族”。

当然，希特勒“消灭犹太种族”的想法并没有实现。在当今世界的各个角落，都有犹太人活动的身影。事实上，希特勒这种痴心妄想也是不可能实现的。为什么这么说呢？因为犹太人有一个共同的信仰，这种信仰并不是隶属某一个种族，它代表着拥有共同的身份、归属感、根源与血统、相互义务，以及互惠使命的不同种族。种族只是人类学上针对身体的特征，如肤色、五官、眼睛的颜色或者发质等所做的定义。而犹太种族因为这一个共同的信仰可以包含各种颜色、身体特征的种族，从这个意义上讲，犹太人是杀不完的。

还有人说希特勒本人就是一个“犹太人”。如果这种说法是真的，那么可以想象，即使希特勒把全世界其他的犹太人都杀光了，也不能说已经“消灭了犹太种族”，因为至少还剩下他自己这个犹太人。不过这种说法目前还没有形成定论，希特勒的真正出身至今仍是一个谜。

14. 阿根廷总统庇隆的遗体为什么没有双手?

1987年，安置在恰卡利达墓地的一座地下墓穴被盗。这件事引起了轩然大波，其中的谜团以及后续事件成了阿根廷人议论的热点。

被盗的墓穴主人是曾三度当选阿根廷总统的多明戈·庇隆。1974年庇隆病故后，他的遗体经过处理被安放在恰卡利达墓地这座防护严密的地下墓穴的墓室中。这个墓室长4.5米。宽3米，须经过一条狭小的过道方能到达墓室门口，而进入墓室又须打开3道门，每道门上有6把锁，钥匙保存在政府总秘书办。

现场情形显示，盗墓者并没有打开棺材，而只是在棺材上开了一个洞，然后用电动刀具割断了庇隆遗体的双手，并且盗走了随葬的一把军刀和一顶军帽。这件盗墓案震惊了整个阿根廷，庇隆主义运动党成员更是群情激奋，强烈要求政府尽快破案，严惩罪犯。

盗墓者为什么要盗走庇隆遗体的双手呢？大多数人认为盗墓者是为了寻找一枚镶有玛瑙的戒指。根据资料显示，被盗的玛瑙戒指在庇隆被赶下台后一直陪伴着他度过18年的流亡生涯，然后又陪伴他回国再度登上总统宝座。庇隆逝世后，这枚戒指作为随葬品被带进了棺材。据传说，这枚戒指里藏有能开启庇隆在瑞士银行的存款箱钥匙。因此，很有可能是被盗墓者相信了这一传说，为了寻找财富，才截去了庇隆遗体的双手。

据说，盗墓者后来发现他所盗的戒指里并没有瑞士银行的保险箱钥匙时，竟然还给庇隆主义运动党体领导机关写信，建议他们赎回庇隆的双手和其他物品。盗墓者开价1000万美元，后来降为800万，但没有人理睬他们。

15. 塞内加尔共和国的首任总统桑戈尔为何在任期未满时就宣布引退?

1980年12月31日，塞内加尔共和国总统桑戈尔突然提出辞职，宣布引退，总统职位由时任总理阿卜杜·迪乌夫接任。此时正是桑戈尔第5任总统的中期，并没有到任期结束的时候。是什么原因促使他提前引退？人们进行了各种各样的猜测。

有人认为，桑戈尔是为了避免党内激烈的纷争，落实既定方针，提前交接班。1968年，桑戈尔重新设立总理一职，有意培植能忠实执行他的“民主社会主义”路线的青年经济学家阿卜杜·迪乌夫。对此，社会党内元老派一直心怀不满，党内斗争十分严重。人们认为桑戈尔有意在任期未满前两年退职，利用宪法中总统退位由总理接任的规定让迪乌夫接任，其目的是想在自己当时尚能控制政局的情况下，为迪乌夫提供一个较安定的过渡期和实际锻炼机会。再者，桑戈尔退居二线，以其传统的个人威望支持迪乌夫执政，有利于确保其政策的延续性，使塞内加尔继续沿着他所指引的“民主社会主义”道路前进。

但也有人指责桑戈尔此时引退是临阵脱逃。在桑戈尔执政的20年中，塞内加尔经济发展异常缓慢，人民生活没有多大改善。自1968年以来，塞内加尔遭遇连续大旱，全国3/5的人口缺粮，再加上出现的大量贪污舞弊现象，农民怨声载道。到70年代末，经济形势更加恶化。面对国内经济困境，桑戈尔一筹莫展，只是对民众表示“如果在我身居要职的20年间未能有效地使塞内加尔经济摆脱困境，那么我只得在自己砌起的墙倒塌之前下台了”。随着经济的进一步恶化，桑戈尔显然对搞好经济已丧失信心，只能卸掉重担，把烂摊子留给继任者去收拾，以摆脱自己的困境。

不管出于什么原因，在非洲国家里，桑戈尔提前引退都是一个史无前例的举动。之后，他又主动辞去社会党主席一职，移居法国，专心从事文学研究。

知识链接

塞内加尔

塞内加尔位于非洲西部凸出部位的最西端。北接毛里塔尼亚，东邻马里，南接几内亚和几内亚比绍，西濒大西洋。

1864年，塞内加尔沦为法国殖民地。1909年划入法属西非洲。1958年11月根据《戴高乐宪法》成为“法兰西共同体”内的“自治共和国”。1959年4月，塞内加尔与苏丹（今马里共和国）结成马里联邦。1960年4月4日，同法国签署“权力移交”协定。6月20日，马里联邦宣告独立。8月20日，塞内加尔退出联邦，成立独立的共和国，桑戈尔为首任总统。1980年12月31日，桑戈尔总统自动引退，阿卜杜·迪乌夫总理接任。此后，迪乌夫于1983、1988和1993年三次连选连任。2000年2月，塞举行总统选举，民主党候选人瓦德击败迪乌夫当选总统，结束了社会党长达40年的执政历史。

16. 肯尼迪总统的遗孀为什么守寡不到5年就嫁给了一个希腊人？

1963年11月22日清早，肯尼迪在达拉斯被刺杀，年轻美丽的第一夫人杰奎琳成了寡妇。在肯尼迪死后的4年时间里，杰奎琳把全部的精力都花在了纪念亡夫的活动和抚养一对儿女上。美国民众十分同情这位守寡的前第一夫人，把她当成完美的象征。

1968年10月20日，一切都改变了。因为在这一天，杰奎琳嫁给了一位62岁的老头——希腊船王亚里斯多德·奥纳西斯。这场婚礼引起了世界的瞩目，在舆论上引起的震动可以说不亚于当年肯尼迪遇刺。

国际上的许多新闻媒体对这桩婚礼都表达了愤怒的情绪，电视评论员干脆指责杰奎琳贪得无厌，美国的报纸则普遍认为她已经成了国家叛徒。很多人对年轻美丽的杰奎琳嫁给62岁的奥纳西斯的行为十分不解，于是进行了种种猜测。

大多数人认为杰奎琳嫁给船王是因为经济上的原因。杰奎琳是一个疯狂的购物狂，她在做第一夫人期间，十分喜欢采购家具、时装、化妆品、艺术品，因为这个，肯尼迪的母亲一直对她有很大的意见。因此，她需要一个可以供她挥霍的丈夫，恰好希腊船王奥纳西斯是世界上有名的亿万富翁，在经济上可以满足她。事实上，她嫁给奥纳西斯后，购物果真比以前更加疯狂了，有描述称她“10分钟可能已进出了世界数家豪华商店，花了至少10万美元”。

另外一种说法可能要更符合实际一些。杰奎琳之所以嫁给船王是为了逃避厄运，为了自身和一对儿女的生命安全。肯尼迪家族在美国十分著名，不仅因为有着数不清的财富，更因为这个家族在美国政坛上呼风唤雨。但是，灾难也接连不断。肯尼迪死后的第五年，他的弟弟又在总统竞选时遭刺杀身亡。杰奎琳认为肯尼迪家族已经成为暗杀的目标，为了保护儿女，她决定离开美国，她认为奥纳西斯有足够的金钱和势力可以保护她，于是嫁给了奥纳西斯。

不过，这些都是大家的猜想，这场婚姻背后的真相到底是什么？除了当事人，恐怕谁也无法知道。

17. 幕府为什么要迫害和禁止天主教？

德川幕府初期，鼓励海外贸易，西方天主教和枪炮等火器随之传入日本。但是，天主教在日本传教事业的发展逐渐扩大了教会和幕府之间的矛盾，天主教的传布，严重威胁德川幕府的统治。幕府为了加强统治的权威，于是下令迫害与禁止天主教。

从幕府的立场看，天主教在两个方面是和幕府统治根本对立的。首先，天主教教义上坚持上帝是最高权威，上帝面前人人平等，这与以将军为最高主宰、严分身份等级的幕藩体制完全不同，几乎完全相抵触；天主教排斥异教，否定神佛信仰，认为上帝是天地万物之主，应该服从上帝，而不应该服从父母、主人、君主，这对自称“神国”的日本和被尊为“东照大神化身”的德川统治者来说，更不能容忍；此外，天主教反对日本武士的切腹、多妻制，都直接和日本统治阶级的传统对立。其次，教会活动的性质使幕府的恐惧日益增加。幕府深恐丰臣氏遗族及反德川势力利用天主教徒的组织力量发动暴乱。于是，幕府决心采取强力措施来扑灭天主教。

1613年，德川幕府下令禁教，各地藩主砸毁教堂，驱赶传教士。1637年，日本发生了农民和教徒发起的“岛原起义”，幕府为了镇压这场叛乱，付出了沉重的代价。这一事件更是坚定了幕府禁教的决心。1639年，幕府颁布“锁国令”，禁止日本人与西方商人贸易，驱逐在日本的外国商人和传教士，在外国的日本人也不准回国。从此，日本进入了长达200多年的“锁国”时期。

18. 为什么印加王只用很少的法官就可以治理好国家？

印加是一个中央集权国家，印加王建立了一套行之有效的行政体系。印加王把整个帝国层层划分，并在各阶层设立相应的官员，这就是所谓的“权力金字塔”。印加王处于塔顶，位于金字塔底部的是帕查卡-卡马约克，即十户长。十户长制度是一种类似保甲制的办法，以大概10户为一个单位，十户长对其进行管理。在十户长的悉心管理下，印加社会显得井然有序。

当然，除了这种金字塔权力结构以及十户长制度，印加王能够成功地实行统治还有一个重大的原因——语言的统一。

印加帝国幅员辽阔，各个地区有各不相同的方言。再加上印加扩张征服了很多其他民族，因此，印加管辖下的各个民族在语言上差异巨大。印加没有文字，印加王的一些统治政策和命令只能依口头的形式相传。这些命令是如何传递给那些语言不通的地区的呢？

印加采取的办法是让臣服民族学习印加的母语——克丘亚语。每当一个新的王国或者省份加入印加版图，印加王便会命令他们学习克丘亚语及相关印加法律。印加的官员委任制度规定：只有那些熟练掌握克丘亚语的人才能被赋予管理国家事务的权力和地位。

通过推行克丘亚语，印加王传授给了各级地方官员逻辑化的思维方式，以及与思维方式有关的符合印加理想的性格和理性。克丘亚语给印加王的统治带来了极大的便利，他只需要少数懂得克丘亚语这种通行语言的人就能很好地治理整个国家。

西班牙入侵印加以后，他们派遣了300多名督办还是感到人手不够，究其原因，就在于印加帝国灭亡后语言又复归混乱，人们无法沟通，命令难以传达，自然也就难以管理了。

19. 美国为什么要开展禁酒运动？

1919–1933年的美国，喝酒者会被执法部门抓获，还可能被罚款1000美元并蹲上半年监狱。难道喝酒也犯法吗？没错。当时的美国正在开展禁酒运动，禁酒令中明确规定：凡是制造、售卖及运输酒精含量超过0.5%以上的饮料均属违法，与朋友共饮或举行酒宴也属违法。

美国为何要开展禁酒运动呢？19世纪初，美国人酗酒成风。据1818年的调查，纽约市有营业执照的低级酒吧共1900家，没有营业执照的少说也有600家。费城也做了相似的调查，发现5岁的小孩拿着几分钱到街角的杂货铺买酒喝。酗酒之风也刮到了农村，农民地窖里贮存着大量甜酒和威士忌。饮酒在给人们带来精神愉悦的同时，也造成了日益严重的社会问题。偷盗、抢劫、毁坏财产和家庭暴力等丑恶现象急剧增加。所以，当饮酒甚至酗酒成为一种风尚，并由此产生严重的社会问题时，要求禁酒的呼声也越来越强烈。

19世纪是美国社会改革和妇女运动快速发展的时期。在这种社会环境中，妇女成了促使禁酒立法变为现实的重要力量。许多妇女痛恨丈夫酗酒，进而痛恨所有造酒、卖酒的行为。她们认为酒破坏了家庭，不断呼吁国家立法禁酒。

19世纪中期，美国一些地方开始使用法律手段约束喝酒者。1846年，缅因州首先通过了官方禁酒令，引发了其他一些州纷纷效仿。禁酒运动开始进入官方立法阶段。进入20世纪以后，这种立法禁酒的潮流渐成气候。

1914年，第一次世界大战爆发。1917年，美国正式参战。为了节约谷物，确保战时全国的粮食供应，美国政府颁布了临时性的禁酒措施。主张禁酒的人们抓住机会，竭力让这种临时性的立法永久化。一战结束后的1919年，美国国会通过了《国家禁酒令》，开始了全国强制性的禁酒。

不过，禁酒令只推行了14年。1933年，刚上台的罗斯福总统取消酒禁，禁酒运动从此宣告结束。

20. 古埃及的大臣朝见法老时要亲吻什么地方？

我们习惯上把古埃及的国王通称为法老。法老是埃及语的希伯来文音译，在古王国时代（约公元前2686–前2181年）仅指王宫，并不涉及国王本身。新王国第十八王朝图特摩斯三世起，开始用于国王自身，并逐渐演变成对国王的一种尊称。第二十二王朝（公元前945–前730年）以后，法老成为国王的正式头衔。

法老作为奴隶制专制君主，是古埃及的最高统治者。他掌握着全国的军政、司法、宗教大权，其意志就是法律。法老被认为是最高神太阳神的儿子，是神在地上的代理人和化身，臣民将其当成神一样来崇拜。

法老站在权力金字塔的顶端，是神的化身，具有绝对的权威。古埃及人对法老的崇拜近乎疯狂，仅仅是法老的名字就具有不可抗拒的魔力，大臣们以亲吻法老的脚为荣。

一般情况下，法老的脚不是轻易能亲吻到的，所以，大臣们在朝见法老时匍匐在御座前面，亲吻国王脚前的地，以表示对法老权威的敬仰。而这些大臣们死后也要葬在法老金字塔周围，表示继续在“阴间”效忠法老，为法老服务。

知识链接

图特摩斯三世

图特摩斯三世（公元前1514–前1450年），埃及第18王朝法老（公元前1504–前1450年在位）。在古埃及的31个王朝中，第18王朝是延续时间最长、版图最大、国力最鼎盛的一个朝代，而图特摩斯三世则是这个王朝的集大成者。通常认为，是图特摩斯使埃及完成了从一个地域性王国向洲际大帝国的质变。

21. 在古代玛雅的城市首领竞选中，候选者为什么会被问及一些模糊、奇怪的问题？

玛雅人分为贵族、祭司、平民和奴隶4个群体。贵族包括王（即真人）、村镇首领，以及更低级的头目。真人集政权、军权、教权于一身，他执政期间最主要的政务之一即是亲自任命自己属下的各村镇首领。

在村镇首领的选拔、任命过程中，所有的候选人都必须接受一种奇特的廷试，他们会被问及一些模糊奇怪的问题，内容很琐碎，不知底细的人往往被问得不明所以，只有得到关于这种问题知识秘传的人才能对答如流。

这种考问被玛雅人认为是神意的拣选，答对的人才真正有资格当领袖之职，他们当即被承认为入围的贵族阶层成员。而那些回答不出来的人，或那些自视聪明、答非所问的人，则被推出去处死。

和真人一样，这些首领在村落镇上以较小的规模行使管理权，与地方祭司一起负责所有祭祀娱神活动。他们一经当选，终身任职，前提是必须始终对真人绝对服从。

这种选拔真的是平等且公正的吗？这种类似黑话的对白到底是些什么呢？为什么还要处死没能答出问题的人？

要回答这些问题，我们得从玛雅人的继承传统说起。他们的继承传统是长子继父、兄弟共荣、兄终弟及、叔侄共政。王室是世袭唯一的一个家族，家庭的内聚性比较强，王室为了保障家庭对王权的独享，他们就创造了一些只有他们群组才拥有的类似于黑话的“秘密”，高级祭司用各种图谱和口传秘史来教导王室家庭成员识记这些“秘密”，增强他们的家族认同感。

因此，我们也不难理解遴选村镇首领时那些近乎荒诞的问题了。只有本群族内的人才可能得到秘不可宣的“黑话”真传，才能成为城镇首领职位的人选。而那些新贵的暴发户、外来户或其他觊觎统治地位的人，都会被王室作为异己和隐患铲除。从一定程度上讲，这种严格的制度保持了统治阶层在政治上的稳定性，维护了单一家族对广大人民的辖制。

22. 拿破仑进军埃及为何会重现古代埃及文明？

古埃及文明是世界最古老的文化之一。古埃及的文字、文学、建筑艺术和科学知识等，对古代许多国家特别是地中海东岸各国有过较大的影响，并且在世界历史上留下了不可磨灭的印迹。

但让人感到遗憾的是，公元前332年，希腊马其顿征服了埃及，延续了近3000年的埃及法老时代宣告终结，古埃及文明也随之结束。那么，古埃及文明是如何重现与流传下来的？这其中不能不提到一个人——拿破仑。

1798年，以亚历山大大帝自诩的拿破仑率领328艘战船，38 000

名士兵，从法国土伦出航，向东方进军，目标直指埃及。在远征埃及的大军中有一群被戏称为“驴子”的人，他们就是拿破仑麾下的学者队伍，其中有天文学家、几何学家、化学家、矿物学家、东方学学者、画家、诗人等。他们带着成箱的行囊，里面装满了所有能从法国找到的关于埃及的书籍和最好的科考仪器。

在拿破仑进行征服战争的时候，这群人开始在埃及寻找失落的文明。1799年，拿破仑被英国将军纳尔逊击败，这也宣告他的这次远征东方的军事行动归于失败。但在拿破仑的军队离开时，学者们已经在埃及掘出了大量的文物，其中最著名的是一件黑色玄武岩石碑——罗塞塔碑。而后，他们将这次埃及之行编撰成一部24册的插图本巨著《埃及记述》并在巴黎出版，这部书的出版带动了后来轰轰烈烈的古埃及研究，古埃及文明考古开始兴起。

后来，法国著名历史学家、语言学家商博良破译了罗塞塔碑上的文字，古埃及文字的奥秘由此破识，因此更多的数以万计的古代文献开始为众多的学者所掌握和研究，通往古埃及之门被打开了。

战争意味着破坏与灾难，但18世纪拿破仑进军埃及的军事行动却产生了与之相反的效果。拿破仑对古埃及文明的再生起了重要作用。

知识链接

罗塞塔碑

罗塞塔碑是一块外形不规则的黑色玄武石碑，长114厘米，宽72厘米。碑面刻着3段文字，不过经过2000多年的侵蚀，现在已经变得有些模糊。碑文是用埃及和希腊两种语言的3种文字体系雕刻而成的。其中，第一段为象形文字，共11行；第二段是通俗体文字，共32行；第三段是希腊文，共54行。

很多年来，许多学者专家想解读罗塞塔碑上希腊文字与象形文字之间的关系，但都没能成功。最终，这块石碑的秘密被法国天才的历史学家商博良释读，同时，商博良编撰了《埃及语法》，成为埃及学的奠基人。

23. 摄关为什么敢号称“天子”，而天皇却要卑称“某院”？

9世纪后期，日本的社会政治出现了巨大的变化。天皇的地位逐渐形同虚设，朝廷的大权落入了贵族外戚手中。文德天皇统治时期（公元850–858年），作为天皇外戚的藤原家族权倾朝野，藤原良房位居太政大臣，他的外甥惟仁亲王被立为太子。公元858年8月，文德天皇去世，藤原良房拥立年仅9岁的惟仁亲王为清和天皇，自己则以太政大臣和外戚的双重身份，代为天皇摄理政务。按照惯例，天皇长大成人之后，藤原应将大权交还天皇。可是，清和天皇长大之后，藤原仍不肯交还实权，改以“关白”的名义继续代天皇总揽朝政。之后，藤原更是将“关白”与“摄政”定为常置官职，并规定“摄关”一职只能由藤原家族的人担任。

“摄关”把持政权这一时期，天皇的称号发生了变化。人们不再称呼“天皇”之名，取而代之以“院”号。冷泉天皇以后，在位的天皇自称“院”，天皇在居所设立“院厅”，办理公私事务。而与之相反，“摄关”却十分嚣张，日本《台记》里记载藤原赖长就曾说过：“摄政即天子也。”那么，究竟是什么原因导致了摄关敢号称“天子”，而天皇却要卑称“某院”这种局面的出现？

政治力量的不平等其实往往与经济力量的不平等密切相关。在院政时期（1086–1192）之前，土地的占有形式有两种：一种是农民从国家租用的班田，一般以6年为限；另一种则是朝廷分封给特权阶层的封田，这些封田在后来基本成为世袭田。公元743年，日本朝廷开始施行《垦田永世私财法》。这一法令使得许多王公贵族驱使农民开垦荒野，然后再通过兼并等手段取得大量私有土地。由此，到10世纪前后，日本朝廷贵族拥有了大量的庄园，形成实力雄厚的“庄园”经济。朝廷显贵所拥有的庄园不用向国家交纳租税，也不受国家管制。

庄园经济的形成，使得“天下之地悉为一家之领，公领无立锥之地欤”（“一家”指摄关家，“公领”指皇室之领地）。摄关与天皇之间经济地位的悬殊也就造成了政治地位的不对等，从而出现了摄关敢号称“天子”，而天皇却要卑称“某院”的奇怪现象。

24. 英国保守党的第一位平民首相为何终身不娶？

2005年7月17日，英国保守党的第一位平民首相爱德华·希思在英国南部城市索尔兹伯里的家中去世，终年89岁。希思曾在1970–1974年间担任英国首相，是英国最富争议的首相之一。

希思出身贫寒，父亲是一名木匠。这个寒门子弟发愤图强，顺利考上牛津大学，在校期间一直成绩优秀。第二次世界大战期间，希思当过炮兵军官，战后当过公务员，干过报社编辑。1965年，时年49岁的希思成为自19世纪以来英国最年轻的保守党领袖。1966年的英国大选中，希思输给了当时的工党领导人威尔逊，但在1970年英国提前举行的大选中，他卷土重来，击败威尔逊，成功当选英国首相。

1970–1974年，希思担任英国首相。虽然执政时间不长，但多数人对其政绩都给予充分肯定。他最大的成就就是力促英国在1973年加入欧洲共同体，结束了二战后英国在欧洲的政治孤立状态，希思也因此而被称为“将英国带进欧洲”的首相。

希思终身未娶，但他生前曾表示对此没有遗憾。他为何终身不娶？据说希思曾经有一位女友，名叫凯·雷文，他们相恋了15年，但希思始终没有向凯求婚，遥遥无期的等待使凯心灰意冷，在希思34岁的时候，凯不得不听从家人的劝说另嫁他人。希思表面上十分平静，但内心却沮丧不已，从此他就一直把心思放在政治上，不喜欢谈论婚姻，并且一直保持单身。

从希思生前的一些行为来看，他是一位性格孤僻、不合群的人，而且他对女生抱有偏见。有人认为，是希思的拘谨胆怯导致他害怕与女人交往，再加上他看到周围许多婚姻悲剧，所以最终干脆不结婚。在政治生涯走向低谷后，希思非常反感别人说他生活孤独、空洞。他在1989年接受采访时说：“我有自己的乐趣。我从未遗憾自己独身，相反，许多政治家好像对娶了老婆感到遗憾。”

希思的最大爱好是弹钢琴。他从小学琴，在担任首相及保守党领袖期间，还曾多次指挥国际知名交响乐团演出。1976年，他还写了一本畅销书《音乐——生活之乐事》。英国媒体因此常将钢琴戏称为这位单身前首相的“妻子”。

25. 谁是美国吞并夏威夷的主谋?

“夏威夷”一词源于波利尼西亚语。公元4世纪左右，一批波利尼西亚人乘独木舟破浪而至，在此定居，为这片岛屿起名“夏威夷”，意为“原始之家”。1795年，卡米哈米哈酋长征服了其他部落，建立夏威夷王国。从19世纪开始，美国商人、传教士和政客开始到岛上活动。1893年，一群政客和商人在美国人的帮助下发动政变，夏威夷王国的女王里留卡拉妮被迫退位。1898年美国西班牙战争后，美国吞并了夏威夷。1959年，夏威夷成为美国第50个州。

在美国决定吞并夏威夷的过程中，有3个人起了决定性的作用，他们就是阿尔弗雷德·马汉、西奥多·罗斯福和亨利·洛奇。

马汉是当时著名的海军军官和海军战略家，而且是个典型的扩张主义者。他对美国向太平洋，包括向远东和夏威夷的扩张，不但积极出谋划策，而且千方百计地向政府的决策人物提出具体建议。在美国向夏威夷扩张的问题上，他向当时担任海军部助理部长的西奥多·罗斯福提出建议说，要特别注意日本人口在夏威夷群岛上的增长，应当首先把群岛夺到手，而后再解决具体问题。

当马汉向罗斯福提议应当首先夺取夏威夷时，罗斯福此时正担任美国海军部助理部长，他也积极主张美国夺取夏威夷。因此，他完全同意马汉的观点，并根据美国总的外交政策采取了相关的行动。

洛奇原是美国国会众议院海军委员会中第二个最强有力的成员，1895年，他进入参议院并担任该院对外关系委员会的成员。1895年3月2日，洛奇在参议院辩论美国是否应当占领夏威夷时，发表了措辞激烈的讲话，并极力主张夺取夏威夷。他的讲话在国会中产生了极其深刻的影响，他的主张得到了白宫的承认。

谁是美国吞并夏威夷的主谋，一时难以分辨，总之，在美国吞并夏威夷的过程中，马汉提出了理论性的见解，罗斯福则在军事准备工作中发挥了作用，而洛奇则在国会最后做出吞并夏威夷的决议中施加了举足轻重的影响。

26. “提尔西特的秘密”为何无人能揭晓？

1807年6月25日至7月7日，法国皇帝拿破仑一世与俄国沙皇亚历山大一世在提尔西特附近的涅曼河上及提尔西特小城中进行了多次长时间的会晤。他们举行这些会晤时都是单独进行，不带任何随从。会谈结束后，法俄两国立即签订了和约和一个秘密盟约，法俄的结盟使整个欧洲局势发生了重大变化。两位皇帝到底谈了些什么？他们对当时国际局势中的一系列重大问题的真实立场究竟怎样？这就是留给后人的“提尔西特的秘密”。

因为拿破仑和亚历山大的会晤是单独进行的，他们谈了些什么除了他们自己以外无人能揭晓。于是就有很多学者依据基本历史事实，再加上一些“合理想象”来描述这一秘密。

法国历史学家比尼翁对两位皇帝在涅曼河上的首次会晤做了这样的精彩描述：“……拿破仑率先伸出手来，两位皇帝握手、拥抱。亚历山大说：‘我对英国人的仇恨和你一样深，我一定支持你对他们采取的一切行动。’拿破仑回答说：‘这样的话，一切都好办，和解就实现了。’这番开场白奠定了以后会谈乃至和约签订的基础……”

另一位法国历史学家阿尔芒·勒费弗尔的和英国历史学家约瑟夫·阿鲍特在后来都对同一场景用类似的语言做了生动的描述。这些描述十分精彩、生动，很多人都相信事实就是如此。

但是，英国历史学家约翰·霍兰·罗斯在他的名著《拿破仑一世传》中不客气地指出：“所有关于这一情节的传说，归根到底都是以比尼翁的描述为依据的，而比尼翁在书中却没有举出任何确实的证据。"罗斯提出的事实显然是无可辩驳的，但他也没能举出任何确实的证据来推倒比尼翁等人的见解。

有的史学家们则坚持认为，具体描述两国皇帝单独会晤时说了哪些话是毫无根据的。他们认为当时亚历山大并不急于和英国决裂，因为和英国决裂，英国关闭俄国的港口将极大损害俄国的海军建设和滨海地区的贸易。1963年苏联公开出版一批沙俄时代外交部的文件集中证明了这一观点。文件显示，亚历山大曾指出，结盟就意味着"俄国付出与英国绝交的代价"，而"在目前形势下和英国决裂，将给我们造成极大的困难"。

可以预料，依据今后逐步发现和公布的历史资料，两国皇帝单独会谈时的真实立场将被逐步揭晓。但他们会谈时说过的具体话语，将是一个永恒的秘密。

27. 奥古斯都的侄、孙为何连遭杀害?

奥古斯都（屋大维）生前很早就注意了对继承人的培养。因为他没有儿子，只有一个女儿朱丽亚。因此，他想通过指派自己家庭中的一个成员，如果需要时收某人为养子，并让他同自己家庭成员结婚，以后选他为继承人。

开始，他选了他的侄子玛尔凯鲁斯为继承人，让他的女儿同玛尔凯鲁斯结婚，但不到3年，玛尔凯鲁斯就死了。之后，奥古斯都选中了大将阿格里巴，因而命女儿朱丽亚又与阿格里巴结婚，屋大维一心重用、培养阿格里巴，准备让他继承大业。不料，阿格里巴在公元前12年去世，只留下了两个儿子——盖乌斯（8岁）和卢基乌斯（6岁）。奥古斯都收这两个孩子为养子。为了把两个外孙培养成元首接班人，奥古斯都煞费苦心。

公元前5年，15岁的盖乌斯被任命为公元1年的执政官。公元前2年，满15岁的卢基乌斯也得到同样的荣誉。正当这一切按照奥古斯都的安排顺利进行时，重大的变故却又接着袭来。公元2年，卢基乌斯死于马西里亚。2年后，盖乌斯也在吕基亚不明不白死去。之后，奥古斯都不得不按自己妻子莉维亚的要求把提比略收为养子，确定为自己的接班人。

有关于奥古斯都的侄、孙连遭杀害的原因，一直是历史之谜。有人认为他们是被拥护旧共和制的反对党人所杀。这种猜测认为奥古斯都破坏了共和时代民主选举最高行政长官的制度，公开搞王位继承制。而奥古斯都的行为使想复辟旧制的包括马略党羽、庞培部下、克拉苏等在内的共和党人深恶痛绝。

更多的人认为奥古斯都的侄、孙之死是源于宫廷内的权力斗争，他们怀疑是提比略和他的母亲莉维亚所为。提比略是莉维亚与前夫所生，屋大维与提比略的关系一直不和，莉维亚曾多次劝奥古斯都立提比略为接班人，但都为屋大维所拒绝。直到他的两个外孙都死去后，屋大维才不得不立提比略为继承人。多年来，提比略一直拥兵在外，他与奥古斯都关系不融洽，加上他在行省的军队中有很大影响力，因此这种怀疑还是有些说服力的。

28. "国联"是由美国人参与设计和筹建的，但为什么美国始终没能加入"国联"呢？

第一次世界大战后，美国总统威尔逊提出建立国际联盟以维持国际秩序，即国际社会提供保证以避免弱国遭到强国侵略。此项提议得到法国总理克雷孟梭和英国首相劳埃德·乔治的赞同。1920年1月，国际联盟成立，简称"国联"。国联是历史上第一个最大的安全与和平组织，它以减少武器数目、平息国际纠纷及维持民众的生活水平为宗旨。

在国联成立过程中，美国倾注了大量心血，但是让人感到意外的是，直到第二次世界大战后国联被联合国取代，美国始终都没能加入国联。这是为什么呢？

有历史学家认为美国没有加入国联与美国总统威尔逊及参议院外交委员会主席洛奇有重大关系。洛奇当时热衷于党派斗争，只考虑个人和党派的利益而置国家利益于不顾，为了阻挠美国批准《凡尔赛条约》，他附加了十几条补充条款。而威尔逊对洛奇等人的补充条款十分不满，严厉要求国会参议院中的民主党议员绝不投附有

“洛奇条件”的条约赞成票，结果严重地影响了批准美国加入国联所应获得的多数选票，从而使美国丧失了加入国联的机会。

然而，事情可能并不是这么简单。我们可以从当时的世界形势来进行分析。

在长期的世界大战打击下，饱受战乱之苦的各国人民都强烈反对帝国主义战争，渴望和平，而此时美国提出了“十四点原则”和建立“国际联盟”正好契合这种形势。依照美国的意思，德国和一些小国都可以加入国联，这也暴露了美国的真正意图——美国企图建立一个经济上依赖自己的国家联盟，以对抗英法独占殖民地的政策，达成其获得世界领导权的愿望。

可是，美国的这一愿望与英国继续维持其世界霸主地位以及与法国要求最大限度报复德国的愿望不符。虽然英法在战争中损失惨重，但也不是那么容易就垮掉的，而且美国长期以来一直受孤立主义的思想影响，不愿卷入欧洲事务。这些都注定英法将主导国际联盟，美国将受到英法的限制。当时美国参议院已经有人预见到国联会被英法控制，而自己的实力又没有达到可以打破当时国际格局的程度。既然加入国联无益于美国，却只能成为妨碍美国推行扩展政策的绊脚石，那么就没有参加的必要了。于是，美国参议院最后拒绝加入国联。

29.“卐”为什么会成为纳粹的标志？

“卐”这一具有神秘色彩的标志，曾使无数纳粹党徒为之疯狂，干尽坏事。因此，人们十分痛恨惨无人道的纳粹分子及“卐”标志。

其实，“卐”原是上古时代许多部落的一种符咒，在古代印度、波斯、希腊、埃及、特洛伊等国的历史上均有出现，后来被古代的一些宗教所沿用。最初人们把它看成是太阳或火的象征，以后普遍被作为吉祥的标志。随着古代印度佛教的传播，“卐”字也传入中国。中国唐代武则天将“卐”定为右旋，定音为“万”，义为“吉祥万德之所集”。

不过，后来这个被寓意吉祥功德的神秘符号竟成了德国纳粹党的标志。据说，纳粹党旗是希特勒亲自设计的，他以红色作为旗帜的底色，中间是一个白圆心，白圆心的中心嵌着一个黑色的“卐”字。后来他还解释了这一设计的寓意：“红色象征我们这个运动的社会意义，白色象征民族主义思想。‘卐’字象征争取雅利安人胜利斗争的使命。”希特勒还为他的冲锋队员和党员设计了“卐”字臂章和“卐”字锦旗。

希特勒为何要选用“卐”字作为纳粹标志？根据希特勒解释的寓意，有人认为他是受到“新圣堂骑士团”反犹组织的影响，因为这个组织认为雅利安人是最优秀的民族，必须保持其纯洁血统，世界才有希望，这与希特勒的观点是一致的。而这个组织的标志符号就是“卐”，所以，“卐”字符被希特勒在后来设计党旗时选用。

还有一种说法是后来被人们普遍接受的。此说认为“卐”字旗是根据纳粹党名设计的。纳粹党的意思是“国家社会党’，在德文中“国家”和“社会”的字头都是“s”，两个字头交错重叠在一起，就形成了“卐”字形状。

30. 拉斯普庭为什么被人们视为妖孽？

1904年8月12日，亚历山德拉终于为俄国沙皇尼古拉二世生下了儿子阿列克谢。但不幸的是阿列克谢患有遗传性的血友病，身上出现哪怕很小的伤口，就会血流不止。血友病是一种遗传性的不治之症，得病者一般很难活过20岁。尼古拉二世心急如焚，召集了很多自称有“妙手回春”绝技的医生、神僧进入皇宫为皇子治病。这其中就有一位神秘人物——拉斯普庭。

拉斯普庭到底是何许人也？其实拉斯普庭是一个骗子。他本是西伯利亚一个闭塞农村的无知农民，从小就不务正业，放荡成性，当过小偷，做过盗马贼。在长期的流浪生活中，拉斯普庭结识了一些僧侣和各种异端分子。之后，他便声称自己能直接与神对话，能借助神的力量为人治病，预卜未来。据说，一次有人把手割破了，他胡乱抓一把草敷上，然后念念有词地祷告，血竟然凝结了。消息通过民间流传，拉斯普廷居然成了“神人”，还经常被人请到家中“降神治病”。他被召进皇宫给皇子看病也是因为他所谓的神奇超能力流传到了俄国皇宫。

尽管他是个骗子，但拉斯普庭还是有一点过人之处——他有着高超的催眠术。在他一番花言巧语和无耻拙劣的表演后，他幸运地止住了阿列克谢的流血，减轻了疾病给太子带来的痛苦。尼古拉二世与皇后就此认定他是创造奇迹的人，对其极为信任，并称其为“圣者”。

就这样，整个帝国未来的命运似乎都掌控在一个出身不明的巫师手里。拉斯普庭开始积极发展自己的党徒，亲王、大臣、将军，以及贵族、商人、银行家都被他揽至旗下。他不仅与大资产阶级相勾结，控制了国家的经济命脉，而且还与皇后亚历山德拉一起干预朝政，操纵大臣的任免权。除此之外，这位“圣者”还对女人表现出极大的兴趣，俄罗斯野史中遍布着关于他的风流逸事和他对女人的征服。

就这样，拉斯普庭勾结朝野上下，干预政治，策划各种阴谋诡计，把本来已经糟糕的俄国弄得更加混乱不堪，使俄国迅速走向崩溃。他的胡作非为也把他弄得声名狼藉，又由于他善于装神弄鬼，借助神职进行坑蒙拐骗，俄国的平民及贵族把他视为妖孽，都欲除之而后快。

1916年12月16日，在沙皇的堂弟帕夫洛维奇大公和外甥女婿尤苏波夫公爵的策划下，恶贯满盈的拉斯普廷终于被刺杀。

第三章

民族逸闻·种族趣事

1. 为什么有泰国人起源于中国人的说法？

泰国人跟中国人攀上了亲戚，这可是一件新奇的事儿。虽然中国位于东亚而泰国位于东南亚，两个国家相距不远，但从长相、语言及生活习惯等方面看，中国人与泰国人的差异还是很明显的。既然如此，泰国人又是怎样和中国人扯上关系的呢？

原来，很多学者认为泰国人起源于中国，二者有着共同的祖先，所以才有了“兄弟”之说。有美国学者指出，泰人的发源地在阿尔泰山和蒙古纵深地带。泰国的历史学家干乍那克潘也对这一观点表示认同。

中国学者尤中通过对《史记·南越尉陀列传》《汉书·两粤传》及《华阳国志》等史籍的考察，指出了泰人的祖先即是秦汉以来的百越部落。另一位中国学者吕美珍则从语言学的角度进行了佐证。她认为，从发声学上看，泰人的语言与傣语和壮语有着共同的起源；从类型学上看，泰语也与傣语和壮语有着相同的结构。在这3种语言中，有500多个相同的词根，而且语言和语法也是基本一致的。

由此看来，泰国人起源于中国的说法并非空穴来风，但即使如此，也应该是泰国人称中国人为兄长，怎么反过来了呢？这主要是受到了一位叫作罗特的美国传教士的影响。他曾写过一本书，书名就叫《泰族：中国人的兄长》。在书中，他讲到自己在中国境内见到很多讲泰语的中国人，于是就此推断中国大地的主人应该是泰人的祖先，所以说泰国人应该是中国人的“兄长”。

尽管泰国人起源于中国的说法被很多学者所认可，但有些泰国学者对此却不以为然。在泰国的《文化艺术》杂志上，曾刊登过一篇题为“泰国人来自何处”的文章，其中引用了苏联考古学家的考古证据，证明了阿尔泰山地区并没有任何泰人居住过的痕迹。

近年来，在泰国东北部的班清地区相继出土了一批5000年前的历史文物，这更让一些泰国学者相信泰国人并非出自他处，而是在泰国土生土长的土著居民。

关于泰国人的起源问题，虽然已经出现了很多观点，而且似乎每种观点都有一定的道理，但却没有一种能真正解开泰人的来源之谜。不过我们相信，随着科学技术的进步和考古工作的进行，谜底终有被揭开的一天。

2. 犹太人与以色列人有何渊源?

以色列是世界上唯一一个以犹太人为主体的国家。让人不解的是，既然以色列大多数都是犹太人，那么为什么不叫“犹太国”呢？既然犹太人是以色列的国民，又为什么不称他们“以色列人”呢？有些人认为犹太人就是以色列人，二者并无差别，事实是否真的如此呢?

《圣经》中提到的犹太人和以色列人，都是指亚伯拉罕的后裔，但“以色列”这一名称的出现时间要比“犹太”早。以色列的意思是“与上帝角力”。相传以色列的先祖雅各曾在半梦半醒之际与一个对手角力，直到清晨时分，雅各也没有被打倒，因此对手才给了他“以色列”这一称号。

雅各有12个儿子，他们分别得到了父亲的祝福，并成为以色列12个支派的祖先。这12个支派虽然期间经历了一些变化，但始终沿用着这种支派的制度。直到所罗门王统治结束以后，以色列民族的12个支派才被分成两半儿，其中的10个支派组成了北边的“以色列王国”，剩下的两个支派则组成南边的“犹大王国”。

后来，以色列王国被亚述帝国摧毁，曾经生活在那里的以色列人或者流落异乡，或者被外来的民族所同化，渐渐失去了民族的特质，最终在世界上消失了。至于南边的犹大王国，则延续了他们原有的信仰和文化，虽然也曾被他国所灭，但他们又获得了重回故地的机会。这些重回故地的犹大人在新约时代便被称为"犹太人"。

由此看来，犹太人与以色列人虽然渊源颇深，但说二者毫无差别显然是不恰当的。

3. 今天的玛雅人什么样？

曾经辉煌灿烂的玛雅文明早就已经离我们远去了，玛雅壁画中描绘的那些热烈且绚丽多彩的场面也不复存在了，但这个伟大的民族却并没有消失。在中美洲，仍然有一块土地是属于玛雅人的，因为只有他们才是那里真正的主人。

与他们的先祖不同，如今的玛雅人似乎太过安静，安静得让很多人几乎忘了他们的存在。人们不禁要问，今天的玛雅人变成什么样了？

对于从未见过玛雅人的人来说，认识玛雅人主要是通过雕刻和壁画中的人物形象，但这些形象是否真的是玛雅人的真实再现呢？雕刻和壁画毕竟是艺术作品，其中对人物形象的描绘也难免会使用夸张的手法。

在流传下来的玛雅雕刻和壁画中，玛雅人大多有着扁平的额头、鹰钩鼻子和厚厚的嘴唇，面部特征十分夸张。远古时期的玛雅人是否如此我们不得而知，但现在的玛雅人肯定不是这个样子的。虽然他们也多少有这些特征，但并没有那么鲜明。从相貌上看，他们与中美洲的其他种族并没有太大的差别。

如今的玛雅人已不再像他们的祖先那样让世人瞠目，因为他们放弃了与现代文明接轨，而仍然保留着他们自己的生活方式。这也许是一种遗憾，但对于所有热爱玛雅文明的人来说，却更是一种幸运。

正是因为玛雅人顽强地保留着自己的传统，才使得我们在玛雅文明逝去多年的今天还能够见到玛雅文明的遗风流韵。今天的玛雅人仍然说着他们自己的语言，讲着他们民族的传说，信仰自己的神灵，这就是他们的特别之处。

知识链接

玛雅人都包括哪些人

玛雅人是以语言来定义的。根据语言族系和地理分布的不同，今天的玛雅人主要包括以下几种人：

（1）尤卡坦玛雅人：主要居住在墨西哥的尤卡坦半岛上，由于人数众多，后来又延展到伯利兹北部和危地马拉东北部。

（2）拉坎墩人：主要居住在墨西哥南部的乌苏马辛塔河与危地马拉的边界地区，另有一小部分居住在危地马拉和伯利兹。

（3）瓦斯特克人：主要居住在墨西哥的韦拉克鲁斯州背部和圣路易斯伯托西州。

（4）尔诸民族：包括琼塔尔人、乔尔人和乔尔蒂人，主要居住在恰帕斯州背部、塔巴斯克州及危地马拉东端。

（5）佐齐尔和策尔塔尔诸民族：主要居住在墨西哥南部的恰帕斯州。

（6）基切诸民族：包括基切人、凯克奇人、皮科莫西人、波科曼人、乌斯潘特克人、卡克奇克尔人、楚图希尔人、萨卡普尔特克人和西帕卡帕人，主要居住在危地马拉东部和中部高地。

（7）马姆诸民族：包括马姆人、特科人、阿瓜卡特克人和伊西尔人，主要居住在危地马拉西部高地。

（8）坎霍瓦尔诸民族：包括托霍拉瓦尔人、莫托辛特莱克人、图赞特克人、阿卡特克人、哈卡尔特克人和丘赫人，主要居住在危地马拉的马拉韦韦特南戈省及相邻的墨西哥地区。

4. 印加与秘鲁有什么关系？

作为著名的美洲三大古文明之一，印加文明与玛雅文明一样充满了神秘色彩，令人叹为观止。印加文明的发达程度就连自诩文明的欧洲人都为之赞叹，只可惜这个古老的文明早已离我们远去。如今，要寻觅印加文明的踪迹，有一个地方是最佳的选择，这个地方就是秘鲁。

秘鲁是南美洲西部的一个国家，其前身是西班牙设立的秘鲁总督区，独立后才改名为秘鲁共和国。那么，印加与秘鲁究竟有什么关系？为什么秘鲁会有印加文明的踪迹呢？其实，秘鲁就是印加文明的发源地，是这片土地孕育了发达的印加文明。印加人曾在这里建立了强大的印加帝国，并维持了一个世纪。直到西班牙人征服印加，才将这里重新命名为秘鲁，而秘鲁这个名字也一直沿用到了今天。

如果是这样，是不是可以认为秘鲁与印加指的是同一个区域，只不过名称有别呢？答案是否定的。秘鲁虽然曾是印加帝国的所在地，但两者却并不能简单地画等号。就地域来说，印加要比今天的秘鲁更大一些。印加的地域除了今天的秘鲁外，还包括今天的厄瓜多尔和玻利维亚，也包括哥伦比亚、阿根廷及智利中的一部分。印加的国土面积可达200多万平方千米，而今天的秘鲁则只有128万平方千米，两者相差悬殊。

由此看来，今天的秘鲁只是印加的一部分，并不能代表整个印加。

5. 吴哥城的200万居民为什么会神秘消失？

1861年，法国博物学家亨利·穆奥在4名柬埔寨向导的带领下踏进了热带原始森林。他本来是要进去捕鸟的，但一个意外的发现却让他兴奋得忘记了自己的“本职工作”。是什么样的意外发现让穆奥如此兴奋呢？原来，他发现的正是柬埔寨古代文明的辉煌瑰宝——吴哥古城。

吴哥城的壮丽景观让穆奥赞叹不已，但让他百思不得其解的是，城中竟没有一个人。如果说没有活人在意料之中的话，那么连一个死人都没有就出乎意料了。从吴哥城的规模来看，这里的居民至少在200万以上。这200万吴哥居民究竟去哪儿了？他们为什么会神秘消失，而且还消失得不留一丝痕迹呢？

佛教有这样一个传说，吉蔑国王被祭司之子触怒，便将其淹死在洞里萨湖中。天神愤怒而替祭司之子报仇，令湖水泛滥，因而摧毁了吴哥。虽然这仅仅是神话传说，但洞里萨湖在季风季节确实容易暴发洪水，吴哥城被洪水毁灭的可能性极大。不过吴哥居民是怎样在洪水到来前集体撤出的？难道他们有先知先觉？

有人认为，可能是当时流行鼠疫、霍乱之类传染病，没到一个月，所有居民全部死绝。但据史料记载，500年前的柬埔寨并没有爆发过大规模的瘟疫，而且就算发生了瘟疫，也应该看到无数尸骨，可为什么在这座城中却连一具尸骨都没有呢？

也有人说，由于发生了内讧，居民互相残杀，死伤殆尽，空留下这些伟大的建筑。但在吴哥城内，并没有留下任何战争的痕迹，难道他们在战争发生后又对其进行了修复？

还有人认为是外族军队洗劫了吴哥，所有居民悉数沦为奴隶并被带走。可要带走200万的奴隶谈何容易，而且这样的事情在历史上也从未发生过。

中国的一些学者认为暹罗（泰国）人的不断入侵，使高棉人蒙受深重的灾难和巨大的损失。日益衰竭的国力使高棉人无法应付暹罗人的挑战，只好做出撤离吴哥的决定。这样的说法似乎说得通，但也缺乏有力的证据。

吴哥城是史上最大的一桩失踪案的现场，对于导致吴哥城200万居民神秘消失的原因的各种猜测，都难以让人信服。吴哥遗址既没有任何人为的破坏和毁灭，也看不到尸骨累累，一切都似乎消失于无形之中。

6. 没有犹太血统的人也能成为犹太人吗?

民族是一个人与生俱来的，只有具有某个民族血统的人，才能成为这个民族的一员。然而在犹太社会，这样的说法却不是总能成立的。因为犹太不仅是一个民族，更是一种信仰，这就为没有犹太血统的人加入犹太这个大家庭提供了机会。

与很多民族一样，最初的犹太种群都是亚伯拉罕和撒拉延伸出来的后裔。在这种情况下，没有犹太血统的人要成为犹太人就只能通过与犹太人通婚来实现，而且在被犹太人认可之前，还要经历严格的考验。首先，他们必须忠于犹太信仰，并宣告相信独一的主——上帝。此外，他们还必须摒弃自己原来的民族，与犹太人站在一起，保证效忠于犹太族群。

后来，自亚伯拉罕时期开始，犹太信仰开始接受越来越多的异族人，并对任何渴望皈依上帝与犹太族群的人都表示欢迎。这是犹太族群的发展壮大时期，期间接受了大量的皈依者。在这段时期，即使没有犹太血统，也不想和犹太人通婚，但只要真心地皈依犹太信仰，就可以成为一名犹太人。

犹太信仰的发展壮大局面一直持续到基督信仰诞生。面对基督信仰的巨大挑战，犹太信仰开始退缩。而随着基督信仰的宗教和政治地位不断提升，犹太信仰也陷入了危机之中。因为其否认耶稣的神性，还为犹太人招来了杀身之祸。在这种情况下，犹太信仰对外族人的吸收变得异常保守。虽然没有明确禁止外族人加入，但却常常会拒绝外族人皈依的请求，只有再三请求且特别真诚的人才能被允许加入犹太人的行列。

如今，犹太信仰已经得到了世界的承认，并得到了空前的礼遇和接纳。在如此开放的环境中，成为犹太人又变得容易起来。

7. 犹太人有什么特殊的使命？

做一名犹太人并不轻松，因为他们必须背负上帝赋予他们的特殊使命，那就是使这个世界“在上帝治权之下得以完美”。在听到这样的豪情壮语之后，或许有人会对此嗤之以鼻，觉得犹太人不过是说说罢了，而且有美化自己的嫌疑。不过在犹太人心中，这项特殊的使命却是异常神圣的，因为它关系到全世界的命运。

无论何时何地，犹太人似乎总是不忘强调自己与上帝的特殊关系。如他们曾称自己为以色列人，居住在以色列地，其实就是为了说明自己与上帝的亲密关系。但犹太人对上帝并不是盲目的崇拜，他们将上帝视为合作者，而他们的使命就是要与上帝合作，积极地配合上帝对这个世界进行改造，使其更加完美。

在犹太社会，流传着这样一个古老的故事：在上帝创造世界的时候，就预料到了面包将会成为人类赖以生存的主食，但他并没有在人间播下面包的种子，而是让地上长出了小麦，然后再由人类去加工成面包。既然上帝早已料到人类要以面包为主食，为什么不直接让树上结出可口的面包呢？这就是因为上帝要与人类合作，他只能提供基本的原料，而后面的创造和加工则只能靠人类自己。

正因为犹太人认识到了人类与上帝的这种合作关系，所以他们才会为自己定下这样的使命。他们希望通过自己与其他以犹太人为榜样的人们的不懈努力，消除人世间的苦难、疾病与邪恶，逐步地更新、修复和完善这个世界，让它臻于完美。

8. 逾越节是为了提醒犹太人永不忘记出埃及的经历吗？

逾越节是犹太的五大节日之一，从尼散月的15日开始，维持7或8天。由于这是一个春天的节日，因此也被称为“犹太春节”，犹太人要在这个节期举行各种各样的活动，庆祝春天的来临和大地的重生。此外，逾越节还有一个寓意，那就是纪念犹太人出埃及。

关于犹太人出埃及的经过，在《希伯来圣经》的《出埃及记》中有详细的记载。在3000多年前，大批以色列人迁往埃及，使得埃及的人口骤增。由于后来的埃及法老不喜欢他们，且将他们视为威胁，所以便恶劣地对待他们，将他们发配为奴。此后，以色列人就过上了苦难的日子。直到摩西奉上帝之命拯救以色列人，才使他们走出埃及，重获自由，并得以在新的土地建立自己的家园。

据说当摩西奉上帝的指令要求埃及法老释放全体希伯来奴隶的时候，埃及法老却并不买这位以色列上帝的账，不肯释放。于是，摩西就奉上帝之命在埃及施行了9大灾难，包括瘟疫、冰雹、蝗灾、尼罗河水成血、青蛙满地等。在9次灾难过后，埃及法老仍然不肯放人。这次上帝急了，他吩咐摩西让每个犹太家庭都宰杀一只羊，并将羊血涂在门楣。之后，上帝和“灭命的天使”潜入埃及，横扫每个埃及家庭，杀死家中的长子，唯独越过了门上有羊血标记的希伯来家庭。

走出埃及结束了以色列人被奴役的悲惨生活，并使得他们形成一个伟大的民族。从这个意义上讲，这段经历确实是值得纪念的，为其专门设立一个节日也不为过。

知识链接

摩西率犹太人出埃及真假难定

犹太人出埃及被记载于《圣经》之中，因此很多人对其真实性从未做过任何怀疑。然而埃及的考古学家却声称从未在埃及发现任何足以证明摩西率领犹太人出埃及的证据，就连犹太人曾经在埃及生活过的证据目前也只有一件，埃及古物最高委员会秘书长哈瓦斯更是直言那只是一个神话。此外，也有一些考古学者指出出埃及是曾经发生的灾难，即火山爆发的结果，而这次火山爆发比摩西率犹太人出埃及早了200多年，两者可能根本就没有任何关系。至于埃及考古学家对此事的否定，也只是因为证据不足。未发现证据不等于没有证据。所以，关于此事的真假，目前还不能形成定论，而只能等新证据的出现了。

9. 俄罗斯人为什么会具有亚洲人的气质?

俄罗斯是世界上领土面积最大的国家，横跨亚洲和欧洲两个大洲，但大部分都在欧洲，全国的政治经济重心及80%以上的人口也在欧洲。因此，俄罗斯是一个欧洲国家，而不是亚洲国家。既然是欧洲国家，那么俄罗斯人理应具有欧洲人的气质，可为什么在俄罗斯人身上却可以看到亚洲人的气质呢?

从长相上看，俄罗斯人具有典型的欧洲特征，如浅色的皮肤、浓密的胡须和体毛、高高隆起的鼻梁、薄薄的嘴唇、清晰的面部轮廓等。如果以人种划分，俄罗斯人应属于欧罗巴人种，并不属于蒙古人种。不过在俄罗斯的历史上，蒙古人却对其产生了至关重要的影响，甚至有人认为是蒙古人促成了俄罗斯的形成。如著名的俄罗斯历史学家卡拉姆津就曾说过这样一句名言："如果没有金帐汗国，就没有今天的俄罗斯。"

蒙古大军曾在1237年入侵莫斯科，而在此之前，还根本没有俄罗斯这个国家，只有很多四分五裂的贵族公国。后来，蒙古人统一了这些分散的公国，建立了统一的汗国。在此期间，斯拉夫族与突厥族发生了文化的接触与交流。直到金帐汗国发生内部分裂后，鞑靼人建立了很多个汗国，而在莫斯科附近也出现了一个大公国。这个大公国逐步扩张，并渐渐摆脱了蒙古人和鞑靼人的统治，形成了俄罗斯民族。难怪拿破仑会说："只要搔一搔俄国人，他就会现出鞑靼人的原形。"

事实上，在俄罗斯的形成、发展和强大过程中，始终都没有脱离亚洲人及东方文化的影响，因此在俄罗斯人身上表现出亚洲人的气质也就不足为怪了。美国学者乔治·伦森曾在《俄国向东方扩张》中解释了俄国人的亚洲人气质："俄国人善于对付亚洲人，这点是大家都承认的。有的人把它归结于共同的民族起源，'十个俄国人九个鞑靼人习气'。但从人种上说，斯拉夫人金发碧眼，肤色白皙，他们同盎格鲁－撒克逊人一样，都不是亚洲人。他们身上的亚洲人'气质'不仅来自他们文化遗产中有着同样多的拜占庭人和蒙古人的东方特征，而且来源于他们同亚洲各民族有好几个世纪的密切接触，和有过多次痛苦的经验。"

10. 俄罗斯的士兵究竟有多忠诚?

忠诚是士兵的天职，每个士兵都应该无条件地忠诚于自己的国家和人民。说到士兵的忠诚，也许每个人都能举出几个或悲壮或激昂的例子来。然而要说起俄罗斯士兵的忠诚，则多少让人有些哭笑不得。那么，俄罗斯的士兵究竟有多忠诚呢?

俄罗斯的士兵绝对忠诚，可他们的忠诚却不是对国家和人民，而是对他们的君主。只要是君主的命令，他们就会义无反顾地执行，完全不管这样的命令有多么荒唐或是可笑。俄国历史学家卡拉姆津曾说过："俄国人所引以为荣的事，却正是外国人所非议的事——盲目地、无限地忠于君主的意志，甚至当君主狂暴地把正义和人道的法律都踩在脚下时，他们仍然忠诚不渝。"

当外国人对俄罗斯士兵的忠诚议论纷纷时，他们自己却不以为然。在俄罗斯士兵的眼中，命令高于一切。只要是命令，他们就必须无条件地执行。俾斯麦曾在自己的回忆录中讲到了这样一件事：皇帝在彼得堡夏季公园的草坪中央看到一个士兵，就问士兵为什么站在那里，士兵告诉他这是命令。为什么一定要站在草坪中央呢？皇帝想不明白，就让一名侍从去警卫室询问。侍从去了，但没有得到任何答复，警卫室的人也只知道这是命令，寒来暑往，天天如此。

后来，一位老仆人讲起了这道命令的由来。据说当时叶卡捷琳娜女皇看到草坪中央有一朵雪莲花开得特别早，于是就下令不许摘取。为了执行叶卡捷琳娜女皇的命令，这个地方设立了岗哨，安排士兵站岗，并一直持续了下来。没有人知道命令的起源，但却一直执行着命令，这就是俄罗斯士兵的忠诚。这个故事或许有些好笑，但却很好地说明了俄罗斯士兵的忠诚，也体现了俄罗斯士兵的精神。

11. 俄罗斯的国徽为什么要用罗马帝国的徽记？

国徽是一个国家的象征，自然要挑选最能代表本国家的标记，然而在俄罗斯的国徽上，却出现了罗马帝国的徽记，这又是怎么回事呢？

俄罗斯的国徽为什么要用罗马帝国的徽记呢？这还要从罗马帝国的历史说起。罗马帝国是古代罗马文明的一个阶段，其疆域在全盛时达到了590万平方千米，横跨亚洲和欧洲两个大洲。后来，罗马帝国分裂为东罗马帝国和西罗马帝国。西罗马帝国在内忧外患中很快衰落了，而东罗马帝国则持续了相当长的一段时间，直到1453年为奥斯曼帝国所灭。

东罗马帝国也被史学家称为拜占庭帝国。在西罗马帝国灭亡之后，拜占庭帝国就成了唯一的罗马帝国正统。俄罗斯国徽上的双头鹰即是拜占庭帝国皇帝君士坦丁一世的徽记，这一徽记一直都被用来象征罗马帝国，直到拜占庭帝国灭亡，君士坦丁十一世英勇战死。奥斯曼帝国征服了拜占庭帝国以后，君士坦丁十一世的两个弟弟也各奔东西，一个臣服于奥斯曼帝国，另一个则带着两个儿子和女儿索菲亚逃到了罗马。

索菲亚在罗马教皇的抚养下长大成人，并被授以为国复仇的重任。在拜占庭帝国灭亡以后，奥斯曼帝国和俄罗斯帝国都自称为罗马帝国的继承者，而在这两者之中，罗马人自然会选择与自己关系良好的俄罗斯人做盟友。为了借助俄罗斯的军事力量打击土耳其人，罗马的政治家们决定采取联姻的方式拉拢俄罗斯。于是，索菲亚就顺理成章地嫁给了伊凡三世。

索菲亚没有忘记自己拜占庭帝国传承者的身份，她佩戴着最能代表拜占庭帝国的双头鹰徽记来到了俄罗斯，并协助丈夫使俄罗斯成为一个疆域辽阔的统一国家，而俄罗斯自然也就成了罗马帝国的继承者，首都莫斯科则被称为“第三罗马”。

1497年，伊凡三世将罗马帝国的双头鹰徽记规定为俄罗斯的国徽，并将其刻在了国玺上。1917年，该徽记被苏维埃政府废除，1993年又被恢复，并一直沿用到现在。

知识链接

俄罗斯国徽的象征意义

俄罗斯的国徽是一个红色的盾面，上面有一只金色的双头鹰，在鹰的头顶上有三顶皇冠，鹰爪中抓有权杖和金球，鹰的胸前有一个小盾形，上面是一位勇士手拿长矛、骑着白马，正在刺杀毒蛇。双头鹰一头望着东方，一头望着西方，象征俄罗斯是一个横跨亚欧大陆的国家；鹰头上的三顶皇冠是彼得大帝的，象征着俄罗斯是一个统一的国家；权杖和金球都是皇权的象征，也意寓国家的统一是神圣而不可侵犯的；骑在白马上的勇士是圣·乔治，他用长矛杀死了毒蛇，象征着俄罗斯人民勇于与困难做斗争的精神。

12. 日本皇室与中国的道教有什么不解之缘？

道教是中国土生土长的宗教，作为一种民间信仰，其地位不如儒教和佛教，但古今中外信奉道教者却不在少数。从王公贵族到平民百姓，均有虔诚的道教徒。在中国古代，道教与皇家的关系颇为密切，唐高宗、汉武帝等都痴迷此道。在日本，道教与皇室的关系也非同一般。

众所周知，日本文化多源自中国，尤其是隋唐时期，中日交往日益频繁，无数遣隋或遣唐使涌入中国，使得大量的隋唐文化传入了日本。在传入日本的文化中，就包括道教这一中国特有的宗教派别。道教的传入对日本文化产生了深远的影响，更是与日本皇室结下了不解之缘，这种情况在飞鸟时代表现得尤为明显。

对道家文化有所了解的人都知道，天皇本是道教的神学用语，但在日本，这一神学用语却摇身一变成了统治者的称号，这不能不说是受到了道家文化的影响。

在日本历史上，第一位有明确记载的天皇是天武天皇。天皇这一称号是否始于天武天皇暂且不论，单就天武天皇的身前身后事来看，也不难看出日本皇室与中国道教的密切关系。首先，天武天皇本人是一位虔诚的道教徒，且精通道术；其次，他将"真人"冠于八姓之首，并限定只授予皇室一族；此外，他去世后，获得的谥号是"天渟中原瀛真人"。只此三件，便可说明日本皇室与中国道教确实有着不解之缘。直到今天，在日本的皇室典礼上，也仍然留有道教文化的痕迹，可见道教文化对日本皇室的影响之深。

13. 德川家族遗训是伪造的吗？

在日本历史上，共出现了3个幕府时期，分别是镰仓幕府、室町幕府和江户幕府。其中，江户幕府也被称为德川幕府，是幕府时期最强盛的武家政治组织。在江户幕府统治日本的近300年时间里，有一篇家族遗训一直被日本人顶礼膜拜，奉若神灵，这就是江户幕府创始人德川家康的遗训。

德川家康生活在日本战国年代末期，那是一个群雄割据、战乱频繁的年代，大名之间的争斗不断上演，且愈演愈烈。最终，德川家康以其出色的军事才能和政治才能力压群雄，结束了长期混战的战国时代，为日本赢得了近300年的安定时期。德川家康临死前，为后人留下了一篇文首为"人生，任重道远"的遗训。这篇遗训不仅被德川家族视为至宝，更是在日本社会引起了强烈的反响，而德川家康也成了当时日本人心目中的偶像。直到日本维新之后，这篇遗训才被废弃。

一篇家族遗训竟被国人顶礼膜拜，其魅力之大可想而知。不过对于这一家族的荣耀，德川家族的后代却提出了质疑。1981年，德川家族的第21代子孙德川义宣表示，德川家康的遗训纯属伪作，并非出自德川家康之手。此言一出，立刻在社会上引起了轩然大波。作为德川家族的嫡系后裔，又是一位致力于研究自己家史的历史学家，德川义宣的观点自然会受到特别的关注，但他的这一说法却实在是有些出乎人们的意料。

如果遗训是伪造的，那么是何人伪造的？伪造者的目的又何在呢？显然，其他家族的人不可能伪造这样一份遗训给德川家族的人脸上贴金，可如果是德川家族内部的人伪造的，那就无所谓伪造了。因为即使这篇遗训不是出自德川家康之手，也很可能得到了德川家康的授意，至少是得自德川家康的家族利益思想。

当然，德川义宣也有自己的解释。首先，德川家康时代习惯用庆长文体，而遗训的文体却非常整齐，与庆长文体有着明显的不同；此外，遗训的内容太过华而不实，这与德川家康的文风也不符。

两者似乎都有道理，但对于德川家康的遗训究竟是真是假，目前还未能形成定论。

14. 古坟时代为什么被称为“神秘的世纪”？

古坟时代是日本古代继弥生时代之后的时代，始于4世纪，止于7世纪。日本考古学上所说的历史时代是从8世纪开始的，因此，古坟时代属于日本的原始时代。在这个时代，日本的统治阶级开始大量营建以“前方后圆”形式为代表的坟墓，使得除了北海道外的整个日本都可以见到这种巨大的坟墓，古坟时代即是因此而得名的。

古坟时代的由来很简单，可为什么有人要将这个时代称为“神秘的世纪”呢？它究竟神秘在哪儿呢？这还要从当时东亚的局势说起。4世纪初正是中国的南北朝时期，内乱不断的中国已无暇顾及对周围各国的统御，从而使得东亚的格局发生了大规模的分化组合。东亚局势的动荡很快波及了日本列岛，使得岛上发生了一系列突如其来的变化。

弥生文化瞬间消失，古坟文化迅速崛起；九州联盟土崩瓦解，九州文化一落千丈，而大和文化却获得了生机，蓬勃发展起来；畿内的铜铎文化很快在社会上销声匿迹，而三角缘神兽镜则转眼间遍布了大街小巷。新旧交替是历史的必然，但一般都是渐进完成交替的，然而古坟时代的交替却发生得如此突然，以至于给后人留下了无数解不开的谜团。正因为如此，人们才将古坟时代称为“神秘的世纪”。

至于古坟时代的众多神秘现象，则是由多种因素造成的。首先，东亚局势的波动对日本社会产生了一定的影响，促成了一些不可预知的变化。此外，大量的移民涌入日本，也为日本社会带来了更多的变数。据推算，从弥生时代到古坟时代，移民到日本的人数可达100万之多，而这些移民都来自不同的种族和国家，有着不同的文化和信仰。多种文化因子结合在一起，必然会形成复杂而又独特的古坟文化，也许这才是“神秘”的根本之所在。

15. 法国的国庆节有什么特别的意义？

国庆节对每一个国家来说都具有特别的意义，也是各国政府和人民最为重视的一个节日。比如说中国的国庆节是10月1日，1949年的这一天，中华人民共和国正式诞生。这样的常识基本上每个中国人都能说出来，然而在法国，国庆节的来历却不甚清晰，甚至还存在两种不同的说法。

有一种说法认为，法国的国庆节是为了纪念1789年的7月14日。持这种观点的人认为，1789年7月14日是法国历史上极不平凡的一天，因为在这一天，巴黎人民攻占了巴士底狱，拉开了法国资产阶级革命的序幕，标志着新的资本主义法国的诞生。中国史学界一般都是持这一观点的。

另一种说法认为，法国的国庆节是为了纪念1790年的7月14日。持这种观点的人认为，1790年7月14日是法国国民自卫军举行联盟大会的日子，这一节日最初被定为联盟节，是法国全国大联盟运动的产物，后来才发展成国庆节。法国文学家于连·邦达是这样评价这一节日的：“7月14日这一天，法兰西人战胜了分裂，排除了分歧，坚定了他们组成为一个民族的决心。”这种说法显然要更有说服力一些，因为“联盟统一”比“开始革命”更适合作为国庆节的寓意。

此外，也有人认为如果7月14日不是法国资产阶级革命的开始，那么联盟节也就不会选在这一天举行。因此，法国的国庆节应该是两者的意义兼而有之。虽然这个问题至今尚未形成定论，但却并不影响法国人民庆祝这一节日，每到7月14日，法国上下便成了欢乐的海洋。

知识链接

法国人庆祝国庆节

国庆节是法国最隆重的节日。节日前夕，不仅城市的所有建筑和公共场所都要用彩灯和花环装饰起来，而且每家每户还都要悬挂彩旗。7月14日当天，在著名的香榭丽舍大街要举行隆重的阅兵仪式。到了晚上，凯旋门的上空会亮起红、白、蓝三色探照灯柱，狂欢的人群涌上街头，随着广场上的音乐声翩翩起舞。为了使庆祝活动达到高潮，法国政府每年都要燃放大量的烟花爆竹。此外，在国庆节期间，各地还会举办丰富多彩的文娱活动，庆祝这一意义非凡的节日。

16. 多石少土的印加为何会成为农业大国?

印加虽然幅员辽阔，但却大多为安第斯山脉所占据。因此，印加的整体土地情况是多石少土，并不适合耕作。然而就是在这样一片自然条件恶劣的土地上，印加人却创造了灿烂的农业文化，成为美洲的农业大国。他们是如何做到的呢?

虽然在石头上无法耕种，但印加人却掌握了“点石成金”的秘诀，让农作物在山地生长起来。他们采取的办法就是在山地上修建梯田，然后在梯田上耕种。如此一来，山地就变成了“耕地”，而不再是寸草不生的贫瘠岩石。

当然，并不是所有的山地都可以建造梯田。比如说处在悬崖峭壁上的山岗就不可利用。因为这样的山岗即使有了厚厚的泥土，人也无法上去耕作，因此是没有利用价值的。比较理想的山岗应该是平坦的，行走方便的，离住处也不要太远，最好附近就有泥土可以利用。

在选定好山岗后，就可以进行改造了。首先，要找到适宜耕作的泥土，将其运送至梯田处；接着，用石块砌盖出一定高度的“围墙”，由下而上，逐层建造，形成逐渐收缩的形状；在砌盖“围墙”的同时，将泥土均匀地铺在各层“围墙”上。

一般来说，建造梯田用的泥土都从山谷中取来，而且每次建造都需要大量的泥土。因此，当泥土运走后，当地就会留下一个大坑。为了保持地力，方便下次取用，印加人还会在坑的底部撒下具有高效肥力的沙丁鱼。

除了修建梯田以外，印加人还懂得修建水渠，以缓解干旱地区的旱情。正因为印加人勇于向恶劣的自然条件挑战，所以才能变不可能为可能，解决了族人的温饱问题，这在当时来说是非常了不起的。

17.“月朔”为什么被犹太人视为“女人的节日”？

“月朔”指的是每月的朔日，也就是每个月的第一天。在犹太阴历中，平均每个月有29天半，因此单双月份会有不同的天数。如果某一月是29天，那么下个月一定是30天。在拥有30天的月份中，第30天会与下个月的第1天共同被定为月朔。因为严格地说，第30天有一半归属旧的月份，另一半则归属新的月份，所以这一天才会成为新月份的“名誉成分”而被划入月朔之中。

由于月朔象征着新月的开始，因此在很多国家都备受重视。比如在犹太社会，月朔就被视为“半个节期”，有很多活动都是围绕这一节日而展开的。

有关月朔的庆祝活动在新月来临之前就已经开始了。在月朔前的安息日，犹太会堂会朗诵一首“新月的颂词”。之所以在这个时候朗诵这首祷词，一方面是为了提醒犹太教徒月朔即将来临，另一方面也是要趁此良机祈求上帝赐予新月丰盛的祝福。在月朔当天，会堂的仪式会增加特别的祷文，早晨的仪式也会阅读一段《妥拉》，以此来表示对这一天的重视。

犹太人对月朔的重视与犹太信仰有关。月朔恰好处在辞旧迎新的一天，因此其备受重视自然也就不足为怪了。真正让人费解的是有些人将月朔称为“女人的节日”。这个节日既不是为了纪念某位伟大的女性，也不是女性专享的节日，为什么会被称为“女人的节日”呢？

原来，在传统的犹太社会，女性会在月朔当天提早收工，回到家中与其他女性一起诵读经文并举行庆祝活动。也许正是因为这一天让女性获得了短暂的“自由”与“解放”，而且又有专门的女性活动，所以才会被称为“女人的节日”。

到了今天，很多犹太妇女仍然要在月朔这一天书写新的祷文和崇拜词，并与其他女性聚在一起祷告和诵读经文，以此来纪念新月。

知识链接

犹太历的12个月

犹太历的12个月分别为：提示黎月，对应的阳历时间为9-10月；赫舍湾月，对应的阳历时间为10-11月；基思流月，对应的阳历时间为11-12月；提别月，对应的阳历时间为12-1月；示罢特月，对应的阳历时间为1-2月；亚达月，对应的阳历时间为2-3月；尼散月，对应的阳历时间为3-4月；依雅尔月，对应的阳历时间为4-5月；西弯月，对应的阳历时间为5-6月；塔模斯月，对应的阳历时间为6-7月；亚布月，对应的阳历时间为7-8月；以禄月，对应的阳历时间为8-9月。

18. 犹太植树节为何可以帮助国家筹募资金？

节日自然是用来庆祝和纪念的。不同的节日有不同的庆祝和纪念方式，但总的来说，无外乎一些文体活动或民俗宗教活动，而且每个节日的活动也多与这个节日的主题有关。然而在犹太社会，有一个节日却非常特别，它竟然可以帮助国家筹募资金，而且筹募资金的数目还不小。这个节日就是犹太植树节。

植树节是一个很多国家都有的节日，比如说中国的植树节为3月12日，西班牙的植树节为2月1日，芬兰的植树节为6月24日等。在植树节当天，一般都要举行植树典礼，并组织造林活动。所以，每个国家选取的植树节都是最适宜栽种树苗的时间。在以色列，树木一般在阳历的1月底或2月初开始结果，此时也是栽种树苗的最佳时机，因此犹太植树节被定在了示罢特月的15日，这一天也被称为树木的新年。

犹太植树节自然也是与植树有关的。每到示罢特月的15日，以色列地的犹太人都会种下大量的树苗，以庆祝这个树木的新年。此外，在植树节当天，人们还会吃水果、坚果及其他当地的农产品，以示对生态环境的关注及对自然时序的重视。如果仅从这方面看，犹太植树节并没有什么特别之处，那么帮助国家筹募资金又是怎么回事呢?

居住在以色列地的犹太人只是众多犹太人中的一部分，还有很多犹太人散居在世界各地。对这些流落他乡的犹太人来说，植树节并没有太大的实际意义。尽管如此，异乡的犹太人仍然没有忘记这一节日，正如同他们始终不忘自己的犹太身份一样。在以色列建国以后，异地的犹太人更是以实际行动表达了他们对故乡的热爱。每到犹太植树节，他们都会以集资的方式来庆祝这个对他们来说并无多少实际意义的节日，而他们募集的资金已经足够以色列栽种两亿多棵树木。

19. 愚人节究竟源自法国还是印度?

愚人节是一个拿别人寻开心的节日。每到这一天，人们都会尽情地愚弄身边的人，并以此为乐。当然，每个人也都可能成为被愚弄的对象。关于这一节日的起源，历来就存在不同的说法，但主要以两种说法最为普遍，一说起源于法国，一说起源于印度。那么，愚人节究竟源自法国还是印度呢?

大部分人认为愚人节起源于法国。1564年，当国王查理九世宣布太阳历的1月1日为新年时，一些守旧派对此极为不满。为了与政府对抗，他们仍然按照旧的历法在4月1日这天庆祝新年，互送礼物。守旧派的这一做法受到了改革派的大肆嘲弄，一些主张改革的人还在4月1日这一天送假礼物给守旧派，并邀请他们参加假的聚会。每当有守旧派的人上当，改革派的人就会笑称他们为“四月傻瓜”或“上钩的鱼”。从此，在4月1日捉弄人的风俗便流传开了。

除了法国说外，认为愚人节起源于印度的人也不少。据说印度的佛教徒们在3月25日到3月31日这段时间要连坐一个星期的禅，在此期间，教徒们会有所开悟。到了4月1日，教徒们坐禅结束，重新回到俗世之中。因此，教徒们将这一天称为揶揄节，在这一天，教徒们可以相互戏弄，彼此逗笑，故又将这一节日称为嘲笑节或戏耍节。后来，这一节日传到西方，就成了今天的愚人节。不过据英国历史学家考证，那句“到达彼岸”的佛教名言才是愚人节的真正起源。

当然，除了法国和印度说之外，还有其他几种关于愚人节起源的说法，但都不足以让人信服。虽说法国说和印度说支持者众，但也未能形成统一的观点。因此，关于愚人节的起源问题，还在进一步探讨中。

20.“端午节”为何被日本人称为“男儿节”？

端午节是中国的传统佳节，但并不是中国特有的节日。除了中国以外，日本、韩国等国家也有端午节，不过每个国家过端午节的方式都不一样。日本的端午节是由中国传入的，但却与中国的端午节存在着明显的差异。在日本，端午节也被称为“男儿节”，仅从名称上看，就与中国的端午节相去甚远。那么，日本的端午节为何被称为男儿节呢?

原来，日本的端午节与男儿有着密切的关系，是一个专门为男孩子举行庆祝活动的节日。每到端午这一天，所有日本有男孩子的家庭，都要在家中摆放偶人和甲胄，并在屋外高悬起鲤鱼旗幡。因为是专为孩子庆祝的节日，所以最初人们也称其为“儿童节”，不过因为节日的真正主角只是男孩子，与女孩子无关，因此后来又改为了更加贴切的“男儿节”。

其实，端午节刚传到日本的时候，还只是皇宫中的一项庆典活动，并没有普及民间。当时，日本皇宫每逢端午节都会举办骑马射箭之类的活动，而民间则有在5月份为孩子举行成年仪式的习俗，不过当时是不分男孩和女孩的。后来，宫中的端午骑射活动传到了民间，就形成了5月组织男孩子比武竞技的习俗。在此基础上，才逐渐发展成了专为男孩子庆祝成长的节日，也就是今天的端午节。

在日本的端午习俗中，最具特色的就是摆放偶人和悬挂鲤鱼旗。这两种习俗是从古代日本人招神送神的习俗演变而来的，本意在于招回祖先的神魂，做家族血脉的继承者。不过到了今天，原有的含义已被淡化，而是转为了对男孩子茁壮成长的良好祝愿。除了这两种物件外，常见的端午节摆设还有头盔、铠甲、军扇、菖蒲酒、粽子等。

21. 日本的“七五三”节为什么要选在11月15日？

“七五三”节是日本的一个民间节日，听名字像是一个7月的节日，但其真正的日期却是在11月15日。如此看来，“七五三”应与日期无关，而是另有所指。那么，“七五三”究竟有何寓意，这一节日又为何选在11月15日呢？

在日本人看来，3岁、5岁和7岁是孩子成长过程中的重要转折点。因此，日本人习惯在这三个关键的年份里祈祷孩子的未来，以求得神的保佑与呵护，使孩子健康地成长。如果家里有3岁或5岁的男孩，或者是3岁或7岁的女孩，家长们就会选择一天向孩子表示祝贺。这就是“七五三”节的来历。也就是说，“七五三”指的其实是3个年龄，即7岁、5岁和3岁。

既然与日期无关，那么“七五三”节的日期又是怎样确定的呢？其实，最初的“七五三”节并没有统一的日期，也没有“七五三”这个名字，只是有这样一种信仰，一般会选在孩子生日的那一天或者是正月的一个吉日举行庆祝活动。大约在江户时代末到明治时代初这段时期，“七五三”节才正式在关东地区出现，并确定为每年的11月15日。

为什么要选11月15日这一天呢？据说是为了应和中国的历法。因为按照中国的阴阳五行推算，11月15日是最吉利的日子之一，选择这一黄道吉日庆贺孩子的未来非常合适。

22. “五一”国际劳动节是怎样来的？

“五一”国际劳动节是全世界劳动人民共同的节日，很多国家都非常重视这个节日。每到这一天，世界各地都会举行丰富多彩的庆祝活动。不过并不是所有国家的劳动节都在5月1日，比如说美国的劳动节就被定为9月的第一个星期一。

说到劳动节的来历，还要从美国芝加哥的工人大罢工说起。19世纪80年代，美国和欧洲的许多国家都已步入了资本主义社会，资本家为了刺激经济发展，榨取更多的剩余价值，就拼命地增加工人的劳动时间和劳动强度。在美国，工人每天要工作14–16个小时，劳动强度非常大，但工资却很低。在这种情况下，实行8小时工作制就成了工人们的普遍要求。为了达到这一目的，工人们纷纷走上街头，罢工游行。

1886年5月1日，在美国和加拿大的8个工人团体的谋划下，芝加哥等多个城市的工人举行了一次声势浩大的示威游行。这一天，美国2万多个企业的35万工人集体罢工，火车停运、商店停业、仓库关门、主要工业部门全都处于瘫痪状态。工人们纷纷涌上街头发出他们的怒吼，迫使资本家实行8小时工作制。工人的巨大力量让政府和资本家感到恐慌，但他们却不甘心答应工人们的要求，于是便采取了暴力的方式将游行活动镇压了下来。

虽然这次大罢工没能让资本家妥协，但却对8小时工作制的实行起到了至关重要的作用。自此以后，世界各国的工人阶级纷纷起来斗争，终于取得了最后的胜利。1889年7月，在恩格斯组织召开的第二国际成立大会上，每年的5月1日被定为国际劳动节，并号召“各国劳动者应该按照本国条件所允许的方式，组织‘五一’游行示威”，以此来纪念这次伟大的工人运动。

劳动节的决议得到了世界各国工人的积极响应。1890年5月1

日，欧美各国的工人阶级率先举行了盛大的游行与集会。直到今天，很多国家仍然以游行和集会的方式来庆祝劳动节。

23. 什么是“杯水主义”？

“杯水主义”也称为“一杯水主义”，不过它所说的可不仅仅是一杯水的事儿。那么，究竟什么是“杯水主义”呢？

“杯水主义”其实是一种性伦理观，产生于俄国，并在年轻人，尤其是青年学生中间得到了一定的传播，其前身即是所谓的“妇女国有化”。十月革命胜利后不久，一些无政府主义者就开始鼓吹“妇女国有化”，提出妇女不再为私人所占有。1918年发布的一条无政府主义法令更是直接宣布：“从1918年3月1日起，废止对17–32岁的妇女的私人占有权。”

无政府主义的闹剧还没有收场，“杯水主义”就顺势而至了，而且比之前的“妇女国有化”更为疯狂。“杯水主义”宣称共产主义社会要满足人们的性欲，就像喝一杯水那样简单，爱情是“资产阶级的偏见”，性欲才是人的本能需求，因此男女之间的关系可以完全是肉体的。“杯水主义”的风行造成了性关系的极度混乱，其受害者不计其数，然而有些作家却通过文学作品大肆宣扬“杯水主义”，如曾在欧洲畅销的柯仑泰的《三代人的爱情》。在《三代人的爱情》中，女主人公热妮娅与多个男人发生了性关系，这其中还包括她母亲的第二个丈夫。

对于“杯水主义”，列宁进行了尖锐的批判。他说：“我认为这个出名的杯水主义完全不是马克思主义，甚至是反社会的。”同时，他也指出了“性生活没有节制是资产阶级的没落现象”，人“在恋爱时需要克己自律，而不能做奴隶”。

24. “非常法”是指什么？

“非常法”即“反社会党人非常法”，全称为“镇压社会民主党企图危害治安的法令”，是德国首相俾斯麦当年利用帝国议会通过的非常法令。

“非常法”规定：一切以推翻“现存国家制度和社会制度”为目的的社会主义民主活动都予以禁止；任何进行社会主义宣传的出版物及游行集会等都予以查禁或解散；禁止一切为社会民主党提供宣传便利的行为；政府可以随时在“公共安全受到威胁”的地区实行戒严，并可逮捕和放逐社会民主党员而不受法律限制；等等。

显然，这项法令是为了镇压德国的社会主义民主运动而设立的。那么，俾斯麦为何如此急于镇压德国的社会主义民主运动呢？这主要是因为在19世纪后半叶，随着马克思主义的影响日益扩大，德国的社会主义运动蓬勃发展，而德国工人阶级的政治积极性又很高，他们与德国社会民主工党联合组成了社会民主党，并迅速发展壮大起来。这些都让俾斯麦政府深感不安，欲除之而后快。在这种情况下，“非常法”的诞生也就顺理成章了。

面对这样的非常法令，面对俾斯麦政府的疯狂迫害，德国的社会民主党又是如何应对的呢？起初，由于没有斗争经验和思想准备，社会民主党的领袖有些手足无措，党内的右倾分子甚至要求服从“非常法”，从而使党内上下一片混乱。在此危急关头，马克思和恩格斯及时伸出了援助之手，指导他们制定非常时期的非常策略，加强与群众的联系，建立扎实的群众基础，为发展积聚力量。

“非常法”自1878年10月21日开始生效，最初设定的有效期为3年，后来又被4次延长。在此期间，大批的社会民主党人被捕，大量的社会民主刊物被查封。1890年，“非常法”又一次期满，当俾斯麦再次要求延长“非常法”的时候，遭到了多数议员的反对。至此，“非常法”彻底被废弃了，而社会民主党则在选举中获胜，成为德国最强大的政党之一。

25. 为什么会有法兰西第一、第二、第三、第四、第五共和国？

法兰西共和国是法国的全称，就像中华人民共和国简称中国一样。不同的是中华人民共和国只有一个，而法兰西共和国却有5个，这又是怎么回事呢？

其实，法兰西共和国虽然有5个，但却都指同一个国家，只不过建立的时间不同，因此才有了法兰西第一、第二、第三、第四和第五共和国之分。

1789年7月14日，巴黎人民攻占了巴士底狱，取得了武装起义的胜利。1792年9月22日，封建君主制度被废除，法兰西共和国正式成立，这是法国历史上第一个资产阶级共和国，史称法兰西第一共和国。

1799年11月9日，拿破仑夺取政权，摧毁了法兰西第一共和国，并建立了法兰西第一帝国。1848年2月，巴黎工人和革命群众举行了武装起义，胁迫临时政府废除君主制，建立共和国。迫于群众的压力，临时政府宣布实行共和制，建立了法国历史上第二个资产阶级共和国，史称法兰西第二共和国。

1851年12月，路易·波拿马发动军事政变，并实行军事独裁，建立了法兰西第二帝国。1870年7月19日，普法战争爆发，法国战败，波拿马也成为普军的俘虏。9月4日，巴黎爆发了革命，推翻了第二帝国的统治，建立了法国历史上第三个资产阶级共和国，史称法兰西第三共和国。

1940年，随着法国的贝当政府向德国投降，第三共和国也宣告结束。在第二次世界大战期间，德国大肆侵略法国。后来，戴高乐带领法国人民推翻了法西斯的统治，并建立了法国历史上第四个资产阶级共和国，史称法兰西第四共和国。

1958年5月，法国新宪法被通过，法国历史上的第五个共和国随之成立，史称法兰西第五共和国。目前，法国仍然是法兰西第五共和国。

知识链接

共和国

共和国即是指实行共和政治的国家。共和政治是指：国家和政府是公共的，是为公共利益服务的，且国家各级行政机关的领导是公共选举产生的，而不是世袭和命定的，这样的政治体制即为共和政治。判断一个国家是不是共和国，关键要看它的政治体制，而不是看它的名字。有些国家虽然名为“共和国”，但实际上却并不是共和国；有些国家的国名虽然没有“共和”的字样，但实际上却是真正的共和国。也就是说，只要一个国家实行的是共和政治体制，那就是共和国，否则就不是，与它的国名有没有“共和”并没有必然的联系。

26. 亚里士多德为什么说“人是天生的政治动物”？

在很多人看来，政治似乎只是国家元首和政府官员的事儿，与一般的平民百姓没什么关系。然而古希腊伟大的哲学家亚里士多德却说“人是天生的政治动物”，也就是说每个人从出生时起就离不开政治生活。这又是怎么回事儿呢？

要理解亚里士多德的话，首先要了解古希腊人的政治观。在古希腊社会，政治即是城邦政治，是城邦公民对公共事务的共同决定。这就是说，城邦中的每一个公民都可以参与国家的管理和统治。在政治关系上，人与人之间是完全平等的。只要是城邦中的公民，那么从出生时起就注定要参与政治活动，统治和管理国家。

人为什么一定要参与政治活动呢？这是由人的本性决定的。亚里士多德认为，人既然是有语言和理性的高等动物，自然会对生活有更高的追求，而要过上优良的生活，就只能通过城邦政治来实现。他说：“每一个城邦各是某一种类的社会团体，一切社会团体的建立，其目的总是为了完成某种善业……社会团体中最高而包含最广的一种，它所求的善业也一定是最高而最广的：这种至高而广涵的社会团体就是所谓‘城邦’，即政治社团。”希腊政治即是围绕城邦问题而展开的，而希腊城邦政治的主题则是指公民过上有道德且物质充裕的幸福生活。

由此看来，“人是天生的政治动物”不仅是亚里士多德的重要政治命题，更是古希腊城邦政治生活的真实写照。不过这里的“人”却并不是指生活在城邦中的所有人，而是专指这个城邦的公民。在古希腊的城邦之中，除了公民之外，还生活着一些没有身份的人，如妇女、异邦人和奴隶。妇女在古希腊社会是完全没有地位的，她们是天生的被统治者，无权过问政治；异邦人不属于这个城邦，自然也没有权利参与政治；奴隶则是主人的附属品，连人身自由都没有，更不可能有政治权利。此外，即使是有身份的公民，也只有在年满20岁之后才能参与城邦的管理和统治。

27. 为什么罗马尼亚人对斯特凡大公和米哈伊特别尊敬?

在罗马尼亚，随便跟任何一个当地人提起斯特凡大公和米哈伊，都会打开这个人的话匣子，让他将这两个人的事迹娓娓道来。而在谈论的过程中，每个罗马尼亚人脸上都会挂着掩饰不住的兴奋与自豪，还不时竖起大拇指，表示自己对他们的赞赏。赢得他人的尊敬不容易，赢得一个国家所有人民的尊敬就更不容易，那么，斯特凡大公和米哈伊是如何做到的呢?

罗马尼亚的前身是特兰西瓦尼亚公国、罗马尼亚公国和摩尔多瓦公国。这三个公国虽然拥有共同的祖先，但却曾长时间处于彼此分立的状态。此外，在罗马尼亚封建化的过程中，曾遭受了帝国主义铁蹄的践踏，饱受战乱之苦。斯特凡大公和米哈伊就生活在那个动乱的年代，而且成了那个年代的英雄。

斯特凡是摩尔多瓦公国的大公，也有人称他大斯特凡或斯特凡三世。他即位之后，实行了一系列的军政改革，并大力发展经济，振兴国防，积极备战。面对强大的帝国主义军队，斯特凡大公没有退缩，而是勇敢地与侵略者周旋、作战。在敌强我弱的情况下，他率领他的军队取得了多次胜利，充分显示了他的军事才能。在将北方入侵的波兰军队击败后，罗马尼亚迎来了第一个小规模的统一。

米哈伊生活的年代要比斯特凡略晚一些，他本是罗马尼亚公国的宰相，后来又被推选为大公。米哈伊大公同样不简单，因其在两个月内接连两次击败了强大的土耳其军队，人们都称其为“勇士”。后来，米哈伊又先后征服了特兰西瓦尼亚和摩尔多瓦，第一次实现了三个公国的统一，并将其命名为罗马尼亚。在今天的罗马尼亚，“勇敢的米哈伊”塑像、米哈伊入城的浮雕等艺术作品随处可见，其在罗马尼亚人心目中的地位可想而知。

总的来说，斯特凡大公和米哈伊都是罗马尼亚的民族英雄，都为罗马尼亚的统一做出了不可忽视的贡献。虽然斯特凡大公没有促成罗马尼亚的完全统一，而米哈伊促成的统一也仅仅维持了6个月，但他们的精神和勇气却感染和鼓舞着所有罗马尼亚人，这也是罗马尼亚人特别尊敬他们的主要原因。

28. 犹太人为什么将六角星星称为“大卫之星”，并以其作为犹太的象征物？

六角星星是古代一种非常普遍的标志记号，与其他的几何图形并没有太大的差别。然而就是这样一个普通的记号，却被犹太人奉为“大卫之星”，并将其作为犹太的象征物，这是为什么呢？

六角星星并不是犹太人发明的，但它却与曾经盛极一时的大卫王朝有着莫大的关系。据犹太传说记载：英勇的大卫王有一面保护他的盾牌，在这块盾牌上，就刻有这种六角星星的标记。后来，他还让军队中的所有军兵都在自己的盾牌上刻六角星星，以获得上帝的保护。所以，六角星星就被犹太人称为大卫之星了。

为什么犹太人对六角星星如此钟爱呢？这是因为在犹太人看来，六角星星的形状可以伸触到宇宙的各个角落，因此它具有一种神奇的保护力，拥有它的人就可以得到上帝的保护。也就是说，犹太人将六角星星视为象征上帝保护的标记。12世纪流传下来的手稿中有相关的记载：当时的犹太人将六角星星放在门柱圣卷的旁边，被认为是加倍的保护。

犹太人可能不是最早使用六角星星的人，但却让它成了最知名的犹太象征物。起初，它只是被用在门柱或墓碑上的标记，后来才逐渐开始被用为犹太族群的象征物，如14世纪的布拉格犹太徽旗、17世纪维也纳的犹太徽印等，都有六角星星。在以色列建国以后，六角星星则被印在了以色列国旗上，成为犹太信仰与犹太人的独特记号。

29. 什么是文化地理上的“马赛克”现象？

马赛克本是指一种建筑用的棉砖，是一种装饰艺术，如今用它来泛指所有五彩斑斓的视觉效果。此外，马赛克也被引申为一种图像处理手段，它可以将图像上的某个区域处理成色块打乱的效果，使人看不清原有的图像。无论是原义还是引申义，似乎都与文化地理没什么关系，那么，文化地理上的“马赛克”现象又是指什么呢？

在古代，国与国之间并没有严格的疆界，边疆地带的变迁是渐进式的，而不是骤然分开的。在这种情况下，同一文化的持续是不可能的，而一组存在差异的文化源头拼凑在一起则成了必然。这就是说，任何文化与其邻居之间都不存在一成不变的疆界，而随着疆界的变迁，文化的改变也是不可避免的。这就是文化地理上的“马赛克”现象。

以玛雅文明为例。人们划定的玛雅文明区包括墨西哥南部、尤卡坦半岛的几个州、伯利兹、危地马拉、洪都拉斯和萨尔瓦多。有些人认为，玛雅文明就是在玛雅文明区萌生并发展起来的。既然如此，那么是不是其他地区就不存在玛雅文明，而玛雅文明区也不存在其他文明呢？事实可能并非如此。

1992年，在尼加拉瓜的中北部发现了6座隐藏在丛林之中的玛雅金字塔，由此引来了学者们的一番热议。如果这6座金字塔确实属于玛雅文明，那么它的发现地圣拉斐尔地区就要被划入玛雅文明区了，而这个地区与原玛雅文明区的东界差不多有400多千米的距离。如此一来，玛雅文明区就一下子扩大了很多。可问题是新扩充进来的“玛雅文明区”除了这一金字塔群外，并无其他玛雅文明存在的痕迹。因此，这样的扩充显然是不合理的。

研究发现，玛雅文化与墨西哥文化等多种文化都存在共享地带，而共享地带是不能单独属于任何一种文明区的。实际上，整个中美洲的各文化区呈现出的是一种交错的状态，任何两种文化之间都不存在明确的边界。如此便验证了文化地理上的“马赛克”现象。

30. 危地马拉的国旗上为什么有一只克扎尔鸟？

危地马拉的国旗是由3个平行且相等的竖长方形组成的，中间的长方形为白色，两边的为蓝色。在白色的长方形中央，有一只克扎尔鸟尤为醒目。这只鸟为什么会出现在危地马拉的国旗上呢？它有何特别之处？

危地马拉是中美洲北部的一个国家，是玛雅文化中心之一。这片土地孕育了伟大的玛雅文明，并将其推向了顶峰。最大的玛雅城市蒂卡尔就坐落在危地马拉的境内，将近60%的玛雅后裔也居住在这里。可以说，危地马拉是最具代表性的玛雅国度，也是最值得骄傲的玛雅国度。正因为如此，危地马拉才会对玛雅文明极为重视，以至于将象征玛雅精神与文化的克扎尔鸟奉为国鸟，并将其绘在了国旗上。

克扎尔鸟是中南美的特产，长着彩色的羽毛、长长的尾翎和洁白的胸脯，非常美丽、高贵。特别值得一提的是，这种鸟不仅外表华丽，而且还有着高贵的品格。它生性刚烈，不屈不挠，宁愿死去，也绝不在笼中委曲求全。古巴诗人何塞·马蒂曾用这样的诗句赞赏它："克扎尔鸟之至美，乃是它决不屈从任何人。"

玛雅人对克扎尔鸟的情有独钟或许与它的美丽有关，但更重要的还在于它高贵的品质。古代的玛雅贵族和祭司用克扎尔鸟作为自己品质的象征，并将其美丽的尾翎装饰在自己的衣物上。到西班牙殖民者入侵后，克扎尔鸟被赋予了更深层的寓意，象征着玛雅人对自己文明的热爱以及对殖民者压迫的反抗。

知识链接

克扎尔鸟的传说

在玛雅社会，流传着这样一个美丽动人的传说：当西班牙殖民者大肆侵犯玛雅人的领土时，遇到了玛雅武士的顽强抵抗。一个是机枪大炮，一个是弓箭石矛，战争的结果显然是没有任何悬念的。虽然注定要失败，但顽强的玛雅武士却在他们的酋长特库姆·乌曼的带领下屡败屡战。前面的人倒下了，后面的人马上就冲到了前面。尽管死伤惨重，但玛雅人却并没有退缩。有一天，双方发生了一次空前惨烈的战斗，在这场战斗中，玛雅人的精神领袖特库姆·乌曼牺牲了。不过玛雅人说他们的酋长并没有死，而是化成了一只美丽的克扎尔鸟，飞向了天空，永远与玛雅人民同在。

31. 日本户籍法为什么要实行“夫妻同姓”？

在日本，结为夫妇的两个人必须改为同一姓氏，否则他们的夫妻关系就是不被认可的。那么，日本户籍法为什么一定要实行“夫妻同姓”呢？

“夫妻同姓”的法规是由明治政府在1898年制定的，但当时的规定与现在的规定稍有差别。明治政府规定：当女性嫁入夫家后，必须改随夫姓，以保证家庭的稳定。因为家庭是夫妻关系的纽带，而夫妻别姓会弱化家庭的这种纽带作用，从而使夫妻关系更容易破裂，只有夫妻同姓才能将两个人紧紧地拴在一起。这就是说，女性在嫁作人妇之后，就必须牺牲自己的本来姓氏，与丈夫同姓。

第二次世界大战后，随着女性社会地位的提高以及国际上对尊重妇女个人权利的强烈呼吁，日本政府也开始反思他们的这一法律。自20世纪90年代以来，日本的国会议员们围绕着是否可以允许“夫妻别姓”的问题展开了激烈的争论，但始终都没有争论出结果来。不过多年的争论也不是一点儿作用都没有发挥，如今的日本户籍法已经不再强制妻随夫姓，这样的改动看起来似乎是改变了妇女的处境，但实际上却换汤不换药，因为“夫妻同姓”的法规并没有废止。也就是说，夫妻二人可以选择妻随夫姓或夫随妻姓，但仍然要保持夫妻同姓。

日本法律的这点儿可怜的松动可以说毫无意义。既然夫妻二人的姓氏总要牺牲一个，那么不是男性牺牲就是女性牺牲，而在现实生活中，牺牲的绝大部分都是妇女的姓氏，所以说日本妇女在婚姻及家庭中的地位并没有改变。

32. 犹太人为什么多灾多难？

犹太是一个古老而又伟大的民族，曾创造了辉煌的历史与灿烂的文化。在当今世界，犹太人仍然是一个不可小视的群体。无论是举世瞩目的诺贝尔奖得主，还是在商界叱咤风云的百万富翁，犹太人都占据了相当大的比重。可以说，在犹太人身上，始终都闪烁着灵性与睿智的光芒。然而就是这样一个民族，却一直与灾难同行，被各种各样的灾难所牵绊和折磨。

任何一个民族的成长都是要付出代价的，经历一定的苦难也是必需的，但却没有哪个民族像犹太民族一样多灾多难。从最初的居无定所，到定居巴勒斯坦、建立自己的国家，再到国家的沦陷，犹太人经历了无数战争的洗礼。国家灭亡后，他们沦为“巴比伦之囚”，而当他们重新回到巴勒斯坦的时候，却仍然要臣属于其他国家，并在此后多次遭受外来侵略者铁蹄的践踏，流落他乡。尤其在第二次世界大战期间，德国纳粹疯狂地屠杀犹太人，更是让无数犹太人死于非命。直到今天，也仍然有不少犹太人寄居他国，无法回到自己的家乡。

纵观犹太人的发展史，自他们迁入巴勒斯坦开始，就没过过什么太平的日子。那么，犹太人为什么如此多灾多难呢？有人说是犹太人没有履行与上帝的约定，因此得罪了上帝，于是上帝就对犹太人进行了惩罚，让他们世代多灾多难。这样的说法无从验证，但可喜的是这个被灾难折磨了1000余年的民族并没有退出历史的舞台，而是在血雨腥风中顽强地生存着，并在世界民族之林中占据了重要的一席。也许正是这千余年的苦难史造就了犹太人的精神和品性，促使他们创造了一个又一个神话，让世界重新审视这个民族。

33. 罗马人为什么要用处女守护圣火？

守护圣火是一项庄严而又神圣的使命，因此，守护圣火的人必须经过严格的筛选。不同的民族对圣火守护者有不同的要求，在古罗马，圣火守护者只能是纯洁的处女。那么，罗马人为什么要用处女守护圣火呢？

在罗马人的心目中，火是纯洁无垢的，所以其守护者也必须是纯洁无垢的，而这样的条件只有处女才符合。此外，在圣火终年燃烧的神庙中，供奉着灶神维塔斯。维塔斯女神终身未嫁，本就是女性贞洁的代名词，因此也只有贞洁的处女才配与她同处一室。

在供奉维塔斯的灶神庙中，共有6位守护圣火的处女。她们共同居住在灶神院中，每天轮流执勤，以保证灶神殿内的圣火永不熄灭。除了生病之外，守护圣火的处女是不能离开灶神庙的。她们有着严格的纪律，一旦违反了纪律就要受到严酷的惩罚，如任由圣火熄灭的会被鞭笞、不贞的会被活埋等。

尽管生活单调乏味，还随时面临着被惩罚的危险，但守护圣火的处女们却得到了人们的尊敬，享有其他妇女不可能得到的荣誉和特权。除了守护圣火之外，她们还有很多其他的宗教任务，如到圣泉取水、为公众祈福、烹制祭品、参加生育祭礼等。此外，她们还常常为人们保管条约、遗嘱、珠宝等珍贵物品和文件。

总之，在古罗马社会，处女因为纯洁而被人们尊敬和信任，一旦纯洁被毁，那么其失去的就不仅仅是荣誉和光环，甚至有可能是自己的生命。

34. 尼龙袜编织工人为什么会成为“拉德分子”？

提起“拉德分子”，不知情的人很容易将其与恐怖分子联系在一起。其实，所谓的“拉德分子”与恐怖势力一点儿关系也没有，他们只是一群可怜的尼龙袜编织工人。这是怎么回事？尼龙袜编织工人怎么会成为“拉德分子”呢？

19世纪初期，英国和法国之间进行了相互的贸易封锁，从而使得两国的商业都陷入了低潮。在英国，贸易封锁切断了其与海外市场的联系，国内的经济形势急剧恶化。庄稼歉收、工资下降、税率提高、价格上扬、失业率飙升……这一切最终导致了时装的改变。人们开始喜欢长裤，排斥短裤和长袜，没有人会在意脚上的袜子。于是，制造商开始消减袜子的长度，这无疑让袜子编织工人遭受了重创。

经济形势恶化以后，制造商就开始提高编织机器的租金，并降低工人的工资，这已经让编织工人的处境变得十分艰难。而大幅度削减袜子的长度，对他们来说就更是雪上加霜。在这种情况下，编织工人于1811年3月11日发起了一场示威活动，并潜入小屋破坏了6台机器。此后，这种破坏机器的事件相继在全国各地上演。后来，还出现了相关的传单与小册子，而其头目则自称为“尼德·拉德将军”，“拉德分子”一词即是由此而来，并在此后成为所有破坏机器者的代名词。

拉德分子的行动越来越有组织。为了遮掩身份，他们开始蒙面行动。面对这些“暴力”的拉德分子，英国政府颁布了一项法令，宣称要将破坏织机的人处死。后来发展到只要念拉德分子的誓词，就要被拉出去服刑。面对残酷的镇压，拉德分子并没有屈服，在走上绞首台时，他们还唱着圣歌，引得台下的群众也跟随他们一起唱和。

说到底，拉德分子不过是一群忍饥挨饿、痛苦绝望的可怜工人，他们的“暴力”是被逼出来的。

35. 日本人在命名时要计算哪些数字？

日本人非常注重名字的作用，认为名字可以影响一个人的人生际遇，而一个好名字则可以为人带来好运。因此，日本人在为子女命名时都要经过深思熟虑，综合考虑各方面因素后选择最佳的一个。在命名时，日本人常常要计算一些数字，再用这些数字去判断名字的吉凶。那么，日本人计算的数字都包括哪些呢？

首先，他们要算出姓氏笔画的总数。这一数字被称为天运，也有称为祖运的。因为姓氏是与生俱来的，所以这个数字暗含着一个人的先天命运，不过它并不起决定作用，需要靠名字来决定它的实际作用。

其次，要算出姓氏最后一个字与名字第一个字的笔画总数。这个数字被称为主运，也有称人运的。这个数字是非常重要的，它暗示的是一个人的性格和才华，是一个人在其生命最宝贵的岁月中所显现出来的祖传姓氏的暗示作用。

再次，要算出名字的笔画总数。这个数字被称为初运，也有称地运的，是命运的基础。它暗示的是一个人的健康状况和交际能力，也预示着一个人青少年时期的命运。

此外，还要算出姓氏的第一个字与名字的最后一个字的笔画总数。这个数字被称为助运，也有称外运的，其暗示的是一个人的命运受外界客观事物的影响。同时，它也代表着婚恋运、家庭运和子女运。

最后，将姓氏和名字的笔画数全部加上一起，算出它们的总和。这一数字被称为总运，需要结合前面的四个数字进行分析，进而推测出一个人的终身命运。

在命名时，要尽量选择5个数字都吉利的名字。如果不能保证全部为吉，也要选择吉多凶少的，千万不能选择凶数过多的名字。

知识链接

日本“命名学”中数字的吉凶

在日本“命名学”中，1-9是基数，10为极数，基数中最大的9相乘得到的81则为最极数。因此，命名学只对1-81之间的笔画数命运进行分析，并将其分成了吉数、吉凶掺半数和凶数3大类，现将其列举如下：

吉数：1、3、5、7、8、11、13、15、16、18、21、23、24、31、32、33、35、37、38、39、41、45、47、48、52、57、58、61、63、65、67、68、73、75、81。

吉凶掺半数：17、19、25、27、29、30、40、42、43、46、49、50、51、53、55、62、71、72、77、78。

凶数：2、4、9、10、12、14、20、22、26、28、34、36、44、54、56、59、60、64、66、69、70、74、76、79、80。

36. 埃及法老的木乃伊为什么经常改葬?

人死后讲究入土为安，而一旦盖了棺入了土，其他人就不能再去打扰了，任何破坏坟墓的行为都被认为是对死者的不敬。破坏坟墓尚且如此，移动死者的尸体就更是大大的不敬了。因此，如果没有特殊情况，死者下葬后就不会再改葬。然而纵观古埃及的历史，改葬现象时有发生，而且改葬最为频繁的就是埃及法老的木乃伊。

埃及法老作为埃及最高贵的统治者，自然会对自己的身后安息之地尤为重视。为了能让自己死后有一片安息的乐土，法老们在生前就开始主持修建自己的陵墓，并在其中设置了重重机关，以防盗墓者潜入陵墓。可这样精心修建的陵墓，法老们在死后却大多“无福享受”。他们不但无法安静地躺在自己的墓穴之中，而且还常常四处游荡，甚至连一个像样的栖身之地都没有。至于那些奢华的陵墓，自然是“人”去墓空了。

埃及法老的木乃伊为什么经常改葬呢？这都是那些盗墓者的“功劳”。虽说法老们生前就知道盗墓活动很猖獗，因此尽量将自己的陵墓修得隐蔽，并设置机关来阻拦盗墓者，但这些手段显然并未发挥太大的作用，盗墓者仍然有办法进入墓穴带走他们需要的东西。为了保护法老们的遗体和陪葬品，必须有人在适当的时机将它们全部迁出，改葬在其他的地方。

那么，转移埃及法老木乃伊这个神圣的使命是由谁来完成的呢？是那些虔诚的僧侣和“勤王”的忠臣，也有一小部分是政府派来的看守人员。他们一直默默守护着法老们的陵墓，与盗墓者周旋斗争，当得知盗墓者将要有所行动的时候，他们就会提前将法老的木乃伊及陪葬品转移到其他地方。这样一来，法老们的木乃伊就只能四处游荡了，而改葬也实属无奈之举。

第四章

历史事件·玄机重重

1. 神秘的楼兰古国是怎样消失的?

楼兰古城遗址是1900年瑞典探险家斯文·赫定在罗布泊西部探测时意外发现的。此后，各国探险家争相前往，掠走了一批重要文物。后来，中国考察队到达楼兰古城进行考察，并取得了一定的进展。

楼兰古城平面近正方形，边长在330米左右，面积约10万平方米。城墙由扎成束的芦苇或编织起来的柳条抹上黏土筑成，民居均为木质结构。有古运河从西北至东南斜贯全城。运河东北有一座土丘，原是居民拜佛的佛塔。塔南的土台上，有一组高大的木构建筑，曾出土汉文、佉卢文书，以及简牍、五铢钱、丝毛织品、生活用品等。城中心有唯一的土建筑，墙厚1.1米，残高2米，坐北朝南，可能是楼兰古国统治者的住所。考古学家还发掘出一具已有3380多年的少女干尸，在国内外引起轰动。

楼兰历史上是丝绸之路上一个强悍的小国，从公元前176年以前建国，到公元630年消亡，共有800多年的历史。司马迁在《史记》中曾记载："楼兰，姑师邑有城郭，临盐泽。"这是中国文献上第一次记载楼兰城。李白、王昌龄等诗人也曾写过有关楼兰的诗句，可见，楼兰在唐朝仍是边陲重镇。那么，楼兰城为什么会在历史上销声匿迹呢？学术界有以下几种观点：

（1）与频繁的战争有关。楼兰城地处交通要冲，战争频繁。公元5世纪后，楼兰国逐渐衰弱，北方强国趁机入侵，楼兰城破被废。

（2）与罗布泊的南北游移有关。天灾人祸，导致罗布泊周边的生态环境恶化，罗布泊成为南北游移的湖泊，从而造成楼兰城水源枯竭，楼兰人不得不弃城出走，楼兰城也随之废弃。《水经注》中曾有敦煌、鄯善、焉耆、龟兹四国士兵引水进入楼兰的记载，可见水是楼兰城的根本和要害。

（3）与丝绸之路北道的开辟有关。经过哈密、吐鲁番的丝绸之路北道开通后，丝绸之路的旧路被废弃，楼兰国变得无足轻重，并逐渐走向衰亡。

（4）与瘟疫疾病有关。一场瘟疫夺去了楼兰城内绝大多数居民的生命，幸存者纷纷奔走他乡。

（5）与生物入侵有关。一种从外地传入的蝼蛄昆虫，成群结队进入楼兰，给楼兰城造成极大的破坏。楼兰人无法消灭它们，只好弃城而去。

知识链接

楼兰美女

1980年春天，考古学家在挖掘一座古代楼兰人的墓葬时，发现了一具完整的古代楼兰女性的干尸。这位楼兰女性脸面清秀，高鼻梁，双眸深邃，甚至连长长的睫毛都清晰可见，下巴尖翘，具有鲜明的白种人种特征，毛发、皮肤、指甲都保存完好。这具女尸头戴尖顶毡帽，帽插数支翎羽，身穿粗质毛织物和羊皮，足蹬粗线缝制的毛皮靴，静静地躺在一座沙质土台中，就好像刚刚睡去一般。

据考证，这具女尸已有3380多年的历史，是迄今为止新疆出土古尸中最早的一具。后来，一些艺术家相继为这具女尸制作还原头像，其姣好的面容令世人惊叹。一时间，“楼兰美女”之名响遍世界。

2. 曾经盛极一时的佩特拉古城为什么被遗弃？

佩特拉是约旦著名古城遗址，建于公元前6世纪前后，是由游牧民族纳巴特人建造的，一度为纳巴特王国的都城。公元前1世纪，极盛时期的纳巴特王国曾将疆土扩展到大马士革。公元106年，纳巴特王国被罗马军队吞并。

佩特拉古城位于海拔1000米的高山上，城市里所有的寺院、宫殿、浴室和民居等建筑几乎都是在悬崖峭壁上雕刻而成的。古城核心是一个大广场，广场正面是宏伟的哈兹纳宫。宫室依山雕凿，分上下两层，高约50米，宽约30米，有6根罗马式门柱。柱与柱之间是神龛，主要用于供奉神像。墙壁、横梁等处则用壁画或雕刻进行装饰。古城有一座可容纳6000人的古罗马剧场遗迹，看台依托山坡呈扇形展开，舞台由巨石铺就。古城遗址的欧翁宫可能是王宫，几百平方米的大殿没用任何柱子支撑。

佩特拉古城的多数建筑采用的是古罗马建筑的风格，表明纳巴特人曾深受古罗马文化的影响。因此，佩特拉古城遗址不仅可以帮助我们了解纳巴特文明，还可以帮助我们研究古罗马文化。

佩特拉作为商路要道曾盛极一时。公元3世纪起，因红海海上贸易的兴起代替了陆上商路，佩特拉开始衰落，之后古城湮没了1000多年。佩特拉为什么被遗弃？难道仅仅因为商路控制权的丧失吗？

有些学者认为，导致佩特拉古城衰亡的可能是天灾。公元363年，一场地震给佩特拉城造成了严重的打击，许多建筑沦为废墟。公元551年，又一次强烈地震将佩特拉城彻底摧毁。房屋的主人们无力修复自己的家园，只好弃城而去。

然而，这一解释并不令人满意，因为许多城市都能在灾后重建。有些学者认为：环境恶化可能是导致佩特拉衰亡的因素之一。经过实地分析证明，当时人们无节制地乱砍滥伐，致使林区退化成为灌木林草坡带，而过分地放牧羊群使灌木林和草地也消失了，这个地区开始逐渐沦为沙漠。当周围的环境再也无法为庞大的人口提供足够的自然资源时，城市的彻底消亡也就在所难免了。

3. 阿兹特克人是如何在其他部落的土地上迅速崛起的？

阿兹特克是北美洲南部人数最多的一支印第安部落。他们原本是生活在墨西哥北部的阿兹特兰游牧民族，经过两个世纪的漂泊生活后，于1276年定居在墨西哥谷地，开始了定居务农的生活。

阿兹特克人以勤劳和英勇善战著称。他们天生好战，不断侵扰附近的部落，终于激怒了这些部落。各部落决定联合起来，共同讨伐阿兹特克人。结果，阿兹特克人战败了，他们中的大部分被俘虏，一小部分逃到特斯科湖中的一个小岛上。后来被俘虏的人和这部分人在小岛上会合了。小岛在他们的经营下发展成为特诺奇蒂特兰城，并迅速建立起阿兹特克帝国，盛极一时。那么，阿兹特克人是如何在其他部落的土地上迅速崛起的呢？

阿兹特克的主要社会组织是部落联盟，每个部落有20个氏族组成，并设有部落议事会，由4名行政官吏实行集体管理。同时，部落的组织形式并不是一成不变的，而是在不断变化着，以适应社会生活的需要。统治者的“随机应变”不能不说是促进阿兹特克崛起的重要原因。

阿兹特克的经济以农业为主，岛上淤积的土地肥沃，他们种植玉米、豆类、棉花、烟叶和剑麻等农作物，满足了日常的生活需要。沿海的居民则从事渔业。随着经济的发展，阿兹特克出现了阶级和早期国家的萌芽，武士和祭司是社会的上层，商人和工匠是中间阶层，奴隶为最底层。社会的进步也是阿兹特克变得强大的推动因素。

此外，还有较为重要的一点是，阿兹特克人吸收、发展和丰富了托尔特克人、米斯特克人的文化，出现了象形文字，文字是一个国家发达的标志。总的来说，是阿兹特克人本身的特点和所处的自然环境，让他们在一块陌生的土地上迅速崛起。

4. 罪恶之城所多玛是如何被毁灭的？

所多玛位于死海的东南方，如今已沉没在水底。《圣经·创世记》中记载，古代西订谷的南端有所、蛾二城，有肥沃的平原。“所、蛾二城”指的是所多玛和蛾摩拉，是摩押平原五城中的两个。据考古学家的论证，所多玛是一个真实存在的城市，位于今死海南部的浅滩处。因为考古学家们在邻近浅滩的高地处发掘出一座城市，城中发现有宗教祭坛，发掘出的陶器约制造于公元前2300至前1900年，正是亚伯拉罕的时代，但此城在这一年代就被废弃了。

后来，这座城市因为地震和地陷而沉落地下。

不过在《创世记》中，所多玛的毁灭却是另外一种情形。所多玛沉溺于男色，罪孽深重，耶和华知道后，就派两位天使去毁灭这座城市。亚伯拉罕为所多玛城求情，耶和华答应他，城内只要有10个义人就不毁灭它。两位天使晚上降临所多玛，一位叫罗得的义人在城门口迎接，并将他们接到家里盛情款待。没多久，所多玛的老老少少就围住了罗得的房子，并向罗得叫嚷道：“今晚在你家的男客人呢？把他们交出来，任我们处置。”他们的行为惹怒了天使和耶和华。天使将罗得和他的妻子、两个女儿从重重包围的房子中救了出来，让他们逃往琐珥。之后，耶和华从天上降下硫黄与火，将所多玛剩余的居民和生灵都毁灭了。罗得一家逃跑之时，罗得的妻子没有听天使的话，回头望了所多玛一眼，结果变成了一根盐柱。

5. 印加人有什么克敌制胜的法宝可以确保屡战屡胜?

印加帝国经过一个世纪的征战，疆土迅速扩张。16世纪初，印加的国土已经比英国、法国、德国、意大利等国的总面积还要大。如此迅速的扩张是因为印加人在战争中有几个特别的克敌制胜的法宝，可以确保他们屡战屡胜。

第一个法宝是印加在全国范围内建立起了一套高效调动兵力的“金字塔”式体制，能迅速集结起一支庞大的军队。印加的全盛时期，可在短时间内集中20多万人的军队。第二个法宝是印加的军队行动迅速，擅长打出奇制胜的闪电战，这往往会让敌人措手不及。第三个法宝是印加军队有高明的请君入瓮的战术，他们首先派出大军将敌人团团围住，但只是围住而已，并不发动进攻，然后把敌人的粮食抢过来，让敌人处在饥饿之中，最后不得不缴械投降。第四个法宝是印加统治者擅于运用心理战术。在和敌人对峙时，虽然抢了对方的粮食，但印加军队会给敌方的老人、妇女和小孩送粮食吃。这样做提高了印加军队的威望，瓦解了敌人的意志，刀枪未动就轻而易举地获得了胜利。

征服一个民族之后，印加人会采取一些必要的强制手段巩固自己的统治。如有犯上分子，印加王就会格杀勿论。另外，印加王还将征服民族的神像运送到首都库斯科，并将民族最高统治者的长子“扣押”在库斯科，以防他们发生叛乱。

知识链接

雅纳库纳

印加社会中存在着一大批“雅纳库纳”，他们没有人身自由，是高层人们的奴隶。“雅纳库纳”是帝国强权的证明。据说，他们是某个被征服民族的后裔。这个民族曾经发动过起义反抗印加王的统治，起义被镇压后，几千名起义者被送往雅纳库纳城处死。当时，善良的印加王后不希望几千条人命就这样消失了，于是就替他们向印加王求情，让他们免于死刑，而是改为劳役。从此，这个起义的民族就被称为“雅纳库纳”。他们虽然逃过了被判处死刑这一劫难，却沦为奴隶，他们的子孙后代也要和他们一样，处于社会的最底层，承担繁重的劳动。

6. 终结了埃及法老王朝的亚历山大为什么被视为埃及人的“解放者”？

早在公元前3100年，美尼斯就建立了世界上最早的奴隶制王朝——埃及。美尼斯还开创了法老专制的政治制度。埃及文明曾盛极一时。公元前525年，埃及被波斯王朝征服，建立了第27王朝。后来，埃及人发动起义，推翻了此王朝。而在公元前343年，波斯人再次入侵埃及，建立了第31王朝。此时的埃及已不像从前那样强大，开始衰败。

亚历山大大帝东征时，法老王朝只是徒有虚名而已。公元前332年，亚历山大大帝击败了波斯王朝的大流士，《亚历山大远征记》中描述了大流士逃跑时的落魄模样。他的落败从侧面反映出亚历山大当时的风光。虽然亚历山大征服埃及也算得上是对埃及的侵略，但是这次侵略却将波斯王朝从埃及的土地上赶走，使埃及摆脱了波斯人的统治。

亚历山大接管埃及后，埃及的僧侣兴奋地将他礼拜为埃及的法老。亚历山大的到来开启了埃及的希腊化时代，东方文明和西方文明进入了大融合时代。亚历山大在埃及建立了亚历山大城，建造了古代世界的七大奇迹之一的亚历山大灯塔，将希腊语定为埃及的官方语言，埃及的文明似乎再次繁盛起来。

亚历山大毫不费力的入侵，结束了埃及持续近3000年的法老王朝。亚历山大被当时的埃及人视为“解放者”。

7. 巨都平城京因何会突然遭弃?

纵观日本的历史，飞鸟、奈良、平安、镰仓等朝代都以王朝的王都或幕府的所在地命名，这说明迁都代表着朝代的变迁，而8世纪后期，日本王都平城京为什么会突然遭弃，改平安为王都呢？其中有什么特别的原因吗?

平城京是一块风水宝地，元明天皇在和铜元年曾颁《迁都诏》说：“方今平城之地，四禽叶图，三山作镇，龟筮并从，宜建都邑。”迁都是地理位置的移动，古人非常重视都城的风水。按中国的说法，“四神相应”之地乃风水宝地，东有河川，南有沼泽，西有大道，北有高山，是理想的帝宅。日本受中国的影响，亦非常重视都城的风水，这从元明天皇颁布的诏书中就可以看出。

公元782年，桓武天皇下诏废止平城京的建造。日本天皇开始产生迁都之意。公元784年，王都迁往长岗京，之后又选择葛野之地建造新都城平安京，并于公元794年迁都。与长岗京相比，平安京距离奈良盆地更远，更加不符合传统的建都标准，因为平安京地处淀川水域，既没有四神庇佑，也没有三山环卫。桓武天皇是这样论述迁都原因的：“此国山之襟带，自然作城。”此外，桓武天皇还曾经在诏书上两次提及所迁之地“有水路之便”。这说明平城京的地理环境已经跟不上时代的发展了。迁往“水路之便”之地，使日本摆脱了套用中国风水思想的模式和奈良盆地的羁绊。桓武天皇的做法是立足于本国实际的明智之举。

另外，平城京被弃，与佛教也有一定的关联。奈良时代，佛教盛行，已分不清楚是佛教依附于政治，还是政治依附于佛教。期间，参政的僧人和贵族集团出现冲突，导致了“道镜事件”的发生。日本天皇为了摆脱盘踞在奈良的僧侣及其背后强大的势力，确立天皇绝对的权威，不得不抛弃奈良。桓武天皇在这方面上的意愿尤为突出。同时，桓武天皇选择甲子之岁迁都长岗京，应该不是巧合。

8. 克拉苏率领的罗马军为何在东征时神秘失踪？

公元前53年，古罗马的克拉苏率领大军东征安息（今伊朗东北部），不幸在卡尔莱（今叙利亚的帕提亚）遭到安息军队的围歼。罗马军队几乎全军覆没，只有克拉苏的长子率第一军团6000余人拼死突围出来。33年后，罗马帝国与安息停战讲和，双方开始互相遣返战争俘虏。这时，罗马人才惊奇地发现，当年突围的古罗马第一军团神秘地失踪了！这桩悬案困扰了中西方史学界许多年。

有人提出，古罗马军团最终定居在中国。这一论点引起了国内外学者的高度关注。西北民族学院历史系教授关意权从《汉书·陈汤传》得知：公元前36年，西汉王朝陈汤等人在去往郅支城（今哈萨克斯坦境内）西征匈奴的途中，发现单于手下有一只奇特的雇佣军，他们用圆形盾牌组成“鱼丽阵”（即“鱼鳞陈”）进攻敌人，并在土城外修“重木城”作为防御，这是当年罗马军队所独有的作战手段。西征大获全胜，陈汤等人将1000多名俘虏带回中国。这时，西汉河西地区突然出现了一个叫“骊靬”的县。《后汉书》中记载：“汉初设骊靬县，取国名为县。”“骊靬”是当时中国人对罗马的称呼，那么“取国名为县”是不是说明这里居住的是罗马人呢？难道当年陈汤等人西征中看到的奇特军队，就是失踪的古罗马第一军团的残部？

这个疑团能不能解开，就要看能不能找到骊靬古城。经过多年的考察，关教授和他的合作者在甘肃省永昌县焦家庄乡楼庄子村六队的者来寨，发现了骊靬古城的遗址。遗憾的是，古城在自然力和人力的破坏下只剩下长30余米、高不足3米的断壁残垣了。在这座古城的遗址中曾发现过一处汉代的墓葬，经考古学家的论证，墓主是汉代的欧洲人。在者来寨邻近的杏树村，还发掘出一根修筑“重木城”所需的器物——周身嵌有木杆、一丈多长的粗大圆木。

关教授还发现，者来寨的村民虽是汉族，但有欧洲人的相貌特征：身体高大，皮肤深红，有蓝眼睛、深眼窝、棕色头发，汗毛也较长。据统计，者来寨的400多口人中，有200多人是欧洲相貌特征。通过对民俗的考察，关教授还发现，当地村民有古罗马遗风，如当地人喜欢斗牛。他们安葬死者时，一律让头朝西，关教授认为这是古罗马的方向。

以上的种种发现，都极大地支持了罗马第一军团并没有神秘失踪，而是作为俘虏被西汉政府安置在骊靬城定居了下来。

9. 苏我稻目“试令礼拜”为什么会引起瘟疫？

钦明天皇时期，佛教由百济公传至日本。之所以称为“公传”，是因为传播者是百济国国王，而荣受者是日本朝廷。任何新事物的传入都会引起冲突，佛教在日本的传播也不例外。

据《日本书纪》记载，钦明天皇对佛教很感兴趣，但因臣民信仰在当时来说是一件不容忽视的事情，于是召集群臣征集意见。大臣们对佛教的态度因政治观点不同而分为两个不同的派别。臣姓集团的苏我稻目主张效法国外，接受佛教，奏曰：“西蕃诸国一皆礼之，丰秋日本岂独背也？”连姓集团的物部尾舆和中臣镰子则竭力排佛，他们认为，日本自古就是祭拜天神地祇，如果改为崇尚“蕃教”佛教的神灵，必定会招来国神的愤怒。臣姓集团与连姓集团本就是相对的两大政治集团，崇佛和排佛的争论使矛盾更为激化。

面对互不相让的两种派别，钦明天皇采取了折中的办法，下令让同意接受佛教的苏我稻目“试令礼拜”。苏我稻目持令建造寺庙、安置佛教神像。但“试令礼拜”之后不久，日本国内就瘟疫泛滥，大批人们病死。连姓集团借题发挥，指责苏我稻目礼佛激怒了国神，因而导致了瘟疫的产生。迫于压力，钦明天皇命苏我稻目将佛教的神像抛入江中。

显然，日本国内的瘟疫并不是由苏我稻目“试令礼拜”引起的，而是刚好发生在佛教传入日本，试行礼拜之时。敏达天皇继位之后，两大集团之间的矛盾进一步激化，而国内又出现了瘟疫，排佛派得到天皇的默许，销毁佛像，鞭打僧尼。直到圣德太子时，佛教才在日本真正确立了地位。

10. 萨拉热窝事件为什么会成为第一次世界大战的导火索？

1914年6月28日，奥匈帝国皇储费迪南大公携妻对波斯尼亚进行访问，在萨拉热窝遇刺身亡。这次事件后，奥匈帝国立即着手战争，不久便在德国的鼓动下，以萨拉热窝事件为借口，向塞尔维亚发动侵略战争。第一次世界大战由此爆发。其实，在萨拉热窝事件之前，世界各国为了各自的利益已经做好了战争的准备，而萨拉热窝事件则给发动战争提供了合适的机会。

19世纪末，主要资本主义国家因在争夺欧洲霸权和分割殖民地斗争中的利益不同，结成了两个互相敌对的军事侵略集团，德、奥、意三国同盟和法俄同盟。20世纪初，强大起来的德国要求重新划分世界，严重威胁了英法等老牌殖民国家。德国打破了欧洲均势，与英法两国之间的矛盾日益激化。与德国的利益冲突使英法两国相互靠拢，1904年4月8日，英法两国签订协议，法国承认英国在埃及的特权，英国承认法国在摩洛哥的特权。协议的签订是世界大战的重要步骤。德奥势力在巴尔干半岛的扩张危害了俄国的利益，使得英、俄两国也相互靠近。日俄战争后，俄国的经济日益依赖英、法。1907年8月，英俄两国签订协定，英、法、俄“三国协约”最终形成。

奥塞战争爆发之后，俄、法两国站在塞尔维亚这一边，并着手进行战争总动员。1914年7月31日，德国向俄国和法国发出最后通牒，要求他们停止筹备战争总动员，遭到两国的拒绝。于是，德国于7月31日和8月3日分别向俄国和法国宣战。在遭到中立国比利时拒绝援助的答复之后，德国侵入比利时。此行为遭到了英国的反对，并对德国发出了最后通牒，英国被毫无悬念地拒绝了。于是英国以此为借口，对德宣战。这样在短短一个星期的时间内，欧洲两大军事集团全都卷入了战争。

11. 为什么说德国法西斯上台就意味着战争？

德国法西斯上台就意味着法西斯专政的开始。法西斯是一种国家民族主义的政治运动，在1922年至1943年间墨索里尼政权统治了意大利。类似的政治运动，包含了纳粹主义，在第二次世界大战期间蔓延整个欧洲。法西斯主义可以视为极端的集体主义，反对个人主义。德国法西斯上台后，在政治、经济、军事、文化等领域采取了一系列统治措施，其主要有以下几个特点：

政治上，组织成立纳粹党，实施一党专政。纳粹党上台后，将德国共产党视为最大威胁，制造了"国会纵火案"，打击德国共产党，之后取缔了纳粹党以外的所有政党。经济上，德国法西斯政党实行国民经济军事化，大力发展军事工业及与之相关的民用工业，使军事工业迅速发展起来。军事上，撕毁《凡尔赛和约》，扩充和重建了陆军、空军、海军。文化领域，希特勒政府推行法西斯教育，摧残进步文化，迫害知识分子，并向德国民众灌输种族优劣论。另外，希特勒还把迫害犹太人作为"国策"。在对外关系上，希特勒采取军事冒险行动，在没有得到制止的情况下，气焰日渐嚣张。

法西斯专政上台后，对内实施恐怖统治，对外进行侵略扩张，这定会引起帝国主义国家之间的尖锐矛盾，引发世界大战。希特勒上台后，欧洲其他国家就已经有学者感觉到战争即将来临。事实也证明了这一点，1939年9月，德国拉开了第二次世界大战的序幕。

知识链接

德国法西斯建立的原因

德国建立法西斯专政的原因主要有3点：

首先是历史原因。德国长期处于君主专制统治中，缺乏民主传统，军国主义势力比较强大。作为第一次世界大战的战败国，德国被迫接受制裁性的《凡尔赛和约》，这激发了德国的复仇情绪。

其次是经济原因。一战后，德国的经济处于崩溃的状态，只能依靠美国的贷款发展经济。因此美国爆发经济危机之后，德国的经济也受到了不小的影响，以至于社会矛盾激化，工农运动此起彼伏。

最后是纳粹党的原因。纳粹党原是一个小资产阶级政党，希特勒上台后将其打造成一个法西斯政党。纳粹党打着社会主义和民族主义的招牌，进行蛊惑人心的宣传，获得了广泛的支持，入党人数激增。法西斯专政只是时间的问题而已。

12. 希特勒为什么要血洗冲锋队？

冲锋队又称“褐衫党”，正式成立于1921年8月，是一个半军事组织，主要职能是保护纳粹集会，破坏工人运动和纳粹政敌的活动。通俗一点儿说，冲锋队就是纳粹组织的政治打手。

1936年6月30日，希特勒在戈培尔及大批随行人员的陪同下，抵达维西，杀害了包括参谋长罗姆在内的数百名冲锋队军人，制造了震惊世人的“血洗冲锋队事件”，随即还下令解散冲锋队。是什么原因使希特勒对立下汗马功劳的冲锋队狠下杀手呢？人们对此进行了不少探索，得出了一些原因。

有人认为，希特勒上台后，冲锋队的使命已经结束，保护国家安全有国防军，维持社会治安靠警察。冲锋队虽然对希特勒的上台起到了重要作用，但是希特勒没有必要保留这支非军队又非警察的武装力量。因此，不管用什么方式，冲锋队都要退出历史舞台。

也有人认为，希特勒与罗姆的矛盾导致了此次事件的发生。希特勒和罗姆是较早的政治伙伴，他们曾一起坐过牢。但两人之间的分歧也很大。罗姆是冲锋队的创始人，但希特勒起初并未让他领导冲锋队。两人曾因对冲锋队问题的不同意见而分手。希特勒上台后，身为参谋长的罗姆加速发展冲锋队，并叫嚣要“二次革命”，建立真正的“民族社会主义”国家，这让希特勒忍无可忍，不得不采取极端的方式结束冲锋队。

还有人认为，希特勒上台后，纳粹政权和冲锋队之间发生了利益冲突。冲锋队主要由退役军人、失业者、获释罪犯等社会下层人组成，他们希望纳粹掌权后，可以给他们带来某些利益。希特勒政权完全代表资产阶级的利益，无法满足他们的愿望，于是他们叫嚣“二次革命”，向希特勒施加压力，希望能得到某种利益。他们的叫嚣给纳粹政权带来了许多麻烦。希特勒以“二次革命”为借口将冲锋队清洗和解散。

以上几点中或许有希特勒下决心血洗冲锋队的原因，但是具体是其中的哪一点，还需要研究者们的进一步分析。

13. 美国的舰艇是怎样命名的?

美国海军部在第二次世界大战期间，对舰艇的命名做出了一系列的规定。美国绝大多数舰艇都是严格按照规定命名的，没有遵守规定的只是极少数。

战列舰是美国舰艇的主力舰只，它们的命名需要经过国会的同意，一般会以美国各州的州名命名，如田纳西、华盛顿等。巡洋舰通常以美国的城市和城镇，以及美国的占有地与领地首府的名称命名，如亚特兰大、布鲁克林、旧金山等。航空母舰要以曾经在美国海军服役的著名舰艇的名字和一些重大战役的名称命名，如突击者、好人理查德、列克星敦、萨拉托加。土鲁吉、圣约瑟夫湾、瓜达尔卡纳尔、布鲁克岛等是护航航空母舰的舰名，均以美国的海湾、岛屿、海峡，以及第二次世界大战中的战役名称命名。舰队驱逐舰多以人命命名，如西姆斯、波特、爱迪生、麦迪逊、海伍德、爱德华兹等，他们是曾在美国海军、海军陆战队、海岸警卫队中为国家做出突出贡献的已故人员的名字，或是与海军有密切关系的海军部正副部长、国会议员等人员的名字。可能是潜艇要像鱼一样潜入海底，所以它们常以深海中的鱼类命名，如河鲈、鲟鱼、梭鱼、鲸。护航驱逐舰一般会以在第二次世界大战的对敌行动中阵亡的美国海军、海军陆战队和海岸警卫队成员的姓名命名，如劳埃德·E.埃克里、道格拉斯·A.芒罗、帕尔等。护卫舰则常以美国的小城市和小城镇的名称，以及美国的占有地与领地的小城镇的名称命名，如纽波特、亚历山大、安纳波利斯等。炮舰或以小城市的名字命名，或以合理且悦耳的词语命名，如塔尔萨、查尔斯顿、复仇女神、战斗等。

此外，美国还有以曾经在美国海军中服役的舰艇的舰名命名的舰艇，也有以与火焰、爆炸有关的词语命名舰艇，还有以树木的名字命名的舰艇。总之，美国舰艇的命名方式看似复杂却又十分简单。但有一点需要注意，美国不会用活着的人的名字去命名一艘舰艇。

知识链接

美国舰艇代号分类中的“V”

CVT、AVT、AVT、CV、CVA、CVAN、CVB都是美国舰艇的分类代号。对比发现，每一个代号中都有字母“V”。那么这个字母“V”代表什么意思呢?

1920年7月17日，美国海军部长制定了一套用于海军舰艇的标准的代号命名法。其中也对航空器做了规定，轻型航空器使用字母“Z”，重型航空器使用字母“V”。为什么会选中字母“V”呢? 普遍的说法是，字母“V”取自法语单词“volplane”（一说voler?）。“volplane”作动词用，是滑行、滑翔的意思；作名词用是指能用机翼持续飞行的航空装置。也有人说“V”取自单词“aviation”，而该单词又来自法语，因为美国是从法国引进的航空技术。虽然目前为止还没有一个较为确切的说法，但“V”的来源和意思似乎与法国有密切联系。

14. 勃兰登堡门为什么被视为德国统一的象征?

在德国历史上，勃兰登堡门象征着普鲁士的崛起和德意志帝国的第一次统一和兴盛。勃兰登堡门位于德国首都柏林的市中心，是唯一保存下来的柏林城城门，它是柏林和德国几百年以来强盛、衰落、分裂、统一的见证者，与德国乃至世界一起经历了许多重要历史事件。

从1734年起，柏林开始建造城墙，次年，在如今勃兰登堡门的位置建造了一座城门，因城外的道路通往勃兰登堡，故称此门为“勃兰登堡门”。最初的勃兰登堡门仅是一座用两根巨大的石柱支撑的简陋石门。

1788年，普鲁士国王腓特烈·威廉二世，为了纪念1756–1763年的七年战争，下令重新建造勃兰登堡门。七年战争的意义非凡，不仅使普鲁士成为欧洲列强之一，还为腓特烈二世赢得了“腓特烈大帝”和“军事天才”的称号。腓特烈二世聘用卡尔·歌德哈尔·阆汉斯负责设计与建筑工作。1791年竣工后，勃兰登堡门高20米，宽65.6米，进深11米，门内有5条通道。滑铁卢战役之后，勃兰登堡门逐步成为柏林和德国国家的象征。

第二次世界大战中，勃兰登堡门受到了严重损坏，战后的东德和西德虽然冲突较大，却在1956年共同修复了勃兰登堡门。柏林墙建造时，勃兰登堡门正好处于隔离区中央，因此，柏林墙绕过勃兰登堡门，画了一道弧形向左右两边延伸，将整个柏林隔成两半。那时曾是德意志统一象征的勃兰登堡门，成了军事禁区，也是德国分裂的标志。1989年，柏林墙被推倒，东西德的两位总理从勃兰登堡门穿过，预示德国统一。

1991年，重新开放后的勃兰登堡门整修完毕，又经过22个月的修缮后，勃兰登堡门于2002年10月3日重新亮相，这一天也是德国统一12周年的纪念日。

15. 为什么说“空军一号”是世界上最安全的飞机？

“空军一号”是美国总统专用的波音747飞机。它早已成为美国的权力象征和美国霸权地位的国际图腾。军事专家认为，美国的“空军一号”堪称世界上最精密、最具毁灭力的航空器。“空军一号”上有齐全的办公和日常生活必需品，几乎可以满足总统所有的需求，有“飞行中的白宫”之称。

目前使用的两架“空军一号”都是由里根总统订购的，由波音公司制造，1991年投入使用。“空军一号”24小时都处在准备起飞状态，机上18名机组人员和最精密的仪器，让它无论何时何地都能与白宫进行最密切的联系。飞行中遇到危险时，“空军一号”会立刻从电磁雷达设备中获得保护，所有的电缆也会立即被停止，它的电子对抗系统可以干扰敌方雷达，使敌方无法锁定目标。与此同时，一种质材特殊、不易识别的地型金属荧幕会覆盖住所有的窗子，防止飞机被追踪。

美国是世界强国，但因树敌太多，美国总统一直是国际恐怖主义的首要攻击目标。为此，“空军一号”上拥有世界上最先进的反导弹系统。机上的工作人员可以通过各种电子显示仪器监视专机四周的所有空间，一旦受到导弹袭击，就会立即启动几套电子干扰系统，诱使导弹改变方向，确保“空军一号”和总统的安全。

在总统登机前，负责安全防卫的所有人员，都会对飞机进行严格的检查，跑道也在检查范围之内。总统登机或下机时，如遇到危险，防卫人员将会立即开枪。此外，在“空军一号”起飞前，另一架装着总统豪华防弹轿车和一大堆轻武器弹药的飞机会先行起飞。“空军一号”的探测设备也非常完备，与天基和陆基侦测网配合，可以及时发现具有威胁性的空中目标，并可最快速度地寻求空中支援。

实际上，“空军一号”还是两架鸳鸯飞机的结合体，载有总统的主机飞到哪里，备用的副机就跟到哪里。假如主机出现了故障，总统可以随时换乘备用专机。“空军一号”服役几十年以来，拥有完美的、无懈可击的安全飞行记录，被认为是世界上最安全的飞机。

16. 戈林自杀得到了谁的帮助?

在德国纳粹党中，除了大名鼎鼎的元首希特勒，名声最响的应该就是赫尔曼·戈林了。戈林追随希特勒多年，曾受到希特勒的特别赏识和信任，希特勒甚至曾将其定为自己的接班人。不过在战争期间，由于指挥不利使德国丧失了制空权，再加上老对头鲍曼在希特勒面前大进谗言，戈林终被希特勒投入监狱。德国战败之后，他又落入了美军手中。

在美军监狱中，戈林得到了特别的“照顾”。为了防止这位恶贯满盈的纳粹战犯自杀，监狱采取了严密的看守措施。除了卫生用品和必需的衣物以外，戈林身上的所有东西都被没收了。在囚室中，也只有床和椅子这两样东西，而且椅子只有在白天才会搬进来。室内整夜亮着灯，每个角落都有士兵把守，门上还装有监视镜。也就是说，戈林的一举一动随时都在监狱的掌控之中。

如此严密的看守，戈林是很难找到自杀的机会的。然而就在对纳粹战犯执行绞刑的那天，戈林却神奇地自杀了。在得知自己要被送上绞架以后，戈林很平静。当天，他在囚室看了会儿书，并记了笔记，晚饭后还同前来告别的神父聊了一会儿，接着便睡下了。一切都出奇的平静，根本看不出这是一个即将被押赴刑场的战犯。然而就在距死亡时刻还有一个半小时的时候，看守士兵约翰逊却忽然发现戈林将双手举起放在了胸口上，随后便头向墙里歪去。当约翰逊冲进囚室的时候，一切都已经晚了，戈林已经服毒自尽了。

戈林没有得到应有的报应，这让很多人愤愤不平。不过更重要的问题是他如何能在这样一个连蚊子都无法自由进出的密闭空间里公然服毒自杀，他身上的毒药又是从哪儿来的呢？如果最初对戈林的搜身没有漏洞，那么这些毒药显然是他在临死前才获得的。如果真是这样，那就一定有人帮助了他。这个帮助戈林自杀的人究竟是谁呢？

有人推测是掌管行李间钥匙的惠利斯中尉。其一，惠利斯中尉具备帮助戈林的条件，而毒药可能就藏在戈林的行李中；其二，惠利斯中尉一直都对戈林很友好，他甚至还曾接受过戈林的礼物，因此帮助他也是有可能的。在戈林死去多年以后，他的妻子曾公开表示戈林的自杀得到了一位美国朋友的帮助，而戈林的侄子更是直言给戈林毒药的人就是惠利斯。这种看法曾一度被众人所认可，不过始终没有确切的证据证实此事，而且惠利斯也已经死去多年了，可谓死无对证。

近年来，人们又提出了一些新的说法，认为戈林的死并未获得其他人的帮助，因为毒药本来就在他的身上。有人说毒药在烟斗里，有人说在肚脐里……然而这些也都只是猜想。至于戈林究竟是怎样服毒自尽的，只能有待新证据的出现了。

17. 法国的葡萄酒大灾难是怎样发生的?

19世纪中后期，法国的葡萄酒业遭遇了一场前所未有的大灾难。这场灾难的罪魁祸首是一种黄绿色的小昆虫——葡萄根瘤蚜。葡萄根瘤蚜最初出现在美国，1858–1862年传入欧洲。1860年法国从美国引进葡萄苗时，也带进了葡萄根瘤蚜。这种昆虫只危害葡萄属植物，它们吮吸葡萄的汁液，在叶子上形成虫瘿，使叶子枯萎，在根部形成小瘤，并最终导致葡萄的根茎腐烂。

这小小的虫子使法国的葡萄园遭到了灭顶之灾，25年内它们摧毁了法国200多万公顷的葡萄园，大约占法国葡萄总栽培面积的33%。在这场葡萄灾难中，法国的葡萄酒生产下降了75%，闻名于世的法国葡萄酒酿造业几乎陷于停顿状态。美国密苏里大学的农学教授乔治·休斯曼发现野生的密苏里葡萄可以抵抗根瘤蚜，因此他建议葡萄种植者将葡萄嫁接到密苏里葡萄上。乔治·休斯曼的方法成功了。从1880年开始，密苏里向法国出口了1000万支砧木（嫁接繁殖时承受接穗的植株），挽救了法国葡萄园的受灾葡萄，葡萄酒业再次出现繁荣。因为休斯曼的建议挽救了法国的葡萄酒业，他被法国政府授予骑士勋章。

灾难过后，葡萄根瘤蚜虽然也破坏过法国和其他国家的葡萄树，但人们已经能控制它的蔓延。

知识链接

法国的酒文化

法国的香槟和葡萄酒是世界闻名的。只要是喜庆的节日，法国人就会开香槟庆祝。香槟在任何场合都可以用，但法国人不会将它与烤肉同食，因为烤肉的烟味会夺走酒的美味。喝葡萄酒时，法国人更是讲究，他们一定是把酒从舌尖慢慢滑到喉头，越是好酒，就越要慢饮。因为他们觉得酒一旦进入食道，就再也享受不到它的味道了。法国还有一个不成文的“规定”：“白酒配鱼，红酒配肉。”白、红酒分别指的是白葡萄酒和红葡萄酒。这个“规定”多是为了与盘中的菜搭配得更好看。另外，还有一个通则是：白酒不宜过冰，红酒不宜太温。

18. 为什么说俄国几乎是无法征服的？

有一句谚语说："俄国不是一个国家，而是一个世界。"沙俄时期，俄国就已经拥有了横贯欧亚的巨大版图。从16世纪开始，俄国土地上的统治者就开始了东向亚洲、西向欧洲的领土扩张，俄国历史学家几乎一致认为，领土扩张是俄国历史的关键。

纵观俄国的国土，会发现横贯东西的地形几乎都是单调的平原。因为整个国家所处的纬度几乎是一致的，所以俄国东西的地形也基本相同。地形和气候上的相似性，促进了俄国的扩张，因为俄国人在整个平原区享有同样的感觉。此外，俄国的扩张还受河流的影响。由于地形平坦，没有阻碍，俄国的河流普遍漫长、宽阔，能为贸易、殖民和征服提供宝贵的通路和交通工具。

有学者说，俄国几乎是无法征服的。回顾俄国的扩张史可以发现，在扩张的过程中，俄国军队很少失败。因为被侵略而对俄国进行反击的民族也最终被俄国击败，其生活的土地不得不划归到沙俄的统治之下。俄国的无法征服或许离不开强大兵力的支持，而地理环境也是不容忽视的问题。不管是欧洲国家还是亚洲国家征服俄国的时候，只会使它一面受到攻击，即使这一面被攻下来，征服者也找不到可以联合作战的国家。俄国的幅员广阔，缺乏补给来源，再加上没有援助，征服者最终将会被拖垮在广袤的俄国土地上。对俄国人来说，他们的国土就是一个无懈可击的坚强阵地，即使不联合其他国家作战，也能达到扩张的目的。

19. 彼得保罗要塞为何会成为"俄国的巴士底狱"？

1703年，俄国军队在北方战争中战胜瑞典军队，彼得大帝终于打开了海上之门。为了守住通往海上的大门，彼得一世决定在涅瓦河湾扎亚奇岛上建造彼得保罗要塞。涅瓦河河面宽、水流急，是要塞的天然屏障。彼得保罗要塞依照岛的天然轮廓建成，呈现出六角形，6座障壁连接了6座棱堡和两个三角堡，共有6座大门。

彼得保罗要塞虽是为防御工事而建，但它在抵御外敌方面并没有发挥出太大的作用，只是在初建的几年，抵御过瑞典人入侵。在俄国几代人的意识中，彼得保罗要塞首先让人想到的是阴森恐怖的监狱。

彼得保罗要塞的第一个囚犯是皇太子阿列克谢。1718年，他因参与反对彼得一世改革而被关进要塞的特鲁别茨科伊棱堡，之后在那里被处死。彼得大帝去世之后，俄国皇权更替频繁，凡是宫廷政变的失败者都被关进要塞，之后被流放。从18世纪末到1917年十月革命的100多年里，彼得保罗要塞成为镇压俄国进步力量的政治监狱，曾经关押过十二月党人、平民知识分子、无产阶级革命家等。彼得保罗要塞本没有监狱，后来专门设立了囚室。要塞的第一个政治犯是革命思想家、作家阿·拉季舍夫。十二月党人起义被镇压后，要塞关押了1000余人。车尔尼雪夫斯基、高尔基等许多进步人士也曾被关押在这里。也正因为如此，彼得保罗要塞又被称为“俄国的巴士底狱”。

20. 特洛伊战争究竟发生在哪里？

《荷马史诗》中记载的特洛伊战争，讲述的是古希腊人对特洛伊城的一次长达10年的远征。然而，特洛伊战争究竟是真实发生过的，还是一个传说？对此，人们一直争论不休。古代希腊的史学家不仅将特洛伊战争看成历史事实，还引以为荣，视参战的人为英雄。但也有学者认为，荷马史诗不过是传说，特洛伊战争并没有真正发生过。假如我们将特洛伊战争视为真实的历史事实，那么特洛伊城又在何方呢？

1822年，查尔斯·麦克拉伦完成著作《特洛伊平原地势论》，指出希腊时期的城市同普里阿姆就是特洛伊城的所在地。他的这一说法得到不少英国、德国学者的赞同。近半世纪后，卡沃特经过对土耳其希萨利克山丘的发掘，也得出了同样的结论。1864年，冯哈提出巴利达格山是特洛伊城址所在地。而卡沃特和谢里曼都认为他的认识有不妥之处。史学界普遍认为，土耳其的希萨利克是特洛伊遗址。

谢里曼绝对相信《荷马史诗》中记载的特洛伊战争的真实性，1870–1890年，他在希萨利克进行了大规模的发掘，并认为此地就是特洛伊城。德普费尔在谢里曼之后，继续进行挖掘工作，他将希萨利克的文化层分为9个层次。按照谢里曼的说法，第二层是特洛伊城。而德普费尔通过分析得出，第二层所属年代是公元前2500–前2200年，比发生特洛伊战争的时间约早1000年。他认为第六层是特洛伊城。1932–1938年，美国考古队再度发掘特洛伊城。他们认为，第六层毁于地震或火山喷发，第七层是在第六层的基础上建立起来的，很可能是毁于战火，因为通过挖掘得知，第七层中城市的房屋密集街道上有许多骸骨，这很可能是该城被长时间围困的证明。美国考古队觉得若有战争，一定是发生在此层。

虽然他们做出了较为肯定的结论，但还是有人提出了质疑。有人说，假如第七层没有被毁，那么它很有可能就不会被当作是特洛伊了。当然也有人认为，希萨利克压根儿就不是特洛伊遗址。总之，有关特洛伊遗址的争论远未结束，还需要考古人员的新发现。

知识链接

特洛伊木马

《荷马史诗》中记载，特洛伊王子帕里斯访问希腊时，拐走了漂亮的王后海伦，希腊人因此远征特洛伊。古希腊大军包围特洛伊城长达9年，但始终无法攻下。第10年的时候，古希腊的将领奥德修斯想出了一个妙计。首先，希腊人制作一个巨大的木马，让一些勇士藏于木马之中。然后，假装让大部队撤退，并将木马弃于特洛伊城下。特洛伊人以为希腊真的撤退了，异常高兴，还将木马抬入城中，作为战利品，全城狂欢。夜深人静之际，木马中的勇士跳出木马，将城门打开。希腊军队就这样里应外合，击败了特洛伊人。后人将那只木马称为“特洛伊木马”。

21. 在瓦尔米战役中，普鲁士军队为什么会意外后撤？

1792年，法国正式废除君主制，建立共和国。这一举动激怒了普鲁士和奥地利的封建君主们，他们结成同盟，于1792年7月入侵法国，企图把法国的共和制度扼杀在摇篮中。9月2日，普奥联军攻下法国北部重镇凡尔登。法军向凡尔登以西的瓦尔米村派出援军，抵抗普军的进攻。普军对法国援军发功一次进攻之后，便撤离了瓦尔米。10月1日，普奥联军完全撤离法国，干涉法国革命的进攻就这样失败了。

瓦尔米战役中，普鲁士军队并未受到真正打击，然而他们为什么在没有真正和法军交锋之前就迅速撤离，致使普奥联军功亏一篑？人们对普军此举大为不解。拿破仑认为，普军在瓦尔米撤退是一件可笑的事情，无法用军事观点解释。军事专家指出，如果普军发动真正的进攻，战争定是另外一种结局。普军撤退必有理由，那它到底是什么呢？

当时反对共和、出逃普奥的法国贵族指责，战役的失败是由瓦尔米战役中的指挥者布伦瑞克公爵造成的。他们认为，法国人用大批珍宝替公爵还清了债务，将其收买，所以公爵临阵撤离。这种说法多是贵族们在发泄私愤，可信度低。

部分史学家认为，普军撤退是出于对整个欧洲战略的通盘考虑。普鲁士没想到会遭到法国的顽强抵抗。如果在瓦尔米和法军短兵相接，普鲁士就会陷入战争的泥潭，遭受极大损失，不但让俄国和奥地利渔翁得利，也会在瓜分波兰等重要问题上处于劣势。因此普军故意夸大进攻难度，从瓦尔米撤退。这种说法有一定的道理，但还没有足够的证据证明普军当时真有这样的意图。

在这一问题上值得一提的还有法国剧作家博马舍提供的线索。博马舍曾得知，喜剧表演大师费列利在瓦尔米战役前夕去过凡尔登。但费列利却矢口否认了这件事。事后，博马舍经过一番查访，得知了另外一种说法。原来，瓦尔米战役的真正指挥者是普鲁士国王腓特烈·威廉，他极为迷信，崇拜通阴术。瓦尔米战役前夕，他曾得到过腓特烈二世幽灵的警告，让他不要再进攻法国。腓特烈对此深信不疑，因此象征性的进攻之后，便撤离了法国。据说，费利列扮演了腓特烈二世的幽灵。这一说法似乎也说得通，但也有人指出事情不可能如此简单。

看来，普军从瓦尔米撤退的缘由还需要进一步研究。

22.“死亡天使”门格尔为什么可以逍遥法外？

有“死亡天使”之称的门格尔，在第二次世界大战中曾亲自策划并直接参与了惨绝人寰的灭绝犹太种族的计划。战后，门格尔被判为纳粹战犯。但由于种种原因，他却一直逍遥法外，没有接受真正的审判。

阿根廷是二战期间法西斯势力猖獗之地，二战后，一些纳粹分子曾逃往阿根廷。1989年，阿根廷正义党人整理并公开了部分纳粹党人的档案，其中两份档案详细记录了门格尔逍遥法外数十年的经历。

门格尔于1949年5月20日以格雷格·海尔穆特的身份搭乘客轮抵达布宜诺斯艾利斯，入境后以技工身份维持生活。1955年，阿根廷发生了军事政变，正义党被推翻，右翼的军政府上台。次年，门格尔以真实身份进入联邦德国驻阿根廷的使馆，并成为阿根廷的合法居住者。

从公开的档案看，国际刑警曾多次要求阿根廷政府调查门格尔的下落。阿根廷政府无奈之下，做过一些应付的工作。由于阿根廷政府的庇护和纵容，1959年，门格尔竟然以真实身份重返德国，参加父亲的葬礼。1963年，在国际舆论的压力下，阿根廷政府同意在门格尔问题上给予帮助。得知消息后，门格尔马上逃往巴拉圭。不久之后又潜逃到巴西。从此，门格尔销声匿迹。

1979年，门格尔在巴西海滨溺水而亡的报道发出，但国际舆论对此普遍持怀疑态度，认为这是门格尔故意制造的假象。很多人认为，他现在还居住在巴西。

通过对门格尔墓中挖出的尸体骨骼和门格尔儿子遗传基因的对比，发现他们脱氧核糖核酸的排列不同，巴西圣保罗市第四刑事法庭由此认为，门格尔尚在人世。奥斯威辛集中营的幸存者本·亚伯拉罕也认为门格尔仍然活着，因为他找到了门格尔的牙床X光片，经鉴定，与门格尔的牙医玛丽亚·埃莱娜所保存的同类资料完全一致。而埃莱娜说，门格尔“溺死”两个月后还来检查过牙齿。

而英国剑桥大学生物学家阿历克斯·杰弗里斯采用先进的DNA检测法比较了“门格尔”的尸体组织和门格尔儿子的血液样本，发现二人的DNA完全符合。因此得出门格尔已经去世的结论。

假如DNA检测的结果可信的话，那以上提出的疑点又如何解释呢？门格尔是生是死还需要研究者的进一步证明。

23. 在海湾战争中，伊拉克战机为什么会飞往伊朗？

1991年1月17日，海湾战争爆发，以美国为首的多国部队，每天出动7000架次飞机对伊拉克进行狂轰滥炸。这种情况下，拥有700多架先进战机的伊拉克空军按兵不动已经令人费解，但更让人疑惑的是，从1月26日开始，伊拉克先后约有145架飞机飞往邻国伊朗。伊拉克空军这样做的缘由是什么？是出逃还是避难？是厌战还是保存实力？海湾战争期间，西方新闻媒介对此行为做出了多种报道，归结起来不外乎3种说法。

（1）当时许多西方观察家猜测，这是伊拉克为保存实力采取的韬晦之计，两伊战争结束后，伊拉克和伊朗的关系有所缓和，而且伊朗宣布在海湾战争中保持中立，伊拉克将部分战机保存在伊朗是合乎逻辑的。为了让人们相信这一说法，西方新闻媒介曾报道，两伊在此事件上曾达成过秘密协议。但伊朗驻法国大使阿哈尼先后两次向外界否定了这一说法。

（2）苏联的独立新闻社发布消息说，海湾战争的初期，伊拉克在空战中严重失利。大为恼火的总统萨达姆，亲自下令处死了一名空军司令和一名防空司令。这引起了空军的一场未遂政变。东窗事发后，一些飞行员纷纷找机会驾机出逃至伊朗避难。但消息发布后不久，苏联国防部否认了“政变说”。事后，美国驻海湾部队总司令施瓦茨科普夫将军则声称，据他所得到的情报，飞往伊朗的伊拉克飞机确实是逃亡的。这一说法如此扑朔迷离，实在让人费解。

（3）海湾战争期间，美国除军事打击外，还对伊拉克展开了心理战。开战的第一天就向伊拉克境内投下数百万份动摇军心的传单，企图让伊拉克的战士逃亡或投降。这一做法可能取得了一些成效，一些美国空军发现，空出作战时，伊拉克的空军乱打几枪之后，就“逃之夭夭”了。伊拉克与美国的兵力悬殊，伊军出现这样的情况是有一定可能性的。

飞往伊朗的战机的命运如何，也是人们关心的问题之一。对这批飞来的财富，伊朗政府起初的态度是将它们保存到战后，再归还伊拉克。但事后不久，伊朗当局又声明，伊拉克对伊朗负有战事责任，战机将可能成为战争赔偿。战事早已结束，战机的去向至今还无人知晓。

24. 英国历史上的“玫瑰战争”是怎么回事？

英国和法国于1337年至1453年间，断断续续地进行了长达116年的战争，被称为百年战争。在这场战争中，英国的封建贵族都建立了各自的武装。这些武装力量在对抗法国的时候，起到了一定的作用，但对战争后维护政权来说，却是祸根。百年战争结束后，英国各封建贵族蠢蠢欲动，都想利用各自的武装力量掌握国家的最高统治权。经过一番力量的对比之后，贵族分化组合为两个集团。

1455–1487年，金雀花王朝皇族的两个分支，兰开斯特家族和约克家族为争夺英格兰王位展开了一场长达30多年的内战。贵族分化的两个集团分别支持一方，参加了战斗。这场战争就是英国历史上的“玫瑰战争”。这是因为在战争中，兰开斯特家族一方以红蔷薇为标志，约克家族一方以白蔷薇为标志，而蔷薇又名玫瑰，故战争又叫“红白玫瑰战争”。

这场战争的结束时，兰开斯特家族和约克家族同归于尽，大批封建旧贵族在互相残杀中阵亡或被处决，新兴贵族和资产阶级的力量迅速增长，并成为君主专制政体的都铎王朝的支柱。玫瑰战争消灭了英国上层贵族，让英国统一起来。因此，玫瑰战争算得上是英国无政府状态下的最后一次战争。政治上的统一带动了经济的发展，英国开始由封建农业向资本主义农业转变，工业和手工业迅速发展起来。英国迅速发展成为欧洲列强之一。

25. 罗斯福事先就知道日本要袭击珍珠港吗?

1941年12月7日，日本对美国海军太平洋舰队基地珍珠港发动了袭击，使美国蒙受了巨大损失。日本为何能够偷袭成功？事前，美国对此一无所知吗？学术界有不少人认为，罗斯福总统事先就知道日本将要袭击珍珠港。

比尔德在《罗斯福总统与1941年战争的来临》一书中表示，1941年1月27日，美国驻日本大使格鲁向国务卿赫尔送达的电报表明，罗斯福事先就知道日本要进攻珍珠港，只是他故意不透露消息。美国著名新闻记者约翰·托兰也认为，罗斯福事先就得到了一些日本偷袭珍珠港的材料，甚至还侦听到了驶往夏威夷的日本航空母舰发出的无线电报。

日本原外务次长西春彦曾在1983年发表文章说，荷兰驻华盛顿武官拉涅弗特上校，曾在1941年12月2日华盛顿海军情报部看到日本与夏威夷之间标有两艘航空母舰的地图，并听到一名士官说，日本正在东进。拉涅弗特把这一经历记到了日记中，他认为罗斯福不对外宣布消息，是想用此事件动员美国人民支持战争。

中国也有人说，罗斯福早就掌握了日本将要袭击美国的情报。华盛顿时间12月7日，罗斯福会见中国大使胡适时曾说，他预感48小时内泰国、马来亚、菲律宾等地将有不好的事件发生。

美国历史学家布拉特泽尔和鲁特则不同意上述观点。他们在《珍珠港·微型照片和J.埃德加·胡佛》中表明，珍珠港事件爆发前，美国联邦调查局通过德、英双重间谍达科斯·波波夫确实获得一份有关日本侦察珍珠港的微型照片调查表。他们经过多方调查证明，最先得到调查表的胡佛并没有将其提交给罗斯福，罗斯福收到的都是无关紧要的资料。这一点可在罗斯福图书馆的文献中得到证实。

另外，从有关记录中还可以看到，胡佛也没有将调查表交给陆军和海军情报机关。布拉特泽尔和鲁特认为，胡佛这样做的目的是想讨好罗斯福，力图战胜其他美国国内外情报机关。他们还强调，日本航空母舰向夏威夷行进的过程中始终保持无线电寂静，所以不可能侦听到无线电报。由此可以推断，如果罗斯福看到了全部的调查表，珍珠港事件或许就不是这种结局了。

26. “敦刻尔克奇迹”是希特勒有意为之吗?

1940年5月26日至6月4日，英法联军在法国北部的小港口敦刻尔克，完成了历史上著名的敦刻尔克大撤退，英国将这次撤退称为“敦刻尔克奇迹”。敦刻尔克大撤退能够取得成功，可以说是英法军队的敌人希特勒成就的。当时战斗力远远强于英法联军的德军，正要冲入敦刻尔克实施扫荡时，希特勒下达了陆军停止进攻的命令。那么，“敦刻尔克奇迹”是希特勒有意为之吗?

英国著名的军事思想家李德·哈特认为，战略家伦德施泰特使希特勒做出了停止进攻的命令。1940年5月24日，伦德施泰特曾给希特勒做过战争分析，他强调，由于长时间的作战，德军的坦克实力已经减弱，不宜再进行大规模战争。希特勒为了保存作战实力，采取了伦德施泰特的建议。希特勒喜欢将一切过错推到别人身上，而在英军逃走之后，希特勒的事后解释中却丝毫没有提及伦德施泰特。这一反面证据削弱了李德·哈特的这一说法。

然而，从当时德军陆军炮兵上校瓦利蒙特对这件事情的记载中得知，德军的主要军事首脑凯特尔和约德尔，以及希特勒本人都认为陆军装甲部队已经不能在沼泽地中使用，他们要为对法国的第二次进攻做好准备。此外，瓦利蒙特的记载中还说，德国空军司令戈林过于自信的自动请缨，也是希特勒做出陆军停止进攻命令的因素之一。另外一些证据显示，希特勒在德军空军上也没有发挥全部的力量。因此，希特勒停止进攻可能还有其他方面的原因。

当时，希特勒访问集团军总部时的讲话表明，他对英国非常赞赏，他认为英国人对世界文明做出了巨大贡献。在讲话中，希特勒还表示，将来如果英国遭遇麻烦，德国将会派兵援助。甚至还表示，如果德国取胜，他只需要得到英国的默认。希特勒对英国是一种又爱又恨的复杂感情，这对希特勒的决定也有一定影响。

综合上述，希特勒放过英法军队，是多方面原因的综合，他既受到了部下的影响，也综合分析了当时的战争局势，当然其中也掺杂着一些个人色彩。

27. 为什么说法国沦陷只用了 15 个法郎?

第二次世界大战期间，法国沦陷，之后曾有人说：“德国人赢得战争只花了15个法郎。”这个夸张的评价背后，有值得我们探讨的历史。

第一次世界大战结束后，战胜的法国忽视了正在发展起来的坦克作战方式，认为下一次作战的主要方式仍将是阵地战，并制定了一系列阵地作战的措施，著名的马其诺防线就是在那时建造的。然而，军事专家戴高乐却不同意阵地战的说法。他认为法国是一个大陆国家，缺乏战争中的天然屏障，亟须建立一支数量庞大的武装力量。但通过对20世纪20年代法国人口状况的分析，戴高乐断定，法国在人口上不占优势，只能提高在武器装备和作战样式上的优势。他建议要建立一支数量少、质量精、能快速突击的军队。

戴高乐曾宣传过他的这种军事思想，但没有任何人同意他。他意识到，通过正常的渠道让法军接受自己的思想是不可能的，于是他写成《建立职业军》一文，发表在一本政治杂志上。然而，文章未引起任何重视。戴高乐没有放弃，历时一年多，又出版了专著《建立职业军》，篇幅不长，仅定价15法郎，却从6个方面论述了建立一支现代机械化部队的重要性。尽管分析得详尽有理，甚至有人评价《建立职业军》可与克劳塞维茨的《战争论》

相媲美，但在法国仍无人问津。然而这部书在德国却引起了纳粹将军们的极大兴趣。古德里安得到这本书后如获珍宝。他将戴高乐的思想和自己的主张结合起来，形成了二战中著名的装甲师编制和坦克战术。二战期间，德军仅用10天的时间就将法国一分为二。德军占领法国后，古德里安问及《建立职业军》的情况时，法国人一无所知。

德国人只花15法郎购买了戴高乐的《建立职业军》，就形成了强劲的装甲师编制和坦克战术，为战胜法国提供了基础的而又重要的条件。或许就是因为这样，才会出现“德国人赢得战争只花了15个法郎”的说法。

知识链接

闪击战失败的原因

闪电战由古德里安首创，集奇袭和快袭于一体，在二战初期发挥了巨大的威力。德国利用闪击战术，曾一天内征服丹麦，23天内征服挪威，5天内征服荷兰，39天内征服拥有欧洲最强陆军的法国。而二战后期，德国与苏联对抗时却失败了，闪击战的作用由顶点开始跌落。闪击战失败的主要原因包括，战争的非正义性导致人们的殊死抵抗，苏联恶劣的自然条件，苏联先进的武器装备和正确的战略部署等。闪击战的失败也符合《战争论》中的理论，胜利往往有一个顶点，顶点之后就会逐渐由强变弱。

第五章

人名称谓·正本清源

1. 俄国沙皇伊凡六世为什么会成为“一号囚徒”？

1740年10月，一位刚出生3个月的婴儿成为一个国家的皇帝。但他在皇帝的宝座上稀里糊涂地只坐了13个月，便被人赶下台来。从此，他便开始了漫长的、暗无天日的囚徒生涯。在长期的牢狱生涯中，因为他身上所“肩负”的重大秘密，与他有关的一切信息都讳莫如深。看守他的士兵不知道他是谁，也不知道他的名字，只好按照编号称呼他为“一号囚徒”。

1764年7月，在度过23年的漫长的居无定所的铁窗生涯后，“一号囚徒”终于迎来了他生命中的最后一根稻草。一天晚上，人们发现“一号囚徒”身中数剑，倒在血泊中，明显已气绝多时。他的死没有引起伤悲，相反还让一个人惊喜不已，直呼：“天意可真是神奇得不可思议呀！”这个人就是彼得三世的妻子，俄国女皇叶卡捷琳娜二世。

在后来的日子里，俄国枢密院发布了一则宣告：前沙皇伊凡六世因病去世。至此，“一号囚徒”的神秘面纱被揭开，他就是俄国罗曼诺夫王朝第八位沙皇——伊凡六世。

伊凡能当上沙皇是因为他祖母的妹妹安娜·伊万诺夫娜。1730年，彼得二世去世，安娜·伊万诺夫娜成为俄国女皇。安娜把自己视为伊凡五世这一支系的继承人，她认为俄国的皇帝必须从伊凡五世这一支系的后人中产生，而不能让彼得大帝的后人登上皇位。于是在1740年，她把皇位传给了伊凡。

伊凡六世登基不到半个月，皇宫禁军首领米尼赫发动政变。米尼赫掌权后不久，马上就被奥斯特尔曼伯爵推翻。不出一年，彼得大帝的女儿伊丽莎白再次发动政变，推翻奥斯特尔曼，逮捕了一岁多的伊凡及其母亲。为防止有人假借伊凡六世名义叛乱，伊丽莎白女皇把伊凡单独看押，并不时转移关押地点。

就这样，伊凡一直生活在牢房里，直到最后被害。

伊凡六世，一个生不逢时的囚徒沙皇，他只不过是俄国宫廷斗争的一个牺牲品罢了。

知识链接

伊丽莎白的密旨

伊丽莎白登基后，秘密把伊凡六世关押在不同地点，使他完全与世隔绝。1756年，她把伊凡六世押到圣彼得堡附近的施吕瑟尔堡监狱，并对监狱长官下了一道密旨：一旦有人企图劫狱，救出被关押的伊凡六世，狱卒的第一件事就是先杀死伊凡六世，总之不允许伊凡六世活着离开施吕瑟尔堡监狱。

自从伊凡六世被转押到施吕瑟尔堡监狱后，支持伊凡六世的贵族们就开始暗中策划解救他，想拥立伊凡复位；如果复位不成，至少也要把他救到国外去流亡。

1764年，吕瑟尔堡监狱部分狱卒发动武装暴动，试图解救伊凡六世。在危急关头，监狱长官拿出当年伊丽莎白的密旨，先是当众宣读，然后奉旨处死了伊凡六世，解救行动就此流产。

2. “巴丁盖”是一个通俗且具有讽刺意味的绰号，为什么人们会将其送给拿破仑三世呢？

贝桑松城曾有一个公司，主要业务是清除粪便，公司名称叫“巴丁盖”。有一天，法兰西第二帝国皇帝拿破仑三世（路易·波拿巴）来到这个城市，在街上行走的时候刚好与该公司的粪车队相遇，有人认出波拿巴来，于是便高呼：“瞧，这就是朝廷的銮驾，皇帝万岁！”这一声呼喊使“巴丁盖”从此成为拿破仑三世的绰号，并且传遍全国，尽人皆知。

当然这上面的小故事只是一个传说，事实证明并不是真实的，但拿破仑三世有“巴丁盖”这样一个通俗且具有讽刺意味的绰号却是不争的事实。据拿破仑三世的密友捷莱夫人说，拿破仑并不认为这个绰号是对他的不尊敬，而且还乐于默认甚至说巴丁盖是个勇敢的人。于是有人据此猜测1840年路易·波拿巴被关押在汉姆要塞时，是一个叫巴丁盖的泥瓦匠帮助他脱险的。但有人对当地法院有关档案和其他材料进行调查，并没有发现其中有过一个叫巴丁盖的泥瓦匠，波拿巴成功越狱其实是得到一位名叫科诺的医生的帮助。

那么，“巴丁盖”这一称号起于何时、出于何地、为什么会成为拿破仑三世的绰号呢？各种说法不一，其中有位叫保罗·芒图的学者还专门对此做过研究，但他还是未能说清此绰号的由来。

有人认为拿破仑三世获得这一“尊号”是因为他曾在汉姆与一个叫巴丁盖的姑娘有一段风流韵事。但据查，当地并没有名叫巴丁盖的女人。还有一种说法便是，有个陶瓷工曾在自己制作的陶瓷烟斗上绘制过一幅拿破仑三世的漫画头像，并刻上了“巴丁盖”的字样，随着陶瓷烟斗的流通，“巴丁盖”这一绰号亦传播开来。但这种说法也被证实是假的。

于是有语言学家从方言学方面追根溯源。他们认为“巴丁盖”是从庇卡底方言“巴丁基”动词派生出来的，意思是游手好闲、无所事事，人们以此来讽喻拿破仑三世人格上的缺陷。但后来有人研究发现庇卡底方言土语中并没有“巴丁基”一词，这种解释亦不能成立。

这样看来，“巴丁盖”似乎是一个无法解释产生来源的绰号。

3. “列宁”这一笔名是为了纪念他的母亲和已故的姐姐吗？

列宁的大名众人皆知，但可能很多人并不知道他的原名。列宁的原名其实叫弗拉基米尔·伊里奇·乌里扬诺夫，“列宁”只是他比较常用的一个笔名。

列宁这一名字，最早见于1901年12月俄国社会民主党的机关刊物《曙光》杂志上，弗拉基米尔·伊里奇在该杂志发表了《土地问题和“马克思的批评”》一文，署名列宁。

关于列宁这个名字的命名缘由，到底怎样来解释，至今仍是众说纷纭，没有最后的结论。据伏尔佩《弗·伊·列宁的著名》一书，大体上有3种解释。

第一种认为是西伯利亚的一条大河——勒拿河的名字。勒拿河是位于西伯利亚的一条大河。1897–1900年列宁曾在西伯利亚流放，有人据此猜测“列宁”这个笔名是为了纪念这3年对他产生重大影响的生活，于是挑选了这条美丽雄壮的河流作为自己的名字。而列宁的弟弟德米特里·伊里奇·乌里扬诺夫也支持这种说法。

此外，还有人认为“列宁”这名字是弗拉基米尔·伊里奇为了纪念母亲和已故的姐姐，而采用她们的名字中共有的词根“莲娜”构成其笔名。但列宁夫人克鲁普斯卡娅似乎对这种看法持不同的态度，她认为“列宁”这个名字和他的母亲姐姐并没有关系，只是偶然采用的。

知识链接

列宁的笔名

在长期的革命岁月中，弗拉基米尔·伊里奇为了有效地保护自己，迷惑警察和密探，使用过无数的笔名。“列宁”不是弗拉基米尔·伊里奇最早的笔名，也不是他唯一使用的笔名。

据统计，弗拉基米尔·伊里奇一生总共用过150多个笔名、化名。1898年10月，他署名“弗拉基米尔·伊林”出版了一本文集《经济评论集》，此外，他还使用过“弗·普”“特·赫”“波得罗夫”“尔·西林”“局外人”“卡里奇”“观察家”等笔名。“列宁”是他使用得最多、最喜欢的一个笔名。

4. 伊万一世为什么会有“卡利塔（钱包）”的外号？

伊万一世，即伊万·达尼洛维奇，他是莫斯科大公亚历山大·涅夫斯基幼子达尼埃尔·亚历山德罗维奇的儿子。

伊万一世时期，弗拉基米尔–苏兹达尔公国虽已分裂成若干公国，但金帐汗为便于控制罗斯各公国，仍然册封其中一个王公为弗拉基米尔大公并为其征收贡税。伊万一世成为莫斯科大公后不久，当时担任弗拉基米尔大公的特维尔大公试图摆脱金帐汗国的统治，金帐汗国遂于1327年派兵征剿，结果引发了特维尔人民的起义。伊万主动向金帐汗请兵镇压了特维尔起义，并在1328年得到了弗拉基米尔大公的称号，同时也得到了为金帐汗征收贡税的权力。利用这个职位和权力，伊万把一部分贡税留作自己的活动资金，而且他对贫困者大方慷慨，因此获得了“卡利塔（钱包）”的外号。伊万用这些钱去贿赂金帐汗的妻妾近臣，以巩固自己的地位。同时，他还借用金帐汗给他的权力去削弱和控制其他公国。

伊万大公的种种策略，使得莫斯科的实力不断增强。同时他还实行吸引人口的政策，以少缴或免缴赋税的政策把其他公国的农民、市民吸引到莫斯科公国来。

随着土地的扩展和人口的增长，莫斯科公国的农业、手工业、商业进一步发展，城市不断扩大，呈现出一派欣欣向荣的景象。这对其他公国的领主们产生了强大的吸引力，他们纷纷来到莫斯科公国，或聚集到莫斯公国周围，如契尔尼戈夫领主罗季翁·涅斯捷罗维奇举家迁到莫斯科公国，主仆共达1700人之多。

在位13年，伊万一世把所有的罗斯国土合并为了一个统一的国家，为俄罗斯后来的强盛奠定了坚实的基础。

5. 克里斯汀娜为什么被称为“北国的米娜薇女神”？

1632年，有着“国王指挥官”称号的瑞典国王古斯塔夫二世在一次战役中阵亡，继承王位的是年仅6岁的小女孩克里斯汀娜。1633年2月1日，克里斯汀娜成为瑞典国王。但是，由于年纪幼小，此后的13年里，瑞典王权都掌握在摄政者艾克索·欧森史登那手中，一直到1650年，克里斯汀娜才真正成为瑞典的国王。

克里斯汀娜成为国王后我行我素，对于皇宫礼仪及穿着打扮毫不在乎。据说，她每天梳妆打扮的时间绝不超过15分钟，穿着也十分随意，看到身边有什么衣服就穿，根本不会考虑与皇宫形象比配之类的问题，她的脚上甚至还常常穿着男人的鞋子。

不过生活中的这些“丑陋”并不能遮盖克里斯汀娜的聪明。她很有语言天赋，通晓德文、希腊文、拉丁文、法文、西班牙文与意大利文，并且对文化与学习具有很高的热情，加上她的机智，这一切为她赢得了“北国的米娜薇女神”的称号（米娜薇女神是罗马神话中掌管智慧、技艺和发明的女神）。

这位“北国的米娜薇女神”不光以邋遢的外表著称于世，她的另一举动更是震惊欧洲。1654年，仅仅统治瑞典4年的克里斯汀娜国王便决定逊位，她选择了侄子查理斯继任。这一决定令她的子民十分不解，但她毫不留恋，逊位之后，她便离开了这个国家，定居罗马。

知识链接

克里斯汀娜在罗马

1654年12月23日，克里斯汀娜正式进入罗马。她的到来受到罗马主教和参议员的欢迎，圣诞节当天，她还获得教皇本人召见，进入天主教会。

克里斯汀娜很快便熟悉并融入了罗马文化。她的住所里收藏了很多威尼斯风格的画作以及无数书籍与文献；她还创设了研究哲学和文学的阿瞳笛雅学院，并成功地在罗马启用了第一家大众歌剧院；她还赞助了意大利作曲家克卡拉第和柯列里，并致力于保护罗马城中的犹太社区。

6. 伟大的航海家哥伦布为什么会被人看成“吹牛大王”？

哥伦布是人类历史上最为出色的航海家之一，他发现美洲大陆的事迹为人们所熟知。

哥伦布出生在意大利热那亚一个纺织工匠家庭。他从小就在家中的纺织作坊中帮工。多年的劳作及动手实践，培养了哥伦布细致、耐心的性格和极强的动手操作能力。热那亚是地中海北部重要和著名的港口，每天数以万计的船只在这里停泊。港内肤色不同、着装各异的人们，异国的香料、热带的馨香、千奇百怪的海上见闻，以及海产品的腥臭，给幼小的哥伦布留下了深刻的印象。

大约在满14岁之后，哥伦布投身海洋当了一名见习水手。后来他曾多次参加远航，南到几内亚，北到冰岛，积累了丰富的航海经验。1476年，他偶然到了葡萄牙，从此在那里学习航海知识。他学会了葡文及拉丁文，并利用这些语言深入研究了航海所必不可少的宇宙学和数学，且学会了绘制地图和使用各种航海工具。他阅读了《马可·波罗游记》，对东方的富饶遐想无限，于是产生了到东方去的想法；他接触了学者托斯卡内里，接受了其“地圆学说”，并根据托斯卡内里“向西航行，即能到达那个生产各种香料和宝石最多的国家”的指引，大胆地为自己制订了一项西航去印度的计划。他认为从加那利群岛到日本只有2400海里，到中国只有3350海里，这也就等于把地球缩小了70%。

1478年，他向裘安王子兜售自己的计划时，也许是害怕他的计划被别人窃取而隐瞒了关键部分，加上他平时爱说大话及要价太高（一年用的粮食、三艘船、船员、要求封为骑士，并且担任新发现地方的总督和分得该地一切财富的1/10），所以没人相信，认为他是个“吹牛大王”，拒绝了他的要求。

哥伦布愤然离开葡萄牙，移居西班牙。而哥伦布的计划正中西班牙统治者的下怀，王后伊萨贝拉同意资助哥伦布西航探险，并与其签订了著名的“圣大菲协定”。1492年8月3日，哥伦布率领船队起锚出海了。不久，哥伦布就发现了美洲大陆，“吹牛大王”成了名垂青史的航海家。

7. 令人鄙夷的妓女为何会被古巴比伦人称为“爱的女神”？

妓女这个行业，具有很长的历史，在几千年前就出现了。现代社会的妓女进行的是一种金钱上的交易行为，但在3000多年前的古巴比伦“妓女”却并不是这样，其行为是为了宗教信仰。

对原始人类来说，性交是神圣的。因为在那个时代，男女性交意味着人口繁衍，五谷丰登。所以他们经常在祭神的盛大节日里，在神前性交，以祈求神灵保佑。当时出现一种“圣妓”，这种女人长住在神庙里，专门在神前与男子交合。

在古巴比伦，卖淫之风更为盛行。这种行为不仅被社会所认可，更被视为一种神圣的活动。因为在古巴比伦人的观念中，女人是属于神和神庙的，而这种专门在阿弗洛狄忒神庙与陌生男子交欢的妓女则被称为“神妓”。由于她们是代表阿弗洛狄忒女神在神殿内性交的，而阿弗洛狄忒女神在巴比伦人心目中又代表着爱神，因此，这些在神庙里的妓女又被称为“爱的女神”。

当然，并不是所有的妓女都住在神庙里，只有地位较高的妓女才能成为爱神的替身，在神殿内与男子交合。其他的妓女一般在大街上招揽顾客，交合的场所也不再是神殿，而是旅馆。不过不管是哪种妓女，在古巴比伦都是受人尊敬的，没有人会因此而看不起她们。

知识链接

阿弗洛狄忒

阿弗洛狄忒在希腊神话中是爱和美的女神，希腊奥林匹斯十二主神之一，在罗马她被称为维纳斯。关于阿弗洛狄忒的出生，一种说法是她在海水的白泡沫中诞生，另一种说法是宙斯与狄奥涅所生。

阿弗洛狄忒的丈夫是希腊神话中的火神与匠神——赫菲斯托斯，不过赫菲斯托斯天生瘸腿，面貌丑陋。因此，阿弗洛狄忒后来爱上了战神阿瑞斯，后与战神阿瑞斯相爱生下了几个儿女，其中包括小爱神厄洛斯。

阿弗洛狄忒有着最完美的身段和样貌，她也一直被认为是女性形体美的最高象征。

8. 年轻时凶狠残暴的阿育王为什么被后人称为“和平的皇帝”？

阿育王是印度孔雀王朝的第三代君主。他一生的业绩可以分成两个部分，前半生是“黑阿育王”时代，后半生是“白阿育王”时代。

公元前273年，其父王病重，阿育王回国争夺王位，传说他杀死了99个兄弟之后才坐稳了宝座。在排除一切反对势力后，阿育王举行了灌顶仪式（印度当时的登基仪式）。杀人无数的阿育王即位后依然不改其凶狠嗜杀的作风。

他发动了一系列战争，通过武力基本统一了印度，其中规模最大的一次战争是公元前261年远征孟加拉沿海的羯陵伽国。这次战争使孔雀王朝基本完成了统一印度的事业，但也造成了10万人被杀、15万人被掳走的人间惨剧。此战中，阿育王被伏尸成山、血流成河的场面所震撼，痛悔自己统治的凶残，于是停止武力扩张，改变其统治策略。

在其后半生，阿育王在全国努力推广佛教，使佛教成为国教，促成了这一世界性宗教的繁荣。其统治时期也成为古代印度历史上空前强盛的时代。

阿育王先后在全国修了8万余座佛舍利塔，多次帮助僧团，布施供养三宝。阿育王又派许多大德高僧，到全国各地乃至国外弘扬佛教，这些传教高僧及大臣，东到缅甸，西到埃及、希腊，都有他们的足迹。

由于阿育王幡然悔悟，在其后半生的统治中十分强调宽容和非暴力主义，并且积极地爱护人民、保护生命、护持佛教，所以他被人称为“和平的皇帝”。

9.“成吉思汗”这一名称有什么特别的意义？

元太祖成吉思汗，本名铁木真，是中国古代蒙古族首领、杰出的军事家和政治家。

1206年以前的蒙古一直处于分裂割据的局面。铁木真经过长期争战，用武力统一各部落，蒙古才形成一个政治、经济、军事、文化统一的高度集权的大部落，并且用蒙古作为统一名称。1206年，蒙古各部落首领在斡难河边开会，共同推铁木真做大汗（“汗“就是大帝的意思），并且给他加了一个称号叫“成吉思汗”。

一般认为，成吉思有“海洋”或“强大”之意，是为了颂扬铁木真的伟大，“汗”是蒙古语，突厥语又译“罕”或“合罕”，原意为“父主”；大部落首领多用此称号。于是，后人多称成吉思皇帝为“成吉思汗”。成吉思建蒙古国时，汉文称“成吉思皇帝”，至于“成吉思汗”一称，则见于拉史都丁《史集》、术外尼《世界征服者史》等波斯史籍，为后世所沿用。

关于“成吉思汗”这一名称有什么特别的含义，后世解释并不一致，大体有吉祥说、天赐说、强大说、海洋说及精灵说5种。其中又以强大说和海洋说流行最广。

传说铁木真即位前，有一只神鸟在天空中飞翔，不停地发出“成吉思、成吉思”的叫声，于是，铁木真就用这吉祥的声音来做了称号，此即吉祥说。也有人认为“成吉思”在蒙古语意思为“天赐”，成吉思汗是上天赐予蒙古人的大汗，此为天赐说。

据《史集·部族志》解释：蒙语“成”的意思是强大、坚强，“成吉思”是其复数，《通史简编》也认为“成”是“刚强”，“吉思”是“多数”。因此成吉思汗意即强盛伟大的君主。

也有一些学者认为“成吉思”这个字来源于突厥语词汇“海洋”，以此形容大汗像海洋一般广阔而无上的权力。

对于这些说法，一时也难以下决断。但不管怎样，“成吉思汗”都是对铁木真最尊崇的称号。

10. 克伦威尔为什么被称为“精神恶魔”？

1599年，克伦威尔出生在英国亨廷顿。1628年，克伦威尔被选进国会当议员，但是为期不长，因为次年国王查理一世就解散了国会，实行独裁统治。直到1640年，在对苏格兰人作战需要资金的情况下，查理一世才恢复国会，图谋加税。新国会强烈要求国王不再实行专制统治，但是查理一世不甘屈从国会，又解散了国会。之后，在全国人民的强烈反对下，查理一世不得不在1640年11月再次召开国会。这次国会的召开，标志着英国资产阶级革命的开始。

1642年8月，国王查理一世向国会宣战，内战爆发。在历时4年的战争中，克伦威尔组织了一支骑兵部队，在与国王军队的作战中，他杰出的军事才能使他声望日隆。在关键性的马斯顿战役中，克伦威尔起了举足轻重的作用。他率兵大败王党军，扭转了战局。1646年战争结束，查理一世成了阶下之囚。但是和平并没有到来，因为内部发生分裂，各派别间存在着根本的分歧。没过一年，查理一世潜逃，企图东山再起，他重新纠集军队，第二次内战爆发了。克伦威尔再一次击败了查理一世的军队，在清洗了国会中的长老派势力后，于1649年1月30日把查理一世推上了断头台。

1649年5月，克伦威尔宣布成立共和国，建立了以他为首的资产阶级专政。不久，他就残酷镇压了平均派和掘地派的民主运动和爱尔兰民族起义。克伦威尔开始执政时，他本想通过与国会谈判来进行新的选举，但是当谈判破裂时，他就用武力解散了残余国会。从那时直到1658年他去世，克伦威尔曾先后成立和解散了3个不同的国会，采用了两部不同的宪法。在克伦威尔执政期间，他主要依靠军队的支持来维系统治，也就是说，他是一个军事独裁者。

因此，后人评价他时，认为他只是用一种新的剥削制度代替旧的剥削制度，虽然他在口头上赞成国会有至高无上的权力和反对独断专行的统治，但是在事实上却建立了一种军事独裁统治。于是，克伦威尔被冠以“精神恶魔”“头号杀人王”等称号。

11. “东京玫瑰”是谁？

太平洋战争爆发后，日本军方为瓦解美国军人的斗志，利用广播宣传大打心理战。播音员们以诱惑的声调广播日本如何顺利进军和胜利即将到来的假新闻，劝说盟军投降。她们还用暗示性的语言评论说美国战士们留在家里的妻子和女友在和什么人干一些见不得人的勾当，勾起美国大兵饥渴难耐的生理欲望和浓重的乡愁，企图劝诱他们放弃打败日本帝国的行动。

这些女播音员被美国军人冠以“东京玫瑰”称号。事实上，“东京玫瑰”作为一个具体的人并不存在，它是一个复合体，据说，至少有13名女播音员承担播音的任务。唯一被美国官方媒体认定为“东京玫瑰”的女性叫户粟郁子。

户粟郁子出生在美国的一个日本移民家庭，珍珠港事件爆发前夕去日本探望生病的姨妈，由于一些原因，她没有办理旅游签证便离开了美国。因此，当美国对日宣战后，户粟郁子已经无法回到美国了。

户粟郁子身陷日本，人生地不熟，对日语一窍不通，而且不被日本当局信任。后来，被生活所迫，她找了一份在东京广播电台作打字员的工作。因为英语地道，她被派去做编辑工作，以校正广播稿中的语法和句法错误。再后来，她被派去播音，播报的内容不外乎音乐和一些战俘信息以及对盟军战争的嘲讽。

1949年10月6日，户粟郁子以叛国罪被美国逮捕和审判。她被判处10年徒刑并处以高达1万美元的罚金。1977年，卡特总统宣布对她实行无条件特赦，恢复她的美国国籍。

12. 日本人的氏姓与血缘有关系吗？

在古代日本，只有贵族和武士才能有姓氏，最尊贵的是源、平、藤、橘四大姓。藤指藤原，出自掌管祭祀的神祇祇官，并一度控制过朝政。藤原氏有4个分支，以北家最为尊贵，因此逐渐形成了一种不成文的传统，太政大臣（首相）和摄政关白（类似于摄政大臣，在天皇未成年时称摄政，成年后称关白）这两个朝廷最高官位，世代都必须以藤原北家的子弟来充任。其余三大姓都是皇室的分支，而源、平二氏（尤其是其中的清和源氏与桓武平氏）曾一度成为武家领袖——镰仓幕府就是源氏建立的，室町幕府的足利将军也源出源氏。

一个姓氏就代表一个大家族，但大家族的子弟成年后分家，又将大家族分割成许多小家族，这些分家用以标示自己的不是姓，而称为“苗字”。比如藤原是姓，而九条、鹰司、姊小路等苗字就是藤原家族的分支。平氏分家的苗字主要有北条、千叶、长尾等；源氏分家著名的有木曾、武田、足利等。

到了7世纪中叶，大化革新废除了世袭的称号，这表示家族地位的姓失去意义，氏与姓混合为一，有一部分成为流传到现在的姓。这时姓仍然是贵族的专利品，到19世纪，姓也只限于武士、巨商和村里有权势的人。

直到1870年，明治政府颁布了一系列法令强制平民必须取姓，以方便编造户籍，课税征役。一时间，涌出了各式各样的姓，有根据地名取姓的、有根据职业取姓的，还有其他很多种方法，取姓十分随意，其中一些姓十分奇怪。1898年，政府制定了户籍法，每户的姓这才固定下来，不得任意更改。因为日本人的姓来得突然，来得特殊，它的内涵也与众不同。

世界各国的姓多是表示血缘关系的，而日本的姓因为上述缘故很少有这个意义，同一个姓的不一定是亲戚朋友，不是一个姓的倒可能有血缘关系。

13. “厕所”也可以成为日本人的姓氏吗？

在明治维新以前，日本人普遍只有名而没有姓，有姓的只是极少数的贵族。直到明治维新期间，国家下令让全国人取姓，这一情况才得到改善。

公元4世纪末，日本的大和朝廷把日本列岛南部的许多小国统一成为一个国家，其政治统治的基础是氏姓制度。以大和朝廷的大王为首掌握着中央政权的贵族与隶属于朝廷的小国国王之间建立了有血缘关系的集团，这些集团称为“氏”，一个“氏”也就是一个贵族世家。掌握大和朝廷最高权力的大王家，是当时最强大的氏。后来，大王家又对隶属朝廷的许多氏按与自己的亲疏、血缘远近、功劳势力大小，分别赐予“姓”。这个“姓”也不能算是真正的姓，只是表示地位、门第、职务的称号，类似爵位。由于人口繁衍，一个大的氏又有了许多分支。这些分支为自己起了“苗字”。“苗字”意思是嫩芽、分枝，即从本家分出的支。但这时氏、姓、苗字只有贵族才有。

明治天皇时，政府感觉到没有姓，编造户籍、课税征役都非常不方便，这才号召大家都取姓，可是由于人们长期以来的习惯，取姓并没有什么实质性进展。于是，政府不得不下达“凡国民，必须取姓”的命令，这才轰轰烈烈地兴起了全国取姓热潮。

不过当时日本的受教育者只占人口的极少一部分，大部分没文化的人为了完成任务，就套用各种各样的取姓原则。大体可分：地名姓、国名姓、古姓、译音姓、氏姓、职业姓、特别称谓姓、略姓、信仰姓、佳称姓、复姓、间接称呼姓、外来姓等。于是就出现了今天我们能见到的“一井、一木、一色、上下、和气、左右、前后、火山、热海、温泉、满身、汗、大粪、小穴、瓶子、布袋、早乙女、不入斗、一二三、三五七、九十九”等啼笑皆非的姓氏。所以我们也就无须奇怪“厕所”（厕所在日文中为“御手洗”）为什么会成为日本人的姓了。

14. “十三郎”有什么特殊的含义？

我们知道很多日本人名字中的数字代表着兄弟排行，比如“一郎”代表“老大”，“三郎”代表“老三”等。其实这只不过是含义之一，除此之外，日本人名字中的数字还有其他的含义。

有的日本人名字中的数字是表达父子关系的。比如“五十六”，这个名字表示其所有者是在父亲56岁那一年出生的，为庆贺其父亲老来得子而取。又比如“一太郎”，表示的并不只是一太郎这个人的排行，而且也包含着其父亲的排行。“一”是其父亲排行，“太郎”才是其本人排行。同样道理我们可知“三四郎”这个名字表明此人父亲排行第三，其本人排行第四。

那么“十三郎”表示是什么意思呢？是不是表明此人的父亲排行第十，其本人排行第三呢？其实不然，日本人名字中的数字有的是代表出生年月日的。比如有一位日本老人叫“二二二”，很多人都不知道这个名字代表着什么意思，后来经过调查才得知这位老人出生在大正二年二月二日（1913年2月2日）。“十三郎”的命名也是根据这个思路取的，由此，我们便可以推知这个名字表示的含义就是这个人出生于10月3日。

知识链接

有趣的父子关系命名思路

按照日本名字中数字表明父子关系的思路，我们会发现有一些非常有趣的名字。

比如有一家生有3个儿子，这3个儿子后来成家后又分别生了3个儿子。在命名的时候，父亲给3个儿子命名便会采用“太郎”“次郎”“三郎”来确定排行。

在给9个孙子取名的时候，就有可能把“太郎”的3个儿子分别命名为“小太郎”“又太郎”“孙太郎”，“次郎”的3个儿子便会是“小次郎”“又次郎”“孙次郎”，“三郎”的3个儿子的名字分别是“小三郎”“又三郎”“孙三郎”。

15. 日本女性的名字为什么多以“子”结尾？

现代日本人起名，常常利用结尾字来区别男女，男性常常用彦、男、夫、雄、郎等做名尾，女性则多用子、代、江、惠等。其中，女性名字以“子”结尾最为常见。

其实在古代日本，男性名字中也常以“子”结尾。有学者认为，日本奈良时代以前，“子”用在男女所起的乳名中，表示的是一种爱称。另一种说法是，“子”是一种尊称与美称，多为有身份和有地位的人使用。如当时在朝廷内有显赫地位的重臣中臣镰足就称为中臣镰子。

但是，古代日本贵族男性的姓名之后，往往带着官职的称号，而女性则往往没有。于是“子”逐渐成为显示贵族女子的身份和地位的象征，而男性反而弃之不用了。后来，女性以“子”作为名字结尾之风又逐渐流传到平民阶层。如在德川幕府时代末期的倒幕维新运动中起了积极作用的松尾多势子，就是出身于农民之家。当然，一些更普通的农家女儿并没有采用“子”作为名字结尾，而多采用假名。这说明女性的名字用“子”结尾的，还是显示着一种受人尊敬的社会地位与身份。

直到日本明治维新以后，政府鼓励贵族女性用“子”做名字尾字，这种做法才真正流行起来。大正年间（1912–1926），天皇遴选九条节子为皇后，自此开端，“子”成为日本女子名字的常用字。此时的“子”作为尊称的含义逐渐淡薄，而更多的是表示一种爱称了。

16. 为什么从缅甸人的名字上无法判断其家族归属?

缅甸是中南半岛上面积最大的国家，缅甸文化中也有许多特立独行的元素和表现，名字就是其中很典型的一个。缅甸人的名字既非中国式的“姓+名”，也非英美式的“名+姓”。缅甸人只有名而没有姓，其名字少则一个字，多的有六七个字。通常相互在名前加一个冠词相称，以示男女、长幼、尊卑的不同。

青少年男子的名字前在称呼时加冠词“貌”，意思是“年轻人、弟弟”；对平辈或者青年男性加“郭”，意为“大哥、兄弟”；年长者、上级或有一定身份地位的人要称“吴”，意思是“叔叔、伯伯”，“吴”是对男人最尊敬的称呼。

与男性相同，缅甸女性的称谓也随年龄的变化而变化，不过名字前加的称呼只有两种：年轻女子加“玛”，长者或有地位者加“杜”。“玛”和“杜”在缅语里意思分别是“姑娘、姐妹”和“姑姑、阿姨、婶子”。不论婚否，年龄较大或受人尊敬的妇女都可敬称“杜”。

所以，我们从缅甸人名字的称呼便可知其性别、年纪和社会地位，但是从名字上是无法判断一个人的家族或家庭归属的。

更有意思的是，我们可以从某些缅甸人的名字中看出他是星期几出生的。缅甸人把缅文33个字母按照星相占卜的规定分为7组，分别代表星期一至星期日，每一天都对应着相应的字母，孩子出生在星期几就选相应的字母拼成的字作为名字的第一个字。比如，奈温一定是出生在星期六，因为第一个字“奈”取自星期六对应的字母。所以从习俗上讲，缅甸人更看中是星期几出生的，而不是出生的月份和日子，因此，缅甸人如果愿意的话，每周都可以过一次生日。

17. 印度的姓氏称呼有什么特点?

种姓是个宗教概念，它产生于印度教的前身婆罗门教，是雅利安人进入印度之后创立的。它是以印度为主的南亚各国印度教居民中存在的一种彼此严格区分的社会等级或集团的制度。种姓把印度教徒分为4个等级。这4个等级的顺序是：婆罗门、刹帝利、吠舍和首陀罗。种姓的每个等级又分出了许多副种姓，也叫亚种姓。在4大种姓之外，还有一个连最低种姓首陀罗都不如的人群，叫贱民。

最高等级的婆罗门种姓，主要是僧侣，大多从事文化、教育和祭祀活动；其次便是刹帝利种姓，是掌握军政的国王和武士阶级；第三是吠舍种姓，是平民，也就是商人、手工业者和从事农耕的农民阶级；最下等的种姓是首陀罗，是农人、牧人、仆役和奴隶。

印度种姓制度不仅高低贵贱等级森严，而且对每种种姓的婚姻、职业、饮食还有着严格的规定。种姓制度实行严格的"内婚制"，即只能在同一种姓或次种姓内部发生婚姻关系。按照种姓制度规定，较高种姓的男子，可以娶较低种姓的女子为妻，这叫"顺婚"，反之，便叫"逆婚"，"逆婚"则是万万不行的。

不过现在，经过历史的演变，种姓制度本身变得非常复杂，印度的姓氏已经很难完全按照四大种姓严格区分了。一般情况下，印度人的名在前，姓在后，如弗罗兹·甘地，"弗罗兹"是名，"甘地"是姓。称呼印度男人，只称呼姓，不称呼名，而对印度女人只称呼名不称呼姓。对尊长，人们一般用"古鲁"称呼，表示"老师""长者"的意思，对大人物用"圣雄"尊称，如圣雄甘地。在日常生活中，印度人常常在交谈或演说时在姓名后加一个"吉"，表示尊敬和亲热，如古鲁吉（老师）。

18. 人们为什么将难于解答的问题称为"斯芬克斯之谜"？

在古代神话中，传说底比斯人惹怒了天后赫拉，赫拉就把女妖斯芬克斯派到底比斯城邦附近的山崖，专门惩罚底比斯人。斯芬克斯是巨人堤丰与妖蛇厄喀德娜所生的一个怪物，她有美丽的人头，但身躯却是狮子的身躯，并长有双翅。斯芬克斯从智慧女神缪斯那里学会了许多深奥的谜语，于是，她整年日夜守候在悬崖峭壁之间，或是通衢大道路口，强行挟持过路人回答她所出的谜语，如果猜不出，她就立刻将这些人撕裂成碎片吞食。结果使得无数无辜者身遭其害，就连国王克瑞翁的儿子也惨遭厄运。

一时间，人心惶然，为了铲除这个恶魔，克瑞翁国王下令：如果谁能够制伏斯芬克斯，他就将自己的王位禅让给他，并可以娶王后为妻。最终有位名叫俄狄浦斯的青年揭榜应征，当他找到斯芬克斯，斯芬克斯就出了这样一个谜语："能发出一种声音的，在早晨用四只脚走路，中午用两只脚走路，晚上用三只脚走路，在一切生物中，这是唯一的用不同数目的脚走路的生物。脚最多的时候，正是速度和力量最小的时候。这是什么？"俄狄浦斯略加思索，立即回答说："是人！小孩的时候，是生命的早晨，小孩刚开始学走路的时候，是用两手两脚爬行。长大后，进入壮年，用两只脚走路，这是生命的中年。但到了年老体衰的晚年，走路需要扶持，因此需要拄着杖，以拐杖作为第三只脚。"狄浦斯成功地解开了谜底，斯芬克斯因失败感到羞愧而无地自容。为了赎罪恶，她跳崖自杀了。

虽然这个谜语最后被俄狄浦斯解答出来了，但我们从这个神话中那么多人被害可以得知，斯芬克斯所出的谜语的确是很难猜破的。所以到了今天，人们便将深奥、神秘、复杂且难于解答的问题称为"斯芬克斯之谜"。

19. 伯纳德为什么将自己的实验室称为"恐怖的厨房"？

伯纳德是法国一位知名的生理学家，不过，伯纳德曾经的梦想却是当一个剧作家。伯纳德小时候家里很穷，无力供他读书。辍学之后的伯纳德开始学习写剧本，他想在剧作方面有所发展。1834年，他带着自己写的一些喜剧和五幕剧来到巴黎，当时知名的剧评家圣马克·吉尔汀看了伯纳德的剧作后，认为他在这一方面不会取得多大成就，于是，就建议伯纳德学医。

伯纳德无奈接受了圣马克·吉尔汀的建议，转而开始向医生这个职业努力。由于当时的医学不是很发达，伯纳德发现有关生理学方面的资料普遍缺乏。为了搜集到更多的资料，伯纳德开始亲自利用动物进行实验。

由于伯纳德在解剖方面取得了一些成果，1939年，他成为伟大生理学家佛朗索瓦·马让迪的助理。在马让迪实验室工作期间，伯纳德倡导对动物进行活体解剖以便取得更好的实验效果。因此，他实验室的动物身上经常插着很多管子，随时准备接收身上流出的分泌物。他还设计了一种炉子，专门用来在实验烹煮还活着的动物。他的这些做法受到很多人道主义者的反对，但伯纳德却坚持他的实验方法，为此他还为自己辩解："生命的科学就像要进入到一间光彩夺目的高级酒店，却得先通过恐怖的厨房一样。"

伯纳德在他"恐怖的厨房"里进行了大量的活体解剖实验，1846年，他发现了胰脏液的作用，两年之后，他又发现了肝脏中肝糖的作用。通过研究，伯纳德认为肝糖能把人体所需的葡萄糖注入血液里，使人体的内部环境保持在恒常生命状态。这项发现对人类医学知识做出了巨大的贡献，使人们认识到胰脏与肝脏是维持人体平衡的重要器官。

知识链接

胰脏液作用的发现

1846年冬天的某个早晨，伯纳德在观察几只兔子的时候发现与以往不同的情况，这几只兔子的尿液十分清澈且含有酸性。后来，他发现给这些兔子喂草之后，它们的尿液又变回了正常的碱性混浊状。一般来讲，兔子的尿通常是混浊且带有碱性的，肉食性动物的尿才为酸性，伯纳德于是就推测草食动物饿的时候是靠脂肪维持生命运转的。之后他拿自己做了一次认证实验，一天当中，伯纳德只进食马铃薯、花椰菜、胡萝卜、青豆、沙拉与水果等，结果他自己的尿也变得混浊且带有碱性。

接着，他让兔子挨饿，再喂食煮过的牛肉，然后进行解剖观察有什么变化。伯纳德发现兔子的胰脏液分泌到胃里的时候，形成一种牛乳般的物质。很明显，胰脏液与脂肪的乳化有关联。

20.“西阵织”的名称从何而来？

说起日本服饰，京都是绕不开的一个地方。我们可以从日本俗语“吃倒在大阪，穿倒在京都”中看出来，京都是日本的时尚之都。在古代日本，京都服饰及纺织就一直处于领先地位，这里聚集了许多技艺非凡的纺织工匠，这些人使得京都的纺织业十分发达。

京都自7世纪以来就是日本的丝织物生产中心，这里生产的“西阵织”更是驰名中外的丝织工艺品。为什么会把这种丝织品叫作“西阵织”呢？

1467年，日本爆发了一场规模庞大的战争，因为这一年按照日本的年号是“应仁元年”，因此这场战争在历史上被称为“应仁之乱”。这场战争起因于足利义正将军的继承人问题，足利将军收养的义子足利义视与其亲生儿子足利义尚为了争夺继承权而兵戎相见。细川胜元奉足利义政之命率领“东军”向山名宗全率领的“西军”开战。这场战争波及日本全国，更毁灭了京都的纺织业，京都的纺织工匠纷纷逃离。最终，战争以“西军”撤出京都而结束。

战争结束后，流落在各地的纺织工匠们陆续回到了京都，他们开始搭建厂房，重操旧业，逐渐聚集到了一个叫白云村的地方。而白云村正好位于战争中“西军”的阵地上，于是，这时生产的丝织品便被称为“西阵织”。

为了普及推广“西阵织”这种民族传统工艺技术的相关知识，如今的西阵建有西阵织会馆，馆内开设有介绍西阵织历史及产品的展厅。这里每年11月11日还会举办“西阵节”，还有其他的一些与“西阵织”有关的宣传活动。

21.“四万六千日”的名称从何而来？

“四万六千日”是日本的一个节日，节期在每年的7月10日。每到这一天，善男信女们都会纷纷前往寺庙参拜神佛，以求得神佛的保佑。为什么将这一节日称为“四万六千日”呢？原来，这一天是观音菩萨的功德日，在这一天参拜神佛，将会得到相当于平日四万六千次的功德，“四万六千日”的名称由此而来。

早在江户时代，日本就已经有了这一节日，不过当时的节期并不是7月10日，而是6月17日和18日两天。后来，节期发生了变化，改为6月24日和25日两天。也就是说，最初的“四万六千日”都是两天。最后一次改动将节期缩短为一天，定在了7月10日，此后就再也没有变动过，一直沿用至今。

看上去，“四万六千日”应该是一个宗教节日，不过在各种佛典中却都不曾提及。而日本人为何认为这一天是观音菩萨的结缘日，自然也就不得而知了。尽管日本人对“四万六千日”的来历不甚清楚，但他们却很注重这一节日的美好寓意。因此，为了得到更多的功德，大多数人都会在这一天赶去神庙参拜神佛。这已经成为日本人的一种习俗，至于其来历，也许已经不再重要了。

22. 犹太人为什么将所有移民到以色列的人都称为“阿利亚”？

众所周知，犹太民族曾是巴勒斯坦地区的早期居民，并在公元前11世纪到前10世纪建立过具有光辉业绩的以色列统一王国。公元70年，罗马帝国拆毁圣殿后，巴勒斯坦的犹太人四散至世界不同的角落。失去圣殿的犹太民族，虽然心灵受到创伤，但他们永远保持着对圣地的崇敬和依恋。因此，在公元70年至19世纪的1000多年间，不断有犹太人从寄居地回到以色列地区居住。

“阿利亚”在古希伯来语中指的是“上升”“登台”等意思。该词最早是指某人在犹太会堂中登台为大家诵经，后来犹太人认为去圣城耶路撒冷是一种“上升”行动。“阿利亚”一词首次使用是在巴比伦囚虏时期，犹太人把从巴比伦流亡地返回以色列的行动，叫作“阿利亚”。后来，犹太人将所有移民到以色列的人都称为“阿利亚”。

19世纪末叶，由于政治和经济因素的影响，很多散居的犹太人移居以色列地，开始了近代的阿利亚浪潮。从1882–1948年，共有5次大规模的移民潮，这些移民成为建立现代以色列国的主要犹太人口。

1948年现代以色列国建国以后，以色列国会于1950年颁布《回归法》，让世界各地的犹太人有权回到以色列定居，成为以色列公民。自1948年至今，曾出现多次犹太移民潮，来自也门、伊拉克、摩洛哥、埃塞俄比亚、印度、苏联、欧洲、北美和阿根廷等地的犹太人，使现今的以色列人口激增至700多万。这些移民把原居地的文化带来，使以色列社会成了多元文化的大熔炉。

23. 俄罗斯人为什么把代价高昂而又毫无用途的东西称为“克里姆林宫大炮王”？

克里姆林宫位于莫斯科市中心，是俄罗斯的标志之一。高大坚固的围墙和钟楼、金顶的教堂、古老的楼阁和宫殿，耸立在莫斯科河畔的博罗维茨基山岗，这里保存了俄罗斯最优秀的古典建筑和其他文化遗产，构成了一组美丽而雄伟的艺术建筑群。此外，还有建于公元18世纪的枢密院大厦，以及建于公元19世纪的克里姆林宫和兵器陈列馆等。每一座建筑都蕴含着俄罗斯人民无与伦比的智慧，是世界建筑史上不可多得的杰作。克里姆林宫由此被誉为“世界第八奇景”，成为俄罗斯备受珍视的文化遗产。

克里姆林宫内保存有俄国铸造艺术的杰作——重达40吨的“炮王”和200吨的“钟王”。

克里姆林宫内这门世界上最牛的“大炮王”重达40吨，长5.34米，口径0.89米。它的每颗炮弹重2吨，炮口可同时爬进3人，炮架上有许多精美浮雕，像工艺品一样。这座古式铜铸大炮从1540年就开始铸造，一直到1586年完工，期间换了8个沙皇。该大炮本打算用于守卫莫斯科河渡口与斯巴斯基大门的，但一直没使用过。

其实，“炮王”真正没能使用的原因是这是一门没膛线、前装药的老式大炮，试想，要把2吨重的炮弹发射出去，那炮膛内的火药至少要几吨重，这样的话，很有可能炮弹没能发射出去，大炮早已经被炸毁。所以，这一门造价高昂的大炮除了装饰就基本上毫无用处。如今，“炮王”成了供游人观赏的大摆设。

因此，俄罗斯人有时会调侃地把代价高昂而又毫无用途的东西称为“克里姆林宫大炮王”。

知识链接

克里姆林宫“钟王”

科洛克尔沙皇钟是世界上最重的钟，堪称世界“钟王”。沙皇钟现安置在莫斯科克里姆林宫伊凡诺夫广场的伊凡大帝钟楼右侧的台座上。它是俄罗斯铸造术的杰作，也是克里姆林宫的一件无价珍品。

钟王是用铜锡合金浇筑而成，重约200吨，通高6.14米，直径6.6米，钟壁最厚部分为67厘米，钟的下部有一条60厘米的裂纹。大钟的顶端有一个十字架，外壁雕刻着精美的图案和花纹。钟的一面铸着当时统治俄国的安娜·伊凡诺夫纳女皇的浮雕像，旁边有几行赞颂圣母和女皇殿下的铭文，另一面铸有铸造者的姓名。据说铸造这座特大的铜钟先后花费了6万多卢布。

24. 罪犯为什么会成为俄国人眼中“不幸的人”？

俄罗斯人有很强烈的罪感，但这种罪感不同于西欧天主教那种与生俱来的、源自人类始祖的“原罪”意识，而是从耶稣基督那里得到启示，从内心深处视苦难为神圣，认为没有经历苦难历练的灵魂是有罪的，只有贫穷和苦难才能使人身上的罪恶得到救赎，使有罪的灵魂变得纯净，才能真正接近上帝，恢复人原初所具有的神性。

俄罗斯人对于罪恶的观念和判断与对基督的神秘感知方式极其相似。正如同上帝不可能用理性去判断，而要用心去体验一样，他们认为人的罪恶也是不能由人来判断的。上帝所创造的一切都是奥秘，而人应该做的就是“活下去，认识一切”。

这种对于罪恶的态度与东正教在俄国被观念化和道德化的情形直接相关，东正教精神体现在人们的观念中是一整套道德体系，但这种道德不同于调整世俗秩序的清规戒律，而是被基督的仁爱与牺牲精神所关照的普遍的同情心。

东正教是基督教中最原始最少规范的一种形式，它远离推理演绎，远离逻辑论证。东正教学说向来对经院烦琐理论没有好感，它认为不需要制定形式，不需要思辨理性，只需要深思默想内在的信念和灵魂的感悟。他们的很多结论都是通过东正教哲学的着魔般的“感悟”思维方式推导出来的。他们认为“苦难的人”和“罪人”是同义词，“罪”和“罪行”是同义词，“罪犯”就是“罪人”，“罪人”也就是“不幸的人”，“不幸的人”就是“苦难的人”。

俄罗斯民间思想之所以用“不幸的人”称呼罪犯，正是东正教情感中的怜悯因素使然。他们认为犯罪的人所实施的罪恶是与他的本性相悖的，人从上帝而来，其本性是纯净并且具有神性的，而这个自身具有上帝形象的人实施了犯罪，是对自己身上的神性和善本源的践踏和亵渎，因此，他那颗敬爱上帝、向往回到上帝之国的灵魂会被上帝拒绝。在这个意义上，他是不幸的，人们发自内心地怜悯他，称他为“不幸的人”。

25. 印第安人为什么要称马铃薯为“爸爸”？

作为仅次于小麦、水稻和玉米的全球第四大重要粮食作物，马铃薯不仅有着广泛的种植面积，而且拥有悠久的栽培历史，至今已经成为各国饮食和烹饪文化不可或缺的一部分。

马铃薯自古就有，它的原产地是南美洲。大约公元前200年，秘鲁印加古国的印第安人最早开始种植马铃薯，还给其取名“Papa”，“Papa”音译成中文也就成了“爸爸”。为什么印第安人要将马铃薯称为“爸爸”呢？这是因为他们生活的地区非常适宜种植马铃薯，而马铃薯也是印第安人的主要食物之一。印第安人不仅十分尊崇马铃薯，而且还将其塑造成保护印第安人的英雄和神灵。将马铃薯称为“爸爸”，即很好地反映了印第安人与马铃薯的这种亲密关系。

此外，马铃薯还有许多亲昵的称呼。如意大利人称它为“地豆”，法国人称它为“地苹果”，德国人称它为“地梨”，美国人叫“爱尔兰豆薯”，俄国人叫“荷兰薯”。在中国，东北人叫它“土豆”，西北人叫它“洋芋”，华北地区叫它“山药蛋”，江浙一带则称它为“洋番芋”等。

26. 对男人朝三暮四表示不满的日本女人为什么会被称为“妬女”？

“妬女”指的是对男人朝三暮四进行责难的女人。之所以这样称呼，是因为在男权社会里，盛行的观念是男尊女卑。男人朝三暮四、肆意放荡被认为是理所当然的，女人对此应该予以接受，如果对此表示不满则被认为是违背常理。这种不满就是争风吃醋、嫉妒，在汉字当中，“妬”就是“妒”的意思，“妬女”就由此而来。

在日本，“妬女”常常与幽灵联系在一起，令人毛骨悚然。“妬女”的幽灵分为出自活人的“生灵”和出自死人的“死灵”。也就是说，“妬女”的幽灵不一定在其死后才能显现，只要她的男人有了别的女人，她便会怒不可遏，发指眦裂，灵魂就能从身体里出窍，然后穿墙入室，去搅和她的男人与别的女人的好事，更有甚者，还可能将其情敌置于死地。

“妬女”最典型的代表是《源氏物语》中的六条妃子。六条妃子16岁时成为皇太子妃，但不幸的是，她的丈夫在20岁就死了，她也就成了寡妇。本来她就这样打算终老一生了，可是在她24岁的那年，一个叫光源氏的花花公子对她展开了追求，光源氏热烈疯狂的攻势最终打动了六条妃子。六条妃子满心地以为她找到了真挚的爱情，可是正当她开始倾心于光源氏的时候，光源氏却突然移情别恋了，并且和好几个女人产生了瓜葛。

六条妃子肝肠寸断，在她极度悲愤之时，她的“生灵”出窍，先是迷倒和光源氏有奸情的夕颜，令其暴病身亡；继而又附着在为光源氏身怀六甲的葵姬身上，使其在分娩时断气而死。六条妃子死后，其“死灵”依然不放过光源氏身边的人，先是附着在光源氏妻子紫夫人身上，使其突然昏厥；其后又附着在某一女童身上，借女童之口怒骂光源氏薄情寡义……就这样，“妬女”六条妃子生前死后一直纠缠着光源氏。

从这个故事我们可以看出，关于“妬女”以及“幽灵”的说法，其实表达了对封建时代日本妇女在婚姻与爱情生活中所遭受的悲惨命运的一种无奈与同情。

27. 人们为何把渡鸦称为伦敦塔内“最后的囚徒”？

伦敦塔是英国的著名旅游景点，位于伦敦泰晤士河北岸、伦敦塔桥附近。伦敦塔是一座蹲伏式的石头建筑，由高低起伏、功能不同的若干建筑组成。

1066年，威廉一世为保卫和控制伦敦城开始营建此塔。后来，历代王朝又修建了一些建筑物，使伦敦塔既有坚固的兵营要塞，又有富丽堂皇的宫殿，还有天文台、教堂、监狱等建筑。作为一个防卫森严的堡垒和宫殿，英国数代国王都在此居住，国王加冕前往伦敦塔也成了一种惯例。

在历史上，伦敦塔还是一座著名的监狱。英国不少王公贵族和政界名人都曾被关押在这里，英王爱德华四世的两个幼子，爱德华之前的国王及堂兄与弟弟，亨利八世的两个王后，都被囚禁在这里并被处死。在很长一段时间里，伦敦塔成为令人毛骨悚然的“死狱”。

当然，现在的伦敦塔内早已不再有不见天日的囚犯，不过还有一种动物没有搬走，那就是从13世纪开始住在这里的渡鸦。13世纪，亨利三世国王开始在伦敦塔里饲养动物，他命人寻来花豹和北极熊在塔内饲养。这以后，伦敦塔内喂养的动物品种越来越多，其中便包括渡鸦。多少年来，这里流传着一个古老的传说：渡鸦一旦离开伦敦塔，伦敦塔就会倒塌，王朝也将随之垮台。所以，为防止渡鸦飞出伦敦塔，饲养人员在专家指导下给每只渡鸦精心修剪了翅膀，使其不能远飞。所以，现在人们就把渡鸦戏称为伦敦塔内“最后的囚徒”。

28. 英语为什么称漆器为“japan（日本）”？

英文“china”既是“中国”，又是“瓷器”。“japan”既是“日本”，又是“漆器”。由此可见，瓷器和漆器是中国和日本最具代表性的传统工艺。

日本人对中国文化的传承，很多能做到精益求精，通过改革创新创造出独具特色的民族文化。例如模仿纸寿千年的宣纸，日本人创造出了“和纸”；模仿宽袍大袖的汉服，日本人创造出了“和服”；等等。那么，当中国的漆器传入日本时，日本人又有什么样的伟大创造呢？

7000多年前，红山文化时期的中国人用漆树汁美化器物，这是中国最早的漆器。2000多年前，漆器传入日本，日本人在漆器工艺上下了许多功夫，使得漆器在日本大放光彩，举世闻名，并成为日本的代名词。

日本的漆器早在多年前就大量外销到西方，其美观的外形、精美的纹饰以及独特的工艺让欧洲人大饱眼福，并误以为漆器是日本的特产，于是，很多欧洲人就以漆器的英文名“japan”来称呼日本。由此看来，日本是因漆器而得名，并非漆器因日本而闻名。

29. 日本人为什么将景泰蓝称为“七宝烧”？

七宝烧是日语中金属胎珐琅器的专用称谓，因其烧制工艺源于中国的景泰蓝，故又有“日本的景泰蓝”之称。七宝烧至今已有500多年的历史，与中国的金属胎珐琅器景泰蓝合称“东方艺术殿堂中的两颗明珠”。

七宝烧的烧制过程与“景泰蓝”相仿，主要有7道工序：制胎、掐丝、烧焊、点釉、烧釉、磨光、镀光，所用珐琅釉料有红、橙、黄、绿、蓝、紫等颜色。与景泰蓝不同的是，七宝烧工艺融入了日本民族的制作艺术和民族风格，在配料、镀光等方面使用了现代科技手段，给人以高贵雅致、自然和谐的感觉，并以其明灿华丽的色泽和独具一格的图案享誉世界。那么，中国的景泰蓝在日本为什么被叫作七宝烧呢？

我们知道，日本是一个盛行佛教的国家，人们常以金、银、琉璃、水晶、白珊瑚、珍珠、玛瑙等7种珍贵材料来装饰佛教建筑和制作佛门圣物，并将这7种材料称为“七宝”。“烧”在日语中是瓷器的意思。因为景泰蓝这种工艺品晶莹瑰丽的外观效果，好似兼有七宝的特征，又如同瓷器一样，故得此名称。

日本七宝烧，以明灿莹润的釉色和精致美妙的图案称著于世界。作为集传统文化与现代技术于一身的高档手工艺品，七宝烧一直是日本人馈赠亲朋好友的上选礼品，它也是日本馈赠外国领导人的国礼。1973年9月，时任国务院总理的周恩来就收到过一件日本经济访华团赠送的七宝烧钵式缸。

30. 英语里的8月为什么被称为“August”？

英语中的8月被称为“August”是源自罗马帝国统治者屋大维的尊号“奥古斯都”（Augustus）。

屋大维生于罗马，他的母亲阿提娅是恺撒的侄女，后来，恺撒领养了屋大维，把他当成自己的继承人。公元前44年，恺撒遇刺身亡，此时，年仅18岁的屋大维正在阿波罗尼亚军中。匆匆赶回罗马后，他团结恺撒旧部，以机智果断、诡诈灵活的手段博得了元老院的支持。

之后，屋大维与安东尼、李必达组成“后三巨头同盟”，对罗马实行集体军事独裁统治。不久，屋大维便趁机剥夺了李必达的军权，仅给他保留了一个大教长的虚衔。此时，屋大维已经无可争议地成为罗马西方的霸主，与在东方行省的安东尼形成对峙。

但是安东尼不务政务，迷恋女色，与埃及女王克里奥帕特拉七世结婚，深居亚历山大宫廷，俨然以帝王自命，并宣称要将罗马东部一些领土赠给克里奥帕特拉的子嗣。公元前36年，安东尼对安息的战争遭遇失败。这一系列事件激起了罗马元老院的强烈不满，公元前32年，元老院和公民大会宣布安东尼为“祖国之敌”，并以克里奥帕特拉七世侵吞罗马人民财产为由向其宣战，屋大维亦借机率军东征。公元前31年9月，屋大维在对安东尼与女王的亚克兴海战中取得胜利，战败的安东尼与女王狼狈逃回埃及，次年又被屋大维打败，途穷自尽。

屋大维成为胜利者，凯旋罗马。之后，屋大维当选执政官，即罗马共和国的最高行政官。公元前27年，元老院授予其“奥古斯都”（Augustus）称号。

为了和恺撒齐名（恺撒为了突出自己，把自己的姓氏“Julius”作为他出生的7月的名称，在英文中为“July”），屋大维也想用自己的名字来命名一个月份。他出生于8月，于是，他把自己的尊号“Augustus”作为8月的名称。英语8月（August）便由屋大维的尊号演变而来。

31. 为什么会有“大千世界”的说法？

我们面对不可名状无法解读的异常人事时常会感叹“大千世界，无奇不有”。那么，何谓大千世界呢？

大千世界其实是一个佛教名词，它是三千大千世界的简称。三千大千世界原是古印度传说的一个广大范围的世界名称。据《长阿含经》等记载：我们所生活的这个世界，以须弥山为中心，从地面向上，至须弥山之半，是第一层天。至山顶为二层天，再往上有四层天，因为这六层天都有男女饮食之欲，所以称为“欲界天”。再向上有十八层天，分为四禅，只有庄严形色，所以名为“色界天”。再向上还有四层天，不着形色之相，所以名为“无色界天”。须弥山四周有七山八海环绕着，海中有四大部洲，海外更有铁围山为外廓。

佛把同一日月所照耀的九山八海、四大部洲、六欲天、再加上初禅三天，称为一个小世界。合1000个小世界为“小千世界”，合1000个小千世界为“中千世界”，合1000个中千世界为“大千世界”。又由于大千世界中有大、中、小3个千世界，又称之为“三千大千世界”。佛教沿用其说，以三千大千世界为释迦牟尼所教化的范围。佛教传入中国后，大千世界这个词就沿用至今。

知识链接

三千大千世界与现代物理

佛将“一个日月所照”称为一个世界。在这里，佛用“一个日月所照”所表达的范围其实就是现代科学所指的行星系——恒星（日）与围绕其运行的行星（月）。一千个小世界组成一个“小千世界”，这相当于现代物理学所指的一个恒星系。佛指出小千世界“犹如周罗”，即小千世界不仅是圆形的，还带螺旋状，正好如同我们所在的银河系。进而一千个小千世界组成一个“中千世界”，这相当于现代物理学说的星系团。一千个中千世界组成一个“大千世界”，也就是“三千大千世界”，这就相当于现代物理学中的总星系。

32. 无花果叶子为什么会成为“遮羞布”的同义词?

《圣经·创世记》中记载，上帝用7天创造了世间万物，最后一天，上帝用泥土创造了第一个人，上帝为他取名亚当。之后，上帝又取了亚当的一根肋骨，创造了一个女人，为她取名夏娃。上帝让他们结为夫妇，并在东方的伊甸为他们建了一个美丽的园子，园子里溪流淙淙，鲜花簇簇，莺歌燕舞，动物成群。

上帝让他们居住其中，修葺并看守这个乐园。并且吩咐他们，除了分辨善恶的智慧树上的果子，园中树上的果子可以随便吃。

有一天，蛇对夏娃说，你们吃智慧树的果子不一定会死，因为上帝知道你们吃了那果子，眼睛就会看得见，就与上帝一样能知善恶。夏娃受了蛇的诱惑，摘下了智慧树上的果子，自己吃完之后又拿给亚当吃了。结果吃完之后，他们二人的眼睛果然明亮了，这才看到自己是赤身裸体的。两人十分羞涩，赶快拿起无花果树叶编成裙子来遮身。

由这个故事开始，无花果叶子就成了“遮羞布”的同义词。

第六章

解读国名·诠释地名

1. 繁华的美国首都华盛顿为什么会被称为“谋杀之都”？

在大多数人的印象中，华盛顿是一个开放的“自由世界”。这里阳光明媚、碧水蓝天、满目葱郁、绿树成行、绿地成茵、点缀着姹紫嫣红的花朵，宛如一个花园。这里的人们脸上都充满了阳光，漫步在街头的人们互相微笑着，问好之声随处可闻。无论碰到什么问题，都会有热心人给予热情的帮助。

但在20世纪90年代美国电视的新闻节目里，每天晚上都会有关于华盛顿市出现凶杀的消息。据统计，仅1989年第一季度就有112个华盛顿居民被杀，1991年凶杀案更是高达482起。华盛顿成了一个名副其实的“谋杀之都”。

那么，是什么原因使华盛顿成为全美骇人听闻的“谋杀之都”？时任美国总统的老布什在1989年8月15日发表的一次动员全国扫毒的讲话或许给出了答案。老布什指出毒品已经成为“一个撕裂每个美国人的心肠、增加每个美国人恐惧的问题”。

这些令人触目惊心的枪击案、凶杀案绝大多数与毒品有关。贩毒集团为控制毒品市场、赚取大量金钱而不断火并。1988年在与毒品有关的凶杀案中共有369人丧生，1989年11月底，因毒品而遭凶杀的人数已达404人。

虽然华盛顿现在的凶杀案已显著下降，但华盛顿仍然是美国最不安全的城市之一。

2. 神秘的古城摩亨佐·达罗为什么被称为“死亡之丘”？

摩亨佐·达罗位于印度河下流，处在巴基斯坦信德省的拉尔卡纳县南部。在被发现之前，这里一直是一片荒芜。直到20世纪初，几个考古工作队相继来到这里进行了发掘和整理，才发现这里是一座重要的古代城市的废墟。

规模宏大的摩享佐·达罗古城的发现，向世人证明了印度河文明与两河流域的苏美尔文明一样古老而灿烂。它与哈拉巴一起，被考古学家和历史学家称为“哈拉巴文化”。

摩亨佐·达罗的居民叫“达罗毗荼人”，达罗毗荼人是世界上最早种植棉花并用棉花织布的民族之一。他们创造了结构独特的文字，还发明了相当精密的度量衡方法，建立了高度发达的城市经济，而且广泛地和其他各文明民族进行着贸易往来。但是，公元前18世纪中叶，摩亨佐·达罗城突然衰落了。在摩亨佐·达罗遗址发掘中，考古工作者发现除燃烧的残迹外，街头巷尾，到处都是男女老少的尸骨。从这些骷髅分布可以看出，这些居民几乎是在同一天同一时刻死亡的，因此，摩亨佐·达罗被人们称之为“死亡之丘”。

究竟是什么原因使这座原本繁华的古城在一夜之间变成人迹灭绝的“死亡之丘”的呢?

有人设想是由于城市内部发生剧烈的变革和斗争的结果，也有人认为雅利安人的入侵导致了摩亨佐·达罗的毁灭。虽然这两种观点有一些考古文献的佐证，但都缺少令人信服的科学证据。

后来，科学家通过长期的探索与研究，他们认为摩亨佐·达罗是毁于一场历史罕见的大爆炸。巨大的爆炸力不仅使古城半径一千米内所有建筑物被摧毁，而且使那里的人和动物都遭到了毁灭性的杀戮。就这样，一场自然灾害摧毁了这座繁荣而美丽的古代城市。

3. 俄国为什么被称为“军事封建帝国主义”？

工业革命壮大了英国等资本主义列强的实力，19世纪，资本主义开始进入垄断阶段。这一时期，列强们纷纷走上扩张道路，在全球掀起了瓜分殖民地和划分“势力范围”的狂潮。这也直接导致了19世纪六七十年代资本主义世界体系的初步形成。

虽然俄国资本主义的发展落后于其他资本主义国家，但在20世纪初，也继其他国家之后进入帝国主义阶段。不过，俄国帝国主义不同于英、法等西方帝国主义。英、法等国走上帝国主义道路，都曾经实现了资产阶级革命，在不同程度上摧毁了封建主义制度，有相当一部分封建贵族转化为新兴资产阶级。俄国的改革并不彻底，贵族地主仍把持着中央到地方的政权。在经济上，俄国普遍采取辛迪加的形式，参加辛迪加的企业，通过签订统一销售商品和采购原料的协定以获取垄断利润。但是，俄国也存在着大量农奴制残余，这就导致了俄国农业的落后和国内市场的狭窄，阻碍了俄国资本主义的发展。由于经济薄弱，工业生产落后，难于同其他资本主义国家竞争，俄国只有依靠军事侵略的手段，力图通过殖民掠夺来弥补其财政资本的不足，以便推行霸权政治，参与瓜分世界的斗争。

垄断组织主导了国民经济，说明俄国已经进入了帝国主义阶段。但政治上以沙皇为首的封建贵族仍把持政权，且热衷于对外侵略扩张，具有浓厚的封建军事性。俄国是用军事力量上的垄断权，通过对外扩张和掠夺，达到经济上的垄断。其封建军事与经济垄断基本是一种并列的关系。因此，俄国被称为“军事封建帝国主义”。

4.“加利福尼亚”的名称从何而来？

加利福尼亚是美国西部太平洋沿岸的一个州，简称加州。加州是美国面积第三、经济最发达、人口最多的州。这里有丰富的自然资源，有全美国最好的气候，还有多种地形地貌，有“黄金之州”之称。每年都有许多人从世界各个角落来到这里，目前加州的人口已超过3200万。

最初的加利福尼亚其实包括两大部分——墨西哥的下加利福尼亚半岛和今天美国的加利福尼亚州。1847年的美墨战争后，加利福尼亚由美国和墨西哥分割。墨西哥所得到的那部分领土后来成了下加利福尼亚，而美国所获得的上加利福尼亚则在1850年正式加入联邦，成为今天的加利福尼亚州。

加利福尼亚的名称被认为来自一部16世纪西班牙文骑士传奇小说《骑士蒂朗》中所描绘的一片传说名为“卡拉菲亚”的乐土。这部小说由马托雷尔·加尔巴撰写，书中的卡拉菲亚与世隔绝，遍地黄金，到处都是居住在洞穴里、热爱自由的亚马孙人和古怪的野兽。后来，卡拉菲亚便演变成加利福尼亚。

但也有人根据史料推测，加利福尼亚可能源自于亚马孙女武士的神话故事，在中世纪哥特骑士的幻想中，加利福尼亚是亚马孙女武士的岛国。据古希腊神话，亚马孙女武士是勇武善战的妇女，相传她们居住在小亚细亚地区或迈俄提斯湖沿岸。为了传宗接代，她们同附近部落的男子成婚，然后再把丈夫送回家乡。生下男孩交还其父，女孩便留下习武。此外，为便于拉弓射箭，她们将女孩右乳烙去。这个神话故事在中世纪欧洲各地广泛流传，很多人都相信她们的存在。16世纪，西班牙王室经常命令征服者去寻找亚马孙女武士及其国家。1533年，西班牙征服者科尔特斯从海上夺取了美洲加利福尼亚半岛，并把它命名为“加利福尼亚”，这个名称就流传下来了。

5. 斯里兰卡为什么被称为“狮子国”？

印度洋上有个美丽岛国，人们形象地比喻它是“印度洋脸颊上滑落的一颗泪珠”，它还被称为“狮子国”。这个风景秀丽的岛国就是今天位于南亚次大陆南端的斯里兰卡。斯里兰卡“狮子国”的称号源自于一个十分有趣的“狮子抢亲”的故事。

据传说，古代南印度有一个国王，要把女儿嫁到邻国。可是，在送嫁的途中碰到一只威猛的雄狮，宫女、卫士等四散奔逃。新娘被狮子抓走，公主在狮子强迫之下无奈与其结为夫妻。不久，公主便生下一男一女，生下的孩子外表是人的样子，但性情却如狮子一样暴烈。

后来，两个孩子渐渐长大，并从母亲那里知道了真相。他们设计出逃，最终母子三人逃回了家乡。但此时王朝更替、宗族已灭，无处投亲靠友。为避免遭人鄙视，他们只能隐瞒来历，寄人篱下，日子过得十分凄惨。

而狮子丢了老婆孩子后，暴怒异常，便追寻而来，沿途为了发泄心中的愤怒残害了很多百姓。虽然也有很多勇士竭力想降服狮子，但都没有取得成功。甚至国王亲率大军围剿，也奈何狮子不得。于是国王告示天下，若有降伏狮子为国除害者，必当重赏。

公主的儿子听说此事，便带了把匕首前去应募。这时，已经有成千上万的青年应召捕狮，国王命他们将狮子所在的林子围住。但是，谁也不敢进去杀狮子。这时，公主的儿子挺身而出，走进林子。那狮子认得是自己的儿子，早把怨怒之气抛到九霄云外，扑上来想与儿子亲热。儿子乘机将匕首刺进狮子的腹部。狮子两眼悲哀地望着儿子，倒在地上死去了。

一时间，公主的儿子成了英雄，国王准备重重赏赐他。但当国王知道他是狮子儿子的真相后勃然大怒，谴责其杀父的罪行。最终，国王决定赏罚分明：重赏其降狮的功劳，将母亲留在本国赡养终身；惩罚其杀父之大逆，将狮儿流放到大海，任其自生自灭。

有一天，狮儿的船漂到了现在的斯里兰卡。狮儿见这里物产丰富，珍宝遍地，就在此居住下来。后来，他杀了路过的一个商人，留下商人的子女，使子孙繁衍下去。他的后人在这里建立了国家，根据其祖先的来历，就把国家叫作“狮子国”，这个名称便流传下来。

6. “扶桑”指的是日本还是墨西哥?

据《梁书》记载，在中国东方大海中有个名叫“扶桑”的国家。书中对扶桑国的地理位置、国家的政体、法律、宗教、风土物产等都有非常详细的记载。而这个关于扶桑国的故事，是一个名叫慧深的和尚说出来的。

1752年，法国汉学家德·歧尼撰文论证扶桑国就是墨西哥一带，从此以后，国内外学者对这一问题展开了广泛而热烈的讨论，其焦点是扶桑国是日本还是墨西哥。

有人认为，从对《梁书》所述里程的计算来看，扶桑国与中国相距两万多里之遥，毫无疑问就在美洲一带，具体地点就是墨西哥。而反对者则认为，中国古代书籍中所列的海外国家的里程、方位都是不准确的。东方朔的《十洲记》中将出产扶桑的地方称为“日出之所”，这与日本国名的含义一致。

有的学者认为慧深所描述的扶桑木的特征，与墨西哥的龙舌兰极为相似，也有人认为扶桑是墨西哥的玉米、棉花或仙人掌。反对者则认为，扶桑木很可能是中国的一种楮树。

一些学者认为，古代墨西哥生长着一种野牛，其角约六尺长，它就是《梁书》上所说的长角之牛。反对者则认为，在西班牙殖民者到达美洲之前，墨西哥还没有马、牛等动物。美洲那种早已绝迹的大角野牛，不可能发展到能用犄角载物的程度。而日本的水牛也具有一对新月形的大犄角。

有的学者认为，古代墨西哥人大多住在木料或干土砖造的小屋里，而且城市没有内城和外城，这与《梁书》记载的“作板屋，无城郭”相符。古代墨西哥对罪犯的处理方式也与慧深的叙述极为类似。此外，扶桑国“其地无铁有铜，不贵金银”的情形，也与古代墨西哥人会熔铜器而不知金银价值的事实相吻合。反对者则认为，慧深所描述的扶桑国的婚丧习俗，在古代墨西哥人中是没有的，却曾在日本、朝鲜等地出现过。

有些学者认为，自古以来，中国人往返于美洲的步伐从未停止过。从加拿大直到南美，表示中国属性的汉字、铜钱、服饰、雕像广泛分布于美洲的太平洋沿岸，而以墨西哥一带的文物为最丰富。此外，一些学者还认为墨西哥史籍中记载的“归萨克须发皆白，由东方渡海至墨西哥，与同伴多人，均衣长袍大袖”中，“归萨克”就是慧深。在墨西哥还有一座纪念1000多年前到达当地的一艘中国帆船的纪念碑，这艘帆船的年代正好与慧深东渡的时间相一致。

但反对者则认为，迄今为止，在美洲发现的文物遗迹还不能证明中国人在哥伦布之前就已到过美洲，因为还无法确定这些文物到达美洲的时间。

除了上述两种观点外，还有人认为所谓的扶桑国并不存在，而是有人把孔子的出生地——穷桑，误传为“扶桑”了。

时至今日，关于扶桑到底是哪个国家的争论依然没有结果。

7. 被誉为世界七大奇迹之一的巴比伦花园为什么被称为“空中花园”？

巴比伦“空中花园”被誉为世界七大奇迹之一，始建于尼布甲尼撒二世时代，这一时期，也是巴比伦最兴盛的时期。

公元前614年，巴比伦新国王尼布甲尼撒即位后，迎娶了北方米提王国的公主米梯斯为王后。公主美丽可人，深得国王的宠爱。可是时间一长，公主愁容渐生，尼布甲尼撒不知何故。

原来米提是一个山国，山林茂密，花草丛生。自小生活在那里的米梯斯突然来到长年无雨、满是黄土尘沙的巴比伦，不觉怀念起家乡的美景来，因此得了思乡病，茶不思，饭不想。

知道原因后，尼布甲尼撒二世命令工匠按照米提山区的景色，在他的宫殿广场中央，建造一座阶梯形花园，上面栽满了奇花异草，并在园中开辟了幽静的山间小道，小道旁是潺潺流水。工匠们还在花园中央修建了一座城楼，矗立在空中。花园修成后，巧夺天工的园林景色终于博得公主的欢心。由于花园比宫墙还要高，给人感觉像是整个御花园悬挂在空中，因此被称为“空中花园”。

据说，空中花园是一个四棱锥的建筑，锥体底边纵横各400米，向上是逐层内缩的7层平台，每层花园即为一个花园。它们由拱顶石柱支撑着，台阶上还铺着石板、芦草、沥青、硬砖及铅板等材料。虽然最上方的平台面积只有20平方米左右，但整个建筑却高达105米。

当年到巴比伦城朝拜、经商或旅游的人们在很远处就可以看到空中城楼上的金色屋顶。到公元2世纪，希腊学者安蒂帕特尔在品评世界各地著名建筑和雕塑品时，把空中花园列为“世界七大奇观”之一。从此以后，空中花园闻名于世界。

知识链接

空中花园的供水系统

空中花园矗立在空中，高出地面很多，据说整个建筑有105米高。那么，在古代的巴比伦是如何保证空中花园的灌溉供水的呢？

19世纪末，考古学家在发掘巴比伦南宫苑时，在一间半地下小屋中发现了一口开了三个水槽的水井，水槽一个是正方形的，两个是椭圆形的。根据考古学家的分析，这些小屋可能是原来的水房，那些水槽则是用来安装压水机的。空中花园的灌溉用水就是依靠地下小屋中的压水机源源不断供应的。压水机把几个水桶系在一个链带上与一个放在墙上的轮子相连，轮子转动一周，水桶就跟着转动，完成提水和倒水的整个过程，水再通过水槽流到花园中进行灌溉。

8.“山姆大叔”为什么会成为美国的象征？

1961年，美国国会正式通过一项决议，正式确认以“山姆大叔”作为美国的民族象征和代表。“山姆大叔”是何人？他为什么会成为美国的象征？

其实“山姆大叔”这一称呼源自1812–1814年间美英战争时期的一个历史传说。相传在纽约州的特洛伊城有位年长的肉类加工商，名叫塞缪尔·威尔逊。他勤劳、诚实、能干，很有威信，人们亲切地叫他“山姆大叔”。

在1812年的美英战争中，这位山姆大叔与美国政府签了一份合同，为军队生产桶装牛肉。美国政府每当收到他交来的经其亲自检验合格的牛肉，就将肉装入特制的木桶，并在桶上盖上US的记号。美国的缩写也是US，久而久之，人们只要看见盖有“US”记号的木桶，就知道那一定是经过山姆大叔之手的牛肉。于是人们便把这两个名称合二为一了，干脆把“山姆大叔”当成美国的绰号，于是，

“山姆大叔”就逐渐流传开来。

19世纪30年代，美国一位漫画家根据历史传说创作出“山姆大叔”形象漫画。漫画中，“山姆大叔”是一个蓄着胡子的高瘦老头，他头戴饰星高顶帽，身穿红、白、蓝三色燕尾服和条纹裤（美国星条旗的图案）。虽然白发苍髯，却精神矍铄，一派威仪。漫画流传甚广，由此，这一形象成了人们心目中美国的象征。

9. 美国为什么被称为“托拉斯帝国主义”？

19世纪末20世纪初，在第二次工业革命的推动下，各主要资本主义国家相继进入帝国主义阶段。

在向帝国主义过渡阶段，美国是工业发展最迅速的国家。在这一阶段，美国工业由以轻工业为主转变为以重工业为主。美国的钢产量1880年为120万吨，到1900年上升到1020万吨；煤产量在1870年为3310万吨，到1900年为26970万吨。石油、电力、汽车等新兴工业也迅速崛起：石油产量迅速增加，1870年开采量为2亿加仑，1900年增至27亿加仑；电力工业从无到有，从1880年第一家发电站建成起，到1902年全国的发电量已达60亿度；汽车工业兴起于19世纪末，1900年的年产量为4000辆，1914年就猛增到56万辆。整体说来，这一时期美国的工业产量已跃居世界第一位。

随着美国变成工业国家，资本和生产急剧集中，垄断组织迅速发展起来，美国步入垄断资本主义时期。托拉斯是美国垄断组织最普遍的形式。托拉斯指的是由生产同类商品的大企业或生产上有密切联系的大企业为垄断某些商品的产销，以获得高额利润而组成的联合体，是比较发达的垄断组织。它本身是一个独立的企业，由其董事会全面掌握企业的生产经营活动，参加的企业完全丧失了其自身的独立性。

到20世纪初，美国几乎所有重要的工业部门都为一两个或少数几个大托拉斯所垄断，如美孚石油公司掌握了全国石油产量的90%；美国钢铁公司控制全国钢产量的60%。据统计，1904年，美国的381个托拉斯兼并5000多家企业，掌握了70多亿美元的资金。列宁指出："美国托拉斯是帝国主义经济或垄断资本主义经济的最高表现。"因此，美国被称为"托拉斯帝国主义"。

10. "阿根廷"的名称是怎么来的？

阿根廷位于南美洲东南部，东濒大西洋，南与南极洲隔海相望，西同智利接壤，北接玻利维亚、巴拉圭，东北部与巴西和乌拉圭为邻。阿根廷面积278万平方千米，海岸线长4000余千米，是拉丁美洲的第二大国，仅次于巴西，其首都是布宜诺斯艾利斯。

"阿根廷"的名称源自16世纪的西班牙入侵者。1527年，西班牙探险家塞瓦斯蒂安·卡沃托率领一支远征队到达南美大陆后，从一个宽阔的河口溯流而上，深入到内地。探险家们发现当地印第安人佩戴着很多银制的饰物，以为当地盛产白银，便将这条河命名为拉普拉塔（白银）河，将这一地区称为拉普拉塔区。西班牙殖民统治者后来又将拉普拉塔区改为省。

1816年7月9日，拉普拉塔省宣布独立，并将国名正式定为阿根廷，这象征着当年西班牙殖民者的发财梦。因为在西班牙语中，"阿根廷"与"拉普拉塔"两词意义相同，均为"白银"，寓意"货币""财富"。他们当初以为这里是一个盛产白银的宝地，是他们一心向往的传说中的"白银王国"，不过，这一切只是梦想而已，因为阿根廷并不产白银。

阿根廷虽不产白银，但有着肥沃的土壤、丰茂的草原、良好的气候，这使它成了"世界的粮仓和肉库"。占据此地后，西班牙人获得了滚滚而来的财富。

11. 日本为什么有"蜻蜓洲"的别号？

日本四面环海，领土由北海道、本州、四国、九州等4个大岛和许多小岛组成。这些岛屿分布在北纬20度–45度、东经约153度–123度的海域中。

日本的地理景观奇特且秀丽，形似琵琶横卧海角，又如弯弓孤悬天涯。传说神武天皇曾登高远眺，岛国风情尽收眼底，禁不住发出赞叹："妍哉乎，国之获矣！虽内木绵之真迮国，犹如蜻蛉之臀呫（即蜻蜓点水之意）焉。"

日本列岛北东向延伸得很长，南北跨越纬度将近有20度，整体看起来显得十分狭长。神武天皇将日本地貌喻为"蜻蜓点水"，可谓神形兼得。因为日本列岛地貌形似蜻蜓，所以日本有时也被人称之为"蜻蜓洲"。中国清代黄遵宪为此还曾作《蜻蜓洲》一诗："巨海茫茫浸四围，三山风引是耶非？蓬莱清浅经多少，依旧蜻蜓点水飞。"

12."印度"的名称从何而来？

古印度地处亚欧大陆亚洲部分的南端，它的大部分地区是一个半岛，向印度洋凸出，所以也称印度半岛；又因为它濒临喜马拉雅和兴都库什两大山脉，这些崇山峻岭将它和亚欧大陆分隔开来，所以它又被称为南亚次大陆。

早在40万年以前，就有早期人类在这片大陆上生活了。大约在公元前2400–前1700年，在它北部的印度河流域诞生了印度河流域文明，也就是我们常说的哈拉巴文化，这是迄今所知的这片大陆上最早的人类文明。

古印度的范围不只包括今天的印度国，而且还包括现在的巴基斯坦、孟加拉、斯里兰卡、尼泊尔和不丹等国在内的整个印度次大陆，总面积约437万平方千米。

"印度"这一名称的来历，一般认为是源自雅利安人的梵文。大约在公元前1500年左右，印度北部的雅利安人开始入侵南亚次大陆，并逐渐占有了绝对的统治权，由此古印度的雅利安文明时代开始了。雅利安人到达印度河流域时，将这条大河取名为"信度"河。但是，古代波斯人把字母S的发音读成了"h"音，因此，波斯人称印度河为"很毒"河，并称这一地区为"很毒斯坦"。后来，亚历山大率军打败波斯，占领印度河西北部，称那里为"印度伊"。"印度"就由此演化而来。

历史上，中国对印度的称呼几经改变。西汉译为"身毒"，东汉称它为“天竺”。直到唐朝，才确定译为“印度”这一名称。唐代玄奘仔细探讨了天竺国的名称，放弃了天竺、身毒、贤豆这些名称，而根据当地发音，将其称为印度。在唐朝，“印度”被认为是月亮的意思，唐朝人认为这个国家圣贤相继出世，遗法相传，教导群生，条理万物，好像月亮照临一般，故称之为“印度”。

13. 传说中的“黄金之国”指的是印加帝国吗？

从古至今，人们都在做着关于金钱的美梦。自人类社会把黄金当作货币后，关于黄金之国的传说就不绝于耳。哥伦布发现美洲大陆之后，也就有了许多关于美洲大陆存在着黄金之国的传说。

这时，印加进入了这些寻找黄金之国的人的视野。在欧洲最早的传说里，印加被渲染成一片神话般的土地，这里到处都是金穴，金子多得不可胜数，传说掌管这片土地的黄金之王每天换一件缀有金沙的新上衣。于是，这些人便猜想印加帝国便是传说中的黄金之国，印加王就是黄金之王。

1531年，西班牙弗朗西斯科·皮萨罗率领由200多人组成的队伍准备入侵印加帝国，部队配备了当时最先进的火枪和大炮，其中还有62名骑兵。而当时印加皇帝阿塔瓦尔帕对这些外来侵略者毫无防备，没有采取任何防御措施。

皮萨罗发动突然袭击，俘虏并囚禁了阿塔瓦尔帕皇帝，然后向他勒索黄金，保释金是在长22英尺（约6.6米）、宽17英尺（约5米）的囚室里装满高达9英尺（约2.7米）的黄金。大概算来，填满这间囚室需要40万千克的黄金。

为了解救国王，阿塔瓦尔帕的臣仆先送了5万千克黄金，但皮萨罗怕皇帝自由后会组织军队反抗他，就残忍地绞死了阿塔瓦尔帕皇帝。正在运送黄金的臣仆们听到这个消息后，迅速把黄金藏匿起来，甚至把预先交来的黄金也转移了。之后，皮萨罗带兵攻占了印加首都库斯科，把那里的黄金和财宝洗劫一空。

皮萨罗在南美掠夺到巨额黄金的消息马上便传遍了整个欧洲，印加也就成了无数欧洲冒险家们理想中的“黄金之国”。

14. 印加首都库斯科为什么又被称为“大地的肚脐”？

库斯科是印加文化的摇篮，从公元1000年到16世纪西班牙殖民者入侵之前，库斯科一直是印加帝国政治、经济、文化和宗教中心。

库斯科是一座气候宜人的高原城市，它坐落在秘鲁南部安第斯山脉南段群山环抱的库斯科盆地中。这里环境优雅，崇山峻岭和葱郁的林木围绕在城市的四周。因而又有“安第斯山王冠上的明珠”“离太阳最近的城市”的美称。

11世纪，印加帝国皇帝曼科卡巴克主持兴建了这座城市。经过一系列的战争和征服之后，印加帝国时代达到它的顶峰，库斯科亦发展成为帝国的首都和神圣的城市。

在人类文化中，因为古代交通不方便，常将某些地方视为世界的中心，而用地球的肚脐称呼。在克丘亚语中，“库斯科”意为“肚脐”，当时的印加人认为库斯科就是“世界的中心”，于是便称其为“大地的肚脐”。

也有不同的看法。印加王族的后裔德拉维加推测说，可能是因为印加帝国地形狭长，形状颇似人体，而库斯科正好处于中间，和肚脐的位置很接近，故以此称呼。

1533年11月15日，西班牙殖民者攻破了这个城市，库斯科遭遇毁灭，印加帝国亦随之宣告灭亡。

知识链接

库斯科的起源

有关库斯科的起源，印加人中流传着这样一则神话传说：很久以前，创造神比拉科查在的的喀喀湖心太阳岛上创造了一对青年男女，男的叫曼科·卡帕克，女的叫玛玛·沃利奥，两人两情相悦，结为夫妻。创造神传授给他们各种技艺，赐给他们一根神奇的金杖，并示意他们去寻找金杖沉没之地，在那儿定居将会永远快乐幸福。

这对年轻夫妇遵照神的旨意，带着金杖四处寻找。有一天，他们来到了库斯科盆地，像往常一样，将金杖插入地里，这一次，金杖片刻之间便消失得无影无踪，于是他们便在这里安居乐业，生息繁衍，建立起库斯科城。

15. 英国为什么会被称为“殖民帝国主义”？

英国是最早走上资本主义道路和实现产业革命的国家，在自由资本主义阶段，它是最强大的资本主义国家和“世界工厂”。进入垄断资本主义阶段以后，英国的经济发展相对地缓慢下来，工业生产集中的速度和程度，垄断组织的数量和对经济的统治程度，都落后于美国和德国。英国垄断组织较大发展是在19世纪90年代，到20世纪初，虽在多数部门都出现了不同形式的垄断组织，但纺织、煤炭、冶铁等一些旧工业部门还处于分散经营的状态。

不过，在资本输出和领土瓜分方面，英国却表现得非常突出。从17世纪初起到19世纪中叶，英国逐步建立了一个庞大的殖民体系。到1914年第一次大战爆发之前，英国拥有的殖民地面积达3350万平方千米，占全球面积的1/4，相当于英国本土面积的100多倍；拥有的殖民地人口近4亿万人，是英国人口的9倍。在大量侵占国外领土的同时，英国又进行了大量资本输出。到1913年，英国的国外投资总额已达40亿英镑，相当于英国国民财富的1/4。英国资本的输出，一半以上是投放在殖民地、半殖民地国家。英国最大的垄断组织也是产生在垄断殖民地原料生产和销售的领域。如在南非创立的大垄断公司德比尔斯采矿公司、1907年英国资本与荷兰资本共同创立的英荷壳牌石油公司和1909年创立的英伊石油公司等。

虽然英国的工业生产在资本主义世界的地位下降了，但还是很繁荣的，其繁荣是建立在对殖民地的榨取上的，殖民地对英国的兴衰具有极大的意义。因此，英国被称为“殖民帝国主义”。

16. 有“高利贷帝国主义”之称的法国是因为高利贷交易猖獗而得名的吗？

到20世纪初，法国也开始进入垄断资本主义阶段。但就法国经济发展的总体趋势看，还是比较缓慢的，远远落后于美国和德国，其经济地位从世界的第二位下降到第四位。造成这一现象有几方面的原因：普法战争失败后的割地以及巨额的赔款，严重影响了法国资本主义的发展；法国存在大量小农经济，使得国内市场狭窄，限制了工业的发展；法国存在大量小企业，限制了工业新装备和新技术的采用。

由于国内生产得不到高度发展，垄断资产阶级便把大量资本向海外输出，从中榨取高额垄断利润。到第一次世界大战前，法国成为仅次于英国的第二大资本输出国。但法国的资本输出与英国不同，法国的资本输出绝大部分是给外国政府的财政贷款，具有明显的高利贷性质，而不是像英国那样，是生产性的投资。垄断资本家把大量资本投在信贷领域，而不是投在生产领域。这种非生产性的高利贷性质的资本输出，使法国每年收获巨额利息。据资料统计，从1909年到1913年间，法国仅高利贷的利息每年就有十七八亿万法郎。

由此，法国成了欧洲的高利贷者。法国垄断资产阶级这种高利贷性质的资本输出，对法国帝国主义形成和经济发展具有特殊意义。因此，法国被称为“高利贷帝国主义”。

17. “容克－资产阶级帝国主义”指的是哪个国家？

“容克”是德语Junker的音译，原指无骑士称号的贵族子弟，后泛指普鲁士贵族和大地主。

19世纪30年代，德意志开始了工业革命。1834年成立的以普鲁士为首的关税同盟，取消了同盟内部关税壁垒，制定统一的税制，有力地推动了德意志工业的发展。资本主义经济的发展，迫切要求一个统一的德意志国家。1862–1871年，俾斯麦利用“铁血政策”统一德意志，俾斯麦是容克的代表性人物，所以在德意志统一的过程中容克的势力得到壮大，享有许多政治、经济特权。也因此，德国统一后一直到1918年德意志第二帝国战败瓦解为止，容克一直控制着德国政权（特别是军权）。

第二次工业革命后，德国资本主义迅速发展并于19世纪末20世纪初进入垄断资本主义阶段。期间，资产阶级力量日益壮大，并分享到一部分政权，但实际掌握国家政权的依然是容克。不过这些容克也由于采用资本主义方式经营农业和投资于工业而与资产阶级有着共同的利益。

这样一来，19世纪末20世纪初的德国便出现了其他帝国主义所没有的特点：一方面，容克贵族地主控制着国家政权，另一方面资产阶级也分享政权，并且已经进入垄断资本主义即帝国主义阶段。因此，列宁将德国概括为“容克—资产阶级帝国主义”。

18. “苏联”的名称从何而来？

第一次世界大战期间，俄罗斯帝国爆发二月革命，沙皇下台，俄罗斯帝国解体。出现了由市民阶级组织的临时政府与列宁和工人士兵为代表的苏维埃并存的局面。最后，列宁领导俄国社会民主工党左翼（布尔什维克）联合其他左翼政党在圣彼得堡发动起义，从临时政府手中夺取政权，取得十月革命的胜利。革命后改国名为苏维埃社会主义俄国，简称苏俄，之后，苏俄与德国及其盟国签订和约，退出第一次世界大战。

第一次世界大战结束以后，英国、法国、日本、波兰、美国等国因不满苏俄单方面退出对德战争，以及沙皇俄国的债务等问题，对俄国革命进行了武装干涉。国内忠于沙皇的势力以及富农、地主和资产阶级力量组织白军发起了反对苏维埃政权的战争。经过俄国内战，苏维埃红军击败了白军和众多国家的联合武装干涉，巩固了新生的苏维埃政权。

为了把各族人民的力量团结起来，加速国民经济建设，组织坚固的国防，对付资本主义的包围和新的侵略威胁，在俄共（布）中央的领导下，1922年12月，在莫斯科召开了全国苏维埃第一次代表大会。大会根据列宁的提议，讨论了斯大林关于成立苏维埃社会主义共和国联盟的报告，批准了成立宣言和联盟条约，选出了苏联中央执行委员会。“苏联”即苏维埃社会主义共和国联盟的简称。

当时，苏联由俄罗斯、乌克兰、白俄罗斯和外高加索联邦（包括阿塞拜疆、亚美尼亚和格鲁吉亚）4个苏维埃共和国组成。随后逐步扩大到15个加盟共和国。

知识链接

苏联的终结

1991年底，俄罗斯总统叶利钦同白俄罗斯及乌克兰的总统在白俄罗斯的首府明斯克签约，成立独立国家联合体，通过建立一个类似英联邦的架构来取代苏联。除波罗的海三国和格鲁吉亚外的其他苏联加盟国纷纷响应，离开苏联，苏联在此时已经名存实亡。

1991年12月25日，苏联总统戈尔巴乔夫宣布辞职。第二天，苏联最高苏维埃通过最后一项决议，宣布苏联停止存在。从此，苏联正式解体。

19. 底比斯为什么被称为“百门之都”？

底比斯是一座充满神奇色彩的古城，建于4000多年前。在古王国时期，底比斯是一个并不大也没有名气的城镇。到了新王国时期，随着交通和经济的发展，底比斯才逐渐成为埃及的商业中心。

底比斯的兴盛是和阿蒙神联系在一起的。第11王朝法老孟苏好代布定都底比斯后，将底比斯的守护神阿蒙奉为“诸神之王”，由此，阿蒙成了全埃及地位最高的神。此后，孟苏好代布便开始在这里为阿蒙神大兴土木，修建了一座座壮观的神庙，底比斯才逐渐繁荣起来。在此后的600年间，底比斯持续繁荣，并在古埃及新王国时期迎来了它的高峰。

底比斯是一座美轮美奂、“生者与死者奇妙结合”的城市。都城跨尼罗河两岸。东岸是“生者的乐园”，是法老居住的地方，规模壮阔，拥有100座城门，乃当时世界最大城市。因而底比斯被古希腊大诗人荷马称为“百门之都”。

底比斯城内布满豪华的王宫、阴森的神庙、大臣和奴隶主的府第、外国使节的宾馆、手工作坊、监狱、兵营、奴隶住的地洞、茅舍等。其中的阿蒙神庙主殿，总面积达5000平方米，有134根圆柱，中间最高的12根大圆柱高达21米，每根柱顶上可以容纳100来人，规模之大世界罕见。底比斯西岸是太阳沉落的地方，也被称为“死者的天堂”，因为古代埃及历代帝王及其亲属、大臣都葬于此地。这里遍布着连绵不绝的陵墓群，已发现国王墓62座，有“王陵谷”之称。

经过几千年的岁月，昔日宏伟的殿堂庙宇现在都变成了废墟，但人们依然能够从中想象出它们当年的雄姿。

20.“爱琴海”的名称从何而来?

相传在远古的时候，有一个名叫米诺斯的国王统治着克里特岛。为了巩固海上霸权，他曾经允诺送给海神波塞冬一头公牛，后来却因为公牛长相太美而反悔。波塞冬一怒之下，让米诺斯王妃爱上公牛，并产下人身牛头的牛怪米诺陶勒斯。

米诺斯知道后非常愤怒，他请著名的建筑师代达罗斯为他修建王宫，并将牛怪关在那里。整座王宫豪华壮丽，其中有无数的宫殿和纵横曲折的通道。每一个进入王宫的陌生人都会迷失在宫中，再也别想出来，因此被称为迷宫。

有一年，米诺斯的儿子在雅典被人谋害。为了报复，米诺斯向雅典宣布：每9年雅典要送7对童男童女给米诺斯。米诺斯王把他们送入迷宫，让他们被迷宫中的牛怪吃掉。米诺斯的这一决定让雅典人非常恐惧，却又无可奈何。

这一年，又轮到雅典人进贡。有童男童女的父母们，都害怕自己会抽到不幸的签，整个城市处于一片悲哀之中。雅典国王爱琴的儿子提修斯为了解救蒙受灾难的百姓，挺身而出，宣布自己情愿作为贡品到克里特去，并且要杀死那个吃人的牛怪。老国王爱琴只有这一个爱子，但是他的悲痛也不能改变提修斯的决心。于是老国王只好按照风俗习惯，在驶往克里特的船上挂上绝望的黑帆，送儿子和童男童女出海。提修斯和他的父王约定，如果他们能平安归来，就把船上的黑帆换成白帆，使人们远远地就能知道，他们活着回来了。

提修斯到达克里特后，克里特国王的女儿对他一见钟情。为了挽救提修斯的性命，美丽的公主送给他一把魔剑和一个线团。智勇兼备的提修斯一进入迷宫，便把线团的一头系在迷宫入口处，随后徐徐放开线团，顺着复杂的通道，一步步走向迷宫深处。终于，他与牛怪狭路相逢，提修斯使尽全力抓住了牛怪的角，一剑将它刺死。然后他领着被关在迷宫里的童男童女，沿着线成功地走出迷宫。出来以后，他们立刻来到海边，把克里特人的船底都全部凿穿，以防止米诺斯派人追击。之后他们和米诺斯国王的女儿，登上自己的船起航回国。

几天的航行过去了，雅典已经隐约在望。可是兴奋异常的提修斯早已将临行的约定忘在脑后，没有换下黑帆。爱子心切的国王爱琴早已来到海边，从高处望着辽阔的大海。当他看见挂着黑帆的船出现时，以为儿子已经遇难了。悲痛至极的国王纵身一跃，跳入大海。从此，爱琴国王投海自杀的那个海，被称为“爱琴海”。

21. 佩特拉为何被誉为“玫瑰城”？

佩特拉是约旦的一座古城，位于约旦安曼南250千米处，隐藏在一条连接死海和阿卡巴海峡的狭窄峡谷内。

佩特拉以岩石的色彩而闻名于世，这座峡谷中的城市也因其色彩而被称为玫瑰城。玫瑰城源于19世纪的英国诗人柏根一首诗里的一句：“一座玫瑰红的城市，其历史有人类历史的一半。”其实，这里的岩石不只呈红色，还有淡蓝、橘红、黄色、紫色和绿色。当年柏根参观该地后，他也不得不承认当初所做出的描述是不确切的。但“玫瑰城”这一名称却随着诗歌的传诵为人所熟悉和接受。

佩特拉古城处于与世隔绝的深山峡谷中，位于海拔1000米的高山上，几乎全在岩石上雕刻而成，周围悬崖绝壁环绕，其中有一座能容纳2000多人的罗马式露天剧场，舞台和观众席都是从岩石中雕凿出来的，紧靠岩山巨石，风格浑厚。另外，在古城东北的山岩上，有一规模宏伟、建筑精美的石窟，是两代国王的墓室，共3层，下两层用山岩就地雕凿，上一层用平整巨大的石块堆砌而成。

通往佩特拉的必经之路是一个叫西克的山峡，深约60米。这条天然通道蜿蜒深入，直达山腰的岩石要塞。峡谷尽头豁然开朗，耸立着一座高约40米、宽约30米、依山雕凿的哈兹纳赫殿堂，造型雄伟，令人惊叹。这座建筑名叫卡兹尼，它最引人注目的特征是色彩，由于整座建筑雕凿在沙石壁里，阳光照耀下，粉色、红色、橘色以及深红色的层次生动分明，衬着黄、白、紫三色条纹，沙石壁闪闪烁烁，无比神奇。

佩特拉古城反映了纳巴特王国500年繁荣时期的历史，古城多数建筑保留了罗马宫殿式的风格，表明古纳巴特人曾受到罗马文化的影响。1982年，佩特拉古城被联合国教科文组织列入世界遗产名录，因而受到全世界的关注。

22. 尼尼微为什么会被称为“血腥的狮穴”？

尼尼微是古代亚述帝国的都城，位于底格里斯河东岸。公元前8世纪，尼尼微成为亚述帝国的都城后，亚述王辛赫那里布把大部分时间和精力都用在城市的建设上，他修建了很多宫殿、庙宇、大街、公园，另外，还修建了高大而坚固的外城墙和内城墙。在后世看来，尼尼微城的宏伟可与巴比伦城媲美。但这样一座繁华而宏伟的都城在历史上却名声不佳，在犹太人的经典中，尼尼微被称为“血腥的狮穴”。这是为什么呢?

公元前 8 世纪后期，亚述国已经成为两河流域最强大的国家。亚述有一支当时世界上兵种最齐全、装备最精良的常备军。凭借强大军队，亚述王提格拉特帕拉沙尔三世和他的后代进行了一系列的侵略战争，先后征服了小亚细亚东部、叙利亚、腓尼基、巴勒斯坦、巴比伦尼亚和埃及等地。

亚述国王对不肯投降而在战争中失败的国家，报复极其残酷。破城之后，亚述士兵残酷地对待着城里的人们，敲碎他们的头颅，割断他们的喉管，火烧他们的房屋，抢走他们的财产，还掳走他们的妻子和儿女。

公元前743年，亚述军队攻陷了叙利亚首都大马士革。由于城中军民拼死抵抗。城破之后被亚述士兵斩下的头颅，竟然堆成一座小山。亚述人还把成千的战俘，绑在上端削尖的木桩上，让他们慢慢在痛苦中死去。对于孩子，亚述人也不肯饶过，统统杀掉。城中所有的贵重物品，都被运回亚述。

由于亚述帝国统治者侵略的种种暴行，作为亚述帝国都城的尼尼微便被称为“血腥的狮穴”。

23. 巴比伦为什么被称为“冒犯上帝的城市”？

巴比伦最初不过是位于幼发拉底河和底格里斯河交汇处的一个不知名的小城市。公元前2200年，阿摩利人攻占了这座小城。从此，阿摩利人以此为中心，四处征战，最终建立了一个强大的王国。后来，巴比伦不断受到外族的进攻，历经了500多年战乱，直到公元前7世纪末，才在尼布甲尼撒领导下建立了新巴比伦王国。

在新巴比伦王国时期，尼布甲尼撒二世对巴比伦城进行了大规模的建设，使巴比伦城成为当时世上最繁华的城市。那么为什么称巴比伦城为“冒犯上帝的城市”呢？

《旧约·创世记》第11章有这样一段记述：人类的祖先最初讲的是同一种语言。他们在往东移的过程中，在底格里斯河和幼发拉底河之间，发现了一块非常肥沃的土地，于是就在那里定居下来，修起了城池。后来，他们的日子越过越好，决定修建一座可以通到天上去的高塔，以便传扬名声。直到有一天，高高的塔顶已冲入云霄。上帝耶和华得知此事，立即从天国下凡视察。看到这座塔就要建成了，上帝又惊又怒，认为这是人类虚荣心的象征。同时，他也嫉妒人们的智慧和成就。他深知，人们之所以能建成巨塔，是因为讲同样的语言，能够很好地沟通。于是，上帝决定让人世间的语言发生混乱，使人们互相言语不通，结果工程不得不停止下来，这座塔最终没能建成。

人们认为这个传说中的地方就是巴比伦，《创世记》中记述的那座大塔就是尼布甲尼撒二世下令所建的通天塔。因为修建这座高塔惹怒了上帝，所以后来人们就把巴比伦叫作“冒犯上帝的城市”。

24. 阿兹特克人为什么将自己建立起来的村落命名为“石头上的仙人掌”？

阿兹特克人是古代墨西哥文化舞台上最后一个登场的，他们创造了辉煌的阿兹特克文明，开创了阿兹特克族最兴盛的时期。

阿兹特克族是北方贫瘠而居无定所的狩猎民族，约公元2000年左右，他们侵入墨西哥谷地，征服了当地居住的托尔特克人。在16世纪西班牙入侵之前，特诺奇蒂特兰作为阿兹特克帝国的中心，拥有人口20万–30万，是当时世界上最繁荣的城市之一。它的文化不仅具有自己民族的特色，还具备其他部落的特色。在宗教的庇护下，阿兹特克的经济得到了长足的发展。经济的发展进而推动了阿兹特克人的教育、科学研究、天文学、历法、文字、艺术等各方面的发展。

关于阿兹特克族的定居有一个有趣的传说。阿兹特克人崇拜的太阳神和战神维洛波切特利曾对他们说："你们去寻找一只鹰，它栖身在一株仙人掌上，口中还衔着一条蛇，它所在的那个地方就是你们居住之地。"于是，阿兹特克人遵照神的指示，最后在墨西哥谷地的特斯科科湖畔的一个小岛上找到了这只站在仙人掌上的鹰。他们就在这里定居下来，建立了自己的村落，取名为"特诺奇蒂特兰"，意即"仙人掌之地"。今天墨西哥的国徽就是根据这个传说而来。

25. 什么是"千年王国"？

"千年王国"一般是指16世纪德国农民战争的杰出领袖闵采尔所设想的一种理想社会。

闵采尔认为，"千年王国"的实现有赖于人的理性的启示。给人以启示的不是神，而是人的理性。无论是谁，只要信仰坚定，无需教会和教士的帮助，循着理性的启示，就可以直通上帝，升入天国。"千年王国"不在彼岸，在此生中便可以找到。建立"千年王国"依靠的手段就是暴力。在"千年王国"，社会应实行财产共有和共同分配；一切人都有同等的劳动义务；人与人之间必须实现完全平等；一切官僚机构都应该废除。

闵采尔极力把对都会教义的批判转化为政治鼓动，注入反映农民和平民群众要求的内容。他提出的政治纲领要求立即建立一个地上的天国，一个"没有阶级差别，没有私有财产，没有高高在上和社会成员作对的国家政权的一种社会"。闵采尔的理想反映了处于形成时期的无产阶级的要求，"是不成熟的幼稚的共产主义思想的微光，是对当时平民中刚刚开始发展的无产阶级因素的解放条件的天才预见"。

恩格斯在《德国农民战争》一书中，高度评价闵采尔的“千年天国”。闵采尔的学说是革命的，却超越了社会条件和历史阶段，“要实现他的理想，不仅当时的运动，连他所处的整个世纪也都不够成熟”。

26. 美国“白宫”的名称是怎么来的?

美国白宫位于华盛顿市区中心宾夕法尼亚大街1600号。北接拉斐特广场，南邻爱丽普斯公园，与高耸的华盛顿纪念碑相望，是一座白色的二层楼房。白宫是美国总统的官邸和主要工作地。那么，白宫这个名称是怎么得来的呢?

白宫始建于1792年，耗时8年，于1800年11月1日竣工。白宫从前并不是白色的，也不称白宫，而被称为“总统大厦”或“总统之宫”。1792年始建时是一栋灰色的沙石建筑。从1800年起，这座建筑成为美国总统在任期内办公并和家人居住的地方，但主持修建的美国第一任总统华盛顿并没有入住。在1812年第二次美英战争中，英国军队入侵华盛顿。1814年8月24日，英军焚毁了这座建筑物，只留下了一个空架子。1817年重新修复时为了掩饰火烧过的痕迹，门罗总统下令在灰色沙石上漆上了一层白色的油漆，从那以后，这栋总统官邸便一直被形象地称为“白宫”。1901年，美国总统西奥多·罗斯福正式把它命名为“白宫”，白宫也成了美国政府的代名词。

200年来，白宫风云深深影响了整个世界的历史，白宫建筑群也成了历史性建筑。

知识链接

1814年英军入侵华盛顿

1814年春季，英国罗伯特·罗斯将军率领一支部队在几乎未遇到任何阻力的情况下，十分顺利地闯入了美国首都华盛顿。当时保卫首都的部队是由威廉·温德指挥，这一位声名狼藉且不称职的将军，为了不损耗部队，他置首都华盛顿不顾，命令军队撤退。

就这样，英军几乎一枪未放就占领了华盛顿。进城之后，他们烧毁了华盛顿的大部分公共建筑，其中就包括白宫。据说在对白宫点火前，英军海军上将科伯恩还与其部下在白宫享用了本为麦迪逊总统和夫人准备的晚餐。

27. 威尼斯为什么被称为“水都”？

威尼斯位于意大利东北部，是亚得里亚海威尼斯湾西北岸的一个重要港口。威尼斯的历史相传开始于公元453年，当时威尼斯地方的农民和渔民为逃避游牧民族抢掠，迁移到这里。

威尼斯整个城市面积不到7.8平方千米，却由118个小岛组成，177条运河蛛网一样密布其间，这些小岛和运河由大约401座各式各样的桥梁缀接相连。威尼斯的水道就是城市的马路，市内没有汽车和自行车，也没有交通指挥灯，船是市内唯一的交通工具。整个城市只靠一条长堤与意大利大陆半岛连接。因此，威尼斯被世人称之为“水都”。

这里所有的房子都建在水上，一般的建设方法是先在水底下的泥土上打下大木桩，木桩一个挨一个，这就是地基，打牢了，铺上木板，然后就盖房子。据说当年为建造威尼斯，意大利北部的森林全被砍完了。所以有人说，威尼斯城上面是石头，下面是森林。

威尼斯有些水道十分狭窄，两条船不能并开，只能单行。街道两旁都是古老的房屋，底层大多为居民的船库。连接街道两岸的是各种各样的石桥或木桥，它们高高地横跨街心，一点儿也不妨碍行船。这里的桥梁和水街纵横交错，四面贯通，人们以舟代车，以桥代路，形成了世界著名“水都”特有的生活情趣。

28. “香蕉共和国”指的是生产香蕉的国家吗？

香蕉是人们喜爱的水果之一，欧洲人因它能解除忧郁而称它为“快乐水果”。那么“香蕉共和国”是什么意思？是指生产香蕉的国家吗？

香蕉共和国其实是一个贬称，是指那些经济单一（通常是经济作物如香蕉、可可、咖啡等）、拥有不民主或不稳定的政府，特别是那些拥有广泛贪污和强大外国势力介入的国家。

“香蕉共和国”一词是1904年美国作家欧·亨利创造的，他在他的作品中以香蕉共和国来影射被美国控制的洪都拉斯。随后，这个绰号亦被用在经济命脉被美国联合果品公司和标准果品公司控制的危地马拉、哥斯达黎加等中美洲国家。

1871年，美国铁路企业家梅格斯在哥斯达黎加首都圣荷西和柠檬港之间架起了铁路，让中美洲各国的香蕉出口到了美国。在此之前，美国人没见过香蕉，更不要说吃了。不过，在铁路建筑好后的28年内，美国人吃掉了1600万串香蕉。之后，梅格斯之侄凯斯娶了哥斯达黎加总统之女为妻，政权和经济开始紧密联系到一起。

美国联合果品公司和标准果品公司不但操纵“香蕉共和国”的经济命脉，还自行或透过美国政府插手这些国家的政治、经济，甚至可以操纵更改总统人选。

1951年危地马拉总统阿本斯宣布将联合果品公司在危地马拉的大片种植香蕉土地收归国有，使得联合果品公司失去不少原料来源，大大增加了其成本。曾任职于联合果品公司的美国国务卿杜勒斯对此特别的不满。1954年，杜勒斯策动总统阿本斯的竞争对手阿马斯从洪都拉斯入侵危地马拉，导致阿本斯辞职。于是没收联合果品公司土地法令被废除，他们可以继续以低廉的价格购入香蕉，获取巨大的利润。

29. 庞贝古城为什么被称为“天然博物馆”？

庞贝古城是亚平宁半岛西南角坎佩尼亚地区的一座历史悠久的古城，西北离罗马约240千米，位于意大利南部那不勒斯附近，维苏威火山西南脚下10千米处。庞贝古城始建于公元前 8 世纪，公元前 3 世纪中叶，罗马人将庞贝纳入自己的版图，庞贝随着罗马帝国的强盛而强盛，曾是世界上最美丽繁华的城市之一。

公元79年8月24日，维苏威火山爆发，火山灰、浮石、碎岩如倾盆大雨飞泻而下，庞贝被湮没。庞贝城在地下沉睡了千余年后，终于被人发掘。

庞贝遗址东西长1200米，南北宽700米，城内面积1.8平方千米，有城门7扇。城内4条大街，呈“井”字形纵横交错。主街宽7米，由石板铺就，沿街有排水沟。城内最宏伟的建筑物，都集中在西南部一个长方形的公共广场四周，广场周围设有神庙、公共市场、市政中心大会堂等建筑物。广场的东南方，是庞贝城官府的所在地，广场的东北方则是繁华的集贸市场。另外，城内还有公共浴池、体育馆和大小两座剧场，街市东边则有可容纳1万多名观众的圆形竞技场。

突发的灭顶之灾使庞贝的生命倏然终止，它在被毁灭的那一刻也同时被永远地凝固了。庞贝因此得以成为我们今天还能领略到的最伟大的古代文明遗址之一，遗址真实地保留着灾难来临前庞贝人的样子，因此，庞贝古城被人们称为“天然博物馆”。

知识链接

维苏威火山

维苏威火山是世界著名的活火山之一，位于意大利南部坎帕尼亚平原的那不勒斯湾。维苏威火山最早形成于地质史上的更新世晚期。维苏威是比较年轻的火山，一直休眠了很多个世纪。公元79年，维苏威火山发生大喷发，庞贝和斯塔比伊两座城市被火山灰和火山砾埋没，赫库兰尼姆城也被泥流掩埋。

30. 意大利报纸为什么称利比亚为“我们的乐土福地”？

利比亚是北非一片荒漠之地，椰枣、驼毛、鱼和海绵是这个国家所能提供的一切。虽然利比亚经济价值有限，但它却具有很大的战略意义。因为从这里可以向四方扩展，如果占有的黎波里塔尼亚，就可以威胁到法国的突尼斯和乍得的绿洲地区，以及英国的埃及和东苏丹。意大利早就把它看成是自己在北非进一步扩张的对象。

为了夺取利比亚，意大利在外交方面进行了一系列准备工作。早在1881年，英、意、西、奥等国就缔结了一系列关于维持地中海原状的协定，阻止法国侵占利比亚。1887年，意大利与英国和奥匈帝国签订关于维持地中海原状的协定。此外，意大利答应支持英国在埃及的事务，英国则支持意大利在北非的行动。不久，意大利与德国在专门的协定当中共同声明，德国和意大利不允许法国占领利比亚，如果发生意法战争，德国将支持意大利。与此同时，意大利还与奥地利和西班牙签署了类似的秘密协议。

意大利在进行外交准备的同时，对利比亚也实行内部渗透。意大利政府通过商人在利比亚购买土地，创办农业企业，扩充势力；并命令海军军官都化装成渔民在的黎波里沿海捕捞海绵，借此秘密进行海岸测量、拍照等搜集情报工作；之后，意大利垄断了的黎波里与欧洲之间的航运交通，制订了图卜鲁格至亚历山大铁路设计方案，并准备在图卜鲁格建立海军基地；此外，意大利还在的黎波里塔尼亚建立天主教传教士团、学校。

这些准备工作的顺利开展使得意大利认为利比亚已经是他们的囊中之物，意大利报纸把利比亚称为“我们的乐土福地”，之所以这样称呼，是因为他们希望将利比亚改造成意大利自由发展的区域。

不屈不挠的利比亚人进行着各种各样的反抗殖民统治的斗争。1932年，意大利通过大屠杀和血腥镇压的方式完成了对利比亚的殖民统治。

31. “罗德岛”与太阳神阿波罗有什么关系?

在远古时代，希腊诸神为争夺主神之位展开了大战，宙斯最后获胜，成为万神之王。志得意满的宙斯登上宝座后开始论功行赏，分封诸神，但忘了给当时正出巡天宫的太阳神阿波罗留下一块封地。阿波罗回来后大为不悦，宙斯于是施展神力，指着隐没于爱琴海深处的一块巨石，巨石欣然浮出水面，宙斯把这个浮出水面的岛分封给太阳神。这个岛被蔚蓝色的海水所围绕，风光秀丽，气候温暖，阿波罗颇为满意，便用爱妻罗德斯（爱神阿弗洛狄忒之女）的名字将其命名为罗德岛。他的3个儿子卡米诺斯、莫诺利索斯和林佐斯被分封在岛上各处，各自建立起自己的城邦。

这个美丽传说中的罗德岛就位于爱琴海与地中海交界处，西距希腊大陆450千米，北距土耳其大陆19千米，面积1400平方千米。因为这个传说，罗德岛上的居民十分尊崇太阳神，把太阳神奉为他们的保护神。公元前4世纪，罗德岛的3个城邦，即卡米诺斯、莫诺利索斯和林佐斯，凭借罗德岛处在东西方交界处的地理优势，以及岛上肥沃的土壤、良好的气候，逐渐发展起来，成为地中海上重要的经济中心。

公元前4世纪末，马其顿帝国动用了200艘战舰、运输船170艘，率领强大的军队对罗德岛发起了大规模的进攻。但罗德人民凭借着顽强的抵抗以及埃及的支援，终于打退了马其顿军队。为了庆贺胜利，他们熔化所缴获的敌人武器，建造了一尊巨大的太阳神像，以此来感谢阿波罗对他们的保佑。

32. 耶路撒冷的“西墙”为什么又被称为“哭墙”？

耶路撒冷的西墙位于耶路撒冷东区老城的东部，它是犹太教圣殿两度修建、两度被毁的遗迹，是犹太人心目中最神圣的地方。

公元前900多年，以色列国王所罗门在耶路撒冷建立了第一座圣殿。公元前586年，巴比伦侵占了以色列，摧毁了第一圣殿，犹太人流离失所。经过了半个世纪的流亡生活，犹太人陆续重返家园，并在第一圣殿旧址上建造了第二圣殿。公元70年，罗马帝国将军提图斯攻陷耶路撒冷，拆毁圣殿。

如今的西墙，是第二圣殿护墙的仅存遗迹，长约50米，高约18米，由大石块构成。在罗马人占领耶路撒冷以后的千百年中，常有流落在世界各个角落的犹太人来此号哭，以寄托其故国之思，故此墙又被称为“哭墙”。

据说，在所罗门圣殿被罗马人焚烧时，犹太人面对坍塌的大殿和残垣断壁，聚集在西墙下失声恸哭。期间，有人看见有六位天使也坐在一面残墙上哀声哭泣。天使的泪水渗入石缝，从而使圣殿废墟的残壁永远不倒，见证着这段苦难与悲剧。

如今，每天都有人来哭墙哭泣或祈祷，特别是每逢宗教节日，更有大批犹太人聚集墙下，举行缅怀先人和追忆民族苦难的祈祷仪式。

知识链接

哭墙“哭”了

2002年7月，哭墙出现极为不寻常的异象。哭墙的一块石块竟流出泪水般的水渍，流出的水滴浸湿了400平方厘米面积的城墙。哭墙流出的水滴经过几天风吹日晒依然如此，既不扩大，也不消失。

这一现象令不少极端正统的犹太教人士激动不已，因为在犹太教传说中，哭墙流泪是犹太救世主弥赛亚降临的先兆。但有一些犹太教中的神秘教派指出，在他们的典籍中，哭墙流泪是世界末日的先兆。

一个考古专家小组对此现象进行了调查研究，最后得出结论是“不像是水迹，应该是植物的分泌物”。

33. 七大洲是怎样命名的?

欧洲的全称是欧罗巴洲，意译为“西方日落之地”。关于其名的由来，有一些传说。在希腊神话中，德米特是专管农事活动的女神，她保佑人间五谷丰登、人畜两旺。在有关这位女神的画像中，人们总是把她画成坐在公牛背上的女神。这位女神的另一个名字叫欧罗巴，人们出于对女神的敬意，就把欧罗巴作为大洲的名字。

亚洲是亚细亚洲的简称，意思是“东方日出之地”。相传亚细亚的名字是由古代腓尼基人所起。古腓尼基帝国频繁的海上活动，要求腓尼基人必须确定方位。所以，他们把地中海以东的陆地一律称之为“Asu”，意即“东方日出之地”。“Asia”是从腓尼基语“Asu”演化而来，音译为“亚细亚洲”。

北美洲和南美洲合称美洲，美洲是亚美利加洲的简称。美洲的得名，普遍的说法是为纪念意大利佛罗伦萨的一位名叫亚美利哥·维斯普奇的著名航海家。1499年，亚美利哥率领船队从海上驶往印度，他们沿着哥伦布所走过的航路向前航行，克服重重困难终于到达美洲大陆。亚美利哥经过对南美洲东北部沿岸的详细考察，确信这块大陆是世界上的另一个大洲，并编制了最新地图。为表彰他对人类认识世界所做的杰出贡献，人们便以亚美利哥的名字为新大陆命名，后来，仿照其他大洲的名称词尾形式，“亚美利哥”又改成“亚美利加”。起初，这一名字仅指南美洲，后来，北美洲也算美洲的一部分了。

拉丁美洲是美国以南，包括墨西哥、中美洲、西印度群岛和南美洲地区的通称。15世纪末，这个地区的绝大部分国家先后沦为西班牙和葡萄牙的殖民地。长期的殖民统治使当地的印第安语逐渐被属于拉丁语系的西班牙语和葡萄牙语所取代。所以人们便把这个地区称为“拉丁美洲”。

非洲是阿非利加洲的简称。有一种普遍的说法是阿非利加（Africa）一词来源于拉丁文的aprica，意思是“阳光灼热”的地方。因为赤道横贯非洲的中部，有3/4的非洲土地受到太阳的垂直照射，所以，这块大陆一半以上地区终年炎热，故称为“阿非利加”。

大洋洲，意即大洋中的陆地。过去，大洋洲也曾被称为澳大利亚洲，简称澳洲，因为澳大利亚的面积占了大洋洲面积的85%。大洋洲的名称最早出现于1812年前后，由丹麦地理学家马尔特·布龙命名。

南极洲，被称为“世界第七大洲”，英文名为Antarctica，源出希腊文anti（相反）加上Arctic（北极），意为北极的对面，即南极。现在一般认为南极大陆是19世纪被发现的。据说，美国人于1820年首次看见南极大陆，因该大陆处在地球的最南端南极的周围，因此被称为“南极洲”。

34. 四大洋是怎样命名的？

太平洋最初没有统一的称呼，中国古代把它笼统地称为“沧海”“东海”等，在国外也曾有人将它命名为“南海”。“太平洋”是葡萄牙著名航海家麦哲伦所起的名称。1520年，麦哲伦率领船队越过狂风恶浪的大西洋，穿过后来以他名字命名的麦哲伦海峡，进入了一片新的大洋。麦哲伦发现这里波平如镜，与汹涌澎湃、波浪滔天的大西洋形成鲜明的对照，因此他便把这个叫作“南海”的大洋改称为“和平之洋”，汉译为“太平洋”。

大西洋在西方各种语言中被称为“阿特兰他洋”。这个名字源于古希腊神话中的英雄阿特拉斯。阿特拉斯是普罗米修斯的兄弟，普罗米修斯因盗取天火给人间而犯了天条，被万神之王宙斯绑在高加索山上，让雄鹰啄其心肝。阿特拉斯受到株连，宙斯强令阿特拉斯支撑石柱使天地分开。传说这位顶天立地的大力神住在极远的西边，人们看到大西洋海域宽广，无边无际，以为它就是阿特拉斯的栖身之所，就把它称为阿特兰他（阿特兰他是阿特拉斯的形容词）。

印度洋在中国古代被称为“西洋”。我们平常所说的明代大航海家郑和下西洋，指的就是印度洋。印度洋的名称最早见于1515年中欧地图学家舍尔编绘的地图，标注为“东方的印度洋”，“东方的”一词是和大西洋相对而言。直到15世纪末，葡萄牙著名航海家达·伽马为了寻找通往印度的航线，绕过非洲南端的好望角进入这个大洋后，才开始使用印度洋这个名称。这个名称逐渐为人们所接受，成为通用的名称。

北冰洋大致以北极为中心，介于亚洲、欧洲和北美洲的北岸之间，面积1310万平方千米，为世界四大洋中面积最小、深度最浅的洋。北冰洋名称的由来，一则因为它处于以北极为中心的地区，二则因为这一地区气候严寒，洋面上常年覆有冰层。所以，曾经一度被称为“北极海”，现在人们称之为“北冰洋”。

35. “唐人街”的名称从何而来?

“唐人街”是对海外华人聚居区的传统称谓，是指华人在其他国家或城市聚居的地区。早期华人移居海外，成为当地的少数族群，面对新环境需要同舟共济，他们便群居在一个地带，从而形成华人的聚居区。

最早的“唐人街”大约出现在日本江户时代（1603–1837年）。当时不少中国人移居日本，他们被日本人称为“唐人”，因为日本和中国的交流主要源于中国的唐朝，因此他们习惯称中国人为“唐人”。而中国人所居住的街道，则被称为“唐人町”（“町”即日语“街道”的意思）。后来移居各地的中国人也都沿用这一称呼，只是将“唐人町”改为“唐人街”。

现在世界上有数以千计的“唐人街”，大的“唐人街”已形成由数条街道所构成的具有浓郁中国情调的城区。世界上的“唐人街”以美国最多，主要分布在纽约、华盛顿、芝加哥、休斯敦、旧金山等几十个大中城市。其中以旧金山的“唐人街”为最大，被誉为亚洲以外最大的中国城。

旧金山的“唐人街”始于1850年前后。当年开发美国西海岸的华工初来异国，人生地疏，言语不通，因此他们便集中住在一起，团结互助，休戚与共。起初，他们开设方便华工的小茶馆、小饭铺，接着是豆腐坊、洗衣店等，逐渐形成了华工生活区。后来，越来越多的当地人，也经常光顾这里，他们称这里为“Chinatown”，爱上了这里的中国饭菜。后来，“唐人街”成了繁华街道，街上除了饮食业外，刺绣、中国古玩等也都在当地享有盛名。同时，唐人街办起了华人子弟学校，从事中文教育。还有各种同乡会、俱乐部、影剧院等，成了富有中华民族特色的特殊街区。每逢春节，这里均要龙灯、舞狮子，爆竹声中除旧岁，保留着中国传统的种种风俗。

36.“幽灵岛”因何得名？

1831年7月10日，在南太平洋汤加王国西部海域中，由于海底火山爆发而形成一座高60多米、方圆近5千米的岛屿。当人们打算开发这个岛屿时，它却像幽灵一样消失在洋面上。过了几年，当人们对它早已忘得一干二净时，它又像幽灵一样从海中露了出来。据记载，1890年，它高出海面49米，1898年时，它沉没在水下7米。1967年12月，它再一次冒出海面，可到了1968年，它又消失得无影无踪。就这样，这个岛多次出现，多次消失，变幻无常。1979年6月，该岛又从海上“长”了出来。

类似的事情也发生在大西洋北部。有一座盛产海豹的小岛，它是100多年前英国探险家德克尔斯蒂发现的，它也因此被命名为德克尔斯蒂岛。大批的捕捉者来到了这个岛上，并建立了修船厂和营地，但此岛却在1954年夏季突然失踪了。多次寻找均无结果。事隔8个月以后，一艘美国潜水艇在北大西洋巡逻，突然发现一座岛屿出现在航道上，而航海图上却从来没有标志过这样一个岛屿。潜水艇艇长罗克托尔上校经常在这一带海域航行，发现此岛后大为震惊，罗克托尔上校通过潜望镜发现岛上有人居住，有炊烟，于是命令潜水艇靠岸登陆。经过询问岛上的居民才知道，这正是8个月前失踪的德克尔斯蒂岛。

因为这些岛屿行踪诡秘、忽隐忽现，像幽灵一样在海上时隐时现，科学家们便把这种岛屿称为“幽灵岛”。

那么，幽灵岛是怎样形成的呢？这种时隐时现的小岛究竟是从何而来，又因何而去呢？多数地质学家认为是海底火山喷发的作用形成此类小岛。他们认为，有许多活火山在海洋的底部，当这些火山喷发时，喷出来的熔岩和碎屑物质在海底冷却、堆积、凝固起来；随着喷发物质不断增多，堆积物多得高出海面的时候，新的岛屿便形成了。小岛的消失是因为火山岩浆在喷出熔岩后，基底与海底基岩的连接不够坚固，在海流的不断冲刷下，新岛屿自根部折断，最后消失了。

37. 特奥蒂瓦坎的中轴线为什么被命名为“亡灵大道”？

特奥蒂瓦坎古城遗址坐落在墨西哥波波卡特佩尔火山和依斯塔西瓦特尔火山之间的谷底，距墨西哥城40千米，是印第安文明的重要遗址。“特奥蒂瓦坎”在阿兹特克人的文字中意为“创造太阳和月亮神的地方”，传说宇宙诸神就是在这里创造了太阳和月亮。

传说第四代太阳不发光后，地球一片黑暗，人类面临着毁灭的危险。于是，诸神降临特奥蒂瓦坎。为了让人类永见光明，诸神修筑了太阳金字塔和月亮金字塔，并在两塔中间燃着熊熊大火，商定谁有勇气自愿跳入火中，就让谁变成太阳。最后诸神中低贱的纳纳瓦特神和高贵的特克西斯特卡尔神分别变成了太阳和月亮，从此，光明永存，生灵获救。

特奥蒂瓦坎的建筑处处都经过精心设计，全城采用网格布局，构成一个巨大的几何图案。1960年，科学家对特奥蒂瓦坎进行了空中航拍。他们惊奇地发现整个特奥蒂瓦坎是以一条长3000米、宽40米的街道为中轴线进行布局的。

太阳金字塔和月亮金字塔是特奥蒂瓦坎古城遗址的主要建筑，这些建筑至今都保存得比较完好。中心广场两条大道垂直相交，其中纵贯南北的中轴线被称为“亡灵大道”。亡灵大道长约3000米，宽40米，每隔若干米便建有一处6级台阶和平台。

关于亡灵大道名称的来源有如下说法：13世纪，阿兹特克人到达墨西哥中部时，特奥蒂瓦坎已经被遗弃成为一座空城了，他们把这片广阔的废墟命名为“特奥蒂瓦坎”。在印第安语中，这是“众神之城”的意思。阿兹特克人根据他们的信仰把这座城中最雄伟的建筑称为“太阳金字塔”和“月亮金字塔”。他们认为其中的建筑很多是陵墓，便把其中的主要街道称为“亡灵大道”。还有一种说法：当年被送上金字塔祭天的大批奴隶，都是从这条大街走向死亡的，所以后人称之为“亡灵大道”。

1974年，休·哈列斯顿发现亡灵大道神奇地暗含着宇宙数据。他以1.059米为单位测量亡灵大道两侧的神庙和金字塔，发现这些遗迹之间的距离恰好表示着太阳系行星的轨道数据。这一切是巧合还是特奥蒂瓦坎人故意为之？我们期待着谜底的解开。

第七章

伟大发明·重大发现

1. 人类何时开始用火?

在人类文明史上，任何一项发明都无法与火相提并论，人类文明发展的每一步，都离不开火的作用和影响。毫不夸张地说，火是人类文明的第一个里程碑。

在古希腊神话中，普罗米修斯为解救饥寒交迫的人类，从天庭里盗来了火种，点燃了人类的智慧，为此，他受到众神之王——宙斯的严厉惩罚。而在中国上古神话中，燧人氏从鸟啄木啄出火花中得到启发，发明了钻木取火的方法。

当然，这些神话传说并不能作为科学的证据，为人类带来火种的只能是人类自己，而不是什么神仙异人。那么人类到底何时开始使用火的呢?

学术界对古人类用火的研究经历了一个非常曲折的过程。在相当长的时期内，人们没去认真甄别人类用火和自然野火的遗留，只要考古遗存中有木炭、灰烬、烧骨、烧石等痕迹，就认定是人类用火。在这种具有很大主观性和随意性的思维影响下，一些考古学家认为人类用火的历史可上溯至100万-200万年前。然而，这种推断缺乏有力的证据，不能令人信服。

2004年，以色列考古学家在美国《科学》杂志上提供了迄今为止有关人类开始用火的最古老、最确凿的证据，并得到了学术界的广泛认可。

以色列考古学家对以色列北部的一处距今约79万年的遗址进行了深入细致的考察和分析，在对遗址中数万件样本进行筛选后，发现了一些被火烧过的植物种子、树木和燧石。考古学家指出，由于被烧过的植物和燧石等在全部样本中所占据的比例不足2%，这意味着它们不是被野火烧过的，而是人为烧过的，否则其比例应该要比这高很多。也就是说，当时在该处遗址生活的早期人类很可能用火处理过橄榄树、野生大麦和野生葡萄等植物。而那些在不同地方成堆分布的被烧过的燧石，也许就是用来加工食物的炉膛的遗迹。

由于此次发掘研究的遗址恰好位于非洲和欧亚大陆交接的十字路口，新的研究成果可能有助于更好地解释早期人类如何成功进入气候相对寒冷的欧洲并长期定居下来的，因为懂得用火无疑可以大大增强其生存能力。

不过，很多学者认为，人类使用火的时间还可以继续向前推，只是需要更多的实证。

2. 人类最先发明的工具是石器还是木器？

人类最先发明的工具是石器还是木器？

很多学者认为人类最先发明的工具是石器，他们的理由是“为了砍削木器……必须使用石器”。

这个理由真的很充分吗？

事实上，直到近现代时期，世界上还有一些落后部族，他们从来不使用石器，甚至在有些部族活动的范围内根本就没有石块，石器更是无从谈起。可是，他们使用的木矛却非常尖锐。虽然我们不知道他们是如何把木棒弄尖的，但至少不是用石器削尖的。

传统观念认为，古猿是通过制造石器而进化成人的，然而，时至今日，世界上所发掘的最古老的打制石器，距今也不到300万年。与此形成鲜明对比的是，已发掘的确定为人类的化石很多都超过300万年，甚至还有超过500 万年的。也就是说，石器发明之前人类已经形成，古猿通过制造石器而进化成人的说法是站不住脚的。

既然如此，促使人类形成的动因只能是木器的制造。毕竟，古猿在树上生活，经常会跳来荡去，追逐嬉戏，折断枝叶，建造巢穴，整天都要接触树木。古猿下树生活之后，为了生存，必须先拿起树棒对抗猛兽、挖掘块根、钓吃蚁虫。当使用和改造天然树棒的古猿经过进一步的发展，逐渐开始通过使用天然石块来砍削木器从而最终进化成人是合乎逻辑的。反之，如果说古猿下树之后就“以石击石”制造石器，则于理不通。因为接触石块、了解石块的性质到最终制成并使用石器，需要一个极为漫长的过程，根本无法满足古猿下树后生存的需要。

换个角度来看，无论是打野果、挖块根还是狩猎，都以使用木棒、木矛为宜，使用石器很难解决问题。

不过，由于木器容易腐烂，难以取证，木器先于石器之说尚未得到公认。

知识链接

国外关于人类起源的神话传说

呼唤而出：埃及人认为全能的神“努”创造了世间的一切，他呼唤“苏比”，就有了风；呼唤“泰富那”，就有了雨……最后，他呼唤“男人和女人”，转眼间，埃及就出现许多人。

原本存在：在毛利人的神话中，“兰奇”和“巴巴”是天和地，当时天地未分，一片漆黑，其儿子奋力将天地推开，光明出现，一直藏在黑暗里的人类便被发现。

植物变的：北欧神话中说，有一天，众神在海边散步时看到两棵树，一棵姿态雄伟，另一棵姿态绰约，天神奥丁下令把两棵树砍下，分别造成男人和女人。

动物变的：澳洲神话说人是蜥蜴变的；美洲神话说人是山犬、海狸、猿猴等变的，很接近进化论的说法；希腊神话也说某族人是天鹅变的，某族人是牛变的。

泥土造的：《圣经》里说上帝花了五天时间创造了世间万物，第六天他用地上的尘土造了一个男人，取名亚当。接着又抽出亚当的一根肋骨，造成一个女人。

3. 玛雅的祭祀历法与中国的干支纪历有何相似之处？

玛雅人有3种历法，分别是仪式用祭祀历专名表达法、太阳年民用历表达法和长期累积计日数表达法。这3种历法并行不悖，每一种都有不可替代的作用，构成了玛雅人复杂、精确的历法集合。

玛雅历法中最基础的部分是祭祀历法，其最重要的目的是进行宗教占卜。玛雅祭祀历法的真实称谓已不可考，为了方便起见，现代学者给它起了一个名字叫卓尔金历，按尤卡坦半岛的译意是“日子的计数”。

卓尔金历把一年看成是260天的循环周期，这无法用自然现象解释，因为重要的自然现象的时间长度或运行周期都不是260天。由此看来，这个周期很可能是人为的，是其两个亚循环周期20和13的排列结果，而20和13在整个中美洲都具有仪式上和象征上的重要意义。卓尔金历的260天不分月，顺序按20个专名来排列，分别是伊克、阿克巴尔、坎、契克山、克伊米、马尼克、拉马特、木卢克、喔克、契乌恩、埃伯、本、伊希、门、克伊伯、卡班、埃兹纳伯、夸克、阿华乌、伊米希。用数字1-13顺序与20个专名互相匹配，完成一次循环刚好是260。这与中国的干支纪历的原理非常相似，十个天干与十二个地支分别匹配，一个循环周期便是所谓的“六十甲子”。

玛雅的祭祀历法从公元前500年便已开始使用，中美洲各民族几乎都有它的变体。尽管玛雅历法的其他方面都差不多失传了，但祭祀历法直到今天仍在很多玛雅部族中保存着。

4. 玛雅人的数字进位为什么要采用20进位和18进位？

数学是科学的基石。玛雅人在数学上的伟大成就之一，就是将“零”运用到计算中来，这一做法比欧洲人早8个世纪，让数学一直处于领先地位的欧洲人大为震惊。

玛雅人有自己的一套计数符号，他们以一个圆点代表“1”，一横代表“5”。第一位到第二位采用20进位制，第二位到第三位采用18进位制。因此，“4”是4个圆点，“6”是一横加一个圆点，“9”是一横加4个圆点。“10”是两横，“11”是两横加一个圆点，“14”是两横加四个圆点，“15”是三横，“19”是三横加四个圆点。如果逢20进至第二位，则第一位上就用一只贝壳纹样代表“零”。

可见，玛雅人的数字进位采用20进位和18进位，之所以采用这种进位方式，很可能与祭司观察天象有关。

在古代玛雅社会，掌握数学的是祭司，他们最重要的职责就是当好人与神之间沟通的桥梁。他们要告诉人们哪一天羽蛇神降临，给大地带来雨季；哪一天可以得到风神保佑的许诺，以便烧林；哪一天战神来临，战争和伤亡将不可避免。他们在玛雅世界中分量举足轻重，说话一言九鼎。据说，玛雅祭司在西班牙殖民者到来之前就曾预见到这一事件，并且从神谕中得知，这些远道而来的白种人将成为玛雅人的新的统治者。总之，在玛雅人看来，祭司是上知天文、下知地理、通晓古今的先知型人物，凡事都要求教于他们。

既然如此，作为祭司本身，必须博学多才，从而尽可能使自己能够承担起这种重任。玛雅的天文学知识完全是从祭司日复一日、年复一年不间断观察之中积累出来的，他们的数字记录系统便清楚地反映了这种纪年传统。玛雅人将一年划分成18个月，每月20天，每年有5个祭日，总和为365天。玛雅人的数学进位也分别采用20进位和18进位，这就很可能是出于逐日记录天象观察的现实需要。也正是这种现实需要，推进了玛雅数学的发展，更进一步促进了历法、农事的发达。

5. 被誉为“白玉之精”的夜光杯是什么制成的?

唐代诗人王翰有一首脍炙人口的《凉州词》：“葡萄美酒夜光杯，欲饮琵琶马上催。醉卧沙场君莫笑，古来征战几人回！”

这首千古绝唱不仅意境高远，豪情万丈，而且还让我们对诗中提到的夜光杯产生无限的遐想。正所谓诗以杯名世，杯因诗增辉！

夜光杯的历史非常悠久，据西汉东方朔的《海内十洲记》中的《凤麟洲》记载，西周时期，西胡向周穆王进贡昆吾割玉刀及夜光常满杯："……杯是白玉之精，光明夜照。冥夕出杯于中庭以向天，比明而水汁已满于杯中也。汁甘而香美，斯实灵人之器。"

尽管夜光杯名扬千古，但由于考古学家和历史学家至今没能在地下发掘到夜光杯的实物，夜光杯到底是由何种材质所制成，其夜光机理如何，在3000年后的今天，依然是一个谜。这也为夜光杯蒙上了一层更为强烈的神秘色彩。

一直以来，人们普遍认为夜光杯是用玉料制成的。一开始是直接将和田玉制成的玉杯运往京城，但由于玉杯在运输途中容易损坏，于是干脆把玉料运到酒泉，在当地加工成夜光杯再运到京城。后来和田玉供应不足，就改用在祁连山开采的酒泉玉来制作夜光杯。酒泉玉按颜色可分为墨玉、碧玉、黄玉等，都可用来制作夜光杯。

此外还有人认为夜光杯是玻璃制成的。

然而，专家王春云不同意这些说法，他经过自己长期的分析研究论断：制作夜光杯的材质应该是琥珀。

他分析：夜光杯在秦代已然绝迹，一直到热衷于西域开发的唐代才重见天日，也就是说，身处西汉时期的东方朔并没有见过真正的夜光杯，所谓的"白玉之精"只是赞美之词，难免不带有一些夸张成分。

他还认为：夜光杯的夜光不太可能像夜明珠的夜光一样源自于对外来光线的强烈反射和色散，而应该来自杯子自身所产生的透过光。当杯子斟酒后被外来光线映照，这些光线穿透杯壁与酒色相互辉映，从而呈现出夜光的光彩。

王春云的论断虽然不无道理，但毕竟只是一家之言。制作夜光杯的材质是玉石、玻璃、琥珀还是其他什么物质的论断，至今都无法让人们完全信服。

6. 粗陶文化是源于日本还是由中国传入的?

粗陶的制作与使用，是一种文明的飞跃，因为它不仅提高了人类物质生活的质量，改善了人类的生存状态，更重要的是它激发了原始人类的思维活动，开启了人类的精神世界。

按照过去的说法，粗陶产生于新石器时代初期，最早出现在西亚，距今约7000年前，此后，约6000年前出现在西伯利亚，约5000年前出现在中国。

然而，日本出土粗陶的年代却不断向前推，有的甚至超过1万年，于是有人搬出“粗陶源于日本”说。如矢部良明在《中国陶瓷对日本陶瓷的影响及其相互关系》一文中写道：

在世界陶瓷史上，日本陶瓷的历史最为悠久，它那12000年的文明甚至比长达8000年的中国陶瓷史还要漫长。……日本烧制陶瓷器是世界陶瓷史之开端，它当时还是不带釉彩的朴素陶器。在世界上任何一种文明中，这种陶器都堪称是揭开文明序幕的最初的科技发明。

虽然粗陶在日本可以追溯到12000年前，但就此断言“粗陶源于日本”，未免为时尚早。比如中国的粗陶随着考古的新发现，将时间从5000年前、6000年前，又向前推到7000年前、8000年前。从日本原始文化与中国大陆的诸多关联来判断，粗陶文化在日本列岛孤立出现的可能性非常小。

虽然这还仅仅是一种推测，但中国的考古发现正逐渐为之提供证据。如广西桂林甑皮岩遗址出土的陶片，据测定为距今9000多年前。江西万年县仙人洞遗址则发现了1万年以前的陶片。

知识链接

陶器与瓷器的区别

人们习惯把陶与瓷并称为“陶瓷”。由于陶器发明在瓷器之前，所以瓷器的发明不免要受到陶器生产的影响。但陶与瓷在很多方面有着本质的不同。

使用原料：陶器的胎料是普通的黏土，瓷器的胎料则选用特定的瓷土，杂质含量低；陶胎含铁量一般在3%以上，瓷胎含铁量一般在3%以下。

烧成温度：陶器的烧成温度最低在800℃以下，最高为1100℃左右，瓷器的烧成温度大都在1100℃-1400℃，甚至达到1450℃。

施釉情况：陶器一般不施釉或施低温釉，瓷器则多施釉。

坚硬程度：陶器硬度差，胎质粗疏，断面吸水率高，有的甚至可以用钢刀划出沟痕。瓷器胎质坚固致密，断面基本不吸水，用一般钢刀很难划出沟痕，敲击时会发出清脆的金属声响。

值得一提的是，陶器并不是某一个国家或某一群人独自发明的，它为人类所共有。只要具备了足够的条件，任何一个部族、人群都有可能制作出陶器。而瓷器是中国发明创造的，后来大量输出到海外，才使制瓷技术在世界范围内广为传播。因此，瓷器是中国的伟大发明之一，为世界做出了重要贡献。

7. 为什么说绳纹文化是一种“畸形”发展的文化？

大约在全新世的初期（距今1万至8000年以前），日本进入绳纹文化时期（因绳纹陶器而得名），也就是日本的新石器时代。在绳纹时代，日本还是母系氏族社会，人们以狩猎、捕鱼等为生，这类社会经济活动被经济学家称为“采集经济”或“觅食经济”。

绳纹时代文化进步的重要标志是陶器制作技术的提高，绳纹陶器无论从外形还是纹饰来看，都较之前有非常显著的进步。然而，烧制陶器的技术依然停留在较低的阶段。比如说，绳纹陶器中残留着许多黑斑，这显然不是绳纹人想要的结果，而是他们对烧制陶器技术掌握得比较浅的缘故。这种曲线发展的制陶技术，使得绳纹文化的发展明显带有一种“畸形”的特征。

而且，从世界文明发展的一般规律来看，绳纹文化也的确是一种“畸形”发展的文化，大大偏离了人类文明进化的轨道。

尽管在陶器和石器加工上展示了高度的艺术才能，但是生产力的停滞却使石器时代人的精神世界依然停留在较低的水平。其器物制作能力之高超与思想意识水平之低下，形成了原始社会文化罕见的不平衡。

之所以会出现这样的情况，一方面是因为大陆文化影响微弱所致，另一方面与岛国地理环境有关。在绳纹文化的鼎盛时期，虽然来自中国大陆以及附近各岛的文化，或直接或间接地影响过日本，但是这些影响如此之微弱，以至于无法从根本上改变绳纹文化的历史进程。

8. 水稻的发源地究竟在印度还是在中国？

水稻是世界上主要的粮食作物之一。现在，世界上种植的水稻几乎都是亚洲栽培稻。亚洲栽培稻起源于普通野生稻，这是无疑的，但普通野生稻何时何地开始被驯化栽培，学术界一直存在争论。有些学者认为中国是水稻的发源地，有些学者认为印度是水稻的发源地，还有一些学者则认为中国和印度都应是亚洲稻的主要起源中心之一。

相对来说，还是水稻起源于中国的说法更具说服力，其原因如下：

首先，中国南方位于热带、亚热带，气候炎热，雨量充沛。在东起台湾，西至云南，南起海南，北至北回归线以北的湖南、江西等省份，都生长有普通野生稻。

其次，过去，国外的学者认为普通栽培水稻起源于印度或印度的阿萨姆和中国的云南一带。直到20世纪70年代，浙江余姚河姆渡7000年前的稻作遗址被发现，这在当时是世界上最早的稻作遗存，极大地冲击了栽培水稻起源于印度的说法。后来中国又陆续发现了更早的稻作栽培遗址，比较重要的如1988年发现的湖南澧县的彭头山稻作遗址，距今9100年；1995年发现的湖南道县玉蟾岩稻作遗址，距今14000年。江西万年仙人洞稻作遗址，距今14000年。这些都是比较原始的稻作证据。

中国史前时代的稻谷遗存，据初步统计有100余处。不仅如此，据考证，浙江余姚河姆渡稻作遗址的先民们还使用了当时较为先进的农业生产工具——骨耜，这说明河姆渡稻作农业已经走出了刀耕农业阶段而进入了耜耕阶段。这个遗址出土的陶器中，夹炭陶的数量相当多（夹炭陶系采用绢云母质黏土掺进稻秆、谷壳等制成），说明了当时稻作农业已经非常发达。

第三，中国是粳稻分化发源地之一，从云贵高原水稻的垂直分布，可明显看出籼、粳稻的演替现象。云南省海拔在1750米以下为籼稻地带，1750–2000米之间为籼粳稻过渡地带，2000米以上为籼稻地带。因此也有人认为栽培稻的发源地可能是中国的云南高原及其邻近地区。

9. 银行是美索不达米亚人发明的吗？

一般认为，近代最早的银行是1580年在意大利成立的威尼斯银行，随后意大利的其他城市以及德国、荷兰的一些城市也相继成立了银行。那么世界上最古老的银行出现在哪里呢？

古巴比伦王国是美索不达米亚文明的重要组成部分，由于两河流域南北的统一，古巴比伦城市经济高速发展，其工商业发展达到了美索不达米亚文明的顶峰，巴比伦城也成为全国贸易乃至国际贸易的中心。

正是在这种背景下，世界上最古老的银行诞生了。

公元前2000年前后，巴比伦诸神庙的祭祀创建了一种借贷机构（类似于中国古代的钱庄）。借贷一般分为两种，一种是金银借贷，一种是实物借贷。利息由官方颁布的法律规定，金银是20%，实物为33%。偿还方式为分期付款，每月一还。

据泥版文书记载，这种借贷机构在当时的信誉非常不错，存贷取利都比较公道。借贷契约写在泥版上，上面的贷款细则简明扼要。如果借贷人有较高的社会地位，他只需本息一起归还。如果借贷人社会地位较低，经济状况比较差，则一般免收利息。但在借贷契约上要写明以某些财产作为抵押，一般的抵押品是房屋、土地或奴隶。

一般的借贷契约都有5–8个证人，要盖上证人的印章。在借贷人还清贷款后，按规定要把泥版砸碎。所以，我们今天还能看到一些借贷泥版，说明当时有些人还不清贷款。巴比伦的法律主要是保护债权人，规定欠债必还。对债务人，偶尔也会给予保护。比如，有条法律规定：农民以收成为抵押所进行的借贷，如果遇到水涝干旱或其他不可抗力而无所收成时，本年利息应该减免。

这种借贷机构应该可以算是世界上最古老的商业银行。到公元前7世纪，这种商业银行在古巴比伦王国就比较常见了。

10.《汉穆拉比法典》为什么被称为石柱上的法律?

世界上最早的一部比较系统的法典是约4000年前的《汉穆拉比法典》，它完成于古巴比伦第六代国王汉穆拉比之手。

公元前1762年，阿摩利人汉穆拉比成为古巴比伦国王。汉穆拉比是一位很有才干的国王。他勤于政事，致力于农业、商业和畜牧业的发展。在他当政的43年中，古巴比伦王国成为一个非常强盛的国家。其实，古代美索不达米亚很早就有立法传统，汉穆拉比在统一了两河流域之后，便效仿其前辈，编成了一部法典。汉穆拉比命人把法典刻在石柱之上，竖立在巴比伦马都克大神殿里，这就是我们把它称为“石柱上的法律”的原因。

《汉穆拉比法典》分为序言、正文和结语3部分，共约8000个楔形文字。正文共有282条，内容比较繁杂，其中包括诉讼手续、盗窃处理、租佃、雇佣、商业高利贷和债务、婚姻、遗产继承、奴隶地位等法律条文。

在古巴比伦社会中，除了奴隶主和奴隶外，还有大量的自由民。《汉穆拉比法典》的很多条文是用来处理自由民之间的关系的，处理的原则就是“以牙还牙，以眼还眼”。比如，两个自由民打架，一方被打瞎了一只眼睛，另一方的一只眼睛也要被打瞎；一方被打断了腿，另一方的腿也要被打断；一方被人打掉了牙齿，另一方的牙齿也要被敲掉。如果房屋因质量问题而倒塌，压死了房主的儿子，那么，建造这所房屋的人得拿自己的儿子偿命。法典还有这样的规定：侵犯别人住处的人，必须就地掩埋；趁火盗窃财物的人，必须当场丢到火里烧死；儿子忤逆、殴打父亲，必须被砍掉双手。

为了维护奴隶主贵族的利益，巩固其统治地位，法典还规定了一些非常严厉的条款：偷盗王宫或神庙财产的人一律处死；逃避兵役的人一律处死；破坏桥梁水坝的人将受到严厉的制裁，甚至处死；帮助奴隶逃跑或藏匿逃亡奴隶的人一律处死；犯罪分子在酒店进行密谋，店主如果不把这些人捉住，店主也要被处死。

那些租种奴隶主土地的农民受着奴隶主的残酷剥削，每年要把收获量的1/3甚至是一半上缴给出租土地的奴隶主，因此，有些贫困的自由民因还不起债而被奴隶主逼成债务奴隶。为了笼络他们，缓解社会矛盾，法典规定：债务奴隶劳动 3 年可以恢复自由。

值得注意的是，《汉穆拉比法典》基本确立了男女平等的思想。法典规定：结婚是一件严肃的事情，就像商品交易一样，必须签订契约方可生效；妻子如果受到丈夫的虐待，可以取回全部嫁妆回娘家；丈夫去世后，其妻子和孩子共同继承他的遗产；女性奴隶和其主人结婚后如果生育子女，其丈夫过世后，她和孩子都可以脱离奴隶身份，妻子久病在床，丈夫不得借故抛弃，必须让她住在夫家，等等。

《汉穆拉比法典》是古巴比伦王国奴隶制中央集权强大的标志之一，它作为一部公开的成文法，使古巴比伦王国告别了“临事议制”的时代，开创了人类法制管理的先河。正是凭借这部法典，古巴比伦在汉穆拉比执政时期成为古代奴隶制王国中统治最稳固的国家。

知识链接

《汉穆拉比法典》的发现

公元前1750年，古巴比伦王国第六代国王汉穆拉比去世。不久，整个王国也随之瓦解，汉穆拉比所制定的《汉穆拉比法典》也逐渐被人遗忘。

1901年12月的一天，一支由法国人和伊朗人所组成的考古队，在伊朗西南部一个名叫苏撒的古城遗址上进行发掘工作时，发现了一块黑色玄武石，几天以后又发现了两块。考古人员将三块石块拼合起来，恰好拼成一个椭圆柱形的石碑。

这块石碑高2.25米，底部圆周1.9米，顶部圆周1.65米。石碑非常精美，上图下文。在石碑上半段那幅精致的浮雕中，古巴比伦人崇拜的太阳神沙马什端坐在宝座之上，正在将一把象征帝王权力的权标（短棒），授予恭恭敬敬站在他面前的古巴比伦王国国王汉穆拉比。整个浮雕画面庄严而神圣，清楚地表达了“君权神授”的观念。石碑的下半段，刻着汉穆拉比制定的法律条文，是用楔形文字书写的，其中有一小部分文字已被磨光。

这个石碑就是举世闻名的《汉穆拉比法典》，也是世界上最早的一部比较系统的法典，它把我们带到了大约4000年前的古巴比伦世界。

11. 印加人是怎样开采和砍削石块的？

历史学家认为，衡量一个民族文明的标准包括他们的建筑技术。时间湮没和侵蚀了过去时代的很多东西，建筑物却往往因质地坚固，而在很大程度上保留了当年的原貌。印加时代的辉煌在那些至今巍然屹立的巨大建筑物中留下了不可磨灭的印记。印加境内的建筑多以巨大的岩石砌造，宏伟的军事堡垒，大量的神庙、王宫遗迹，体现出印加文明所崇尚的美学理念和卓越非凡的建筑造诣，令人叹为观止。

印加人建造这些庞然大物遇到的困难超乎我们的想象，因为他们既不懂得铁器，又没有发明带轮子的交通工具，更不会制造吊车、滑轮或其他高效的机械设备。他们完全用人力切割山上的岩石，也完全凭人力用粗大的缆绳将巨大的岩石拖运到建筑地点。很多建筑所需的石料都是从50千米甚至80千米以外运来，运送途中还要跋山涉水。

不仅如此，在不懂得使用铁器、其他技术条件也十分落后的情况下，印加人是如何开采和砍削巨大而又坚硬的石料，从而使其符合建筑需要的呢？这显然比用人力运送它们更加让人费解。据说，印加人曾经掌握了一种软化岩石的技术，这种技术如今已经失传。

1983年2月23日，秘鲁的一些专家学者们，在对库斯科附近的一个采石坑的考察中，发现了一种植物的许多枝叶残迹，而这种植物也被当地的一种啄木鸟用来在岩石上筑巢垒窝。据考察，这种植物具有软化石头表面、降低岩石硬度的神奇功能。印加人可能在它的帮助下，利用青铜合金以及其他石质工具，对硬度极大的中长石、玄武岩和闪绿石进行加工，把它们砍削成所需要的各种形状，或雕刻上各种图案。

12. 古埃及的木乃伊身上真的有“心脏起搏器”吗？

举世闻名的古埃及木乃伊不仅数目众多，而且保存完好，这着实让世人为之惊叹。随着一项项工作的展开，一具具木乃伊的出土，一件件令人震惊、费解的蹊跷事也不断涌现。在卢索伊城郊外出土的一具木乃伊里装有一个奇特的心脏起搏器，更是让世人惊叹不已。

在埃及卢索伊城郊外，一天，一名祭司在对一具刚刚出土的木乃伊进行整理的过程中，总是觉得这具木乃伊存在某些与众不同的地方，于是他对其进行了仔细的检查。让他大为吃惊的是，这具木乃伊体内发出一种类似心跳的有节律的声音。难道是这个死者的心脏还在跳动吗？在一片震惊中，人们将木乃伊原封不动地送到了开罗医院。

开罗医院组织了一些经验丰富的专家对其进行检查。医生们将缠满尸体的白麻布拆开，对尸体进行了解剖，一只位于心脏附近的起搏器出现在人们面前。人们利用先进的仪器对心脏起搏器进行了测试，发现它是用一块含有放射性物质的黑色水晶制造的。此前，人们从未见到过黑色的水晶。虽然这个2500年前的心脏早已干枯得不像样，但它还是随着起搏器的节律跳动不止。

开罗医院把起搏器重新安置在木乃伊体内，并将这一重大发现对外公布。众多考古学家和电子学家闻知此事后，纷纷从世界各地赶来进行参观和研究。在对这个神秘的起搏器叹为观止的同时，每个人心中都有很多大大的问号。

在2500多年前懂得黑水晶含有放射性物质并可以使心脏保持跳动的是些什么人呢？此外，作为协助心脏工作的起搏器，一定是在人生前被安放到体内的。然而，在那个时代的医学条件下，人们又是如何将它放置在人的胸腔里的呢？

有些专家认为，在很久以前外星人曾造访过这里，并带来了他们特有的黑色水晶所制成的心脏起搏器，并在地球人的身上进行了试验，使这只起搏器永远地留在了这个人的体内。也有人认为，在文化发达的古埃及可能存在过一些具有特异功能的能人术士，是他们创造了这一历史奇迹。

13. 巴格达在两千多年前就已经有电池了吗?

众所周知，世界上第一个电池是意大利科学家伏特于1800年发明的，而巴格达电池的发现则把电池的发明向前推进了2000多年。

1936年6月的一天，在伊拉克首都巴格达城外，一群筑路工人修筑铁路时发掘出一个巨大的石棺。打开石棺后，发现了大量公元前200多年波斯王朝时代的器物，其中包括一些奇特的陶制器皿、锈蚀的铜管和铁棒。

陶制器皿高15厘米，外形类似花瓶，上端为口状，瓶里装满了沥青。沥青之中有一个铜管，直径2.6厘米，高9厘米，铜管顶端有一层沥青绝缘体。在铜管中又有一层沥青，并有一根锈迹斑斑的铁棒。铁棒高出沥青绝缘体1厘米，白一层灰色偏黄的物质覆盖着，看上去好像是一层铅。铁棒的下端长出铜管的底座3厘米，使铁棒与铜管隔开。看起来好像是一组化学仪器。

经过分析鉴定，德国考古学家威廉·卡维尼格宣布了一个惊人的结论："在巴格达出土的陶制器皿，是一种古代化学电池。只要注入酸溶液或碱溶液，就可以发出电来。根据出土文物中共有可装配10个电池的材料来分析，这些电池当时是被串联使用的，串联这些电池的目的可能是通过电解法将金镀在雕像或装饰品上。"

德国学者阿伦·艾杰尔布里希特仿照巴格达电池，制作了一些陶瓶、铜管和铁棒。然后将新鲜的葡萄汁注入铜管内，结果，和电池连接在一起的电压表的指针开始移动起来，显示电池的电压为半伏特。他有一个外表镀着一层又薄又软金箔的公元前5世纪的古埃及银像，他认为这样的镀金用传统的粘贴或镶嵌的办法是行不通的。于是，他用电池对雕像进行了电解镀金试验，两个多小时便大功告成。

与此同时，美国科学家们也模仿巴格达电池进行了一系列类似的试验，他们使用葡萄酒、硫酸铜、亚硫酸和醋等古代居民拥有的溶液当电解质，模型产生的电流的电压高达1.5伏，18天后电流才消失。

随着卡维尼格的论断一次又一次得到证实，巴格达电池被誉为考古学领域最令人吃惊的发现之一。我们可能永远也搞不清古代的电学实验究竟做到了何种程度，因为这种电镀的秘诀在当时肯定是不外传的。

14. 为什么有考古学家称古埃及人使用过电灯呢?

考古学家在古埃及金字塔内部进行考古发掘时，曾经发现过一些石刻壁画，这些壁画是古代工匠在金字塔建成后，在金字塔黑暗的洞穴里雕刻成的。很显然，要进行这种精细、颇费工夫的工作，必须有明亮的光线才行。按照当时的技术条件，这些光线应该来源于火把或是油灯。当时如果真的是使用火把或油灯，金字塔内必然会留下一些“用火”的痕迹。然而，现代科学家对墓室和甬道里积存了5000多年之久的灰尘进行了全面、仔细的科学化验和分析，结果证明：灰尘里没有任何黑烟和烟油的微粒，没有发现一丝一毫使用过火把或油灯的痕迹。由此可见，艺术家在胡夫金字塔地下墓室和甬道里雕刻、绘制壁画时，根本不是使用火把或油灯来照明，难道壁画的雕刻者使用了其他光源？这让人不禁产生这样的猜想：距今5000多年前的古埃及人难道已掌握了类似于现代电灯的技术吗？

早在19世纪，一位名叫诺尔曼的考古学家就曾匍匐爬进金字塔里，仔细考察塔内的壁画，分析作画的过程，然后大胆地推断，古代埃及人在雕刻这些壁画时可能使用了电灯。诺尔曼的推断一经宣布，在学术界立刻引起一片哗然。

100年后，巴格达电池的发现使人们不得不重新审视诺尔曼的论断，古埃及可能真的使用过电灯：有一次，人们在埃及金字塔进行考察时，发现了一幅壁画，画面上很像是一组巴格达电池！

巴格达电池之谜以及古埃及人是否使用过电灯，这一切谜团都有待人们进一步研究和探索，从而彻底搞清它们的真相。

15. 玛雅预言上真的说过 2012 年是世界末日吗?

根据玛雅预言的表述，地球已经过了4个太阳纪，现在我们所生存的地球，是在所谓的第五个太阳纪。玛雅预言上说，每一纪结束时，都会上演一出惊心动魄、惨不忍睹的毁灭剧情。地球在灭亡之前，一定会事先发出警告。

第一个太阳纪是根达亚文明，也称为超能力文明。那时人类身高1米左右，男人有第三只眼，该眼有着特殊的能力。女人没有第三只眼，女人怀孕前会与天上的神联系，然后再决定是否生孩子。根达亚文明毁于大陆沉没。

第二个太阳纪是米索不达亚文明，发生在南极大陆，是根达亚文明的逃亡者的延续。人们的超能力渐渐消失，男人的第三只眼也消失了。人们对饮食产生极大的兴趣，并出现各种各样的饮食专家，所以该文明又被称为饮食文明。米索不达亚文明毁于地球磁极转换。

第三个太阳纪是穆里亚文明，是米索不达亚文明的逃亡者的延续。人们重视植物在发芽时产生的巨大能量，并发明了利用植物能的机器，因此该文明也称为生物能文明。穆里亚文明毁于大陆沉没。

第四个太阳纪是亚特兰蒂斯文明。人们是来自猎户座的殖民者，他们拥有光的能力，因此该文明也称为光的文明。亚特兰蒂斯文明曾与穆里亚文明打过核战争。亚特兰蒂斯文明最终在火雨的肆虐下毁灭。

前四个太阳纪都因为证据不足而无法得到证实与合理解释。

第五个太阳纪也就是我们现在的文明，也叫情感的文明，将于2012年12月冬至日灭绝。此后，人类将进入与本次文明毫无关系的一个全新的文明。太阳系也将进入宇宙另一条带——光子带。

玛雅人没有提到本次文明因为什么而终结，也许这个终结日并不是什么世界末日，也不意味着什么大劫难的到来，而是在暗示一种全人类在精神和意识方面的转变和提升，从而进入新的文明。

16. 阿兹特克人的“太阳石”有什么特别之处?

阿兹特克人生活在墨西哥的西北部。据说，大约在14世纪时，阿兹特克人因见到当地一只鹰站在仙人掌上啄食一条蛇，认为这个地方符合先祖的预言，便决定在此建都。从此，阿兹特克的艺术题材始终围绕着蛇、鹰、仙人掌等形象。甚至后来墨西哥的国徽也采用鹰吃蛇的图案。

阿兹特克人继承了托尔特克人和玛雅人的艺术传统，在建筑与雕刻方面有相当高的造诣，特别是其神秘的雕刻艺术品，似乎不仅仅是以观赏为目的，某些雕刻品上面的符号只有主持仪式的祭司或神职人员才能读懂。著名的“太阳石”就是此类艺术品之一。

“太阳石”最初被平放在一座鹰像前的台座上面，雕刻的一面朝上，被当作太阳神的图腾来崇拜。太阳石整体为正圆形，直径约360厘米，重约24吨。中央是太阳神托纳提乌的面部形象，周围刻着阿兹特克的历法和一些表示天文现象的符号与图案。阿兹特克人认为宇宙已度过了4个周期，每一周期都有一个太阳，现在宇宙正处于第五个周期，前四个太阳已成为历史。因此，在这块太阳石圆盘中央所刻的是第五个太阳，在它周围分别刻着过去的四个太阳，圆盘的四周刻着表示历法的符号。沿四周与太阳光射线相接的环形，则是表示1个月有20天的图画文字，并由两条大蛇构成的环状图案作外围，蛇的头部在下端。太阳石的边缘刻有星星和燧石，表示白天、阳光和天空的图案。

这块太阳石在西班牙殖民统治时期被埋在墨西哥市大广场的地下，直到1790年才被发掘出来，现被收藏在墨西哥人类学博物馆里。1977年，墨西哥考古学家们在当地发掘出一块与太阳石相对应的月亮女神石雕，同样也是圆盘形的，直径3米多，重约10吨，上面的女神形象已经破损不堪。某些考古学家认为，这类石雕艺术反映了阿兹特克人对宇宙的无尽止的轮回观。

17. 最早发明木乃伊的是古埃及人吗?

一提到木乃伊，我们就会立即想到遥远的古埃及和神秘的金字塔，那么，最早发明木乃伊的是不是古埃及人呢?

考古学家对地处今天智利和秘鲁边界的期恩科诺文化的研究表明，人们最早制作木乃伊的时间，可以上溯到7000多年以前，比我们如今谈论最多的埃及木乃伊早了2000多年。

人们在距智利的埃瑞卡南部97千米的一个山谷中，发现了迄今为止最为久远的木乃伊。经过科学鉴定，这具木乃伊是个小孩儿，制作于公元前5050年左右。

期恩科诺是太平洋海岸的一个渔业社会，由于当时生存环境比较恶劣，小孩子夭亡的现象非常普遍。因此，专家们推测，期恩科诺的妇女们之所以将自己的孩子做成木乃伊，是为了哀悼并留住这些过早离她们而去的骨肉。近年来，在智利北部和秘鲁南部发现的成百上千具保存良好的木乃伊，全都是小孩儿，证实了专家们的这一推测。

木乃伊的制作过程非常复杂。首先要取出内脏并掏空血肉，再重新弄好骨架；然后在尸体的胸腔和腹腔里填充黏土和干枯的植物。脑袋也要割下来进行处理，先是掏空，再用草、毛发和烟灰充实，然后再安回身上去。皮肤处理时，索性就用海狮皮代替，再用粉红色的鹈鹕皮将一些缝隙填满。最后，在整具尸体上糊上厚厚的灰浆塑型，再用黑锰或红锗等颜料进行涂抹。这样，一具木乃伊就算制作完毕了。有时候，期恩科诺人还会为木乃伊戴个面具或假发之类的装饰品。

我们知道，在埃及，只有皇室和贵族才有资格在死后被制成木乃伊。而在期恩科诺，无论男女老少，阶级种族，在死后人人“平等”。

18. 胡夫金字塔有哪些数字关系之谜?

埃及胡夫大金字塔被称为古代世界七大奇迹之首，在1889年巴黎埃菲尔铁塔落成前的4000多年里，胡夫大金字塔一直是世界上最高的建筑物。

大金字塔原高146.59米，因为风化腐蚀，现降至137米。整个金字塔建筑在一块巨大的凸形岩石上，占地约52 900平方米，体积约260万立方米。

一位英国考古学者估计，大金字塔大约由230万块石块砌成，外层石块约115 000块，平均每块重2.5吨，大的甚至超过15吨。假如把这些石块凿成平均一立方英尺的小块，把它们排成一行，其长度相当于赤道周长的2/3。

曾经入侵过埃及的拿破仑估算，如果把大金字塔、哈夫拉金字塔和孟卡乌拉金字塔的石块加在一起，可以砌一条三米高、一米厚的石墙沿着国界把整个法国围成一圈。

在4000多年前生产工具很落后的时代，埃及人是怎样采集、搬运如此之多又如此之重的巨石，垒成如此宏伟的大金字塔的？

不仅如此，人们还惊奇地发现，大金字塔还包含着很多数字关系之谜！

延伸大金字塔底面正方形的纵平分线至无穷则为地球的子午线：穿过大金字塔的子午线，正好把地球上的陆地和海洋分成均匀的两半，而且塔的重心正好坐落在各大陆引力的中心。

把大金字塔底面正方形的对角线延长，恰好能将尼罗河口三角洲包括在内，而延伸正方形的纵平分线，则正好把尼罗河口三角洲平分。

大金字塔的底面周长为362.31库比特（古埃及一种长度单位），这个数字与一年的天数相近。

大金字塔的原有高度乘以10亿，约等于地球与太阳之间的距离。

大金字塔4个底边长之和，除以高度的2倍，即为3.14——圆周率。

大金字塔高度的平方，约为21 520米，而其侧面积为21 481平方米，这两个数字几乎相等。

从大金字塔的方位来看，4个侧面分别朝向正东、正南、正西、正北，误差不超过0.5度。

……

这些数字关系是纯属巧合，还是建造者的有意设计？为什么除大金字塔外，其他建筑物不能提供那么多代表相当科技水平的数字？以古埃及人的科技知识水平，能建造出这样的奇迹来吗？

看来，事情并不简单，科学家们仍在为此争论不休。

知识链接

“金字塔”中文名字的来历

古埃及人称金字塔为“庇里穆斯”，意思是“高”。古希腊人认为金字塔很像他们日常食用的一种尖顶状的糕饼，就以该“糕饼”的读音称金字塔为“pyramis”。后来英国人受古希腊人的影响，将金字塔称为“pyramid”。从此以后，世界上很多国家都根据英语的发音来称呼它，中国最初也音译金字塔为“皮拉米”。

大约在19世纪晚期或20世纪初期，有人看金字塔的外形像汉字中的“金”字，突发灵感，将其命名为颇有中国韵味的“金字塔”。

1904年，康有为游历埃及后，在其所著的《海程道经记》中第一次明确提到“金字塔”。由于“金字塔”三字正是在《海程道经记》中写到之后，才被人们广泛使用的，所以大多数人将“金字塔”这个中文名字的发明归功于康有为。

19. 古埃及历法与天狼星、尼罗河有什么关系？

伊希斯女神在埃及神话中是司生育、繁殖的，而尼罗河的泛滥——正是这泛滥的河水年年给埃及人带来收成——则被认为是伊希斯女神的眼泪；同时，埃及人将天狼星尊为伊希斯神，那么，天狼星为何要与尼罗河泛滥联系在一起（以伊希斯女神为中介）？

早在公元前8000余年，即距今1万多年前，古埃及人注意到当尼罗河水上涨到孟菲斯城附近的时候，天狼星和太阳会同时出现在东方的地平线上。于是，古埃及人就把这一天定为一年的开始。把一年分为12个月，每月30天，共360天。到公元前4200多年，他们对自己原有的历法做了修订，在每年的最后增加5个附加日，使每年有365天。这附加的5天是献给冥王奥西里斯家族诸神的。因为他们没有设置闰年，这种历法比地球实际绕太阳一周要1/4天，每4年会落后1天。尽管如此，这也是人类根据太阳变化制定的世界上第一部比较精确的历法。

古埃及人是一个农业民族，尼罗河谷的农民还根据对他们生活有很大影响的尼罗河水的涨落，制定出了一部自然历法。这种历法与上面历法的区别是把一年分为三季：泛滥季、播种季和收获季，每季4个月，然后把5个多出来的日子加上去，使一年也等于365天。这个历法后来被称为古埃及钦定的官方历法。

由于古埃及的历法每年比地球绕太阳运行一周要少1/4天，这种差距最初微不足道，每4年只差1天，但是，后来越聚越多，到公元前13世纪，已相差了4个月。古埃及人经过长期的观测，终于发觉天狼星和太阳同日升的周期为365.2507天。

公元前238年，希腊化时代的埃及国王托勒密三世曾颁布诏书，试图每4年增加1个附加日，以纠正传统官方历法的误差，但埃及人没有接受这一方案。

以月亮的圆缺变化而确定的阴历，在古埃及也存在。该历法也是将一年分为12个月，但每月只有29.53天，一年是354.36天，全年比太阳历少10.88天。为弥补两者之间的差距，通常是每3年加1个月。阴历在埃及主要用于确定宗教节日。

以上3种历法在古埃及都长期存在，并行不悖。

至于古埃及人究竟为什么要将尼罗河泛滥与天狼星联系起来，现代西方学者尚无一致意见。但是这种将新年第一天与一种天文现象联系在一起的做法，却为历史学家推求古埃及漫长历史的年代学问题提供了可靠的出发点。

20. 木乃伊可以自然形成吗？

有很多木乃伊，并没有经过精心处理，而是经过大自然的加工和催化，意外保留下来的。这种可以促使木乃伊自然形成的环境通常是沙漠或严寒地带，因为这类环境的气候能阻止尸体腐烂。

我们知道，细菌是导致腐烂的罪魁祸首，它的繁殖离不开水，而人体的70%的成分是水，也就是说人体为细菌的繁殖提供了温床，所以尸体很容易腐烂。炎热的沙漠地区能使尸体里的水分迅速脱干，从而阻止了腐烂的进程，使尸体能够保留下来。比如埃及地处热带沙漠，经年少雨，空气中的细菌很少。尸体被埋在炙热的沙坑里，水分迅速蒸发，最终变成了“金刚不坏之身”。至于严寒地区，虽然由于气温低，使得尸体水分的蒸发速度迟缓，但是由于寒冷的气温使细菌的生长繁殖受到很大的抑制，为尸体脱水赢得了时间，尸体的保存也就没什么问题了。

除了沙漠和严寒地带外，在沼泽地里也可能发现自然形成的木乃伊。酸性的沼泽水、低温和缺氧等自然因素共同加速了死者皮肤和内脏组织的皮革化，死者的骨架通常会随着时间的推移而慢慢解体。这类木乃伊一般在刚被移出沼泽时状况相当完好，皮肤和内部器官都比较完整，甚至可以通过他胃里的东西知道其生前最后一餐吃的是什么。

在自然环境中形成的木乃伊在世界各地都有发现，比如，在极度干燥环境中形成的“塔里木木乃伊”，在极度酷寒环境中形成的“冰人奥兹”（从公元前3300年左右至1991年，他一直沉睡在意大利阿尔卑斯山的冰川里），在酸性环境中形成的沼泽木乃伊“托伦德人”，以及在富盐环境中形成的“盐人”等。据统计，在北欧，已经发现的来自铁器时代的沼泽木乃伊超过1000具。

当然，自然形成的动物干尸也时有所见，这些动物木乃伊一般形成于浅盐水环境。成为木乃伊的常常是那些身体结构“先天”最适宜“木乃伊化”的动物，比如海马和海星等。

21. 古埃及人为什么要制作木乃伊？

在古埃及，流传着这样一个神话传说。

在很久很久以前，有一位贤明公正的国王，他就是地神塞布的儿子奥西里斯。他教导人们从事农业生产、制作面包、酿酒、开矿，为人民带来了幸福，深受百姓的爱戴。但他的弟弟，沙漠贫瘠与混乱之神塞特，对奥西里斯十分嫉恨，并蓄谋杀害他以篡夺王位。

有一次，塞特按照奥西里斯的身材做了一只十分精美的箱子，然后，他邀请奥西里斯来家里共进晚餐，并找了同伙作陪。席间，塞特让同伙把这只箱子抬了出来，然后指着箱子对大家说：“谁能躺进这个箱子，我就把它送给谁。”

塞特的同伙都去试了试，假装不合适。于是，他们就怂恿奥西里斯，当着大家的面试一试。奥西里斯不知是计，未加思索便躺了进去。塞特的同伙见奥西里斯中计，立刻关紧了箱子，上了锁，把奥西里斯扔到尼罗河里去了。

奥西里斯被害以后，他的妻子雨神伊希斯焦急万分，到处寻找，终于在西亚的地中海沿岸找到了奥西里斯的尸体，并把尸体藏在尼罗河三角洲的丛林中。不料，这件事被塞特知道了。他半夜里偷走了尸体，并把他残忍地剁成了14块，分别扔在不同的地方。伊希斯历尽千辛万苦，又将奥西里斯尸体的碎块找到了。伊希斯把丈夫的尸体凑齐后，伏在上面痛哭，结果与丈夫的灵魂交配，生下了儿子荷拉斯。

荷拉斯从小就非常勇敢，长大成人后，在众神的帮助下，打败了塞特，替父亲报了仇，成为埃及之王。奥西里斯也得以复活，成了阴间之主，做了冥神，专门负责对死人的审判，并保护人间的法老。

奥西里斯的传说在埃及广泛传播，它给人们带来了莫大的安慰——通过对冥神奥西里斯的崇拜，人死后是能够复活的。

同时，古埃及独特的自然环境也促使了人们“来世永生”观念的形成。尼罗河每年有规律地泛滥与消退，植物与之相应地消长荣枯，以及太阳每天的升起和落下，这些自然现象的周而复始让埃及人相信：世界是循环往复的，万物是生死轮回的，人也应当如此。因此，为了准备来世的复活，就必须好好保存尸体。如果没有尸体，人死后灵魂就无所依附，人也就无法复活。如果尸体不完整，缺失了某个部位，人在复活以后也会缺失某个部位。因此尸体必须保存完整。

正是在这种“来世永生”的思想观念的支配下，将尸体制成木乃伊之风在古埃及盛行起来。

22. 制作木乃伊有哪些程序？

古代埃及人用防腐的香料殓藏尸体，年久干瘪，即形成木乃伊。具体的制作过程和方法如下：

第一，人死后，立即把尸体最容易腐烂的内脏部分掏出。通常是在尸体左侧切开一个口子，把肝、肺、胃和肠子等内脏全部掏出，只把心脏留在体内。因为在古埃及人看来，心脏是思维和理解的器官，必须留在体内。脑髓则通过筛骨从鼻孔中抽出。

第二，对内脏和体腔进行防腐处理。先用棕榈酒或椰枣酒将内脏进行彻底的清洗消毒，然后在内脏上撒上一层捣碎的香料，把它们分别放在4个（也有时是3个或5个）坛子里存起来。这4个坛子的盖子，在新王国第十八王朝时期，被固定为荷拉斯神4个儿子的形象，他们分别守护着不同的内脏器官。

对于体腔也要先进行消毒，然后用布包的泡碱和其他临时填充物进行填充，把它置于干燥的泡碱粉里约40天，等其水分被吸干以后，拿出里面的填充物，改用碾碎的桂皮、泡碱、锯末等布包填充，最后缝上切口，贴上一块画着荷拉斯眼睛的皮——古埃及人相信这种皮有强大的愈合和保护作用。

第三，将已处理过的尸体抹上一层油膏和松香溶液，用白色亚麻布将指、掌、脚和躯干依此包裹起来，当然要在尸体和亚麻布之间夹上一些护身符，对于死者而言，最重要的护身符是放在胸口的圣甲虫宝石，宝石上常刻着字，主要劝告心脏不要在死者受审时，说出一些不利的佐证。死者的鼻子有时会因抽取脑髓而遭到损坏，这时会安上一个木制的假鼻子，眼窝里也用布堵上或者安上人造眼睛。

最后，把死者的两手交叉在胸前，装入一具棺材中，有时还会在棺材的外面加上一个套。后期盛装木乃伊的棺材发展成彩绘的人形棺材。

一具木乃伊的全部制作过程大约需要70天的时间。

尽管制作木乃伊的过程充满了迷信和神话的色彩，但木乃伊的制作也反映了古埃及人高超的医学技术。

23. 太阳门究竟有何神秘之处？

1995年5月，南美洲的“蒂亚瓦纳科古城遗址”被联合国教科文组织列入世界文化遗产名录，与神秘的马丘比丘古城一起，被誉为南美最负盛名的两大古城。

蒂亚瓦纳科古城位于玻利维亚境内的的喀喀湖以南约20千米处。这座谜一般的神秘之城坐落在海拔4000米的高原之上，这里的气压很低，空气中氧的含量也极少，体力劳动对于任何一个非本地人来说都不堪忍受。但是，恰恰就是在这样的高原之上，曾经出现了一个高度发达的古代文明。

太阳门是蒂亚瓦纳科文化的杰出代表，也是美洲最著名、最卓越的古迹之一。太阳门高3.048米，宽3.962米，由重达百吨以上的整块巨型中长石雕刻而成，中央凿一门洞。据说每当9月21日黎明时，第一缕曙光总是准确无误地从门中央射入。门楣正中间刻着一个人形浅浮雕。从这个人形神像的头部会放射出许多道光线，他的双手各持着权杖，权杖两端装饰着在美洲象征太阳的鹰的形象，无疑，此神即为太阳神。在他两旁平列着3排48个相对较小的、生动逼真的形象。3排中的上下两排是带有翅膀的勇士，他们面对神像；中间一排是人格化的飞禽。这块巨石在发现时已残碎不堪，1908年经过一番整修，恢复了其以前的形象。

早在印加王国崛起以前，太阳门就存在了很多世纪。有些学者从城中的石刻图案推测，认为这些图案所刻的乃是公元前1.5万年的星空，蒂亚瓦纳科的修建应在这一时期。从另一些石刻上，人们还发现了早已灭绝的史前动物。但另一些人用层积发掘法检测，认为蒂亚瓦纳科大约从公元3世纪起开始兴建，公元10世纪时才全部完成。不管怎样，相对于当时的生产力水平，蒂亚瓦纳科的确是一个伟大的奇迹。

24. 世界上最大的土城昌昌古城是用“混凝土”建造的吗?

早在印加帝国建立之前，在秘鲁的北部海岸莫奇河谷，就有了一座巨大而繁华的城市，这也是西班牙人到来前南美洲最大的城市，这座城市就是契穆王国的首都——昌昌古城。

15世纪初期，自诩为太阳子孙的印加部落，以秘鲁的库斯科为中心，相继征服邻近的部族，建立了印加帝国。随着印加人势力的日益强大，为了拓展帝国的版图，在和周围的部族连年征战中，征服了当时已由强变弱、四分五裂的昌昌王国。

几十年后，当欧洲人来到昌昌古城时，看到的只是一座被人遗弃的空城。欧洲人并没有见过昌昌的居民是怎样生活的，他们只是从印加人那里得到了一些有关这座古城的传说。

昌昌古城全城占地约36平方千米，中心地带6.5平方千米，包括10个长方形的城堡。每个城堡平均长约400米，宽约200米，四周有高9–12米的围墙，最高的可达15米，墙基厚3米。目前，古城只挖掘出很少一部分。专家们相信，还有大部分的城墙和古物被掩埋在沙石下面，需要长时间的发掘才能使它们重见天日。

从目前挖掘出的一小部分来看，这座古城非常壮观。城里一些主要的建筑群，都是用各种不同的土砖所造，看上去简单朴实。作为世界上最大的土城，昌昌古城中，不论城墙或是房屋，一律不见石头，全部用土砖垒成。土砖有大有小，依不同建筑物而定，砌得“天衣无缝”。土砖常以品字形逐层砌造，以防地震的破坏。让人惊讶的是，1970年秘鲁大地震，后人修复的城墙倒了，残存的古城墙却安然无恙。后来人们发现，原来，当年的奇穆人在建造这座土城时，其土砖是用黏土、贝壳、砂粒磨成细粉，混合掺水成型，以火焙烧制成，成品呈紫红色，坚牢度不亚于现代混凝土。再加上当地气候干燥，几乎终年无雨，才使得这些土砖建筑经受住了几百年的风吹雨淋。

昌昌古城和它的建造者奇穆人引起了世界考古学家们的强烈兴趣，后来在昌昌古城附近的一些新的考古发现，更使世人感到极大的震惊。

1987年，人们在莫奇河谷接近沿海的地方，发现了一系列壮观的金字塔。这些金字塔之所以很晚才被发现，是因为它们全部都是用泥砖砌成的，而且时代非常古老，由于受到严重侵蚀，从外表看来，几乎很难辨认出它们是人工建筑。其中最大的一座名为太阳金字塔，因遭到风化的侵蚀和盗宝者的破坏，已经变矮了很多，现在其高度为40多米。它的基座面积达54 400平方米，远远望去就像一座巨大的土山。在塔的23米高处为一平台，平台高18米。经过计算，有人认为，当年为建筑这座金字塔，估计用去了1.4亿块砖坯。这座金字塔是西班牙人到来之前美洲最大的土砖建筑，也有人认为它在刚刚被建成的时候，很可能就是美洲最大的人造建筑物。

25. 斯通亨奇巨石阵是古人使用的一种天文仪器吗?

在伦敦西南100多千米的索尔兹伯里平原上，孤零零地伫立着一些凭空拔地而起的、巍峨壮观而又堆垒有序的巨石，这些奇特的巨石就是举世闻名的、神秘的史前遗迹——斯通亨奇巨石阵。

千百年来，这个造型奇特、建筑精准的巨石及其特有的远古神秘氛围引发了人们的无尽猜测与遐想。19世纪，英国首相格莱斯顿曾说："这座崇高的、令人敬畏的古迹诉说着许多事情，同时又在告诉世人，它隐藏着更多的事情。"

今天我们所看到的巨石阵，是由30多块直立的长方形巨石组成的。巨石形成一个直径约30米的圆形，石柱上端架着厚重的石楣，每个石楣紧密相连，也构成圆圈，形成奇特的柱顶盘。石环外侧土墙的东部有一个巨大的石拱门，整个结构呈现马蹄形状。石环内还有5座门状石塔，两柱一梁，高约7米，呈向心型排列。这些石块都是平均重达25吨左右的岩石，有的甚至重达50吨，据说取自几百千米以外的地方。整个环形石柱群还被直径达120米的土墙所围绕。整个巨石阵具有高超的土木建筑技术，且巧妙地暗合了天文学知识。

很久以来，斯通亨奇巨石阵吸引了众多学者对它进行考察研究，并对其用途做出了种种猜测。有人说它是古人为了对天地表示崇敬而建的祭坛或神庙，也有人说它是重要的宗教集会所。1965年，波士顿大学天文学教授霍金斯得出了更惊人的推论，他认为巨石阵事实上是一部可以预测和计算太阳与月亮轨道的"古代计算机"。当时这个提法的确引起了极大的讽刺与非议，但是近代学者的研究却发现，这一说法的正确性越来越高。

霍金斯认为，巨石阵中几个重要的部位似乎都是用来指示太阳在夏至那天升起的位置。它的主轴线、通往石柱的古道和夏至日清晨初升的太阳在同一条线上。而从反方向看刚好就是冬至日太阳降下的位置。除了太阳之外，月亮的起落点似乎也有记载。通过它可以了解太阳、月亮的方位并观测推算星象。所以，巨石阵建筑既不是原始的也不是任意建造的。巨石阵的形状揭示了人们对整体各部分比例的透彻理解，它充分显示了建设者的数学和天文造诣。

26. 古埃及真的有飞行器吗？

1848年，一名考古探险家在埃及古城阿比杜斯的塞蒂神庙入口十米高的横梁上发现了一些奇怪的图像，当时没有人知道那些象形图画描绘的是什么东西，就像其他许多神秘的阿比杜斯象形文字一样，这些奇怪的图像随着时间的流逝渐渐被世人忘却。直到150多年后，考古学家才震惊地发现，那些由3000年前的古埃及艺术家雕刻下来的图像，竟然是直升机和潜水艇的模型。

在神庙的墙壁上，古代艺术家竟然镌刻下拥有明显螺旋叶片和机尾的战斗直升机图像，而另外几个航空器图像也像极了现代的超音速战斗机和轰炸机。

古埃及人曾经会飞行?

埃及考古学家阿兰·艾尔福德在研究了塞蒂神庙上的象形文字后，确信古埃及艺术家描绘的“直升机”或飞机都是真实的。艾尔福德说，古埃及人描绘的是一个真实的直升机模型，就像他们经常用图画描述日常生活一样。

然而怀疑论者认为神庙的主人塞蒂一世法老有个别名叫作“蜜蜂”，而古埃及艺术家画在神庙墙壁上的，只不过是一只蜜蜂图形而已，他们无论如何也不相信3000多年前的古埃及人竟然看到过20世纪才发明的直升机。

事实上，不仅古埃及拥有神秘的“飞机”图像，几乎在所有的古代文明中，都能找到有关“古代宇航员”的传说。近百年来，考古学家在哥伦比亚、秘鲁、哥斯达黎加和委内瑞拉等国，也发现了33个模样极像飞机的古文物模型。其中一个被称作“哥伦比亚黄金飞机”的模型显然曾在3000多年前被用作护身符或装饰品。据悉，所有发现的“黄金模型”都符合飞机原理，拥有垂直和水平的尾翼。

早在1956年，美国纽约首都艺术博物馆曾举办了一场“前哥伦布时期黄金展”，展品中就有一个拥有三角翼的和垂直尾部的“黄金飞机”模型，它立即吸引了众多美国航空设计师的注意。科学家在实验室对同样的模型进行了测试，结果发现这种模型竟然能够以超音速速度飞行。据说，正是对这架“黄金飞机”的研究，才使得洛克希德公司的航空设计师们发明出了当时最好的超音速飞机。

知识链接

火箭

火箭是中国古代的重要发明之一。火药的发明与使用，为火箭的发明创造了条件。北宋后期，民间流行的“流星”之类的烟火就是世界上最早用于观赏的火箭。南宋时期，不迟于12世纪中叶出现了军用火箭。到了13世纪的元代，火箭已成为中国战争中的一种“常规武器”了，而那时候，欧洲人才刚刚知道世界上还有黑火药这种东西。

现代火箭的出现则是20世纪的事。第一次实验是1926年3月16日在美国马萨诸塞州的荒野里进行的。美国科学家罗伯特·戈达德点燃了一枚使用液体燃料的现代火箭，只听见它“轰”的一声腾空而起，但它飞行的最大高度只有12米，飞行的距离不过56米。

把火箭作为导弹武器用于现代战争中，是第二次世界大战末期的事情。1944年6月13日，德国为了挽救其败亡的命运，从法国北部的发射场向伦敦发射第一枚V-1火箭。在德国对英国长达10个月的火箭袭击中，德国共发射1.1895万枚火箭（其中V-1 1.0492万枚；V-2 1403枚），射到英国境内4646枚，造成英国死亡1.16万人，伤6.6万人，房屋被毁2.6万余幢。

27. 水晶人头出自何人之手？

1898年，大英博物馆陈列厅亮出一件神秘的展品——水晶人头。白天它供参观者观赏，一到夜里，工作人员就给它罩上一层厚厚的黑绸。这是因为在展示的第一天夜里，当游客散尽后，一个工作人员走进大厅清扫，令他大吃一惊的是，新陈列的那颗水晶人头，竟在黑暗中发出耀眼的白光。白灿灿的人头龇牙咧嘴，面目狰狞，好像是真正的恶魔厉鬼。

除了大英博物馆陈列的这颗之外，世界上还有两颗相似的水晶人头。其中一颗是英国姑娘安娜在1927年跟随她父亲、考古学家米希尔·海德吉考察拉丁美洲的著名古城卢巴·安吐姆古城废墟时，在挖掘现场上偶然发现的。另一颗水晶人头则保存在法国的人类博物馆里。

这些水晶人头的出现引起了世界各国考古工作者的浓厚兴趣，他们首先关注的问题是，这3颗水晶人头是如何产生的？究竟是什么人在什么时代制作的？制作它的目的又是什么？

大英博物馆素以文物记载精细严谨著称于世，然而关于这些水晶人头的记载却很少，因为馆藏的那颗水晶人头是几经转手才购进的。学者们根据博物馆的简略记录追踪到了美国，但是美国人是从墨西哥那里获得那颗水晶人头的。于是许多考古学家涌向墨西哥，在那里辛苦寻觅了近一个世纪，却始终一无所获。安娜发现的那颗，是在洪都拉斯卢巴·安吐姆古城废墟上出土的，自然与古城的历史有着密切联系。保存在法国的那颗水晶人头，则是在墨西哥的印第安古城遗址中发现的。因此可以说，这3颗水晶人头都是在拉丁美洲的古遗址中找到的。鉴于这几处古代遗址是美洲印第安人先民所遗留下来，这些水晶人头很有可能是古代印第安人的杰作。

28. 南极古地图是怎样绘成的？

我们知道，极度严寒的南极洲终年冰雪，是地球上唯一无人定居的大洲。可是，早在6000多年前，就有人绘出了极其精确的南极洲地图。这究竟是怎么一回事呢？

18世纪初，有人发现了几张由一个名叫比瑞·雷斯的人于1513年绘制的几幅地图。比瑞·雷斯在地图一角的附记里写道：“为了绘制这幅地图，我参照了20幅古地图，其中的8幅绘于亚历山大大帝时期。”

距今2000多年的亚历山大大帝时期的人们能够绘制什么样的地图呢？

当时的人们还无法看懂这些地图所描绘的具体方位。直到19世纪40年代，才有人惊讶地发现，这些地图中的一幅所描绘的居然是南极洲。然而比瑞·雷斯所处的年代根本没有人知道南极洲，更不用说2000多年前的马其顿人了。事实上，直到18世纪才有人发现南极圈东边的一个岛，19世纪，才有人登上南极大陆。

20世纪50年代，人们从古地图上发现了更令人吃惊的地方：

首先，南极冰的平均厚度达1880米，最厚处达4500多米。直到1952年，人们用地震波才探测出冰层下面埋藏着高大的山脉。可是，古地图却精确地描绘出只有现代人才能够描绘出的南极洲山脉，并准确地标出了它们的高度。

其次，有一幅古地图上的挪威、瑞典、丹麦、德国、苏格兰等国家和地区的轮廓及它们所在的经纬度位置，与现代科学条件下绘制的地图分毫不差！此外，这幅古图上还绘有与当今地理情况不相符的地方，比如将格陵兰岛绘成两个岛屿，但据科学考证，古地图上所描绘的正好是古代格陵兰岛的布局。

最后，几幅古图上所显示的世界各地轮廓、陆地和海岸线都呈歪斜状，这与第二次世界大战中美国空军采用正距方位作图法绘制的军用地图极为相似。难道这是从天空中往下航拍出来后绘制而成的？然而，即便是在比瑞·雷斯所处的时代，航拍地球也纯属无稽之谈。

根据现代地球物理学的研究，6000多年前，南极洲正值温带气候，许多连绵起伏的山脉并没有被冰雪覆盖。于是，人们确信，古地图是在6000多年前绘制的。可是，6000多年前，地球人又是凭借什么先进工具绘制出如此精确的地图呢？

有些学者推测：大约6000多年前，有一批外星人造访地球，这几幅古老的南极洲地图便是这次造访的结果。后来，世人据此多次临摹、复传，古地图方能流传至今。然而，这只是人们的一种推测而已，真相还有待进一步探索、研究。

知识链接

已发现的世界上最早的地图

在伊拉克北部一个叫约尔根特佩的地方，考古学家发现了一幅公元前2300年制作的地图。地图上绘制的一片地区，四周为小丘环抱，一条水道（可能是运河）从中穿过。在地图中央还标明了土地所有者和土地面积。这是迄今发现的有地图基本特征的世界上最早的地图。在随后的2000年里，美索不达米亚为了土地交易、河流治理或者城镇规划绘制了大量地图。

在公元前600年，巴比伦人绘制了一幅世界地图，这也是世界上现存最早、最完整的世界地图。从这幅地图上可以看到巴比伦四周有多个毗邻国家，已知的世界为一个环形海洋所包围，海洋的外侧是一些偏远地区。从中心向下延伸的平行线代表幼发拉底河，在与之交叉的长方形中标有另一个长方形，代表伊拉克南部的沼泽地区，旁边是成角状的波斯湾。几个小圆代表巴比伦周边的国家。尽管当时巴比伦人对世界的认识是肤浅的，但毕竟是最早绘制世界地图的尝试。

29. 塔罗牌源于何方?

神秘的塔罗牌是一种古老的占卜工具，它的起源一直是个谜，许多研究神秘学的专家都试着找出一点儿线索。

关于塔罗牌的来历，有说来自古埃及的，有说来自古罗马的，有说来自希伯来的，有说来自波斯的，有说来自古印度的，甚至也有专家认为来自古代中国。

总结起来，其中最流行的是以下几种说法：

古老的意大利学说。根据历史学家的研究，早在14世纪，欧洲各国的贵族已经有人玩塔罗牌。另外，现代所知最早的塔罗牌约出现在14世纪末、15世纪初的意大利。意大利的扑克游戏（tarocco）与塔罗牌（tarto）发音近似，而且只有22张，与塔罗牌的22张主牌相似。同时，意大利诗歌中歌颂的爱情、胜利、慈爱、死亡、名誉、命运和未来等含义，与塔罗牌类似，因此，塔罗牌源于意大利的说法得到了很多人的赞同。但是有些学者认为这些证据只能说明塔罗牌曾经在欧洲流行，并不能证明塔罗牌源于欧洲。

吉卜赛学说。有些研究塔罗牌的学者认为塔罗牌极有可能是吉卜赛人由亚洲或非洲带到欧洲的。吉卜赛人以占卜为生，塔罗牌就是他们的一种占卜方法之一。不过吉卜赛人是一个四处流浪的游牧民族，有没有可能创造出极有系统的塔罗牌哲学呢？塔罗牌可能不是吉卜赛的产品，他们只是从其他文明学习得来的。

古埃及学说。有人认为，在埃及的亚历山大城被毁后，摩洛哥成为新的世界性学术中心，各地的学者都集中于此。然而他们没有共通的语言和文字，无法进行有效的沟通和交流，于是他们准备了一本充满神秘符号的图册，用图画代替语言和文字，后来这些图画就演变成游戏用的纸牌。这种说法缺乏实际证据，难以让人信服。而且人们没能在埃及的文献中发现任何关于塔罗牌的记录，这让持这种观点的信徒极为沮丧。不过，无论这个说法正确与否，不少塔罗牌的象征图案源于古埃及是不容否认的事实。

犹太学说。经过大量的分析研究，专家们发现塔罗牌与古希伯来人的kabbala有非常密切的联系。kabbala是古犹太人的哲学，相传是上帝传授给摩西的一种人与人之间互相合作、提升精神力量的学问。塔罗牌的22张主牌，跟希伯来文的22个字母和kabbala都有着密切的关系，甚至有人编写了塔罗牌与古希伯来字母的对照表。可以说，塔罗牌源于古犹太人的论点可信度很高。

30. 三叶虫化石中为何会有神秘的“凉鞋”印？

1968年6月，业余化石专家米斯特在美国犹他州进行了一次探险考察。当他用锤子砸开一块两英寸厚的石板时，这块断落的石板像书一样打开，并展示出令人目瞪口呆的一幕景象：一片三叶虫躺在一个人的鞋印上！而且，两侧石板上的鞋印近乎完美地吻合。更让人吃惊的是，这个鞋印居然是凉鞋印！

三叶虫是一种小型海洋无脊椎生物，大约生活在6亿年到2亿多年前，而人类穿鞋的历史不过只有几千年而已。

美斯特的这一发现震动了整个学术界。在旋即举行的新闻发布会上，犹他州大学地球博物馆馆长詹姆斯·麦德森说：“6亿年前人类还没有出现，也没有猴、熊或树懒来制造类似人类的痕迹，到底是什么人在脊椎动物还没有形成之前而在地球上行走呢？”

麦德森认为此化石肯定是自然形成的，至于化石上面为什么会出现鞋印，他还无法确定。人类学家杰西·詹宁斯的猜测则比较大胆，他认为足印可能由一个大型三叶虫栖息在三个小三叶虫上所致。

此后，人们在同一地点又陆续发现了几处人类留下的印迹。

1968年7月，一位来自亚利桑那州的地理学顾问克利夫德·伯帝克博士进行考察时，在一床页岩上发现了一个小孩的足印。他说：“足印有6英寸长，脚趾分开，好像从来没有穿过鞋，因为鞋会使脚趾紧密。脚弓的痕迹不明显，大脚趾也不突出。”

他把足印交呈两位地理学家和一位古生物学家。其中一位地理学家同意这是人的脚印，但古生物学家认为没有任何生物因素介于其中。

伯帝克博士则认为，足印在被发现之前，岩石恰巧经脚趾前部断裂，显现出清晰的致密层面，脚趾处可见层面凹陷，表明有重物压过泥土。

1968年8月，盐湖城公立学校系统的教育工作者丁·比特先生声称，他于同一地点发现另外两块穿鞋足印。据称，尽管没有出现三叶虫被踩的迹象，但于足印附近的同一块岩石里发现有一片三叶虫，表明这种小型海洋生物与穿鞋的行人可能处于同一时代。

总之，这几处神秘的人类印迹，向人们传统的思维观念提出了重大的挑战。

第八章

失落文明·历史碎片

1. 非洲本土到底有没有文明？

非洲是大多数人公认的人类发源地，其历史之悠久是其他大洲无法比拟的。然而就是这样一片古老的土地，却一度被认为是没有文明的。这不能不让人心生疑惑，既然人类发源于此，又为何没有在这里创造文明呢？难道自人类文明产生后，人类就全部撤离非洲了吗？这显然是说不通的。

包括黑格尔在内的一些西方学者认为，非洲本土（撒哈拉以南）没有文明，只有黑暗和停滞。如果事实果真如此，那么在非洲本土就不应该存在任何人类文明的遗迹，但越来越多的考古发现却证明了这种观点的荒谬。

撒哈拉以南的非洲居民大约在公元前2000年左右就已经开始驯养动物和培植农作物。西非是大部分非洲农业的发源地，并在公元前几千年就出现了精制的赤陶器物。公元前3世纪左右西非进入铁器时代后，先后出现过加纳、马里、桑海等强盛的古代帝国。

在中南部非洲，到处可以看到铁器时代的遗迹，以及古时梯田和人工灌溉工程的遗址。建有数千幢房屋的恩加鲁卡古城遗址、建于公元500年左右的大津巴布韦石头建筑物遗址都是中南非古代文明的重要标志。非洲中部和南部也先后出现过一些繁盛的国家，诸如拥有发达农业、采矿业和对外贸易的莫诺莫塔帕王国，建立起高度中央集权制度的刚果王国，雕刻艺术品水平极高的库巴王国，社会分工很发达的布干达王国等。

濒临印度洋的非洲东海岸，自古以来贸易发达，早在纪元前就进行铁和盐的交易。15世纪上半叶，非洲东海岸已发展到能派使者远渡重洋到中国访问。

由此看来，非洲本土不仅有文明，而且其文明程度还曾非常发达。

2. 为什么会有两个巴比伦国？

巴比伦最初不过是幼发拉底河边的一个默默无闻的小城市。在阿卡德人的一块碑文中，列举了许多被征服的城市，巴比伦“荣登”此榜。在公元前2200年左右，来自叙利亚草原的另一支闪族阿摩利人攻占这座小城，建立了国家。从此，阿摩利人以巴比伦为中心，南征北讨，不断扩张，终于建立了一个强大的巴比伦帝国。为了与后来的巴比伦帝国区别，学术界习惯上称之为“古巴比伦王国”。

古巴比伦王国在汉穆拉比统治时期达到极盛，但是汉穆拉比死后，帝国分崩离析。古巴比伦王国先后受到赫梯人、加西特人的入侵，公元前729年被亚述帝国吞并。

公元前630年，迦勒底人的领袖那波帕拉萨尔乘亚述帝国内乱之机，发动了反抗亚述统治的起义，并于公元前626年建立了新巴比伦王国。新巴比伦王国在尼布甲尼撒二世统治时国势达到巅峰。后来与在伊朗高原西北部的米底结成联盟，共同进攻亚述帝国，最后在公元前612年攻陷亚述首都尼尼微，消灭了亚述帝国。

新巴比伦国王尼布甲尼撒二世把首都巴比伦城建成一座堡垒般的城市。城市呈方形，每边长22.2千米。围绕城市的城墙大约有8.5米高，是用砖砌和油漆浇灌而成的。4匹马拉的战车可以在宽阔的城墙上奔驰。全城有100扇用铜做成的城门。城墙周围还有很深的护城河。幼发拉底河从城墙下流进来，穿城而过。巴比伦城里有一座很大的皇宫，皇宫内修建了一个“空中花园”，被后世称为世界七大奇迹之一。

新巴比伦王国最后一个国王伯沙撒与马尔杜克神庙的祭司发生

冲突，试图另立新神。公元前539年，巴比伦城内的祭司在波斯王居鲁士二世入侵时打开城门，放波斯军队入城，波斯人俘虏了国王，新巴比伦王国灭亡。

3. 为什么有人说巴比伦文明的本质是商业文明？

美索不达米亚工商业发展的顶峰应属巴比伦时期。由于两河流域南北的统一，城市经济的发展，大大促进了工商业的发展，巴比伦城成了全国贸易甚至是国际贸易的中心。因此有人说，巴比伦文明本质上是商业文明。的确，流传下来的文献，大多带有浓厚的商业色彩。就国内贸易而言，从大量的借贷、契约、合同、期票的泥版文书，可以看出当时商业活动频繁的程度。自从马传入后，交通工具的革新使巴比伦的商务由国内市场推向了国际市场，成为近东的贸易中心，与地中海诸国也有商业往来。

古巴比伦时期的对外贸易具有如下特点：其一，商人在生意结束后往往向神庙和国家交税；其二，商人常常采用合伙经营的方式；其三，商业资本多半来自私人，一般的借贷契约都有5–8位证人，并有证人的印章；另外，这一时期出现了专营某种商品的大商人。

从以上我们可以看到，除国家和神庙控制和组织的商业贸易外，巴比伦的私人商业活动也十分活跃。在当时，许多商船云集在巴比伦的码头，这里成为商贸的集散地，这些商业活动多半是属于私人性质的。

《汉穆拉比法典》中提到了两种主要商人，一是大商人“塔木卡”，一是小商人“沙马鲁”。塔木卡的活动包括：从事商业贸易、高利贷、贩卖奴隶、为国家征收租税，塔木卡因此享有王室份地。沙马鲁既是塔木卡的代理人，也是其商业伙伴，他所从事的商业活动有的是为塔木卡推销商品，塔木卡付给其工资；有的则是与塔木卡合伙经营，参加分成。沙马鲁在社会经济地位上虽比不上塔木卡，但也可能比较富有，基本是独立的私商，而不是王室官员。

关于巴比伦商业的繁荣景象，历史学家这样描述道：

巴比伦商人们领着毛驴商队缓慢地穿梭于城镇之间，做着生意，他们能渗透到周围很远的社区。他们在幼发拉底河上游一带时常出没，这样，在这里出现了一个叫作哈拉的城镇（哈拉的意思就是“旅行”）。在许多人家的院子里，都堆有很高的货包，每一捆包上都印着商人姓名的泥章。

4. 玛雅文明与奥尔梅克文明有什么渊源？

奥尔梅克文明于公元前1200年左右产生于中美洲圣洛伦索高地的热带丛林之中。圣洛伦索是早期奥尔梅克文明的中心，在繁盛了大约300年后，于公元前900年左右毁于暴力。其后，奥尔梅克文明的中心迁移到靠近墨西哥湾的拉文塔。

关于奥尔梅克文明的突然出现，中外一些学者提出了“殷人东渡美洲论”。当年武王伐纣，殷商灭国之后，留驻东夷的十多万精兵却从此杳然无踪，史无所载，成为千古之谜。而恰在此时，在中美洲尤卡坦半岛突然兴起了带有强烈殷商文化色彩的奥尔梅克文明，于是学者们猜测：殷人是否东迁到美洲？学术界为这一谜案争论了几百年，至今依然没有定论。

在公元前400年左右，奥尔梅克文明神秘消失，但它对中美洲文明产生了巨大影响。奥尔梅克文明的许多特征，如金字塔和宫殿建造、玉器雕琢、美洲虎和羽蛇神崇拜等，成为后来中美洲各文明的共同元素。

大多数学者认为奥尔梅克文明是玛雅、托尔特克等文明的母体。但也有人认为奥尔梅克文明和其他中美洲文明的关系是姐妹关系。不过，我们与其在这个问题上费脑筋，还不如把奥尔梅克文明看成玛雅文明在较早阶段的代称。

其实，“玛雅”这个称谓不过是近500年才出现的。10世纪以后，尤卡坦半岛上有3个强大的城邦，其中之一叫玛雅潘，它曾一度成为尤卡坦半岛北部最具政治主导力的中心。在12–14世纪即它的鼎盛时代之后，西班牙人来到此地，他们把这个城邦的名字用于整个玛雅地区，这才有了我们如今所熟知的“玛雅地区”“玛雅民族”“玛雅文明”的说法。

而某些时候，人们囿于概念，把奥尔梅克文明和玛雅文明做了严格的区分；甚至有时只把公元3–9世纪危地马拉低地的古典期文明视为真正的玛雅文明，把这一地带文明的衰落和转移称为“玛雅文明的消失”。

5. 西班牙人为什么将玛雅文化视为“魔鬼之作”？

西班牙殖民者入侵玛雅之后，不仅在军事上与玛雅人展开了反复的较量，在文化上，两个民族也发生了激烈的冲突。西班牙人信奉的天主教教义与玛雅祭司集团所代表的信仰格格不入。结果，西班牙军队的随军主教迪那戈·德·兰达，竟然策划了一次大规模的“焚书坑儒”，1562年，他下令将所有玛雅书籍付之一炬，并将玛雅祭司全部处以火刑。

玛雅祭司集团全权掌管着用象形文字记录的玛雅历史、文化知识，他们是玛稚社会的知识阶层。兰达的这一举动，致使玛雅历史文献只剩下4本手稿，同时，有能力识读和书写玛雅文字的祭司全部遇害，致使那些幸存的真迹成为天书，至今无人能够破译。有志于研究玛雅历史文化的学者不得不另辟蹊径，从西班牙人留下的文献中捕捉玛雅的影子。

西班牙人毁灭玛雅文化的做法如此决绝，主要原因（据他们自己的说法）是他们认为玛雅人的神祇文字太像魔鬼所为。也许西班牙人潜意识里也暗自惊异于他们完善的知识体系，与自己的文化思想虽然大相径庭，却也是高度发达、令人叹为观止的。这使他们心底发怵，感觉到一种文化上的威胁，从而做出了斩草除根的鲁莽决定。

玛雅严格的社会分工使普通百姓完全无法接近文字。西班牙人处死了占玛雅人口一小部分的祭司，就相当于把一个国家所有识字的人全都处死了。于是，虽然玛雅人一直使用祖先创造的语言，坚守着自己的信仰和生活方式，然而直到今天，仍然没有人能看懂自己民族的文字、自己祖先留下的史书。

玛雅文献毁损殆尽，大难不死、劫后余生的玛雅文献少得可怜，但总算没有斩尽杀绝，使我们还能一睹古玛雅经卷的风采。这些文献是以榕树的内层皮和鞣制过的鹿皮为纸，用毛发制成的毛笔书写的，蘸取的颜料是玛雅人自己制作的，包括白、红、蓝、黄、咖啡等几种色彩。幸存下来的玛雅文献有4部，分别收藏于欧美不同国家的图书馆或私人手里。

6. 两河流域文明的创立者苏美尔人究竟来自哪里？

苏美尔人可能并非两河流域的原始居民，而是外来民族。他们大约在公元前4500年迁移到两河流域，逐渐占领南部地区，建立国家。到公元前40世纪左右，苏美尔人已成为两河流域南部的主要居民。

苏美尔人的来源至今众说纷纭。该人种的特征与美索不达米亚更早的居民欧贝德人和较晚进入两河流域的闪族人有着明显的差别。

目前有关苏美尔人来源的说法大致有以下几种。

北来说：苏美尔人由中亚或高加索、亚美尼亚到达美索不达米亚北部，再沿两河南下。其主要根据是，现在沿两河一带都有苏美尔人的遗迹。

东来说：苏美尔人源于东部小亚细亚的山地。此说的根据是，每个苏美尔城市都有名为“兹古纳”的梯形塔（指的是作为神庙使用的梯形庙塔）。有考古学家认为其寓意为一座山，暗示苏美尔人是山区的居民。

南来说：苏美尔人来自埃及或波斯湾，他们弃舟登陆，然后沿河北上。此说以苏美尔人自己的传说和巴比伦时期历史学家的说法为依据。据苏美尔人的传说，他们最早的祖先住在第耳蒙岛上，而这个岛很可能位于南部波斯湾中。另外，巴比伦史家在泥版上记载道：一个叫“奥那斯”的人领着一群怪物从波斯湾出来，他们发明了农耕、冶金和文字。尽管此说笼罩着神话的迷雾，但其中也不乏历史事实。

外星说：即认为苏美尔人是外星人。其主要根据是苏美尔人总在高山顶上寻找他们的神，而他们塑造的神的形象与人类大相径庭。每个神都和一个星星有关，在他们的绘画中，星星的样子与我们今天画的完全相同，而且星星的周围还围绕着几个星星，在缺乏现代观测条件的情况下，苏美尔人怎么知道不动的星星带有几个行星呢？另一个证据是，一首在泥版上的叙事诗所叙说的内容与现代人类在宇宙飞行中对地球的感性认识极为相似。因此，有人认为苏美尔人是从遥远的星球来到地球的。

此外，还有人说苏美尔人来自蒙古，因为他们的语言含有许多蒙古语音，等等。

凡此种种，都给苏美尔人的起源蒙上了一层神秘的色彩，也许，只有随着考古材料的不断丰富，才有可能解开这一历史之谜。

7. 哈拉巴文化的突然消失是因为一次大爆炸吗？

公元前1800年前后，曾经辉煌的哈拉巴文化突然消失了，昔日繁华的城市成为一片废墟，尤以摩亨佐·达罗为甚。后世对这一地区的发掘工作发现，除燃烧的残迹外，街头巷尾，到处都是男女老少的尸骨。在遥远的过去，哈拉巴和摩亨佐·达罗人到底遭遇到什么？接下来的千年中发生了什么事？哈巴拉文化是如何毁灭的？为了解开哈拉巴文化失落的谜底，考古学家和历史地理学家从不同角度进行研究，提出了各种假说，其中有外族入侵说、地质和生态变化说，还有大胆而又新奇的大爆炸说等。

大爆炸说是由英国学者捷文鲍尔特和意大利学者钦吉提出的。他们推测在公元前1800年左右，一艘外星人乘坐的核动力飞船不慎在印度河流域上空爆炸，以致给地面的居民造成了毁灭性的灾难。在出土的遗骨中，一部分人在街道上，更多的人在居室里。在一个比较大的废墟里，发现了很多成排倒地死去的人们，有些遗体用双手盖住脸，好像在保护自己，又好像见到了什么极害怕的事情。可以肯定，所有人都是在突然状态下死去的。

在对出土的人骨进行了详细的化学分析，排除了火山喷发和流行病、瘟疫等因素后，印度的考古学家卡哈说：“我在9具白骨中，发现均有高温加热的痕迹。”此外，很多坍塌的建筑都有承受过某种高温的痕迹，人们甚至发现一些“玻璃建筑”——托立提尼物质。这种物质是由于瞬间高温又迅速冷却而形成的。

此外，考古学家还发现古城遗址中有一块十分明显的爆炸点，约一平方千米半径以内的所有建筑都化为乌有。在爆炸区域内，考古学家发掘出一些烧成碎块的黏土，据推算，其燃烧的温度高达1.4万-1.5万度。据考证，古城废墟极像原子弹爆炸后的广岛和长崎，而且地面上还残留着遭受冲击波和核辐射的痕迹。

所有这些似乎都将古城毁灭的原因指向了大爆炸。难道哈拉巴文化的突然消失真的是因为一次大爆炸？这毕竟还只是人们的推测，没有确切的证据显示当时爆发了核战争，人们也不敢相信那个时候会有核战争。也许，只有通过对哈拉巴文字的释读以及考古材料的不断丰富，才可能真正解开这一历史之谜。

知识链接

古印度史诗中的“爆炸”

在古印度史诗《摩诃婆罗多》中，有关于类似爆炸的记载：“空中响起几声震耳欲聋的轰鸣，接着是一道耀眼的闪电。南边天空一道火柱冲天而起，比太阳更耀眼的火将天分割成两半，空气在剧烈燃烧，高温使池塘里的水沸腾起来，煮熟的鱼虾从河底翻了起来。地面上的一切东西，房子、街道、水渠和所有的生命，都被这突如其来的天火烧毁了，四周是死一般的寂静……”从这些描述来看，显然这突如其来的天火是一场神奇的大爆炸。此外，史诗《玛哈帕哈拉特》中也曾记载了远古发生的一次奇特大爆炸：天空中充斥着“耀眼的光辉和无烟的烈火”，“水沸腾了，鱼儿被烧焦了”，人类承受着巨大的痛苦。

8. 圣奥古斯汀文化是谁创造的？

圣奥古斯汀文化遗址位于今哥伦比亚境内马格达雷那河的源头，即所谓的哥伦比亚群峰坡地上。从那里，一种独特的古代土著文化影响扩展到极其广阔的地区，但至今人们还不能确定其界限。圣奥古斯汀文化的主要特点是：拥有数以百计的巨石雕刻，再加上巨大的建筑工程。

现在，根据一些零星的材料，可大致勾画出它们的历史文化轮廓。到公元1500年左右，包括圣奥古斯汀文化在内的一些较发达文化，是以具有阶级结构的酋长国为特征的一种文化类型。其主要的社会经济特点是：它们可能已有较发达的农业，不断增高的人口密度和深化的军事和宗教实践。在神权政治下，宗教是巩固社会团结的主要手段。从其分布情况看，酋长国并不限于高山地区，而是向下扩展到低地热带稀树草原的广大地区。其自然条件是，没有极大面积的热带森林地区，且在一些地区内耕地需要进行灌溉。在一些部落里，精耕细作的农业提供了经济生活的基础，所以打猎、捕鱼和采集的意义变得不再那么重大。在一些地区，人们还用修筑梯田的方法来扩大耕地。另外，作物的多样化是其另一特征。它不仅提供了更丰富的食品，而且保持了日常饮食营养的均衡。

然而，由于缺少对陶器形式的系统研究，所以几乎不存在这段文明的编年史。在这种情况下，至今人们还不知道是谁创造了圣奥古斯汀文化。不过，根据其主要的历史文化特点和所处的地理位置，关于其文化创造者问题，我们可以做出以下几种假设：

一是哥伦比亚的马格达雷那河上游地区土生土长的居民创造的文化。但是，从其文化特点看，它缺乏鲜明的广性和可靠的历史基础，因此，这一假设还有待进一步调查研究。

二是来自秘鲁的古代移居者创造的文化。圣奥古斯汀文化主要是以巨石雕刻为特点，同时引种了许多中部安第斯山区的作物，这表明它与古代秘鲁文化有密切的关系，但是目前还需要大量的材料来充分论证这个问题。

三是来自中美洲的古代移居者创造的文化。这一假设可能现实性不大，因为圣奥古斯汀的物质和精神文化特点与中美洲古代文化差异较大。

以上3种假设的任何一个论点都还没有达到无懈可击的程度，都需要进一步探究。

知识链接

南美洲重要文明

也许，与辉煌灿烂的中美洲文明相比，南美洲的文明略为逊色，但南美洲的文明同样拥有悠久的历史。大约3000年前，秘鲁中部安第斯山区出现了查文文化，成为秘鲁日后其他文化的基础。他们爱用大石建筑，能制造精美的金器，而且和中美洲人一样崇拜美洲虎。

查文文化之后，几乎在同一时期，秘鲁北部和南部分别出现了莫奇卡文明和纳斯卡文明。莫奇卡人建有金字塔，拥有发达的陶器制造技艺。纳斯卡人则擅长保存物品，他们的印染制品令人赞叹，染料能保持千年不褪色。但更有名的是他们的祖先在地上遗留下的巨型地画，甚至有人将其与世界第七大奇迹相媲美。

秘鲁和玻利维亚边境的的喀喀湖附近，在公元5-10世纪出现了蒂亚瓦纳科文明，其太阳门是美洲最著名、最卓越的古迹之一。从公元7世纪到1438年期间，秘鲁诞生了多个从都市发展出来的国家，其中以秘鲁北面的契穆王国最为繁盛，首都昌昌建筑尤为宏伟，是世界上最大的土城。

在安第斯高原及太平洋沿岸一带，正是这些神秘而又灿烂的古老文明，最终催生出美洲三大文明之一的印加文明。

9. 泰国班清文化是世界青铜文化的源头吗?

班清是泰国东北部呵功高原上的一座小镇，多少年来一直不为人们所熟悉，甚至连它的近邻也对其一无所知。现如今，它的名字却在学术界里越来越响亮，并且很有可能会被写入未来的历史教科书中。

是什么使班清一举成名的呢?原来，人们在这座小镇的地下发掘到一片史前墓地，墓地中埋藏着很多珍贵的陪葬品。最让人感到不可思议的是，在这些已经埋藏了5000年之久的陪葬品中，包括一些青铜制品。学术界传统认为，青铜器最早起源于两河流域的美索不达米亚。然而，在班清的考古发现，不得不使考古学家们重新审视一下这一论断。

1974年，泰国艺术厅和美国宾夕法尼亚大学博物馆对班清进行了联合的考古发掘。当挖掘到地下5米时，发现了层次分明的6

个文化层，最深的一层可追溯到公元前3600年。到1975年，人们共挖出陶器、石器和金属制品共18吨，其中包括大量的青铜器和金银制品。

发掘表明，在公元前3000年，班清人已经掌握了青铜的冶炼技术，并且在制作技术上进行了不断的创新。在早期的墓葬中，出土的青铜锛和青铜手镯的含锡量只有1.3%，外观也比较粗糙，严格来讲只能算作红铜制品。

公元前1000年左右是班清文化的繁荣期，在这一时期，班清人制作了各种各样的青铜制品。在已出土的青铜文物中，有一把精致的长柄勺，勺把上刻着许多栩栩如生的动物，让人很难相信这是几千年前的古代工匠制作出来的。这时期青铜器的铜锡配比也比较科学，说明此时的班清人已经相当熟练地掌握了青铜的冶炼和制作技术了。

班清文化无疑是东南亚乃至世界上最早的青铜文化。一些学者据此认为，班清的青铜文化是世界青铜文化的源头，中东和中国的冶金术都可能源于这个泰国高原的边缘小镇。不过，多数学者认为，那种把所有重大发明都归于一个源头的观念是不科学的。拿冶金术来说，它完全有可能是在世界各地独立演化出来的，甚至完全有可能是同一时期产生的。

随着时间的推移，班清出土的文物也越来越多，有关青铜器发源地的争论也将越来越激烈。但可以确定的是，一个曾经被人遗忘的文明，越来越真切地展现在世人面前。

10. 传说中的亚特兰蒂斯真的存在吗？

传说中于距今12000年前“悲惨的一昼夜”间沉没于大海中的大西洲，位于大西洋中心附近。

大西洲文明的核心是亚特兰蒂斯大陆，大陆上有宫殿和波塞冬神殿，所有建筑物都以当地开凿的白、黑、红色的石头建造，美丽壮观。首都波赛多尼亚四周是双层环状陆地和三层环状运河。在两处环状陆地上，还有冷泉和温泉。此外，大陆上还建有造船厂、赛马场、兵舍、体育馆和公园等。

这就是希腊哲学家柏拉图在他的著作中所描绘的亚特兰蒂斯景象。很多学者都把亚特兰蒂斯当成一个神话，他们认为柏拉图虚构它是为了比喻雅典社会的价值观，但还有一些执着的考古学家和历史学家都希望通过考古发掘，还它一个真面目。

19世纪中期，被誉为“科学性的亚特兰蒂斯学之父”的美国考古学家德奈利，提出了有关亚特兰蒂斯大陆的13个纲领：

（1）远古时代大西洋中确有大型岛屿，那是大西洋大陆的一部分。

（2）柏拉图所记述的亚特兰蒂斯故事的真实性不容置疑。

（3）亚特兰蒂斯是人类脱离原始生活，形成文明的最初之地。

（4）随着时间的推移，亚特兰蒂斯人口渐增，于是那里的人们迁居到了世界各地。

（5）《圣经·创世记》中所描述的“伊甸园”，指的就是亚特兰蒂斯。

（6）古代希腊及北欧传说中的“神”，就是亚特兰蒂斯的国王、女王及英雄。

（7）埃及和秘鲁的神话中，有亚特兰蒂斯崇拜太阳神的遗迹。

（8）亚特兰蒂斯人最古老的殖民地是埃及。

（9）欧洲的青铜器技术源自亚特兰蒂斯。

（10）欧洲文字中许多字母的原形，源自亚特兰蒂斯。

（11）亚特兰蒂斯是塞姆族、印度和欧洲各民族的祖先。

（12）12000年前，亚特兰蒂斯因巨大变动而沉没于海中。

（13）少数居民乘船逃离，留下了上古关于大洪水的传说。

德奈利的13个纲领，似乎可以回答包括《圣经》记事在内的一大批人类活动的疑问。

古埃及的许多习俗，都可以在美洲找到奇异的“印记”。在玛雅人的陵墓壁画中，可以轻易找到与古埃及王陵近似的图案。这样的“巧合”不胜枚举。我们完全有理由相信，这两个地区的文化和习俗之间，一定存在着某种必然的联系，这个联系绝不是简单的模仿或重复。由于它们相距十分遥远，我们至今没有找到它们直接交往的任何有力证据，而且它们还处在不同的历史时代。但我们有理由相信：它们之间的一系列“巧合”，更像是远古时代高度文明遗留下来的“印记”。

尽管人们发现了大量证据证明大西洋海底存在过这片大陆，但是目前亚特兰蒂斯大陆之谜仍未彻底解开。

11. 为什么说亚述人对人类最大的贡献是战争的艺术？

有人说，亚述人对人类最大的贡献就是战争的艺术。的确如此，亚述国家的政治、经济、文化都带有浓厚的军事色彩。亚述时期留下的艺术作品，几乎都与军事密切相关。

亚述人的军队是整个西亚最强大的。亚述军事力量之所以强大，一是由于亚述人的军事理念和军事素质。在亚述人的观念中，国家和军事几乎是同一个词，或者说，国家本身就是一架巨型的战争机器，维持一支庞大的军队和进行对外扩张是国家的首要及中心任务。二是他们的作战技术。在几千年前，亚述军队就有骑兵、步兵、工兵等各兵种。作战时，这些兵种适当编组，互相配合，扬长补短，充分发挥各个兵种的威力。亚述人还用急行军来争时间、抢速度，懂得使用各个击破的战略战术。这种战术，对西方的军事理念产生了深远的影响。三是因为亚述拥有先进的武器和优良的装备。铁制武器的使用使亚述人几乎攻无不克，战无不胜。在亚述国王萨尔贡二世王宫的一个武器库里，就发现了近两百吨的铁制武器，有铁剑、弓箭、攻城锤、战车、盾牌、盔甲等。

有了上述条件，亚述军队在整个西亚纵横驰骋，铁马啸啸，几乎无坚不摧、所向披靡。

12. 古印度文明的发现与西方人的“黄金梦”有什么关系？

发掘古文明似乎是考古工作者应该做的事，可不知什么时候，一些抱有“黄金梦”的西方人开始充当了这样的角色。从玛雅文明到印加文明，再到古印度文明，这些古文明的发现都与西方人的

"黄金梦"有着密切的关系。这是为什么呢？

其实，这些抱有"黄金梦"的西方人并非对古文明感兴趣，他们感兴趣的仍然是黄金，至于古文明的发现，则完全是寻找黄金过程中的意外收获。即使他们是专程去寻找古文明，其最终目的也是要获得黄金。"黄金梦"成了他们开辟新航线的动力，也让他们踏上了未知的美洲和亚洲。

西方人为什么对黄金如此热衷呢？公元14、15世纪，自从黄金成为国际贸易的主要支付手段后，欧洲社会各个阶层都特别渴望获得制造货币的贵金属——黄金。然而当时欧洲的黄金比较匮乏，加上在东西方贸易中西欧金银大量外流，因此，无数欧洲人都想到海外寻求财富。恩格斯曾经深刻地指出："葡萄牙人在非洲海岸、印度和整个远东寻找黄金。黄金一词是驱使西班牙人横渡大西洋到美洲去的咒语，黄金是白人刚踏上一个新发现的海岸时所要的第一件东西。"

那么，西方人又是如何想到去印度寻找黄金的呢？这主要是因为流行甚广的《马可·波罗游记》向欧洲人展现了一个瑰丽的东方世界：在中国和印度，遍地是黄金，非常富丽繁华。所以，到东方的印度和中国去探险，就成了很多欧洲人的梦想。

13."哈拉巴"是一个英国逃兵发现的吗？

在印度河谷拉维河的冲积平原，绵延2.5千米的地方，到处都是残垣断壁和破碎的泥砖。尽管早在1600年，英国就已经成立了东印度公司，但在随后近200年的时间里，英国人并没有去关注这些破碎的泥砖下埋藏着什么。不可思议的是，印度古文明的重现，居然与一个名叫詹姆斯·刘易斯的英国逃兵有关。

19世纪初，刘易斯怀着对神秘东方的向往，应征来到英国东印度公司的军队，开始了他不寻常的印度之旅。他生性散漫、喜欢漂泊、好奇心强，对任何镇压当地人的行为以及个人的仕途丝毫不感兴趣，而是热衷于寻古与探险。无法忍受军队刻板生活的他索性开了小差，从军队逃跑了。詹姆斯·刘易斯伪装成一个美国工程师，化名查尔斯·迈森，打算漫游印度，实现自己的探古之梦。

1826年，迈森在穿越今天巴基斯坦的旁遮普地区时，在一片山丘上的废墟前停下了脚步。他发现在这里一块不规则的多岩石的高地上，尽管岁月侵蚀，仍然依稀可见砖石城堡的废弃城墙，到处散落着东方风格的壁龛，以及一些建筑物的残迹。在夕阳的照耀下，这一片废墟闪烁着神秘之光。他仔细查看这些断壁残垣后，敏感地意识到这可能是一座已经废弃的古城，并猜想这可能是古罗马的历史学家曾经提到的东方之城桑加拉。

迈森在日记中对古城遗迹做了详细的描述，并为此地取名为“哈拉巴”。但是迈森毕竟不是考古学家，人微言轻，他的发现在当时并没有引起足够的关注。

直到近半个世纪之后，当旁遮普成为英国统治下最繁荣的农业省时，英国政府意识到印度地下可能埋藏着无数价值连城的文化宝藏，于是将印度古文明的考古发掘列入重要的议事日程。1973年，英国殖民当局成立了印度考古研究院，开始探访迈森日记中提到的哈拉巴。

14. 谁是哈拉巴文化的真正主人？

哈拉巴文化的发现，将古印度文明史往前推进了几千年，并且推翻了雅利安人是印度河流域最早的居民的论断。那么，哈拉巴文化的真正主人到底是谁呢？

考古专家们在哈拉巴和摩亨佐·达罗两座古城遗址中，发现了数百具人类遗骨。这些人类遗骨无疑为判断哈拉巴文化的真正主人提供了重要的线索。然而，出乎意料的是，专家测量的结果却让他们伤透了脑筋：这批骸骨竟然包括原始澳大利亚人种、蒙古利亚高山人种、地中海人种和欧洲高山人种。此路不通，专家们只好另辟蹊径，从出土的艺术人像中寻求新的突破口。

一般来说，艺术人像塑造的原型是当时当地社会风土人情的真实写照，专家们便从这个角度寻找证据。根据在哈拉巴和摩亨佐·达罗遗址出土的大量石头和铜制的雕像，大致可以判定哈拉巴文化时期人种的基本特征：男子方头、矮鼻，身材中等，健壮，肤色黝黑，大多数留有短而顺的胡须；女性身材修长，长着硕大的乳房。学者们发现，他们与现代印度南部的达罗毗荼人颇为相像。学者们据此推测，可能是雅利安人进入印度后，将达罗毗荼人从印度西部和北部赶到了南方。因此，哈拉巴文化的创造者很可能就是原始的达罗毗荼人。至于他们究竟是土生土长的，还是从异域迁来的，不得而知。

这一说法在学术界得到广泛的支持，不少学者还提出了与之相关的其他证据。语言学家经过对出土印章上的铭文的研究，认为哈拉巴文化时期的文字与今天印度南部达罗毗荼语有某种相似之处，那些铭文很可能就是原始达罗毗荼语。

另外，从墓葬的方式看，也有某种相似的地方。因此，学术界普遍认为是古代达罗毗荼人创立了文字、宗教，建立了发达的农业和商业经济，创造了都市文化，把古印度带入了文明时代。

不过，这种说法也有不少难以自圆其说的地方。比如，对墓葬中不同的人种遗骨就很难做出合理的解释，难道说他们与达罗毗荼人都是哈拉巴文明的主人，共同创造了哈拉巴文化吗？看来，这个历史之谜的解开，还有待未来的考古发掘。

15. 契穆人是莫奇卡人的后裔吗？

莫奇卡人和契穆人是先后出现在南美洲的两个古老民族，当莫奇卡人消失之后，契穆人又在同一个地方崛起了。这很容易让人们将他们联系在一起，甚至有人认为契穆人就是莫奇卡人的后裔，事实果真如此吗？

这个问题似乎很难回答，目前也没有人能给出确切的答案。莫奇卡人兴起于公元前200年，繁荣于公元1世纪至8世纪的秘鲁北部沿海地区，而契穆人的崛起则是在莫奇卡人消失200多年后的事。如果说契穆人是莫奇卡人的后裔，那么这200多年的历史断层该如何解释呢？难道是莫奇卡人在200多年后又重新回到了这里并建立了强大的帝国吗？这似乎有些牵强。

不过从文化的角度看，契穆文化与莫奇卡文化又有着太多的相似之处，从不用大多数民族所用的石头和砖块而用独特的土坯建筑，到陶器和金银器的制造技术，都仿佛一脉相承。如果契穆人不是莫奇卡人的后裔，两种文化的极度相似又该作何解释呢？难道是契穆人得到了莫奇卡人的真传，所以才创造出与他们相似的文化吗？这也有些说不过去。

正因为存在诸多疑点，所以现在大多数考古学家都放弃了把莫奇卡人当作原始契穆人的观点，改持存疑态度。

16. 莫奇卡文化为什么会神秘消失？

莫奇卡文化是南美洲古代印第安人的文化，分布于秘鲁北部沿海地区，中心地区在莫奇卡和奇卡马两河谷。莫奇卡人在安第斯山的河流附近从事农业种植、编织、打猎和捕鱼活动。他们还在从厄瓜多尔到智利的南美洲西部的广大地区从事贸易活动。在坚实的经济基础上，莫奇卡人取得了令人惊叹的文化成就。

可以说，莫奇卡文化为后来举世闻名的印加文化奠定了坚实的基础。然而，影响深远的莫奇卡文化却在公元700 年以后神秘消失了。这不得不引起人们的猜测，莫奇卡文化为什么会忽然消失呢？关于这个问题，学术界至今还没有一致的结论。

有的学者推测，在秘鲁沿海存在另一个强大的文化核心，它从南向北推进，从而湮没了莫奇卡文化。那么这个强大的民族会不会是契穆人呢？如果是，他们的出现为什么会晚200年？

有的学者认为，来自安第斯山区的部落集团从东部入侵，最有可能是瓦里人，最终毁灭了莫奇卡文化。但瓦里人并没有在沿海地区留下“罪证”，因此这种说法未免太过牵强。

有的学者认为，莫奇卡文化可能毁于自然灾害。有人说，自公元6世纪以来，这里遭受了长期的干旱，后来又有过地震、洪水和沙尘暴，使这里原本肥沃的土地变得不再适合人类生存。但如果真是这样，为什么后来的契穆人却能在这里生活并建立强大的帝国？

莫奇卡文化的考古研究活动近年来才刚刚起步，因此，解开莫奇卡文化消失之谜还需要更多的时间和证据。

知识链接

辉煌灿烂的莫奇卡文化

莫奇卡人用土坯砖块砌成雄伟的金字塔和高台。太阳金字塔是莫奇卡建筑的代表，它高达41米，占地5万平方米，用1亿多块土坯砌成。约建于公元300年的锡潘高台，长70米，高10米，共分3层。1988年7月，考古工作者在这座著名的高台底下发现了一处保存完好的莫奇卡文化时期的古墓。

人们在古墓中发掘出大量的陶器和金银铜器等陪葬品，其中有工艺精湛的贵金属制品，如眼睛由珠宝和青石雕成的“金头人”、装饰图案反映了当时发达农业的金杯、貌似美洲虎的动物雕刻品，还有比实物大2倍的金花生。在出土的1000多件陶器中，有壶、碗、坛子、酒杯等，许多陶器都饰有精美的图案。

17. 高度发达的迈锡尼文明源自何方?

迈锡尼文明，是希腊大陆青铜时代后期文明的别称，年代约在公元前1600–前1100年，因最大的遗址迈锡尼而得名。在19世纪以前，人们对这一文明的了解只能来自神话传说。直到19世纪德国考古学者谢里曼在迈锡尼遗址发掘出众多王族墓葬及丰富的金银饰物之后，迈锡尼文明及其历史地位才得到学术界的肯定。

那么，到底是谁创造了迈锡尼文明?

谢里曼，这位几乎对《荷马史诗》的每一个词都深信不疑的人，认为如史诗所言，迈锡尼城的统治者是阿特柔斯家族。

也有人认为，迈锡尼的统治者源自腓尼基。卡德莫斯寻找妹妹欧罗巴的传说，便是腓尼基人来到希腊大陆的佐证。

学者伊文斯认为，迈锡尼文明是米诺斯文明殖民扩张的结果。他指出，迈锡尼文明是突然出现的，居民从农民和牧人突然变成了市民、艺术家、商人和水手，无论男女都穿着米诺斯式服装，佩戴米诺斯式首饰，宗教上采用同样的器具和同样的信条，工具、武器、艺术品等与克里特几乎一样，墓葬习惯也与克里特相仿。总之，迈锡尼人采用了在克里特已经存在几个世纪的生活方式。所有这一切都是在克里特新王宫和居地遭到普遍毁灭之际突然发生的。同时，爱琴诸岛的米诺斯文明居地复苏，建起了新的殖民地。伊文斯认为这种突然的“米诺斯化”，只能解释为米诺斯人对希腊地区的控制、殖民。

瓦西的意见与伊文斯正好相反。他承认希腊大陆的中青铜文化受到米诺斯文明很大的影响，但又强调指出，这两个文明有着很大的不同。迈锡尼人富有组织性，他们的思想已经发展到了具有抽象思维能力的水平，已经能用自己的法则来解决问题，他们吸收外来的因素是为了使之为己所用。至于为什么突然发生了变化，瓦西解释说，公元前1600年前后，中青铜时代的希腊大陆居民成功地战胜了米诺斯舰队，烧毁了克诺索斯王宫，把战利品、艺人、工匠带回大陆。

还有人认为，中青铜时代的大陆人去埃及参战，返回时带回了金器和当地的墓葬习惯，使大陆希腊生活发生巨变。

直到今天，人们都不曾得出定论，争论还在继续。

18. 为什么说桑海帝国代表着古代黑人文明的最高成就和最后的辉煌?

早在公元7世纪，桑海人就在尼日河北岸的登迪建立邦国，因此，桑海作为一个王国的出现，与加纳王国同样古老。11世纪初叶，桑海王国将都城从库吉亚迁至商业城市加奥。

日益强大的桑海越过浩瀚的撒哈拉沙漠，与遥远的北非和地中海发展起了相当广泛的贸易关系，甚至王室墓碑的石料也是从西班牙运来的。当加纳和马里相继称霸西苏丹地区时，桑海曾先后为它们的藩属。

14世纪下半叶，桑海趁马里帝国内乱的大好时机，从马里帝国脱离出来，并开始向四周尤其是尼日河湾以西地区扩张。15世纪中叶，桑海人攻占廷巴克图，正式统一西非洲。

经过多年的东征西讨，桑海人不仅取代了马里帝国的霸主地位，并且成为西苏丹历史上版图最大、国力最强的大帝国，其面积几乎相当于整个欧洲。桑海帝国灭亡后，西苏丹地区乃至撒哈拉以南的非洲大陆，一直未曾出现能与之相比的庞大帝国。不仅如此，桑海帝国政治法律制度的完备、文化学术的繁荣，在撒哈拉以南非洲古代历史上也是空前绝后的。因此可以说，桑海帝国代表着古代黑人文明的最高成就和最后的辉煌。

桑海帝国鼓励商业发展，廷巴克图、杰内和加奥是桑海帝国最大和最重要的3座城市。廷巴克图是帝国的经济重镇和文化中心，也是整个苏丹地区的圣城。据文献记载，16世纪中叶，廷巴克图极像一座大学城。杰内在经济和宗教方面与廷巴克图有密切联系，是苏丹内地最重要的黑人聚居地，那里高耸着威严的宗教建筑，可称为苏丹艺术的明珠，也是南方的大市场。加奥则是政治首都，比其他城市更古老。

桑海帝国政治制度最大的弱点是没有明确的王位继承制度，这导致帝国因频繁的内部权力斗争而日渐衰落，失去了很多土地的控制权。尽管在达乌德皇帝时，桑海帝国曾一度中兴，收复了内乱时期失去的地盘。但达乌德皇帝去世之后，他的儿子们继续为权力而刀兵相向。桑海帝国无可挽回地衰落下去了，1588年，西部各省在混乱中分离。

1590–1591年，因控制撒哈拉商道之争而对桑海帝国仇视已久的摩洛哥王国乘桑海帝国内乱，派遣4000人的远征军跨越撒哈拉沙漠入侵。士气高涨的摩洛哥军队大败数倍于己的桑海军队，并先后进占廷巴克图、加奥和杰内等城市。历时127年的桑海帝国就此覆灭。

19. 奥林匹克运动起源于何时?

众所周知，现代奥林匹克运动会是在古希腊奥林匹克运动会的基础上形成和发展起来的。然而，有关古代奥运会的起源及其具体年代，却众说纷纭，莫衷一是。

在古希腊神话中，比萨国王爱诺麦为自己的独生女儿基波达米亚挑选佳婿，诏令求婚者必须和自己比赛战车，胜了，以公主相许，继承王位；败了，就要被刺死。在伯罗普斯向公主求婚之前，已有13

位青年惨死于国王的长矛之下，但伯罗普斯毫无畏惧。公主对英勇的伯罗普斯一见钟情，她串通车夫，要他偷偷拧松父王车轮上的锁钉。公主的偏向导致国王在比赛中人仰车翻，伯罗普斯获胜，如愿娶了公主，并继承了王位。伯罗普斯为庆贺胜利并感谢万神之王宙斯对他的佑助，便在比萨城以西的奥林匹亚圣地举行盛大祭典，并进行战车和角力等体育竞技，古代奥运会就从这时开始了。

《荷马史诗》为奥运会的起源问题提供了重要的文献资料。这部古典名著比较全面地反映了公元前11世纪至公元前9世纪希腊人的社会生活，历史上称这一阶段为“荷马时代”。在《伊利亚特》的记述中，阿喀琉斯为好友帕特洛克罗斯举行葬礼时，就举行了战车、拳击、角力、赛跑、决斗、掷铁饼、射箭、投标枪等内容丰富的竞技赛会，并发给优胜者以重奖。由此可以推测，早在荷马时代，综合性竞技赛事已经出现了。

到了近代，许多专家、学者借助考古学，又提出了许多观点，主要有以下几种：

（1）古希腊奥运会起源于克里特岛。公元前2000年，以诺萨斯城为中心的米诺斯王国曾一度称霸克里特岛，并控制了附近的一些岛屿和雅典等地。当时克里特人在祭神的庆典中，曾盛行拳击、角力、赛跑等体育竞技。公元前15世纪，米诺斯王国覆灭，希腊人继承了克里特人的文化传统，创立了奥运会。1900年，英国考古学家伊文斯在诺萨斯城进行考古发掘，发现了男子角力、赛车、斗牛等壁画，为这一观点提供了生动的实物证明。

（2）希腊奥运会是由腓尼基传入的。贝鲁特大学考古学家拉比·鲍罗斯根据地下体育场遗址、铸有运动员形象的硬币和腓尼基人的史诗等，考证出首届世界性体育比赛早在公元前15世纪的腓尼基就举行了。他的依据是：当初举行这种体育竞赛，是为了对古腓尼基人信奉的太阳神和他们所崇拜的英雄赫拉克里斯及其祖先梅尔卡特表示敬意。这种体育竞赛每4年举行一次，后来传到希腊，古希腊人从而建立起自己的奥运会。

（3）20世纪80年代初，考古学家发现了新的地下遗址，对奥运会的起源问题，提出了新的见解。1981年8月12日，考古学家在雅典西南130千米处发掘出一座可容纳4万名观众的运动场遗址，并有可供13名田径运动员同时起跑的177米长的跑道。经专家考证，公元前1250年，在这座运动场里就举行了运动会。这么看来，古代奥运会早在荷马时代之前就诞生了，比第一次有记录的奥运会（公元前776年）早了约500年。

20.《圣经》中提到的尼尼微城究竟在哪里?

尼尼微是古亚述帝国的都城和文化中心，位于底格里斯河上游东岸，与摩苏尔隔河相望。尼尼微之名最早见于《圣经》："耶和华必伸手攻击北方，毁灭亚述，使尼尼微荒芜，干旱如旷野。"

作为文明古国的亚述王国几乎无人不知，而尼尼微这座历史名城却在很长时间里都隐匿于美索不达米亚的历史烟尘中。许多探险者千辛万苦寻找它的踪迹，直到19世纪中叶，尼尼微遗址由英国考古学家莱亚德首次发掘出土，这座古亚述王国的首都才终于得以现身。20世纪50年代，伊拉克政府派遣考古队继续进行发掘和整理，并修复了部分城墙、城门和王宫，使得该遗址成为西亚的重要历史名胜之一。

尼尼微被周长12千米的城墙围绕，城墙有些地方宽达45米。古城共有15个城门，发掘后重建了北墙的冥王之门、月亮女神之门、富饶神之门；西墙的运水人之门；东墙的太阳神之门等。并在冥王之门旁建立了亚述博物馆，陈列着许多出土文物和说明图表，向人们展示了近4000年前亚述帝国兴衰的历史。

在库云吉克发掘出的森纳谢里卜的王宫，宫门前有两尊带翼公牛的石像，它们犹如两个威武的卫士，守卫着这座王宫。门殿门厅等地装饰有大理石浮雕，描绘了古亚述人征战、狩猎、宴饮以及建筑劳动等情景。在库云吉克还发掘出土了公元前7世纪的图书馆和宫殿。图书馆内保存有两万多片楔形文字泥版，包括宗教铭文、文学作品、科学文献、历史记载和法令文书等。

尼尼微在公元前6000多年就有人定居。约在公元前19世纪至前18世纪之交，沙姆希亚达德一世建立亚述王国，将其立为都城之一。此后，经过历代国王的扩建，尼尼微逐渐成为亚述帝国的政治、经济中心，也成为西亚地区商旅云集的贸易中心。公元前705年，森纳谢里卜即位后，尼尼微被定为亚述帝国首都，大规模兴建神庙和王宫，尼尼微盛极一时。

公元前 612年，尼尼微被新巴比伦和米提亚联军攻陷，城池被毁，从此尼尼微逐渐消失在历史的废墟中。古希腊作家卢西安在其著作中说："尼尼微被洗劫得如此彻底，以至于现在根本无法找到它的遗址，因为它连一丝痕迹都没留下。"然而，经过几代探险家、考古学家的不懈努力，尼尼微城曾经的辉煌终于又重新展现在了世人面前。

21."黄金之城"哈马丹的城墙真的是用黄金装饰的吗？

哈马丹是古代伊朗最初的国家米底王国的首都，据说是米底第一个国王戴奥凯斯创建的。历史上的哈马丹不仅是米底王国的政治、军事中心，也是古代伊朗的交通枢纽，它对维系东西方的国际贸易有着举足轻重的作用，著名的丝绸之路就从这里经过。

希罗多德曾说，哈马丹有七圈城墙，最后两道城墙被包上了白银和黄金。世界上真的会有如此奢侈的城市吗？这听起来就像个神话传说，让人难以置信。事实上，夸张是文学作品中常见的修辞手法，而且古代西方人都以为神秘的东方是黄金遍地、财富莫测的人间乐土，这种思想甚至一直延续到新航路开辟时代。

然而，同时代巴比伦人留下的楔形文字资料，以及后来的《亚历山大远征记》等文献中，并没有关于哈马丹七道城墙的记载，至于金墙、银墙更不会提到了。从亚述宫廷浮雕中，我们可以对米底王国城市有个大致的了解。它们都有坚固的城墙、高耸的塔楼，城墙外有护城河。那么，哈马丹作为米底最大的城市，离王宫又很近，理所当然应当更加雄伟坚固。

关于哈马丹有七圈城墙的传说，我们不妨换个角度来猜测。哈马丹城里最初可能是分部落或种族而居，每个居民区之间可能用围墙隔开，这些围墙加上宫墙和外城墙，总数可能正好是七道。当然，古代哈马丹城的街区也可能和今天的情况相似，居民区就像蜘蛛网一般，一环套一环，围绕王宫形成了七个包围圈。

米底帝国灭亡之后，哈马丹成为古波斯帝国四大都城之一，后来又成为塞琉西王朝在东伊朗的统治中心。安息时期，哈马丹一度是安息的都城，并且是丝绸之路中段的重镇之一。直到今天，哈马丹仍然是伊朗最主要的城市之一。

知识链接

希罗多德对哈马丹城的描述

关于哈马丹城的情况，希罗多德有非常详细的描述。他说哈马丹共有七圈厚重而又高大的城墙，一圈套着一圈，每一圈城墙都比外面一圈更高大。由于哈马丹城建筑在平原之上，这种结构可以大大加强其防御体系。哈马丹的七圈城墙颜色各不相同：从外到内，第一圈城墙为白色，长度与雅典城墙大致相等；第二圈是黑色的；第三圈是紫色的；第四圈是蓝色的；第五圈是橙色的；第六圈是白银包着的；第七圈是黄金包着的。戴奥凯斯的王宫，就在包裹着黄金的城墙之内。

22. 巴比伦帝国是苏美尔人建立的还是闪族人建立的？

闪族人和苏美尔人都曾是两河流域的主导民族，在美索不达米亚文明史上占有重要地位，而巴比伦帝国则是美索不达米亚文明的集中展现。那么，巴比伦帝国究竟是苏美尔人建立的还是闪族人建立的呢？

苏美尔人是两河流域文明的最早创立者，是他们将美索不达米亚带入了文明时代。因此，在很长的一段历史时期，苏美尔人都是两河流域的主导民族。直到公元前30世纪初，一个操闪米特语的沙漠游牧部族来到两河流域的北部，将美索不达米亚的历史翻到了新的一页。这支游牧民族在阿卡德建立了国家，因此被称为阿卡德人。

公元前2371年，阿卡德人在萨尔贡一世的领导下击败了苏美尔人的乌鲁克王国，统一两河流域，建立萨尔贡王国，从而结束了苏美尔人在两河流域的主导地位。不过在苏美尔人的土地上，阿卡德人也逐渐改变了原有的生活方式，开始了定居生活，并最终被苏美尔人的文化征服。忙着进行城市建设的阿卡德人渐渐失去了往日的英勇和锐气，这就给了苏美尔人东山再起的机会。

公元前2191年，来自东北山区的库提人入侵南部两河流域，灭掉了阿卡德王国，重新恢复了对美索不达米亚南部的控制。公元前2113年，乌尔王统一了美索不达米亚，建立了乌尔第三王朝，将苏美尔人再次推到了历史的前端，不过这只是苏美尔人短暂的也是最后的辉煌。

乌尔第三王朝末期，王权衰落，各地割据，再加之外来的阿摩利人不断入侵，乌尔第三王朝的政权岌岌可危。最后，埃兰人的入侵给乌尔第三王朝以致命的打击，国王伊比辛兵败被俘，乌尔第三王朝灭亡。之后，历史上就再也没有苏美尔人建立的政权，苏美尔民族也逐渐退出历史舞台，而闪族人则完全取代苏美尔人建立了巴比伦帝国与亚述帝国。

知识链接

美洲新大陆的“希腊人”

玛雅人无疑是以绚丽的色彩表达情感的艺术大师和建筑巨匠。他们善于用五彩缤纷的画面渲染他们生活的每一个场景，用精巧的雕刻留住他们情感的每一瞬间。岁月的流逝，并不能彻底淹没他们在艺术上的卓越成就。在玛雅名城皮那德拉斯·内格拉斯，他们特意把一座“美术博物馆”（画厅）留给瞠目结舌的后人。在他们城市建筑群的每一处显露的表面，都精心雕刻着奇异的形象和图画般的文字浮雕。难怪它会被誉为美洲新大陆的“希腊人”了。

23. 苏美尔人为什么选用泥版作书写材料？

楔形文字是两河流域特有的文字，而这里的书写材料在世界上也是独一无二的。这一特征与两河流域的自然条件、地理环境密切相关。

两河流域树木稀少，连石头也很匮乏，但却有着独特的冲积平原的泥土。这些泥土土质好、有黏性、取之不尽、用之不竭。聪明的苏美尔人独创性地把它制成泥版，当作书写材料。这种书写材料固然有其笨重的缺点，但比起纸草、羊皮纸、木材等古老的书写材料来，它具有两大优势：一是可以随时取用，造价低廉；二是不易损坏，保存持久。在埃及，由于其主要的书写材料——纸草不易保存，造成了大量文献的失传，从而导致埃及文明的断层。相比之下，亚述学家比埃及学家遇到的困难要小得多，这与美索不达米亚人独特的书写材料不无关系。

泥版的制作过程是这样的：先用力揉搓黏土，根据需要将其做成大小不一的长方形，并把棱角磨圆。一般是一面较为平坦，而另一面凸出。泥版做好后，就可以在上面书写了。书吏首先用细绳在上面画好格子，然后用芦苇笔或其他的书写工具在泥版上刻字或画图。泥版的两面都可以刻字，但为了避免把另一面擦掉，书写时通常要先刻平滑的一面，然后再把泥版翻过来，在凸面刻写。小的泥版可以拿在手上刻写，大的则把它放在特制的架子上。两面写完后，就把它晾干或烧制，经过晒干或火烤的泥版非常坚硬，印刻在上面的文字或图案可以长久保存。现在考古发掘的泥版最古老的有5000多年的历史。泥版书是无法装订的，为了阅读和查询方便，如果一块泥版写不下一篇文章，那么几块泥版上都有全书的标题和编号，而且下块泥版一般要重复上块泥版最后一行字，以便读者查寻。

经过晒干和烘烤的泥版坚固耐用，可以长久保存。但存放起来并不十分方便，如果拿我们现在用的约50页的32开本写在泥版上，就会有50公斤的重量。因此，泥版的存放和书籍完全不一样。在图书馆里，成套的泥版要用绳子捆起来，附上标示这些泥版内容的一小块泥版，放在架子上或书库里。也有的用篮子或泥坛、泥罐存放。一些重要的文件或者需要保密的书信，则采用一种特殊的“信封泥版”来保存。即用另一块泥版盖在印有重要文件的泥版上，用软泥封住两块泥版的四边并盖上印章，在外部泥版的表面，往往刻有该文件的副本或内容概要。这种方法可以有效防止泥版意外损坏、伪造和篡改。信件也是这样，把写有信的泥版包上一层薄薄的黏土，收信人接到信后，只要把这层黏土去掉就可以读到信件的内容了。

24. 亚述人为何会成为一个尚武的民族?

亚述人是居住在两河流域北部的一支闪族人，他们最显著的特征是比其他游牧民族更残暴、更好战。亚述人为什么会成为一个尚武的民族，为什么如此好战呢？是由于他们的风俗习惯与其他民族不同，还是种族的特性使然？

美国文化史教授伯恩斯说："亚述人是一支勇敢的武士民族，这不是因为他们在种族上与所有其他的闪族人有多么大的差别，而是他们独特的生存环境造就了他们黩武的性格。他们的国土资源有限，又要时刻面对周围敌对民族的威胁，这就养成了他们好战的习性和侵略的野心。因此，无怪乎他们对土地贪得无厌。他们征服越多，他们树立的敌人就越多，他们就越感到只有不断征服才能保住其先前征服的成果。每一次成功都刺激着野心，使黩武主义的链条越来越紧。"

在亚述人看来，血腥的屠杀并不是残暴，而是士兵英勇的体现，所有亚述士兵都以此为荣，而亚述将士功劳的大小也以斩获敌人首级的多少而论。因此，亚述人要争得荣耀，得到奖赏，就必须勤练武艺，使自己在战场上杀死更多的敌人。

由此看来，亚述之所以会成为一个尚武的民族，并非种族特性使然，而是特殊的生存环境造成的。

25. 传说中的圣博罗东岛和安蒂利亚岛真的存在吗?

在中世纪，人们认为世界被一系列"海洋群岛"环绕着，其中一些有关岛屿的传说，曾刺激欧洲人去世界各地进行探险和殖民活动。尤其关于圣博罗东岛和安蒂利亚岛的传说在欧洲社会广泛流传，从中世纪末起就吸引了各界人士为之冒险甚至献出生命。那么，圣博罗东岛和安蒂利亚岛是真实存在的，还是凭空虚构的呢？

关于圣博罗岛的传说可以追溯到公元6 世纪。据说，爱尔兰圣徒博罗东同一批僧侣扬帆远航，去寻找一个隐遁的圣徒们所居住的岛屿。他曾在一个无名小岛上逗留，庆祝复活节，实际上那个小岛是一条鲸鱼的背脊。后来，他们到达了目的地，不仅找到了“人间天堂”，还遇到了陪伴犯罪魔王的冷漠天使。

圣博罗东岛出现在15–16世纪的《世界地图》上，1721年葡萄牙人和西班牙人还在寻找它的踪影，甚至直到1759年还有一名海员还信誓旦旦地宣称，他曾遥望到圣博罗东岛。

在传说的岛屿中，另一个著名的岛屿是安蒂利亚岛。这个岛出现在中世纪的航海图上，位于加那利群岛和亚速尔群岛的西面，一开始出现在1367年的《皮西加尼地图》上。发现美洲之后，该岛又出现在雷奇的《世界地图》、1523年斯科纳的《地球》和1587年著名的《梅尔卡托地图》上。1502年的《康蒂诺地图》中第一次标出美洲，但是把新大陆叫作“卡斯蒂利亚的安蒂利亚”。

传说中的安蒂利亚岛是超自然天堂，那里实行一种神权政治统治。按照埃雷拉的说法，为了避免被外人发现，安蒂利亚岛会突然消失。在1502年的《卡尔内罗地图》中，绘图者把古巴叫作“安蒂利亚女王”。16世纪后半期，安东尼奥·加尔瓦诺表示，七城、安蒂利亚和新西班牙是同一个地方。关于安蒂利亚岛的传说，也许是中世纪人们地理知识贫乏的产物，但同时也说明了当时确实存在一批尚未被发现的岛屿。

26. 米诺斯迷宫的传说是真实存在的吗？

古希腊神话中有关克里特岛迷宫的著名传说，一直被认为是纯属虚构的故事。然而，20世纪初英国考古学家亚琴·埃文斯的考古发现却彻底颠覆了这种观点。

1900年，亚琴·埃文斯率领一支考古队来到了地中海的克里特岛，经过3年的艰苦发掘，终于在克里特岛的克诺萨斯发现了米诺斯王宫的遗址和大量文物。

迷宫坐落在一座山坡上，占地面积约22 000平方米，有大小宫室1500多间。迷宫分为东宫和西宫，由国宝殿、王后寝宫、有宗教意义的双斧宫、楼房、贮藏室、仓库等组成。长廊、门厅、通道和阶梯，将华丽的建筑物一一相连，真是千门万户，曲径通幽，一旦深入便难于找到出路，说它是迷宫一点儿也不为过。

在迷宫的墙上，还有一些3000年前的壁画。这些壁画色泽鲜艳，画面上的人物形象栩栩如生。其中有的壁画描绘的是斗牛戏的内容，这也许和希腊神话中牛头人身怪物米诺陶勒斯吃童男童女的故事暗中相合。

在迷宫中还发现了2000多块泥版，上面刻着许多线形文字，记载着王宫财物的账目，包括国王向各地征收贡赋的情况。其中一块泥版上赫然写着“雅典贡来妇女7人，童子及幼女各1名”。这不禁又让人想起牛怪的故事。

更让人吃惊的是，1980年春，考古学家在克里特岛上一所铜器时代的房屋里，发掘出200多根支离破碎的人骨，是大约10个年龄为10–15岁的少年，他们的尸骨上留下被宰杀的刀痕。

那么，牛怪吃人的故事在历史上是真实存在的吗？神秘而又恐怖的米诺斯王宫的传说，实在让人不寒而栗。

27. “阿卡华林卡脚印”为什么会印在石头上？

在尼加拉瓜马那瓜湖的南岸，有许多古代人印在石头上的脚印，尼加拉瓜人以地名称之为“阿卡华林卡脚印”。

“阿卡华林卡脚印”本来被埋没在数米深的泥土之下。由于这里地势较低，每逢雨季，大量雨水从高处经这里流入马那瓜湖，天长日久，这些古代人的足迹终于被雨水冲刷出来。

据鉴定，“阿卡华林卡脚印”距今大约有6000年历史。这些脚印有大有小，有深有浅。浅的好像是在一块松软、潮湿的泥地上行走时留下的，深的则连脚踝都陷进去，好像在一块烂泥地上行走时留下的。每个脚印都清晰可辨，有的甚至连每个脚趾都能看得清清楚楚。此外，在这些人类的脚印中间还夹杂着一些动物的足迹。

经过考古学家分析和鉴定，得出这样的结论，即这里的石头原来都是由附近火山喷发出来的岩浆冷却、凝固、硬化而成的，而那些脚印是岩浆尚没有硬化成石头前留下来的。那么，人和动物又怎么会在滚烫的岩浆上行走呢？

原来，在尼加拉瓜太平洋沿岸，火山林立，甚至还有常年喷发的活火山。当火山喷发时，人们经常没有丝毫心理准备，只得找个场所临时躲避一下，这些脚印可能就是古代人撤离时留在还没变硬的熔岩上的。

1915年，美国加利福尼亚火山爆发时，科学家们做过一次实验，当炽热的熔岩从火山口喷出数小时后，岩浆便完全硬化，这时已无法把脚印留在上面，可见，岩浆变硬的过程是很快的。此外，从阿卡华林卡周围的地理位置看，当时要逃的话，只能朝北面的马那瓜湖方向，而那些古人类脚印正是朝着波光粼粼的马那瓜湖湖边延伸过去的。

然而，有一些专家、学者不同意上述看法，他们提出，当一个人遇到生命危险，处在岌岌可危境地之时，头脑里闪出的第一个念头就是想方设法脱离危险，因此这时他一定是使出浑身解数拼命奔跑。但现在人们看到的是人在慢慢悠悠行走时留下的足印，而不是遇险奔跑时留下的，何况有的脚印还踩得很深，似乎连脚跟到脚踝都深深陷进了泥土里，只有在负荷情况下才会出现这种情况，难道这些人在逃离时还驮着许多东西不成？这显然不符合常理。

目前，人们还不能对“阿卡华林卡脚印”做出非常合理的解释。

28. 人迹罕至的撒哈拉沙漠为何会出现精美的岩画与雕刻？

撒哈拉沙漠是世界上最大的沙漠，气候炎热干燥。然而，人们居然在这极端干燥缺水、植物稀少的沙漠地带，发现了许多绮丽多姿的远古大型岩画。

1850年，德国探险家巴尔斯来到撒哈拉沙漠进行考察，无意中发现岩壁上刻有鸵鸟、水牛以及各式各样的人物像。1933年，法国骑兵队来到撒哈拉沙漠，偶然在沙漠中部塔西利台、恩阿哲尔高原上发现了长达数千米的岩画群，绘制在受水侵蚀而形成的岩阴上，五颜六色，精美绝伦，刻画出了远古人们生活的情景。此后，欧美考古学家纷至沓来。

从发掘出来的大量古文物看，距今约1万年至4000年前，有许多部落或民族生活在这里，创造了高度发达的文化。这种文化最主要的特征是磨光石器的广泛流行和陶器的制造，这是生产力发展的标志。在岩画中，还有撒哈拉文字和提斐那古文字，说明当时的文化已发展到相当高的水平。

撒哈拉岩画的表现形式和手法相当复杂，内容丰富多彩。在岩画中有很多是强壮威武的士兵，他们有的手持长矛、圆盾，乘坐着战车似乎在飞驰。在其他岩画人像中，有些人身缠腰布，头戴小帽；有些人像在敲击乐器；有些人似作献物状，像是迎接“天神”的莅临；有些人翩翩起舞。从画面上看，舞蹈、狩猎和祭祀是当时人们生活和风俗习惯的重要内容。

岩画群中有很多动物形象，千姿百态、栩栩如生，创作技艺之高超，可以与同时代的任何民族杰出的雕刻艺术相媲美。从这些动物图像上可以推想出古代撒哈拉地区的自然面貌，例如一些岩画上有人划着独木舟捕猎河马，这说明撒哈拉曾有过奔流不息的江河。值得注意的是，岩画上的动物在出现时间上有先有后，从最古老的水牛到鸵鸟、大象、羚羊、长颈鹿等草原动物，说明撒哈拉地区的气候越来越干旱。据考证，距今约3000-4000年前，撒哈拉不是沙漠而是草原和湖泊。只是到公元前200年至公元300年左右，气候发生变异，昔日的大草原才变成沙漠。

是什么人创造出这些规模庞大、气势磅礴的岩画群？刻制岩画的目的又是什么？尤其令人不解的是，在恩阿哲尔高原丁塔塞里夫特曾发现一幅岩画，画中人都戴着奇特的头盔，这些头盔很像现代宇航员的头盔。难道，撒哈拉岩画是天外来客的遗迹吗？这一切的疑问，还有待于进一步的调查研究。

29.《圣经》中提到的赫梯人真的存在吗？

关于赫梯，虽然《圣经》中曾提到过它，埃及的象形文字和两河流域的楔形文字也证实了它的存在，但在20世纪以前，人们却无法确定其具体位置。

1906–1912年，德国东方学家温克列尔在土耳其的波加兹科伊进行发掘时，发现了几千块楔形文字泥板，其中一小部分是用阿卡德语写成的，但大多数却是用当时还不为人知的一种古代语言写成。1915年，经捷克学者格罗兹尼释读，确定其属于印欧语系。根据铭文，波加兹科伊就是赫梯王国的首都，而赫梯王国的中心并不像以前人们推测的那样在叙利亚和巴勒斯坦，而是在小亚细亚中部。

赫梯国发源于小亚细亚东部的高原山区，在哈利斯河上游一带。约公元前2000年，涅西特人迁入此地，与当地的哈梯人逐渐同化，形成了赫梯人。后来，残暴好战的亚述人来到这里，建立了商业殖民地，库萨尔、涅萨、哈图萨斯等城邦陆续出现在这片土地上。

公元前18世纪，趁着亚述全力对抗巴比伦，库萨尔开始向外扩张，也结束了亚述的殖民统治。公元前17世纪，库萨尔王拉巴尔纳斯，始建赫梯古国。其子哈图西利一世在位期间，征服西里西亚，将王国的疆界延伸到地中海沿岸。

公元前1620年左右，穆尔西利一世登上历史舞台。在他当政时期，赫梯国力渐强，常向两河流域侵扰，并最终攻陷巴比伦城，灭古巴比伦国。此时，赫梯发生宫廷政变，无法在美索不达米亚立足，只能饱掠而归。穆尔西利二世即位后，东征西讨，建立起一个名副其实的帝国。

公元前15世纪末至公元前13世纪中期，是赫梯最强盛的时期。此间，赫梯人摧毁了米坦尼王国，并趁埃及埃赫那吞改革之机，夺取埃及的领地。埃及第十九王朝的法老们，都与赫梯交过手。至埃及法老拉美西斯二世时，为了争夺叙利亚地区的统治权，双方军队会战于卡迭什，结果赫梯惨败。两国于公元前1283年签订和约。

与埃及的争霸，使赫梯元气大伤。公元前13世纪末，“海上民族”席卷了东部地中海地区，赫梯被肢解。公元前8世纪，残存的赫梯王国被亚述所灭。

赫梯是西亚地区最早发明冶铁术和使用铁器的国家，赫梯的铁兵器曾使埃及等国家闻风丧胆。亚述人的冶铁术就是从赫梯人那里学来的。赫梯王把铁视为专利，不许外传，以至于贵如黄金。赫梯人最突出的文化成就当属法律体系，以《赫梯法典》为代表的赫梯人法律，要比古巴比伦的法律更人道，判处死刑的罪过不多，更没有亚述人法律中那些惨无人道的酷刑。

赫梯文明的贡献不仅仅在于发现并使用了铁，还在于它充当了两河流域同西亚西部地区文化交流的中介。可以说，赫梯文明是埃及文明、两河流域文明和爱琴海地区诸文明之间的重要链环之一。

30. 阿伽门农的黄金面具真的属于他吗？

在《荷马史诗》中，上演了一幕幕阿伽门农家族的悲剧，而这位迈锡尼国王也在从特洛伊回国的途中被其妻子的情夫艾奎斯托斯杀害。据说在阿伽门农死后，人们将其埋在了迈锡尼城附近，而其一生所积累的财富也一同被埋在了那里。

传说中的迈锡尼是一个遍地黄金的地方，而作为国王的阿伽门农自然会拥有大量的黄金。因此，多年来，人们一直寻找阿伽门农的陵墓。当然，有些人只是为了找到随葬的黄金，而有些人则是为了探寻历史的足迹。不过曾经辉煌的迈锡尼城早已被湮没在历史的尘埃之中，要找到阿伽门农的陵墓又谈何容易呢？

功夫不负有心人，经过多年苦苦寻觅，终于有人传出了好消息。1876年7月，谢里曼在迈锡尼著名的“狮子门”城墙内发现了几个竖穴墓，他判断这就是阿伽门农的墓穴。掘开之后，墓中出现了壮观的场面，有大批金银和青铜器物等随葬品，以及珠宝、饰物和武器。谢里曼在最后一个坟墓中，发现了一个戴着金色面具的干尸。他兴奋地宣布，那个面具就是阿伽门农的黄金面具。

一切看起来都是那么顺理成章，可总让人觉得有什么不对的地方。仅凭大量的随葬品和一个黄金面具就能断定是阿伽门农的墓穴吗？如同在特洛伊发掘时所犯的错误一样，过分迷信《荷马史诗》使谢里曼对迈锡尼考古得出了错误的结论。他发现的所谓的“阿伽门农的坟墓”是迈锡尼早期的墓葬形式——即竖井墓，年代约在公元前16世纪。而传说中的阿伽门农即使真有其人，也是公元前13世纪时的人物。这样看来，谢里曼所看到的显然不可能是阿伽门农本人，而是比他早三四百年的迈锡尼时代的王公贵族。

虽然这个黄金面具下的人不是阿伽门农，但人们还是习惯称其为阿伽门农的黄金面具。

31. 古埃及的法老城为何会整体沉入海底？

2000年，法国海洋考古学家弗兰克·戈迪沃向全世界宣布了一个惊人的消息：法国和埃及联合考古队在亚历山大港附近的地中海海底，找到了已失踪1000多年的古埃及法老城。

为了寻找这个失踪的法老古城，考古学家们借助先进的仪器，进行了两年多的调查和搜寻。当考古学家们潜入海底时，他们都被眼前的景象惊呆了：富丽堂皇的庙宇、完整的民宅、先进的港口设施、雄伟壮丽的巨型雕像……不论从哪个方面来看，法老城都具有一种很现代的气氛。更令人惊叹的则是在这片海底世界中不知沉睡了多少年的文物：一尊黑色的玄武岩法老头像，一尊地下之神塞拉皮斯的雕像，一尊同真人一般大小的生育女神伊希斯的雕像，一些镌刻着古埃及天文学文字图案的花岗岩石板，等等。

千百年来，许多古老的文学作品都提到，在地中海边曾经有过一个极其强盛和高度文明的城市群——埃及的法老城。按其描述，法老城文明之发达已经将同时代世界其他地方的文明远远抛在后面。这里的人们自称其祖先来自神秘的太空，并给他们留下神秘的“文明”，使其得以过着非常富足安逸的生活。

然而，“法老城”这个古老的文明中心似乎在一夜之间消失了。在法老城重见天日之前，人们一直以为，这个高度文明的城市只是一个动人的神话传说。

从18世纪中期以来，众多考古学家、历史学家及冒险家们纷纷来到这里，但直到现在，考古学家们在阿布基尔湾海底深处的所有发现，只不过掀起了这座巨大海底宝库神秘面纱的一角而已。根据发掘的文物判断，法老城群应修建于公元前6–7世纪的法老时代，比亚历山大古城的历史要早得多。

法老城已在海底沉睡了多长时间，以及其沉没海底的原因至今仍是一个谜。有人猜测，可能是尼罗河三角洲的气候和地质变化导致了古城沉沦，有人怀疑可能是尼罗河改道所致，也有人认为可能是海平面升高或其他自然灾害造成的。

从海底保存完好的建筑残骸来看，古城中的石柱与墙面几乎都倒向同一方向，不少考古学家据此认为，法老城群很可能毁于一场大地震。更重要的是，法老城群确实处在一个极易发生地震的“地中海—印尼地震带”上。发生在这个地震带上的地震大多是浅源地震，而且这一带的人口比较稠密，因而地震往往会造成非常严重的灾害。根据潜水员在海底发现的文物推测，这次大规模的地震可能发生在公元8世纪。

究竟是什么原因导致法老古城整体沉入海底的，学术界尚无定论。目前，国际著名的考古学家、历史学家、地质学家和地球物理学家正在通力合作，进行不懈的研究。早晚有一天，他们的研究将最终解开法老城沉没之谜。

32. 曾经繁华的吴哥古城为何会湮没在茫茫的丛林之中？

吴哥古城是柬埔寨的象征，它是人类文化宝库中的明珠。它与埃及金字塔、中国的长城、印度尼西亚的婆罗浮屠并称为“东方四大建筑奇迹”。

高棉王国的统治从9世纪一直延续至15世纪，极盛时期的疆土覆盖东南亚的广大地域，从西边的缅甸一直向东延伸至越南。12世纪前半叶，吴哥王朝全盛时期，信奉婆罗门教的高棉国王苏利耶跋摩二世为了祭祀“保护之神”毗湿奴，炫耀自己的功绩，建造了著名的吴哥窟。

吴哥城位于吴哥窟的北部，是耶跋摩七世统治时期建造的新都。吴哥城规模非常宏伟壮观，护城河环绕在周围，城内有各式各样非常精美的宝塔寺院和庙宇。在吴哥城中心的是巴扬庙，它和周围象征当时16个省的16座中塔和几十座小塔，构成一组完美整齐的阶梯式塔形建筑群。

吴哥建筑的每一块石头都是精雕细琢，布满浮雕壁画，其技巧之娴熟、精湛，想象力之丰富，使人难以置信，以至于长期流传吴哥古迹是天神的创造，不可能出自凡人之手。在垒砌这些建筑时，没有使用黏合剂之类的材料，完全靠石块本身的重量和形状紧密相连，丝丝入扣。时至今日，吴哥古迹的大部分建筑虽历经沧桑，仍岿然不动。吴哥古迹充分向人们展示了柬埔寨人民高超的艺术才能。

在吴哥古城最繁荣的时候，至少近百万居民生活在这儿，城市面积相当于今日纽约五区之和，是前工业时代世界上规模最大的城区。可是就是这样一座繁荣昌盛的都城，却在荒凉的原始森林中沉睡了500年，要不是法国博物学家穆奥的意外发现，它还会继续沉睡在那里。

人们不禁要问，繁华的吴哥古城为什么会湮没在茫茫的丛林之中呢？从其所处的位置及城内设施保存的完整程度上看，应该是在吴哥居民离开了很长的一段时间以后，吴哥城逐渐被大自然收复，成了茂密的森林。至于吴哥的居民为何要弃城而逃，则不得而知。

知识链接

吴哥文化

吴哥是9-15世纪吴哥王朝的首都，它所遗留下来的大批佛教建筑群遗迹，是柬埔寨佛教文化的象征和代表。吴哥古迹主要包括大小吴哥两地的吴哥城和吴哥寺，位于暹粒省境内，始建于公元802年，最终建成于1201年，前后历时4个多世纪。在方圆约45千米的森林地带，建有大小圣塔、寺庙600余座，构成一幅绚丽缤纷、光彩夺目的吴哥佛教建筑艺术画卷。

吴哥寺即吴哥窟，也称“小吴哥”或“梵宫”，位于吴哥城南侧，约建于1112-1201年。吴哥寺建筑构思巧妙、布局匀称、雕刻精细，寺内的浮雕艺术既富有印度色彩，又具有民族特色，雕刻技艺精湛绝伦，为吴哥寺中最富代表性的建筑艺术。

吴哥文化是柬埔寨民族文化的象征，也是印度教与佛教艺术相互交融的结晶。在几个世纪的大规模建筑时期，吴哥建筑的艺术风格也在发生变化，其所反映的宗教内容则从印度教崇奉的湿婆、毗湿奴诸神到大乘佛教崇奉的观世音菩萨。

33. 哈拉巴各种各样的印章有什么作用?

印章并不只是在中国存在，在古印度，人们也发现了古代的印章。印章文字是目前世界上已知最早的文字体系，因此有人干脆把印度河流域文明称为印章文明。

如今在印度的各个文明遗址里发现的印章已有2500多枚，从材质上看，有天青石的、陶土的、象牙的，还有钢做的。印章的形状一般为2.5厘米直径长的正方形，当然也有的呈长方形。与那些残墙断壁、沟渠孔洞不同，印度河流域出土的印章以刻画图形和文字符号向后人昭示出文明的准确信息。

在哈拉巴、摩亨佐·达罗早期文化层里出土的印章文字显得比较古朴，符号繁杂；罗塔尔出土的印章文字则已经明显简化。印章文字的笔画由直线和弧线组成，从右向左书写。有一些字符仍然保留着象形文字的特点，一个符号表示一个意思。但是更多的是将两个或更多的符号合并，表示一个复合的意思。

印章上最引人注目的刻画图形是牛的形象。在摩亨佐·达罗出土的123个钢印章上，有36个刻画着牛的图形；还有头上长角的立姿人兽图形和抽象的牛头图案。牛在古印度人的精神生活中占据着非同寻常的位置。牛不仅为人们提供了生产动力、乳和肉，而且更代表了一种丰足，成为人们向往美好生活的心理寄托和希望的象征。对牛的崇拜，构成印度河流域文明最突出的一道风景线。出现在印章上的动物还有大象、骆驼、羊等。山川河流等自然物也很常见。还有一类数量不多的印章图形很特别，它们或是人兽共处，或是人兽同体，这反映了印度河流域宗教信仰的另一种表现形式——天神崇拜。

这种印章在当时可能用于家族徽记、个人印信、宗教护符或货物的封泥。在印度河流域，那些富有的、地位显赫的人士往往都有自己的独特标志。他们把这种标志刻在印章上，在需要的时刻就盖下来，或随身带着以表示自己的身份；有时也把它送给异邦友人作为纪念。所以，这些印章已越出印度河流域，在两河流域等地区也发现了它们的踪迹。

一枚小小的印章，虽然只有那么几厘米大，却有着如此深厚的文明内涵，但其中更多的秘密还等待着人们去破译。

34. 罗赛塔石碑为什么被誉为“通往古埃及文明的钥匙”？

在拿破仑时代的人们看来，要解读古埃及象形文字，简直是天方夜谭。当时波斯的著名东方学家德·萨西曾说：“这是科学界无法解决的一个复杂的问题。”然而罗赛塔石碑的发现，却让这项科学难题的解决出现了转机。

在亚历山大去世2000多年之后，拿破仑的士兵于1799年在距埃及亚历山大城48千米的罗赛塔镇附近，发现了一块大理石石碑。这块石碑制作于公元前196年，高1.14米，宽0.73米。

据分析，罗赛塔石碑上面刻有埃及国王托勒密五世诏书，诏书内容出自当时的祭司之笔，作为国王托勒密五世加冕十周年的纪念。碑文上的主要内容是叙述托勒密五世承袭王位的正统性，以及赞颂托勒密五世的“功德”，比如减轻赋税，在神庙中竖立雕像等对神庙与祭司们大力支持的举动。

罗赛塔石碑由上至下共刻有同一段诏书的3种不同语言的版本，分别是埃及象形文、埃及草书（是当时埃及平民使用的文字）以及古希腊文（希腊的统治者要求其统治领地内所有的此类文书都需要添加希腊文的译版）。在公元4世纪后，尼罗河文明式微，逐渐被人舍弃和遗忘的埃及象形文字之读法与写法彻底失传，虽然之后有无数专家和学者绞尽脑汁、竭尽所能，却一直无法解读这些神秘文字的结构与用法。直到1400年之后罗赛塔石碑的出土，它独特的3种语言对照写法，成为解读埃及象形文字的关键，因为3种语言中的古希腊文是近代人类可以阅读的，利用古希腊文来对比分析石碑上其他两种语言的内容，就可以了解这些失传语言的文字及其文法结构了。

试图解读埃及象形文字的学者不计其数，但贡献最大的是英国物理学家托马斯·杨和法国学者让·佛罕索瓦·商博良。杨发现碑文中托勒密和克娄巴特拉这两个名字是用音值符号写的，并找到其中6个符号的正确音值。通过检验石碑上鸟和动物的朝向，杨还发现了象形文字符号的读法。

商博良在杨的基础上寻求新的突破，他看出了象形文字的内在体系，撰写了关于释读僧侣体和象形文字的专题论文，并且编撰了一整套与希腊字母相对应的符号表。

这些重大发现后来成为解读所有埃及象形文字的关键线索和基础，也正是因为这一缘故，罗赛塔石碑才被誉为“通往古埃及文明的钥匙”。

35. 繁荣富庶的加纳王国衰亡的原因是什么？

加纳的疆域长期局限于塞内加尔河和尼日尔河上游的河间地区，在公元8世纪末之前，柏柏尔人统治这个国家。8世纪末，一个名叫卡亚·马加·西塞的索宁凯人夺取了国家权力，加纳从此开始了西塞王朝的统治。9–11世纪，加纳盛极一时，其领土北起撒哈拉沙漠南缘，南到尼日尔河和塞内加尔河上游的黄金产地，西与塞内加尔河中、下游地区的台克鲁尔、锡拉两王国接壤，向东伸展到廷巴克图附近。

加纳经济的支柱是采金和对外贸易。国王对金矿的开采实行某种形式的垄断，从这个国家的矿山里挖出的天然金块，全部归国王所有，只把金砂留给采金的平民。据说国王拥有一块重达15公斤的天然金块，镶嵌在国王的宝座上。金砂产出后，经加纳商人流入萨赫勒地带（撒哈拉沙漠南缘地带）的商埠。

加纳在其鼎盛时期是一个拥有众多藩邦的帝国，奥达戈斯特是其中最富庶的一个。它是公元6世纪时柏柏尔人建立的一个商埠，是柏柏尔人的一个重要的物资集散地。当时奥达戈斯特拥有10万名沙漠行商和单峰骆驼，并迫使除了加纳以外的黑人群体缴纳贡赋。从10世纪末起，加纳攻占了奥达戈斯特，在这里设了一名黑人总督。

穆拉比德人崛起于塞内加尔河口一带之后，于1054年洗劫了奥达戈斯特。1076年，阿布·贝克尔指挥的穆拉比德军队攻占加纳首都昆比，征服了加纳。1087年，阿布·贝克尔去世后，加纳重获独立。

然而，穆拉比德人的入侵给加纳造成了极为严重的后果：长期的战乱造成商路阻塞，加纳的对外贸易和国家税收遭受到沉重的打击；由于穆拉比德人过度放牧，水井失修，牧草消耗殆尽，沙漠南侵，农耕难以进行，甚至连昆比也日渐荒废。在这种情况下，以前的藩邦纷纷叛离，加纳繁荣富庶的时代一去不复返了。

36. 澳大利亚原始洞穴中的手印有什么特殊意义?

在澳大利亚的一些原始洞穴中，有许多抽象的飞行器图形、简化的武器符号与人的手和手臂画在一起，岩壁上还能看到各种各样的人的手印。那么，原始人为什么要印这么多手印？这些手印到底说明了什么？

经过多年研究，人们对这些原始洞穴中的手印之谜，已有了初步的认识。按照专家对这些手印研究得出的结论，大致有以下几种说法：

（1）认为这些手印是岩画作者留下的符号，意思是“我在这里”。

（2）认为这些手印仅仅是属于妇女和儿童的，他们之所以在岩壁上印上手印，仅仅是为了好玩或者是一个“审美显示”，也就是一种“为艺术而艺术”的解释。

（3）认为手印是婴儿的手印，是成人把它印在上面的，表示对某种社交活动的参与。

（4）认为手印是史前人类的一种“自残”行为，就像现代原始部族中的“自残”行为一样，其目的是要求得到别人的帮助和怜悯。

（5）认为它是一种求子的丰产巫术留下的印记，目的在于想与“母神”取得联系。

（6）认为手印与狩猎巫术有关，据说狩猎者的巫术能作用于被符号化了的动物，或者是作为一种变感巫术的手段，以祈求动物不断繁殖。

（7）认为手印是一种女性性符号，所有手印均为妇女的手印，与手印相伴的是一些点和短线的男性性符号。

（8）人类学家斯潘塞和吉伦认为手印与图腾崇拜有关。澳大利亚的图腾崇拜在土著中是十分流行的，特别是中部的土著居民，盛行贮存一种祖先灵魂的灵碑——珠灵牌，用木板或石板制成，被看作是祖先不朽而又不能被创造的精神实体。无论男女老少都有一块珠灵牌，死者特性和灵魂就附在上面，一旦丢失就是最大的不幸。所以，珠灵牌成为每个人生命中最神圣的东西，一般由图腾酋长负责保管。当为了举行某种仪式，珠灵牌被从洞穴中挪走的时候，在这个洞穴的入口处，就要留下珠灵牌所有者的手印。据说这样做是为了“让灵魂知道”。

由于目前手头掌握的依据尚不充分，所以每一派都很难为自己的论点提供确凿的证据。要想真正弄清楚澳大利亚原始洞穴中的手印究竟代表什么，恐怕不是短时间内能做到的。

37. 意大利人为什么将中世纪时期的艺术风格称为“哥特式”？

在15世纪时，意大利人掀起了文艺复兴运动，由于意大利人对于哥特族摧毁罗马帝国的这段历史始终难以释怀，因此他们便将中世纪时期的艺术风格称为“哥特式”，对他们而言即意味着野蛮。那么，历史上意大利人与哥特人究竟有什么深仇大恨呢？

公元1世纪，哥特人便已经居住在多瑙河流域。公元4世纪，哥特民族分裂为东哥特和西哥特。然而，此时的两个分支均遭到匈奴的猛攻，东哥特人被匈奴吞并，西哥特人则被迫向西迁移，并在现今的西班牙境内定居下来。

此时，日渐衰败的罗马人企图将西哥特人也纳入帝国的版图之内，却始终对日益强大的西哥特人无可奈何。相反，西哥特人却以摧枯拉朽之势扫平了整个意大利和希腊地区。公元407–410年，西哥特首领阿拉里克率领军队对罗马进行了3次声势浩大的围攻，破城后在城内大肆抢掠3天，满载而归。

此后，西哥特人继续向西扩展，最终建立起一个以西班牙和高卢为主体的王国。到了公元5世纪后期，法兰克的克洛维把西哥特人从法国本土赶到比利牛斯山以外的西班牙地区。随着克洛维去世，法兰克王国开始分裂，使西哥特人暂时得到喘息。公元711年，从北非渡海而来的摩尔人，仅用了4年的时间就征服了西班牙以及整个西哥特王国。

与此同时，东哥特人也演绎了一段盛衰兴亡史。他们在匈奴人的统治下生活了数十年，通过不懈的努力获得独立与自由，并进一步建立起属于本民族的王国。其版图位于东哥特人故土的西面，大约是今天匈牙利、克罗地亚和奥地利的位置。

此后，东哥特人与拜占庭帝国曾经几度交战，又几度复归和平。公元488年，东哥特人在拜占庭帝国的怂恿下，开始了对意大利的入侵，并于公元493年完全征服了意大利。然而，在东哥特人杰出的领袖狄奥多里克逝世后，拜占庭帝国皇帝查士丁尼一世出兵意大利，并在公元554年彻底将东哥特王国摧毁。在公元6世纪的后期，东哥特人被新来的蛮族伦巴底人消灭，幸免于难者崩散为小群体。

哥特人是历史上首批能够劫掠罗马城的民族，他们曾几度入侵并征服意大利，这也难怪意大利人对哥特人“耿耿于怀”了。

38. 墨西哥的石雕为何会出现被肢解的女神形象？

大庙博物馆是墨西哥最著名的阿兹特克遗址之一，在这座博物馆里陈列着一块椭圆形石雕，石雕上描绘的是一位被肢解的女性形象，她就是阿兹特克古老神话中的月亮女神柯约莎克。那么，既然柯约莎克是月亮女神，她的形象为何如此凄惨呢?

在阿兹特克的神话传说中，柯约莎克是大地女神科亚特利库埃的女儿。有一天，科亚特利库埃在清扫神庙时，看见空中飘浮着一片美丽的羽毛，她抓住羽毛，并将它放进自己的怀中。不料，此后科亚特利库埃竟然有了身孕。女儿柯约莎克知道自己的母亲怀有身孕后非常生气，她认为母亲做了什么见不得人的事情。尽管科亚特利库埃一再解释，但柯约莎克始终不相信羽毛的神奇力量。最后，柯约莎克居然要杀掉母亲。

就在科亚特利库埃命悬一线的时刻，太阳神惠茨罗卜底里呱呱落地。他用手中的火蛇斩掉柯约莎克的首级，并将她抛向空中。柯约莎克在空中每转一圈，就被截下一段肢体，最终她在空中变成了月亮。这个过程每月都会重复一次，这也是阿兹特克人对月亮圆缺现象的解释。

这块石雕在15世纪塑成后，被放置在神庙前的地面上。尽管月亮女神柯约莎克在阿兹特克人的神话传说中是一个叛逆者和失败者的形象，但在这个石雕中，月亮女神却以一种安详而超脱的神情来面对死亡。女神头上插有羽毛，戴着耳环，面部饰有金铃。她的头被砍下，四肢也被切断，显示出叛逆者的悲惨下场。同时这个雕像又是置身于繁缛而华丽的装饰之中：四肢戴有蛇形镯子，腰系骷髅配饰，背后的空间充满了象征死亡的装饰物。作品面部和躯干的刻画写实而精细，使石头似乎变成了带有体温的皮肤，死去的女神似乎依然具有生命力。女神死去而有灵气，她那光洁的身体以及繁杂的装饰，充分折射出阿兹特克人雕刻艺术的特点，堪称阿兹特克人精湛雕塑艺术的集大成者。

值得一提的是，正是这块石雕带领着考古学家找到了大庙。1978年2月21日，电力公司的工人在埋设电线时，在地下2米处发现了这块直径3.25米、重约10吨的石雕。石雕的发现引起了很多人的兴趣，于是政府决定彻底发掘墨西哥传说中的神庙，并下令拆除了墨西哥城中心5000平方米范围内的建筑。1982年，一座雄伟的塔形神庙终于出现在世人面前，这就是今天著名的大庙遗址。

39. 班图文化的发祥地在哪里？

班图文化是非洲大地的古老文化，是由生活在那里的班图人创造的。班图人也被称为班图尼格罗人，属于尼格罗人种的年轻支系。他们主要分布在北纬4°以南，包括刚果盆地、大湖地区、赞比西河和林波波河流域。

班图人是当前非洲最大的民族集团，约占非洲人口的1/3。原始的班图人为农耕部落，后来吸取了尼罗特人、库希特人的畜牧文化，以及俾格米人、科伊桑人的渔猎文化，成了一个渔、耕、牧混杂的民族。在班图语言中，最重要的语种是斯瓦希里语，它现在已成为东非最通行的语言，坦桑尼亚和肯尼亚更是以其作为官方语言。

那么，班图文化的发祥地在哪里呢？考古资料表明，班图文化的真正发祥地在东非大湖及刚果河下游地区。在公元1世纪时，东非的班图人就掌握了制陶术；到了3世纪，又掌握了冶铁技术。7世纪时，中央的班图人已经懂得炼铜。

公元10–12世纪，班图文化区开始出现一系列国家：如基塔拉、布霜果、莫诺莫塔帕等；稍晚，又出现了刚果、隆达、布干达、巴卢巴、卢旺达、斯瓦希里等国。这些国家与西亚、印度、中国均有贸易往来，这可以在东非沿海和大津巴布韦古迹发现的大量中国瓷器中得到佐证。

后来，因为殖民者的入侵，班图各族分别受英、葡、比等国的控制和奴役。直到第二次世界大战以后，特别是1960年以来，班图绝大多数民族才取得国家独立。

40. 在查文遗址的石碑上发现的猫口犬牙且头上爬满蛇的生物是什么？

查文–德万塔尔山位于安第斯山脉秘鲁境内，海拔3177米。公元前1500–前200年，在这里的高山峡谷中发展出安第斯最著名的早期文明——查文文化。以查文–德万塔尔考古遗址命名的查文文化，被认为是当时南美洲最重要的文明之一。1985年，联合国教科文组织将其作为文化遗产，列入《世界遗产名录》。

查文–德万塔尔位于瓦切萨和莫什纳两河的交汇处，地处秘鲁群山峻岭间的多条交通要道上。优越的地理位置使查文不仅成为当时重要的贸易中心，也吸引了大批朝圣者前往朝拜查文诸神。同时，查文地区的物产比较丰富，著名的美洲驼成为查文人重要的役畜。随着贸易的繁荣，查文–德万塔尔日渐强大起来。

公元前900年左右，查文人开始在查文–德万塔尔修建庙宇，这就是安第斯山区最重要的一座金字塔形神殿。后来从滨海村落到安第斯山间小城方圆数百英里的人们，都开始信奉这些面目狰狞的查文神。这些神以及查文文化的许多方面都对周围地区的艺术和宗教产生了深远的影响。

在查文神殿遗址中有一块拉蒙蒂石碑，它高达4.5米，通体用白色花岗岩雕成。上面刻着一只怪异的动物，长着猫口犬牙、大眼，嘴角伸出一对獠牙，头上爬满了蛇，手脚类似于人，总体带有明显的猫科动物特征。有人说，它上可升天堂，下可入地狱，可能是一种神谕物，也可能是一种发源于亚马逊的宗教崇拜物。同时，人们猜测，查文神殿实际上是围绕这座雕像建的，因此它或许是这个遗址上矗立在原来地点的唯一一座石雕。

拉蒙蒂石碑是1840年被一位农民在耕田时发现的，他当时并不知道这块石碑的价值，就把它当作桌子摆放在家里。1873年，意大利科学家安东尼奥·拉蒙蒂发现了这块石碑，一眼就断定它是无价之宝，决定把它带回秘鲁首都利马进行研究。现在，这块石碑被存放在利马的国家考古博物馆中。

41. 特奥蒂瓦坎地下的云母是从哪儿来的？

在墨西哥城东有一座古城的遗迹，它的名字叫作特奥蒂瓦坎。这个名字是阿兹特克人起的，意思是“众神信徒得道之城”。据阿兹特克人说，从公元10世纪他们到达这里时，特奥蒂瓦坎就已经是一座被废弃的空城。

特奥蒂瓦坎始建于公元前1000年左右，曾有过15万人口，有着庞大的建筑、宽阔的街道和辉煌的文化。尤为令人惊奇的是：特奥蒂瓦坎整个城市似乎是严格按照一个宏伟而完备的计划建造的。

我们都知道，古代城市大都是自然形成的，即使是像罗马或长安那样举世闻名的大都市，也处处可见不合理之处。然而特奥蒂瓦坎的建筑却处处经过精心设计，全城采取四方网格布局，构成一个巨大的几何形图案，中心广场上两条大道垂直相交，3千米长、40米宽的黄泉大道纵贯南北。大道两旁的建筑错落有致，街道的坡度巧妙地设定为30米，每隔若干米建六级台阶和一处平台。这样，从北向南望去，台阶隐没在坡度差之中，看上去是一条笔直的街道；而从南向北望去，街道上的台阶与3千米外月亮金字塔的台阶融为一体，没有尽头，给人以直逼云天之感。从设计到施工，每一处台阶、平台的尺寸和间隔都要经过精确的计算，不能有任何偏差，即使是使用了先进仪器的现代城市建设也很难做到这一点。

不仅地面建筑让人称奇，特奥蒂瓦坎的地下也同样带给人们不少惊喜和疑问。在距标志建筑太阳金字塔不远处，人们发现了一处地窖。地窖内有许多石头房子，在这些房子的房顶和墙壁上，都铺设着一层15厘米厚的云母。不难发现，这些云母是被细心地、有意铺设的。当初的兴建者，显然对云母有着特别的需求。专家们对这些云母层的作用说法不一，有人认为是为了起绝缘作用，有人则认为是阳光反射器。地质学家们鉴定后确认，特奥蒂瓦坎的这些云母竟然来自莫斯科（当然那时还没有这个城市）！古代的特奥蒂瓦坎人是怎样知道云母的性能和产地，而且又是怎样千里迢迢跑到遥远的东欧把它们运到这里来的呢？

没有人能够回答。

知识链接

太阳金字塔

太阳金字塔是特奥蒂瓦坎建筑的代表，塔高65米，它的体积要比举世闻名的埃及胡夫金字塔更大。它的设计采取了古代印第安人视为神圣符号的五点形，即在正方形四角各置放一点，而把第五点放在中心。有人认为，太阳金字塔的建造是代表宇宙中心的。在阿兹特克人的传记中，也有“太阳从特奥蒂瓦坎升起，徐徐升到宇宙的中心”的说法。有人曾在春分那一天，在太阳金字塔顶上向西眺望，太阳在一块标有记号的石头下坠入地平线，分毫不差。

第九章

建筑雕塑·解疑释谜

1. 日本的古坟与中国的祭坛有关系吗？

日本古坟时代（公元4–6世纪）营建的大墓，虽然存在多种形制，但无论从数量还是质量来看，“前方后圆”的墓制无疑最具代表性。那么，这种墓制萌生于日本本土，还是传自中国大陆、朝鲜半岛？

一直以来，日本学术界偏向在日本本土文化中寻找古坟的原形。近年来，人们在朝鲜半岛南端发现前方后圆古坟后，“朝鲜起源说”逐渐受到重视。

还有一些学者通过分析古代中日两国的天地崇拜，来寻找日本古坟与中国祭坛之间的关系。中国古人信奉“天圆地方”的宇宙观。从秦汉以来，各代帝王都要设圆丘和方坛，分别用来祭祀天地。祭坛构造的特点是：天坛呈圆形，地坛呈方形；圆丘和方坛分为数层；圆丘比方坛高；天坛建有围墙，地坛围有水沟。

再来看看日本的古坟。以比较典型的箸墓古坟为例，“前方后圆”具备圆形和方形的特点；前方部与后圆部均分数层建筑；圆部明显比方部高；圆形坟丘四周埋有埴轮（一种素陶器），环绕古坟筑有壕沟。

从以上对比我们可以看到，日本的古坟与中国的祭坛的确有很多相似之处，但两者还有根本的区别：中国的祭天圆丘和祭地方坛分别建于不同的地点，而古坟则将圆部和方部合二为一；古坟主要用于埋葬死者，而中国的祭坛与墓葬没有关系。

古坟时代的日本，还不具备完整吸纳中国文化的条件。从外部条件来看，摄取中国文化主要依赖朝鲜半岛的间接途径，或者依靠大陆移民的零星传播，而传播途径的不通畅必然导致文化吸收的不充分；从内部条件来讲，日本的文明程度远远落后于东亚的先进地区，虽然从中国大陆和朝鲜半岛积极移植和模仿物质文明，但尚不具备全面消化精神文明的能力。

正因为上述原因，一些内蕴丰富的精神文明产物，一到日本便走了形、变了样，如铜铎徒具其形而不能奏乐，就是一个非常典型的例子。还有一种情况，零星传入的多种文化元素，经古坟人重新梳理整合，逐渐形成适合当地实际情况的新样式，古坟墓制也许就属于这一种情况。

知识链接

“天圆地方”的思想

中国古代的阴阳学说具有朴素的辩证法色彩，是中国先哲们认识世界的思维方式，而“天圆地方”的宇宙观则是这种思维方式的具体体现。

中国古人把天地未分、混沌初起之状称为太极，太极生两仪，就划出了阴阳，分出了天地。由于日月等天体都是在周而复始、永无休止地运动，就像一个闭合的圆周无始无终；而大地却静悄悄地在那里承载着我们，犹如一个方形的物体静止稳定，于是“天圆地方”的概念便由此产生。

纵观自然界，凡是圆形的物体，一般都具有好动和不稳定的特点，就像圆圆的日月一般；凡是方形的物体，一般都具有静止和稳定的特点，就像静静的大地一样。动为阳，静为阴，故而“天圆”就成了阳的象征，“地方”就成了阴的象征。

2. 玛雅金字塔与埃及金字塔有什么不同？

玛雅金字塔的数量繁多，有人说仅在墨西哥境内就有10万座大大小小的金字塔。就目前所发现的玛雅金字塔来看，大致可以分为4种类型：平顶金字塔，尖顶金字塔，壁龛式金字塔，陵墓型金字塔，其中以平顶金字塔最为常见。

玛雅金字塔规模之宏伟，构造之精巧，乃至于情景之神秘，完全可以与名遍天下的埃及金字塔相媲美。不过，玛雅金字塔与埃及金字塔也有很多不同之处。

首先，从外观来看，埃及金字塔几乎都是方基尖顶的方锥形，而玛雅金字塔的每个侧面不是三角形，而是梯形，它的下部为阶梯，上部是平台，平台上通常还建有庙宇。埃及所有金字塔的形状几乎完全相同，玛雅人却把他们的金字塔建成各种风格的变体，有的甚至还有60° 左右的坡度。从金字塔脚下向上望去，塔身高耸入云，十分庄严神圣。玛雅祭司和献祭者就沿着几百级甚至上千级的台阶，一步一步登上金字塔顶，这给金字塔下的观众造成了一种通天的感觉。

其次，从功用来看，与埃及金字塔主要用于墓葬不同，玛雅金字塔的主要功能是让祭司登顶进行各种仪式活动或观测天象。玛雅人观测天象的精确度很大程度上取决于这些高耸的金字塔，在没有望远镜之类现代科学仪器的情况下，要想进行精确的观察就必须站在一个足够高的位置上，从而使自己的视线能够越过各种障碍，投射到遥远的地平线上。关于金字塔观测天象的这一功用，并不是考古学家仰望玛雅金字塔时的推论。事实上，在玛雅图谱中经常发现这样的画面。

3. 被誉为古代世界“七大奇迹”之冠的埃及金字塔出自何人之手？

埃及金字塔是古代高度文明的见证，也是无数不解之谜的源头。那么，规模如此宏大的金字塔到底是谁建造的？在古埃及文明中，虽然留下了大量的金字塔铭文、壁画和纸草文书等文献，但至今没有发现有关金字塔如何修建的设计图纸或文字记载，因而，各种推测和猜想就出现了。

1968年，瑞士人埃里克·冯·丹尼肯出版了《上帝的战车》一书，他认为大金字塔不可能由一代人建成，胡夫可能虚构了铭文，标榜自己建造了金字塔。埃里克·冯·丹尼肯说，在英国的一座图书馆里，有一份古埃及的科普特人留下的手稿，里面讲到大金字塔是埃及王苏里特叫人建造的，而这位国王是在大洪水前统治埃及的，因此，大金字塔应该在1万多年就已经建成了。他在书中列举了许多理由和例子，极力证明古人乃至今人都不可能建成这样的建筑，只有上帝或外星人才是可能的建造者。

这类说法到1976年人类探索了火星之后有了进一步的发展，有些人认为建造大金字塔的外星人就是火星人。理由是：火星与地球的大气状况和地质构造极为类似，在火星岩层里有生命存在的迹象；在亿万年前，火星曾遭到毁灭性的打击，如果火星文明已经高度发达，他们当中很可能有人来地球避难；从卫星发回的照片上看，火星上某个地点的地貌与吉萨的金字塔建筑群很相似，金字塔可能是火星人在地球上留下的永恒纪念。

还有一种说法是认为金字塔由“大西洲人”所建。西方学者曼利·胡尔在《各时代潜在的知识》一书中认为，在“大西洲”沉陷之前，一些居民提前离开“大西洲”，从而逃过了这场劫难。其中一部分“大西洲人”移民到埃及，并参照故土上的建筑物建造了大金字塔，把他们高度发达的文明隐藏于塔的规格、几何图形和内部结构中。

但是，在今天，多数的学者还是相信金字塔为古埃及人所建，因为“外星人”或“大西洲人”建造金字塔的说法有很多无法自圆其说之处。比如说，从各个金字塔中发现的物品和随葬品都是埃及人的日常生产和生活用品，没有任何特别奇异之处。其次，从现在所知的埃及墓葬来看，埃及金字塔经历了一个从坑葬、马斯塔巴墓、层级金字塔到真正金字塔的逐步演化的过程，而不是突然出现的。另外，在金字塔的铭文中，还有“工匠队”“层级金字塔队”“船队”等建筑队伍名称的记载，在金字塔附近也发现了当年工匠的工棚遗迹。这些都可以说明金字塔出自古埃及人自己的双手。

4. 古埃及人是如何开采和运输石料的?

对于古埃及人来说，建造金字塔最大的难题是开采和运输石料。

建造金字塔的主要石料是石灰岩和花岗岩，而这两种石材在尼罗河附近的山脉中储量十分丰富。为了便于运输，古埃及大部分采石场都建于尼罗河沿岸。

古埃及人采石的工具比较原始，主要是铜凿、木槌、玄武岩制的敲击球、木楔等，这是因为当时埃及人还处于铜、石并用时代，尚未使用铁制工具。有人认为，古埃及人可能使用过一种使铜变硬的技术，这样他们使用的铜凿就可以开凿石头，只是这种技术已经失传。

古埃及人在开采质地较软的石灰岩时，先在宽阔的峭壁上挖出一条走廊，使要被开采的石块孤立出来，然后用木槌和铜凿在底部凿出缝隙，将木楔塞进去，再向缝隙中不断地浇水，等木楔膨胀后，巨石自动地离开石床，从沟隙处水平下降，这样便得到了所需要的石灰石。

当开采花岗岩等质地较硬的石头时，人们先用玄武岩石球敲打铜凿在石头四周凿槽，沿槽打洞，然后塞进木楔和长木桩，再向里面浇水，使木头膨胀，借助张力使岩石沿槽裂开。用这种方法开采出来的石块比较齐整，能按照事先计划好的尺寸开采，但耗时较长。还有另外一种方法：先在被选中的石头上架柴烧火，使石头升温到开始碎裂，然后向上面浇冷水，此时石块会成片地剥落下来，反复进行这样的操作，直到有合适的石块为止。

古埃及人将开采下来的石块加工成形，用打磨石将石块进行修整，特别是要将石块下面磨平，以便拖运。因为采石场和金字塔基本上都在尼罗河附近，所以，要等到尼罗河涨水时，用船只将加工成形的石头运到靠近工地的河岸。

在陆地上运输巨石，古埃及人使用的主要工具是木橇。使用时，在它前面绑上长长的拉绳，用人或牛拖曳。19世纪时曾有人试过此方法，但因地面摩擦力太大，几乎寸步难行，只有在其下面垫上滚木或滚石，才能极其缓慢地向前移动。19世纪末，考古学家在一座墓室中发现了一幅壁画，终于解开了古埃及人运输巨石之谜。在这幅彩色画面中，一尊巨大的石像被绳子固定在木橇上。木橇前面有4股绳子，每股绳子有40多人拖曳。在石像的膝盖上站着一个人，正在指挥大家齐心协力向前拖。在木橇前面还站着一个人，他手捧一个容器，正在向前面倾倒某种液体。原来，古埃及人为减少木橇与地面的摩擦力，在其前面抛洒尼罗河中的湿泥或某种油脂，以起到润滑作用。

5. 金字塔墓碑上的咒语真的灵验吗?

20世纪初，人们在发掘图坦卡蒙陵墓时发现了几处诅咒，有一处写道："谁扰乱了法老的安眠，展翅的死神将降临在他的头上。"还有一处写着："任何目的不纯者进入坟墓时，死神之灵会像扼一只鸟儿一样扭断他的脖子。"

当这个最年轻的法老的墓门被开启之后，奇异的死亡事件接踵而来。先是负责此次发掘的考古学家霍华德·卡特宠爱的金丝雀被一只眼镜蛇吞掉了。随后，卡尔纳冯伯爵死于由蚊子叮咬而传染的不知名疾病，而被叮咬的部位与图坦卡蒙脸上那块伤疤的位置几乎相同。

类似的事还可以举出很多。近年来，埃及文物最高委员会主席哈瓦斯在图坦卡蒙陵墓给木乃伊做CT检查时，也发生了一系列不可思议的事情。据报道，当时帝王谷狂风大作，刚从美国买来的先进仪器竟无故失灵了一个半小时。哈瓦斯是不信"法老的诅咒"的，他还安慰工作人员说："不要怕，不会是法老的诅咒。"这时，他的手机响了，是他妹妹打来的："我丈夫突然去世了！"

半个多世纪以来，"法老的诅咒"以一种神秘的方式广为流传。《福尔摩斯》一书的作者柯南道尔称他绝对相信这古老诅咒的存在。那么，法老诅咒真的灵验吗?

不少科学家从病理学、心理学、物理学等角度提出了一个又一个观点，试图证明"法老的诅咒"的荒唐。有人认为，古代埃及人可能使用病毒来对付盗墓者。有人曾为经常同古埃及纸草文书打交道的人进行身体检查，发现很多人感染了一种能引起呼吸道发炎的病菌，进入法老墓穴的人正是感染了这种病菌，引起肺炎而死的。也有人认为，有些不常与陵墓打交道的人，可能是因为受不了塔内闷热而又令人窒息的空气，再加上爬上爬下的疲劳和对神秘的金字塔心存已久的惧怕心理，而导致眩晕，甚至引发其他疾病而死。也有人认为塔内存在放射性物质，干扰先进的仪器正常工作，甚至导致人们的死亡。

然而，迄今为止，没有任何一种解释能让大家信服。不过值得一提的是，近年来澳大利亚科学家马克·尼尔森在经过长期的整理研究后发现，在图坦卡蒙陵墓最初开启时在场的25人的平均寿命大约为70岁，只有6人在10年内相继死亡。而主要负责人霍华德·卡特活到了65岁，他生前是“法老诅咒”的坚定否定者。

6. “金字塔能”真的存在吗？

20世纪40年代，一个名叫鲍维斯的法国人到胡夫大金字塔参观游览，他发现在塔高1/3处叫作“王室”的厅堂内，有一只垃圾桶，桶内有一些小动物的尸体。这些已经死去很久的小动物，居然没有腐烂，反而脱水和木乃伊化了。鲍维斯脑中忽然闪出可能是金字塔结构使小动物变成木乃伊的念头，于是，他回去按比例做了一个金字塔模型，把一只死猫放在模型1/3高处的平台上，结果死猫变成了木乃伊。用其他有机物质做同样试验，也能得到类似的结果。

此后，许多人做了进一步的实验，证明在金字塔的该位置能够增强认知能力；阻碍自然进程（如有机物体本应腐烂变质但反而脱水干化、钝化的金属刀锋重新恢复锋利）；促使空气离子化等。由此，人们猜测在金字塔形构造物内有一种能量，从而构成了“金字塔能”。

此后，各国的学者和爱好者进行了更为广泛的实验和研究，探究有这种金字塔外形构造的装置所形成的特殊能量场的作用，并出版了上百种相关的著作，发表了无数的文章，吸引了越来越多的人参与到对“金字塔能”的研究工作当中。

那么，所谓的“金字塔能”真的存在吗?

很多人认为，“金字塔能”是“客观存在着的一种自然现象”。在这个前提下，有的人认为金字塔形状相当于一个大镜头或电容器，里面积聚着某种未名的能源；有的人猜测金字塔形状能在其内部聚集宇宙射线、磁性震荡和某些未名的射线；有的人设想这种能源是某种宇宙的力量和地球引力相结合的产物；有的人推测金字塔形内部能够产生一种高频震荡，影响着人体的细胞和肌肉，使之处于最佳状态；有的人解释说，不仅是金字塔形状，各种形状和大小的构造物都会在其内部产生一种力场，一种能源。这种特殊的力场或者与自然力场相互抵消，也有可能增强或减弱自然力场。

然而，有相当多的人对“金字塔能”的存在持否定态度，甚至将有关“金字塔能”的猜想斥为“伪科学”。到底是否存在“金字塔能”还有待于研究人员的进一步发现。

7. 美洲金字塔与非洲金字塔有联系吗?

宏大而又神秘的玛雅金字塔让一些人对其建造者的身份产生了怀疑。他们认为，美洲金字塔曾受到过非洲金字塔的深刻影响，甚至还有人认为美洲金字塔的建造者就是埃及人。理由有3点：

(1)被称为“铭记的神庙”的帕伦克金字塔是一座埋葬帕伦克统治者巴卡尔的墓穴，墓穴结构及其随葬品反映了美洲金字塔和非洲金字塔在文化上有共同之处，也说明二者都有一个发达的经济结构，存在等级森严的社会群体和一个以神权为中心的政权，同时也表现了双方有相似的宗教信仰。

(2)两种金字塔都是立体四棱形，外观上有相似之处。埃及早期的金字塔，以位于萨卡拉的“乔塞尔金字塔”最为典型，也有从下到上的阶梯。

(3)根据实验可以推断，数千年前埃及人有可能横渡大洋到达过美洲，并且将古老大陆的文明传到新大陆。伊凡·范瑟提玛在其《哥伦布以前到来的人们》一书中指出，埃及人曾于公元前800–前680年同美洲人有过来往，美洲金字塔是在埃及人到达美洲之后出现的。

而很多人反对这种观点，因为两种金字塔不仅外形不同，从功能来看也有根本区别：非洲金字塔是作为古埃及法老的陵墓用的，而美洲金字塔是僧侣、贵族用来进行宗教祭祀和举行仪式的场所。也正因为如此，埃及金字塔是空心的，而美洲金字塔是实心的。

他们认为，美洲金字塔是在古代印第安人的祭神活动中逐步发展起来的，他们登上高山之巅进行祭祀活动，以便靠近神灵，而生活在平原、河谷地带的印第安人则在平地建起土丘，在土丘顶端筑起庙宇。随着筑坛祭神活动的盛行和发展，神坛的规模也越来越大，逐渐发展成金字塔，而且金字塔的建筑艺术也越来越精巧。

不仅如此，美洲金字塔和塔顶庙宇与神坛中的神像、石碑，以及其他石雕艺术品集中反映出不同时代和地区古印第安人的政治、经济和文化情况，这些与埃及金字塔并无相同之处。可以说，美洲金字塔是印第安人用自己勤劳的双手、高度的智慧和高超的技艺创造出来的古老文明的杰出象征，它不是外来文化的延伸，也不是外来文化的翻版，说美洲金字塔受过非洲金字塔的影响是毫无根据的。

8. 埃及和玛雅的金字塔都源于亚特兰蒂斯吗？

亚特兰蒂斯是一个引人入胜的历史之谜。这个传奇文明消失的故事已经流传了几千年，最早的记载出现在2000多年前的希腊哲学家柏拉图的著作中。由于柏拉图在古希腊受到尊崇，而他在描绘亚特兰蒂斯文明时，记述的都是现实的社会生活，而不是荒诞离奇的神话故事，所以很多人对他的描述深信不疑。人们认为神秘的亚特兰蒂斯不仅真实存在过，而且拥有非常先进的科技和文化。

1882年，美国人康纳利的研究成果《亚特兰蒂斯》出版，他坚信亚特兰蒂斯的确存在，并提出了金字塔现象。在非洲，公元前2700–前2500年埃及人建造了金字塔。在墨西哥，玛雅人在公元前1500年左右建造了金字塔。在亚洲柬埔寨吴哥窟，也发现了建造于公元12世纪初类似金字塔的建筑。虽然这些建筑物建造的时间相差几千年，但风格却非常相似。更令人惊讶的是，这些建筑都与星座相对应：吴哥窟对应天龙星座、埃及狮身人面像对应狮子星座、金字塔对应猎户星座。这种与天象对应的方式说明，它们都是按某一时期内恒星的排列格局来建造的。

由于柏拉图曾提到亚特兰蒂斯有许多高大的尖锥体建筑，因此，康纳利认为，世界各地的金字塔都起源于亚特兰蒂斯。康纳利推测，公元前10500年是亚特兰蒂斯最辉煌的时期，埃及金字塔、玛雅金字塔以及吴哥窟，不过是亚特兰蒂斯沉没后，那些幸免于难的散落到各地的亚特兰蒂斯人对故土的纪念。

有很多考古学家支持康纳利的观点，近年来的一些考古发现也在为康纳利的观点提供佐证。1979年，美国科学家在百慕大海底发现了类似金字塔的建筑，塔边长300米、高约200米，塔尖离洋面仅100米，比埃及金字塔大得多。塔下部有两个巨大的洞穴，海水以惊人的速度从洞底流过。人们无从考证这个建筑是什么人修建的，又是在什么时候沉没的。

也许，这个类似金字塔的建筑真的会与亚特兰蒂斯有关。

9. 狮身人面像是按照妖魔斯芬克斯的形象雕刻的吗？

狮身人面像又称为“斯芬克斯”，位于哈夫拉金字塔东北处。“斯芬克斯”一词源自希腊语，指的是希腊神话传说中一个可怕的怪物，它长着女人的头，狮子的身躯，身上还有两只翅膀。传说它经常守在路口，让过路的人猜谜语，如果路人猜不出，就会被其当场杀死。

不知从何时开始，在西方流传着埃及狮身人面像是按照希腊“斯芬克斯”的形象雕刻的说法。这种说法极为荒谬，因为埃及狮身人面像大约诞生于公元前2600年，当时希腊民族还没有形成。约在公元前1500年，“希腊人出现在历史黎明前的微光之中”，而南欧的希腊文明则出现在公元前7世纪。因此，埃及的狮身人面像不可能源自希腊的神话传说。相反，希腊神话传说中的“斯芬克斯”形象源自埃及的狮身人面像倒是很有可能。

那么，狮身人面像的形象是从何而来的呢？相传在公元前2600

年左右，法老哈夫拉巡视自己未来的陵墓时，发现金字塔前有一块巨石。由于这块巨石里含有贝壳之类的杂质，所以没有被用来建造金字塔，从而被保留了下来。哈夫拉觉得它很碍眼，于是要求建筑师把它处理掉。建筑师可能是从古埃及神话和石头的外形中找到灵感，别出心裁地将其设计成哈夫拉头像和狮子身躯的结合体。一件闻名遐迩的艺术杰作就这样诞生了。

狮身人面像高20米，体长57米，如果算上石块砌成的两个前爪，全长72米。它的脸部宽4米，鼻子原长1.75米，嘴宽2.30米，耳长1.925米，有一双深邃的大眼睛。它头戴王冠，上面雕刻着圣蛇，两耳旁有扇状的头巾，下颌垂着长须，脖子上围着项圈。它的狮身之上刻有鹰的羽毛图案，前面是硕大的双爪。

狮身人面像最初的名字现在已经无从知晓。到新王国时期，它被称为霍尔·艾姆·艾赫特，意思是“日出时的荷拉斯神”。到公元前4世纪，大批希腊人来到埃及，有人一见到这座奇怪的石像，便脱口喊出了“斯芬克斯”的名字，这个名称后来成了狮身人面像的流行称谓。

知识链接

神话中的斯芬克斯

斯芬克斯最初源于古埃及的神话，它被描述为长有翅膀的怪，通常为雄性，是“仁慈”和“高贵”的象征，当时的传说中有3种斯芬克斯——人面狮身的、羊头狮身的、鹰头狮身的。亚述人和波斯人则把斯芬克斯描述为一只长有翅膀的公牛，长着人面、络腮胡子，戴着皇冠。

到了希腊神话里，斯芬克斯变成了一个雌性的邪恶之物。据阿波罗多洛斯记载，斯芬克斯是半人半蛇的怪物厄喀德那同她的儿子双头犬奥特休斯所生。传说天后赫拉派斯芬克斯坐在忒拜城附近的悬崖上，拦住过往的行人，用缪斯传授的谜语考他们，猜不中者就会被它吃掉。这个谜语是：“什么动物早晨用四条腿走路，中午用两条腿走路，晚上用三条腿走路？腿最多的时候，也正是他走路最慢、体力最弱的时候。”俄狄浦斯猜中了正确答案“人”。斯芬克斯羞愧难当，跳崖而死。

10. 希罗多德曾对金字塔做了详细的描述，却为什么对近在咫尺的狮身人面像只字不提呢？

公元前5世纪，古希腊著名历史学家希罗多德游历埃及时，记下了最早关于金字塔的文字：

“胡夫国王采纳祭司们的建议，强迫全埃及的人民去修建金字塔，并以10万人每隔3个月交替一次的方式劳作。仅仅建设为拖拉石头的道路这一项，就花费了10年的时间，而建造一座金字塔则需要20年。整个国家的民众都处于水深火热之中。”

“建造金字塔用的是阶梯式的建筑方法：先造好阶梯后，再用木制的起重机举起巨大的石头，或许是用与阶梯数量相同的起重机，也或许只用一台易于移动的起重机，一块一块地往上运送。”

……

然而，花了大量笔墨描写金字塔的希罗多德，为什么对近在咫尺的狮身人面像“视而不见”、只字不提呢？是希罗多德认为狮身人面像如此渺小，不值一提吗？

原来，狮身人面像所处的地势较低，它原来是一个小山包，但在修建哈夫拉金字塔时，其上部和四周的好石头都挖走了，这里就成为吉萨高地的一块低洼地区。所以，狮身人面像在历史上曾经数次被沙漠完全吞没。在其前爪间的一块记梦碑上，曾记载着第十八王朝法老图特摩斯四世（公元前1425–前1414在位）为其“现身”的故事：

当时，石像已经被沙子埋到了脖颈。一次，法老阿蒙霍特普二世年轻的王子图特摩斯来此狩猎，在其头部阴影下休息。他在睡梦中忽然听到石像开口对他说：“我是伟大的霍尔·艾姆·艾赫特，沙石憋得我透不出气来。假如你能帮我除去我身上的沙土，我将封你为上下埃及的国王。”王子当即答应了它的要求。后来，王子兑现了这个诺言，将石像挖了出来，并在其东、西、北三面筑起一道土坯墙，以防沙土再次堆积，他本人也当上了法老。

然而，土坯墙并不能阻止沙暴对石像的侵袭，到公元前5世纪希罗多德造访埃及时，石像可能再次被沙土完全吞噬，所以希罗多德对它只字未提。

11. 什么是方尖碑?

方尖碑是古埃及除金字塔外最富有特色的象征。方尖碑外形呈尖顶方柱状，由下而上逐渐变窄，顶端很像金字塔尖。以金、铜或金银合金包裹，每当太阳光线照到碑尖时，它就会闪闪发光。

方尖碑一般由整块的花岗岩雕成，重达几百吨，它的四面均刻有象形文字。古埃及人制作方尖碑主要出于3种目的：宗教性（常用以奉献太阳神阿蒙）、纪念性（常用以纪念法老在位若干年）和装饰性。同时，方尖碑也是古埃及帝国权威的象征。

在3000多年前，古埃及人要把这种重达几百吨的花岗岩石雕凿成石碑，并把它竖立起来。可以想象，这是多么浩大繁重的工程。

据史学家们考证，古埃及人在发现可供雕凿石碑的岩石后，先将岩石冲刷干净，察看石质情况，然后再用特别坚硬的石块刮磨岩石表面，直到平滑为止。接着在岩石周围挖好深坑，并按一定的距离在岩石周围打上许多洞，洞里打入巨大的木楔，用水浇湿，木楔受潮后膨胀，岩石按木楔排列的方向破裂，方尖碑的雏形就这样出来了。成千上万的奴隶，再用工具和绳子把方尖碑从坑里抬出来，放在装有轮子的铺板上，运到港口再装上长长的驳船，运到目的地。

那么，在当时没有起重器的条件下，这些石碑是怎样竖立起来的呢？原来，古埃及人在方尖碑的顶端添砖加土，不断加高，使其逐渐直立起来，最后再把它稳稳地竖在底座上。

12. 克娄巴特拉石碑是谁建的?

在英国泰晤士河畔，矗立着一座方尖碑，这座石碑高21米，底座宽约2.3米，重达200吨，碑身四周雕有精美的图案。这座石碑名为“克娄巴特拉方尖碑”。

克娄巴特拉是埃及历史上的一位女王，她魅力十足又工于心计，为了巩固自己的地位，她利用她那绰约的风姿和不凡的胆略，使古罗马的两位叱咤风云的人物恺撒和安东尼，先后拜倒在她的石榴裙下。

据考证，“克娄巴特拉方尖碑”是埃及法老图特摩斯三世于公元前1460年建造的，与克娄巴特拉扯不上关系，那么为何将这座石碑以克娄巴特拉的名字命名呢？有人猜测可能是由于这位埃及女王在历史上实在太有名了，而尖细的石碑又与这位狡诈、尖刻的女王的性格有着某种共同之处。

这座方尖碑是1819年埃及总督赠送给英国的，可是直到1878年才运到伦敦。运输船在途中遭到风暴的袭击，方尖碑差点儿沉入海底。1878年9月，这座石碑用绞盘吊起，立在泰晤士河岸上。

知识链接

世界上著名的方尖碑

法国的方尖碑：法国协和广场中央矗立着一座有3300年历史的埃及方尖碑，那是由埃及总督赠送给查理五世的。方尖碑高23米，重230吨，是由整块的粉红色花岗岩雕刻而成的，塔身上刻满了埃及象形文字。

莫斯科的方尖碑：莫斯科胜利女神纪念碑犹如一把利剑直插云霄，显示出正义的力量与不可侵犯的庄严。碑高141.8米，方尖碑上方是古希腊胜利女神像，她手持橄榄枝，送来和平的福音。

阿根廷的方尖碑：1936年，为了庆祝布宜诺斯艾利斯建立400周年修建的阿根廷方尖碑，碑高67.5米，如今已成为布宜诺斯艾利斯不可替代的标志性建筑。

华盛顿的方尖碑：此座方尖碑位于华盛顿市中心的中央大草坪，高169米，是为纪念美国首任总统乔治·华盛顿而建造的。华盛顿特区有明文规定，特区内任何建筑都不得超过它的高度。

13. 新巴比伦王国真的修建过通天塔吗？

《圣经·旧约》上说，人类一开始生活在底格里斯河和幼发拉底河之间，说的是同一种语言。后来，人们开始修建一座可以通到天上去的高塔。直到有一天，高高的塔已冲入云霄，马上就要大功告成了。上帝知道此事后，大吃一惊。于是，上帝让人类的语言发生混乱，使人们无法相互沟通，结果工程不得不中止，人们从此分散到世界各地。

关于《圣经》中的这段记述，学术界意见不一。有人认为通天塔的原型，就是巴比伦城内马都克神庙大寺塔。这座塔建于新巴比伦国王那波帕拉沙尔及其子尼布甲尼撒在位时。尼布甲尼撒曾下令：一定要将塔顶提升，以与天公比高。

大寺塔共有7层，塔顶上修有供奉马都克神的小庙。考古证明，修建大寺塔所用的材料是砖和沥青，与《圣经》中对通天塔的记述相符。这座高达90米的大塔，在古代确实能给人以通天的感觉。被尼布甲尼撒俘虏到巴比伦城内的犹太人曾亲眼看见过这座大塔，甚至很可能亲自参与过此塔的修建。《圣经》中提到的上帝为阻止人类修塔，从而使人类语言发生混乱的说法，可能包含着参与建塔的犹太人对尼布甲尼撒的不满情绪，同时也反映了当时巴比伦城内居民种族众多、语言复杂的情况。

有的学者不同意这种观点，他们认为早在新巴比伦时代之前，巴比伦城中就曾有两座神庙，萨哥—埃尔（意为“通到云中”）和米堤—犹拉哥（意为“上与天平”），它们可能就是有关通天塔传说的素材。然而，有关这两座神庙资料实在太少。

还有的学者认为传说中的通天塔是古代闪族人从乌尔迁到迦南时建造的乌尔大寺塔。因为在巴比伦所有的寺塔中，乌尔塔的工程最大，修建时间最早，而且该地是冲积地，拥有取之不尽的建筑原料，是建造高塔的最佳场所。

《圣经》记述的通天塔是真实存在还是子虚乌有？如果确有其塔，那么它是何人何时在何地建造的？这是一个无人能够解答的千古之谜。

14. 巴洛克建筑风格的特点是什么？

巴洛克建筑是在意大利文艺复兴建筑基础上发展起来的一种建筑和装饰风格，17世纪是其鼎盛时期，一度在欧洲广泛流行。这种风格打破了对古罗马建筑理论家维特鲁威的盲目崇拜，也冲破了文艺复兴晚期古典主义者制定的条条框框，在追求自由奔放的格调和表达世俗情趣等方面起了重大作用，对城市广场、园林艺术以及文化艺术部门都产生了重要的影响。巴洛克一词的原意是怪异的珍珠，古典主义者用它来称呼这种被认为是离经叛道的建筑风格，并将其看作是一种堕落的艺术。不过现在人们已经公认，巴洛克是欧洲伟大的艺术风格之一。

概括地说巴洛克艺术有以下几个特点：

（1）它既有宗教的氛围又有享乐主义的色彩，在表现的内容上宗教题材占据主导地位。

（2）它是一种激情的艺术，打破理性的束缚，具有浓郁的浪漫主义色彩，要求艺术家具有非常丰富的想象力。

（3）变化是巴洛克艺术的灵魂所在，空间感和立体感则是巴洛克艺术的重要看点。

（4）它将各种艺术形式的精髓融为一体，比如在建筑上将建筑与雕塑、绘画结合起来。此外，巴洛克也吸收了文学、戏剧、音乐等领域里的一些艺术成分。

（5）大多数巴洛克艺术家有远离尘嚣、逃避现实的倾向，如一些巴洛克作品中，人的形象变得微不足道。当然，一些积极的巴洛克艺术大师不在此列，如鲁本斯、贝尼尼的作品仍然和生活保持着密切的联系。

巴洛克建筑代表作有罗马耶稣会教堂、罗马圣卡罗教堂以及罗马圣彼得大教堂前广场等。

15. 印加王奢华的宫殿为何没有屋顶?

印加宫殿在建筑技艺上别具一格，甚至在几个世纪后，印加时代的建筑方法依然被后人继续使用。这种经久不衰的建筑方法就是“叠石法”。

印加的“叠石法”关键之处在于巧妙地利用几何原理。为了使巨大石墙，以及用巨大石板建造的大门长久屹立不倒，印加工匠们使用了类似搭积木的办法，在建造墙和门框时，从下往上逐渐缩小，坚实宽阔的墙基能够承受无数巨石的重压，而门楣比门槛要狭窄许多。埃及人也曾使用过类似的建筑办法。这个简单的方法几乎令人难以置信，却又实实在在地保障了建筑物的牢固。

印加人有时也会借助“黏合剂”的作用。印加人使用的“黏合剂”不会在石头上留下痕迹，给当代人们制造了印加人不用黏合物的假象。考古学家认为，这种黏合剂可能包含着黏土、沥青等多种成分。为了使王宫、神庙显得庄严神圣，在建造这类建筑物时，印加工匠则在石块间浇灌熔化的铅、银或金等来代替黏合物接合石缝。

时间证明，印加人所掌握的建筑技术可能是在当时、当地环境中最为理想的建筑方式。那些距今年代较近的西班牙建筑，有许多已经在无数次的地震中化为尘埃瓦砾，而印加时代的建筑至今还在原地巍然屹立。如果不是西班牙征服者出于对财富的贪欲，对许多印加宫殿进行了大肆的破坏，我们这些当代人仍然能有机会领略5个世纪前金碧辉煌的建筑风采。

有趣的是，如此坚固华丽的印加宫殿却缺少一样重要部分——屋顶。事实上，在哥伦布到达美洲之前，没有一个美洲文明发明过拱形屋顶。因而，印加的华丽宫殿只能使用极其“寒酸”的屋顶：用茅草覆盖而成，一般堆成人字形、尖锥形，有点儿类似于茅草屋的样式。甚至，有的建筑似乎从来就没有搭建过屋顶，因为这些建筑遗存下来的墙顶很光滑，没有覆盖过茅草的痕迹。

16. 哥斯达黎加的丛林大石球从何而来？

20世纪30年代末，美国人乔治·奇坦在哥斯达黎加人迹罕至的三角洲热带丛林以及山谷和山坡上，发现了约200个石球。这些石球大小不等，大的直径有几十米，最小的直径也在两米以上，制作技艺精湛，有的排列成直线，有的略成弧线。

这些石球引起了人们极大的兴趣，有人戏称它们为“巨人玩的石球”。对石球做过精密测量的考古学家们确认，这些石球的直径误差小于1/100，准确度接近于球体的真圆度。也就是说，制作这些石球的人必须具备非常丰富的几何学知识和极其高超的加工技艺，同时还要有坚硬无比的工具以及精密的测量设备。虽然远古时期的印第安人不乏能工巧匠，然而，制作如此巨大的石球，从采石、切割到打磨，每一道工序都要求不断地转动石块，要知道这些石球重达几十吨，仅凭一些简陋的原始工具能够做到吗？

不仅如此，这些石球几乎都是用花岗岩制作而成的，而石球所在地附近并没有花岗岩石料，在其他地方也找不到有关石球的任何线索。人们不禁要问，是什么人制作了这些巨大的石球？制作这些石球的目的是什么呢？

在哥斯达黎加的印第安人中间，流传着宇宙人曾经乘坐球形太空船降临地球的故事。于是，有些人在对上述奇迹百思不得其解的情况下，便把思路转向了遥远的太空，猜想这些大石球与天外来客有着直接联系。他们认为，这些天外来客降临这里后，在很短的时间内制作了这些巨大的石球，并将它们按照一定的位置和距离进行排列，布置成模拟某种空间天象的“星球模型”。这些大石球象征着天空中不同的星球，它们彼此之间相隔的距离，表示星球间的相对位置。据说，天外来客试图利用这个“星球模型”向地球上的人类传递某种信息。但是，今天有谁能理解这个“星球模型”的真正含义呢？

17. 远隔重洋的亚洲和太平洋诸岛为何都有“有段石锛”的踪影？

“有段石锛”是远古的造船工具，一般为长方扁形，刃口斜削，呈刨刀状，可以装柄使用。它与普通石锛的不同之处在于背面，即刃口斜上所向的一面不像正面那样平，而是中间隆出一条横脊，把背面分成前后两部分，后部较薄，看起来像有两个阶段，所以叫“有段石锛”。

从19世纪20年代开始，考古学家在太平洋诸岛，甚至在新西兰、复活节岛乃至南美的厄瓜多尔等地陆续发现了“有段石锛”的踪影。由于“有段石锛”不容易制造，因而不可能在世界各地同步制造成功。因此，考古学家们苦苦寻找“有段石锛”的发源地。

1929年，浙江良渚也发现了“有段石锛”，从此这种远古造船工具在中国福建、广东、江西、台湾等沿海地区多次被发现。从中国发现的一般是初中级的器物，高级的很少。而在菲律宾和玻利尼西亚各岛所发现的大多是高级的，制作时间也比中国的晚。因此，很多学者猜测，中国的先民早在远古时代就漂洋过海，带着先进的工具到过太平洋诸岛和拉丁美洲西岸。

一些专家认为，河姆渡人是最早的航海家，至少在距今7000年前就已经开始了漂洋过海的实践，并将自己的文明远播到海外。河姆渡人借助北太平洋暖流漂向太平洋的深处，途经夏威夷群岛北端，而后到达墨西哥北部的瓜达卢佩岛附近；还有人顺着赤道洋流，与西风漂流汇合向东到达南美的秘鲁。

也有学者认为“殷人东渡”是中国海上丝绸之路的发端，周武王伐纣灭商后，殷商遗民由西向东逃亡，其中一部分殷人随着海风和洋流漂移，到达美洲，并在墨西哥和秘鲁等地定居。美洲太平洋沿岸陆续发现的与商代风格酷似的文物，似乎也在印证这一观点。

“殷人东渡”本是一个备受争议的论题，“有段石锛”之谜又使这个谜团更加神秘。

18. 古格王国用金汁、银汁书写经书吗？

古格王国遗址在中国西藏自治区札达县西20千米扎不让区象泉河南岸的一座高约200米的山上。据中国考古队实地考察，遗址东西宽约600米，南北长约1200米，总面积约为72万平方米，规模相当庞大。迄今为止共发现房屋遗迹445间、窑洞879孔、碉堡58座、暗道4条、各类佛塔28座、洞葬1处、武器库1座、石锅库1座、大小粮仓11座、供佛洞窟4座、壁葬1处、木棺土葬1处。

近年来不断发掘出的雕像、壁画是古格文化的精华。古格雕塑多为金银佛教塑像，其中艺术成就最高、极为珍奇的是被称为古格银眼的雕像。古格拥有数量众多、保存完整、气势磅礴的壁画，其内容反映了当时社会生活的方方面面。古格壁画所绘人物性格突出，线条洗练，尤以丰满生动的女性人物最具代表性。

古格盛产黄金、白银，在托林寺、扎不让等地出土了大量的用金、银汁书写的经书。这种经书写在一种略呈青蓝色的黑色纸面上，一排用金汁书写，一排用银汁书写，其奢华程度让人咋舌。

古格王国建于公元10世纪前后，到17世纪初，一直雄踞西藏西部，弘扬佛教，抵御外侮，在西藏吐蕃王朝之后的历史舞台上扮演着重要的角色。然而，这样一个曾经有过700年灿烂文明史的王朝，一个拥有过10万人之众的大国，居然在1635年拉达克人入侵的战争中瞬间崩溃瓦解。今天的古格故地，只有十几户人家守着一座空荡荡的古城废墟，而他们并不是当初古格人的后裔。

19. 圆沙古城是《大唐西域记》中曷劳落迦城的原型吗?

圆沙古城是新疆维吾尔自治区目前发现的年代最早的古城，距今约2200年，位于塔克拉玛干沙漠腹地。

据考证，圆沙古城城墙顶部宽3-4米，残存高度也是3-4米，残存473米。整座城周长约1千米，呈不规则的圆形。古城周围纵横交错的渠道依稀可辨，说明这里曾经有过发达的农业；城内发现炼渣，说明这里曾经有过冶炼业；城中散布着的一些动物骨骼，说明畜牧渔猎在该城经济生活中占有重要地位。

考古学家发现了20多座古墓葬，根据遗骸可以大致看出圆沙人的一些特征。他们高鼻梁，眼睛深邃，头发是棕色的，应该不是黄皮肤的蒙古人种。他们内穿粗、细毛布衣，有的还有帽饰和腰带。毛布织有几何形图案，有的色泽非常鲜艳。考古学家还发掘到一个带柄铜镜，这种铜镜是古希腊罗马文化中独有的。

是谁在这里建造了这样一座城市？而后来又为何将其废弃？是战争洗劫了这座城市吗？人们尽管在城中发现了一些铜镞，但没有找到更多的与杀戮有关的痕迹。

考古学家们推测，圆沙古城的消失可能与环境恶化有关。这里曾有丰富的水源，古城发达的农业便可以证明。然而，人类过度的采伐再加上自然因素，导致了圆沙绿洲变成一片荒漠。

最让人难以理解的是，至今在塔克拉玛干沙漠中发现的所有古城，比如楼兰、尼雅等，都在中国典籍中有记载，但这样一座规模空前的沙漠之城却未见于任何典籍的记载。

唐代高僧玄奘在《大唐西域记》中，讲述过一个失踪在沙漠之中的曷劳落迦城的故事。该城的居民由于不敬神而惹怒了神，神降下七天七夜的沙暴将这座城彻底毁灭，从此无论谁企图接近这里，都会“猛风暴发，烟云四合，道路迷失”。

那么，圆沙古城会不会是传说中的曷劳落迦城呢？没有人能够回答。

20. 加里亚王国的国王摩索拉斯为什么要修建一座可与埃及金字塔相媲美的陵墓？

摩索拉斯陵墓的主人是古代小亚细亚加里亚国王摩索拉斯。加里亚当时是处于波斯帝国统治之下的一个小国。公元前395年，摩索拉斯下令动工兴建自己的陵墓，然而直到他去世（公元前353年）都未完成。王后阿尔特米西娅二世继承了他的未竟事业，公元前351年，陵墓终于竣工。

这座陵墓由雕饰华丽的白色大理石建成，底部是高大的台基，高19米，长39米，宽33米。台基之上竖立着一个由36根柱子构成的连拱廊，高11米。最上层是拱廊支撑着的金字塔形屋顶，由24级台阶构成。陵墓的顶饰是高达4米的摩索拉斯和王后阿尔特米西娅二世的乘车塑像，雕像惟妙惟肖，是世界上早期写实肖像艺术的代表作之一。抬头仰望，这座相当于20层楼高的陵墓高耸入云，蔚为壮观。

除了恢宏的外表之外，陵墓内部还有很多精美的装饰和雕像，这些杰作均出自当时著名的艺术家之手。内室的三处浮雕尤为引人注目：第一处是马车的形象，第二处是亚马孙女战士与希腊人作战的情景，第三处是拉皮提人在和半人半马的怪物争斗的场面。

这座陵墓刚一建成就声名远扬，有人将其与埃及的胡夫金字塔相提并论，并列入“世界七大奇迹”的榜单之上。

令人不解的是，摩索拉斯只不过是波斯帝国任命的地方长官，为何要建一座可以与金字塔相媲美的陵墓？

有人认为摩索拉斯虽然在名分上位于波斯帝王之下，但他毕竟是一方之主，即便波斯帝王也要让他三分。同时，他明知自己无法在军事上取得卓越成就，又不甘于在历史上默默无闻，于是，他于公元前4世纪将都城迁往新建的哈利卡纳苏斯，并在那里修建巨大的陵墓，以便让后世记住自己。

然而，摩拉索斯不仅生前未能亲眼看见耗尽自己数十年心血建造的长眠之所，而且据说死后也未能安葬在这座巨大的陵墓里。自从落成以来，摩拉索斯陵墓屡经天灾人祸的摧残。1494年，当地的统治者为了加固一座巨大的要塞，将摩索拉斯陵墓的一些石头用作建筑材料，使其彻底被毁。

21. 传说中的“公主堡”究竟在哪儿？

玄奘在《大唐西域记》中记述了这样一个故事：

从前，有一位波斯国王向中原王朝求婚，当使臣迎接公主回国，途经帕米尔高原时，正赶上此地兵乱，进退无路。为了保证公主的安全，使臣把公主安置在一座险峻的高峰之上，搭设梯架以方便上下行走，并在四周安排卫队，昼夜巡逻。

战乱持续了3个月之后才平息。正所谓夜长梦多，就在使臣准备护送公主回国的时候，却发现公主已经怀孕了。公主的侍女告诉使臣说，在这3个月里，太阳神每天中午都来到山上与公主幽会。使臣惶恐万分，集合众人共同商议对策。大家一致认为这件事难以解释清楚，无法向两国君主交代，无论回到哪国都必死无疑，不如暂时留在此地，看看情况再说。

于是，众人就在这孤峰之上建宫殿，筑城堡（公主堡），立公主为王，建立了朅盘陀国。不久公主生下一子，继承王位，公主摄政。该王长大后，文治武功，声名远播，邻邦纷纷前来归顺。据说，朅盘陀国的后裔就是今天的塔吉克族。

那么，传说中的公主堡具体位置在哪里呢？它位于新疆塔士库尔干县城以南约70千米的一座海拔4000多米的高山上。

公主堡是中国目前所知的最高的古代城堡之一，方圆2000多米，依山势而建。正面是用石头砌成的倾斜的墙面，西墙则用黄土筑成。整个城堡高危险峻，易守难攻。城堡处于红其拉甫河与喀喇秋库尔河的交汇处，从其所处的地理位置来看，学术界普遍认为它是一座始建于公元前后的军事要塞。

22. 并不生产大理石的大莱波蒂斯古城为何随处可见大理石建筑和装饰品？

大莱波蒂斯城位于利比亚科姆斯地区的莱卜达河出海口，始建于公元前 1 世纪，在其建立后的500多年间，逐渐发展成罗马帝国最重要的城市之一。然而，正当大莱波蒂斯到了最为繁华的鼎盛时期，却突然被废弃，不久便被沙漠吞噬了。1912年，意大利占领利比亚期间，派了一支500人的考察队发掘这座地下古城，至此，大莱波蒂斯遗址终于重见天日。

大莱波蒂斯遗址面积大约2.5平方千米，里面的建筑呈一个个长方形，具有典型的古罗马建筑风格。南北主街道名为卡尔多，东西主干道名为德古马努斯，城内的其他街巷都与这两条街道平行而建。城中最著名的建筑莱波蒂斯剧场建于公元1-2世纪，主要由半圆形的看台和舞台组成，中间由乐池连接。剧场临海而建，坐在看台上可以看到舞台和高大的背景墙，起身站立则可眺望美丽的地中海。

令人不解的是，大莱波蒂斯所有的建筑都是用石灰石和大理石建造而成，所有的建筑都用大理石和花岗岩来装饰，就连当年市场里卖鱼小贩用的砧板，其材质也是大理石。然而，当地并不产大理石，那么，当年建造这座古城的主要材料是从哪里运来的呢？考古学家们对此意见不一，有人认为它们来自埃及，有人认为它们来自地中海东部沿岸，也有人认为这些大理石是从罗马开出的船上的压仓物。

目前，大莱波蒂斯古城遗址已有数百处古迹被考古学家发掘出来。随着以后进一步的考古发掘，人们对这座被沙石掩埋千年的古城，一定会有更多的了解。

23. 为什么说太阳门是一本记录古代珍禽异兽的“图画书”？

太阳门是蒂亚瓦纳科文明的杰出代表，被誉为“世界考古最伟大的发现之一”。它不但是一件极为精美的艺术珍品、一套非常复杂精确的历法，而且也是一本记录古代珍禽异兽的“图画书”。

在太阳门上雕刻着一只类似大象的动物，这个发现让人惊诧不已，因为美洲地区不产大象。不过，后来的考古证明，在史前时代，美洲尤其是在南美洲安第斯山脉南端，确实曾经有过类似大象的哺乳动物，它的学名为“居维象亚科”，外形酷似今天的大象，长着长牙和长鼻，直到公元前1万年左右才突然灭绝。

在太阳门上的一群风格独特的动物图像中，考古学家还发现了其他一些已经灭绝的动物，其中一种生物名为“剑齿兽”。剑齿兽是一种三趾两栖的哺乳动物，身长大约3米，肩高1.5米，看起来就像是犀牛与河马杂交生下的一种体形矮胖粗短的动物。剑齿兽与“居维象亚科”大约灭绝于同一时期。

值得一提的是，雕刻在太阳门上的剑齿兽图像有数十处之多。而且这种动物的图像，不仅仅出现在太阳门上，在蒂亚瓦纳科古城出土的陶器碎片上也随处可见。此外，在蒂亚瓦纳科发现的古生物图形中，还包括一种已经灭绝的在昼间活动的四足兽，以及一种体形略比马大、足部有明显三趾的名为“后弓兽”的古代哺乳动物。

根据太阳门上雕刻的珍禽异兽所生活的年代，一些考古学家认为蒂亚瓦纳科的建城年代属于更新世末期。这种观点对蒂亚瓦纳科只有1500余年历史的传统观点提出了挑战。

24. 库斯科神庙中的“黄金花园”什么样？

印加人非常崇拜太阳神，据说，他们发现黄金发出的光泽与太阳的光芒同样璀璨耀眼，因此对黄金钟爱有加。他们千方百计地聚敛黄金，甚至还用金箔镶贴在印加的每一座太阳神庙和王宫的墙壁上作为装饰。

库斯科城内最大的宗教中心是科里坎查太阳神庙，该庙长70米，宽60米，是一座长方形建筑物，附属有王宫和祭司的府邸。整个庙宇用巨大而平坦的石板精心砌筑，大殿四周的墙壁从上到下全部镶着很厚的纯金片，所以这座神庙得名“金宫”。

神庙的西南部有一座献给太阳神的“黄金花园”。花园的整个地皮都以金子制成，园中的花草树木、飞禽走兽以及人像都是用黄金和白银制成的。据记载：“植物从其发芽到开花结果，全部的生长过程都经过精密的仿照。小鸟站在枝上啼叫，蝴蝶和蜜蜂在花丛中采蜜……各种动植物形象栩栩如生，搭配得当，相得益彰，使人难辨真假。”相传西班牙人进入花园后，就有人情不自禁地伸手采摘，直到摸到实物时才发觉全是黄金和白银，可见这些制品的逼真形态和诱人程度。

印加的工匠们之所以不遗余力地制造这些以假乱真的金银制品，完全是为了满足上层贵族的喜好，这种喜好反映了印加贵族对现实世界的迷恋和热衷。用黄金白银这些在印加人看来具有神性的金属来描述现实的世界，似乎也在表达他们的祈祷——所有随时间生死荣枯的事物可以在雕塑中得到永恒。

然而，印加的黄金天堂并没有得到永恒。贪婪的西班牙人到来之后，所有的金银制品被掠夺一空，这座价值连城的“金宫”和“黄金花园”自然没能逃出被摧毁的厄运。

25. 阿兹特克的“死亡之庙”为何令人恐惧？

1325年，阿兹特克人在泰诺克蒂兰用芦苇、稻草及干草建成一座神殿，也就是后来被称为“死亡之庙”（大庙）的坦布勒·梅尔神殿的雏形。之后，随着帝国势力的不断扩张，神殿也一次又一次被扩建。随着考古发掘的深入，至少有6座重建的神殿被发现。

大庙是一个40多米高的金字塔圣殿，通向塔顶的台阶有100多级。在大庙遗址上，再没有比惠茨罗卜底里神殿更令人恐惧的了。这个神殿的对面是一块黑色的石头，就是在这块石头上面，没有人性的祭司们死死拽住祭祀人牲的四肢并活活挖出他的心脏。在泰拉洛克神殿的附近，考古学家发现了一座雕像，据推断它是神与祭司之间的使者，可能是来接受鲜血淋漓的心脏的。

大庙至少有80个贮藏贡品的地窖，从祭祀婴儿的头骨到贝壳，贡品种类超过7000种。这些贡品仅有一小部分是阿兹特克人自己的，大部分来自臣服邻邦的进贡。这也是阿兹特克帝国版图广阔和国势强盛的有力证明。

大约在1500年，阿兹特克人十分迫切地想要维持他们对整个帝国的牢固统治，就算来自战争和统治上的困难也阻挡不了大寺庙又一次扩建。

然而，具有讽刺意味的是，扩建工作还没有彻底完成，大庙就已经失去了存在的必要：大庙被西班牙人毁于一旦，成了名副其实的“死亡之庙”，它的秘密也长久地埋藏在地下不为人知。直到1978年，一块刻着被肢解的月亮女神柯约莎克的浮雕被发现，才带领考古学家找到了大庙，从而拉开了大庙挖掘工作的序幕。

26. 在墨西哥原始森林中发现的 11 颗石头是拉文塔人的杰作吗？

1938年，有人在墨西哥的原始森林里，意外地发现11颗全由整块玄武岩雕刻而成的石头。这些石脑袋大小不一，最大的约16米，最小的约6米，最重的约20吨以上。这些石脑袋都是戴着头盔的军士头像，双目深邃、鼻子宽大、嘴唇很厚。其雕刻之细腻、技巧之娴熟、神态之逼真，堪称古代美洲雕刻工艺的精华，其风格与当地其他年代的艺术风格迥然不同。

其中的一颗石脑袋上刻着许多奇怪的象形文字，至今没有人能够完全解读。有些学者根据这些象形文字判断，这些硕大的石脑袋很可能出自传说中处于奥尔梅克文化时期的拉文塔族人之手，而这个远古的人群在公元前400年就已经神秘消失了。

墨西哥确切文献资料可考的历史是从公元前2300年左右开始的。到公元前2000年左右，墨西哥进入原始公社的繁荣时期，出现了管理组织和宗教组织，社会经济以农业为主。人们种植玉米、豆类和棉花等农作物，懂得纺纱织布，能够制作石杵和石臼等石器，大量制作陶器、泥俑等。公元前1250–公元200年，墨西哥人创造了象形文字、计数法和历法，常用重达几十吨甚至数百吨的整块巨石雕凿面带笑容的石刻头像。因此，很多专家认为，这11颗石脑袋乃是墨西哥古典文化的先驱——奥尔梅克文化时期的产物。

人们不禁要问，古人雕刻这11颗硕大的脑袋究竟有何目的，作何用途？其脸形究竟以当时什么种族的人为“模特儿”？为何不雕刻身体和四肢？在当时整个美洲都还没有车轮，也不能利用牛、马、骆驼等畜力，只能靠人力的技术条件下，他们是用什么方法把重达数吨、数十吨的石脑袋，从300千米以外的采石场搬进原始森林的呢？这一切疑问都有待于进一步调查研究。

27. 玛雅人为何要在各个城市的重要位置放置大量的石碑？

人们在玛雅遗址上发现了很多石碑。考古学家们对这些石碑进行了研究，发现了一些有趣的现象。陆续出土的石碑已经有几百块，它们散布于各个城市遗址，其数量之多、放置位置之重要都值得去深入探讨。

石碑上面刻着象形文字、人物浮雕或花纹。与其他民族遗留下的石碑以戒律、经文或对英雄人物的颂词为主不同，这些象形文字的内容主要是纪年记事的。所以这些石碑被学者们称为“纪年碑”，或者以其外形称为“纪年柱”。

玛雅人十分重视历史，每隔20年（有时是5年或10年）就在一些城市的重要位置树立石碑，玛雅人立碑记史的传统绵延1200多年，后因西班牙征服者的入侵而中断。由于有了纪年碑，玛雅文明成了美洲古代历史上唯一有明确纪年的文明。到目前为止，在科潘城出土的最古老的石碑是标号为63的石碑，其正面雕刻的数字为9万，正是第9个巴克顿（指每400年出现的一个周期）开始的时期，科潘王朝的创立者雅库莫显然是想用它来纪念新科潘王朝的诞生。

这些纪年碑体现了玛雅人的高超工艺。科潘1号碑的正面雕刻着一位披挂整齐、盛装华服的国王形象，整个纪年碑高达3.5米，国王的头部、手足都要比常人大得多。其服装头饰虽然繁杂，但它们的线条与变化多端的图样却很清晰流畅，而且那些夹杂其间的羽蛇神等神灵的雕像也非常鲜活生动，所以整个纪年碑看来宏伟精美，细微之处也不乏生动丰富。

高大石碑上雕刻着精细的图案，而且石碑的上色方法也很特别，这说明玛雅人有着高超的采石、雕刻、树碑等工艺。直到今天，我们无法想象当年玛雅人是如何完成数量如此之多的石碑雕刻工程的，更不知道他们为什么要在石头上记录下他们的历史。

知识链接

玛雅最大的古城遗址

科潘玛雅遗址是公元前7世纪到前1世纪洪都拉斯玛雅古城的遗址，位于洪都拉斯首都特古西加尔巴西北部的科潘省，靠近危地马拉边境。科潘玛雅遗址坐落于13千米长、2.5千米宽的峡谷地带，面积约0.15平方千米，海拔为600米。

科潘是玛雅王国的首都，也是当时玛雅的科学文化和宗教活动的中心。在科潘玛雅遗址中有金字塔、广场、庙宇、雕刻、石碑和象形文字石阶等重要建筑，是玛雅文明中年代最古老、规模最大的古城遗址。1576年，西班牙人迭戈·加西亚在从危地马拉去洪都拉斯的途中发现了该遗址，从此吸引了许多外国学者到此进行考古研究，如今已成为洪都拉斯境内最热门的旅游景点之一。

28. 前古典时期的玛雅是一个蛮荒的世界吗？

1978年，考古学家在距离危地马拉城约360千米的地方，发现了建于公元前200年以前的米拉多古城遗址。

米拉多遗址面积大约有16平方千米，据推测，该城鼎盛时期人口达10万人。遗址中有两座规模庞大的金字塔。其中一座名为虎塔，共18层，高达55米，占地5.8万平方米。另一座在虎塔北边，名为猴塔，高40米，占地1.7万平方米。

虎塔以东2千米处是遗址中最大的建筑群，名为鹿塔，由两层300多米宽的台地组成，好像两个庞大的台阶，在其上面耸立着一座10层楼高的两层金字塔。虎塔和鹿塔遥相呼应。虎塔在东南边迎日出，鹿塔在西边送日落，玛雅人常常在日出和日落之际举行宗教仪式。不仅如此，在一定年份春分时节前后，从虎塔顶上观察，木星、火星、水星和土星仿佛是从鹿塔顶部冉冉升起的。

在虎塔和鹿塔之间，是米拉多城最大的广场，广场上有一座高台，这里是米拉多城的集会中心。当时的最高祭司就是在这座高台之上举行继承人诞生仪式的。

从种种迹象来看，当时米拉多城拥有非常发达的贸易经济，进入米拉多的通道有20条之多。在米拉多城发现的海螺和珊瑚，来自太平洋、加勒比海和墨西哥湾；火山灰来自300千米以外的危地马拉高地；花岗岩和大理石则来自附近的伯利兹。

学术界将公元250–900年称为“古典玛雅”时期，而将公元250年之前称为“前古典玛雅”时期。过去很多学者认为前古典时期的玛雅是一个蛮荒的世界，既没有复杂的社会结构，文化也比较原始落后。然而米拉多古城的发现，使考古学家们认识到，前古典时期的玛雅文明远比先前想象的要复杂得多。

29. 亚历山大灯塔是亚历山大建造的吗？

公元前332年，来自欧洲巴尔干半岛的马其顿国王亚历山大大帝，攻占了埃及，并在尼罗河三角洲西北端即地中海南岸，建立了一座以他自己名字命名的城市。亚历山大城是一座战略地位十分重要的城市，在其建立之后的100年间，它成了埃及的首都，是世界上最繁华的城市之一，而且也是整个地中海世界和中东地区最大、最重要的一个国际转运港，被誉为“地中海明珠”。

公元前280年秋天的一个夜晚，一艘埃及的皇家喜船，在驶入亚历山大港时不幸触礁沉没了，船上的皇亲国戚以及从欧洲娶来的美丽新娘，全部葬身鱼腹。这一惨剧，震惊了埃及朝野上下。于是，埃及国王托勒密二世下令在亚历山大港口的入口处，修建导航灯塔。这座雄伟的灯塔修建了40年，终于竖立在法洛斯岛东端的石礁上，人们称之为“亚历山大法洛斯灯塔”。

亚历山大灯塔是当时世界上最高的建筑物，高120米，如果算上塔基，整个高度约为135米，总面积约930平方米。塔楼由3层组成：第一层是方形结构，高60米，里面有300多个大小不等的房间，用来作燃料库、机房和工作人员的寝室；第二层是八角形结构，高15米；第三层是圆形结构，上面用8米高的8根石柱围绕在圆顶灯楼。灯楼上面，矗立着8米高的太阳神赫利俄斯的青铜雕像。

整座灯塔都是用花岗岩和铜等材料建造的，灯的燃料是橄榄油和木材。聪明的设计师采用反光的原理，用镜子把灯光反射到更远的海面上。这座无与伦比的灯塔在落成后的1500年间，夜夜灯火通明，兢兢业业地为水手们指引进港的路线，保障着船只上生命和货物的安全。

亚历山大灯塔是世界七大奇迹中少有的、对平民百姓有利的建筑。然而，公元14世纪，亚历山大城发生了一场罕见的大地震，摧毁了这座古代世界的建筑奇迹。

又过了一个世纪，埃及国王为了抵抗外来侵略，保卫埃及及其海岸线，下令在灯塔原址上修建了一座城堡。埃及独立之后，这座城堡改成了航海博物馆。

30. 罗马人为什么认为科洛塞穆竞技场可以“永不倒”？

中世纪的英国诗人贝达说：“圆形竞技场崩溃之日，就是罗马帝国灭亡之时。”这里的圆形竞技场指的就是古罗马的科洛塞穆竞技场，它曾经被誉为“古代世界最为宏伟的建筑”。古罗马人更是以其作为帝国精神的象征，扬言“科洛塞穆永不倒”。

科洛塞穆竞技场位于罗马古城区的威尼斯广场南面，于公元72年动工，历经8年方才建成。这个竞技场是古罗马建筑风格的代表作，以其庞大、坚固、实用和精美而闻名于世。

这座古代世界规模最大的竞技场主要用途是角斗表演。它的外墙高48.5米，相当于12层楼的高度，外观呈椭圆形，长径达188米，短径为156米，圆周长为527米，总占地面积达2万平方米。观众席可容纳5万人，共分4层4区，60排，每层以62%的坡度向上升起。座位最前面是贵宾席，中间为骑士席，最后面是平民席。各区的观众对号入座，所以容易维持秩序。第4层上开有4个门，西北门为正门，西南侧和东北侧为皇室家族专用席，里面建有柱子，用来挂遮阳棚。最高处还有一圈柱廊，供卫士和管理顶棚的人员休息。

整个竞技场全用砖石、水泥修筑，底下两层靠巨型石柱和石墙支撑，能够承受巨大的压力；拱顶用水泥和砖砌造，坚固耐磨；上面两层全是用水泥修建，外表再用华石进行装饰。重量自下而上逐渐减轻，下层最坚固，但上层也很结实，所以古罗马人会有“科洛塞穆永不倒”的说法。

科洛塞穆竞技场坚固耐用的内部结构，雄伟壮丽的外部设计，即使在现代化的今天，采用先进科技建筑的体育馆也难以与之媲美。

知识链接

古罗马角斗士的种类

古罗马早期的角斗士来自奴隶、战俘、罪犯，但后来有大量的自愿者入行。按照武器装备，角斗士可以分为不同的种类，常见的有以下几种。

持盾剑斗士：左腿、双肘和双腕穿皮制盔甲，手持大盾牌和剑。这类角斗士还戴着头盔和面盔。

色雷斯角斗士：手持仅可遮住躯干部分的小型方盾牌，手中的武器也只是匕首而已。著名的斯巴达克思便是其中的一员。

莫米罗角斗士：有厚重的矩形盾牌保护，全身从肩膀到小腿都在盾牌的掩护之下。这类角斗士还戴着有巨大顶饰的头盔，手持匕首。

持网和三叉戟的角斗士：在所有角斗士中，这类角斗士最容易受伤，因为他们的防御装备最少，使用的武器主要是网和三叉戟。

31. 维苏威火山喷发时，赫库兰尼姆城的居民都及时逃脱了吗？

赫库兰尼姆古城，位于维苏威火山西麓，与庞贝城相距8千米。公元前89年，赫库兰尼姆与庞贝一同并入罗马。公元79年赫库兰尼姆与庞贝、斯塔比亚一起被维苏威火山大喷发所湮没。

1709年，一群工匠在离那不勒斯不远处打造一口水井时发现了庞贝城遗址，不久，赫库兰尼姆城也被发现。传说中的赫库兰尼姆和庞贝终于重见天日。赫库兰尼姆筑于高地之上，四周有城墙环绕，面积为11.84万平方米，估计当时约有5000人口。

火山喷发时，庞贝城的大多数居民虽然及时撤离了，但仍有2000多人与城市一同被埋葬。赫库兰尼姆城居民似乎比庞贝城幸运。经考古发掘，这里出土了大量的工具、器物、雕塑和绘画作品等遗物，但几乎没有见到人的遗骨。难道赫库兰尼姆城的人们都及时逃脱了那场厄运吗？

许多学者都持肯定的看法，但一位名叫朱泽普·马志的意大利考古学家却提出了异议。他认为，赫库兰尼姆城的居民并不比庞贝城的居民幸运。按常理推测，赫库兰尼姆离海近，火山爆发时，居民会涌向海边寻求生路；而且火山爆发的过程中泥石流一定把海岸线向前推进了不少，如果能找到原来的海岸线和港湾，就能找到事情的真相。在马志等考古学家的努力下，旧的海岸线终于被找到，并且在距目前海岸线400米的地方发现了旧港湾。果然不出马志所料，考古学家们在海边发现了一些人类的骸骨，其中包括妇女、孩子、战士和老人。由此可见，赫库兰尼姆城的居民并没有全部逃脱，火山爆发引起的海啸切断了他们的生路，许多人葬身于海边。

32. “世界的中心”泰诺克蒂兰城比当时的罗马城还要壮观吗？

泰诺克蒂兰是阿兹特克的首都。16世纪，泰诺克蒂兰被西班牙人洗劫后变成一片废墟。当时，西班牙人对这座城市大加赞赏，认为泰诺克蒂兰比欧洲大多数城市壮观和宏伟得多，甚至就连罗马和君士坦丁堡也无法与其相提并论。当时只有伦敦、罗马和威尼斯才有资格吹嘘自己有近10万的居民。在西班牙的所有城市中，只有塞维利亚的占地面积与泰诺克蒂兰相仿，前者大约有6万居民，而后者却养育了近20万的人口。

阿兹特克人是天才的建筑师，只会使用石器工具的他们建造了很多富丽堂皇的建筑。他们凭借丰富的想象和高超的技艺在石头上雕刻出精美的图案。阿兹特克人在城市布局方面也有独到之处。整个泰诺克蒂兰被两条纵横交错的主街整齐地分割成四个部分，正中是宽阔平整的中央广场。城中宏伟壮观的神殿和豪宅、整齐的棋盘式街巷以及河道里穿梭往来的小船，都让西班牙人叹为观止。

摩台克祖玛二世的皇宫更是极尽奢华之能事，随处可见绚丽精美的地毯和布帘，四壁都用浮雕装饰着，据说连雪松木制成的柱子上都雕满了花鸟虫鱼。皇宫里还有一座庞大的皇家园林，在那里可以观赏到几乎所有中南美洲的野生动物。

阿兹特克人认为他们的首都不仅是帝国的中心，而且也是全世界的中心。坐落于泰诺克蒂兰核心位置的便是他们的宗教圣地——金字塔状大庙。

然而，就是这样一个宏伟的"世界的中心"却因西班牙人的入侵而迅速灭亡，从而被人们彻底遗忘。当出土的文物唤醒了今人对帝国的回忆之时，全世界都为泰诺克蒂兰这个伟大辉煌的城市而感到震撼。

33. 意大利的比萨城曾是罗马帝国的大港口吗？

今天的比萨是意大利的一座小城，以其斜塔闻名遐迩。历史上的比萨曾经是一个美丽的海滨城市，随着陆地的扩展，比萨距海越来越远，现在海岸线距比萨有11千米。而事实上，比萨曾经是古罗马帝国重要的港口之一，这一点在近年来的考古发掘中得到证实。

1998年，考古学家在比萨发掘到了古罗马帝国时期的17艘古船，这是迄今为止发现的最大的一批古船遗迹。船上保留了很多珍贵的货物。其中有一艘船的年代约为公元前1世纪（大约是恺撒时期），船身的长度为9米，侧舷有12个水手的座位，船上还有一面纵帆；船头上有用来攻击其他船只的撞角。这是考古学家第一次见到这样的船。

有一艘货船上装着300只双耳陶瓶，那是古罗马人的储藏器皿。经过分析证明，陶罐中装有酒类、樱桃干和葡萄等。还有一个装有沙砾的瓶子，里面的沙砾都是经过人工精选的。有些人推测，这些沙砾是建筑竞技场所需的优质沙砾，用来吸干那些为生命而战的角斗士的鲜血。考古学家还在一艘货船里发现了一颗狮子的牙齿，这只狮子大概来自非洲，可能是要被送往竞技场参加角斗。

考古发掘改变了人们对比萨的印象——它应该是古罗马帝国的大港口。后来，考古学家又发现了新的证据来支持这个论断：在距大海11千米的地下发现了古老港口的防波堤和码头。

那么，这些船只沉没的原因是什么，偌大一个港口为什么会被掩埋于地下？

考古学家发现这些船只并非沉没于同一时代，它们前后跨越了长达800年的时间。频繁而又凶猛的水灾击毁了一艘又一艘船帆，同时水灾携带的泥沙把海岸线越推越远，致使城市与海洋的距离达到了11千米。比萨人不断修建港口，而港口又不断被泥沙吞没，人力终究没能胜过天力，比萨港最后完全消失。

34. 为什么有人认为传说中的“空中花园”并不在巴比伦城?

关于“世界七大奇迹”之一的巴比伦“空中花园”，有一个美丽动人的传说。新巴比伦国王尼布甲尼撒二世为了取悦米梯斯王后，命人按照她的故国米提的景色，修建了一座阶梯形花园。花园里栽满了奇花异草，并在园中开辟了幽静的小道，小道旁是潺潺流水。花园的中央有一座城楼，矗立在空中。由于花园比宫墙还要高，远远看去，整个花园好似悬在空中一般，因此被称为“空中花园”。

然而，随着新巴比伦王国的灭亡，“空中花园”也变成了荒丘废土，逐渐从人们的视野中消失了。那么，“空中花园”到底在哪里呢?

19世纪末，德国考古学家在发掘巴比伦城遗址时，发现一个面积约1260平方米的半地下建筑物。这个建筑物由两排小屋组成，在一间小屋中还有一口开了三个水槽的水井。据分析，这些小屋可能是水房，那些水槽则是用来安装压水机的。因此，有些考古学家认为这个地方很可能就是“空中花园”的遗址。当年巴比伦人用土铺垫在这些小屋坚固的拱顶上，层层加高，栽花种树。灌溉用水是依靠小屋中的压水机供应的：把几个水桶系在一个链带上，使之与放在墙上的一个轮子相连，轮子转动一周，水桶也跟着转动一周，完成提水和倒水的整个过程，水再通过水槽流到花园中进行灌溉。这种压水机现在仍在两河流域广泛使用。而且，考古学家还在遗址里发现了大量种植花木的痕迹。

由于到目前为止，考古学家并没有找到关于“空中花园”的文字记载，一些专家认为传说中的“空中花园”并不在巴比伦。有人认为“空中花园”是一位叙利亚国王为取悦他的一位爱妃而修建的，也有人认为“空中花园”实际上指的是亚述国王辛那赫里布在其都城尼尼微修筑的皇家园林。

总之，传说中的“空中花园”就像它的名字一样，令人神往，也让人迷惑。

35. 阿布辛拜勒神庙为什么被称为“埃及古迹大搬迁”行动的“纪念碑”？

阿布辛拜勒神庙位于距埃及南部阿斯旺省以南300千米处。神庙是从山崖石壁中雕凿出来的，大约建于公元前1290–前1224年埃及法老拉美西斯二世在位期间。整个神庙高约33米，宽37米，伸进山崖达55米。

神庙最初供奉的是阿蒙等三大神，但后来却成了拉美西斯二世的神庙。神庙正面的4座拉美西斯二世坐像神情安详，他脚下站立着他的女儿们和两座他的妻子尼菲拉丽的雕像。神庙内壁刻满了精美的图案，尤其是北墙最是令人叹为观止。

阿布辛拜勒神庙可以称为世界上最伟大的奇迹之一，令人惊叹的不仅在于它是埃及神庙中最壮观的一座，也不仅在于如此宏伟的建筑是在没有任何机械帮助的情况下开凿而成的，而且在于20世纪它的搬迁过程。

阿布辛拜勒神庙被称为20世纪60年代的“埃及古迹大搬迁”行动的“纪念碑”。因为建造阿斯旺水坝而形成的纳赛尔湖将会淹没一些古迹，人们不得不对努比亚地区的14座神庙进行大搬迁。阿布辛拜勒神庙于1965–1969年被搬迁。人们将石体建筑的神庙编号分割成1000多块，然后小心翼翼地将它们搬运到更高的地方。在那里，这些石块按原样重新拼装起来，就像拼接一幅巨大的七巧板一样。

阿布辛拜勒神庙的搬迁是整个埃及神庙搬迁中花费最大的一个，其中大部分的费用由美国承担。不管是埃及还是西方国家，都把阿布辛拜勒神庙视为是世界遗产，世界上很多国家都对神庙的发掘和保护做出过重要的贡献。

36. 马耳他的地下宫殿究竟是神殿还是墓地？

哈尔·萨夫列尼地下宫殿是马耳他著名古迹，有“史前圣地”之称，它是于1902年被偶然发现的。

这座地下建筑共3层，最深处离地面12米，有着3层33个房间的地下结构。中央大厅耸立着高大的石柱，用来支撑半圆形屋顶。里面的所有房间均是在坚固的岩石中开凿出来的，其中有的房屋顶部还雕出了房梁、门楣以及一些壁画。中央是一个礼拜室，在礼拜室中有一个的赤土陶器，陶器里有一个大约10厘米高的女神雕像。整个建筑线条清晰，棱角分明，浑然一体，没有发现用石头镶嵌补漏的地方。走进这里，顿生别有洞天之感。

经过考证，这座地下建筑是在公元前3200–前2900年间建造的，那时的人们还没有金属工具，只能使用简单的石器。同时，这座庞大的迷宫是将一整块巨石山体掏空而成的，其建筑的难度可想而知。据分析，整个工程大概持续了几百年。

那么，当时的人们为什么要花费如此巨大的精力，来建造规模如此宏大的地下建筑呢?

这座地下建筑最初被发现时，人们以为它是一座古墓，因为其中有大约7000具遗骸。随着发掘工作的逐渐深入，发掘出的地下宫殿规模也越来越大。有人对“墓地之说”产生了怀疑。他们认为，建造规模如此巨大的“坟墓”是让人难以置信的。于是就有了新的观点：这座地下建筑，本来是要建成一个神殿的，但是不知为什么，从史前时期开始，却一直被当作坟墓来使用。

然而，神殿与坟墓毕竟是功能完全不同的两种建筑，绝没有混用的道理，因此这种解释也讲不通。它到底是做什么用的，至今也没有一个让人信服的说法。

37. 特奥蒂瓦坎为什么又被称为“众神之城”？

特奥蒂瓦坎古城，是印第安文明的重要遗址，它以规则工整的城市规划以及宏伟庞大的建筑规模而闻名于世。如今人们所能看到的遗迹，也仅仅是特奥蒂瓦坎古城原貌的一小部分。其实，整个城市的90%仍然埋在地下。通过电脑复原图来看，特奥蒂瓦坎即使与当代最先进的大都市设计图相比也毫不逊色。

特奥蒂瓦坎古城最初的名字已经无从考证。公元12世纪，阿兹特克人来到这里时，发现这座城已经被废弃，空无一人。他们把这片广阔的废墟称为特奥蒂瓦坎。在印第安语中，意思是“众神信徒得道之地”，也可以翻译成“众神之城”。

阿兹特克人把特奥蒂瓦坎的建造者称为“伟大的工匠”。阿兹特克人认为这些“伟大的工匠”建立这座宏伟的“众神之城”，是为了纪念“第五个太阳”，或者说是纪念世界的第五次复兴。阿兹特克人说，这个太阳从特奥蒂瓦坎城中升起，徐徐升到宇宙的中心。而屹立于城中心的那座太阳金字塔，就是通往新世界的天路标志。

令人迷惑的是，在公元650–750年，特奥蒂瓦坎的文明突然中断，这座当时世界上首屈一指的大城市突然被废弃。不知是由于什么原因，“众神之城”的居民及其高度发达的文化好像一下子消失得无影无踪。在特奥蒂瓦坎人神秘消失800年之后的16世纪，西班牙殖民者来到这里时，“迎接”他们的是仍然生活在石器时代的阿兹特克人。

特奥蒂瓦坎建筑的宏伟远远超出了人们的想象。而它莫名其妙的衰亡，更是让人无法理解。这座神秘的“众神之城”给后世留下了一个又一个难以解开的谜题。

38. 冥街是模仿太阳系建造的吗？

拥有“众神之城”美誉的特奥蒂瓦坎古城，还隐藏着一个更为惊人的秘密。

1974年，国际美洲人大会在墨西哥召开，一位名为休·哈列斯顿的学者发表了一篇报告，引起了学术界的震动。他在特奥蒂瓦坎发现了一个适用于所有建筑的长度单位，并为其命名为“胡那普”（玛雅语，意为“单位”）。1胡那普等于1.059米。胡那普适用于该城所有的建筑和街道。例如魁扎尔科亚特尔神金字塔、太阳神金字塔和月亮神金字塔分别高21胡那普、42胡那普、63胡那普，比例为1∶2∶3。

在城堡周围的金字塔遗址中，哈列斯顿发现了水星、金星、地球和火星的平均轨道数据和太阳的平均距离为96胡那普。城堡背后有一条运河，穿过冥街，长520胡那普，正好是火星和木星之间小行星带的距离。运河里有多少块石头，小行星带中就有多少颗星星。距离城堡中轴线945胡那普处有一座神庙的废墟，这相当于和木星的距离。再走945胡那普又是一座神庙，相当于和土星的距离。再走1845胡那普，便到了冥街的尽头——月亮金字塔的中心，恰好是天王星的轨道数据。

如果直线延长冥街，就到了塞罗戈多山山顶，那里同样有一座神庙和塔的遗址，周长分别是2880胡那普和3780胡那普，是海王星和冥王星的平均距离。

从以上的数据可以看到，特奥蒂瓦坎的设计者肯定自冥街建造之初就将太阳系模型考虑进去了。然而这些天文数据是从何而来的呢？难道是外星人留下了什么标志？抑或是某位拥有高度智慧的人为后人在地上画了一个太阳系模型，让他们在准确的位置上建造房屋？

总之，特奥蒂瓦坎的冥街就像它的名字一样充满了神秘色彩。

39. 卡拉萨萨雅广场上竖立的石柱是用来观测天象的吗？

卡拉萨萨雅广场是蒂瓦纳科古城遗址中的重要组成部分，当地人把它称为“石头竖立的地方”。同太阳门相比，这个广场或许还不够夺目，但它与太阳门都是蒂瓦那科文明高度发达的历史见证，同样具有极高的研究价值。

从表面上看，卡拉萨萨雅广场似乎并没有什么特别之处，只是多了很多石柱。在广场一旁，有一座用不等边四边形巨石砌成的墙，每隔一段相等的距离，就竖立一根形状有如短剑、高3米多的石柱，尖端朝天。众多石柱围成一个巨大的石栅栏，其面积可达50平方米，高出沉陷在地下的神庙有两倍之多。

如此建筑很容易让人将其与军事防御联系在一起，难道卡拉萨萨雅是一座堡垒吗？不然，一般学者现在都认为，它的功能不在于防御敌人，而是用来观测天象的。那么，这些竖立的石柱是如何预测天象的呢？

原来，这座围墙是应合天上的某些星座而设计的。通过这些石柱，可以方便地测量出太阳出没的方位角，从而订定春分、秋分、夏至、冬至的日期，精确预测一年的四季。此外，与其交相辉映的“太阳门”，不但是一件世界级的艺术精品，而且也被专家们看成是雕刻在石头上的一套既繁复又精确的历法。

40. 绳纹人雕塑绳纹“维纳斯”的目的是什么？

在日本出土的绳纹文化陶器中，一些雕刻细腻的女性人物陶俑引起了考古学家的兴趣。这些陶俑表情各异，体态丰满，被称为绳纹“维纳斯”。

那么，绳纹人雕塑这些陶俑的目的是什么？对此，考古学家们提出了很多种观点。

（1）玩具说。有些学者认为这些陶器是专门用来供儿童玩耍的玩具。然而从当时落后的生产力来看，人类的温饱问题尚不能解决，又怎会拿陶器当儿童玩具呢？

（2）替身说。有些学者认为一些人在遭受痛苦时，拿这些陶俑作为自己的替身。因为出土的陶俑大多存在不同程度的残损。许多民族也存在利用陶俑进行巫术活动控制或伤害他人的做法。然而出土陶俑的破损部位多是容易损坏的结合处，因而无法排除自然破损的可能。

（3）妖孽说。有些学者认为古人对许多自然现象不能做出合理的解释，于是将其归于妖孽作祟。他们造陶俑以象征妖孽，对之顶礼膜拜，以求平安。然而陶俑的面目并不可憎，而且在女性至上的原始社会，将女性视如妖孽，不合情理。

（4）埋葬说。由于有些陶俑是从岩洞里或巨石底下发现的，有些学者认为这些陶俑是在祭祀时代替活人的埋葬品。然而，大多数陶俑与石器、兽骨、粗陶器皿、骨角器等放置在一起，与祭祀似乎搭不上边。

（5）生殖崇拜说。许多国家都存在着生殖崇拜，人们经常将女性的性特征雕刻成极为夸张的形象，而日本出土的这些女性雕塑也有这样的特点。因而，有些学者认为绳纹人将女性塑像祀之，祈求人丁兴旺。但有人表示反对，因为有些陶俑不像女性。

此外，还有玄之又玄的"外星人说"。小小的陶俑居然引起如此多的争论，可见，要想解开绳纹"维纳斯"之谜，还需要更多的考古发现。

41. 古希腊雕塑为什么都是裸体的？

裸体雕塑似乎是古希腊时代雕塑创作的主流。人们在欣赏古希腊雕塑艺术的时候，不禁会产生这样的迷惑：古希腊为什么会流行裸体雕塑之风呢？

有些人认为，古希腊的裸体艺术来源于原始社会的裸体习俗。

人类在进入农业社会以前，由于生产力落后，往往把性看成是生产力旺盛与欢乐的源泉，人们都以性为美，以裸体为美。因此，在人类早期的艺术作品中，特别突出对男、女外生殖器的表达。到了古希腊时代，裸体艺术更是进一步达到了高潮。

也有人认为古希腊的裸体艺术与当时战争的频繁与体育的盛行有着密切的联系。在古希腊人眼中，理想的人应是血统好、发育好、体形好、身手好的裸体男女。正是这种思想，促使古希腊裸体雕塑成为艺术的主流。从艺术自身的规律来看，雕塑作为三维空间艺术，所要表达的是人体的美丽、健壮和力量，而运动场上的优胜者或英勇的战士，无疑是最理想的模特儿。

美国学者伯恩斯教授、拉尔夫教授则认为希腊的裸体艺术和他们的审美观念有关，在古希腊人的观念里，世间万物，人是最美的。“健全的精神寓于健康的身体”，是古希腊人信奉的一句至理名言。因此，这种突出表现人体艺术的美术作品无疑最符合古希腊人的审美观。

以潘绥铭为代表的中国学者提出了新的观点，他们认为：“人类有3种性征。第一是男女的生殖器的不同。第二是男女体形和外表的不同。第三是男女的心理、气质、风度和行为的不同。希腊裸体雕塑是当时性快乐主义风尚的产物，它在保留第一性征的基础上，强调第二和第三性征。”

知识链接

古希腊时期著名雕塑代表作品和雕刻家

在整个西方文学艺术领域，古希腊雕塑占有举足轻重的地位。西方艺术崇尚的典范模式、庄重的艺术品格和严谨的写实精神，可以说都来源于古希腊雕塑艺术。也就是说，古希腊的雕塑艺术几千年来影响和滋润了西方艺术。

古希腊神话传说是古希腊雕塑艺术的源泉。古希腊人认为神与人具有同样的形体与性格，因此，古希腊雕塑家参照人的形象来塑造神的形象，并赋予其更为完美的艺术形式。

古希腊的雕塑代表作有：《断臂的维纳斯》、米隆的《掷铁饼者》、菲狄亚斯的《雅典娜神像》。

古希腊著名的雕刻家有：菲狄亚斯、米隆、波利克里托斯、普拉克西特列斯、利西普斯等。

42. 古印度的女神雕像为何都有突出的乳房和臀部?

印度最古老的经典著作《梨俱吠陀》认为，世界万物在最初诞生的时候，它们本身就存在欲望了，正是欲望使世间万物不断发展变化。因此，性在古印度被视为生命力和重要艺术加以歌颂和赞扬。

印度教对性爱也非常崇拜，并强调对性爱的重视就是对人的生命力、对宇宙创造力的歌颂。这个主题在印度的文艺上多有反映。在印度某些地区的建筑和雕刻上，就雕刻着许多性器和性爱的图案，卡朱拉霍神庙更是印度性爱艺术的集中所在。

印度教的艺术深受这一观念的影响，在雕刻艺术领域体现得更加充分。在印度雕塑艺术中，女神、女性的形象比比皆是，而且这些女性形象都被描绘得极为性感。她们一般都有丰满的胸部、肥大的臀部、纤细的腰肢以及极具挑逗性的眼神，身体呈现“三道弯式”的造型，其艳情色彩非常浓烈。古印度《摩诃婆罗多》一书认为，臀部较大、乳房丰满的妇女是上天赐予人类的礼物，她是造物主用世界上最美的物质混合造就的。

43.《多胡郡碑》为什么被誉为“日本第一名碑”?

日本奈良时代（公元710-784年）的艺术，与飞鸟时代相比，发展空间更为广阔。随着东亚局势以及日本国内形势的变化，奈良时代的艺术与前代的继承关系较为松散，与海外的联系却非常密切，其文化风格也开始从六朝的南方格调向隋唐的北方风范转变。

奈良时代的书法艺术与这种倾向同步而行。这一时期的书法按内容可以分为3类：金石铭文、佛教写经、诗文书卷。与飞鸟时代相比，金石铭文地位逐渐下降，佛教写经极为繁荣，诗文书卷方兴未艾。值得注意的是，各级官吏和大批经师攻于书法，皇室和僧侣中更是出现了几位名垂青史的书法家，假名书法应运而生。

日本的皇宫从藤原京迁往平城京（公元710年）的第二年，一块绝世名碑在多胡郡拔地而起，这便是被誉为“日本第一名碑”的《多胡郡碑》。此碑高118厘米，宽58厘米，碑文共80字，属于官样文章。它之所以受到世人关注，是因为字体奇特，书风别具一格。

《多胡郡碑》的拓片曾于日本宝历年间（1751–1763年）传入中国，受到书法名家的追捧。叶志诜的《平安馆金石文字》、杨守敬的《楷书溯源》均辑录碑文，翁方纲甚至将其与中国的《瘗鹤铭》相提并论。《多胡郡碑》虽然创作于奈良初期，但书风依然承袭六朝传统，还看不出隋唐书法的影子。不过作者已经将六朝书法的精髓了然于心，驾轻就熟，修炼得炉火纯青，这象征着飞鸟时代以来六朝书法已经登峰造极，预示着仿效隋唐书法的时机已经到来。

44. 古希腊雕塑“阿贾克斯”为什么会沉睡在意大利的海底？

1972年，一位游泳者在意大利海滨游泳时意外发现了一尊铜像。铜像被打捞上来，经过8年的修复后，向外界展示。经过鉴定，这座铜像是公元前5世纪的作品，塑造的是希腊英雄阿贾克斯（即埃阿斯），是希腊文化“黄金时代”的作品真迹。这在西方各界引起了轰动。

阿贾克斯塑像是直立人体，头部与身高比例为1：8，面部表情威严，身体非常健壮。作品给人的感觉是：比例协调，透着内在的力量美，一副威风凛凛的英雄形象。

有人不禁要问，这件希腊雕塑为什么会沉睡在意大利的海底？

原来，古罗马拥有辉煌的文化艺术，而其文明的源头则在希腊，因而罗马人对灿烂夺目的希腊文化十分羡慕，甚至顶礼膜拜。很多罗马的上层以拥有希腊艺术品为荣，不惜高价购买希腊人制作的复制品。

随着罗马实力的日益强大，希腊逐渐沦为罗马的掌中之物。在这种有利的条件下，罗马的那些“艺术爱好者”当然不会只满足于拥有复制品了，他们开始打真品真迹的主意。以罗马帝国皇帝尼禄为例，据说他仅在德尔菲城就搬走了500座雕像。

罗马人将从希腊抢来的艺术珍品装船运回罗马。然而，罗马周围的海上经常有猛烈的风暴，这些风暴常使海上船只遭受灭顶之灾，而“阿贾克斯”很可能经历过这样的灾难。不过，灾难也可能来自其他因素，比如地中海上的强盗（该地区海盗比较猖獗）。也就是说，可以肯定的是，“阿贾克斯”是在船运过程中沉入海底的，而沉船的具体原因如今无法查证。

45. 布鲁塞尔的小于连为什么要站在那里不停地撒尿?

小于连铜像，高53厘米，坐落在一个约2米高的大理石台座上，是比利时首都布鲁塞尔的市标。塑像中的小于连头发微卷，翘着小鼻子，调皮地微笑，显得十分活泼可爱。他光着身子，叉腰挺肚，“肆无忌惮”地在人们面前撒着“尿”，姿态生动，形象逼真。

关于小于连撒尿的故事，在比利时有好几种说法，其中有些版本的主要情节类似，只是发生的历史背景不同。归纳起来，有以下几种。

（1）1142年，古德弗雷德三世公爵领军对抗外敌，就在军队将败之际，公爵将自己的小儿子放在摇篮里挂在树下，以鼓舞军队士气，最终击败了敌军凯旋。

（2）小于连半夜起来撒尿，看到隔壁的房子失火，小于连找不到水源扑灭，灵机一动，用尿把火浇灭。

（3）流传最广的是古代西班牙侵略者在撤离布鲁塞尔时，想用炸药炸毁城市。幸亏小于连夜出撒尿，浇灭了导火线。

（4）为了征服布鲁塞尔人，神圣罗马帝国打算把这个城市炸毁。深夜里，日耳曼士兵就在一条名为埃杜弗的僻静小街上埋下了许多炸药，正巧小于连夜出撒尿，浇灭了导火线。

（5）17世纪末，入侵布鲁塞尔的法国军队，被当地军民击退后恼羞成怒。一天夜里法军悄悄潜到城边，安放炸药，点燃了导火线，想要炸毁城池。在这千钧一发之际，出来撒尿的小于连发现了导火线，并用尿将其浇灭，然后叫醒熟睡的大人们投入战斗，大败法军。市长亲自授予小男孩奖章和“布鲁塞尔第一市民”的称号，并给他戴上桂冠。为了纪念小于连的救城之举，人们制作了这尊铜像，并竖立在他当年浇灭导火线的那条街上。

46. 美国自由女神像的原型是谁？

自由女神像是美国的标志性建筑，位于美国纽约赫德森河口的“自由岛”上，高46米，加基座为93米，重达200多吨。自由女神一身古希腊风格的装束；头戴光芒四射的冠冕，七道光芒象征七大洲；右手高擎象征自由的长达12米的火炬；左手捧着刻有“1776.7.4”的《独立宣言》；脚下是打碎的镣铐和锁链，象征着自由。

那么，自由女神雕像的原型是谁呢？

原来，自由女神像的创作者——法国雕塑家巴托尔迪，曾在17岁时亲眼看见了终生难忘的一幕。1851年，拿破仑三世发动了政变，推翻了法兰西第二共和国，建立了法兰西第二帝国。一天，一群共和国党人在街头与政变者展开巷战，一位忠于共和国政权的姑娘，手持燃烧的火炬，跃过防御工事，高呼“前进”的口号向敌人冲去，不幸中弹牺牲。从此，这位高擎火炬的勇敢姑娘的形象在巴托尔迪心中成了追求自由的象征。

1865年，巴托尔迪接受了一项任务，塑造一座象征自由的塑像，作为法国政府送给美国政府的礼物。不久后，巴托尔迪在一次婚礼上与一位名叫让娜的姑娘相识，让娜长得美丽端庄，落落大方。巴托尔迪认为让她来为“照亮全球的”自由女神像做模特是十分相称的，让娜欣然应允，协助巴托尔迪完成了雕塑工作。后来他们成了夫妻。

1884年7月6日，法国正式将自由女神像赠送给美国。1886年10月28日，自由女神像在美国最终落成并揭幕。

一个多世纪以来，自由女神像已成为美利坚民族和美法人民友谊的象征，表达了美国人民争取民主、向往自由的理想。

47.《大卫》是如何创作出来的?

米开朗琪罗是意大利文艺复兴时期一位艺术巨匠。他多才多艺，不仅是伟大的雕刻家，同时也是一位杰出的建筑家、画家和诗人。他的作品带有强烈的英雄主义色彩，具有划时代的意义。

举世闻名的雕塑《大卫》是米开朗琪罗于1501年开始创作的，至1504年完成。《大卫》是一座立像，像高2.5米，连基座高5.5米，是使用一块被人损坏过、闲置了近半个世纪的大理石雕刻而成的。

当时，一位雕刻家在创作时不慎失手，将这块大理石的重要位置凿出一个大洞，使其看起来似乎已经无法再雕出任何一件完整的作品了。当时的意大利首长想把它送给其他的雕刻家。米开朗琪罗闻知此事后，想尝试去做一件别人认为不可能做到的事。他到现场将石头进行仔细衡量估算，计划好如何按照既有形状进行雕刻，并最后争取到这块大理石。

功夫不负有心人，米开朗琪罗的《大卫》获得了巨大的成功，标志着米开朗琪罗艺术上的成熟，从而为他奠定了艺术大师的不朽地位。

米开朗琪罗的大卫是一个生命力旺盛的、健美的英雄形象。之前，不少艺术家刻画的大卫往往是其战斗胜利后的形象，而米开朗琪罗塑造的却是大卫临战前的一瞬间：头部微微转向左方，双目注视敌人，左手握着搭在肩上的投石器，右手自然下垂。外表的平静，使塑像更具内在的紧迫感，更加显示出大卫沉着、果敢和必胜的信念。

为了妥善保存这件艺术珍品，《大卫》原作后来被移到佛罗伦萨美术院收藏，同时在市政厅门前矗立着一座复制品，供来自世界各地的人们欣赏。

48. 断臂前的维纳斯什么样?

古希腊神话传说中，有一个女神叫阿弗洛狄忒，专管“美”和“爱”。到了古罗马时代，罗马人将她称为维纳斯。没有人见过这位女神，但是关于她的雕像却留下很多。其中最有名的就是一尊断臂的维纳斯雕像。

1820年4月的一天，农民伊沃高斯带着他的儿子在爱琴海中的米洛斯岛上耕地。当他们正打算铲除一些矮灌木时，突然一个大洞穴出现在他们面前。他们走进这个山洞，发现了一座非常优美的半裸的女性大理石雕像，这就是“断臂维纳斯”神像。

法国驻希腊代理领事路易·布莱斯特很快得知了这个消息，他立即向法国公使利比耶尔侯爵做了报告。侯爵以高昂的价格从伊沃高斯手中买下了这座雕像，价格高达2.5万法郎，又把它装上法国军舰，偷偷运往法国。现在这座雕像就陈列在法国巴黎著名的罗浮宫美术馆里，成为罗浮宫的镇馆珍品之一。

从那以后世上就广为流传着有关断臂维纳斯的故事，人们不仅惊叹于维纳斯之美，也对她充满了疑问和困惑。她是谁？她的制作者又是谁？臂断之前她又是怎样的一种姿态呢？

这尊在米洛斯岛上发现的雕像是维纳斯公认的形象，被命名为“米洛斯的维纳斯”。有些人认为她的这个名字过于“外国化”，因此将她命名为“米洛斯的阿弗洛狄忒”。又因为这座石像的脸型很像公元前10世纪古希腊著名雕像家普拉克西特列斯的作品“克尼德斯的维纳斯”的头部，所以这件作品又被叫作“克尼德斯的阿弗洛狄忒”。正因为这两件作品如此相似，很多人断言她的创作者就是普拉克西特列斯。但是也有相当一部分人认为这么优美的作品的作者应该是公元前5世纪古希腊更伟大的雕像家菲狄亚斯或菲狄亚斯的学生，因为作品的风格和这个时代相似。时至今日，比较公认的看法是这是一件晚至公元前1世纪希腊化时期的作品。还有一种看法认为这只是一件复制品，是仿制公元前4世纪某件原作而雕塑出来的，而原件已经消失了。总之众说纷纭，莫衷一是。

现在人们又对另一个问题产生了兴趣：她断了的两只胳膊原来是什么姿势？是拿着金苹果？是扶着战神的盾？还是拉着裹在下身的披布……近年来的考据家则较一致地认为，她的一只手正伸向站在她面前的“爱的使者”丘比特。虽然不少人曾依照各自的推测补塑了她的双臂，但总觉得很别扭，不自然，还不如就让她缺两只胳膊，让人们用自己的想象去补全它，从此她就以“断臂美神”而闻名遐迩了。

虽然这是个半裸的女性雕像，而且优美、健康、充满活力，可是给人的印象并不柔媚和肉感。她的身姿转折有致，显得大方甚至“雄伟”；她的表情里有一种坦荡而又自尊的神态，显得很沉静。她无需故意取悦或挑逗别人，因为她不是别人的奴隶；她也毫无装腔作势、盛气凌人之感，因为她也不想高踞他人之上。在她的面前，人们感到的是亲切、喜悦以及对于完美的人和生命自由的向往。

自普拉克西特列斯以来，艺术家们为了歌颂这位女神的美丽与温柔，塑造了各种姿态的裸女造型，而最成功的就是这尊雕像。她体现了菲狄亚斯的简洁，普拉克西特列斯的温情，也具有留西波斯的优美的人体比例。她的面庞呈椭圆形，鼻梁垂直，额头很窄，下巴丰满，洋溢着女性典雅与温柔的气息。虽然衣裙遮住了她的下肢，但人体动态结构准确自然，艺术家的不凡技艺尽在其中。

然而，现在可能还是她的断臂让人们最感兴趣：美人的手臂在何处呢？

人们曾经在发现石像的同一座洞穴里找到过一些断臂与手的残碎石片，但这些究竟是不是这座雕像的手与臂的残片呢？目前还没有一致的看法。

断臂使这座雕像显得很神秘，却更增添了她的残缺美。人们为了解开断臂之谜，还发挥着无尽的想象力，但这个谜也许永远都不会有答案。

49. 世界上第一尊佛像是谁塑造的?

世界上第一尊佛像是谁塑造的?佛教界流传着两种截然不同的说法。

据说,佛祖释迦牟尼反对偶像崇拜。因此,最初的佛教徒,遵循佛祖的教诲,同时又认为佛祖有超人的妙相庄严,不应以普通人的面相对待,所以,佛教产生后的600年间,没有立像崇拜。

然而,据《增阿含经》经文记载:“佛祖在舍卫国祇树给孤独园时,弟子们多有懈怠,既不听法,也少修持,为使弟子们渴仰求法,佛陀不带侍者,往至三十三天的忉利天宫为生母摩耶夫人说法,三月不还人间,优填王思慕成病,与群臣商议,以牛头旃檀木造作了五尺高的如来像。”波斯匿王闻听此事,也以紫磨黄金铸造佛像。因此,第一尊佛像应为优填王的旃檀像,波斯匿王的紫磨黄金像只能位居第二。

可是,东晋高僧法显在《佛国记》中记载:“佛上忉利天为母说法九十日,波斯匿王思见佛,即刻牛头旃檀作佛像,置佛坐处。佛后还入精舍言:‘吾般泥洹后,可为四部众作法式,此像应是众像之首,后人所法者也。’”在这里,原本铸造紫磨金像的波斯匿王又变成了旃檀像的雕造者了。在东南亚各国,绝大部分地区都把旃檀像造作权属于优填王。

可见,第一尊佛像的作者,至今仍无定论。

50. 日本的飞鸟大佛与中国的龙门石窟有什么关系?

日本飞鸟时代(公元538–710年)与之前的古坟时代相比,在思想文化领域上有了较大的进步。始于公元645年的大化改新带来的文化新气象,首先体现在佛教文化层面。受到律令制度呵护的飞鸟佛教,具有非常浓烈的政治色彩,在日本古代文化的艺术领域中也占有重要的地位。

可以说,飞鸟文化的源头在中国的南北朝,其成就主要体现在佛教艺术之中,尤其以佛像雕刻艺术最为辉煌。

飞鸟时代的佛寺，不单单是举行宗教仪式的圣地，而且也是外来文化和艺术的展示场所，更是外来文化与土著文化得以交流融合的基地。日本从6世纪开始建造寺院。公元577年，百济国王应请“献经论若干卷，并律师、禅师、比丘尼、咒禁师、造佛工、造寺工六人”，拉开了建造规范寺院的序幕。公元588年，日本依靠百济所献的寺工、炉盘博士、瓦博士、画工等技术力量，兴建了规模宏大的飞鸟寺。

根据近年的考古发掘，学者们对飞鸟寺的框架结构已经大致了解。整座寺院以塔为中心，两侧分别是东西金堂，北面为中金堂，这种寺院样式是从朝鲜半岛传入的，其发源地则在中国的南北朝。中金堂供奉的佛像俗称“飞鸟大佛”，正式名称应为“丈六释迦坐像”。这尊制作于公元606年的铜制佛像，高275.2厘米。近1500年间经历多次损毁和修复，如今已经面目全非，但专家们依然可以识别出其母体乃是中国龙门石窟宾阳中洞佛像。由此可以判定，北魏文化是飞鸟文化的发源地之一。

知识链接

大化改新

在大化改新以前，日本天皇没有实权。公元645年6月，皇室发动政变，刺杀权臣苏我入鹿，夺取政权。孝德天皇即位后，定年号为大化，迁都难波京（今大阪市）。公元646年元旦，天皇颁布“改新之诏”，实行政治改革，史称“大化改新”。主要内容有：政治上建立以天皇为首的中央集权国家，废除贵族世袭制，唯才是举；经济上效法隋唐的均田制和租庸调制，把很多贵族土地收归国有，部民转为国家公民，国家定期把土地分给农民耕种，并向他们收取赋税。

大化改新给日本历史带来了巨大的变革，促进了封建制生产关系的发展。

第十章

社会大观·奇闻趣事

1. 向印加臣服的部落首领为什么会将印加王赏赐的衣物看成是一种莫大的恩宠？

在印加时代，入选库斯科贞女宫的贞女必须具有印加王族的血统，她们都是献给太阳神做妻子的。而入选库斯科以外贞女宫的贞女，既有王室血统的女性，也有混血的女性，她们都是国王的妻子或嫔妃。

贞女的日常工作主要是织布做衣。库斯科的太阳贞女们所制作的服饰，必须严格控制在王族之内。国王可以将其赐给王族内部的成员，而那些非王室血统的臣民，无论他们做出多么巨大的功绩，也不可能得到这种奖赏。不过，他们有机会得到一种与其类似的奖赏——库斯科以外贞女们缝制的衣服。

尽管贞女们缝制的衣服可能是一模一样的，但在印加人看来，这两种由不同贞女缝制的衣服之间有着“质”的差别。因此，印加王在对库斯科以外贞女们缝制的衣服的处置上也相对比较随意，既可以将其赐给王室内部的成员，也可以将其赐给非王室血统的臣民。这种赏赐看起来平淡无奇，而实际的意义却非同小可。试想，印加王把自己的妻子、嫔妃们所缝制的衣服馈赠他人，岂不是象征着对此人有着一种格外的恩宠？所以，那些有幸得到这项恩赐的人，也将这种赏赐视为莫大的荣幸。

也正因为如此，在印加征服史中，经常提到印加王把衣服赏赐给刚刚臣服的部落首领。正所谓“礼轻情意重”。比起贵重的金银珠宝来，一件价值有限的衣服此时无疑是最为合适的礼物。它暗中向投诚的首领传递了一个重要的信息：从此以后，我们不再是对手，而是一家人了。

2．古印度人会因为长相丑陋被判死刑吗？

据古希腊人记载，古印度人对人的相貌非常重视，据说印度河上游的卡泰奥伊人就选择相貌最好的人当国王。在那里还有一个令人难以置信的规定，婴儿满两个月后要由公众裁判，以断定他的相貌是否符合法律的标准，并由此来决定其是否应该继续活下去。如果这个孩子被公认为丑陋，法官就会判其死刑。

古印度人爱美主要体现在衣装打扮上。很多古印度人穿一种由棉布做成的、长度至膝的紧身衣，肩上还披着一块布。某些讲究的印度人夏天还会打遮阳伞，穿时髦的白色皮拖鞋。一些贵族姑娘穿着用亚麻布或黄色、红色丝织品做成的华丽服装，佩戴有铃铛的脚镯。贵妇们佩戴镶有宝石的项链，此外，手镯、发卡、耳环、金星等也都是贵妇们重要的首饰。

中国有句俗语，叫“一白遮百丑”。古印度人也崇尚美白。据考证，在公元前3000年，古印度人就已经开始使用铅粉。后来，这种化妆品的配方传到了中国、希腊和罗马等地，受到当地妇女的欢迎。

在古印度，不仅女子化妆，一些大城市的男子也化妆。他们每天沐浴以后，都要在身体上敷一层香油，在衣服上撒一些香料。他们的眼睛用药膏点染，嘴唇用颜色染红，再涂上薄薄的一层蜡以防止褪色。他们还把胡须染成很多种颜色，比如白色、黑色、红色、紫色或草绿色，等等。

3. 古印度人为什么认为人身上最神圣的部位是口？

印度的种姓制度已有几千年的历史，早在原始社会末期就开始萌芽。雅利安人征服印度次大陆时，以“瓦尔纳”（即品质、种、颜色）为标准，以区别白皮肤的雅利安人和黑皮肤的土著人，他们自命为高贵者，将土著人称为“达萨”（即奴隶）或“首陀罗”。后来雅利安人内部出现了阶级分化，祭司演变成婆罗门，掌握神权；包括国王以下的武士阶层成了刹帝利，掌握除神权之外的一切权力；农民、手工业者和商人为吠舍，他们须向国家缴纳赋税；而被征服的土著民族部落，被列为首陀罗，地位最为卑贱。种姓是世袭的，代代相传。为了维护种姓制度，统治阶级还制定了很多法律，确立了各个种姓的权利、义务和法律地位，并对各种性的职业、饮食、婚姻进行了严格的规定，其中最著名的是《摩奴法典》。

此外，统治阶级还堂而皇之地编造一出神话，来说明种姓制度的天经地义。在著名的史诗《梨俱吠陀》中讲道，婆罗门是从梵天的口里出生的；刹帝利是从他的双臂出生的；吠舍是从他的双腿出生的；首陀罗是从他的两脚出生的。由于出生的部位不同，所以四个瓦尔纳的地位有尊卑之别。在一个人的身上，最洁净，神圣的部位是口，它是食物的入口，同时也是赞歌的出口，因此生于神口的婆罗门也是至高无上的。而生于臂的刹帝利位置比婆罗门低，属于第二种姓。生于腿的吠舍必须终身辛勤劳作，以养活婆罗门和刹帝利，是第三种姓。至于首陀罗，由于生于肮脏的脚，因而是最不干净、最为低下的，应恭顺地为其他种姓服务，是第四种姓。

种姓制度对古代印度的政治、经济乃至社会生活的方方面面都产生了极为深远的影响。印度独立以后，虽然规定不允许种姓歧视，但是由于几千年来种姓制度根深蒂固，种姓歧视至今仍未消除，给印度的社会发展带来了极为严重的负面影响。

知识链接

《摩奴法典》

古代印度的法律经典名目繁多，其中影响最大、最深远、最重要的一部是婆罗门教的《摩奴法典》。该法典共12章，其核心目的是维护种姓制度。它宣扬种姓起源的神话，规定了各种姓的权利、义务及法律地位，并制定了违反种姓制度的刑罚，同时以“来世”的虚幻描述来麻醉下层种姓。因此，《摩奴法典》作为维护高等种姓利益的剥削工具，其发挥的作用是纯粹的法典所无法相比的。这部法典涉及面广，内容丰富繁杂，为研究古代印度历史提供了珍贵的资料。其影响远及缅甸、泰国、爪哇和巴厘岛等地，甚至某些地区今天仍在使用这部法典。

4.“斯拉夫”本义为“奴隶”，可为什么俄罗斯人却视其为光荣？

斯拉夫人是东欧人数最多、分布最广的民族，属印欧语系。据考证，斯拉夫人在史前时期生活在亚洲西北部草原地带，后来，逐步迁移到波罗的海南部地区，与日耳曼民族毗邻而居。自公元1世纪起，日耳曼人开始与南方的古罗马帝国交往。最初是日耳曼人充当古罗马人的雇佣兵和仆役，后来，他们又将自己俘获的大批斯拉夫人卖给罗马人做奴隶。久而久之，“斯拉夫”（奴隶）这个名称便反过来成为欧洲人对诸斯拉夫民族的称谓。斯拉夫民族包括东斯拉夫人（主要是俄罗斯人、乌克兰人、白俄罗斯人）、西斯拉夫人（主要是波兰人、捷克人、斯洛伐克人）、南斯拉夫人（主要是塞尔维亚人、克罗地亚人、斯洛文尼亚人、马其顿人、黑山人和保加利亚人）几个支系。

尽管在西方拉丁语中，“斯拉夫”这个称谓带有侮辱、轻蔑的意味，但在斯拉夫语言里“斯拉夫”一词却是“光荣”“荣誉”的意思。正因为俄罗斯人将“斯拉夫”一词视为光荣，所以很多俄罗斯男人名字中都有“斯拉夫”。

5. 英国贵妇饮茶之后为什么要喝白兰地“解毒”？

据说，18世纪的一天，在斯德哥尔摩的一座皇宫里，愁眉苦脸的瑞典国王坐在龙椅上发呆。一位大臣前来禀报说：从遥远的东方传过来一种神奇的树叶，在宫外引起了很多人的议论，有人担心喝了这些东西会被毒死。为了验证这种东西是否真的有毒，国王叫人把一对被判死刑的孪生兄弟押进了皇宫，命令他们：“你们俩一个每天喝咖啡，一个每天饮茶，就可以免去死罪。”60年后，兄弟二人中喝咖啡者因病去世，又过了10多年，饮茶者无疾而终。

这是西方关于茶叶最富喜剧色彩的故事之一。事实上，茶叶进入西方世界以后，在相当长一段时间内，一直被欧洲人疑为有毒之物。1664年，东印度公司向英国王室进贡一批茶叶，追求时髦的贵妇们既忍不住仿照王室试饮，又担心茶叶有毒，于是饮茶之后一定要喝白兰地“解毒”。

大量的证据证明，中国是茶叶的发源地，世界上其他地方饮茶、种茶的习惯都是直接或间接地从中国传过去的。最迟在汉朝时，中国人就已经开始种植茶树，但直到16世纪它才为西方人所知。1559年，一位威尼斯商人在他出版的《航海记》中首次提到了茶叶。1606年，茶叶首次进入欧洲。

从18世纪开始，茶叶逐渐成为中英贸易的重要商品，两艘英国船只从广州运回3000担茶叶，价值约占船上所有货物总价值的80%。18世纪20年代后，茶叶贸易成为所有欧洲东方贸易公司最重要的项目。事实上，一直到20世纪，只有茶叶始终在中西贸易中居于支配地位。

茶叶为西方商人带来了巨额利润，一位活跃在广州的法国商人坦言：“茶叶是驱使我们前往中国的主要动力，其他的商品只是为了点缀商品种类。”历史学家普里查德甚至宣称：“茶叶是上帝，其他商品在茶叶面前都一文不值。”

6. 为什么说茶叶改变了世界？

也许没有人能预料到，茶叶这种看似微不足道的东西，却成为导致两场影响深远的战争的“祸根”。这两场战争，都与英国有关，战争的结果是一个新兴的西方大国呼之欲出，而另一个古老的东方帝国却走向衰落。

在美洲大陆，为了倾销东印度公司的积存茶叶，1773年，英国政府通过一项条例，给予东印度公司到北美殖民地倾销积压茶叶的专利权，不仅税费极低，同时还明令禁止殖民地贩卖“私茶”。东印度公司的茶叶贸易垄断行为，引起北美殖民地人民的极大不满。1773年12月16日晚，一些反英群众乔装成印第安人，将停泊在波士顿港的3艘东印度公司茶船上的342箱茶叶全部倾入大海。这一举动使英国政府与北美殖民地之间的矛盾激化，并最终导致1775年美国独立战争的爆发。

在亚欧大陆，18世纪的中国是一个以自然经济占统治地位的封建帝国，发达的农业、手工业和国内市场使中国在经济上高度自给自足，对外国商品的需求量非常有限。100多年后，主持中国海关总税务司的英国人赫德在其书中写道："中国有世界上最好的粮食——大米；最好的饮料——茶叶；最好的衣物——棉、丝和皮毛，他们无需从别处购买一文钱的东西。"因此，当时欧洲的产品在中国几乎找不到销售市场，同时欧洲人却又不得不花费大量的白银来购买中国的茶叶。到19世纪30年代初，中国贸易出口额每年高达200万-300万两白银。英国人跟中国人做买卖，无疑是想要赚钱，这种贸易格局自然是他们无法容忍的。为了扭转在对华贸易中的不利地位，东印度公司专门成立鸦片事务局，开始大规模向中国输入鸦片。不久以后，鸦片战争爆发了。

两片大陆，两场战争，导致两种截然不同的结局。茶叶就这样改变了世界，改变了历史。

7. 商博良为什么说自己要设法买一个大桶栖身?

法国著名历史学家、语言学家商博良，是第一位识破古埃及象形文字结构并破译罗塞塔石碑的学者，他也因此被誉为"埃及学之父"。

1907年，年仅17岁的商博良离开学校前往巴黎，投身于罗塞塔石碑的破译工作。由于太年轻，他竟然一时找不到工作来糊口，不得不住在一间非常破旧的小屋里，月租18法郎。但就连这么一点儿钱他也拿不出来，于是不得不经常写信向哥哥求助。

1809年，19岁的商博良受聘为大学历史教授，听他讲课的学生有很多是他曾经的同窗学友，其他同事的学识又不如他，四处树敌、被人嫉妒也就在所难免了。另外，商博良的思想与当时的社会格格不入。他公开提出，历史研究的最高理想是追求真理，这种真理是一种绝对真理，而绝不是波拿巴王朝或者波旁王朝的统治者所规定的真理。他主张学术自由，而这时正是学术界受到各种政治禁令重重限制的时候。

同时，学院内部的钩心斗角使商博良狼狈不堪，心情沮丧，比他年长的教授们勾结在一起，把商博良的薪金减少了1/4。无可奈何的商博良写道："我命中注定要像古希腊哲学家第欧根尼一样穷，所以我也应该像他一样买一个大桶栖身，再弄一块麻袋披在身上，这样或许有希望靠着雅典人的施舍生存下去。"尽管如此，当上教授的商博良毕竟还是走出了过去赤贫的窘境，并最终在研究古埃及象形文字这一领域取得了巨大的成就。

知识链接

第欧根尼

第欧根尼是古希腊哲学家，犬儒学派的主要代表人物，大约活跃于公元前4世纪。他的真实生平难以考据，而有关他的传闻逸事却不胜枚举，足见他的思想影响之深远。第欧根尼崇尚原始、自然的生活，认为除了自然的需求必须满足外，其他任何东西，包括社会生活和文化生活，都是多余的，应该加以弃绝。第欧根尼揭露大多数传统的标准和信条的虚伪性，认为与道德相比较，俗世的一切财富都是不值一提的。作为一个苦行主义者，他居住在一只木桶内，过着乞丐一般的生活，每天白天都会打着灯笼在街上"寻找真诚的人"。他师承苏格拉底的弟子安提斯泰尼，并将安提斯泰尼创立的"犬儒哲学"发扬光大。

8. 古埃及人为什么要接受"天平"的审判?

在古埃及人的来世审判中，一个重要的特点是审判的准绳不是人，而是物——天平。面对天平，除了法老外，人人都是平等的，不管他生前是高贵还是贫穷，都要接受天平的检验。

古埃及人认为，心脏记录了一个人一生中的所有善行和恶行，在死后审判中的一种死亡仪式上，它将作为资料接受分析。这种称量心脏的仪式在审判厅中进行，死者被冥界和亡者之神阿努比斯引入这个大厅，冥王奥西里斯和生育女神伊希斯等神祇注视着审判。

死者的心脏（法老的除外）被放在天平上，与代表公正、真理的玛特女神的羽毛做对比。接着阿努比斯调整天平的铅垂，智慧之神图特记录下裁决的结果。如果天平两边平衡，就证明死者是清白的，他就可以进入来世，得到永生。否则，守在一旁的、有着鳄鱼头，狮子、河马身体的恶魔阿米特，将会把死者连同他的心脏一起吃掉，使其"第二次死亡"。

在古埃及，"天平"审判是评判死者能否进入来世的重要依据。只有通过天平审判的人才能够进入来世，如果未能通过天平审判，就无法复活了。

9. 人的心脏有记忆的功能吗？

众所周知，大脑是记忆的器官。然而，美国科学家通过研究发现，人类的心脏也许有某种"记忆功能"。正因为如此，一些患者在接受心脏移植手术后与过去判若两人，反而与心脏捐赠者的性情非常相似。

据报道，有一位货车司机，他以前并不是一个多愁善感的人，从未给妻子写过情书，他的文笔也确实差得要命。而当他接受心脏移植手术后，却开始给妻子写情诗了，文笔还相当不错。他确信自己写诗的天赋来自那颗移植的心脏，因为捐赠者全家都爱写诗。

2006年，澳大利亚一位17岁男孩在车祸中丧生，他的父母将其身体器官捐赠了出去。两年后，他们找到了儿子心脏的接受者，惊奇地发现他"继承"了儿子爱吃汉堡圈的嗜好，事实上，接受者在心脏移植前对汉堡圈一点儿都不感兴趣。

一名接受心脏移植手术的患者，在身体康复后爱上了捐赠者的遗孀，并娶她为妻。12年后他饮弹自尽，令人吃惊的是，为他捐赠心脏的人也死于同一方式。

一名8岁的小女孩接受了一名遇害身亡的小女孩的心脏，从此以后，这个小女孩经常做同一个噩梦，梦见一位男子杀害她的捐赠人。警方根据她所叙述的线索最终将凶手捉拿归案。

据统计，每10例接受换心手术的病人中，就有1人会出现性格改变现象，这让很多科学家相信，心脏细胞有记忆功能，心脏移植到另一个人身上后，储存在心脏中的某些记忆也会转移到那个人的身上。我们都有过这样的经历，遇到不高兴的事情时，除了有时会感到“头疼”外，还会觉得“心里难过”。由此看来，心脏细胞有记忆功能这一说法未必是无稽之谈。换心人的奇迹会促使科学家对传统观念进行反思。也许，大脑和心脏都是思维的器官，只不过分工有所不同罢了。

10. 意大利人为何把“裹尸布”视为国宝？

在意大利都灵的一座教堂里，保存着一块亚麻布，这块布的特别之处在于其上面有一个人正面与背面的全身影像。据分析，布上的人影身高1.8米，长发垂肩，双手交叉放置于腹部，在手、足、头以及肋部都有清晰的血迹，正与《圣经》上所记载的耶稣被钉死时的状态相同。因此，学者们一致认为这块布是耶稣受难后用来包裹其尸体的。

据说，耶稣被钉死在十字架上之后，门徒约翰用一块裹尸布，将耶稣的尸体精心包裹之后，放在了哥尔高扎的一个石洞里。3天之后，前去吊唁的妇女发现耶稣复活了，然而包裹他的那块裹尸布却不翼而飞了。这一说法带有明显的宗教神话色彩，所以当初人们并没当真。

然而，1353年，法国巴黎的夏尔尼伯爵却突然宣称，他保存着耶稣受难时的那块裹尸布。令人遗憾的是，夏尔尼伯爵还没有将裹尸布的来历说清楚就去世了。

1357年，就在法国基督教徒与天主教徒的矛盾日益尖锐之时，夏尔尼伯爵提到的裹尸布在其领地的教堂里公开展出。这遭到了当地天主教主教的反对，他认为裹尸布是赝品，要求立即停止展出。1389年，教皇收到主教继承人的信，得知裹尸布是一位艺术家的作品，于是下令只有承认裹尸布是艺术品才能继续展出。但法国基督教徒们则认为那位艺术家受到了逼迫。

15世纪，裹尸布转移到著名的尚贝里大教堂。1532年，尚贝里大教堂失火，裹尸布遭到了破坏，但中心部分依然完整无损。1578年，裹尸布又被迁移到意大利北部的都灵大教堂的圣坛上。

“耶稣裹尸布”几经辗转最终流落至意大利，从16世纪起一直保存在都灵市的大教堂里，被意大利人视为“国宝”。虽然“耶稣裹尸布”的真伪至今仍无定论，但却不妨碍基督徒们对它的崇拜。

11. 美国真有“蜥蜴人”吗?

在当今世界之谜中，有关野人的传说一直备受人们的关注。许多目击者都将野人描绘成高大强壮、似人非人的形象，其行踪时隐时现，捉摸不定。不过最近几年来在美国出现的“蜥蜴人”，似乎又为“野人”家族增添了新的成员。

1988年，一位名叫克里斯托弗·戴维斯的17岁小伙子正蹲在沼泽地边，为汽车更换漏气的轮胎，忽然听到身后有响动，回头看时大吃一惊，离他约25米处有一个高大的怪物正朝他冲过来。

这只怪物有一双红得冒火的眼睛，它的手只有3个指头，又黑又粗又长，皮肤是绿色的，看起来非常粗糙。

大惊失色的戴维斯赶紧跳进车里，并关上车门。然而赶到的怪物紧紧抓住了方向镜，戴维斯试着猛地关上门，想把它的爪子震开，但没有成功。于是他又加速发动，希望吓退怪物，不料怪物纵身跳上车顶。由于路面颠簸不平，那个可怕的怪物终于从车上掉了下去。惊魂未定的戴维斯根本不敢在路上停车。到家之后，他才发现汽车的侧视镜已经严重损坏，车顶上还有清晰的划痕。

除戴维斯外，还有一些人声称看到过“蜥蜴人”，而且他们对“蜥蜴人”的描述基本一致。那么，美国真有的“蜥蜴人”吗?

大多数学者认为“蜥蜴人”是子虚乌有的，因为根据最基本的生物学原理，一个动物种群要想在自然界中持续生存下去，必须拥有一个适合的生存环境和最基本的个体数量。如果这个基数不足，或者由于过于分散而不互相接触，那么，这个种群就要灭绝。戴维斯等人看见的都是单个的“蜥蜴人”，从未见过群体的“蜥蜴人”，所以这个物种无法传宗接代，不可能在地球上生存下去。

“蜥蜴人”究竟为何物？美国某些地区和媒体已经开出高额赏金，以激励人们俘获“蜥蜴人”。世人正注目着这一悬案的研究进展。

12. 路易十四时期的“铁面人”究竟是谁？

1789年7月14日，愤怒的巴黎市民攻占了象征着法国专制制度的巴士底狱，标志着法国大革命的爆发。起义军在巴士底狱的入口处发现了一行字：囚犯号码64389000，铁面人。

神秘的“铁面人”究竟是谁呢？据说路易十五、路易十六两位国王都曾下令调查过此事，但调查的结果却严格保密，这为“铁面人”的身份增加了更多神秘的色彩。

有人认为“铁面人”是路易十四的生父。路易十三和王后婚后不和，长期分居。尽管经过首相黎塞留的调解后重归于好，但此时的王后已身怀六甲，不久便生下了路易十四。为了避免露出马脚，王后的情人，也就是路易十四的生父只得流落他方。路易十四登基后，其生父偷偷返回巴黎来见路易十四。路易十四既怕丑闻泄露又不忍加害生父，只好为其戴上面罩，终身囚禁。然而据记载，1703年“铁面人”去世时是一个45岁左右的中年人，此时的路易十四已经65岁，从年龄上来看这种说法不符合逻辑。

有人认为“铁面人”是法官拉雷尼。据说，拉雷尼的叔叔科齐涅曾经担任过法国宫廷医生，路易十三死后科齐涅对其尸体进行解剖，发现死者并不是路易十四的生父。科齐涅将这一秘密告诉了拉雷尼。后来宫廷为了防止丑闻外泄，就将拉雷尼长期囚禁起来。事实上，科齐涅进入宫廷时路易十三已经死去一年了，科齐涅不可能对其尸体进行解剖。另外，有资料显示拉雷尼死于1680年，是在家里善终的。

有人认为“铁面人”是财政大臣富凯。富凯曾以侵吞公款罪被捕入狱。路易十四主张将他处死，但法院却判他终身流放。后来法国当局宣布，富凯于1680年暴亡，他的尸体立刻被当局秘密处理了。再加上关于“铁面人”的传闻恰好是在富凯“死”时开始的。

因此有人猜测死者并不是富凯，而是他的仆人，富凯则活在面罩之下。然而如果富凯活到1703年，应该是个老头了，可“铁面人”是个中年人。

有人认为“铁面人”是英国国王查理一世。查理一世并没有死在断头台上，有人代他受了刑。后来查理来到法国，被路易十四囚禁起来。可问题是，路易十四为什么要囚禁查理一世？而且查理一世如果活到1703年，已经103岁了，他能那么长寿吗？

总之，以上各种说法均有无法自圆其说之处。时至今日，“铁面人”的身份依然是一个难以解开的谜。

知识链接

黎塞留

黎塞留（1585–1642）被后人称为法国历史上最伟大、最老谋深算、最冷酷无情的政治家。他在担任宰相期间，对内恢复和强化日益衰落的专制王权，对外谋求法国在欧洲的霸主地位。他在中央设立各部大臣，直接归他领导，削弱了贵族的权力；剥夺了巴黎高等法院的谏诤权；向各地派遣监察官，加强中央对地方行政、财政和司法的控制；设立书报检查制度，加强对思想文化领域的控制。他多次平息贵族的叛乱，即使公爵和亲王也严惩不贷。1628年，他率兵攻陷了胡格诺教派的主要根据地拉罗谢尔城，剥夺了胡格诺教派的政治权利。1637–1639年先后镇压了乡巴佬起义和“赤足汉”农民起义。为了抗衡哈布斯堡王朝，他促成了法英联盟，支持丹麦、瑞典以及德意志新教诸侯与神圣罗马帝国交战，并支持法国参加1635年的三十年战争，使法国成为战争的最大受益者，称霸欧洲大陆。

13. “奥卡姆剃刀”说的是什么？

“奥卡姆剃刀”是英国著名唯名论哲学家威廉（约1285–1349年）提出的“经济原则”。威廉出生在英格兰萨里郡的奥卡姆镇，曾在巴黎大学和牛津大学学习，学识渊博，能言善辩，被时人称为“驳不倒的博士”。

威廉对当时学术界关于“共相”“本质”之类的无休止的论辩感到非常厌倦，于是著书立说，宣传唯名论。他认为只有个体是真实存在的，那些所谓的共相都是虚无缥缈、毫无用处的累赘，它不可能在个体事物之前出现，也不存在于个体事物之中，它只是人们想象的产物。于是，他提出了一个著名的“经济原则”：“如无必要，勿增实体。”亦即大自然不做任何多余的事情，如果能用较简单的东西来说明问题，那么用较复杂的就成为无益之事。他主张用“经济原则”这把剃刀，把所有多余的东西统统剃掉。这一近乎偏激独断的思维方式，被后人称为“奥卡姆剃刀”。

“奥卡姆剃刀”出鞘后，剃秃了几百年间一直占统治地位的经院哲学和基督教神学，使科学、哲学从神学中分离出来，进而引发了欧洲的文艺复兴和宗教改革，开辟了世界近代史的新纪元。当时，这把“剃刀”曾使某些人感到恐慌，被认为是异端邪说，威廉本人被罗马教皇作为异教徒关进了监狱，在狱中生活了四五年。然而，禁锢和迫害无法从根本上阻挡这把“剃刀”前进的脚步。几百年来，这把所向披靡的“剃刀”越来越锋利，并早已超越了最初狭窄的范畴，具有更广泛、更丰富、更深刻的意义。

14. 什么是“因信称义”？

中世纪晚期的欧洲，阶级、宗教、民族矛盾异常尖锐，教会威信明显下降。德国宗教改革运动的领袖马丁·路德（1483–1546年）在青年时代对神学、哲学理论进行了系统的学习和钻研。1511年，他奉命来到罗马教廷，亲眼看见了天主教会的腐朽糜烂，使他对教会的说教产生了怀疑。后来，他潜心研读《圣经》，终于悟出了“信仰耶稣即可得救”的道理，进而提出了“因信称义”这一大胆的主张，为他后来的宗教改革提供了重要的理论基础。

“因信称义”又称为“因信得救”。马丁·路德认为，一个人的灵魂能否得到拯救，不在于遵守教会的规条，也不在于生前积累的善业功德。只要虔诚地信仰上帝，通过研读《圣经》，领会教义，人的灵魂就可以得到拯救。马丁·路德把《圣经》作为唯一的神圣权威，主张任何一个基督徒都有权阅读《圣经》，并完全可以对《圣经》做出个人的价值判断和理解。在上帝和《圣经》面前，人人平等，根本不需要教士和教会作为中介，任何人都无权把自己对《圣经》的理解强加给别人。简单一句话：个人信仰高于一切，任何人都无权干涉。

“因信称义”是对天主教会所宣扬的“行为称义”的否定，它把人们从教会繁文缛节的束缚中解放出来，给人以精神的自由。因此，这一理论蕴含着一种积极的人生态度，反映了新兴资产阶级追求自由、平等的思想。这种宗教信仰上的个人主义，与文艺复兴中理性的个人主义有机地融为一体，成为早期资本主义发展的精神动力。

15.“笛卡儿式怀疑”是一种什么样的怀疑方式?

笛卡儿是解析几何的创始人，同时也是欧洲近代哲学的奠基人之一，被黑格尔誉为“现代哲学之父”。他的思想自成体系，熔唯物主义与唯心主义于一炉，在西方哲学史上产生了重大而又深远的影响。

在17世纪前期的欧洲，教会势力严重阻碍着欧洲资本主义的发展。当时的经院哲学以圣经和神学的教条为理论出发点，以亚里士多德的三段论法为推导方式，从而得出符合教会利益的结论。而批判经院哲学，建立为科学撑腰的新哲学，成为当时先进思想家的历史使命。

笛卡儿将经院哲学视为无益的空谈，认为其只能将人们引入思想上的陷阱，不会带来真知灼见。笛卡儿指出，我们现有的很多观念和论断都是值得怀疑的。这些观念有的来自我们的感官，而感官有时会欺骗我们。有些来自我们的幻想，而幻想是虚无缥缈的。至于那些推导出来的结论，也并非无懈可击。为了追求真理，我们必须以怀疑的态度来对待一切，这样才能破旧立新，获得真知。这就是著名的“笛卡儿式怀疑”。

“笛卡儿式怀疑”又可称为“方法论的怀疑”，是笛卡儿在建立自己的哲学体系中所阐述的一种认识方法。笛卡儿的哲学理论基础是“我思故我在”，他把理性作为公正的裁判员，要把一切放在理性的天平上加以检验。他认为怀疑是一种积极的理性运动，只要不违背逻辑，任何事物都是值得怀疑的。不过，笛卡儿认为“我”可以怀疑一切，但有一件事是无可置疑的，那就是“我怀疑”，因为此时“我”唯一可以确定的事就是自己思想的存在。

需要指出的是，笛卡儿的怀疑不是对某些具体事物、具体原理的怀疑，而是对整个人类、整个世界乃至上帝的绝对的怀疑。这种怀疑不同于否定一切知识的不可知论，而是以怀疑为手段，达到去伪存真的目的。

16. “人体哲学”是有关人体的哲学吗?

拉美特利（1709–1751）是法国哲学家，他最初学习神学，后来抛弃神学，师从波尔哈维开始学医，深受波尔哈维机械主义医学思想的影响。在1734–1745年担任军医期间曾经染病，他根据对自己病情的观察和分析，得出这样一个结论：人的精神决定于人的肉体；思想只不过是人脑中机械活动的产物。这一主张引起了教会和政府的震怒和恐慌，拉美特利的著作被毁，本人也不得不流亡在外。1747年，拉美特利匿名发表了他的最重要的著作《人是机器》。

拉美特利认为，在18世纪研究精神与肉体的关系问题，存在着两种体系，即以莱布尼茨、笛卡儿为代表的唯灵论。以及以洛克为代表的机械唯物论。拉美特利批判了把心灵实体化、物质产自于心灵的唯灵论，同时批评洛克“问物质是否具有思维能力，除了把物质当作纯粹的物质本身以外，不做任何别的考虑”，并公开表明自己的唯物主义立场。

拉美特利运用当时医学、生理学和解剖学的最新研究成果，论证人的精神对人的肉体尤其是对人脑的依赖关系，提出了生理决定论的观点。他还探讨了从感觉到思想的产生过程，即首先要获得感觉，依靠记忆又把各种感觉积累起来，最后由大脑把各种观念进行排列组合，做出推理、判断。人的大脑一旦出现了毛病，大脑和感官之间的通道被堵塞，精神上的一切活动就会停止。最后，他得出一个结论："人脑是感觉和思维的发源地，人体是一架机器。"

拉美特利的思想清晰地闪耀着辩证思想的光辉，成为18世纪法国唯物主义哲学的重要代表。

17. 蒙古人所说的"腾格里"究竟指什么？

在突厥语和蒙古语中，"腾格里"一词被广泛地应用着。最初"腾格里"只是用来指称自然界的"天"，后来便具有了宗教意义，指称人格化了的天，并进而泛指"天"上的诸神。

蒙古人的经济形式决定了其神祇的民族特色，比如主管狩猎的"玛尼罕腾格里"、主管牲畜的"吉雅其腾格里"，都占有非常重要的地位。同时，严峻的自然环境，无休止的争斗包括部落之间的仇杀、侵略或反侵略的战争，使蒙古人将勇气和力量看成崇高的美德，因此带有英雄崇拜色彩的"英雄腾格里"应运而生，并位居西方55天神之首。

而在所有的"腾格里"之中，居于首位的是"蒙克腾格里"，汉文通常意为"长生天"，其中"蒙克"意为"永垂不朽"。"蒙克腾格里"主宰天地万物，包括其他一切"腾格里"，因此也被称为"天父"，是人们祈求庇护和帮助的主要对象。

随着蒙古社会的不断发展，"腾格里"的数量也在持续增加，被普遍认识的有99个之多。这些"腾格里"分为相互敌对的两大阵营，55个西方"腾格里"是善神，44个东方"腾格里"是恶神。

此外，在一则祈祷文中提到的"腾格里"除了上述所说的99个外，还有3个在北方。这样，"腾格里"总数达到了102个。还有一种说法将"腾格里"数定为33个。尽管说法不一，但是蒙古宗教中"腾格里"之繁多复杂则是毋庸置疑的。

18. 用宇宙语言就可以与外星人对话吗？

现在很多科学家都认为，除地球外，宇宙中可能还有其他星球存在生命，尽管还没有可靠的证据来印证这一观点。以下论述都是基于一种假设，即"外星人"是真实存在的。

随着科学技术的高速发展，与“外星人”进行通信和交流是迟早要发生的事情。要与“外星人”进行通信和交流，首先遇到的无疑是语言问题。由于“外星文明”与地球文明不可能相同，双方的语言习惯也不可能一样。因此，地球人和“外星人”需要一种双方都能理解的语言作为交流的媒介，这种语言被科学家们称为“宇宙语言”。随着研究的不断深化，“宇宙语言”已经成为一门学科——“宇宙语言学”，其研究的主要内容有：

（1）研究自然的“宇宙语言”，即研究如何搜寻、辨识和解读可能是“外星人”传来的信号讯息。根据“宇宙语言学”的研究，宇宙中存在着无数种“宇宙语言”。而由于科技的发达程度不够，人类对这种语言还一无所知，因此这项工作至今还没有取得实质性的进展。

（2）研究人造的“宇宙语言”，即研究如何把地球人的语言信息转化成“外星人”可以理解的符号信息。换句话说，就是设计出一套语言，作为与外星人交流的工具。

研究和设计“宇宙语言”，是基于这样一种假设：“外星人”应该是比地球人更先进、更发达的高智商生物，他们的语言系统也一定非常发达，其重要的标志就是语言的高度数学化。因此，科学家试图把语言用数学方法来表达，这就是设计“宇宙语言”的基本思路。据说，这项工作已经取得了一些成果。

19. 蛇为什么会受到世界上多个民族的敬畏和赞美？

世界很多民族和地区都存在蛇崇拜的现象，究其原因，首先要从蛇的自然属性谈起。蛇的行踪神秘莫测，总是隐蔽在草丛、石块中。蛇虽然没有足，但行动敏捷快速。蛇是老鼠的天敌，毒蛇又能轻易置人于死地，因此蛇与人类亦敌亦友。蛇有蜕皮的生理现象，每蜕皮一次，就会长一节，不断地蜕皮，不断地长大。于是，人们认为蛇是不死的动物，蜕皮使蛇更新着生命。蛇的生殖能力很强，可以卵生，也可以卵胎生。由于蛇拥有这些自然属性，因此，很多民族和地区都将蛇视为神秘、永生、智慧的象征，由此产生了蛇崇拜的文化现象。

蛇经常出现在各民族的艺术作品中。在古埃及有一座墓穴，其中有一幅壁画，画中法老的帽子上镶有眼镜蛇形头饰。公元前1100年埃及人的“亡者之画”中，有一幅猫神斩除蛇怪以守卫亡灵的图画。在古希腊的一只壶上有一幅处女园图，图中有一条蛇正隐藏在无花果树上。在15世纪，罗马梵蒂冈主教的弥撒书中有一幅描绘蛇如何引诱人类始祖犯罪的图画。印度有幅画，画中有一条变成巨大金蛇的恶魔，它伸出红毡似的大舌，引诱牧人和牛群走入它的口中。在中国唐代画中女娲和玄武神都是蛇尾，玄武神是主保寒冷北方的大神，由龟蛇互缠而成。在公元12世纪日本的室町时代，有叙述高僧在旱魃肆虐时作法求雨、而善女龙王以蛇姿现身的图画故事。总之，不同地区、不同时期的人们将蛇赋予了不同的文化意义。

20. 美国的特种部队怎样使用手势语?

特种部队经常出现在几乎不允许发出声音的险恶环境中，这种特殊的环境无疑给战友之间的交流带来了不便，此时的手势语就起到了重要的作用。在国外特种部队使用的手势语中，美国特种部队使用的手势语简单明确，又不会引起误会。以下是一些常见的手势语。

方向：将食指与中指并拢，其余三指合握，食指与中指所指的方位就是所标示的方向。在大量人员移动时，也可用四指并拢、拇指内扣来指示方向。如果要示意迂回时，则以手腕与手臂的弯曲配合指向来表示。

清除：在手势语中，清除的对象比较多。如果清除的是前方哨兵，则是以手砍颈作斩首状，或食指划过颈部做割喉状来表示；清除铁丝网则是用食指与中指作剪刀状来表示；清除高塔上的敌人则是以食指与中指合并指于另一手的手掌下方，比较类似于球赛中的暂停手势；清除地（诡）雷并开路，则以双手手掌向外划出，如同游泳时的动作。

掩护：在战斗中，自己要转移位置并请求队友提供火力掩护时，有两种手势。一种是以左手握拳，右手出掌盖于左拳上，表示将以低姿态（爬、伏）进行移动。如果右手出掌覆盖头部，则表示将以高姿态（冲锋、跃出掩体或壕沟）或是多人战术移位的方式进行移动。

停止：是先锋对后续的主力部队最常用的手势。五指并拢，手掌直立，指尖朝上，示意部队停止前进；如果握拳则表示所有人停止动作；而如果手掌朝下则表示所有人须保持低姿势。

截断：左手掌心朝上，右手竖在左掌上，类似刀劈状，此手势一般在当遭遇敌方小部队，想要中途拦截、切断其后路或从后方切入包围时使用。

知识链接

特种部队的起源

1940年6月6日，为了打击纳粹德国的嚣张气焰，英国首相丘吉尔下令“立即对整个德国占领区发动积极而又连续的反攻”。为此，英国组建了一支由精锐部队组成的特种部队，命名为“哥曼德”。就这样，世界上第一支特种部队诞生了。

从此以后，这支神出鬼没、英勇善战的特种部队，以灵活快速的作战方式，驰骋在欧、非战场上，搅得纳粹德军胆战心惊，谈之色变。恼羞成怒的希特勒曾下令对英军的“袭击破坏部队”，无论是否穿制服，一律“斩尽杀绝”。然而，“哥曼德”不仅没有被“杀绝”，反而创造了一项又一项不朽的业绩，永载反法西斯斗争的史册。

21. 出版《吉尼斯世界纪录大全》的吉尼斯公司是经营什么的?

1759年，一个名叫阿瑟·吉尼斯的人在爱尔兰都柏林创建了一家啤酒厂，专门生产一种烈性黑啤酒。到1833年，它已经发展为爱尔兰最大的一家酿酒厂。1886年，这家啤酒厂在英国伦敦拥有一家公司。到20世纪30年代，英国拥有两家吉尼斯酿酒厂。

1951年，在一次狩猎聚会上，吉尼斯啤酒公司的执行董事休·比佛爵士在射击金鸻时屡屡落空。他抱怨道，金鸻是世界上飞得最快的鸟。然而他的同伴不同意他的观点，于是双方发生了争执。被激怒的比佛想从书中找到支持自己的论据，却一无所获。后来，就松鸡和金鸻到底谁更快又发生了一场争论。精明的比佛意识到，在酒吧里，被酒精刺激的人们常常会因为某一个问题而争论不休，如果有一本书能为这类争论提供答案的话，既能为人们找到吹牛的依据，从而助其酒兴，又能使酒吧卖出更多的酒，酒厂的生意也自然会更好。于是，他决定出版一本记录“世界之最”的书。

有人向比佛推荐了编书的合适人选——麦克沃特兄弟。麦克沃特兄弟当时开了一家资料收集站，这对孪生兄弟的合作可以说是天衣无缝，常常使经验丰富的老记者瞠目结舌。1954年，比佛会晤了这对兄弟，请他俩助其一臂之力，主持编纂《吉尼斯世界纪录大全》一书。麦克沃特兄弟慨然应允，并立刻筹建了一个小组，开始了紧张的编写工作。

1955年8月27日，第一本《吉尼斯世界纪录大全》正式诞生。这部仅有198页的小册子，迅速荣登英国畅销书榜首，因为当时还没有任何其他一种书能够提供如此丰富、权威的有关世界纪录的资讯。这本《吉尼斯世界纪录大全》不胫而走，名声远远超出了吉尼斯黑啤酒。之后，这本书被翻译成多种语言在世界范围内发行。

《吉尼斯世界纪录大全》以猎奇取胜，十分符合西方读者的口味。全世界很多人在千方百计创造各种离奇的纪录，希望自己的大名能够列入书中，进而形成了一种“吉尼斯运动”。有趣的是，这本书本身也列入了世界之最，在英国图书馆里，被人偷走最多的一本书就是《吉尼斯世界纪录大全》。

22. 下半旗志哀是要将国旗下降至旗杆的一半处吗？

下半旗又称降半旗，是公众表示哀悼的重要仪式，属于国家行为。所谓下半旗，并不是将国旗下降至旗杆的一半处，也不是直接把国旗升至旗杆的一半处，而是先将国旗升至杆顶，然后降至旗顶与杆顶之间的距离为旗杆全长的1/3处。每当某些重要人物逝世，或者是国家发生重大不幸事件以及严重自然灾害时，全国各公开场合的国旗，驻国外的使馆、领馆的国旗均应下半旗，以表达哀悼。

下半旗志哀的方式已有近400年的历史。据说在1612年，一艘名为“哈兹·伊斯”号的英国船只，在从大西洋慢慢驶入泰晤士河时，船员们列队整齐地站在甲板上，神情严肃地仰望着主桅杆降下一半的国旗。人们不知何意，经过打听才知道是船员们以这种方式来悼念刚刚死去的船长。

当时的英国航海事业非常发达，出海航行的船只越来越多，海难自然也越来越频繁。有些船只在发生不幸时，也开始效法“哈兹·伊斯”号的致哀方式。于是，这种下半旗的志哀方式就在航海业中逐渐流行开来。到了17世纪下半叶，这种志哀方式开始在陆地上采用。随着时间的推移，英国官方逐渐承认了这种志哀方式，每当国家首脑或重要人物去世时，都要下半旗以示哀悼。后来，这种志哀方式在全世界通行了。

23. 美国的仪态学校都教些什么？

学习仪态，近年来在美国已经成为风尚。为了让自己家庭中的女性有出众的仪表和良好的交际能力，从而助自己一臂之力，达官显贵、巨贾名流纷纷把自己的太太和女儿送进仪态学校，学习化妆美容的技巧，掌握与上层社会人物的交际应酬策略。

仪态学校学生的年龄参差不齐，母女同学已是屡见不鲜的事。除国会议员或高层政府官员的夫人和千金外，一些外国驻华盛顿使节的夫人和千金也来到仪态学校“深造”，她们除了赶赶时髦，出出风头外，也是为了学习一些美国的风俗习惯，以适应新的生活环境。也有学生是来自政府机关或工商机构的女职员，她们认为有必要投资学点儿增添风姿的本领，以增加觅得佳偶的机会。

仪态学校的课程包括化妆技巧、发型设计、餐桌礼仪等，比如怎样描眉、画眼线、涂口红，如何梳理一个合适的发式以与脸型相配，在餐桌上应该注意哪些言行举止，以及在鸡尾酒会上如何才能施展魅力、吸引重要人物的注意等。笑容是仪态的重要部分，因此，训练课程之一就是对镜微笑，直到笑容看起来热情而又自然为止。谈话艺术则是学员必修的另一门重要课程，因为口才是人际交往的重中之重。此外，仪态学校还教授电脑知识、秘书课程、速记技能及核能常识等，从而使学生成为一个内外兼修的魅力女性。

学业结束时，学校要举行规模隆重的宴会让学生实习，及格者可获得毕业证书。

24. 外国人也有属相吗?

十二生肖也称十二属相，用以纪年、纪月、纪日或纪时辰时，则称十二兽历。为了便于记录和推算时间，中国将十二种常见的动物与十二地支相对应，即常说的子鼠、丑牛、寅虎、卯兔、辰龙、巳蛇、午马、未羊、申猴、酉鸡、戌狗、亥猪。

生肖是人类共有的传统文化之一，除了中国有十二生肖之外，其他国家也有生肖文化。其中日本、朝鲜、韩国、柬埔寨的生肖与中国相同，只不过柬埔寨的十二生肖顺序是从牛开始的，而泰国的十二生肖顺序是从蛇开始的。

越南的十二生肖与中国基本相同，只是将“兔”换成了“猫”。至于中国的“兔”到了越南变成“猫”的原因，有人认为当时中国的十二生肖传入越南时，“卯兔”的“卯”与汉语“猫”的读音相似，结果“卯年”误读成“猫年”。也有人认为当时的越南没有“兔”这种动物，因此用“猫”来代替。印度的十二生肖，也与中国生肖差不多，只是将“虎”换成“狮”，将“鸡”换成了“金翅鸟”。

墨西哥的十二生肖是虎、兔、龙、猴、狗、猪和其他6种墨西哥特有的动物。伊拉克十二生肖是猫、狗、蛇、蜣螂、驴、狮、羊、牛、鹰、猴、鳄、红鹤。埃及的十二生肖是牡牛、山羊、猴子、驴、蟹、蛇、犬、猫、鳄、红鹤、狮子、鹰。希腊的十二生肖，与埃及基本相同，只是将“猫”换成了“鼠”。

从地域上看，古埃及、古巴比伦、古印度及古代中国四大文明古国均有十二生肖，其流传的区域虽然很广，但主要集中于亚洲。因此可以推断，这一文化起源于亚洲的某一民族，后来逐步流传至世界各地。然而，至于最初究竟为哪个民族所创，至今仍是不解之谜。

25. 1月11日对日本人来说有什么特别的意义？

1月11日对于日本人来说是一个重要的日子，人们将会在这一天进行“镜开”活动。这里的“镜”指的是一种黏糕，这种黏糕起源于中国，由于其外形如同一面圆镜，因而被称为“镜饼”。人们用黏米做成两块大小不同的黏糕，大块儿的放在下面，小块儿的摞在大块儿之上。

“镜饼”最初是日本宫廷中“固齿”仪式（一种祈祷长寿的仪式）上的食物，后来这种食物流传到宫外，上层社会人家过年时，用其为孩子们举行祝福仪式。当时人们把这种黏糕称为“戴饼”，因为在这种仪式中，小孩儿要把它顶在头上，由大人触摸3次，据说这样孩子便会健康长寿，前程似锦。到15世纪60年代左右，这种食物演变成给神佛上供的供品，出现了“镜饼”的称谓，并一直流传至今。如今在给神佛上供的“镜饼”旁边还要摆放羊齿草、代代花、柿子、海带以及一种名为“交让木”的树叶等，作为装饰。

所谓“镜开”就是把“镜饼”从神佛前的供桌上撤下来之后，男人们用甲胄（不可以用刀），女人们用手或者槌子将其弄碎，放入“杂煮”中或红豆汤中煮后吃掉。“镜开”的日子最初定为1月20日，17世纪早期改为1月11日。

26. 苏摩酒为何被称为长春酒或不死之药？

古印度的婆罗门教非常崇尚祭祀，发展出了一套从私人日常生活到国家大事的名目繁多的祭神仪式。由于这些仪式被认为与个人祸福和国家兴衰密切相关，因此，主持这些仪式的婆罗门僧侣们拥有极高的地位，成为宗教知识的垄断者和古印度人精神生活的导师，备受人们的尊崇。

古印度最重要的宗教仪式可以分为家祭和火祭两大类。家祭是主要限于家庭事务的祭祀，和一个人的成长有密切联系，主要有12

种仪式，按顺序排列为受胎、成男、分发、出生、命名、出游、哺养、结发、剃发、入法、归家、结婚，以家长为司祭者。火祭又称为天启祭，是公共祭祀活动，参加者有国王、大臣和一些高级种姓人员。火祭有专门的司祭者，其中以劝请僧、行祭僧、祈祷僧为主祭，辅助人员分宣词、赞酒、引导、点圣火、拂秽等。

火祭又分为供养祭和苏摩祭两类。供养祭是以动植物供奉诸神和祖先，一般分7种，即置火礼、火祭、新满月祭、初穗祭、四月祭、兽祭、修陀罗摩尼祭。苏摩祭则以苏摩酒供奉诸神或祖先，一般有6种，即火神赞、力饮祭、即位祭、马祭、人祭、全祭。“苏摩”在古印度是一种被神化了的植物蔓草，它生长在高山上，尤其是在喜马拉雅山上。人们取其茎在水中浸泡后以石榨取黄汁，经羊毛筛过滤后，再兑水稀释，加入牛乳、麦粉搅匀，经过发酵后酿成苏摩酒。这种酒在梨俱吠陀时代就开始流行，并因此逐渐发展出苏摩酒神，后演变为月神，掌管祭祀、苦行、星座、药草。苏摩酒也就成了印度天界神祇专用的长春酒，据说其味甘如蜜，故又称为“甘露”，饮之可获得超自然之力或永生之力，因此又被称为“不死之药”。

27. 美索不达米亚文献中提到的可以长出羊毛的树究竟是什么？

公元前8世纪，亚述国王辛那赫里布把都城从杜尔沙鲁金迁到尼尼微，并对尼尼微进行了大规模的重修和扩建工作。尼尼微逐渐成为美索不达米亚地区最重要的城市之一，其雄伟和奢华程度堪比巴比伦城。

尼尼微位于底格里斯河与大扎扑河的交汇处，与巴比伦城相距500千米。整个城市建在一个山坡之上，占地3万多平方米。城墙分内外两重，内墙比外墙要矮一些。亚述的统治者在城市的绿化方面下了很大功夫，在城市内外修建了许多花园。为了解决灌溉用水问题，还专门从底格里斯河引水过来。

在众多花园中，辛那赫里布在自己宫殿附近建造的一座大花园最为壮观。辛那赫里布花园由于建在小山上，因此也被人们称为“空中花园”。甚至许多考古学家据此认为，传说中的“空中花园”并不在巴比伦城，而在亚述的尼尼微。辛那赫里布花园依山而建，里面种满了各种奇花异树，其中很多花草树木的种子都是从很远的地方引进的。据记载，他的花园里有一种“长出羊毛的树”，其实这种树就是棉花，而棉花在当时只有印度才有。

28. 情人节与牧师有什么关系？

每年的2月14日是西方的情人节，又称圣·瓦伦丁节。有关这一节日的起源众说纷纭，其中流传最广的一个说法认为它的起源与牧师有关。

有人认为情人节与一位名叫圣·瓦伦丁的牧师有关。据说在公元3世纪时，罗马有一位贪得无厌、穷兵黩武的君主克拉底斯，他不断对外发动侵略战争以扩大疆域，因此每年都要征召大批青壮年男子入伍。他认为全身心投入战斗的士兵更为精干，因此他下令禁止士兵谈情说爱，并禁止青壮年男子结婚。人们对这一禁令虽然不满，却又无可奈何。

有一位名为圣·瓦伦丁的牧师对青年人深表同情，不顾生命危险劝谏克拉底斯解除这一禁令，并毅然违反禁令为一些青年男女主婚。克拉底斯对圣·瓦伦丁的行为极为恼火，下令将其处决。在全国人的苦苦哀求下，克拉底斯只好收回成命而将其投入监狱。后来，不堪忍受折磨的牧师还是死在狱中。人们为了纪念这位热诚勇敢的牧师，便把他去世的那天——2月14日定为圣·瓦伦丁节。

然而，很多历史学家们认为上述传说并不可靠，情人节很可能与古时的牧神节有关。

29. 为什么笛福认为如果没有1666年的大火，伦敦的经济不会那么快就有起色？

1666年9月2日凌晨，英国伦敦一间面包铺失火。风助火势，火借风威，大火迅速吞噬了整个城市。包括海关大楼、市政府会议厅、交易所、6座监狱、87座教堂（包括圣保罗大教堂在内）、44家公司以及13 000间民宅全被焚毁。值得庆幸的是，由于大多数市民有充裕的时间逃离火海，因此只有8个人在大火中丧生。

尽管这场历史上最严重的火灾，给伦敦造成极大的破坏和非常惨重的经济损失，但也并非一无是处。在伦敦大火爆发的前一年，鼠疫在欧洲大范围流行，仅伦敦地区，死亡人数就超过6万人。1665年6月以后的3个月内，伦敦人口减少了1/10。英国王室逃出伦敦暂住牛津，有钱人也纷纷携家带口逃亡在外，有病人的住房都用红粉笔打上十字标记。当伦敦大火发生时，地窖中的老鼠根本无处藏身，使得数量庞大的老鼠在火海之中丧命。重建后的伦敦以石屋代替了木屋，城市的卫生也大大得到改善。鼠疫不仅被这场大火切断，而且也彻底失去了再次爆发的基础。

同时，重建伦敦的迫切要求强有力地拉动了内需。1666年10月1日，英国建筑师克里斯托弗·雷恩（1632–1723）上书国王查理二世，提出伦敦重建计划。不久以后，国王指派包括雷恩在内的6名委员负责伦敦重建工程。在这场轰轰烈烈的重建工作中，雷恩共重建了50余座教堂（其中包括圣保罗大教堂）、肯辛顿宫、汉普顿宫、纪念碑、皇家交易所、格林尼治天文台。这些工程使得英国的经济突飞猛进。因此，笛福说："如果没有1666年的那场伦敦大火，伦敦乃至整个英国的经济都不会有那么快的起色。"

30. 罐头的发明是出于战争的需要吗?

正所谓"兵马未动，粮草先行"。自古以来，后勤给养对军队来说都至关重要。然而由于受到科学技术条件的限制，长期以来，军队携带的肉类和蔬菜常常会发霉腐烂，导致食物短缺，甚至会对战场上的形势造成决定性的影响。

19世纪初，雄心勃勃的拿破仑·波拿巴为了东征西讨，悬赏12 000法郎，征求军用食品的新鲜保存法。一位名为阿佩尔的法国人在贩卖蜜饯食品时，发现这类食品有些容易变质，而有些却长久不坏。他开始留意这种现象，并找到了一个窍门：密封在玻璃容器里的食品在经过适当加热后，便容易长久保鲜。他从中大受启发，于是对食品保藏的方法进行了专门研究，经过10多年的不懈努力，终于获得成功。拿破仑将12 000法郎奖金颁发给阿佩尔，之后阿佩尔公布了他的方法：将处理好的食品装入广口瓶内，全部置于沸水之中，加热30–60分钟后，立即用软木塞塞紧，再用线加固或用蜡封死。这就是现代罐头的雏形。

这种方法简单易行，因而得到迅速传播。1810年，英国人彼得·杜兰特制成了马口铁罐头，并获得了专利权，这种铁皮罐头成为现代罐头的真正始祖。1812年英国人贝杨·唐金与约翰·霍尔收购了这项专利，成立了一家罐头工厂，生产各种罐头。由于这种听装罐头的制作完全依赖于手工，因此成本居高不下。直到1847年专门压制罐头的机器发明后，罐头食品的成本才大大降低。1862年，法国生物学家巴斯德发表论文，阐明微生物的生长和繁殖是食品腐败变质的罪魁祸首。于是，罐头工厂采用蒸汽杀菌技术，使罐头食品达到无菌的标准。值得一提的是，罐头发明50年后，开罐器才问世。

31. 多普勒为什么认为蓝色星球距观察者较近，而红色星球则较远？

1842年，一位名叫多普勒（1803–1853）的奥地利科学家，发表了一篇名为《关于双子星的有色光》的论文。多普勒在这篇论文中指出，辐射的波长因为波源和观测者的相对运动而发生变化。他用这个原理对当时天文学家观察到的蓝色星球与红色星球的现象进行了解释。由于较高频率的光色彩较蓝，表明蓝色星球距离观察者较近；而较低频率的光色彩较红，表明红色星球距离观察者较远。如果光的速度能够界定，那么这些蓝色和红色星球的速率便能计算出来。由于这个原理是多普勒最先提出的，所以被称为多普勒效应。

尽管多普勒误把光波当成纵波，但多普勒效应这个结论却是正确的。1845年，一位名为拜斯·巴洛特的荷兰气象学家利用声波进行实验。他让一队喇叭手站在一辆从荷兰乌德勒支附近疾驶而过的敞篷火车上吹奏，让另一些乐手在月台上记下了火车逐渐接近和离开时音调的改变，进而证明了多普勒效应的存在。

1848年，也就是在多普勒效应提出6年后，法国物理学家斐索用分光仪观察了天体光谱，从而独立地发现光波的多普勒效应，这一效应可用来测定天体的视向速度。因此，人们把光波的多普勒效应称为多普勒–斐索效应。

多普勒效应有很多应用，其中最重要的是被天文学家用来佐证观测天体和人造卫星的运动。此外，这一原理也被警方用来侦测车速等。

32. 帕特农神庙的大理石雕塑为什么会在英国?

雅典，这座曾经让希腊人感到无比自豪的城市，在19世纪初时竟已变得面目全非，肮脏破败、贫穷落后，而曾被誉为“希腊国宝”的帕特农神庙也已经倾圮，惨不忍睹。大约在公元5世纪中叶，帕特农神庙被改为基督教堂，雅典娜神像被移走。1458年土耳其人占领雅典后，将其改为寺院，后来竟把它当成火药库。1687年威尼斯人与土耳其人作战时，威尼斯炮弹击中了神庙内的火药库，炸毁了神庙的中部。1800年，土耳其人将庙中的大块物件与雕像磨碎，取其石屑做灰泥。

1801–1803年，帕特农神庙经历了最为惨重的浩劫，大部分残留的雕刻被英国贵族埃尔金勋爵运走。1799年，埃尔金被任命为土耳其大使，他获准“取走任何上面有古铭记或图像的石头”。1801–1803年，一连数月，埃尔金雇用了大群工匠，用简单的锯子以及炸药等工具，将数十件雕塑作品拆卸下来。拆卸的过程中，帕特农神庙遭到严重破坏。与此同时，转移工作也在紧锣密鼓地进行。从1802–1812年，转移工作持续了整整10年。

帕特农神庙的拆卸和转移工作耗费了埃尔金大量的精力和财力，几乎让他破产。拜伦讥讽埃尔金是“最后的、最恶劣的、最无聊的掠夺者”，从“一块瘫痪的大地上做最后的劫掠”。1816年，英国政府以3.5万英镑的价格向埃尔金购买这些大理石，并且把它们放置在大英博物馆内。

200多年来，这些大理石雕塑是大英博物馆最具代表性的展品之一，有大英博物馆镇馆之宝之称。

知识链接

大英博物馆

大英博物馆又名不列颠博物馆，是世界上历史最悠久、规模最宏伟的综合性博物馆之一，与纽约的大都会艺术博物馆、巴黎的罗浮宫并称为世界三大博物馆，其藏品之丰富、种类之繁多，为全世界博物馆所罕见。

1753年，英国一位著名的收藏家汉斯·斯隆爵士去世。根据他的遗嘱，他的近8万件个人藏品以及大批植物标本、书籍、手稿等全部捐赠给国家。在向公众募集到足够的资金后，大英博物馆最终于1759年在伦敦市区附近的蒙塔古大楼成立并对公众开放。

博物馆成立后，随着藏品的日益增多，到19世纪初，蒙塔古大楼的空间已经显得过于狭小。1823年，英王乔治四世修建了一座新馆，并捐赠了许多皇家藏品，成为今天的大英博物馆。

33. 一个图瓦卢流浪汉为什么要让60亿人道歉?

两极冰川的迅速融化，南太平洋上的图瓦卢人为此昼夜难眠，不断上升的海平面正在逐渐蚕食他们的生存环境。

图瓦卢是一个由9个珊瑚岛群组成的岛国，陆地面积约26平方千米，首都富纳富提。整个图瓦卢最高海拔只有4.5米。自从1993年以来，图瓦卢的海平面上升了9.12厘米，国土面积缩小了2%。据此推算，50年后，海平面将上升37.6厘米，图瓦卢至少将有60%的国土彻底沉入海面之下。这对图瓦卢来说等于灭亡，因为涨潮时海水将淹没图瓦卢的每一寸土地。事实上，图瓦卢的末日可能会提前到来。全球气温变暖导致珊瑚的生长速度减缓并大量死去，被珊瑚礁托起来的图瓦卢也会因此而“下沉”。

目前，图瓦卢全国已有6000多人移居海外，而尚在当地生活的人口只有1万人，他们主要依靠在国外务工或定居的亲戚的支援来维持生活。以前，当地人还会种植一些蔬菜和庄稼，现在谁也不种了，因为被海水漫过之后，什么作物都会死掉。图瓦卢没有工业和农业，只有零星的服务业，所有物资都依赖进口。超市里1条普通毛巾的价格约合17美元，1瓶矿泉水的价格约合2美元，容易变质的蔬菜成为当地极为珍贵的食品。由于当地人长期以肉类为食，几乎吃不到蔬菜，很多人年纪轻轻就患有脂肪肝、心脏病、高血压、高血脂等疾病，据统计，图瓦卢人平均寿命不足50岁。

南太平洋上有很多岛国，这些岛国海拔都很低。据说，每当海水涨潮时，基里巴斯的国土就会立刻缩小一半。据科学家预测，全球气温上升2℃-3℃，全球海平面至少会上升7米，包括纽约、上海在内的城市都将被海水淹没。如果任由现状发展，这一天将不再遥远。

“我觉得，地球上60亿人都应该向我们说抱歉。”流浪在斐济苏瓦的图瓦尔居民马缇安娜淡淡地说出这句话。

34. 为什么说俄国为“大象的故乡”是对俄国的嘲笑?

追溯本民族辉煌历史可以增强民族的自信心和凝聚力，使本民族在政治上爆发出一股巨大的力量。然而，这种用来激发民族自豪感和凝聚力的精神力量，很容易被政治阴谋家所利用。第二次世界大战时，3个法西斯国家都鼓吹自己的民族是世界上“最优秀的人种”，认为是雅利安人是“所有文明的创造者”，大和民族是“神的子孙”，而那个常常被手下气得叫嚷要“改造意大利人种”的墨索里尼，也喜欢追忆古罗马帝国的辉煌。

俄罗斯人也有这样的癖好。俄国有一句格言：“每个国家都通过自己的钟楼来看世界，而俄国的钟楼是世界上最高的。”俄国人吹嘘自己在一切可以想象得到的领域里都是首屈一指的。苏联时期的百科全书曾经这样写道：“发明无线电的不是马可尼，而是亚历山大·波波夫；发明电灯泡的不是爱迪生，而是亚历山大·洛迪金；发明蒸汽机的不是瓦特，而是伊万·波祖诺夫；发明飞机的不是莱特兄弟，而是亚历山大·莫扎伊斯基……”许多苏联学者甚至认为斯拉夫人远古就独立创造了文字，想借以抹杀俄文字母外来传入的事实。当时一些知识分子经常以“俄国是大象的故乡”这句俏皮话来讥讽这种极端愚蠢的沙文主义。

35. 真正的“雷米特杯”在哪里？

1928年，国际足联决定举办四年一届的足球世界杯赛，冠军将获得一个奖杯。这个奖杯是一尊胜利女神雕像，由纯金打造，重1.8千克，高30厘米。此杯为流动奖品，哪个国家获得冠军，就可以保存金杯4年。第一个获得过3次冠军的国家，就将永远得到此杯。后来，为了表彰前国际足联主席雷米特为足球运动做出的贡献，将这尊奖杯命名为“雷米特杯”。

“雷米特杯”有着坎坷的经历。“二战”期间，国际足联副主席巴拉西一直将它藏在床下的一个鞋盒里，才使它没有落入占领军之手。1966年，“雷米特杯”在这届世界杯的主办地英国不翼而飞。英国警方四处搜寻，却一无所获。眼看赛期将至，尴尬的英国足协甚至打算不惜血本重铸一座。令人啼笑皆非的是，一个星期后金杯被一只小狗在伦敦郊外的垃圾堆中找到。狗的主人因此得到了53英镑的奖金，这只小狗也得到了一块肉骨头的奖励。

1930–1970年共举办了9届世界杯，有5个国家获得过冠军，其中巴西队3次举起过“雷米特”金杯，从而永久地占有了它。于是，国际足联造了一尊“大力神杯”作为新的奖杯。然而，1983 年“雷米特杯”又一次失踪。第二年，巴西警方逮捕了几名犯罪嫌疑人。据交代，他们已经把“雷米特杯”送到一家铸造厂熔化，随后又将1.8千克的黄金卖了出去。于是，巴西足协不得不制作了一件复制品。

本案似乎已经终结。然而有人在仔细对比分析了各个时期的“雷米特杯”照片后，发现了疑点。早期照片女神的双腿是并拢在一起的，衣服的皱褶也不多，而后期照片女神的双腿略微分开，衣服皱褶也似乎多了。国际舆论再度哗然，难道巴西保存的“雷米特杯”本来就是赝品？如果这一结论成立的话，就意味着在巴西获得“雷米特杯”之前，奖杯已经被调包。而调包的最大可能，一是

“二战”时巴拉西在床下保存期间，二是1966年在伦敦失盗前后，三是在其他几个冠军奖杯得主保存期间。至于真相到底是什么，现在已经无人知晓。

36. 古埃及人为何要建造太阳船？

1954年，人们在对埃及金字塔进行清理时，在一座2米多高的围墙下发现了一个墓穴，墓穴中放置有大量木材。考古学家对这些木材进行分析鉴定后，认为它们是一艘大型木造船的组成部分。1955年，考古学家从墓穴中取出了木材、绳索及石锤等建船材料或建造工具，对损坏的木材进行了修补，组装成后来被命名为“第一太阳船”的陪葬船。据分析，这艘船距今已有4600年的历史，是人类历史上最古老的大型木造船。1982年，第一太阳船正式对外展出。1987，日本考古队在第一太阳船所在墓穴的西侧，发现了“第二太阳船”的墓穴。

古埃及人为何要建造太阳船？这与他们的信仰有关。古埃及人崇拜太阳，把太阳神看成是最伟大的神祇，认为法老死后的灵魂会与太阳神一起在天空旅行，而他们乘坐的交通工具就是“太阳船”。太阳船有两种：一种是在天空由东向西航行的白昼之船，另一种则是在地下由西向东航行的黑夜之船。每天早晨，太阳从东方升起，搭乘白昼之船渡过天河然后向西方落下；每天夜里，太阳搭乘黑夜之船越过地下的大河，由西方返回东方。古埃及把黑夜看成是死亡的象征，认为太阳每天都会死亡、转世，而人也会死而复生。

古埃及人对太阳的信仰也表现在金字塔的修建上，他们把金字塔当成是法老灵魂通往太阳的阶梯。金字塔诞生于第三王朝，在第四王朝的胡夫王时代达到鼎盛。随着古王国的衰亡，金字塔的规模也逐渐缩小，并最终被“王陵谷”的石窟墓取代。然而，在中王国时代，根据神话传说建造的太阳船模型，仍被古埃及人作为陪葬品放入墓中。

37. NBA各球队的名称是怎样产生的？

NBA（National Basketball Association，美国男子篮球职业联赛）主要球队名称来历：

休斯敦火箭：球队最初所在地为圣地亚哥，当地太空工业发展迅速。

达拉斯小牛：为了纪念当地的牛仔生活。

孟菲斯灰熊：灰熊是球队最初所在地英属哥伦比亚特有的动物。

新奥尔良黄蜂：球队最初所在地为夏洛特，队名源自革命战争时期一位英国将军写给英王的信："在这个地方打仗犹如在蜂巢里打仗一样。"

圣安东尼奥马刺：为了纪念当地的牛仔生活，球队以牛仔用来驾马的马刺命名。

丹佛掘金：为了纪念19世纪科罗拉多地区的淘金热。

明尼苏达森林狼：明尼苏达州是森林狼在美国的主要栖息地。

波特兰开拓者：在征名活动中，"先锋"胜出，但为了避免重名，改为"开拓者"。

西雅图超音速：源于频繁起降于西雅图市的波音飞机。2008年改为雷霆。

犹他爵士：球队最初所在地为新奥尔良，队名通过征名选出，而犹他并没有爵士乐的传统。

金州勇士：球队最初所在地为费城，以费城老牌球队的名字——"勇士"来命名。

洛杉矶快船：球队曾经落户圣迭戈，圣迭戈海湾经常有大船穿过。

萨克拉门托国王：球队最初名为"皇家"。后来球队曾落户堪萨斯城，为了避免与当地棒球队重名，改名"国王"。

洛杉矶湖人：球队最初所在地是千湖之地——明尼阿波利斯。

菲尼克斯太阳：通过征名得来。

波士顿凯尔特人：波士顿有很多爱尔兰人后裔。

新泽西网：根据篮球场上重要的组成部分命名。

费城76人：为了纪念1776年美国独立宣言在费城签订。

多伦多猛龙：源于当时风靡全球的电影《侏罗纪公园》和恐龙热。

纽约尼克斯：意为纽约早期荷兰移民的后裔。

芝加哥公牛：与芝加哥的肉类加工业和斗牛场有关。

克利夫兰骑士：代表了一队有胆有谋、从不屈服的男子汉。

底特律活塞：球队最初由一位汽车活塞巨商建立。

印第安纳步行者：应译为“印第安纳遛马队”，源于当地赛马竞技的传统。

密尔沃基雄鹿：鹿在当地野生动物中的数量最多。

亚特兰大鹰：源自一位在罗克岛活动的印第安人首领“黑鹰”。

夏洛特山猫：活跃敏捷的“山猫”显示了这只NBA最年轻球队的精神面貌。

迈阿密热：据说当人们想到迈阿密时，首先就会想到热。

奥兰多魔术：有位小女孩曾称赞奥兰多“像魔术一样精彩”。

华盛顿奇才：最初名为“子弹队”，后来被指有暴力含义，经过征名活动改名“奇才”。

知识链接

西部牛仔

19世纪60年代，火车冷藏车厢的发明，使得牛肉经过长途运输后依然能够保鲜。于是，美国东部的牛肉市场开始向西部牧场开放。当时，西部各州牧场的牛群都要赶到当时美国最靠西部的火车站，然后被运到芝加哥，经屠宰、切割和冷冻后再运往东部。由于路途遥远，需要有人来带领、照看牛群。这项艰巨的任务吸引了很多人，其中包括在农场工作的小伙子、想出外闯荡的年轻人、地位较低的黑人和印第安人，以及热衷冒险的外国人，他们成为西部牛仔的最初来源。西部牛仔是美国西部开发的先锋，富有英勇无畏和吃苦耐劳的精神，被称为“马背上的英雄”。

第十一章

神秘事件·千古之谜

1. 庄严俊美的"琥珀屋"真的毁于战火了吗？

1709年，普鲁士国王腓特烈一世为了效仿法国"太阳王"路易十四的奢华生活，兴建了一座"琥珀屋"作为自己的书房。

琥珀屋面积约55平方米，总重达6吨，全部用琥珀制成。据说，当时的琥珀比黄金还贵12倍。此外，琥珀屋还用钻石、宝石等珍宝作为装饰，可以随意拼装成各种形状。建成后的琥珀屋光彩夺目，富丽堂皇，被誉为"世界第八奇迹"。

1716年，为了与俄罗斯结盟，共同对抗强大的对手瑞典，腓特烈一世将琥珀屋作为礼物赠送给彼得大帝。后来，彼得大帝的女儿伊丽莎白·彼得罗夫娜女皇在对夏宫进行全面改建的过程中，对琥珀屋进行了改造，使之成为夏宫的一部分。

第二次世界大战中，当德军围困列宁格勒时，苏联为了掩藏琥珀屋而将其贴上了墙纸，但还是被敌人发现了。德国士兵将琥珀屋拆卸，装满了27个箱子，然后用火车运到哥尼斯堡（也就是后来成为苏联领土的加里宁格勒）。之后，琥珀屋曾在哥尼斯堡博物馆的展厅里展出。1945年哥尼斯堡投降前夕，德国人再次将琥珀屋拆卸"打包"，准备运到柏林，有关琥珀屋的线索到此戛然而止。

在战后的几十年里，琥珀屋的下落成为最大的一个谜。苏联克格勃、东德秘密警察苦苦寻觅，全都没有任何结果。

琥珀屋是早已毁于战火之中，还是仍然藏在世界的某个角落？很多人相信，琥珀屋被纳粹藏了起来，德军必然梦想在击败盟军后，再重新将其挖出来。国际上的很多寻宝者始终没有放弃寻找琥珀屋的努力，他们挖遍了所能见到的所有的地窖、盐井，搜寻了无数教堂和山洞。他们到过许多国家，包括奥地利、德国、波兰、立陶宛以及捷克等，有几个人甚至为了寻找琥珀屋而到水底探险，最终白白搭上了性命。但是，所有的这些努力都无果而终，琥珀屋至今仍下落不明。

2. 墨西哥的迪尔德比村为什么有那么多的盲人？

墨西哥的迪尔德比村位于太平洋沿岸海拔1400米的山坡上，人迹罕至。村民是印第安人的一支，过着近乎与世隔绝的生活。村民的生活条件非常艰苦，生产技术极为原始落后，居民形容枯槁，牲畜、家禽全都骨瘦如柴。

整个迪尔德比村只有300多个居民，除了刚出生的婴儿能看见东西外，其余的人都是盲人，甚至连饲养的动物也都是瞎的。而刚生下来的婴儿和小动物也只能拥有几个星期的光明。为了出入方便，全村的60多户人家的洞口分别做了不同的记号，村民只要用手或棍杖一触摸，便能分清是哪一家了。

据调查，这个盲人村已经存在了300多年，然而直到1927年才被外界发现。几十年来，一些学者试图弄清造成这种现象的原因，却一直没能得出令人信服的结论。

当地居民认为自己的失明是吃了一种名为“莫乔英查”的植物引起的，但这一说法并不为人们所接受。一些专家认为迪尔德比村的悲剧是一种名为蟠尾丝虫病导致的，传播这种疾病的是黑蝇，它们在叮过蟠尾丝虫病患者后，将感染性幼虫植入人、畜的血液中，幼虫迅速在人、畜的血液里生长繁殖，并最终伤及人、畜的眼睛。

黑蝇生命力很强，它能随处产卵、生长，哪怕是在光秃秃的岩石上，或是在喷洒过农药的草地上。即便如此，在科技高度发达的今天，铲除一个物种并非难事。然而令人不解的是，假如黑蝇果真是导致迪尔德比村悲剧的罪魁祸首，人们为什么不把它们彻底消灭呢？我们不得而知。

3. “彩衣笛手”究竟是谁？

1284年，一场大规模的鼠疫袭击了德国的哈默尔恩城。正在全城市民无可奈何之际，来了一位身穿五颜六色衣服的陌生人，他吹响了手中的笛子，所有的老鼠居然鬼使神差地跟着他跑到城外的河里淹死了。随后，这位“彩衣笛手”带走了当地130位儿童，从此一去不回。直到今天，哈默尔恩城里还有一块记载这一事件的石碑。“彩衣笛手”究竟是谁？这100多位孩子又到哪里去了？这个故事是真实存在的，还是虚构的民间传说？

有人认为“彩衣笛手”是子虚乌有的传说故事，它之所以盛传不衰，是因为其中包含了一个道理：人要诚实守信，不可忘恩负义。据说，在“彩衣笛手”灭鼠之前，人们答应事成之后付给他一些报酬。然而在他灭鼠之后，忘恩负义的市民拒不履行诺言。于是，愤怒的“彩衣笛手”吹起笛子，城里的130个孩子便跟着他向东而去，突然大地开裂，将所有的孩子吞没。

然而，还有一些学者认为“彩衣笛手”在历史上确有其人其事的，他是一位名叫尼古拉·施皮格尔伯格的老人，曾担任过德国的地方移民官。1284年6月26日，他带领哈默尔恩城的130位儿童向波罗的海沿岸的波美拉尼亚一带迁移。11天后，有人亲眼见他出现在什切青港。什切青港是当时移民的必经之地，距哈默尔恩城恰好为10天左右的行程。不幸的是，他们的航船在东迁的途中沉没，施皮格尔伯格与所有的孩子全部遇难。同时，有人通过实验证明，“彩衣笛手”用笛子来控制老鼠的办法是完全可行的。历史上，英国就有人利用高频率的笛声扰乱老鼠的神经，进而将数以万计的老鼠驱入陷阱之内。

直到现在，每年6月26日的宗教节日，哈默尔恩城还上演有关“彩衣笛手”的戏剧，而关于“彩衣笛手”之谜的研究和争论也将继续下去。

4. “北京猿人”化石究竟在哪里?

珍珠港事件爆发前夕，为了避免“北京猿人”化石落入日本人之手，在瑞典学者魏敦瑞的建议下，中国政府同意将其运到美国暂时保存。1941年11月，“北京猿人”化石被协和医院负责库房管理的技师胡承志秘密装进木箱，送到美国大使馆。就在“北京猿人”化石被美军护送到秦皇岛，准备运往美国时，珍珠港事件爆发。负责运输任务的美国“哈里逊总统号”被日军跟踪，匆忙之中触礁沉没。“北京猿人”化石从此不翼而飞。“二战”以后，人们一直在搜寻“北京猿人”化石的踪影，却一无所获。“北京猿人”化石究竟在哪里呢?

有人怀疑胡承志只是将两只空箱交给了美国大使馆魏敦瑞的秘书息式白，私自将“北京猿人”化石藏了起来。息式白女士也难脱嫌疑，从接到木箱到交出木箱，中间约有两个小时，她有充足的时间来个偷梁换柱。

有人认为早在珍珠港事件爆发以前，美国人便背着中国人把“北京猿人”化石偷偷运往美国，留给中国的只是复制品。或者“北京猿人”化石在事件爆发前后，被美国人利用其他途径运走了。

有人认为“北京猿人”化石在运往美国的途中被日军缴获了，所以很可能藏在日本。然而，“二战”后，中美两国曾多次到日本搜寻“北京猿人”化石，每次都是空手而回。

有人认为，“北京猿人”化石在运往美国的途中，因船遭难而沉入海底。有人进一步推测，日本人找到沉没海底的化石后，用一艘驳船将其运往日本。但驳船驶往横滨的途中，遭到美国空军的袭击，化石随驳船再次沉入海底。

还有人认为，“北京猿人”化石埋藏在北京城的地下。据说在珍珠港事件爆发前夕，当时美国大使馆的一个卫兵曾看到有人将一箱东西偷偷埋在大使馆的院子里，这一箱东西可能就是“北京猿人”化石。

总之，“北京猿人”化石至今仍然下落不明，成为历史上最大的谜案之一。

知识链接

“北京猿人”头盖骨化石发现的重要意义

1929年12月2日，裴文中教授在北京市西南周口店首先挖掘出第一个保存完整的“北京猿人”头盖骨化石，震惊了国际学术界。

“北京猿人”头盖骨化石的发现，是古人类学、旧石器时代、考古学、古脊椎动物学和第四纪地质学研究中一件划时代的大事，平息了19世纪以来围绕爪哇猿人的争论，确定了“猿人阶段”的存在，证实了达尔文关于人类起源于古猿的理论是正确的，为研究人类的进化、再现早期人类的生活面貌，提供了极为珍贵的第一手资料。1989年，在纪念“北京猿人”头盖骨化石发现60周年的时候，黄培年教授用最新测定年代的方法测定，“北京猿人”的年龄为57.8万年。

5. 真的有普里阿摩斯宝藏吗?

在荷马的《伊里亚特》中，特洛伊国王普里阿摩斯是赫克托尔和帕里斯的父亲，特洛伊被希腊人以木马计攻破后，普里阿摩斯被阿喀琉斯的儿子杀死。希腊人在对特洛伊城大肆掠夺之后，付之一炬，特洛伊战争宣告结束。

近代的多数学者都认为《荷马史诗》中描述的故事都是子虚乌有的神话传说。1870年，对《荷马史诗》中的每一个字都坚信不疑的德国考古学家谢里曼来到特洛伊平原，进行了艰苦的发掘工作，发誓一定要让普里阿摩斯王宫重见天日。

经过3年的努力，谢里曼在这里挖掘出了层层叠叠的古城废墟。其中倒数第二个城，有着坚实的城墙和高大的城门，城内有一处规模可观的宅院，整座城有被大火焚烧过的痕迹，谢里曼断定这就是他苦苦寻觅的特洛伊城。接着，一件又一件金银财宝被发掘出来，其中有2顶金王冠、16尊神像、24条项链、4600个金片以及其他物品，总计8700件珍贵文物。谢里曼认为这就是《伊利亚特》史诗中提到的普里阿摩斯王宫的宝藏。

谢里曼直到去世都坚信他发现的宝藏是属于普里阿摩斯国王

的，而宝藏所在的倒数第二座城址就是《荷马史诗》中提到的特洛伊城。然而，谢里曼的这一论断在他去世3年后就被人推翻。考古学家德尔费尔德在对新的发掘材料进行研究分析后，认为倒数第六文化层才是真正的特洛伊战争遗址，谢里曼所认为的特洛伊城其实是另一座更古的古城，那些财宝是公元前2300年的古物，属于比普里阿摩斯早1000年的一位国王。20世纪30年代，英国考古学家布列经研究后指出，第七文化层才是真正的特洛伊战争遗址，因为导致第六文化层城堡毁灭的原因是地震而不是战争。

既然谢里曼所发掘出的宝藏并不是普里阿摩斯的财产，那么它们究竟是谁的财产呢？真正的普里阿摩斯宝藏又在何处呢？这一切的疑问还有待于进一步的考古发现。

知识链接

莫斯科的特洛伊宝藏

当初为了得到挖掘许可证，谢里曼与土耳其政府约定，在特洛伊发掘出的文物双方各分一半。然而发现宝藏后，谢里曼却违背约定，将所有宝物全部偷偷运到了希腊。消息传出后，土耳其政府极为不满，强烈要求谢里曼归还这批宝藏，而希腊政府在土耳其的压力下，则不敢接受这批宝藏。于是谢里曼打算把它们送到英国伦敦博物馆，并希望因此受封，但没能如愿。最后，谢里曼只得把它们送到祖国，存放在柏林国立博物馆中。

“二战”后期，苏军逼近柏林，特洛伊的宝藏被德国人藏到了地下。“二战”结束时，这些珍宝不翼而飞。1996年，在俄罗斯普希金博物馆的一次展览上，特洛伊珍宝重见天日，原来它们早已被苏军秘密运走了。

6. 传说中的金银岛是否存在？

《金银岛》被认为是有史以来最好看的海盗小说之一，作者是苏格兰作家罗伯特·路易斯·斯蒂文森。小说讲述的是两伙人为争夺荒岛宝藏而展开的一幕又一幕惊心动魄的斗争，在尾声中，作者暗示读者仍有一大笔财宝埋藏在荒岛之上。

据说“金银岛”的原型是位于距哥斯达黎加海岸300英里的一个名为可可的小岛，曾是17世纪海盗的休息站，也是中转站，海盗们将掠夺的财宝在此装卸，为这个无名小岛增添了神秘的色彩。据说岛上埋有多处宝藏，其中，最著名的是来自秘鲁利马的宝藏。

19世纪初，利马尚处于西班牙的殖民统治之下。1820年，拉丁美洲最为杰出的民族英雄玻利瓦尔所率领的革命军向利马进发，利马的西班牙总督闻风丧胆，仓皇出逃。他将多年搜刮的无数财宝装在一艘船上打算乘船归国。没想到，在航行的过程中，船长见财起意，将其杀死，把宝藏占为己有。为了安全起见，船长将财宝藏进了可可岛上的一个隐蔽的洞穴之内，之后他一直没能找到合适的机会回来取走宝藏。1844年，船长离开人世，留下了一张真假难辨的藏宝图。

从此，这张藏宝图成为无数探险家前往可可岛的原动力。然而不知是藏宝图太难懂，藏宝之地太隐秘，还是藏宝图本身就是骗人的，这些传说中的宝藏始终不见天日。

耐人寻味的是，1978年，一向支持寻宝的哥斯达黎加政府突然改变了态度，以保护生态环境为理由，封闭了可可岛，严禁人们继续在岛上寻宝。难道这其中隐藏着什么秘密吗？“金银岛”之谜难道永远没有破解之日了吗？

7. 沙皇的500吨黄金哪里去了？

十月革命后，一支由沙俄将领哥萨克率领的部队，护送着一列装载着沙皇的500吨黄金的列车，沿西伯利亚铁路向中国东北边境转移。由于饥寒交迫，很多士兵在半路上冻饿而死。经过3个月的艰苦跋涉，护送队伍好不容易来到了贝加尔湖湖畔，却发现铁路已被彻底破坏，无法行车，哥萨克只好命令部队改乘雪橇。于是，装载着500吨黄金的雪橇在冰封的湖面之上缓慢前行。突然，冰面突然开裂，据说，哥萨克的整支军队和500吨黄金全都沉人冰冷的湖水之中。

18年后，一位生活在美国的原沙俄军官贝克达诺夫宣称，沙皇的500 吨黄金并没有沉入贝加尔湖，早在部队抵达伊尔库茨克之前就已经被转移走了，并且早已被秘密埋藏了起来。贝克达诺夫当时负责埋藏黄金的任务，他与一个名叫德兰柯维奇的军官率领45名士兵，把黄金埋在了一座坍塌教堂的地下室里。之后，两位军官用机枪把这45名士兵全部枪决以防泄密。在返回的路上，二位军官各起疑心，贝克达诺夫眼疾手快，率先掏出手枪将对方打死，成为唯一掌握沙皇宝藏秘密的人。

1959 年，贝克达诺夫利用一次大赦的机会返回苏联，他与一位自称为约翰·史密斯的美国工程师和一个名叫达妮娅的姑娘一起来到当初埋藏宝藏的位置，发现宝藏仍然完好无缺，便取走了一些黄金。然而，正当他们开车闯过格鲁吉亚边境时，突然遭到一阵弹雨的袭击，贝克达诺夫被当场打死，而史密斯和达妮娅则扔下车子和黄金，慌忙逃出了苏联，沙皇宝藏秘密的线索再次中断。

假如这500吨黄金确实如贝克达诺夫所说没有沉入贝加尔湖，要想解开宝藏的秘密，还需要史密斯或达妮娅出来做证。然而，事情已经过去了这么多年，这二位还健在吗?

8. 印加宝藏在哪里?

新航路开辟后，西班牙殖民者登上了美洲这片“新大陆”，开始了疯狂的掠夺和血腥的杀戮。有关印加遍地是黄金的传说更是激起了殖民主义者无止的贪欲。

1532年，皮萨罗率领西班牙征服者从巴拿马出发，入侵印加帝国，在没有遇到任何抵抗的情况下来到了印加帝国的重镇卡哈马卡城。狡猾的皮萨罗设计俘虏了印加皇帝，并逼迫他交出40万公斤黄金来赎身。然而，当印加人刚送来5万公斤黄金后，皮萨罗便因担心夜长梦多，背信弃义地杀害了印加皇帝。

此时，印加人正忙于向卡哈马卡城运交其余的赎金，在获悉皇帝已经遇难之后，就将刚收集到的黄金隐藏了起来。当皮萨罗率领部下一路烧杀抢掠，开进印加帝国的首都库斯科之后，虽然也看到了一些用金箔镶嵌的庙宇和宫殿，并在库斯科城郊的一个洞穴里发现了一些黄金器物，但并没有找到传说中那么多的黄金。

1533年，皮萨罗得知印加帝国的大量黄金被印加人偷偷地运到的的喀喀湖中隐藏起来了，于是派部下去的的喀喀湖探宝。他们来到湖上寻觅了好几年，一直没能找到“印加宝藏”的下落。而皮萨罗及其同伙却因分赃不均发生内讧，皮萨罗本人被杀死。

那批巨额的“印加宝藏”虽然下落不明，但可以肯定的是西班牙人最后带回欧洲的只是印加财富的一小部分。据说皮萨罗之后的一些西班牙殖民者纷纷来到这里来寻找传说中的宝藏，但全都空手而归。难道真的像当地土著所说的，印加人的咒语和亡灵在这片神奇的土地上牢牢地看守着这些宝藏，不让外人发现吗？

9.“黄金船队”因何沉没？

1708年，一艘满载金银珠宝的西班牙帆船“圣荷西”号从巴拿马启航，向西班牙领海驶去。此时的西班牙与英国、荷兰等国正处于敌对状态，“圣荷西”在半路遭到一队英国军舰的袭击，被几颗炮弹击沉，船上600多名船员与价值至少10亿美元的财宝一起沉入海底。

这种事对西班牙来说并非第一次。早在1702年，西班牙历史上著名的“黄金船队”就在大西洋维哥湾被英国军舰击沉，成为探宝史上的一件大事。

当时，一支由17艘大帆船组成的庞大船队奉命将从南美洲掠夺的金银珠宝火速运回马德里，以缓解西班牙政府严峻的财政危机。然而，当“黄金船队”驶到亚速尔群岛海面时，突然被一支英、荷联合舰队拦住了去路。这支由150艘战舰组成的舰队把“黄金船队”赶到了维哥湾，在将其围困了一个月后，英、荷联军发起总攻。由于众寡悬殊，西班牙军队全线溃败，港湾迅速被英、荷联军攻陷。绝望的“黄金船队”总司令贝拉斯科下令烧毁运载金银珠宝的船只，除几艘帆船被英、荷联军及时捕获外，绝大多数船只全都葬身海底。

“黄金船队”究竟载有多少财宝呢？后来据被俘的西班牙海军上将恰孔估计，约有4000–5000辆马车的黄金珠宝沉入了海底。尽管英国人多次潜入海底打捞，也只是捞上非常有限的“战利品”。此后，越来越多的探险者纷纷前来寻宝，他们有的捞起了空空的沉船，有的则捞到了一些珍贵的珠宝。随着时间的推移，一层又一层的泥沙将宝藏掩埋得越来越深，这无疑给探宝者们制造了巨大的麻烦和风险。

10. “拉比斯宝藏”在什么地方？

17–19 世纪，印度洋的海盗活动十分猖獗。从1716年开始，法国大海盗拉比斯在印度洋上称霸14年，共攫取了54万公斤黄金、60万公斤白银，此外还有数百颗钻石以及各类奇珍异宝。1721年，拉比斯伙同海盗泰勒捕获了一艘配有17门大炮的葡萄牙船只“卡普圣姆”号，抢走了船上总价值相当于300亿旧法郎的金银珠宝。“卡普圣母”号经过修补和粉刷一新后改名为“胜利者”号。

1722年，法国著名海军将领埃·特鲁安在波旁岛附近大败英国海军，控制了这一区域，同时大力剿灭海盗，使海盗们惶惶不可终日。后来法王大赦天下，多数海盗金盆洗手，弃暗投明，只有拉比斯等少数海盗隐姓埋名，等待时机。

1729年前后，拉比斯在马达加斯加沿岸从事领航工作，不料被人认了出来，最终落入法网。经法国特别刑事法庭审判，拉比斯犯有海盗罪，被判处死刑。1730年7月7日下午，拉比斯在走上断头台之际，突然向前来围观的人群抛出一封密码信，同时大声喊道：“我的财富属于能读懂它的人！”

两个多世纪以来，这封遐迩闻名的密码信一直在人间传阅着，从塞舌尔群岛到马达加斯加海角广阔的印度洋区域，到处可见寻宝者的踪影。英国的一位牧师兼探险家弗洛达对拉比斯密码信上的17排密码进行了艰苦的破译工作，最终破译了其中的16排，第12排的密码无论如何也破译不出。为此，他来到当年拉比斯一伙活动最为频繁的塞舌尔群岛，一住就是28年，却一无所获。弗洛达回到英国后，郁郁而终。

现在，拉比斯的密码信被收藏在法国国家图书馆内，罗浮宫中有一份复制品，每年都会吸引全世界觊觎“拉比斯宝藏”的人前来参观。至于“拉比斯宝藏”究竟埋在何处，至今仍然是一个未解之谜。

知识链接

世界上著名的海盗岛

托尔图加岛：位于海地，1630年左右由于劫持西班牙的商船而被法国驱赶的海盗就落脚于此。

皇家港口群岛：位于牙买加，是16世纪一个重要的港口，在这里定居的海盗曾受到英国政府的鼓励，袭击过往的法国和西班牙的商船。后毁于一次非常剧烈的地震。

拿骚：位于巴哈马群岛，见证了历史上海盗的黄金时期，出现过很多著名的海盗首领，比如杰克·雷克汉姆、安妮·鲍利和黑胡子（爱德华·蒂奇）。

英属开曼群岛：由于正好位于墨西哥和古巴航路的中间，经常被海盗用作基地。

此外，圣克洛伊岛、英属维京果岛、罗坦岛、圣基茨岛、法属瓜德罗普岛等都是“臭名昭著”的海盗岛。

11. 布尔人的黄金在哪里？

南非是世界上五大矿产国之一，黄金、钻石的储藏量均为世界第一。19世纪中后期，人们陆续在那里发现了黄金和钻石。世界各地的寻宝者蜂拥而至，特别是1884年在威特沃特斯兰德发现了大量金矿，淘金热自此席卷整个南部非洲。那是一场惊心动魄的大浪潮，操着各种语言与口音的人们支起一个个简单的帐篷，或用木板建一个简易木屋，或用铅皮搭成简陋的工棚，生活是清苦的，而未来，人们坚信是美好而光明的。至19世纪末，威特沃特斯兰德地区的黄金年产量已经达到12万千克，占世界黄金总产量的14%之多，并且由此诞生了一座黄金城——约翰内斯堡。10年的时间，那些原本只有帐篷、简易木屋与铅皮工棚的地方已经建起了堂皇的住宅，发展成为一个拥有10万人口的现代大都市。

而南非的土著居民，他们的心情却格外复杂。当时的南非除了黑人外，还有一支白人居民——布尔人。他们是荷兰人的后裔，自17世纪起他们的祖先定居在那里，已历经三代。

19世纪末，大英帝国的势力如日中天，殖民者对自身的势力范围也充满了自信。开普敦殖民地的总督塞西尔·罗得斯无视布尔人的反对，执意在开普敦和开罗之间修筑一条铁路。英国移民也由此越来越多。随着约翰内斯堡成为南非最大的黄金产地，英国人与布尔人之间的矛盾也日益加深。为了争夺这一风水宝地，双方剑拔弩张。终于，1895年，英国人的军队越过了边界，伙同心存不满的人发动了一场政变，德兰士瓦共和国的总统克鲁格很快镇压了这场骚乱。德国人也开始插手这里，他们支持德兰士瓦与英国人作对，并卖给布尔人枪支弹药，为他们训练军队。很明显，德国人是醉翁之意不在酒，在乎黄金钻石之间也。

终于，利益双方互不相让的结果是，1899年爆发了英布战争。

一开始，布尔人占上风。可惜他们缺乏统一的领导，而且战术单调，很快被英军识破，英军逐渐占据优势。1900年5月29日，英军攻陷约翰内斯堡，第二天，德兰士瓦首都比勒陀利亚陷落。但小股的布尔军队仍然顽强抵抗，英国人开始采用严酷手段，将许多布尔人关进集中营，而且采取残忍的焦土政策，布尔人的住宅和庄稼受到严重破坏，人民流离失所。这样，1902年5月31日，最后一批布尔将领投降，这个富饶的黄金之地从此成为日不落帝国的一部分，接受英国的管辖。

布尔人的首领克鲁格于1904年7月逃亡瑞士。而克鲁格宝藏自此成为世界寻宝人的难解之谜。这并非空穴来风，布尔人的将领都承认这是布尔人的储备，原打算对英作战使用的。不时发现的财宝也在证实这一说法。1904年，凯姆普曾在斯佩隆肯附近发现一块价值25万英镑的金块；1908年，又有人在马察道乔普和贝尔费斯特之间发现一处埋藏的大金矿；1947年的发现最为重大，人们在巴波唐地区发现了4个装满克鲁格金币的箱子。因此，许多人坚信，即使克鲁格本人没有那么多财宝，但布尔人在战争期间肯定将大量财宝埋藏了起来。战后是十分混乱的岁月，随后的第一、第二次世界大战更是消耗了大量的人力、物力，直到和平时期，关于布尔人的宝藏才重新引起各方的瞩目。

20世纪50–60年代，出现了一批人，声称自己曾参与了克鲁格宝藏的埋藏工作。其中有位叫特奥尔多·维尔特的老人透露，他曾在囚禁英国军官的战俘营担任警卫，帮忙放走了英国战地记者温斯顿·丘吉尔，他手头还有丘吉尔写给他的亲笔感谢信。他声称自己参与了克鲁格宝藏的埋藏，当时年纪小，以为是弹药。后来同伴们被枪杀，他侥幸活了下来。因为种种原因没能再去寻找那批宝藏，他将这件事告诉了法兰克福的企业家贡特·法尔克，并给他一张地图。但当贡特·法尔克到达地图所指示地点——比勒陀利亚北部的小城达布姆斯普鲁特时，却意外地遇见了另一个自称也叫特奥尔多·维尔特的人，听来了同样的故事，看见了同样的书信，等到贡特·法尔克想要弄个究竟时，老维尔特却莫名其妙地被杀害了。故事听起来分外离奇，犹如好莱坞的电影。也许，所有宝藏的秘密都和阴谋、欺诈、钩心斗角等有关，因此，往往充满了传奇曲折的经历。

如今，知道布尔人宝藏的人都已经作古，而那些无价的黄金与钻石很可能还深埋在哪个不为人知的洞穴或密林里。

12. 世界上真的有蓝色人种吗?

据说，当一支欧洲考察队在非洲西部考察时，突然发现了几个用兽皮、树叶遮体的原始人。最令人吃惊的是，他们的皮肤居然是蓝色的！专家们经过进一步的调查，发现“蓝色人种”居然是一个庞大的家族，居住在洞穴之中，过着狩猎的原始生活。而且这些奇特的人不但皮肤是蓝色的，就连血液也是蓝色的。

另外，美国学者维西在南美一座海拔6000多米的山上，也发现了“蓝色人种”。维西教授说，在空气十分稀薄的高山地带，即便是身强体壮的登山队员行动起来也会感到吃力，而这些奇特的蓝色人竟然像猴子一样敏捷。

“蓝色人种”的发现，向传统的人种划分理论提出了挑战。那么，他们的蓝色皮肤和蓝色血液是如何形成的呢？

有些专家认为“蓝色人种”出现了某种基因突变，使血液中的某些化学成分发生了异常变化，进而导致了血液颜色的变异。

有些学者推测可能就是高山缺氧所至。当氧气充足时，血红蛋白会呈红色，所以常人的血液呈红色；而缺氧的时候，血红蛋白就会变成蓝色。研究人员还发现，蓝种人的血液中血红素大大超过了正常人，这也许就是他们能在缺氧环境中行动如常的原因。

还有一些学者指出，在海洋中，有些动物的血液是蓝色的，也有一些动物的血液是绿色的。血液的颜色是由血细胞蛋白中含有的元素所决定的。使血液变蓝的叫血蓝蛋白，因为里面含有铜元素；使血液变绿的叫血绿蛋白，因为里面含有钒元素。从这一理论可以推断，蓝色人种的血液之所以呈蓝色，可能是由于铁元素缺乏而铜元素超标造成的。

总之，关于“蓝色人种”的成因众说纷纭，难下定论。

13. 人真的可以“死而复生”吗？

据医学专家称，数年后可能会出现这种情况：人可以沉睡几百年暂时离开人世去好好休息，而当他们厌倦了这种“死亡”后，就可以苏醒过来，在人间继续生活。

这似乎是荒诞离奇的幻想，但波士顿马萨诸塞中心医院的专家们通过实验，成功让一只已经死去一个小时、心脏停止跳动的猪复活。同时，维也纳国立医院实验室也进行了类似的试验，同样获得了成功。

在随后的几年里，上百头猪接受了类似的试验。实验过程中，工作人员首先对猪进行深度麻醉，以确保接受试验的猪不会感到疼痛，然后为其注入2℃的盐水溶液，经过这样的处理后，猪虽然没有完全死亡，但已经停止了呼吸，失去了任何意识，其身体中只是保留着所谓的“生命的力量”。结果，这些猪都到另一个世界走了一趟，最后又都很顺利地返回到这个世界。

不仅如此，美国匹兹堡的专家们成功让一只已经死去3个小时的狗复活。据专家称，尽管这只狗在临床诊断中属于完全死亡的状态，但它重要的身体器官都非常完好，被损坏的血管和组织通过外科手术得以恢复。再通过调换它身体里的血液，为它输入纯度为100%的氧气，电击以恢复它的心脏活动，狗就死而复生了。测验表明它的大脑没有受到损害，一切都很正常。

很多人希望得到第二次生命，而且他们都认为第二次生命会更长久。猪、狗的复活实验的成功，无疑给人们带来更多的信心和希望。

14. 肉身可以不腐吗？

提到肉身不腐，人们就会立刻想起古埃及人制作的一种干尸——木乃伊。然而世上还有更为特殊的死尸，他们的皮肤富有弹性，并且保持着相当的水分，看起来就像是睡着了一般。

据中国史料记载，1276年，侵入宋朝的蒙古士兵挖出一位高僧的尸体，结果发现这位死于公元712年的高僧皮肤还有弹性和光泽，丝毫没有干枯和腐烂的迹象。

1879年，35岁的圣女贝尔纳黛特·苏毕胡逝世。后来，天主教会曾三次挖出她的遗体进行检查，许多人参与了挖掘的过程，亲眼见证了贝尔纳黛特肉身不腐这一奇异的现象。如今，很多人来到法国的讷韦尔，就是为了瞻仰这位安详地“睡”在玻璃棺内的圣女的遗容。

1972年，在长沙马王堆汉墓出土了世界上历史最为悠久的湿尸——辛追，震惊了国际学术界。据史料记载，辛追是西汉长沙国丞相利苍的妻子，死于公元前186年，享年约50岁。辛追遗体出土时，全身润泽，身体各部位和内脏器官保存完整，指、趾纹路清晰，肌肉尚有弹性。经检测，死者生前患有胆石症、冠心病、全身性动脉硬化、血吸虫病等多种疾病。在女尸肠道中发现的甜瓜籽揭示了辛追的真正死因——食用甜瓜引起多种并发症，并最终导致了心绞痛。

2001年，安徽砀山出土了一具清代女尸，女尸出土时头发乌黑，面色红润，皮肤白皙，肌肉丰满并富有弹性，关节仍可屈伸，喉咙处有两道剑伤，衣着华贵，为世界上极为罕见的湿尸。关于她的身份，有人说她是乾隆下江南时曾经爱慕的一位女子，也有人猜测她是一名戍边将军的妻子，甚至还有人认为她就是香妃。

从尸检结果来看，上述这些尸体并没有进行过如同木乃伊那样的防腐处理，五脏六腑也没有掏出。这些奇迹是如何出现的呢？科学家对此做出很多猜测，却很难得出令人信服的结论。

15.“催眠”是为了使人睡眠吗？

催眠是以人为诱导引发的一种类似睡眠又非睡眠的意识状态。其特点是被催眠者处于一种高度受暗示性的状态，自主判断、自主意愿行动减弱甚至丧失，并在催眠师的诱导下，在知觉、记忆和控制中做出相应的反应。尽管催眠很像睡眠，但催眠与睡眠是没有任何关系的，睡眠并不是催眠的目的，也不是催眠的手段，因为昏睡状态下的人是不会对任何暗示起反应的。因此说“催眠”这个名称本身是带有一定误导性的。

很多人认为，催眠能否成功，效果如何，主要在于催眠师的技艺是否高明。事实上，催眠是一个互动的过程，它除了与催眠师本身的经验和技艺有关外，还取决于被催眠者是否具有高度的可催眠性，以及彼此之间的信任程度。

催眠的历史非常悠久，早在5000多年前的古埃及，以及中国古老的道术，还有某些民族的巫术，都或多或少带有一些催眠的因素。近代催眠开始于18世纪后半叶，维也纳医师麦斯梅尔创造了一种全新的治疗方式，其原理是人体内有一种“动物磁力”，分布不当就会得病。他在治疗时，让患者围坐在一间闪烁着昏暗灯光的屋子里，打开轻音乐。然后，麦斯梅尔扮作巫师，用一根沾有化学药品的铁棒，轻轻敲打每个患者的身体，以把化学药品中的“动物磁力”传到患者体内。据说他用这种方法治愈了很多病人，名噪一时。

后来，苏格兰医生布雷德对这种治疗方法进行了分析。1843年，他发表《神经催眠学》一书，将这种缓解病患痛苦的治疗方法定义为催眠，成为首位提出“催眠”一词的人。他在书中指出，催眠与所谓的“动物磁力”或某种神秘物质无关，而是由患者主观心理的影响所致。从此以后，催眠受到越来越多的人的重视，发展非常迅速，逐渐成为一门应用科学。

16. 天才可以被创造出来吗?

人类对于大脑的研究已有2500年的历史，然而对自身大脑的开发和利用程度却只有10%。当今的科学家们普遍认为，人的大脑还有很大潜力可挖。近年来，美国科学家布鲁斯·米勒在人脑内发现的“天才按钮”，引起了很多人的关注。作为一种观点我们有必要了解。

米勒曾对一些大脑受过损伤的病人进行研究，发现了一个吃惊的现象：一些右颞下受过伤的人后来变成了某个领域的天才。比如，一名9岁的男孩在大脑受损后竟成了一名力学专家；有一位56岁的建筑工，大脑右半球受到损伤后却激发了绘画天分，成为一名画家。还有一位擅长中国山水画和西方写实画的女教师，自从患了脑病以后，便开始融合中西两种画风，创作了一系列令人惊叹的印象派作品。米勒博士认为这是由于受损神经元坏死后，大脑“天才区”长久压抑的天分被释放出来的缘故。

既然如此，能否人为激活大脑中的那些被压迫的“天才按钮”，从而把一个普通人变成天才？对此，米勒博士声称，他可以借助手术刀和一两件神经外科器械，彻底改变一个人的性格、思维方式乃至信仰。当然，这一观点还很值得怀疑，有待进一步考证。

据说，澳大利亚科学家曾对17名志愿者的大脑进行磁刺激试验，把他们大脑皮质的有关部分断开几秒钟。试验的结果让人吃惊：有5个人能迅速算出某个日子是星期几，有6个人能凭记忆把马头画得丝毫不差，其余的人轻易就能记住好几个通信地址。

这些试验动摇了人们过去的“天才源于勤奋”的观念。也许有一天，人类掌握了有关大脑的更多细节，拥有更先进的医疗技术，通过启动人脑内的“天才按钮”，就有可能将常人变成天才。

知识链接

爱因斯坦的大脑

爱因斯坦去世后，他的大脑被保存下来，用于科学研究。近年来，科学家将爱因斯坦的大脑与4名与他逝世时年纪相同的男子的大脑进行了对比研究，发现了一些结构上的差异。爱因斯坦的大脑比常人宽15%，除了脑细胞数量更多外，爱因斯坦的大脑星形胶质细胞突起比较大，同时这些胶质细胞末端的神经组织数量也较多。此前，研究人员已经发现爱因斯坦大脑的神经元密度相对较大，而大脑皮层则比常人的大脑皮层薄。爱因斯坦大脑每个神经元的胶质细胞数量较多，表明他的大脑会消耗更多的能量，同时也可能意味着爱因斯坦大脑有着更强的思维能力，因为胶质细胞的作用是支持和保护神经元。

17. 双胞胎间真的存在奇妙的感应吗?

双胞胎分为同卵双胞胎和异卵双胞胎两类。同卵双胞胎（以下简称双胞胎）指两个胎儿由一个受精卵发育而成，出生率大约为1∶125，这样的双胞胎性别相同，外貌几乎一样，在性格爱好等方面也极为相似，甚至在他们的患病和死亡之间似乎也存在着某种联系。

有一对美国籍的双胞胎兄弟，刚出生就被不同的家庭收养，几十年后重逢时发现：二人名字都叫“詹姆斯”；都在机械、木工和绘画方面具有天赋；都结过两次婚，前妻都叫琳达，现任妻子都叫贝蒂；他们各有两个儿子，分别名叫詹姆斯·艾伦和詹姆斯·艾兰；两家宠物狗的名字都叫“玩具”。

有一对英国籍的双胞胎姐妹，很小的时候便天各一方，几十年后重逢时发现：二人都戴了7个戒指，3个手镯；一个人的儿子叫理查·安德鲁，另一个人的儿子叫安德鲁·理查；一个人的女儿名叫凯瑟琳·露易丝，另一个人的女儿名叫凯伦·露易丝。

有一对很久没有见面的双胞胎姐妹，在即将重逢时为了给对方惊喜，居然不约而同地剪了短发、二人都患有头痛病，就连病症的程度以及发作的时间也几乎一样。

还有一对双胞胎兄弟，他们几乎同时心脏病发作而被送到了医院，最终死于相同的疾病以及相同的时间。

科学家认为这种奇特的现象并非巧合，而是双胞胎之间存在某种“心灵感应”。他们相同的生理基础与这种感应有着密切的联系，但具体是如何发生这种感应的，科学家们的解释也非常牵强。有人认为与受精卵分裂的时间有关，分裂时间越短，双胞胎之间的相似度就越高，感应也就越强。也有人从非遗传学来解释，认为这种感应属于生物电感应。双胞胎有着非常相似的生物电系统，所以他们能释放并接收到同一种感应。

总之，时至今日，仍没有科学的证据来证明和解释双胞胎之间“心灵感应”现象。

18. 牛顿为什么会精神失常?

被誉为“历史上最杰出的科学家”与“近代物理学之父”的英国科学家牛顿（1642–1727），在1692年左右曾一度精神失常，这在当时他写给好友的信中明显地表现出来。

他写道：“我被蒙塔古先生骗了，并和他断绝了关系。”蒙塔古曾帮他在英国造币厂谋到美差。“你（洛克）竭力用女人和其他手段来折磨我，使我的生活大受影响。当有人告诉我你生病时，我回答说：‘最好他死掉！’”牛顿的信使他的朋友感到非常震惊和苦恼，不知该怎样回复他。

牛顿的这种状态持续几年后逐渐恢复正常。对于牛顿突然发病的原因，200多年来，专家们各持己见，争论不休。

有人认为工作辛苦、用脑过度，使得牛顿未老先衰，不到30岁，他的须眉毛发全白了，而这往往是自主神经功能紊乱等一些慢性病的前兆。

还有人认为牛顿精神失常是由外界因素的刺激引发的。1689年，他母亲的逝世使他极度痛苦，长时间内萎靡不振。在他母亲去世不久，他的《光学》《化学》等重要文稿被一场无情的大火烧毁了，使他几近崩溃。牛顿还要面对论敌的攻击，宗教和科学领域的人攻击他有一流的神学，却有三流的科学；政客们攻击他的科学、神学都是三流；有人看他孝顺母亲又终身未娶，就中伤他有心理疾病；有人看他厚待学生，就诽谤他搞同性恋。这些攻击使牛顿简直要发疯。

有人对牛顿留下来的4绺头发进行了研究，发现其中含有高浓度的有毒物质，尤其是汞的浓度超出底线值20倍。于是断定，牛顿精神失常是由于他在进行科学实验时长期接触汞而导致的。

然而有些专家对这种观点表示质疑，因为无法证明头发是否属于牛顿精神失常时期的。而且即便是属于牛顿精神失常时期的，这些头发历经几百年之久，很难保证它们没有吸收外界有毒的物质而发生过变化。据统计，牛顿每年接触汞的时间不超过100小时，达不到汞中毒的时间条件，即使在他发病期间，也未出现与汞中毒相关的任何症状。

时至今日，牛顿为什么会一度精神失常，仍然是一个无法解开的谜。

19.《圣经》真的有不为人知的神秘密码吗？

1994年，以色列总理拉宾收到一位美国记者给他写的一封信，信上预言他将会被人刺杀，拉宾不屑一顾地将其扔进了废纸篓。一年后，这个预言果然变成现实。

这位名叫德罗斯宁的记者，自称他根据希伯来文《圣经》旧约中所隐藏的神秘密码，预测到了拉宾的遇害。之后，他出版了《圣经密码》一书，对过去一些重大历史事件进行印证，以及对未来进行预测。此书刚一出版便高居美国、以色列等9个国家畅销书排行榜的前列。

有关“圣经密码”的研究由来已久，一些犹太教的拉比（神职人员）一直坚信《圣经》中隐藏着可预测世界的密码，并对其进行破译。里普斯和魏茨图姆两位教授在这一领域取得了一些成果。德罗斯宁就是对他们的理论进行发挥，创作了《圣经密码》一书。

德罗斯宁在书中通过“圣经密码”印证了许多重大的历史事件，包括与“二战”和海湾战争有关的史实，以及林肯、肯尼迪、甘地、拉宾等政要遇刺的信息。书中还有对未来事件的预测，其中最耸人听闻的是，在2010年之前世界将爆发第三次世界大战。也许连他自己也觉得不太靠谱，于是补充道："在这个信息附近还隐藏着另一个信息——'密码可以拯救'。"这多少暴露了他底气的不足。实际上，德罗斯宁的许多预测都经不起事实的检验。比如他曾预测以色列在1996年将遭遇一场"原子大屠杀"，事实证明就是谎言。

《圣经密码》招致多方的非议。里普斯和魏茨图姆两位教授举行记者招待会，谴责德罗斯宁不负责任的行为。不过，他们依然坚持认为"圣经密码"确实存在，只是反对德罗斯宁将其用在"科学算命"上。

20. 尼斯湖真的有水怪吗？

20世纪30年代，有人在英国尼斯湖看到了一个巨大的生物在湖水中翻滚。此后，有关尼斯湖水怪的传闻越来越多。

1934年，一个名叫威尔逊的医生拍摄了一张著名的尼斯湖水怪照片。从此，这张照片上的有着长长脖子的怪物形象，成了尼斯湖水怪的代表。照片在报纸上刊登之后，引起了轰动。很多人都涌向尼斯湖，希望有幸拍到一张"高水平"尼斯湖水怪的照片。然而直到今天，仍然没有让人信服的照片或录像来证明这个怪物的存在。

不过，很多科学家坚信尼斯湖水怪的存在。他们认为，几亿年前，尼斯湖一带原是一片浩瀚的海洋，后来经历了多次地壳运动，才逐渐演变成今天的面貌。因此，很可能有一种尚未被人类发现的远古动物仍然生活在尼斯湖里。

根据目击者所描述的外形，很多专家认为尼斯湖水怪可能是蛇颈龙的遗种。蛇颈龙是与恐龙同时代的史前动物，被认为在几亿年前就已经灭绝了，那么今天是否还有其残存的后代呢？也有人猜测它可能是被认为1800万年前就已经灭绝了的原鲸。

然而这类说法面临一些很难解释的问题。地质学家们对尼斯湖的地质状况进行了研究，发现尼斯湖曾经历经过几次冰河期。在极度寒冷的湖水中，大型动物只有温血哺乳动物才有可能生存下来。

而且尼斯湖的湖水非常浑浊，水中光线严重不足，连浮游生物都很少见，很难满足大型哺乳动物的食物需求。

值得一提的是，威尔森年老后在接受采访时坦称，当初他拍摄的那张照片，是为了捉弄当时喜欢捕风捉影的英国媒体而伪造的。此后的有关尼斯湖水怪的部分事件也被证明是假的。因此，很多人认为尼斯湖水怪根本不存在。即便如此，是不是真的还有一些被认为已经灭绝了的史前动物，依然生活在今天的地球上呢？

知识链接

蛇颈龙

蛇颈龙属调孔亚纲鳍龙目，是一类适应浅水环境的大型海洋生物，生活在三叠纪到白垩纪晚期。蛇颈龙的外形像一条长着乌龟壳的蛇，头小，颈部细长，躯干像乌龟，尾巴短。头虽然偏小，但嘴巴可以张得很大，口内长有许多锋利的圆锥状的牙齿，类似现在的恒河鳄，以鱼类为食物。某些种类的蛇颈龙身体非常庞大，可长达11–15米，个别种类甚至长达18米。蛇颈龙的鳍脚使其既能在水中往来自如，又能爬上岸来休息或繁殖。蛇颈龙类可根据它们颈部的长短分为长颈型蛇颈龙和短颈型蛇颈龙。蛇颈龙分布广泛，在欧洲、亚洲、北美、南美和大洋洲都有记录。

21. 特立尼达和多巴哥岛上的天然沥青湖是怎样形成的？

在加勒比海上有一个美丽的岛国——特立尼达和多巴哥，该国不仅以“蜂鸟之乡”著称于世，而且还因有一座神奇的天然沥青湖而闻名天下。

这座世界上最大的天然沥青湖，面积约0.47平方千米，如今已有100多年的采掘史，累积产量超过1000多万吨。湖里的沥青取之不尽，用之不竭，旧的沥青被挖走，新的沥青又涌上来。有人曾试图测量湖的深度，但钻到80多米深时还是沥青，简直是个无底洞。这里的沥青质地优良，具有良好的稳定性和特别的黏合力，使得特立尼达和多巴哥成为世界上最大的沥青供应基地。

那么，这座沥青湖是怎样形成的呢？

传说在几百年前，一支土著印第安部落打败了人侵之敌后举行盛大庆功会，席间有人忘乎所以，居然将一向被印第安人视为神灵的蜂鸟做成菜供大家品尝。这一触犯神灵的举动顿时惹来塌天大祸，天神将整个村庄和部落埋于地下，之后这里就开始不断涌出黑色沥青，逐渐形成了沥青湖。

当然，这只是一个神话传说。学术界对天然沥青湖的形成观点不一。有的专家认为，此地由于地震造成陆地下陷，地下的石油、天然气溢出后与地面上的物质结合，逐渐形成了沥青湖。有的学者认为，这里本是一座死火山，石油和天然气在地底下长期与软泥流等物质混合后，涌到火山口形成了沥青湖。

沥青湖不仅为特立尼达和多巴哥创造了源源不断的物质财富，而且还是一座历史文物宝库，因为在这座湖里曾发现过许多古代印第安人的历史文物以及史前动物的化石。更让人惊奇的是，1928年的一天，这座沥青湖里突然冒出一根4米多高的树干，一个月后才慢慢沉到湖里。经过科学鉴定，这根树干已有5000多年的历史。这些发现为研究沥青湖的成因提供了重要的依据。

22. 英国麦田的怪圈是怎么回事？

所谓“麦田怪圈”，是指麦田在一夜之间出现倒伏而呈现出的有规律的圆圈形图案。自从1647年英国发布了首例“麦田怪圈”的报道以来，世界各地频频发现“麦田怪圈”，其中绝大部分在英国。随着时间的推移，“麦田怪圈”越来越大，并逐渐演变成复杂的几何图形。

“麦田怪圈”被某些专家戏称为“外星人写给地球人的象形文字”。在所有的“麦田怪圈”中，最著名的莫过于1990年7月在英国威德郡阿尔顿巴尼斯村发现的怪圈了。这个巨大的图案长达120米，由圆圈和爪状附属图形组成，使很多科学家相信这个怪圈绝非人为。

为了揭开“麦田怪圈”的神秘面纱，1991年6月，6名科学家利用高科技设备对经常出现“麦田怪圈”的英国某地进行监视。20多天后的一个清晨，一团浓雾降落在研究人员正在监视的麦田上方。浓雾消散后，麦田上赫然出现了两个顺时针方向的圆圈。而研究人员事先安装在麦田边缘的极为敏感的红外线报警器整夜毫无反应，在麦田泥泞的地上也没有留下任何人类的痕迹，录像带和录音带也没有录到任何线索。这两个来历不明的圆圈让研究人员大惑不解。

一直以来，科学界关于“麦田怪圈”成因的观点千奇百怪。

有人推测“麦田怪圈”的形成与磁场有关，据考证，90%的怪圈附近都有连接高压线的变压器，麦田土壤释放的负电与变压器释放的正电相碰撞后会产生电磁能，从而击倒小麦形成怪圈。有人认为“麦田怪圈”的形成与太阳黑子运动有关。有人认为麦田土壤成分不一导致部分麦子倒伏从而形成怪圈。有人认为龙卷风是形成“麦田怪圈”的主要原因，因为“麦田怪圈”发生的时间和地点很容易形成龙卷风。有人认为“麦田怪圈”的形成是因为其下面有圆形的建筑或呈圆形排列的埋葬品。有人将“麦田怪圈”归为外星人的杰作。有人相信“麦田怪圈”就像“百慕大三角”一样，背后有种神秘的力量。还有人认为“麦田怪圈”只是某些人的恶作剧，据调查，有80%的“麦田怪圈”属于人为。

23. 时空隧道是否存在？

1990年，一架早已淘汰了的“道格拉斯”型客机降临在委内瑞拉的卡拉加机场上。机场人员在检查飞行员的飞行日志时大吃一惊：该机是由纽约飞往佛罗里达的泛美航空公司914号班机，是1955年7月2日起飞的。机场人员不敢置信，后经电传查证，914号班机确实在1955年7月2日从纽约起飞，在飞往佛罗里达途中神秘失踪，一直没能找到，机上所有乘客的家属都领取了死亡保险赔偿金。这些人回家之后让家人大吃一惊，孩子和亲人都老了，而他们仍和35年前一样年轻。美国警方和科学家们对所有乘客的身份证和身体进行了检查，认为一切都是真实的，绝非闹剧。

1991年发生了更让人吃惊的事。有一艘欧洲考察船在冰岛西南进行考察时，发现一座冰山上坐着一位60多岁的老人，身穿本世纪初的船长制服。谁也不会想到，他就是80年前沉没的“泰坦尼克”号船长史密斯！史密斯被送到奥斯陆后，心理学家对他进行了仔细的检查，结果表明他一切正常。经英国海事机构的指纹和照片验证，救起的这位老人的确是史密斯船长。据说当时，他声称要与“泰坦尼克”号共存亡而断然拒绝考察船的营救，因为他一直以为“泰坦尼克”号沉没发生在“昨天”。

上述这些奇异的事件，科学家是如何看待的呢？美国学者斯内法克认为，在空间存在着人类用肉眼看不到的“时空隧道”，历史上很多神秘失踪的事件都可能与它有关。有的学者将“时空隧道”归为宇宙中的“黑洞”，认为人一旦被吸入“黑洞”中，就会失去知觉，当他重返光明世界时只能记起被吸入之前的事。

然而，这种观点也有难以自圆其说的地方：“泰坦尼克”号游轮和史密斯是同时沉没的，既然史密斯进入了“时空隧道”，为什么游轮没有进入？而且，游轮上的其他乘客为什么没有跟着史密斯一起进入“时空隧道”？如果他们也进入了“时空隧道”，为何没有和史密斯同时再现？看来，要想了解“时空隧道”的秘密，还要等上一段时间。

24. 时光能够倒流吗？

1994年，一架意大利客机在非洲上空飞行时，突然从机场控制室的雷达屏幕上消失了。机场工作人员对此焦急万分。没想到20分钟后，客机又在原来的地方出现。安全降落后，客机上的机组人员和300多名乘客，并不知道自己曾经“失踪”过。当他们发现自己的手表都慢了20分钟后，不得不接受这一说法。对此专家们认为，在飞机“失踪”的一刹那，时间停滞了。

不仅如此，还有很多传闻更加让人难以置信。

1971年，一位苏联飞行员无意中“闯入”了古埃及，看到古埃及人建造金字塔的场面。

1982年，一位北约飞行员竟然飞到了史前大陆，看到了无数只庞大的恐龙。

1986年，一位美国飞行员飞到了中世纪，看到当时欧洲正发生“黑死病”时触目惊心的情景。

……

当然，我们完全有理由怀疑上述传闻的真实性，但时光是否可以倒流一直是很多人非常感兴趣的话题。因为根据爱因斯坦的理论，速度、时间和空间都是相对的，一个物体的速度越接近光速，时间就会变得越慢；速度达到光速时，时间就会停止；速度超过光速时，时间就会倒流。

有些学者认为，爱因斯坦的理论并没有严格排除快于光速的旅行。因此，人类有朝一日一定能够遨游宇宙，纵横古今。也有学者认为人类可以回到过去，但只能观看，而无法改变过去的事情。

然而，有些人对“时光倒流”的说法表示反对，他们认为爱因斯坦从来就没有过关于“时光倒流”的说法，相对论的假设不是光速最大，而是光速不变，也就是说光速只是一个常数。

总之，学者们对“时光倒流”的观点争论不休，至于孰是孰非，只能等待科技理论的进一步发展才能知晓了。

25. “世纪瘟疫”是怎样产生的？

自从1981年人类首次发现艾滋病病毒以来，艾滋病犹如一只难以驯服的猛兽，严重威胁着人类社会发展的进程。1988年，美国艾滋病患者达到5万人。1992年，有人曾预言，到2000年全球艾滋病病毒携带者将达到250万。然而，当2000年真正到来的时候，全世界艾滋病患者和艾滋病病毒携带者已经猛增至3400万。近30年来，人们“谈艾色变”，并将艾滋病称为“世纪瘟疫”。

艾滋病（ADIS）全名是获得性免疫缺陷综合征，是由人类免疫缺陷病毒（HIV）感染引起的一种混合免疫缺陷病，患者最终会因丧失对各种疾病的抵抗力而死亡。迄今为止，科学家们共发现两种HIV病毒，分别为HIV-1和HIV-2。HIV-2主要存在于西部非洲，危害性较小，传播能力较弱，而真正导致艾滋病在全世界流行的是HIV-1。

弄清艾滋病的来源无疑对人类彻底消除艾滋病的威胁有着巨大的意义。然而，尽管科学家们对艾滋病的研究已取得很多可喜的成果，但在艾滋病的起源这一问题上依然众说纷纭，莫衷一是，归纳起来主要有以下几种。

（1）自然说。有人认为HIV是自然演变而产生的，在偶然的机会感染了人类，从此成为人类的一场噩梦。

（2）医源说。有人认为，人类在生产小儿麻痹疫苗和脊髓灰质炎疫苗时使用了被HIV或类似HIV病毒污染的黑猩猩器官组织，人类在疫苗接种时被感染。

（3）人为说。有人认为HIV是某些人为了进行种族灭绝、建立“世界新秩序”而制造的生物武器。其中嫌疑最大的是美国中央情报局和纳粹的残渣余孽。有人甚至翻出了历史档案作为证据，状告美国政府制造艾滋病病毒进行种族灭绝，进而造成艾滋病在世界范围内大肆蔓延。

（4）外空传入说。有人认为艾滋病病毒存在于外空之中，但由于缺乏传播媒介，所以千百年来人类一直没有被感染。后来一颗彗星撞击了地球，将这种病毒带到地球上来，给人类带来了灾难。

26. 曾经称霸一时的恐龙为什么会忽然集体灭绝？

恐龙是生活在距今大约2.35亿年至6500万年前的大型陆生爬行动物，种类繁多，体形各异，最大的体长数十米，体重达几十吨甚至上百吨。然而，这样一群主宰地球达1.6亿年之久的庞然大物在6500万年前的白垩纪末期却突然覆灭，与此同时，几乎占75%的物种从地球上永远地消失了，这成为生物史上最令人费解的一页。那么，究竟是什么原因使恐龙一族惨遭灭顶之灾的呢？比较流行的说法有以下几种。

（1）火山爆发说。（大规模的）火山爆发后喷出大量的二氧化碳，导致大面积的植物死亡，进而断绝了恐龙的食物来源。同时，火山爆发时释放出的大量盐素，严重破坏了臭氧层，导致紫外线直射地球表面，造成大量的生物灭绝。

（2）物种竞争说。恐龙生活的年代后期，最初的小型哺乳类动物诞生了。这些哺乳动物属啮齿类动物，恐龙蛋是它们的美味佳肴。由于这些动物缺乏天敌，繁殖得越来越多，最终把恐龙蛋吃光了。

（3）大陆漂移说。根据德国学者魏格纳的理论，2.5亿年前，整个地球只有一块大陆，即“泛古陆”。这块超级大陆在恐龙生活的年代发生了明显的分裂和漂移现象，进而导致气候和环境发生了根本性的变化，恐龙因此而灭绝。

（4）地磁变化说。现代生物学证明，对磁场比较敏感的生物，很可能因为地球磁场的变化而灭绝。由此推论，恐龙的灭绝也可能与地球磁场的变化有关。

（5）星球相撞说。有人推断，当时有一颗直径约10千米的小行星撞击了地球，激起了几百米高的尘埃，并引发了一场含有浓缩铱的尘雨。尘埃遮天蔽日达数日之久，使植物的光合作用停止，整个地球气温骤降，导致恐龙和其他动物因饥饿和寒冷而大量死亡。

目前，学术界关于恐龙灭绝的说法达数十种，至于哪种说法最可信，有待于科学家的进一步研究和探索。

27. 比萨斜塔为何斜而不倒？

闻名遐迩的比萨斜塔是比萨城的标志，始建于1173年，历经约200年才完工。由于在建造过程中塔身出现倾斜，导致工程曾经出现两次长时间的中断。斜塔落成后，倾斜一直在继续。目前，塔顶中心点已偏离垂直中心线达4.4米。

一些专家对比萨斜塔的建筑材料、结构、地质、水源以及历史等方面进行了深入研究，以探究比萨斜塔倾斜的原因。有人认为，整个斜塔的每一块石砖都是一件艺术品，石砖之间的黏合非常巧妙，有效地防止了因塔身倾斜而引起的断裂，成为斜塔斜而不倒的一个重要原因。有些学者经过实地考察后推断，比萨斜塔地基之下特殊土层是导致其倾斜的主要原因。比萨斜塔下有好几层不同材质的土层，由多种软质粉土的沉淀物和柔软的黏土相间形成，而在深约1米的地方则是地下水层。

外行人对比萨斜塔提出了很多新奇的拯救方案。有人建议在斜塔旁修建一座类似自由女神的巨型塑像，让女神怀抱斜塔，阻止其倒下。有人提出在塔倾斜一侧安装巨型风扇，以风力阻止塔身继续倾斜。有人建议削去斜塔的上三层，以减轻塔身重量。也有人建议将斜塔移到坚实的地基上重新竖立，等等。

令人感到奇怪的是，每当专家们采取加固塔基的措施时，塔的倾斜速度不降反升。例如1934年，人们曾在地基及四周喷入90吨水泥，实施基础防水工程，塔身反而更加不稳，倾斜得更快。有些学者根据比萨斜塔近几年来倾斜的速度推算，斜塔将于250年后倾倒。但是也有学者认为比萨斜塔是一个复杂的问题，250年后倒与不倒恐怕不能仅仅依靠简单的假设和数学逻辑来预测。

而对于当地人来说，尽管他们也对斜塔的倾斜感到担忧，但更多的是为自己的家乡拥有这样一个奇迹而感到自豪，并坚信它永远不会倒下。

28. 墨西哥真的发现“外星宝宝”了吗？

据报道，2007年5月，有人在墨西哥一个农场的动物陷阱里，发现了一个活着的“外星宝宝”。据目击者称，这个“外星宝宝”看起来非常吓人，当时正在农场干活的工人们感到非常惊恐，于是不顾一切地将其置于死地。“外星宝宝”临死前奋力地挣扎、喊叫，人们费了很大事，将其闷在水中数个小时才淹死。据说，当时在农场里还有一个“外星人”，但它看到情况不妙后就逃之夭夭了。

后来，农场主把“外星宝宝”的尸体送到当地大学进行研究。研究人员对“外星宝宝”进行了DNA检测，结果表明“外星宝宝”的尸体不是人造的。它的身体构造与蜥蜴非常类似，比如它的牙齿没有牙根，可以长时间在水下生存。同时它与人类也有某些相似之处，比如它的肢体关节构造。它的脑子很大，尤其是后半部分，对人类来说，就是主管学习和记忆的脑组织比较发达。有些学者据此得出结论，这是一种非常聪明的生物。

由于在发现“外星宝宝”的地区，经常有“UFO”和“麦田怪圈”的报道。因此有人猜测，这个怪物可能是“外星人”造访地球后留下来的。难道这个所谓的“外星宝宝”真的是来自外太空的生命？大多数科学家对此保持冷静的态度，他们认为，与“外星宝宝”相关的报道语焉不详，前后矛盾，此事很可能是一个骗局。

29. 巴黎的地下迷宫为什么是用尸骨堆砌而成的？

在法国巴黎有一个骇人听闻的地下迷宫，迷宫的墙壁是用无数具人骨堆砌而成的。墙底是用臂骨和大胯以下的腿骨排列而成的，长短相近，非常整齐，墙的四周还镶了边。迷宫中央设有高约两米的祭坛，祭坛底座是用人骨堆砌的，上面则是用人的头骨镶成的圆形，那些头骨保留了骷髅的原状，让人看了毛骨悚然。祭坛后面还矗立着高大的人骨十字架纪念碑。迷宫里还有很多用人骨拼成的海盗图案。周围有许多完整的人骨柱，墙根还有很多没有被处理的人骨堆。

据估计，这座地下迷宫里共有数百万具尸骨，那么，这么多的尸骨是从何而来的呢？人们为什么要建造这样一座阴森恐怖的地下迷宫呢？

公元1世纪初，庞大的古罗马帝国建立后，实行严酷的奴隶主专政统治。数以万计的奴隶们戴上枷锁脚铐，在鞭笞拷打下拼命劳作，稍有不满，便惨遭杀戮。公元66年，犹太人不堪忍受罗马驻巴勒斯坦总督彼拉多尤的统治，举兵起义，被罗马军队残酷镇压。罗马统治者下令将7万余名被俘的起义奴隶全部钉死在十字架上。绝望无助的奴隶们只能把解除现实痛苦的希望寄托于上帝。于是人们挖地穴，在地下秘密修建祭坛，集会布道，同时诅咒罗马帝国早日灭亡，奴隶主们都不得好死。

这种集会活动遭到罗马帝国的残酷镇压，然而越镇压，奴隶们的反抗越激烈。一具又一具基督教徒的尸骨被安置在地下密室之中，越积越多，地下墓室的规模也越来越大。当时的高卢（即现在的法国）也隶属于罗马帝国管辖范围之内，其基督教徒也惨遭杀害。活着的基督教徒为了纪念死者，就在密室中用尸骨砌成祭坛、纪念碑、墙壁和柱子等，逐渐形成了巴黎的地下迷宫。

30. 赤道线上的人类巨足到底是怎么回事？

厄瓜多尔首都基多是世界上距离赤道最近的首都。为了划分赤道线，1736年，法国、西班牙两国科学家组成大型科学考察团前往基多进行实地测量，他们前后花了8年时间，测定了确切的赤道方位。1744年，人们在基多北郊建起一座高达10米、用红棕色花岗岩砌成的塔形赤道纪念碑。碑周身分别刻着表示东、西、南、北四个方向的字母。一道象征赤道的白线，从纪念碑的地球仪上延伸到大地，把地球分为南北相等的两部分。纪念碑的碑身上写着几个大字："这里是地球的中心。"

令人惊奇的是，古代印加人似乎早就知道这个秘密，他们将赤道线称为"太阳之路"，把基多称为"地球中心"。他们把太阳神庙准确地建立在赤道线上，庙里供奉着太阳神，把每年6月的最后一个星期定为庆祝太阳节的日子。印加人还把6月24日的"冬至"作为新年的开始，那一天，人们身穿节日盛装，来到太阳神庙，举行隆重的太阳祭典礼。当年的印加人，究竟是怎样准确地测定赤道线的？

1982年，一位西班牙画家乘坐飞机去厄瓜多尔旅游，在经过瓜亚基尔的上空时，他发现了一处罕见的景观：一只人类巨足和一头巨兽出现在赤道线上。画家拍下许多照片，回去后据此创作了两幅画。一幅画的是赤道上重叠的山峦，形似一只伏虎，守卫在赤道线上；另一幅画的是火山喷发后的景观，犹如一只人类巨足，踩在赤道线上。他的作品和照片展出后，引起巨大轰动。

那么，这一奇观到底是怎样形成的呢？有人认为，这是花岗岩经过长期风化剥蚀而形成的特殊地貌；有人认为，这是火山喷发出的岩浆冷却后形成的奇异形态；也有人认为，它很可能是印加人对自然景观进行加工改造的结果。

然而，印加人创作只能在高空看到的巨足的目的是什么？这种说法能够让人信服吗？

知识链接

赤道经过的国家

赤道是地球表面的点随地球自转产生的轨迹中周长最长的圆周线，周长大约40 000千米。如果把地球看作一个绝对的球体的话，赤道距离南北两极相等，是一个最大的大圆。赤道是一根人为划分的线，它把地球分为南北两半球，赤道以北是北半球，赤道以南是南半球。赤道是划分纬度的基线，位于南北回归线之间，纬度为0°。

赤道经过的国家有：印度尼西亚、瑙鲁、基里巴斯、厄瓜多尔、哥伦比亚、巴西、加蓬、刚果（布）、刚果（金）、乌干达、卢旺达、肯尼亚、索马里、马尔代夫、新加坡。赤道附近的著名城市有厄瓜多尔首都基多、加蓬首都利伯维尔、肯尼亚首都内罗毕、新加坡首都新加坡等。

31. 马可·波罗所说的“男子岛”和“女子岛”真的存在吗？

公元13世纪，马可·波罗曾在自己的书中描写到他所听到的有关男子岛与女子岛的传说。据说，在克斯马科兰（印度西部大国）南方大约800千米的大海中，有两个岛屿，分别为男子岛和女子岛。两岛相距48千米，居民同属一个民族，都是基督教徒。男子只能在三、四、五月去女子岛探望自己的妻子，其余时间只能独自度过。妻子把儿子养到12岁后交给自己的丈夫，女儿则留在家里，将其养大后再许配给另一岛的男子。造成这种生活方式的原因，是由于当地的气候条件比较特殊，如果夫妻长期同居，会发生生命危险。

由于马可·波罗的书在西方流传甚广，因此，有关这两个岛屿的记述自然引起了人们的兴趣。新航路开辟后，很多人来到印度洋，寻觅这两个岛屿。

有人根据马可·波罗所说的方位，在克斯马科兰之南约800千米处的海域中寻找，却发现此处海域没有一个岛屿。有人又根据马可·波罗的记述，推断二岛应在克斯马科兰和索科特拉岛之间，然而到达这个区域后，希望再次落空。

由于在印度洋中一无所获，人们便把目光投向其他区域。有人以为女子岛在波罗的海中，有人听说距日本不远有个女子岛。然而这些说法都没有确凿的证据，因而都不可信。

至今人们依然没能找到传说中的男子岛、女子岛，因此人们对这两个岛屿的真实性颇有争论。有人对马可·波罗的记述深信不疑，也有人认为此说子虚乌有。也有人认为纯粹的女子岛、男子岛是不存在的，这样的传闻只是反映了人类母系氏族社会的某些情景。

32. 美洲真的有“青春泉”吗？

地理大发现后，神秘而新奇的美洲大陆开始成为欧洲人探索神奇事物的场所。从16世纪初开始，西班牙人苦苦寻觅的“青春泉”便是其中非常典型的一例。

有关“青春泉”的传说由来已久，自古以来，在很多国家的文学作品和民间传说中，都曾经提到过这种泉水。相传在12世纪，罗马帝国远征的时候，在其散布的蛊惑人心的宣传中，就有所谓的“春春泉”的说法。据说“青春泉”源于天堂的一条河，有56个老兵用这种泉水洗澡后重新焕发了青春。到了16世纪初，美洲的加勒比人和卢卡约人中间也开始流行“青春泉”的传说。这些传说，激励了一批又一批欧洲人去美洲探险。

第一个去美洲寻找“青春泉”的人是西班牙殖民者胡安·庞塞·德莱昂，从1512年起，他在西班牙王室的支持下，按照中世纪的地图，开始寻找传说中的“青春泉”。事实上，他进行探险的地方就是今天的佛罗里达和巴哈马群岛。此后的几十年间，欧洲人的探险活动愈演愈烈。有些探险家为了寻找“青春泉”，在美洲一待就是十几年甚至数十年，甚至定居在当地。

尽管传说中的“青春泉”始终没有找到，但这期间的探险活动开辟了西班牙通往美洲的航线，自此每年都有大量的金银珠宝从美洲运往西班牙等国，最终，西班牙人占领了佛罗里达，美洲大陆逐渐沦为欧洲列强的殖民地。

就像很多神话故事一样，“青春泉”的传说也并非完全虚构，还是有一点儿真实背景的。当时在佛罗里达一带活动的西班牙士兵和僧侣，在从今卡罗来纳州通往弗吉尼亚的途中发现了许多温泉，其中包括闻名遐迩的萨拉托加温泉。这些泉水虽然没有返老还童的神奇功效，却能够缓解人们的某些病痛。也许，它们就是西班牙人苦苦寻觅的“青春泉”。

33. 曾经的美索不达米亚真的是人间天堂吗？

在古代犹太人和希腊人的笔下，美索不达米亚是一个人人向往的人间天堂，《圣经》中的伊甸园就在这里。然而，在我们今人看来，两河流域气候干燥，雨量稀少，风沙漫漫，土丘遍布，季节、昼夜温差巨大，与犹太人和希腊人的描述大相径庭。比如伊拉克首都巴格达平均年降水量为130毫米，6–9月甚至为0毫米；夏季最高气温可达50℃以上，甚至达到60℃，冬季最低气温则降到-8℃。我们很难想象，几千年前，在如此恶劣的自然条件下，美索不达米亚竟能发展成为人类高级文明的摇篮。

不过，一些地质学家和气候学家对当地的地质与气候条件进行分析后得出这样的结论：在距今6000年至4000年的冰河时代后期，由于西南季风的扩张和季风雨的滋润，在北纬34°–35°的伊拉克北部存在着湿润的气候。考古学家在这一地区的考古发现为这一观点提供了佐证，在公元前4000–前2000年间，由于洪水屡次泛滥，造成了土层层理上的间断现象。而且出土的泥版文献中也有关于洪水的记载，以及对苏美尔人修建堤坝的描述。同时，地质学家还通过先进的科学手段对当地地质情况进行了勘测，也证实了这一观点。

因此可以肯定的是，在公元前4000–前2000年，是两河流域历史的关键时期，适宜的自然条件帮助古代美索不达米亚人创造了人类历史上最古老的文明。也就是说，美索不达米亚曾是林木繁茂、碧草连天、沟渠纵横、河网密布的一片沃土，古代犹太人和希腊人把这里称为“人间天堂”绝非虚言。

34. 海市蜃楼意为摩根女巫，它的出现与女巫有关吗？

海市蜃楼源于拉丁文Fata Morgana，意思是“摩根女巫”，因为在传说中海市蜃楼是摩根女巫创造出来的。在中世纪神话里，摩根女巫是亚瑟王同父异母的妹妹，法力高强。她既能施展魔法，又能在空中飞行，能够千变万化，还会用草药治病。据说她在意大利境外的墨西拿海峡制造出各种各样的海市蜃楼，迷惑过往船只，使它们触礁沉没。

在中国，海市蜃楼名字的由来，是因为中国古人误以为蜃景是蜃（蛟属）吐气而成。中国古人把蜃景看成是仙境，由于山东蓬莱是蜃景的多发地，秦始皇、汉武帝曾率人前往蓬莱寻访仙境，并屡次派人去蓬莱寻求不死药。而在西方神话中，蜃景是一种邪恶的事物，是死亡和厄运的凶兆。

当代的人们通过现代科学的解释了解到，蜃景与蜃无关，也不是女巫施展出来的法术，而是地球上物体反射的光经大气折射而形成的虚像。我们知道，空气本身并不是一种均匀的介质，在通常情况下，它的密度是随高度的增加而递减的。而光在不同密度的空气中又有着不同的折射率，因此当光线穿过不同高度的空气层时，总会引起一些折射，只不过由于我们日常生活中已经习惯了，不会对一般的折射产生异样的感觉。然而当空气温度在垂直变化上出现反常，从而导致与平时完全不同的折射和全反射时，就可能出现海市蜃楼的景观。

总之，蜃景的出现是多种条件共同作用的结果，而平静的海面、河面、湖面、雪原、沙漠或戈壁等都是容易出现海市蜃楼的地方。

35. 世外桃源甘美乐真的存在吗？

亚瑟王是不列颠传说中的国王，在古罗马帝国瓦解之后，他率领“圆桌骑士团”统一了不列颠群岛。至于亚瑟王的传奇故事是如何诞生的，源自何处，皆无从稽考。如果历史上确有其人，据推测他所生活的年代是在公元500年前后。

据说，甘美乐就是亚瑟王建立的王国的首都。在法国中世纪著名诗人克雷蒂安·德·特鲁瓦的笔下，甘美乐是一个安乐祥和的世外桃源，与当时野蛮、纷乱的欧洲社会形成鲜明的对比。中世纪时，战乱频繁、瘟疫肆虐、灾害频发、民不聊生，甘美乐也许只是濒临绝境的人们的思想寄托。不过，仍然有人相信确有此地，并到处寻访甘美乐的确切地点。

传说中，亚瑟曾以凯尔特人英雄的身份登场，率领各部落在巴顿山战役中一举击溃前来入侵的撒克逊人（属于日耳曼民族的一支），被视为中世纪英国的传奇人物。此后，亚瑟王的形象却随着传说故事的演进而不断地变化，最后演变成不列颠之王。因此，有人就从凯尔特人的故乡开始寻访甘美乐之旅。

有人认为，卡德伯里是甘美乐的所在地，因为在亚瑟王活动的时代，卡德伯里堡是不列颠最大的要塞，它必然成为亚瑟王重要的据点。20世纪60年代，考古学家发现一座卡德伯里铁器时代的城堡，这座城堡始建于公元前1世纪，公元83年被罗马人摧毁。5世纪末，这座废弃了400年之久的城堡被加固并重新启用，而这个时间与亚瑟王活跃的时期大致相符。

也有人把目光放在康沃尔北岸的廷塔杰尔堡，据说亚瑟王曾在那里出生，后来还在那里召开了“圆桌会议”。然而考古显示，尽管5世纪时那里曾有人居住，但直到1145年才建立了城堡，因此不大可能是甘美乐。

由于甘美乐与亚瑟王一样，只存在于传说故事中，寻找到它存在极大的困难。因此，有关甘美乐的确切地点众说纷纭，甚至连它是否真实存在也是个谜。

36.“死亡谷”有何玄机？

世间有太多人类暂时无法解开的谜，“死亡谷”就是非常著名的一个。死亡谷，顾名思义，就是一个让生命接受死亡考验的地方。世界上以死亡谷闻名的地方很多，其中让人谈之色变的有以下几处。

在美国加利福尼亚州与内华达州之间，有一座面积达1400多平方千米的特大“死亡谷”。1848年，一批外来移民误入此地后全部遇难，尸骨难寻。1949年，一支寻找金矿的勘探队误入此地后，也全都遭遇不测。虽然有几个侥幸逃出，不久后也神秘死去。之后，陆续有人葬身于此。然而，这座人间地狱，竟是动物的天堂。据统计，大约有200多种鸟、19种蛇、17种蜥蜴和1500多头野驴，在这里悠然自得地生活着。

意大利的那不勒斯和瓦唯尔诺湖附近的死亡谷，与美国的死亡谷正好相反，它只危害动物，对人类却毫无威胁，被称为“动物的墓场”。据统计，每年有近4万的动物在这里死于非命。

俄罗斯堪察加半岛上有一座“人兽通吃”的死亡谷。多年以来，这座狭长的死亡谷，一直是熊、狼獾等动物的天然坟地。有人曾亲眼看到一只熊大摇大摆地闯进谷中，便直挺挺地倒在地上绝气身亡。同样，来到这里的人也无法幸免。令人奇怪的是，死亡谷对仅一箭之遥的村子却毫无威胁。

在印度尼西亚的爪哇岛上，有座更奇异的死亡谷。在谷中有6个依次排列的大山洞，犹如一张张巨兽的大口。令人震惊的是，死亡洞居然有生擒人兽的绝招。不论人兽，只要站在距洞口六七米远的范围之内，就会被一股无形的力量“吸”进洞去。一旦被吸住，便无法脱身。因此，洞口附近堆满了人类和动物的尸骨，让人不寒而栗。

为什么在相同的自然环境下，有的死亡谷只危害人类而不危害动物，有的只危害动物而不危害人类呢？死亡谷杀生的凶器是什么？如果是毒气，为什么不飘散到谷外？科学家们曾对这些死亡谷进行了多次考察，依然没能取得突破性的进展。

37. 传说中的挪亚方舟真的重现于世了吗？

据《圣经·创世记》记载，为了惩罚堕落的人类，上帝制造了一场史无前例的大洪水，只有善良的挪亚事先得到上帝的指点，用“歌斐木”制造了一艘巨大的方舟，带着家人和一些动物从大灾难中幸存下来。大雨连续下了40个昼夜后终于停止，挪亚方舟停靠在亚拉腊山腰。洪水退尽后，挪亚一家走出方舟，人类和动物在地球上重新开始繁衍生息。而挪亚方舟却永远停泊在亚拉腊山上。

由于《圣经》中记载的很多事情都被证明是真实的，因此不少人认为挪亚方舟的传说也确有其事，方舟的遗骸至今仍保留在土耳其亚拉腊山顶。长期以来，人们一直将亚拉腊山视为神山，认为登此山者必遭天谴。直到最近几个世纪，人们才开始去亚拉腊山寻找传说中的挪亚方舟。

1955年夏天，法国人约翰·佛尔兰·那扑拿和他的儿子在第三次登上亚拉腊山后，终于发现了一截貌似方舟的残块，引起了世界的轰动。据专家们测定，该残块的确是“歌斐木”，年代大约在5000年前。根据木块上凹凸的人为痕迹分析，它应该是一个巨大建造物的一部分。专家们推测，这截残块很可能是挪亚方舟，或者是后人为了纪念挪亚而制造的方舟的一部分。无论怎样，该残块是远古人类有关洪水传说的重要物证。

20世纪80年代初，美、苏、法、德、日以及中东一些国家的考古学家们发现，距今五六千年前，两河流域的确发生过大洪水，在古亚述王国都城尼尼微遗址出土的泥版文书上，也有关于洪灾的记录。因此，越来越多的人相信《圣经》中挪亚方舟的传说是史实，挪亚方舟很可能就在亚拉腊山上。

那扑拿父子的发现，引发了各国考古学家、探险家、历史学家前往亚拉腊山实地考察的浪潮。如果真的能证实传说中的挪亚方舟重现于世，这将会是一件载入史册的重大发现。

38. 火星上有运河吗?

1877年，意大利天文学家斯基帕雷利借助一架当时非常先进的望远镜对火星进行了细致的观察，并绘制了一张火星图。在该图中，火星表面有着大片大片的暗区，中间被一些又细又长的黑线连了起来，斯基帕雷利用意大利语给这些黑线命名为Canali，即“水道”。

“水道”一词在译成英文时被误译为Canals，即“运河”。“火星上有运河”，这一消息轰动了全世界。后来，又有人进一步指出，火星表面空气非常稀薄而导致缺水，由冰雪组成的火星两极到夏季开始融化，形成水源。智慧的“火星人”开凿“运河”，将两极的水引向干旱的地区，用来灌溉那里的田地。而“运河”交汇处的一些暗斑，则是绿洲。

然而，许多科学家对这种观点表示怀疑。他们认为由于火星的质量较小，难以束缚住支持生命孕育和生长的大气，而且火星离太阳相对较远，表面温度很低，所以存在高级生命的可能性是非常小的。不过，由于缺少直接的证据，他们很难彻底推翻“运河”说。

到了20世纪60年代，空间科学的发展帮助人们解开了火星“运河”之谜。根据火星探测器发回的照片显示，所谓的火星“运河”，不过是一些偶然排成一线的大大小小的环形山罢了。

值得一提的是，科学家在分析火星探测器于1976年拍摄的火星照片时，发现了火星上存在着弯弯曲曲干涸的“河床”。这些“河床”确实有被液体冲刷过的迹象，但它们只是天然“河床”，绝非“火星人”创造的运河。同时，火星的两极覆盖的物质主要是干冰，而不是积雪，这对“火星上有运河”的观点更是一个沉重的打击。不过，关于这些“河床”的成因，至今仍在探索之中。

39. 哥伦布的七字母字谜图有什么特殊含义？

“新大陆”的发现者哥伦布（约1451–1506年）的思想带有神秘主义色彩，这一特点在他的签名中表现得尤为突出。在他签署的一份继承书上，这位意大利航海家具体描述了其7个字母的签名形式：“任何拥有这份继承书的孩子，都要继承我的签字方式，即：在‘X’上面写‘S’，在‘M’上面写罗马字母‘A’，在‘A’上面写‘S’，在希腊字母‘Y’上面写‘S’，并按照我的方式加上直线和圆点。”哥伦布签字时，总是分别在3个“S”两边各加一个圆点，而其他字母则不加。“S”对哥伦布似乎有着极为特殊的意义，在他读过的一些书籍的旁注中，经常单独出现这个字母。同样值得注意的是，在哥伦布的签字中，XS、MAS和YS上下严格对齐，使整个签字呈现出一个标准的三角形。

据统计，在现存的文件上，哥伦布采用这种形式签字，大约为45次。哥伦布的签字究竟有什么特殊的含义呢？很多人对此做出了解释。有人为了论证哥伦布是犹太人，把这种字母三角阵式的签字解释为一句宽慰哥伦布心灵的犹太祈祷语。也有人把哥伦布的签字解释为“万军之主、神圣而又唯一的上帝”。

众所周知，宗教对中世纪欧洲的政治、经济、思想、文化等社会各个领域都有着巨大的影响，很多活动都表现出浓厚的宗教色彩。史实表明，哥伦布横渡大西洋的探险活动，有其重要的宗教目的，那就是扩大基督教的影响范围。据此，美国学者莫里逊推测认为，哥伦布签名中的7个大写字母是“Servus Sum Altissimi Salvatoros Xpistos Mariae Yibs”的缩写语。意思是：“我是圣母马利亚之子、伟大的救世主耶稣的仆人。”

然而，对哥伦布的签字形式所作的各种解释，只是依据有限的史料进行猜测而得出的结果，缺少足够的说服力。

40. 什么是黑匣子?

自从1908年美国发生首起军用飞机事故以后，飞行事故接连发生，一种可以用于记录事故发生过程的仪器——黑匣子，便在这种背景下诞生了。“二战”期间，黑匣子开始应用在军用飞机上。“二战”后，民航飞机也配备了黑匣子。

黑匣子主要分为两种，分别为“飞行数据记录仪”和“机舱话音记录器”。前者主要记录飞机的各种飞行数据，包括飞行速度、姿态、方向和轨迹，以及作用在飞机上的各种外力，如阻力、升力、推力等，共约200多项。机舱话音记录器则用来记录飞机上的各种通话，包括机组人员和地面人员的通话、机上人员之间的对话以及驾驶舱内的各种音响（包括飞机发动机的运转声音）等。飞行数据记录仪可以提供飞机失事瞬间以及失事前一段时间里，飞机的飞行状况、机上设备的工作情况等，同时，机舱话音记录器能帮助人们根据机上人员的对话来分析事故的原因。因此，飞机失事后，即便机上人员全部遇难，人们也可以通过黑匣子提供的数据来了解事故的真相。

黑匣子最初用的是机械记录的方法，把数据记录在照相纸上。自从磁记录方式发明后，黑匣子的数据安全有了质的提升。为了保证数据的绝对安全，黑匣子具有极强的耐火、耐压、耐冲击、耐震荡、耐浸泡、耐腐蚀、抗磁干扰等能力，无论处于多么恶劣的环境，受到多么严重的侵害，黑匣子里的数据也能完好无损。

为了便于搜寻，黑匣子配备能够自动发射特定频率信号的装置，同时，外壳往往被涂上鲜艳的橘黄色，而不是一般人所认为的黑色。其实，“黑匣子”名称的由来与自身的颜色无关，而是源于人们对空难的恐惧。

41. 诺查丹玛斯真的可以预言人类未来的命运吗？

法国预言家诺查丹玛斯（1503–1566），因为一部以四行体诗写成的预言集《诸世纪》（《百诗集》）闻名世界。有人将他的预言诗与世界重大事件进行分析对比，找到很多“应验”的地方，其中包括：飞机与汽车的发明，第二次世界大战的爆发、经过和结果，肯尼迪遇刺，苏联女宇航员登上太空，中东战争爆发，“挑战者号”爆炸，戴安娜王妃身亡，等等。《诸世纪》出版后，吸引了全世界的许多崇拜者，直到现在仍然很畅销。

然而很多学者冷静地看待诺查丹玛斯的预言，他们认为诺查丹玛斯预言之所以如此“精准”，得力于作者巧妙的写作方式。诺查丹玛斯预言诗用中世纪的法语写成，许多词汇有歧义，标点混乱不明，语义含糊隐晦。诗中还大量使用象征、比喻的表现手法，使读者可以任意联想。于是，解读者便可以通过对词语进行增删和调整，以及对象征、比喻按照自己的思路进行解释，使预言诗与已发生的历史事件“强行”挂钩。

而且，《诸世纪》的近千首预言诗的顺序并非按照事件发生的时间先后来排列，也从来不指明所预言事件发生的具体时间（唯一的例外是1999年世界末日的预言，却没能应验），每一首诗都可以单独抽出来，在作者死后400多年来所发生的任何历史事件中寻找对应。而400多年来发生的历史事件是如此之多，再加上解读者对原诗又进行任意的加工和曲解，因此诺查丹玛斯能够“准确无误”地预言历史事件也就不足为奇了。其实，所谓的“应验”的发现全都是马后炮，都是在事件发生以后才回头从《诸世纪》寻找对应，没有任何一个人能根据《诸世纪》在事情发生之前做出准确的预测。

42. 真有美人鱼吗?

自古以来，世界各地一直流传着美人鱼的传说。据说，美人鱼以腰部为界，上半身是裸露着的美丽女人，下半身是长着鳞片的鱼尾，一身兼具美丽、诱惑、虚荣、残忍等多种特性。很多水手认为美人鱼是不祥之物，因为传说中的美人鱼常坐在礁石上，一边梳着美丽的长发，一边唱着动人的歌曲，吸引水手的注意力，致使船只触礁沉没。

从古至今，自称见过美人鱼的目击者不在少数，而媒体对美人鱼的报道更是屡见不鲜。1990年，有人在黑海岸边的一个坟墓里，发现了一具3000年前美人鱼的木乃伊。据说它看起来像一个美丽的黑皮肤公主，身长约173厘米。1991年，有人在南斯拉夫海岸发现一个1.2万年前美人鱼的化石。据说它身长160厘米，脑体积相当大，眼睛没眼帘，双手有利爪，牙齿尖锐，双颚有力，足以撕肉碎骨。同年，美国两位渔民在加勒比海捕获到一只虎鲨。在将其解剖时，发现它的胃里有一副奇怪的骸骨，骸骨上身像人类的骨骼，骨盆之下却是一条大鱼的骨骼。据警方验尸官检验，证实这是一种半人半鱼的生物。

那么，世上真的有美人鱼吗？很多科学家认为所谓的美人鱼只存在于传说之中，目击者见到的只是生活在海洋里的哺乳动物——儒艮。雌性儒艮长有一对如拳头大小的乳房，哺乳时将幼仔抱在胸前，上身浮出水面，半躺着喂奶，远远望去，犹如怀抱婴儿的妇女一般，使人们将其误认为美人鱼。可是，这种观点遭到很多人的反对，人们很难想象水手们会把常见的儒艮当成美女。

也有一些学者相信美人鱼是真实存在的，认为它可能是一种远古遗留下来的生物，或者是来自海洋文明的居民。然而，不知为什么，从地理大发现到现在，人类遇见美人鱼的报道越来越少。是因为它濒临或已经灭绝？还是它藏匿深海，躲避人类？

美人鱼之谜就像它自身一样，美丽而又神秘，让人着迷而又难以捉摸。

第十二章

咬文嚼字·解读名著

1. 象形文字是最古老的文字吗?

所谓象形文字，是指用文字把要表达的事物的外形特征描述出来。如中文里的“月”字和“马”字，就像一弯月亮和一匹四条腿的马一样。我们知道，很多国家或地区在文明的早期都产生过象形文字。埃及的象形文字出现于5500年前，而且其中有700多个文字流传下来了。早在5000多年前，中国也有了自己的象形文字，只略晚于埃及。那么，象形文字是不是最古老的文字呢?

过去的学者们一般都认为，古埃及的象形文字是人类最早的文字。这种说法一直盛行于19世纪，尤其是在法国学者商博良成功解读古埃及文字之后。埃及象形文字产生于约公元前3500年前，因大多书写在纸草上，又叫纸草文字。埃及象形文字用半圆表示面饼，用有圆心的圆表示太阳，用三条波纹表示水，等等。由于气候条件和埃及人的习俗，部分写有象形文字的纸草卷得以保留下来，使我们得以了解埃及象形文字的面貌。

还有一种观点认为，世界上最古老的文字应该是两河流域产生的楔形文字。据记载，早在公元前3500年左右，两河流域的苏美尔人便创造了楔形文字。苏美尔人居住在两河流域的下游，地势低洼，取用泥土十分方便，他们用小尖棒在潮湿的泥版上压出字迹，记录事件和数字。因为所书笔画的形状很像楔子，所以叫楔形文字。

从时间上看，象形文字与楔形文字的产生几乎在同一时代，所以，持“象形文字最早说”和持“楔形文字最早说”的人都不赞同对方的观点。可是，双方谁也拿不出更多证据来说明自己的观点，故而一直争论不休。

看来，要想搞清象形文字是不是最古老的文字，还需要更多的考古资料。

2. 象形文字没有确定的书写方向吗？

大约5000年前，古埃及人发明了一种直接描摹物体形象图形的文字符号，称为象形文字。埃及的象形文字是世界上最古老的文字体系之一，一直使用到公元2世纪。象形文字的主要使用者是僧侣，通常被刻在庙墙和宗教纪念物上，因此在古希腊文中，象形文字被称为“神圣的雕刻”或“圣书”。公元前196年，埃及孟菲斯城的僧侣们给当时的国王——法老托勒密写了一封歌功颂德的书信，信的内容用希腊文、古埃及象形文字和后期的埃及文字3种文字分别刻在碑上。这块碑就是“罗塞塔碑”。

1799年，一批法国学者发现了罗塞塔碑。石碑上的3种碑文刻录的是同样的内容，希腊文很快就被翻译出来，石碑中间的那段文字也确认是古埃及后期的通俗体文字，学者们虽然能根据希腊文的含义领会到通俗体和象形文字的含义，但是却无法成功破译象形文字。

当时，年仅11岁的法国少年商博良决心破译“罗塞塔碑”上古埃及的象形文字，并为此努力了21年。最后商博良终于成功破译，他发现古埃及象形文字的书写方向非常有趣，它不像世界其他地区出现的象形文字一样有一个固定的书写方向，而是有的从右向左，有的从左向右，有的从上到下，甚至有的是从中间向两边书写。

虽然看上去比较烦琐，但是这其中还是有规律可循的。象形文字书写的方向可根据文中的人物或动物来判断，一般脸部所朝的方向就是文字的走向。假如文中有一只老鹰，它的面朝向右的，那么文本就要从右向左读。象形文字之所以排列得如此“凌乱”，是因为这种没有固定走向的排列可以增加整个文本的美观度。

在象形文字的语法还没有发现之前，由于其没有规律，人们一度认为它是没有书写方向的。不过经过人们的悉心研究，象形文字的书写方向之谜终于被发现。

3. 玛雅的象形文字都是头像吗？

玛雅文化高深莫测，玛雅的象形文字更像谜一样，阻碍了我们对玛雅文明的认识和了解。被发现的玛雅象形文字，有的被刻在石碑、庙宇、墓室的墙壁上；有的被雕在玉器和贝壳上；也有的用毛发笔写（描绘更为合适）在陶器、榕树内皮和鞣制过的鹿皮上。现存的玛雅象形文字总量非常多，单是闻名于世的科潘遗址中的“象形文字梯道”上就有超过2500个玛雅象形文字。令人兴奋而又费解的象形文字布满8米宽、共90级的石头台阶上。

玛雅的象形文字与古埃及的象形文字相比，似乎要先进得多。文字的发展一般是由简单不规则到复杂却规则，甲骨文、金文以及半坡陶器上的刻划纹都印证了这一点。由此说来，我们发现的玛雅文化中的象形文字已是比较成熟的文字。然而从世界上文字的发展阶段上来看，玛雅的象形文字还是处在稚嫩的初级阶段。

世界范围内的文字基本上都经历了3个不同发展阶段：一是图画或象征的文字，由代表性的场景画面来讲述整个故事；二是会意文字的阶段，用符号代表一定的意义；三是表音文字，文字与语言完美地结合到一起。玛雅的象形文字显然是属于文字发展的第一阶段，但是不可否认的是，它形式上的完美已经远远赶超了古埃及的象形文字。

那么，玛雅象形文字究竟像什么呢？

一种说法是玛雅文字发展的动力是宗教。玛雅人最初所象之形，非常有可能是那些形象特别的神祇。象形文字抓住了那些神祇突出的特点，并加以夸张而成。通常来说只画头像，所以，奇怪的头像即是玛雅的象形文字，当然是简化、抽象的或是以部分代整体。

1960年，学者塔约娜·普罗斯科拉亚科夫又提出了一种新的说法。他认为玛雅文字里记录的不是宗教，而是玛雅的历史。这些象形文字系统地记录了玛雅王族的诞生、统治、死亡及战争。人们开始从新的角度理解玛雅的象形文字，对玛雅的文化和社会有了一个新的认识。

学者们虽然已经能够理解十之七八已发现的玛雅文字，但是对它们的读音和字义仍然不甚了解。

4. 今天的玛雅人仍然讲玛雅语，却为什么破译不了流传下来的玛雅文字呢？

玛雅平民中使用的语言是一种多词素语言，一个单词相当于英语或法语中的一个句子。这一点和汉语有很大的相似性。从词汇上来看，玛雅词汇的使用很有规则，只要区分出名词、形容词、动词等不同的词类，就可以分析出句意了。

数千年来，玛雅的政治、版图都受到了严重的冲击，然而玛雅语却保留了下来，使得我们可以聆听古老玛雅语的回声，找到古代文明的踪迹。虽然玛雅语言有很大的封闭性，然而现代的玛雅语在流传之中，在词汇、语法、语音等方面，还是受到了西班牙语的一些影响。玛雅语系中存在着各种不同的方言，但它们是同一的，不同的方言出自同一母语系统。

玛雅文明还没有消失的时候，社会的等级制度非常严密，精英阶层和普通百姓的界限极度明确，不允许有任何逾越。玛雅人的宗教观念和学问知识大多数处于“秘传”的状态，掌握在少数人的手中，由少数人来传承。贵族等上层人士的后代被送到隔离的学校，学习那些秘传的东西。这样的传授体制，使得玛雅人中只能有一部分人具备专门研究某种问题的条件，这就为文明的巨大的进步提供了必要的条件。专职的秘传使玛雅文明高深莫测，创造出了精美的文明“乐章”。

然而，这种非平民化的知识体系也是玛雅文明没落和消失的原因之一。玛雅的象形文字是由专门的“神职人员”主持刻写的，普通的玛雅人根本不能了解其中的奥秘，更不用说是玛雅民族以外的人了。所以即使现在的玛雅语仍然完好地存在着，也不能帮助学者们破译那些难懂的象形文字，似图似画的玛雅文字的奥秘还有待人们的进一步研究。

5. 楔形文字是怎样产生的？

古代苏美尔人的文字最早是写在泥板上的。由于书写时用芦苇角或木棒角按压，在按压的地方印痕较宽、较深，抽出时留下的印痕则较细、较窄，因此，这种文字符号的每一笔开始部分都较粗，而末尾部分都较细，看起来就像木楔一样，于是后来的英国人将其称为cuneiform，即“楔形文字”。

cuneiform来源于拉丁语，是cuneus（楔子）和forma（形状）两个单词构成的复合词。这个名称表达了古代美索不达米亚文字的外在特征。其实楔形文字同世界上其他民族的文字一样，经历了从符号到文字的发展过程。考古发现已经证实，在古代美索不达米亚，最初的文字外观形象并不像楔形，而只是一些平面图画。随着社会的发展，人际交往越来越频繁，要表达的事物愈来愈复杂、抽象，原始的图形越来越无法满足人们的需要。为此，苏美尔人不得不对图形文字进行改革，开始逐渐用楔形符号代替象形符号，最终创立了楔形文字。

楔形文字是苏美尔人的重要发明，对西亚许多民族语言文字的形成和发展产生了重大而又深远的影响。西亚的巴比伦、亚述、赫梯、叙利亚等国都曾以楔形文字为基础，对其略加改造，来作为自己的书写工具，甚至腓尼基人创制出的字母也受到楔形文字的影响。然而，由于楔形文字极为复杂，随着时代的发展，已经无法满足人们的需要。到公元1世纪，楔形文字就完全消亡了。

楔形文字究竟是怎样起源的，一直是人类文化史上的未解之谜。对于这个问题，学术界主要有以下两种观点。

传统的考古学家和历史学家认为，楔形文字与美索不达米亚特殊的渔猎生活方式关系密切。这是较为通行的看法，西方的各种百科全书一般都持这一观点。

有些学者则有不同的看法，他们认为楔形文字的起源与古代苏美尔地区发达的社会组织有密切关系。苏联科学院编的《世界通史》这样写道："两河流域各族人民文化的最大成就，就是文字的发明。公元前4000年中叶，苏美尔人就有了文字的雏形。为了行政管理，他们需要比较有条理的通讯，于是，这种文字的雏形进化成真正的文字。"

6.6000 年前爆发的超新星与楔形文字的形成有关吗？

20世纪70年代，考古天文学家提出了一个爆炸性的观点：楔形文字起源于6000年前的一次天文事件——船帆座X号超新星的爆发。这个观点引起了世界学术界对楔形文字起源的新一轮争论。

这一观点起源于一个苏美尔学专家乔治·米查诺斯基的假设。在对楔形文字的研究中，乔治·米查诺斯基发现了一个现象，即在较早的泥版文书记载中大量出现对同一颗星的记录，因此，他提出了苏美尔文明的起源与这颗星有关的假设。

1980年，美国国家航空和宇宙航行局的天文学家里查德·斯特塞经过精确计算，论证了这一假设的合理性。他认为，米查诺斯基所说的这颗星，就是6000年前爆发的船帆座X号超新星，这是人类历史上能记忆的最大一次天文事件。这颗星在今天只能勉强分辨，但在6000年前，其光芒白天可以与太阳同辉，夜晚与月亮并悬，在两河的水面上拉开了一条长长的光带。可以想象，这种神秘的自然现象给早期人类带来的心理影响是极为深刻的。他们对这颗星的敬畏逐渐演化成了神话和宗教，关于这颗星的图画就逐渐演变成了最初的文字。专家们果然发现，在楔形文字中最早和最多使用的两个字是"星"和"神"，而这两个字惊人地相似。

自然科学对楔形文字起源上的探索让人兴奋，但仍有学者对此提出质疑：这个起源说和世界上其他种类文字的起源有着太大的出入，一颗星的威慑力会如此巨大吗？这样的质疑让楔形文字的起源更具神秘色彩。但不管是什么，文字由画图到符号再到字母发生的发展阶段，已经得到了考古学界普遍的证实。

7. 破译楔形文字竟源于一个赌注?

破译楔形文字这样艰难的事情，竟然源自一个赌注？会有这样意气用事的人吗？

17世纪，瓦莱把第一块带有楔形文字的砖块带回欧洲。欧洲的东方语言学家一直想破译这种奇怪的文字，但是由于他们见过的楔形文字太少，也没有任何可以参考的图形，所以释解起来非常困难，一直到19世纪中期，楔形文字的破解才具备了一些条件，一位叫博塔的人发掘了大量与楔形文字有关的文物。

然而，在楔形文字的破译上有突出贡献的人是一个叫作格罗特芬德的德国人。1802年的一天，格罗特芬德和几个朋友一起喝酒，他突然预感到自己可以破译出楔形文字，于是他便与朋友拿自己的预感打了一个赌。"大话"已经说出去了，他只能努力去实现它。他仅凭着手头上几份波斯波利斯铭文的粗糙摹本，苦苦钻研，成功破译了波斯波利斯楔形文字的起首10个字母。格罗特芬德对楔形文字的研究既不是出于对楔形文字的好奇，也不是想在学术上有一番作为，唯一的驱动就是和朋友的赌注，但是他却完成了学识渊博的学者都无法完成的事情。

格罗特芬德在破译的时候，首先确定楔形文字是文字而不是修饰图案，然后他通过古希腊史学家的著作初步了解了古代波斯史，接着还运用了数学中的逻辑思维，假定重复出现的两个相同文字是"国王"二字，最后再证实自己的推论。他按照自己的推论，破译了波斯国王大流士和薛西斯的名字。

虽然格罗特芬德破译的楔形文字和美索不达米亚的楔形文字有着很大的区别，但是他在楔形文字上的贡献是不可否认的。他的成功破译给其他楔形文字的破译提供了很好的条件，也正因为有他的努力，才为解读美索不达米亚的楔形文字提供了可能。

知识链接

瓦莱对楔形文字的贡献

德拉·瓦莱是第一个把楔形文字带到欧洲的人。对失落的文明的探索，有几个人做出过突出的贡献，第一个值得一提的人就是瓦莱。他熟悉《旧约》，精通希腊古典著作，所以在游历西亚过程中发现楔形文字的时候，很快就把它们和《旧约》及希腊古典著作联系起来。1621年，瓦莱在写给朋友的信中，抄写了波斯波利斯的古波斯铭文中5个古波斯楔形文字符号。这封信于1658年在罗马发表，欧洲读者第一次见到了楔形文字。他还对楔形文字做了解读尝试，猜测这些文字是从左向右书写的，这是人类在解读楔形文字上迈出的正确的第一步。此外，瓦莱也是最早在西亚进行"发掘"的人，1616年，他独自一人对巴比伦遗址进行"发掘"。

8. 拉丁字母表是怎样产生的?

自从拉丁字母产生之后，它就被英语、德语等日耳曼语系承袭，也成了现在世界上法语、意大利语、西班牙语的基础。总之，现在世界上的字母文字基本上都得益于拉丁字母。那么，对世界文明有如此重要作用的拉丁字母表是怎样产生的呢?

按照文字的发展阶段理论，我们都清楚地知道，字母文字并不是世界上出现最早的文字。学术界认为，拉丁字母产生于6种文字之后，这6种文字分别是西亚的楔形文字、埃及的象形文字、克里特线形文字、印度的哈拉巴文字、中国的甲骨文以及中美、墨西哥的玛雅文字。

根据古希腊和古罗马的文献记载，最早发明拉丁字母的民族会是腓尼基人、埃及人、亚述人、克里特人和希伯来人中的一个。威廉·库里坎的研究表明，最早的字母系统由30个楔形符号组成，可以追溯到公元前1400年左右叙利亚海岸的古代乌加里特。约公元前1200年，腓尼基人参考埃及的象形文字，创造出最早的线形字母表——腓尼基字母表，该字母表由22个字母产生，最早见于比布罗斯的阿希拉姆国王的石棺上。腓尼基字母表后来演化成为24个字母的希腊字母表。公元前900年，在克诺索斯的一个克里特几何形墓中发现的腓尼基铭文，可以证明这一点。

那么希腊字母表是如何发展演化成为拉丁字母表的呢？有关这

一问题的说法众说纷纭，但归纳起来，主要是以下两种观点。

一种是认为拉丁字母表是由希腊字母中较大的分支埃特鲁斯坎字母发展而来的。起初，罗马人借用了26个字母的埃特鲁斯坎字母表中的21个字母，后来，古罗马征服了希腊，Y、Z 两个字母被吸收进来，在中世纪，J、V 两个字母被发明出来，最后，又在罗曼语中增加了W，最终形成了26个字母的拉丁字母表。另一种观点认为，最原始的拉丁字母表直接来自坎帕尼亚的库迈城的希腊字母表，一共有20个字母，后来逐渐发展成为24个字母。

以上两种拉丁字母表产生的观点都有可能性，但我们最应该明白的是拉丁字母表的形成，它是人类文明的浓缩，探索它的源头就是探索文明的源头。

9. “OK”一词是怎样产生的？

OK本是西方人的口头禅，如今也成为中国人的日常用语。OK也可以写成okey或者O.K，发音不变。虽然大多数人会用OK一词，但对于该词的来历却知之甚少。

这个词最早被记录是在1839年，而它的产生则更早。关于其由来，大致有以下几个说法：

第一种说法是这样的：据说，在美国有一个铁路办事员叫欧贝德·凯利（Obadiah Kelly），每次与人交接货物在确认无误后，他会在单据上签下自己名字的首字母，也就是O.K。这一简单的做法得到了周围人们的认同，并不断为更多的人所接受。之后，美国电报局也采用这种签字方式作为验收电报的确认。因此，OK一词便被用来表达“准确无误”的意思。很多人对这个观点持怀疑态度，因为一个下层社会普通人的习惯是很难影响整个社会的。

第二种说法是说这个词来自林肯总统。据说林肯总统在签署公文的时候，经常把表达“完全准确”的all correct误写成oll correct，并缩写成OK表示批准。由于林肯总统总用OK这个错误拼写，人们便将错就错，也加以使用。但是，也有许多人并不认同这个说法，他们认为作为美国历史上最著名的英雄，林肯是不大可能犯这样的错误的。

第三种说法是学者们提出来的，他们认为OK一词是由中古英文hoacky演变而来的。这些学者认为，美语多来源于英语。在中古英语中，Hoacky一词表示“最后一批收成”，故而可以表示“成了”或“罢了”的意思。随着时间的推移，Hoacky有了OK之义。也就是说，OK的产生，是在旧词上不断添加新的含义演变而来的。

OK一词虽然众所周知，但是关于它来源的解释却一直没有一个公认权威的说法。虽然如此，OK一词却在一定程度上反映了美国的文化和民族特点。

10. 瓦斯特卡语属于玛雅语系，但它的分布为什么远离玛雅文化区？

根据种族和语言史的研究，瓦斯特卡语属于玛雅语系是毫无疑问的。瓦斯特卡语分布在墨西哥维拉克鲁斯以北的地区，而玛雅文化却主要集中在墨西哥的尤卡坦半岛、坎佩切、金塔纳罗、塔帕斯科州和恰帕斯州东半部；危地马拉的大部分（太平洋沿岸一带除外），洪都拉斯西部地区和萨尔瓦多。这就让我们产生了一个疑问：瓦斯特卡语的分布地区为什么会远离玛雅文化区呢？那里的居民是从玛雅文化区迁移出去的，还是那里本是玛雅文化的发源地？

其实，语言上的这种分布情况在世界的其他地区并不少见，之所以觉得瓦斯特卡语的分布迷雾重重，是因为我们对玛雅文化的了解还不多，对这种现象的解释有些力不从心。

玛雅民族其实是由几种相近的人种组成的“集团”。居民们有着相似的身体特征，说着属于同一语系的各种方言，据考证，现在玛雅文化区中还存在着24种不同的方言。虽然是同一文化的后裔，但不同地区的玛雅人已经形成自己的独特性了。那么，哪一种语言才是玛雅语系的原始语言呢？至今的考证还无法做出准确的判断。

语言学和考古学的学者推断，大约公元前1200年，瓦斯特卡人就从玛雅人的定居地迁移出去了。根据对玛雅语言史的研究，在远古时代确实出现过居民迁移，但是他们的迁移是在玛雅文化区内的迁移，范围比较小，瓦斯特卡人算是一个特例。也有学者认为，瓦斯特卡人属于定居人群，而非移居人群，他们迁移的说法似乎说不通。

目前，人类对瓦斯特卡人的考古成果还是凤毛麟角，很多方面都还处在模糊的状态，对这些观点还有待考证。就现有研究成果来看，瓦斯特卡人从玛雅文化区迁移出去的可能性非常大，但为什么要迁移到如此远的地方，还有待于考古学家的进一步论证。

11. 日文中含有汉字，但为什么不属于汉语语系？

日语中有相当多的汉字。于是，许多人认为中日两国“同文同种”，并把日语并入到汉语语系。其实，这种观点是错误的。真实的情况是，中日两国既不同文，也不同种。日语为什么不属于汉语语系？它属于哪个语系？

我们先来看看汉语，汉语属于汉藏语系汉语族。在语言学上，确定不同语言是否属于同一语系，一般是通过数字读音是否相似来判别的。中文中的数字读音和日语“千差万别”，相似之处甚少，因此日语并不属于汉藏语系。至于中文和日文都有汉字，则是因为从公元4世纪起，日本不断引入汉字和汉文化。大量汉字的引入，对丰富日语词汇起到了重要作用。另外，汉字在日语中通常有两种读法——训读和音读，中文和日文的汉字看似相同，实则不同。

不少学者在研究日语后发现，找不到与日语在数字读音上相似的语种。也就是说，日语很孤立。因此，美国语言学家肯尼恩·卡兹纳将日语列为独立语系，但是很多日本学者不满于日语的这种孤立性。

从语法结构上看，日语与朝鲜语很类似，都属于阿尔泰语系的语法特征。由此有人推论，阿尔泰语系分东西两个分支，日朝属于东部分支，其他阿尔泰语系语言属于西部分支。但是，这只是个推论，其科学性有待考证。日本京都产业大学的村山七郎则认为，日语属于马来—波利尼西亚语系。他的理由是：波利尼西亚很多语言结构和词类活用与日语相似。但这个观点也没有得到语言学界的认同。所以，日语究竟属于哪个语系，至今仍未形成定论。

12. 日文为什么要把字母称作假名？

日文的字母有一个奇怪的称呼——假名，为什么会出现这种情况呢？原来古代的日本是没有文字的，他们只有语言。随着古代中国的日益强大，对外交流逐渐增多，汉字逐渐传入日本。公元3世纪前后，中国大陆的移民开始向东边的海陆迁徙，不仅将水稻农田以及金属器具等传到了日本，也将汉字传到了日本。到隋唐时代，汉字开始大量传入日本，日本从此开始利用汉字系统地记载自己的语言。

起初，日本只把汉字作为表音符号使用，就是日语中有几个音节，就使用几个汉字。这些汉字逐渐演变成假名，“假”就是“借”，“名”就是“字”。之所以叫“假名”，是因为日语只借用汉字的音和形，不使用它的含义。而其中也不乏直接使用汉字音、形、义的词，这样的就叫作“真名”。

对汉字的借用，为日本人带来了方便，但问题也产生了：在一篇文章之中会同时出现真名和假名，看上去特别混乱，而且假名要借用的同音汉字很多，又加上汉字笔画多，用起来非常不方便。所以，日本人就逐渐将它们简化，创造了自己的文字，即现在的“假名”。

假名既然是由汉字演变而来的，因此书写要领和汉字的大致相同，笔顺一般是先上后下，先左后右。假名有平假名和片假名之分，平假名主要是日本传统的、自创的、原创的文字，片假名主要是外来词。平假名就像是写汉字的草体字那样，有轻有重，有连笔，而片假名则像是楷体。

13. 为什么同样使用汉字的中国人和日本人却无法用汉字沟通？

通常看日本的书籍或电视，我们会通过其中的一些汉字，把意思猜个七八分，可是，假如在你不懂日语的情况下，一个日本人同你讲日语，你会听得懂吗？答案是否定的。反之，一个中国人给不懂中文的日本人讲一段普通话，他们同样会满头雾水。

虽然日语中也有汉语的存在，但是两种语言中的汉字所表示的意思却是不一样的。汉字既表意又表音，而日文则和英文类似，是语音文字，里面的汉字只不过是字母而已，不能单独地表达意思。这就是中国人和日本人都使用汉字却无法用汉字沟通的主要原因。其实与汉语相比，日语与满语更加接近。

日语中汉字的发音分为“音读”和“训读”两大类。音读，是日本人模仿引进的中国汉字的汉语发音的读法。而汉字传入日本是一个循序渐进的过程，从日语中的一些汉字身上，可以发现中国不同朝代某些汉字发音上的差异，因此，在现代日语中一个汉字的普通读音通常有两种，称为“吴音”和“汉音”。训读是汉字的日译，是利用汉字表达日语固有词语意义的读法。

由汉字组成的日语词语，在意义上与中国现在汉语的词也有一些差异，原因有两点。一是古代汉语和现代汉语的差异。古汉语是单字词，现代汉语大多是双字词。而且汉语传到日本后，在日语中发生了演变。日语文字中，一般体言（名词、形容词、形容动词）的词干部分大多是汉字，而言词尾有变化的部分及助词、助动词则用平假名来写。

日语中的元音（都是单元音）只有5个，辅音只有9个，这大大降低了日语的发音复杂度。明治维新之后，日本政府曾一度想以假名全面取代汉字，限制汉字的使用，但是很快就发现，这样做会使学生的思考记忆能力大幅下降，所以不得不终止这次文字改革。之后，反而扩大了汉字的使用范围。

14. “世界语”是指哪一种语言？

世界语又称为万国语，在20世纪初传入中国时被称为“爱斯不难读”语，也有叫“万国新语”的。后来，借用了日本人意译的名称，称之为“世界语”。

19世纪末，波兰医生柴门霍夫看到由于语言的障碍，世界各国和各民族的人们产生许多隔阂，严重的甚至会导致冲突和战争，便决心研究一种没有国籍的语言，促进不同民族之间的沟通与交流。通过多年的潜心研究，1887年，他发明了世界语。

柴门霍夫世界语的基础是印欧语系的罗马语，书写形式也仿照拉丁字母。世界语共有28个字母，每个字母都有发音，且每一个字母只有一个发音；每个词的重音都在倒数第二个音节上。因此，只要学会28个字母，掌握了相应的拼音规则，就可以读出和写出任何一个单词。世界语的词汇来自印欧语系的各种自然语言，且主要来源于拉丁语、日耳曼语和斯拉夫语。其构词广泛使用前缀和后缀，语法规则比较简单，易学易记，比任何一种民族语言都便于掌握。

世界语在诞生之初，主要在法国、英国、荷兰等欧洲国家流行。在亚洲，日本最先引进世界语，使用也比较广泛。20世纪初，一些俄罗斯商人、日本和西欧的留学生来华，把世界语带入中国。如今，世界语已被带入120多个国家和地区，使用人数达到1000万之多，词汇量也由先前的900个增加到现在的15 000个。当前，世界语已被广泛应用于世界政治、经济、文化等领域，在国际交流中发挥着重要作用。

15. 为什么日本最早的史书《古事记》不是一部“汉文”史书？

日本的早期神话和传说，都是口头传诵的文学，没有文字记载。汉字传入日本之后，日本有了记录的条件。公元7世纪后半叶，日本开始有文字记载。天武天皇统治日本的时候热衷于修史，他下令大臣们把“帝纪及上古诸事”、口口相传的神话传说等保存下来，为以后大规模的修史打下了基础。

和铜五年（公元712年）9月18日，元明天皇下令修史，记载所谓的“王道历史”，次年1月28日完成。这就是日本最早的史书《古事记》，共分上、中、下三卷，卷首有优美的汉文序。

《古事记》全书使用“汉字”撰写而成，但是它却不是一部“汉字”史书。为什么呢？太安麻吕在《古事记》的序言中说：“上古之时，言意并朴，敷文构句，于字即难。已因训述者，词不逮心；全以音连音，事趣更长。”可见，《古事记》使用的是音训并用、和汉交混的特殊文体。通俗来说就是，书中的汉字有些是表意的，有些是表音的（表音的汉字经过发展成为平假名和片假名），不同于中国汉字的用法。

16.《日本书纪》为什么要模仿中国正史“帝纪”的体例编撰？

日本进入飞鸟时代以后，历代天皇都热衷于修史事业，养老四年（公元720年），日本留传至今最早的正史《日本书纪》编纂完成。《日本书纪》是六国史之首，原名《日本纪》，由舍人亲王带领太安亲麻吕、纪清人、三宅藤麻吕等人编纂而成，记述了神代至持统天皇时代的历史。全书共“纪”30卷，“系图”1卷，“系图”1卷已经不存在，“纪”30卷就是流传至今的《日本书纪》。

《日本书纪》用汉文写成，语言格调高雅，享有“日本之《史记》”的美誉。《日本书纪》模仿中国正史“帝纪”的体例编撰，全书广泛引用中国经史中的文句。小岛宪之经过仔细研究之后发现，《日本书纪》引用中国的典籍达80余种，如《汉书》《后汉书》《三国志》《文选》《淮南子》《艺文类聚》《高僧传》等。有些引用近乎原文照录。如《日本书纪》中“是时天下安平，人无徭役，岁比登稔，百姓殷富。稻斛银钱一文，牛羊被野”的记录，和《后汉书·明帝纪》记载永平十二年（公元69年）的状况“是岁天下安平，人无徭役，岁比登稔，百姓殷富。粟斛三十，牛羊被野”基本相同。

《日本书纪》之所以模仿中国正史“帝纪”的体例编撰，不仅仅是为了让文章的辞藻华丽、结构美观，更重要的是要通过借用赞扬社会和帝王的词句，将日本的历代帝王打造成与威武、高大、多才的中国帝王相似的形象，以向异邦夸耀日本的强大和开明。而《日本书纪》中描写天皇的词句也的确有很多模仿的是中国史书中对帝王的描述。如，对武烈天皇“日晏做朝，幽枉必达”的描述，就是参考的《后汉书》对明帝的赞扬之句。

17.《万叶集》为什么被称为“日本的《诗经》”？

《万叶集》收录了日本自公元4–8世纪中叶4个世纪的4516首长短和歌，是日本现存最早的诗歌总集。其成书年代和编者众说纷纭，但多数人认为其成书于奈良年间（公元710–784年），主要作者有柿本人麻吕、高市黑人、山部赤人、山上忆良、大伴旅人、大伴家持等，诗集中署名的作者就有500多人，几乎囊括当时日本的各个阶层，据说大伴家持是此书的编者。后来，《万叶集》又经过多人的校正审定才成为今天传诵的版本。

《万叶集》共包含诗集20卷，按照内容，分为杂歌、相闻、挽歌等。杂歌涉及四季风物、行幸游宴、狩猎旅行等内容；相闻多是表达恋人、朋友、亲人之间感情的诗歌；挽歌主要是葬礼上哀悼死者的诗歌。此外，诗集还广收了口头流传的民谣《东歌》和《防人歌》。在形式上，《万叶集》主要有长歌、短歌、旋头歌3种，其中长歌265首，短歌4207首，旋头歌62首。另外还收连歌、佛足石歌各1首，汉诗4首，汉文22篇。从这几方面看，《万叶集》和中国的《诗经》大为相似。

《万叶集》记录和歌时将汉字作为标音文字，是中日文化融合的表现。

综合上面所述，《万叶集》被称为“日本的《诗经》”是合情合理的。

18.《罗摩衍那》中的罗婆那尸体至今还存在吗？

印度史诗《罗摩衍那》举世闻名，史诗的高潮是主人公罗摩王与古代斯里兰卡国王罗婆那的那场激烈战斗。按照印度的传统说法，战死沙场的罗婆那被火葬，但近年来，泰国马拉瓦德教团的教士特玛难陀却提出了不同的看法：罗婆那的尸体至今还完好无损地保存在拉加拉山峰的石窟中。他的观点一提出，立即在斯里兰卡引起了轰动。很多人不禁发问：“罗婆那的尸体真的还存在吗？”

大量的史料表明，在古代，斯里兰卡和埃及有着极为密切的来往。根据西方学者对金字塔中法老及其王后木乃伊的研究，特玛难陀得出在罗婆那当政的时期，斯里兰卡就从埃及学会了长期保存尸体的方法的结论。特玛难陀认为，罗婆那阵亡后，葬礼是按照国殡规模进行的，而且还邀请了许多友好国家的元首，其中当然包括埃及的元首。在前来吊唁的埃及国王一行中就有造诣很深的保存尸体的人员，他们将尸体处理后安置在山洞中。特玛难陀称自己曾在拉加拉山附近迷路，当时因为夜色已晚，他看到了山洞中发出一道极像镭放射线的神秘的光，他认为这光很有可能就来自尸体。

蚁蛭所创作的史诗《罗摩衍那》中说罗婆那死后是火葬的，但值得注意的是在蚁蛭创作《罗摩衍那》之前，罗摩衍那的故事已经在南印度、越南、泰国、马来西亚等一些国家和地区传播。印度尼西亚、泰国出版的《罗摩衍那》都没有提及火葬。而蚁蛭所描写的罗婆那火葬的情景，很可能是受到了当时北印度盛行的火葬殡仪习俗的影响。

另外，印度那格普尔大学副校长、著名考古学家江沙卡尔教授曾经去过斯里兰卡实地考察。之后他写了一部专著，也断言罗婆那的尸体至今仍保存完好。

罗婆那的尸体到底还存不存在，至今还有很大的争议，但是根据考证的资料，似乎存在的可能性要更大一些。希望研究罗婆那尸体之谜的各国学者，能早日在这一工作上有所突破。

19.《荷马史诗》真的是荷马所作的吗？

《荷马史诗》在西方文学史上有着非常重要的地位，是古希腊人留给后世的一份宝贵文化遗产，被人誉为“希腊的圣经”。众所周知，《荷马史诗》分为两部分，即《伊利亚特》和《奥德赛》。相传为盲人荷马所作，因而被称为《荷马史诗》。但是，历史上真的有荷马其人吗？《荷马史诗》真的是荷马所作吗？

在文学史上，流传着很多关于荷马的传说。因此，很多古代学者都承认荷马的存在，并且认为他就是《荷马史诗》的作者。支持这一观点的人，包括古希腊历史学家希罗多德、哲学家柏拉图和亚里士多德。

在近代，这个问题似乎有了新的说法。法国的僧多比亚和意大利历史学家维科就认为，史上并没有荷马这个人，人们所说的荷马，其实是古希腊许许多多说唱人的代名词，或者是原始诗人想象出来的人物。他们认为，《伊利亚特》和《奥德赛》两部史诗相隔数百年，绝不可能出自一人之手。所以，所谓的荷马是古希腊说唱诗人的泛指。德国学者沃尔夫更是断言，《荷马史诗》应该是多人所作，后经多次整理而成的。这种观点被称为“分解说”。

与之相对立的还有“统一说”，其代表人物是德国学者尼奇。他认为，荷马在历史上确有其人，他生活在公元前9世纪以前。他认为，《荷马史诗》有统一的艺术结构，应为一人所作。显然，他的说法是古希腊观点的继承。

另外还存在一种介于两者之间的观点，即“基本核心说”。持这种观点的人认为，《荷马史诗》最初可能是一些短篇，后人以此为核心，加以扩大而成。如《伊利亚特》的核心就是阿喀琉斯的愤怒，《奥德赛》的核心就是奥德修斯返乡的奇遇。除了核心部分，其余的部分都是后来添加上去的，因此史诗才会既保持基本统一，又存在不少脱离布局和自相矛盾的地方。现在，这种说法日渐为学术界所接受。

当然，要真正解开这个谜团仍然需要进一步的探索，但这并不妨碍《荷马史诗》作为人类文明史上最伟大的诗作之一而存在。

20. 普希金的《一号日记》是否存在?

普希金是俄国近代诗人，他的创作对俄国文学和语言的作用很大。普希金的一生虽然比较短暂，但是他却给后人留下了异常丰富的文学遗产。他生前的作品手稿基本上都收藏在苏联的“普希金博物馆”和“普希金故居”里。但是《一号日记》却一直不见踪迹，人们对《一号日记》的争论也没有停止过。《一号日记》真的存在吗?

1837年，普希金不幸身亡后，人们在他的遗稿中发现有一部日记的扉页上注明的编号是第二号。所以人们把1920年普希金的孙女叶莲娜宣称的在她手中的那部分日记称为《一号日记》。对于叶莲娜对外宣称的消息，外界有不同的观点。

有一部分人认为，《一号日记》没有存在的可能性。苏联著名的普希金研究专家莫扎列斯基曾用自己的头颅作保说，除了现有的普希金日记之外，根本就不存在其他的任何手稿。叶莲娜的外甥女也指出，舅妈叶莲娜不可能有普希金的日记手稿，普希金留下的全部文稿都是由他的长子保存。叶莲娜的兄长也认为她这样做纯粹是为了提高自己的地位和身份。

但也有一部分学者认为，《一号日记》一定是存在的。《一号日记》最初是由普希金的长子保存，但后来辗转到他的孙女叶莲娜的手中。非常著名的普希金专家法因贝格在撰写的《失落的日记》中断言，普希金的《一号日记》是真实存在的，而且是在侨居国外的普希金的后代手中。另一位优秀的普希金学家戈富曼在自己的文章也认为《一号日记》是存在的，而且断言它将会让世人了解普希金参加决斗的原因和真相。1923年，叶莲娜在给友人的信中说，根据她父亲的遗嘱，《一号日记》要在普希金遇害100周年之后才能发表。但时至今日，仍未见《一号日记》的发表。为了不让珍贵的手稿流散各地，研究普希金的专家和学者四处寻找，可是一直没有找到侨居国外的叶莲娜的行踪，每次寻找都是空手而归。

虽然《一号日记》的神秘面纱还没有揭开，但是世界各地的专家和普希金迷们研究和寻找的热情一直未减，相信在不远的将来，普希金《一号日记》的疑案一定会有确切的答案。

21.《圣经》究竟是谁写的？

在世界文明史上，《圣经》占据着无与伦比的地位，对人类历史的进程产生了巨大而深远的影响。但是，这部伟大的作品到底出自谁的手笔却没有定论。长期以来，这个问题一直是神学家、历史学家最感兴趣的话题之一。

大多数的基督徒、神学家、牧师、传教士都认为，《圣经》是上帝亲自编写的或者是上帝口授、摩西编写的。当然，用科学的眼光看，这只是反映人们宗教信仰的说法而已，从客观的角度分析，是经不起推敲的。而且，自19世纪以来，有人用更加科学和严谨的方法来分析这部作品，现在他们已经证明，《圣经》并非上帝或摩西所作，而作者另有其人。那么，《圣经》究竟是何人所写呢？

研究《旧约》的专家理查德·弗里德曼教授认为，《圣经》一部分是真实的，一部分是杜撰的。根据研究，他认为，《圣经》是由4名不同的作者、在不同的时间完成，最后由一名编辑把他们的作品编辑在一起。弗里德曼的依据是：前5章的内容存在前后矛盾且有多处重复的问题。此后，从考古学的角度进一步分析，他坚信4名作者其中两位大约生活在同一时期，时间范围在公元前922–前622年。他们一个生活在约旦王国，另一个则在以色列。对于弗里德曼的说法，有人持不同意见。他们认为，《圣经》的故事虽有重复，但并不能据此说该书是由多人所写。

与此同时，更多的学者投入对《圣经》的研究中，他们皓首穷经，查阅无数史料，得出了较为合理的结论。他们认为39卷《旧约》和27卷《新约》组成的《圣经》，其写作时间长达1600多年，作者多达30多位。这些作者里，有政治家大卫、但以理，有祭司以斯拉、哲学家摩西、法律专家保罗，还有先知以赛亚、耶利米等，除了这些精英之外，也有很普通的人，比如医生路加、税吏马太、牧羊人阿摩司、渔夫彼得等。

22. 苏美尔神话是《圣经》中天堂故事的原型吗？

大家都知道《圣经》中的天堂故事，这个故事的原型是什么呢？1956年，苏美尔学者S.N.克莱默宣称，他通过比较《圣经》里的天堂故事和苏美尔人的天堂神话，认为《圣经》中的天堂故事源于苏美尔神话。这一惊人的结论引起了世人的轰动。

美索不达米亚的神话传说涉及的内容有宇宙的起源、人的创造、众神的经典事迹以及人与神之间的爱情等。根据苏美尔学家的研究，这些神话流传甚广，对希伯来人、希腊人产生了深刻影响。《圣经》中的传说和希腊神话有很多取材于两河流域流传的神话。其中比较有名的有苏美尔人的天堂神话、大洪水的神话、巴比伦人的创世神话等。总之，美索不达米亚文明深深地影响着犹太、希腊和罗马文明。

克莱默为自己得出的结论列举了三个较有说服力的理由：一是两个故事中天堂的位置可能相同；二是两个故事的情节非常相似；三是夏娃取自亚当肋骨之说源于苏美尔神话，这也是克莱默觉得最有说服力的理由。在苏美尔神话中，水神和智慧之神身体最薄弱的部位就是肋骨，而且肋骨的单词在苏美尔语中还有“创造生命”“给予生命”的意思。克莱默的三大理由的确有一定的说服力，但是《圣经》中的天堂故事和苏美尔神话究竟是不是同源，还要经过进一步的考究。

23.《约伯记》是由巴比伦作品改编的吗？

《约伯记》是《圣经·旧约全书》中的一部寓言式作品。它是通过探讨“为什么善良、正直的人会不受上帝的庇佑遭受苦难，而邪恶之人却能养尊处优，无忧无虑的生活”这个人们在日常生活中经常遇见的问题，来让人们知道在遭受磨炼的时候应该怎样做，明白磨炼之后会得到什么东西（精神上）。在巴比伦文明还没有被深入了解之前，《约伯记》被看成人类历史上最古老的哲学著作。后来，亚述学家破译了挖掘出的古代巴比伦泥版书，证实在巴比伦时期就已经有了《约伯记》式的语言作品，比《约伯记》要早1000多年。

巴比伦出土的泥版书上讲述的寓言是一个叫巴勒塔·阿特努阿的受难者的故事。他忠实地信仰着宗教，但是却受尽了苦难，尝遍了人世间的辛酸。他不但痛失双亲，失去财产，就连最后仅剩的一点东西也被人偷走了。巴勒塔·阿特努阿对自己的遭遇感到非常困惑：“我是如此虔诚地信仰和尊敬神，可是为什么我却得不到庇佑，贫困潦倒到如此境地？”他的一个朋友告诉他：“你遭遇的不幸，可能是由于一些隐匿的罪恶带来的。我们无法揣测到神的意志，但是也许你现在遭遇的灾祸，将来会变成幸福。一定不要怨天尤人，要勇敢地接受现实。只要你是真心信仰神的，神一定就会赐福给你的。而且害你的人也定会得到报应。”

巴勒塔·阿特努阿的困惑，实际上是人们对生活中真实存在的现实的思考，是理想和现实冲突的产物。劝慰他的朋友所说的话，是告诉人们对神要虔诚，要有坚定的信念，坚信善恶终有报。这是人类对善与恶的一种理性思辨，蕴涵着深刻的哲理。

《约伯记》中主人公约伯的遭遇与巴勒塔·阿特努阿极为相似，表达的是相同的思想，但思辨得更深刻、更有哲理性。很多学者从二者出现的时间和内容上推断，《约伯记》很可能是由巴比伦作品改编而成的。

知识链接

《旧约全书》中“约”的来源

从公元前12世纪至公元前2世纪，《旧约全书》陆续用希伯来语写成，记载的是主与他的选民以色列人所立的盟约，旧约是律法的盟约，也是为救世主降生做准备的。它是基督宗教启示性的文献，除编排以外，内容和希伯来《圣经》一致，共39卷。

耶和华击杀埃及人拯救以色列人脱离埃及法老的统治时，曾与以色列人立约。《旧约全书》中“旧约”的“约”，就来源于此。他们在门楣上刷“羊血”来作为立约的证据，并立约说，凡是门楣与门框上有羊血的以色列人民都是神的选民，都是耶和华要留下的人。而埃及人和牲畜都不是耶和华要拯救的，埃及人所有的长子和初生的牛羊都被击杀。“旧约”就是用耶和华与以色列人立的约来命名的。

24.《彼得大帝遗嘱》是伪造的吗?

彼得一世是俄国历史上最伟大的沙皇，在俄国历史上，他被尊称为“大帝”，马克思也曾称他“雄才大略”。彼得一世在位期间，大力提倡改革，开辟新市场，并着手制定征服世界的伟大蓝图。他发动了长达21年之久的北方大战，征服了瑞典、波兰等国，并在1712年将沙皇政府由莫斯科转到彼得堡，窥视整个欧洲。彼得一世用自己的一生，将俄国从一个内陆国家扩张成为一个临海帝国。他在历史上的功绩令后人对他倍加关注。

1836年，一个叫德奥的法国人出版了一本回忆录。令人感到震惊的是，回忆录公开了一份《彼得大帝统治欧洲的计划》，这份计划就是《彼得大帝遗嘱》，其主要内容有14条，分别是：使俄国长期保持战争状；罗致人才；参与欧洲事务；瓜分波兰；征服瑞典；王室联姻；与英国结盟通商；沿黑海、波罗的海向南北扩张；挺进君士坦丁堡与印度；对奥地利行使某种保护；挑动奥地利与欧洲各大国作战；全面统治希腊；利用法奥中的一个制服另一个；征服日耳曼和法国。这份遗嘱充分暴露了沙俄妄图征服世界的野心。

然而，自遗嘱公开以来，这份遗嘱的真实性就成为人们讨论的焦点。德奥在回忆录中详细描述了自己是如何得到这份遗嘱的。德奥是法国机要局的成员，奉命打入俄国宫廷窃取情报。当时统治沙俄的是荒淫无耻的伊丽莎白，为了享乐，她在宫中养了一批供她玩乐的“面首”。德奥别有居心地成了“面首”中的“红人”，这让他可以随意出入宫廷的各个地方。《彼得大帝统治欧洲的计划》是他在圣彼得堡城郊的沙皇夏宫里堆积如山的档案中意外发现的。之后，他将原文抄录了下来。

德奥打入沙俄宫廷是确有其事，也完全有可能得到沙俄内部的绝密资料。另外，德奥的回忆录发表42年后，一位流亡在俄国的波兰将军向法国呈交了一份《俄罗斯扩张计划概要》，其内容与德奥发表的《彼得大帝遗嘱》几乎一模一样。《彼得大帝遗嘱》的真实性似乎不容怀疑了。

但是仍有治学严谨的学者对遗嘱的真实性表示怀疑。史料记载，彼得大帝在去世之前已昏迷不醒，由谁来继位的口头遗嘱尚未留下，何来行文如此流畅的遗嘱呢？另外，遗嘱的表述过于露骨，起草时间德奥没有解释清楚，而且这样的机密文件也更不可能被放在堆积如山的档案之中。专家们认为，遗嘱很可能是德奥为了邀功而杜撰的，文字虽为杜撰，但内容很可能是真的。因为彼得大帝一生的作为与遗嘱的内容非常吻合。

25.《尤利西斯》《查泰莱夫人的情人》和《北回归线》为什么被列为20世纪的三大禁书？

《尤利西斯》《查泰莱夫人的情人》和《北回归线》之所以被列为20世纪三大禁书，主要是因为这三本书中对性的描写太过露骨。

《尤利西斯》是英国作家詹姆斯·乔伊斯的意识流小说。小说以时间为顺序，描写了斯蒂文、布罗姆及其妻子毛莱三人在1904年6月16日这一天19小时内的生活。主要描写斯蒂文的虚无主义思想、布罗姆的庸人主义哲学和厚颜无耻，以及毛莱的淫荡和肉欲。小说的描写展示出了现代资产阶级社会的腐朽和空虚，同时又认为这是人类文明的缩影，并且全盘否定了这一缩影。描写毛莱的放荡生活和内心淫秽的内容较多，是小说遭禁的主要原因。

《查泰莱夫人的情人》是英国作家劳伦斯的作品，是现代颓废派文学的重要代表作。小说叙述的是女主人公查泰莱夫人康妮因不满意和下半身瘫痪的丈夫一起过虚伪的贵族婚姻生活，而同他们守猎场的雇工米尔斯相爱、最终怀孕并出走的故事。书中以很大的篇幅细致地描写了康妮和情人米尔斯之间的性生活，以至于没有一个出版商敢出版这本书。30多年以后，这本书才得以正式出版。

《北回归线》是美国小说家亨利·米勒的自传体小说。同上面的两本书一样，此篇小说中有露骨的性描写，而且又引用了淫秽的语言。小说一出版就被列为禁书。小说的情节简单，讲的是一个失意的美国电报公司职员在巴黎的生活，主要描写的是主人公的思想感情以及在巴黎参加的文化活动。此书被禁27年，在20世纪60年代解禁。

26. 林肯为什么说《汤姆叔叔的小屋》导致了一场南北战争？

《汤姆叔叔的小屋》在《民族时代》上连载发表之后，立即引起了强烈的反响，之后成书出版。仅第一年在美国国内就印刷了100多版，销售了30多万册，后来被译为20多种文字在世界各地出版，并且至今都被人们津津乐道。《汤姆叔叔的小屋》对美国的巨大影响可以用林肯的话来概括：一本书导致了一场南北战争。林肯为什么要这样说呢？

《汤姆叔叔的小屋》以穿插轮叙的方式，描述了汤姆和乔治·哈里斯夫妇这两种不同性格黑奴的遭遇和命运：接受奴隶主灌输的基督教精神的汤姆，性格柔弱，只知道听从奴隶主任意摆布，最终难逃一死。而具有反抗精神、不甘心让奴隶主决定自己生死的乔治夫妇，则在斗争中得到了新生。

《汤姆叔叔的小屋》能受到强烈的欢迎、产生巨大的影响，和当时的社会背景是分不开的。美国独立战争结束后，北方的资本主义迅速发展，而广大的南方却依然推行灭绝人性的奴隶制度。因此，在美国国内形成了拥护奴隶制与反对奴隶制双方尖锐对立的局面。《汤姆叔叔的小屋》通过描写两种黑奴的不同命运，也间接地说明了反对农奴制度是正义的一方，应该获得胜利。小说的大量发行，使得人们更为深刻地认识到这一点。在当时的社会背景下，《汤姆叔叔的小屋》可以称得上是一篇引发、推动废奴运动的惊世之作。《汤姆叔叔的小屋》对社会的发展起到了积极的推动作用，林肯说它导致了一场南北战争，实不为过。

27.《源氏物语》为什么被誉为“日本的《红楼梦》”？

《源氏物语》是日本古典名著、日本物语文学的巅峰之作，对日本文学的发展产生过巨大的影响。其成书年代至今未有统一的说法，但一般认为是在1001-1008年间，因此，《源氏物语》是世界上最早的长篇写实小说，在世界文学史上也有重要的地位。《源氏物语》有“日本的《红楼梦》”之称。它比《红楼梦》问世早700余年，但在很多方面与《红楼梦》有相似之处。

《源氏物语》的作者是紫式部，本姓藤原，原名不详，这很大程度上是因为作者是女性的缘故。作者初叫藤式部，后写成《源氏物语》，书中的女主人公紫姬为世人传诵，所以又被称为紫式部。紫式部出身中层贵族，自幼学习汉诗和中国古代文献，但不幸家道中落，嫁给一个年长自己20多岁的地方官，婚后不久变成了寡妇，后入宫做了一名女官，得以深切地体会宫中生活，为写《源氏物语》打下了良好的基础。

《源氏物语》写作的时代，是藤原道长执政，平安王朝贵族社会全盛时期。平安京的上层贵族只顾享乐，在一片太平的表象之下，充满了极为复杂而尖锐的矛盾。上层贵族之间争权夺势；中下层贵族纷纷到地方寻出路，发展成为地方贵族；百姓反抗。整个社会危机四起，王朝开始由盛转衰。这部作品描写了以源氏及其岳父左大臣为代表的皇室一派，同以弘徽女御及其父右大臣为代表的皇室外戚一派之间的权力斗争和爱情故事，叙述了贵族的腐败、生活的奢侈和一夫多妻制下妇女的悲惨命运，集中反映了当时存在的矛盾和时代面貌。小说涉及4个朝代，跨度达80余年，描写了400多个人物，场面宏大。《源氏物语》的语言以散文为主，穿插了约800首和歌，歌与文融为一体，极具日本民族古雅的风格。

如此看来，无论是从作者的角度、成书的背景、书中的内容及语言特色，还是它的影响，都和《红楼梦》非常相似，当然可以称得上是“日本的《红楼梦》”。

28.《君士坦丁赠礼》是伪造的吗？

《君士坦丁赠礼》不是一份独立的文件，它是《君士坦丁诏令》的一部分。《诏令》用拉丁文写成，共计3000余字。文中，君士坦丁用帝王的口吻以第一人称复数自称，这类似于中国古代帝王自称的“朕”。《君士坦丁诏令》分为两部分，在第一部分中，首先描述了西尔维斯特为君士坦丁宣讲教义、施洗治病的过程，然后陈述了君士坦丁要皈依基督，这一部分称为“誓愿”。第二部分就是“赠礼”，就是对教会恩泽的报答。

君士坦丁大帝是第一位信仰基督教的皇帝。他统一了罗马帝国。君士坦丁堡市（以君士坦丁大帝的名字命名，现在的伊斯坦布尔市）曾经有1000年的时间是东罗马帝国的首都。君士坦丁大帝在公元337年去世。

在9世纪时，《君士坦丁赠礼》突然出现在基督教教义中，它记载了君士坦丁将整个西罗马帝国（包括罗马）赠予当时的教皇西尔维斯特一世，以感谢他治好了君士坦丁城的麻风病的遗嘱。到11世纪，基督教教皇一直用《君士坦丁赠礼》来证明并宣称他们是意大利中部政权的统治者，而不仅仅是基督教会的传教士。在当时，即便是反对基督教会的人都认为《君士坦丁赠礼》是真实的。

然而，意大利文艺复兴时期的博学家洛伦佐·瓦拉，在1440年发表了一个专题论文，声称《君士坦丁赠礼》漏洞百出，是一个大骗局。他认为遗嘱所使用的语言有很大的漏洞，将它与当时拉丁语系国家的宫廷语言做对比，就好比是伦敦土话与王室英语之间的比较。洛伦佐·瓦拉的论证，使得罗马天主教会再也无法以《君士坦丁赠礼》为借口统治欧洲各国。

人们普遍认为，这本存在的《君士坦丁赠礼》很有可能是在查理曼时期罗马教廷（尤其是阿德里安一世教皇时期）要求政教合一时，为了适应局势的发展，由教廷机构的一位牧师伪造的。

29. “死海书卷”是最古老的《圣经》吗？

“死海书卷”，又称为“死海古卷”或“死海经卷”。因其出土于死海附近的昆兰，所以被称为死海书卷。书卷最初是在1947年被一名少年牧羊人在一个山洞中发现的，之后这些书卷被辗转贩卖到了撒母耳主教的手中。1948年，书卷流落到了美国，其价格被美国东方研究学院和耶鲁大学的学者发现。有关死海书卷的消息一经传出，书卷的价格飞涨，宗教界和考古界的人士，纷纷进入昆兰发掘死海书卷。发掘工作持续了3年之久，到20世纪50年代，已经在最初发现书卷的附近又发掘了11个山洞，其中存有800多个书卷，但因书卷距今的时间过长，已经支离破碎了。

经过考古学家们50多年的拼凑修复，死海书卷的近500卷书卷部分或全部复原。其中主要的8部经卷存放于以色列博物馆，其余的则保存在耶路撒冷的洛克菲勒博物馆。死海书卷的主要材料是羊皮纸，也有部分纸莎草纸。文字以希伯来文为主，也有少数的希腊文、阿拉米文、纳巴提文和拉丁文。通过对比希伯来古文字体，学者们鉴定死海古卷大约完成于公元前3世纪到公元1世纪（公元前250-68年）。

死海书卷包含了除《以斯帖记》以外的《旧约全书》，以及一些今天被认为是外典（包括次经及伪经）的经卷。复原最完整的是《以赛亚书》。发现的死海书卷主要分为三大类：近100卷旧圣经约经卷；《圣经》的注释、评论，以及解经书、次经和伪经；非《圣经》文献（包括世界末日的预言书、上帝毁灭邪恶势力等）。由以上内容综合来说，死海书卷是目前最古老的希伯来文《圣经》抄本。

学者们拿死海书卷与《圣经》做比较，发现它抄写非常准确，而且还帮助解决了《圣经》原文上的一些争议，也填补了现存《圣经》抄本的一些遗漏。

发现死海书卷之时，《圣经》的真实性正遭受质疑。在基督教各教派中，在旧约的真实性上有很大的分歧，毕竟现存旧约的文本最早的是公元9世纪的抄本，不是原始版本。死海书卷的发现和译读，使得旧约圣经的准确性被肯定。

30.《三国志》中的《倭人传》是倭人社会的真实反映吗？

在中国古代正史史籍中，《三国志·魏书·倭人传》最早记载了有关古代日本的历史。《倭人传》主要描述了邪马台国的位置，介绍了邪马台国的风土人情，记录了邪马台国的事迹（主要是该国女王卑弥呼的事迹）。

《后汉书》中也有对日本的记载《倭传》，但是《后汉书》的成书时间是南朝，比《三国志》要晚150年左右，其基本内容也是引自《三国志》。之后历代正史中对日本的记载大多是以《三国志》中的《倭人传》为母本，根据当时的一些情况稍作删减而已。日本的一些文献中在记录邪马台国时期的历史时也引用了《倭人传》中的文字。

邪马台王国是日本列岛上一个统治30个小国的政教合一的国

家，和中国古代的三国大约同时，当时统治者是女王卑弥呼。中国的曹魏政权与邪马台王国进行了频繁的遣使交往，对其国家的位置有一个大致的了解：邪马台王国是一个岛国，位于朝鲜半岛附近的东南大海之中。现在看来，《倭人传》中对日本方位的记载显然是不够准确的。在魏晋以前有100多个小国曾遣使向汉朝朝贡，而邪马台国女王统治了30个小国，学者们认为，这30个国家并不是魏晋时期日本列岛的所有国家，而只是这些国家在邪马台国女王的统治下，与中国的交往较早。由此看来，《倭人传》中记载的倭国，只是邪马台王国及其所统属的30个附属国，并不是整个古代日本。

31.《吉尔伽美什》史诗与挪亚方舟的故事有什么关系？

《吉尔伽美什》史诗是人类历史上第一部史诗，它的完成经历了一段漫长的时期。吉尔伽美什的故事从苏美尔时期就开始流传，一直流传了1000余年，古巴比伦人将其最终定稿。《吉尔伽美什》史诗流传甚广，在相当长的一段时间内有极大的影响，早期的西方文学就受到了它多方面的影响。

《圣经·旧约》中的许多故事都参照了这部史诗。在乔治·史密斯还没有发现记载《吉尔伽美什》史诗的泥版之前，人们都认为挪亚方舟的大洪水传说出自《圣经》。而自史密斯以来，《吉尔伽美什》史诗与挪亚方舟的故事之间的联系开始被专家和学者们广泛探讨。

史诗中的主人公是苏美尔人乌鲁克城的国王吉尔伽美什，他为了寻求永生的秘密，历尽艰险找到了祖先乌特·纳比西丁。祖先给他讲述了他获得永生的故事。故事说，神为了惩罚世人的邪恶，决定用洪水毁灭人类。乌特·纳比西丁由于虔诚地信仰神，得到神事先的启示，建造了一艘大船，将自己的家人和各种生物带到船上避难。洪水将生命灭绝，只有大船上的生命得救了，并获得了永生。

《吉尔伽美什》史诗完成之后，书中的神话故事被后人传诵。约公元前6世纪，犹太人吸收了史诗中的洪水故事，生成了挪亚方舟的故事。故事中的神是耶和华，主人公是挪亚，情节和《吉尔伽美什》史诗中洪水故事的情节极为相似。

洪水故事中，洪水象征着重生。重生之后，乌特·纳比西丁和挪亚都得到了神的馈赠。而巴比伦文化认为永生是最好的馈赠，希伯来人则认为食物和祝福是最好的馈赠。这也是这两则故事的不同之一。两则故事相比，《圣经》清楚地记载了主人公挪亚当初的年龄、方舟的大小、日期等，历史因素多一些，而《吉尔伽美什》史诗的文学因素则更多一些。

32.《罗摩衍那》为什么被称为东方的《奥德赛》？

大约在公元前4世纪或前3世纪，《罗摩衍那》用梵文写成，共1000页，每页48行。其作者一般认为是蚁蛭仙人。《罗摩衍那》主要讲述的是拘萨罗王国的王子罗摩历经艰辛重回宫廷，以及与妻子悉多之间悲欢离合的故事。书中的故事情节和《奥德赛》非常相似。因此，《罗摩衍那》被称为“东方的《奥德赛》”。

《罗摩衍那》中说，罗摩是拘萨罗十车王的长子。年轻的罗摩通过竞赛赢得了邻国公主悉多的芳心。罗摩与美丽的悉多成婚之后，很快得到了百姓们的爱戴，于是十车王决定立他为太子。但十车王的另外一个王后吉迦伊心存嫉妒，在庆典仪式上她用国王曾经答应过会满足她任何愿望的借口，让国王将罗摩放逐14年。国王不得不遵守自己的诺言，伤心地将爱子放逐。悉多和另外一个王子罗什曼那跟随罗摩一同在森林中生活。没过多久，十车王就去世了，吉迦伊的儿子婆罗多到森林中恳请罗摩回去掌管国家。但罗摩拒绝了。

罗摩被放逐期间，妖魔抓走了悉多，把她囚禁起来，并企图和她成婚。悉多坚决反抗。罗摩历尽艰辛终于救出悉多，见到妻子他悲喜交加，心中有悉多是否失节的疑问。悉多投火自焚以示清白，幸好得神仙相助得以生还。

14年之后，罗摩回到拘萨罗王国登基为王，国家出现盛世。然而，他却不能忍受听到的有关悉多的流言，抛弃了她。悉多被蚁蛭仙人救下，并生下两子。孩子长大后，蚁蛭作《罗摩衍那》教他们诵唱。后来罗摩知道了真相，但仍希望悉多证明自己的清白。悉多希望大地母亲为自己做证，如果自己是清白的，就请大地收容她，大地瞬间开裂，悉多投入了母亲的怀抱。

《罗摩衍那》对世界文学的影响是巨大的，被译成多国文字传到国外，具有极高的文学和艺术价值。

33.《希伯来圣经》为什么说犹太人只比“上帝微小一点”？

上帝是圣洁的，犹太人信仰上帝，并力求让自己做到圣洁。圣洁一词的含义是“分别”和“独特”，也就是为了特殊的目的和用途，从同类事物中被挑选出来。《希伯来圣经》中称，犹太人只比“上帝微小一点”，从圣洁的角度来说，犹太人应该是圣洁的。他们每时每刻都要活出圣洁，每个人的思想、言谈、行为都要有上帝的典范。那么，犹太人是如何凸显他们的圣洁的呢？

希伯来文的“圣安息日”是“安息日”与圣洁的结合，意思是说一个星期之中，有一天是与众不同的，在这个日子里，要让身体得到休息，让灵性得到复苏。另外，犹太教堂里存放记载上帝话语的《妥拉》经卷的柜子被称为“圣约柜”。其他用来放衣物、食品等东西的柜子不叫“圣约柜”，“圣约柜”是一种独特之物。

犹太人在婚礼上进行誓约仪式时，新郎要对新娘说：“看哪，戴上这枚戒指之后，你就分别为圣归我。”意思是：世界上有很多女人，但是新娘是被分别出来的，是特别的，是要和新郎建立关系的人，她不能再接受其他的男人了。

犹太人认为，要成为独特和圣洁的人，除了要和上帝一样，具备认识、理解和记忆的能力之外，还要具备上帝无条件誓约之爱的能力，视别人的生命如自己的生命一样宝贵，要伸张公平和正义，怀有怜悯和慈爱之情，追求和平，把世界变得更加美好。

犹太人在圣洁上的观点和做法，使得他们是“分别”“独特”的，这也是《希伯来圣经》中他们只比“上帝微小一点”的证实。

34.《妥拉》真的是上帝的著作吗?

犹太教中，《妥拉》在《圣经·旧约》中占据着核心地位，是其最神圣、最重要的部分，它是犹太人所有团体和个人的行为规范。长时间以来，犹太人从《妥拉》中得到鼓舞与指引。《妥拉》记载着上帝造人的故事和上帝颁给犹太人的道德礼仪规范，也记载了犹太人的历史。《妥拉》共有5卷书，分别是：《创世记》《出埃及记》《利未记》《民数记》和《申命记》。

按照传统的说法，《妥拉》是上帝在西奈旷野对摩西口授了除《申命记》以外的所有内容。摩西将其完整地记录下来。

然而持自由派观点的人则认为，《妥拉》并非上帝口授，而是犹太的祖先们经过数代的发展，不断积累下来的思想，是经过一个或数个编辑写成的。因为《妥拉》中蕴含了许多人类的言行，作者们应该是从上帝那里得到了灵感，得出了精辟的思想，从而汇编成册。《妥拉》中前后两种有关造人的不同说法就是很好的证明。《创世记》第一章说，上帝照着自己的形象造出了男女。而在后面的章节则说，女人是用男人身上的肋骨制作而成的。假如《妥拉》是上帝的著作，为什么会有前后两种不同的说法呢?

传统派的人士认为，后面造女人的说法是上帝对前面说法的补充，并无不妥。自由派的人士则进一步解释说，《妥拉》的编辑者，很可能是鉴于两种造人的版本都在民间广为流传，难以取舍，于是将两者都收录其中。

我们先暂且不讨论有关《妥拉》作者的这两种看法哪一个更为合理，从中至少可以确定一件事情：《妥拉》彰显了上帝的旨意，它是上帝给人类的道德礼仪规范。

35. 普希金为什么仅读了5章就称拜伦的《唐璜》是个奇迹?

《唐璜》是19世纪浪漫主义诗人拜伦的代表作，是一部长篇诗体小说。普希金仅仅读了5章就惊叹：“《唐璜》真是个奇迹！”歌德也称它为“绝顶天才之作”。《唐璜》是拜伦花费6年完成的长诗巨作。拜伦因参加希腊革命，病逝于军中，所以长诗只完成了16章，但仅仅这16章就足以让文学评论家为之惊叹了。

《唐璜》是一部非常吸引人的长诗，集历史、文学、哲学、政治等方面的内容于一身。读过这部长诗的人都会对19世纪欧洲的各个国家，如西班牙、希腊、土耳其、俄国、英国等的历史有一个基本的了解。

《唐璜》描写了主人公唐璜与有夫之妇发生关系之后，被母亲送往欧洲旅行的故事。长诗中有着动人的故事情节，例如，海上遇险；在希腊岛上与希腊姑娘海黛恋爱；参加伊其迈战役；因受到俄国女皇叶卡捷琳娜二世宠幸而被派为英国使节等。诗中充满了浪漫主义情调，把奸邪之事、冒险之事、激烈之事写得非常唯美。长诗在描述事实的同时，也把各国的种种弊端展示了出来。诗人借诗讽刺和批判了苏丹宫廷的荒淫、俄国军队的残忍、英国上层社会的虚伪，也抨击了“神圣同盟”和欧洲反动势力。

拜伦用机智、优美的笔锋驰骋于广阔的欧洲，不仅向我们展示了欧洲各国的美丽风景，还给后人留下了一座艺术宝库。《唐璜》被公认为是拜伦的巅峰之作。雪莱曾评价《唐璜》“字字珠玑，永垂不朽”，想必这也是普希金仅读了5章就称之为奇迹的原因吧。

36. 丹尼斯留在狮身人面像下的羊皮书就是传说中的《智慧之书》吗?

《梅路西》大约流传于公元3世纪的欧洲，是《旧约》一个十分古老的副本，书中记载着有关《智慧之书》的故事：有着狮身、人头、牛尾、鹫翅的奇怪生物偷走了伊凡卡天神护佑万物的《智慧之书》。天神派自己的儿子伏加天神夺回圣书，决斗过后，伏加天神获得了胜利。狮身人面的怪物被贬下凡间之后，专门寻找不善思考的人，并吃掉他们。据说《智慧之书》后来又被偷走了，就藏在狮子座附近。如果这些记载属实，那么《智慧之书》究竟藏在哪里呢?

有人认为，狮身人面像实际上与黄道中的狮子座相暗合，象征着权力和政治。因为它面朝东方，每天清晨太阳神将阳光洒到它脸上，所以它又是复活与生命之神。黄道中狮子座相对应的位置，应该是狮身人面像的前方，就是像的前足下。按照《梅路西》给我们的指点，人们在狮身人面像附近，进行了全面搜索，最终在狮身人面像下发现了一个地洞，地洞有一卷用古拉丁文写成的羊皮书手稿，成书时间大约在公元前8世纪，作者的署名是丹尼斯。这不禁会引起人们的疑问，难道这就是传说中的《智慧之书》吗？由于古拉丁文几近失传，所以手稿的破译非常困难，但仅看破译的文字，就足以震惊世人了。

丹尼斯在羊皮书中说，狮身人面像是4个星座的合体：狮面对应着狮子座，人头对应着天秤座，鹫翅对应着天蝎座，牛尾对应着金牛座。这4个星座分别象征着权力、宗教、智慧、富有，代表构成一个社会的四大支柱——政治、精神、科技、经济。如果这四大支柱发生动摇，社会就会坍塌。

这样的预言是怎样做出的呢？这真的是《智慧之书》吗？还是只是《梅路西》中故事的巧合？这一切仍然是未解之谜。

37. 印度的“挪亚方舟”故事讲的是什么？

古代的印度，气候湿润，降水丰富，在给印度人带来肥沃土地的同时，也常常给他们带来可怕的洪灾。印度河和恒河肆虐的洪水，给人们带来了无尽的灾难，古城摩亨佐·达罗就是因此而消失的。受灾的人们背井离乡，寻找新的家园，并且用传说和神话来表达他们对生活的美好愿望，印度的“挪亚方舟”故事就应运而生了。

根据早期婆罗门教吠陀时代的传说，宇宙处在创造和毁灭的循环之中，每一个周期是生主梵天一生的1000年，到1000年结束的时候，整个宇宙，包括梵天在内都要被毁灭。之后宇宙会有1000年的混沌状态，直到另一个梵天降世。梵天会把自己的身体分成两半，一半是男人，一半是女人，从而繁衍后代。

而另一个版本的创世说，就是以摩奴为主人公的“挪亚方舟”的故事。

相传，摩奴是一个仙人。有一天，他去一条小溪旁修行，拯救了一条遇难的小鱼，并将它放到小水罐中喂养。后来小鱼长大了，小水罐容纳不了它，摩奴就将它放入了恒河，但那条鱼长得很快，马上就和恒河一样大。于是摩奴不得不将它放归大海。摩奴救下的小鱼就是梵天的化身，在洪水即将临近的时候，梵天把消息告诉了摩奴，并吩咐他赶快制造一艘坚固的大船，带上七位仙子和各种生物的种子，等待着鱼儿们的救援。

洪水来临，毁灭了一切，只有摩奴的大船在鱼儿的救助下，安全地停泊在了喜马拉雅的最高峰。几年之后，洪水退去了，摩奴回到山谷中，开始艰苦的修行，最终获得了神力，创造出了生灵。

印度的创世说，和《圣经》中挪亚方舟的故事有很大的相似性，这应该也是称其为印度的“挪亚方舟”的原因。

38. 梅尔维尔的《白鲸》有什么寓意？

《白鲸》是美国著名作家赫尔曼·梅尔维尔根据亲身经历写成的长篇小说，1851年首次出版，内容也涉及了鲸类动物学和其他捕鲸者的冒险行为。此书是梅尔维尔用第一人称写的，故事叙述者是伊斯梅尔，他受雇于一艘破旧捕鲸船“皮库特号”，船长是阿哈。阿哈计划捕捉在以前航行中咬掉他一条腿的白鲸报仇雪恨。梅尔维尔写的这个故事有什么寓意，是长期以来历史学家和文学家争论的焦点。

一些评论者认为，主人公阿哈是普罗米修斯式的英雄，为人类献出了自己的生命，并企图揭示善与恶之间的矛盾和奥秘。但是阿哈则更像是麦克佩斯或李尔王，凭着自己异乎寻常的意志和力量，做着一些不切实际的事情。

而一些文学家认为，《白鲸》所包含的意义，比表现出来的更为广阔和深刻。美国文学家评论家理查德·布罗黑德就认为《白鲸》描述的是人类最基本的欲望，是希望人类生存于大地的欲望，而不是爱情、野心或贪婪。

著名文学家莱昂·华德则认为，要从作者梅尔维尔的生平事迹出发，站在心理学或哲学的角度来解释阿哈的思想和立场。故事的叙述者伊斯梅尔认为，阿哈是在精神不正常的情况下，对鲸鱼实施报复，并把鲸鱼作为实现其思想的目标。从书中和当时作者与友人的信件中，可以得知故事叙述者表达的是作者梅尔维尔的思想。

《白鲸》的主人公阿哈，认为白鲸造成了他身体、思想和精神上的一切痛苦，它是魔鬼的化身，因此他要与它斗争到底。可以说，阿哈的行为不仅仅是航海冒险，也是善与恶的宗教性斗争。阿哈似乎是替天行道的悲剧英雄。但是他却不惜牺牲全船人的生命和幸福，这也表现了他的专制和独裁。然而，梅尔维尔似乎不赞成这种看法。他在给纳詹尼尔·霍桑夫人的信中说，《白鲸》的寓意很明显，但这也让真正的寓意很难解释。

《白鲸》的寓意究竟是什么？虽然没有一个准确的答案，但是相信每一个读者都会有自己的看法。

39.《摩诃婆罗多》是广博仙人创作的吗？

《摩诃婆罗多》与《罗摩衍那》并称为古代印度两大史诗，它们就像是两座雄伟的山峰，矗立在印度文学史上。《摩诃婆罗多》是古印度人民的伟大创造，“摩诃”的意思是“伟大的”，“婆罗多”是印度对自己民族的称谓，史诗题目的意思是“伟大的婆罗多族的故事”。《摩诃婆罗多》的内容包括一部英雄史诗，大量民间传说以及由祭司和其他知识分子编入的有关政治、法律、哲学、宗教等非文学的成分。全诗共18篇，约10万颂（颂是一种印度诗体，一颂二行诗，每行16个音），它曾被称为是世界上最长的史诗。

《摩诃婆罗多》被印度人称为“历史传说”，它的主要内容是婆罗多的后代与堂兄之间争夺王位的内部斗争，反映出印度从氏族社会向奴隶社会过渡，以及奴隶制小国走向统一的历史。它描述了一场大规模的毁灭性的宗族内战，通过史诗的语言我们可以看出，被侮辱、被损害的坚战五兄弟一方得到了同情。《摩诃婆罗多》的进步意义在于，作者站在全民族和全体人民利益的高度上，揭露和批判了霸占他国领土、肆意发动战争的罪恶行径。史诗表达了古印度人民热爱和平、反对战争、渴望国家和平统一的强烈愿望。当然《摩诃婆罗多》也有不可取之处，比如宿命论观点、报应理论等。

拥有如此价值的鸿篇史诗是由谁完成的呢？相传《摩诃婆罗多》的作者是广博仙人（毗耶娑）。广博仙人完成了史诗的腹稿，可惜当时没有文字，于是他求助于天神，在天神的帮助下，史诗被整理出来，并流传于民间。但这只是传说而已。真实的情况是，《摩诃婆罗多》最初很可能是民间流传的一篇史诗。随着人类的不断发展，史诗也不断增加新的元素，规模也逐渐加大，最后，一些婆罗门文人将其加工成书。据考证，《摩诃婆罗多》成书的年代约在公元前4世纪至公元4世纪之间。

知识链接

广博仙人

《摩诃婆罗多》中记载，广博仙人因为出生在岛上，而且肤色黝黑，所以又被称为“岛生黑仙人”。传说他是著名的苦行者波罗沙罗仙人与一个生于鱼腹的美貌少女贞信的私生子。后来，贞信嫁给了俱卢国的福身王，当上了王后，并且给福身王生了两个儿子，即花钏和奇武。福身王死后，两个儿子先后继位，可惜的是，他们也相继死去。死去之时，他们无儿无女，为免绝后，身为太后的贞信召私生子岛生黑仙人进宫，并让他与他两个同母异父的弟弟们的遗孀同房，生子传宗接代。后来，岛生黑仙人的孙子们为争夺王位发生了一场毁灭性的战争——俱卢大战。史诗《摩诃婆罗多》就是以这场战争为题材进行创作的。

第十三章

巨匠逸事·文坛趣闻

1. 深爱祖国的拜伦为何长期漂泊国外？

拜伦是19世纪上半叶英国名满天下的浪漫主义诗人。他的诗热情洋溢，受到了英国人民的广泛欢迎和喜爱。然而，拜伦却在1816年4月离开英国，流浪他乡，直到1824年4月在希腊迈索隆古翁病逝。流浪期间他不忘赞美英国："英国哟！我爱你，尽管你有那么多缺陷！"如此深爱着祖国的拜伦为何要远走他乡呢？在这个问题上，世界各国的文史专家们有许多不同的看法，概括起来，大体上有以下几种。

根据英国著名史学家麦考莱的考证，拜伦是因为无法忍受英国上流社会的毁誉无常而出走他国的。1815–1816年，拜伦与密尔班克小姐婚姻的迅速开始和结束，使得享有名声和地位的他，一夜之间身败名裂。英国的中产阶级视婚姻制度为神圣的信条，他们严厉地指责拜伦的行为。上流社会的人也觉得他是妖魔鬼怪。最终，拜伦无法承受世态的炎凉和人情的淡薄，决定离开英国。

另一种说法则认为，拜伦与统治者之间的不同政治信仰导致他远走他乡。在拜伦的作品中，他从来没有掩饰自己与英国统治阶级之间的鸿沟。拜伦在议会的大胆演说，以及诗歌中蕴含的政治、宗教自由思想，引起了统治阶级对他的仇恨。因此，统治阶级推波助澜，制造有关拜伦的丑闻，使他处处受到打击。拜伦曾说："如果那些低语、私议和传言是真的，我对英国是不合适的。如果不真，英国对我是不合适的。”这样说来，拜伦是受到迫害而不得不离开英国的。

还有一种观点认为，婚姻的变故导致拜伦去国外追求自己的生活。亨利·托马斯和黛娜·莉·托马斯合著的《英美著名诗人传》认为，拜伦是不喜欢成家立业的人，结婚之后，他的妻子密尔班克妄想按照自己的想法改造拜伦。密尔班克找来医生，企图让其假称拜伦有神经病。失败之后，她带着小女儿离开英国，并散播出拜伦和其同父异母的姐姐奥古斯塔有乱伦行为的谣言，使拜伦身败名裂。拜伦被迫远走他乡。

尽管每一种观点听上去都有一定的道理，但是在此问题上，至今还没有定论。

2. 安徒生真的是一位王子吗？

《海的女儿》《丑小鸭》《皇帝的新装》，这些我们耳熟能详的故事，都出自同一位作家之手，那就是“现代童话之父”安徒生。

据权威的安徒生传记作家记载：安徒生在1805年4月2日出生于丹麦富恩岛上一间低矮破旧的平房里。他的父亲是一名穷鞋匠，终日为生计所累；母亲则是一名迷信的洗衣工。由于父亲早亡，家里生活拮据，安徒生不得不经常和饥饿打交道。然而，这位权威传记作家的说法却未能说服世人。在丹麦，民间一直流传着安徒生是王子的说法。那么安徒生究竟是平民还是王子呢？

一位名叫约根森的历史作家对安徒生的身世很感兴趣，通过多年的研究，他写了一本名叫《安徒生——一个真正的童话》的书。在书中，他阐述了自己的观点，认为安徒生是当时丹麦的国王克里斯蒂安八世和劳尔维格伯爵夫人的私生子。劳尔维格伯爵夫人生下孩子后，王室的人便把他寄养在欧登塞的一位鞋匠家中。这位鞋匠和他的妻子把安徒生养育成人。约根森先生之所以作如此推测，依据是出身微贱的安徒生，成年后比较容易地打入了王族的圈子，甚至还曾在阿马林堡居住，要知道，阿马林堡可是寻常人难以接近的皇家宫殿。另一位丹麦作家皮特·赫固还为这个说法提供了一份证据，那是一位海军上将的女儿写给安徒生的信。那位女子在信中提到，安徒生发现自己是一位王子。

这些证据似乎说明，安徒生真的是丹麦王子。但是，对这个说法，还是有人提出异议。他们认为，如果安徒生真的确认自己是王子，那么，为什么他在自传中只字未提?

为了搞清安徒生的身世之谜，很多人做出了很大的努力。著名历史学家塔格·喀尔斯泰格在查阅了有关国王克里斯蒂安八世的信件、日记等许多的档案资料后，通过反复研究认为，国王有私生子的情况是存在的，但却没有发现安徒生是王子的任何记录。所以，安徒生的出身至今仍然是一个谜。

3. 墨西哥女诗人索尔·胡安娜为什么会选择当修女?

墨西哥殖民地时期的著名女诗人索尔·胡安娜·伊内斯·德拉克鲁斯，文采出众，热爱生活。然而，她为什么在16岁的时候就进入修道院做了修女呢?这是长期以来一直困扰着人们的一个问题。

索尔·胡安娜从小就表现出了非凡的才能，3岁就读书识字，8岁就写诗。9岁起，她到墨西哥城的外祖父家居住，期间，她博览群书，逐步掌握了神学、哲学、天文、绘画、文学、语言等许多方面的知识，成为文明的、有学识的贵族小姐。14岁时，她被西班牙总督曼塞拉侯爵召进宫廷，做总督夫人的侍从女官，并被封为侯爵夫人。但是据说她看不惯宫廷的奢侈和虚伪的浮华，宫廷的一切与她格格不入。

索尔·胡安娜反对天主教会蒙昧主义的束缚，不知疲倦地追求着知识，提倡妇女解放、男女平等，宣传自由恋爱和个性解放，曾经写过很多讽刺教会的喜剧作品。她反对以神为宇宙中心的教会，但令人费解的是，她的作品却都是在修道院中完成的。

索尔·胡安娜一生中没有老师，也不能参加自由的交谈和讨论。虽是有成就的神学家，却不能宣讲教义、主持礼拜仪式。

从索尔·胡安娜一生的活动和作品来看，她的人文主义思想和叛逆精神同教会是对立的。从这一点看，她不可能进入修道院。那么，她进入修道院的原因会是什么呢?

据说，索尔·胡安娜是一个贵族的私生女，并因此受到了社会的歧视。她曾经爱过一个贵族子弟，但最终没能和他结婚。爱情上的挫折也可能是她进入修道院的原因之一。

4. 哈姆雷特为什么要拖延复仇计划?

《哈姆雷特》是世人比较关注的莎士比亚作品之一。在对这部作品的研究上，大多都涉及了剧中男主人公哈姆雷特拖延复仇的问题。有的学者认为，虽然哈姆雷特在独白中几次谴责自己拖延了复仇计划，然而在行动上却并未拖延复仇。英国文学家陈·吉阿认为，莎士比亚故意造成了拖延复仇的感觉，以便有更多的篇幅来表现哈姆雷特复杂矛盾的内心活动。但大多数的学者都认为哈姆雷特的确拖延了复仇计划，但在拖延复仇计划的原因上则是众说纷纭，莫衷一是。

其中一种观点是内因论。持这一观点的人认为，哈姆雷特拖延复仇计划的主要原因是他自我矛盾的忧郁性格。哈姆雷特的性格、精神、感情都是复杂的。他有崇高的理想，却又是个无法实现理想的“理想主义者”。他既要抓住行动的时机，但又错过了难得的机会。有关拖延复仇原因的内因观点有很多种解释：歌德认为拖延的原因是哈姆雷特性格太软弱、难当大任；布拉德雷认为，不幸的命运和病态的忧郁是哈姆雷特复仇的障碍；恩奈斯特·琼·恩斯则觉得哈姆雷特患上了男孩亲母的俄狄浦斯情结，没有把心思放在复仇上；等等。

另一种观点是外因论。普劳曼、瑞特逊等对外因论的解释是，哈姆雷特所处的外部条件对他有非常不利的影响，克劳狄势力强大、阴险狡猾，使得哈姆雷特在没有确切证据的前提下不敢贸然行动。还有的学者主张从社会历史和其时代局限性的角度来解释这一问题。

还有一种观点是综合论，是目前比较有影响的观点。持这一观点的人，从内、外两方面解释哈姆雷特拖延复仇的原因。他们认为，只从单独的一方面分析原因是片面的。哈姆雷特处在一个“颠倒混乱的时代”，而主观上他的性格稳重、谨慎，不善于行动，而且信心不足。这些都是酿成悲剧的原因。

虽然早在1898年，有关拖延复仇问题的解释就出现了很多，但至今人们还无法确定哪种见解更能说明问题，更令人信服。

5. 尼采的著作被人篡改过吗?

尼采是备受后人关注的一位哲学家。“二战”后，学者们纷纷认为尼采的思想是德国法西斯思想的直接来源。有些学者还专门写论文论述了这方面的观点，并将尼采说成是一个极端的纳粹分子。但也有些学者的观点是与之对立的，据他们的研究，尼采始终反对法西斯主义理论的种族主义和反犹主义，之所以人们会对尼采产生误会，是因为他的著作被人篡改了。那篡改人是谁？为什么要篡改呢？

根据学者们的说法，篡改人是尼采的妹妹伊丽莎白·福斯特·尼采。她是种族主义的支持者，后来嫁给了反犹主义者伯恩哈特·福斯特。福斯特自杀后，她回国照顾已经疯掉的尼采。尼采去世后，她垄断了哥哥的遗稿，并在整理出版的时候，用自己和丈夫的种族主义与反犹主义思想曲解尼采的思想，将遗稿断章取义，使之趋向法西斯化。

德国的尼采研究专家卡尔·施莱希塔在1958年出版的《尼采事件》一书中，揭露了尼采妹妹的篡改行为，而且他也认为福斯特·尼采伪造了尼采的书信。同时要为尼采正名的人还有德国的理查德·卢斯和美国的瓦尔特·考夫曼。他们都认定尼采晚年的著作《权力意志》被篡改过。尼采在1885年时曾经计划要写一本《重估一切价值》的书，可是他没有完成。福斯特·尼采和彼得·加斯特将尼采留下的散篇整理成《权力意志——重估一切价值的尝试》。施莱希塔怀疑部分手稿被作伪，于是重新整理出版了《80年代遗稿选编》。1961年，意大利学者蒙梯纳里和科利也发现福斯特·尼采严重扭曲了尼采遗稿的真实面目。为了还尼采清白，他们编辑了《新的批判版尼采全集》。至此，尼采著作被人篡改的公案似乎已经了结。

然而，深入分析，福斯特·尼采到底是否篡改尼采的著作还很难确定。中国学者张念东、凌素心在翻译《权力意志》时，发现尼采妹妹编辑的文本与施莱希塔按手稿原件编辑的文本，虽然各条断片的顺序有不同，但内容却完全一致。尼采的这部著作用的是他独创的豆腐干式格言体，各条独自成篇，即使顺序打乱，内容和思想也不会发生变化。就好像是一份扑克牌如何洗都是54张一样。这样说来福斯特·尼采只不过是将遗稿重新排列了一番而已，算不上是篡改。

6. 普希金为什么被称为“俄罗斯文学的太阳”？

普希金是俄国著名的文学家、伟大的诗人、小说家，1799年6月6日出生于莫斯科一个家道中落的贵族地主家庭，他童年时代接受了贵族教育，由法国家庭教师管教。在浓厚的文学气氛中长大的普希金，8岁时就用法语写诗，12岁时开始了文学创作生涯。

普希金生活的青年年代，内忧外患的俄国正处于痛苦的转型期，彼得大帝通过改革废除了落后的农奴制。在政治上向西方借鉴和学习的过程中，俄罗斯文学开始复兴，处在艰难的蜕变时期。就是这样的背景造就了普希金，他发表了不少作品抨击农奴制度，歌颂自由与进步。普希金的优秀作品在内容和形式上高度统一。他的抒情诗内容丰富、形式灵活、结构精巧、韵律优美；散文和小说结构严整、描写生动简练，对俄国文学和语言的发展有着极为重要的影响。高尔基称之为“一切开端的开端”。

普希金在短短的38年中，给世人留下了800余首抒情诗、十几首叙事诗以及一些小说和戏剧。如抒情诗《致大海》《自由颂》《致恰巴耶夫》；诗体小说《叶甫盖尼·奥涅金》；中篇小说《上尉的女儿》；短篇小说集《别尔金小说集》等。他的杰出成就奠定了俄罗斯近代文学的基础。在俄罗斯文学中，普希金是俄罗斯文学语言的创造者，他的地位犹如英国的莎士比亚、德国的歌德、意大利的但丁。普希金是代表着俄罗斯民族精神的文化巨人，是俄罗斯文学上空一轮永不西斜的“太阳”。“俄罗斯文学的太阳”的称号对他来说，是再恰当不过了。

知识链接

俄罗斯文学史上的“白银时代”

一般情况下，人们会比较重视从普希金到契诃夫的19世纪俄罗斯文学，以及十月革命后的苏联文学，而忽略了19世纪末20世纪初俄国文坛上出现的以象征主义为先导的现代主义文学的短暂繁荣时代——白银时代。

这一时期的文学作品以诗歌为主，涌现了一大批较有才华的诗人，如索洛古勃、梅列日科夫斯基、吉皮乌斯、巴尔蒙特、勃留索夫等。在俄国社会动荡的特殊时期中，他们以反叛的形式宣泄自己的情绪，创作了大量内容独特、形式新颖的抒情诗和叙事作品。这些作品从独特的角度展示了那个时期俄国的社会现实和精神状态，具有重要的历史意义和艺术价值。

俄国“白银时代”文学的思想内容、美学原则、价值取向等都是极其复杂和突兀的。这一时期的作家认为“唯有美能拯救世界”，构建了唯美主义的美学体系。

7. 儒学是何时传入日本的?

中日两国自古以来就有频繁的文化交流活动，儒学很早便传入处在汉文化辐射圈内的古代日本了。那么，儒学是何人在何时传入日本的呢？中国现存的古代中日文化交流史料中没有此问题的确切记载，因此，对儒学何时传入日本的研究只能借助于日本现存的古代史料。

据日本第一部历史文学著作《古事记》和日本第一部正史《日本书纪》的记载，日本应神天皇十六年间，儒学通过朝鲜半岛的百济传入了日本。书中的记载是否可信呢？据《日本书纪》记载，应神天皇死后，按照遗诏本应由菟道稚郎子继承天皇，但是他却执意将皇位让与兄长大鷦鷯。因为大鷦鷯不仅长于菟道稚郎子，而且仁孝之名远播天下。大鷦鷯以父命难违为理由推辞。二人的推让达3年之久，菟道稚郎子最终选择自杀来表示自己的诚意。有学者认为，他们是在效仿《论语·泰伯》记载的中国西周时期泰伯与仲雍让位于季历的做法。这是儒学对日本思想上产生影响的有力证据。由此也判定，《古事记》和《日本书纪》有关儒学传入的记载是可信的。

那么，确切说来日本应神天皇十六年相当于公元纪年的哪一年呢？学者们在这方面有公元285年、公元405年和公元446年3种不同的答案。随之而来的又有另外一个问题，《古事记》和《日本书纪》中记载，王仁带到日本的书中有《千字文》一卷，而《千字文》是南梁周兴嗣所作，成书于公元502–549年。这样说来，学者们的3种推测都值得怀疑。

实际上，从日本现存的公元5世纪的史料中就可明显看出儒学对日本人思想的影响，这说明在《千字文》成书之前，儒学已传入了日本。那么是《古事记》和《日本书纪》的记载有误吗？我们当然不能简单地否定其记载的可信性，如果其记载无误的话，很有可能这是日本官方首次引进儒学的记载，而不是儒学最初传入日本的记载。在此之前，儒学早已随着中日两国人民间的交流传入了日本，并对日本人的思想和生活产生了显著的影响。

于是，又有学者提出应该是在公元前2–3世纪，徐福东渡时，把儒学传到了日本。徐福生活的年代日本社会上的进步似乎也说明了这一点。然而，历史上是否真的存在徐福这个人，还存在争议，那么，有关儒学的这一说法也是存在疑点的。

总的说来，儒学何时传入日本还是一个谜，需要深一步研究。

8. 日本诗歌中的“乌发如云”，为什么被男人们说成极具“感官刺激”呢？

日本著名女诗人与谢野晶子凭借诗歌《乱发》，获得了日本近代浪漫主义诗人的桂冠。诗人在诗中炫耀了一下自己“乌发如云”，被男人们说成极具“感官刺激”。为什么对头发的描述会产生如此强烈的感觉呢？

《乱发》有以下诗句：

你不接触柔嫩的肌肤，
也不接触灼热的血液，
只顾讲道，岂不寂寞？
双手轻轻掩着胸脯，
看我揭开神秘幕帷，
这里的红花多艳。
我肌肤白皙，乌发如云，
生来要惩罚万恶的男人。

“乌发如云”被男人们说成极具“感官刺激”，其中不乏情色因素，但除此之外，还有一个原因是不可忽视的。

自古以来，日本人就认为神是附着在人头发上的，因此在他们眼里，人的头发具有精神力量，是神圣的，甚至可以左右人的终生命运。在日本，如果一个人仇恨另外一个人，就可以偷偷获得他的头发，并将其放入骷髅之中，然后再念3遍咒语。他们觉得这样做可以诅咒所仇恨的人遭受厄运。日本人还特别在意女人的黑发，他们认为头发与女人的贞操是密切相连的，只有她的爱人才有权触摸。日本男人一旦拥有属于自己的女人，就绝不允许别的男人触摸她的头发，当然他们也不会去摸属于别的男人的女人的头发。

基于以上两点，就可以明白日本的男人为什么觉得与谢野晶子炫耀的“乌发如云”极具“感官刺激”了。

9. 索福克勒斯为什么被称为“戏剧艺术的荷马”？

索福克勒斯出生于雅典的克罗诺斯，父亲擅长音乐、体育及舞蹈，这对索福克勒斯有极大的影响。他曾在政界担任过财政总管、将军、祭司等职务，是个温和的民主派。他擅写悲剧，一共写过123部悲剧和滑稽剧，得过24次奖，流传至今的完整剧本共7部：《埃阿斯》《安提戈涅》《俄狄浦斯王》《埃勒克特拉》《特拉基斯少女》《菲罗克忒忒斯》《俄狄浦斯在科洛诺斯》。索福克勒斯的一生是平静而成功的。阿里斯托芬称赞他“生前完满，身后无憾”。索福克勒斯早年就声名远播，总能在戏剧竞赛中获得胜利，自从公元前468年在戏剧比赛中赢了埃斯库罗斯，到72岁后败给欧里庇得斯，其间几乎无人能与之匹敌。

索福克勒斯的戏剧与前人相比有自己独特的风格，他将演员增加至3个，人物的表现突出出来，同时降低了合唱队在戏剧中的作用，加大了对话和动作的重要性，使对话成为刻画人物第一位的元素。

索福克勒斯在悲剧艺术性方面做出的一系列贡献，使得希腊悲剧的艺术形式达到了完善的程度。他在戏剧结构布局上所表现出的高超技巧完全可以与《荷马史诗》相媲美。索福克勒斯的《俄狄浦斯王》，是世人公认的在结构布局方面堪称希腊悲剧典范的作品，其对题材的剪裁与提炼，与荷马在史诗《伊利亚特》中用对几天战役的描写来表现十年特洛伊战争有异曲同工之妙。因而，索福克勒斯被文学史家称为“戏剧艺术的荷马”。

索福克勒斯逝世之时，正值雅典和斯巴达战事激烈之际，导致他的遗体无法归葬故里。不过斯巴达将军在闻讯后随即下令停战，好让雅典人可以顺利地将他安葬。或许只有这位“戏剧艺术的荷马”才有让战争停止的威力。

10. 少年维特有什么烦恼?

《少年维特之烦恼》是德国18世纪伟大的文学家、思想家歌德的巨作，这部作品让歌德成为一个世界性的诗人。小说受到各国读者的欢迎，掀起了一股“少年维特热”。《少年维特之烦恼》主要讲述主人公维特不幸的恋爱经历和在社会上所遭遇的挫折，篇幅不长，情节也不复杂，主要角色只有维特和夏绿蒂两个人。

小说采用书信体裁，以主人公维特写给朋友的信展开。为了逃避复杂的世事，维特去了瓦尔海姆。在一次乡村舞会上，他结识了少女夏绿蒂。夏绿蒂天使般的影子深深地刻在了维特的心里，维特爱上了她，即使他已经得知夏绿蒂订婚的消息。但这样始终是不妥的，为了忘掉这段感情，维特开始了新的生活，他去了很远的一家公使馆担任书记官，工作上并不得志。得知夏绿蒂已经结婚的消息之后，他的心情更加低落。回到瓦尔海姆通过与夏绿蒂的接触，他知道自己和她没有结果。在悲痛和压力之余，他感觉自己已经进入了绝境，最后举枪自杀。

读完小说之后，我们不禁发出疑问："维特的烦恼到底是什么呢？"他的烦恼是要放到当时的社会背景中说的。当时的社会中存在着严重的封建等级偏见、小市民的自私与守旧等观念，维特则勇敢地喊出了那个时代的青年希望摆脱封建束缚，得到个性的解放和感情的自由，实现人生价值的心声。可以说维特的烦恼是具有进步意义的，这也是小说经久不衰的原因。

11. 普希金笔下的奥涅金为什么会成为典型的"多余人"？

1823–1831年，普希金完成了著名的诗体长篇小说《叶甫盖尼·奥涅金》。这是普希金最重要的作品之一，也是俄国现实主义文学的基石。

《叶甫盖尼·奥涅金》的主人公奥涅金生于圣彼得堡的贵族家庭，起初和其他贵族青年一样过着奢华的生活，但是受过良好教育的他，受到亚当·斯密、卢梭、拜伦等人的思想的影响，思想上开始厌倦那种空虚、无聊的生活。趁着继承遗产的机会，奥涅金来到了乡村，并试图做出一番事业。然而他只有理论，缺乏实际能力，贵族生活让他养成了好逸恶劳的恶习，加上乡村地主们并不支持他的工作，他很快就又回到了无所事事、空虚无聊的生活。乡村庄园中的姑娘达吉雅娜深深爱上了奥涅金，并勇敢地向奥涅金表白，可是却遭到了他的拒绝。后来，奥涅金在决斗中杀死了乡村中最好的朋友连斯基。懊悔的奥涅金选择了出国漫游。几年后重新回到圣彼得堡，奥涅金发现达吉雅娜已成为将军夫人。这时候，他发现自己爱上了达吉雅娜，并开始追求她，可是却遭到了拒绝。

奥涅金出身贵族，受过良好的教育，有着崇高的理想，对现实不满，愤世嫉俗，既不想和上层社会的人同流合污，也不想和人民站在一起，缺少具体的行动，是“思想上的巨人，行动上的矮子”，因此无力改变俄国社会中存在的弊端。

“多余人”是19世纪俄国文学中所描绘的贵族知识分子的一种典型，指的就是那些过着优裕生活的贵族子弟，心仪西方的自由思想，不满俄国的现状，然而他们本身又是大贵族和权势者的代表，无法做到改变现状。奥涅金身上具有的特征完全符合“多余人”的特征。虽然“多余人”这一形象是在屠格涅夫发表中篇小说《多余人日记》之后广泛流传的，但是这一形象的特征却最早体现在普希金《叶甫盖尼·奥涅金》的主人公奥涅金身上，因此说普希金笔下的奥涅金是典型的“多余人”。

12. 谁是杀害普希金的真正凶手?

普希金是“世界第一流大诗人”，他的英年早逝让人惋惜不已。1828年12月，普希金在莫斯科一个家庭舞会上结识了“莫斯科第一美人”娜塔莉娅·尼古拉耶芙娜·冈察罗娃，两人一见钟情，不久之后便正式结婚。当时，普希金在沙俄政府外交部任职，所以他和夫人经常和上流社会的人打交道。1834年，法国波旁王朝的逃亡者乔治·丹特斯来到普希金夫妇生活的彼得堡，任职于沙皇的禁卫军骑兵团。风流的丹特斯结识冈察罗娃之后，对其展开了疯狂的追求。普希金忍无可忍，为了维护自己的声誉，他要求和丹特斯决斗。决斗场上，普希金还没有准备好，丹特斯就开枪射击，导致他身受重伤而离世。

然而杀害诗人的真凶就只有丹特斯一人吗？通过研究大量的史料，有关学者认为沙皇尼古拉一世是丹特斯的帮凶。

原来，沙皇尼古拉一世也仰慕普希金美丽的妻子，为了能够经常见到冈察罗娃，他任命普希金为“宫廷近侍”，陪伴左右。然而普希金并不喜欢这一职位，有不少怨言。尼古拉一世对诗人越来越不满，专门派人监视他的一举一动。丹特斯在公开场合大胆追求冈察罗娃，就是得到了沙皇的支持。此外，尼古拉一世还借丹特斯这件事在彼得堡上流社会散布消息，恶意中伤，并促成了那场决斗。

普希金不幸遇害之后，尼古拉一世害怕诗人的葬礼会引发事端，命人把灵柩从教堂中秘密运至一个偏僻的圣山修道院中，这是沙皇做贼心虚的表现。学者们指出，尼古拉一世对普希金的遇害有不可推卸的责任。不管真凶是谁，策划谋害这位文坛巨子的人，定会永远被世人唾弃。

13. 人们为什么将精神恋爱称为“柏拉图式的爱情”？

欧洲在很早的时候就出现了我们现在所说的精神恋爱，持有这种恋爱观的人，认为肉体上的结合是不纯洁的、肮脏的，爱情和情欲应该是相互对立的，当一个人真正爱着另外一个人的时候，是不可能想到与之在肉体上结合的。

柏拉图是古希腊乃至整个西方文化的最伟大的哲学家和思想家之一。他认为，最好的思想是在心灵摒绝肉体之时产生的。当人们的灵魂被肉体的罪恶所感染时，不可能会追求到真正的真理。只有当人们没有强烈的肉欲时，心境才能平和，真理在这时也才会浮现出来。肉欲是人性中兽性的表现，人之所以是高等动物，是因为人性比兽性强，能进行精神上的交流。柏拉图提倡的这种精神上的恋爱，就以他的名字命名为“柏拉图式爱情”。

很多现代人都觉得柏拉图式爱情不可思议。而社会学专家伊拉·瑞斯经过研究，提出了关于柏拉图式爱情新的见解。他认为，柏拉图所提出的精神恋爱，是指同性之间的恋爱，也就是我们现在所说的“同性恋”。古希腊人认为，同性之间的爱情更多的是灵交、神交，而不是形交。柏拉图所说的爱情比较偏重男性之间的爱情。古希腊社会中的女性很少受教育，所以男女之间很难达到精神上的交流。

14. 恰达耶夫为什么说俄罗斯人是“世界上孤独的人”？

恰达耶夫，俄国作家，19世纪初俄国具有进步哲学观点和政治思想的代表人物之一。他反对农奴制，拥有否定式爱国主义的情感，虽然他的思想很少被国人关注，但是他严峻、清醒的民族自我批判，后来成为俄国独立的、创新的思想萌芽。

19世纪三四十年代，觉醒中的知识分子在俄国应该走什么样道路的问题上展开了激烈的讨论，并分成斯拉夫派和西欧派。斯拉夫派是具有强烈的民族主义情绪的知识分子，他们肯定俄国的文化和传统，认为俄国完全可以走一条不同于西欧的发展道路，而走西欧式的发展道路是种灾难。西欧派则认为俄国无法孤立于欧洲之外，必将走西欧一样的道路。还认为农奴制度是阻碍历史发展的，应该解放农民，实行共和制。

恰达耶夫是西欧派的代表人物之一，他发表的《哲学书信》是引发19世纪三四十年代俄国思想大论战的主要导火索。恰达耶夫彻底否定俄国文化和传统，甚至认为它们一片黑暗，一无是处。恰达耶夫认为："对于俄国来说，首先是野蛮的不开化，然后是愚蠢的蒙昧，接下来是残暴、凌辱的异族统治，这一统治方式后来又为我们本民族的当权者所继承了。——这便是我们的青春可悲的历史。"他还说俄国人是"世界上最孤独的人"，他这样说的原因是："我们没有给世界以任何东西，没有教给它任何东西；我们没有给人类思想的整体带去任何一个思想，对人类理性的进步没有起到过任何作用，而我们由于这种进步所获得的所有东西，都被我们所歪曲了。自我们社会生活最初的时刻起，我们就没有为人们的普遍利益做过任何事情；在我们祖国不会结果的土壤上，没有诞生过一个有益的思想；我们的环境中，没有出现过一个伟大的真理。我们不愿花费力气去亲自想出什么东西，而在别人想出的东西中，我们又只接受那欺骗的外表和无益的奢华。"

15. 托尔斯泰为什么始终没有获得诺贝尔文学奖？

托尔斯泰是19世纪末20世纪初俄国最伟大的文学家，也是世界文学史上最杰出的作家之一，他的优秀文学作品至今被人传诵。他的代表作有：《战争与和平》《安娜·卡列尼娜》《复活》，以及自传体小说三部曲《幼年》《少年》《青年》。《战争与和平》是他前期创作的总结，《安娜·卡列尼娜》是他创作的第二个里程碑，而《复活》对俄国地主资产阶级社会进行了全面、深刻、有力的批判，是他文学创作上的总结。

1901年是诺贝尔奖颁奖的第一年。文学奖究竟花落谁家，全世界都翘首以待。很多人都认为会是托尔斯泰，原因很简单，一方面他是享誉世界的大文豪，另一方面他是诺贝尔最喜爱的作家。而出人意料的是，托尔斯泰根本不在25名被提名者之列，更不用说是最终的奖项了。这一年的诺贝尔文学奖颁给了以轻视现实主义为特征的苏利·普吕多姆。

人们都以为次年的诺贝尔文学奖非托尔斯泰莫属。然而名气虽如日中天，但托尔斯泰因为晚年的世界观发生了变化，导致诺贝尔奖的评审者把奖项颁给了《罗马史》的作者——德国历史学家蒙森。托尔斯泰的再次落选，让舆论一片哗然。瑞典文学院的常任秘书解释说，托尔斯泰之所以落选，是因为他对道德持怀疑态度，对宗教缺乏深刻的认识。1986年，瑞典文学院院士埃斯帕马克也曾在《诺贝尔文学奖》一书中阐述道：按照诺贝尔的遗嘱，文学奖的获得者必须“创作出具有理想倾向的最佳作品”，而早期的18位院士认为托尔斯泰具有无政府主义思想，他的作品“表现了宿命论的思想”，脱离了“理想倾向”。

阴错阳差和诺贝尔文学奖评委的墨守成规，导致托尔斯泰无缘诺贝尔文学奖。托尔斯泰本人对此十分淡漠，他表示自己幸亏没有获奖，因为金钱“只会带来邪恶”。后来，他还公开贬斥自己的作品是“老爷式的游戏”。

16. 苏格拉底的死仅仅是因为“莫须有”的罪名吗？

苏格拉底是古希腊最有影响的哲学家，也是历史上第一位被判处死刑的大哲学家。公元前399年，雅典城邦的民众法庭以投票的方式，判处71岁的苏格拉底死刑。那么，苏格拉底究竟是犯了怎样不可饶恕的罪呢？这成了一直以来一个难以解开的谜。

按照雅典的法律，每个雅典公民都有权对危害雅典城邦的行为或个人提出公诉。苏格拉底案的直接起因是美利图斯、阿尼图斯、莱孔三位公民以不敬神灵和毒害青年罪向苏格拉底提出公诉。而单凭这两条并不充分的“莫须有”罪名，就可以判处苏格拉底死刑吗？很多学者难以相信，他们认为案件的背后应该还有更为深刻的原因。

有人认为，苏格拉底在哲学讨论中毫不留情的揭露，得罪了雅典社会的名流，最终引来杀身之祸。他的学生柏拉图曾在《申辩篇》里，曾提到过苏格拉底让雅典各界丢尽了脸。看来这种观点是有一定根据的。

也有人认为苏格拉底是政治报复的牺牲品。在提倡民主政治的雅典，曾经发生过两次颠覆民主政治的活动，一次是公元前411年，另一次是公元前404年。在这两次颠覆活动中，反对民主政治的贵族们都是活动的先锋，而他们中有些是苏格拉底的学生。公元前401年，民主政治完全恢复之后，人们把苏格拉底看成是颠覆活动的罪魁祸首之一，以致对其处以极刑。

还有人说，苏格拉底的思想从根本上就是同民主政治的原则相悖的，两次颠覆活动让民主派害怕起来，所以选择了这种极端的方式来对付苏格拉底。

以上都是后人的推测和猜想，而在当时，人们普遍认为苏格拉底是因对神不敬，并毒害了青年而被处死。即便是如此，苏格拉底的死也是一个没有解开的谜。因为按照雅典民众法庭的审判程序，他完全可以为自己申辩，但他却故意激怒了陪审团。而且即使是在他被判刑之后，他也可以在学生们的帮助下逃跑，但他最终还是选择了英勇就义。苏格拉底为什么选择死呢？这不能不说是一个谜。

17. 马可·波罗曾经到过中国吗？

马可·波罗是意大利威尼斯人，生于1254年，卒于1324年。他的名声皆是源于以他的名字命名的《马可·波罗游记》。他在《马可·波罗游记》中称，他大约在1271年跟随父亲途经两河流域、伊朗高原，越帕米尔去往东方。在1275年5月到达蒙古帝国，并受到了忽必烈的优待。他在中国游遍了今新疆、甘肃、内蒙古、山西、陕西、四川、云南、山东、江苏、浙江、福建及北京等地。后因伊儿汗国向元室求婚，他奉命护送公主出嫁，于1295年底返抵威尼斯。

有相当一部分人认为，马可·波罗来过中国。可事实真是如此吗？在一般人看来“游记”的作者应该是“游”者本人，而《马可·波罗游记》的作者则不是本人，而是由他口述，鲁恩梯谦笔录而成的。

1298年，由于威尼斯与热那亚之间的一场战争，马可·波罗被捕入狱。次年出狱之后，他获得了一个新名字——“百万马可”，意思是说他善于吹牛皮，这可能与他的那部游记有关。因此在马可·波罗生前就有人怀疑《游记》的真实性，即使他本人一再声称书中所讲都是他亲眼所见。

现今对《马可·波罗游记》的怀疑有4点：

（1）马可·波罗说在中国期间，他曾受到统治者的器重，在扬州做官3年，但是从扬州的史料中并未找到相应的记录。

（2）马可·波罗自称会蒙古语和汉语，并未说也会波斯语，而书中的许多地名、人名、动物、器件等，使用的是波斯叫法。

（3）书中描写的是一些人尽皆知的中国资料，但最能代表中国特色的汉字、印刷术、长城、茶叶、筷子等却丝毫没有提到。

（4）游记中的记载混乱，漏洞百出，有很多资料不符合中国史实。如，他自称帮助攻打过襄阳，但襄阳在他到中国的前一年就解围了。

看来，马可·波罗是不是真的来过中国，还真是一个有待商榷的问题。

18. 萨福是世界上第一位女诗人吗？

据史料记载，萨福约于公元前612年出生在一个贵族家庭，此时正是希腊文化极盛的时期。7岁开始写作，直到55岁逝世。共著有9卷诗集，每卷都在1000行以上。她的诗以抒情为主，风格朴素自然，感情真挚强烈，在古希腊备受推崇。人们称她为“第十艺文神女”。

因为萨福在她的诗中歌唱自由、爱情、友谊及人类的幸福，所以受到中世纪禁欲主义者的嫉恨。她大部分的作品都被基督教会焚毁了，现今存留的大多是片段，只有两三篇较完整。

世界上第一位女诗人是古希腊的萨福这一点观点，在西方已成定论，中国的不少学者也认同这一说法。但是这一说法是正确的吗？

南宋著名理学家朱熹在集注《诗集传》中指出，《诗经·鄘风·载驰》的作者是春秋时代的许穆夫人。而根据《诗经》的内容和记载，可知许穆夫人是中国历史上第一位女诗人。据考证，许穆夫人是春秋时卫国宣姜之女、卫戴公之妹，约生于公元前690年，因嫁给许国国君穆公，所以称为“许穆夫人”。《载驰》一诗的写作背景是：公元前660年，狄人伐卫，戴公身亡，文公继位，但不久之后也去世。卫国处在生死存亡的紧要关头，许穆夫人返回卫国吊唁卫文公，并在此期间完成诗作。

据此说来，许穆夫人所作的《载驰》一诗，比萨福的诗作要早近80年。按照这一事实，世界上第一位女诗人应该是中国的许穆夫人。那么，这一事实为什么没有引起后人的重视呢？原因有两点：第一，《诗经》中的作品除少数留下作者的名字之外，绝大部分不可考，基本上都说是某王、某妃、某公或其他历史人物所作；第二，中国对《诗经》的研究很少，即使有论文发表，也不会特意说明一下许穆夫人，而萨福则是名震四方，能引起更多的重视。

19. 波德莱尔为什么自称“颓废派诗人”？

波德莱尔，法国19世纪最著名的现代派诗人，是象征派诗歌先驱，代表作有《恶之花》《巴黎的忧郁》。波德莱尔幼年丧父，母亲改嫁给一个军人。继父想让他做一个规矩的官场人物，而这却让他更加反叛起来：吸毒、酗酒、穿着怪异，不满资产阶级的社会现实。

波德莱尔的诗标新立异、非常精美，享誉世界文坛，同时他也是世人争议颇大的一位作家。在他究竟是不是颓废派诗人的问题上，世人有着不同的看法。

波德莱尔生前曾经自称是“颓废派诗人”，但他所说的“颓废”不是我们现在理解的意思，而是“精美”的意思。他的朋友和老师戈蒂耶曾评论他的诗是“一种在衰老文明的夕阳下产生的艺术”。波德莱尔的诗，许多都是社会的真实写照，从这一角度上，戈蒂耶曾经说过他是一位颓废派诗人，戈蒂耶说的颓废是社会的颓废，而不是诗人的颓废。

雨果等一批著名的作家给予了波德莱尔以极高的评价。雨果说：“波德莱尔描绘了一种不可思议的凄光于艺术的天国，创造出一种新的战栗。”历史学家奥古斯坦·蒂埃里则称他是“现代的但丁”。高尔基把他列入“正直的”“具有寻求真理和正义的愿望”的艺术家。而托尔斯泰则对波德莱尔颇有贬斥之词，评价他是上层阶级的批评家和观众吹捧起来的作家。

中国的学者对其评价也有许多不同。有的说他是“态度严肃，眼光深远的艺术家”，有的则认为他是一个悲观主义者，评价他对社会的反抗是消极的、病态的。

集如此多争议于一身的波德莱尔是不是颓废派诗人，还需要文艺评论家们的进一步论证。

20.“神奇的卡拉扬”是纳粹战犯吗？

20世纪最杰出的指挥家卡拉扬，在“二战”期间曾为纳粹服务，因此有人认为他是一名纳粹战犯。这究竟是不是事实，直到今天还有人在讨论。

卡拉扬出生于奥地利的萨尔茨堡，具有极高的艺术天分，5岁时就公开演奏，20岁时在乌尔姆正式开始他的指挥生涯。在80岁的时候，他被全世界的舆论界誉为“20世纪的奇迹”“艺术界的巨头”“指挥界帝王”。根据他一生的经历，人们称他是“神奇的卡拉扬”。

卡拉扬“二战”期间的生活富有传奇色彩，也一直是一个富有争议的话题。伟大的指挥家托斯卡尼曾经说过他是一名纳粹分子。

而卡拉扬是纳粹战犯的证据似乎也比较充分。1933–1942年期间，他一直是一名纳粹党徒。当一些犹太籍的指挥家，如瓦尔特、布许、克赖伯等被迫离开德国的时候，卡拉扬则选择了加入纳粹组织。在1967年的《纽约时报》上他承认自己当时那样做，是想取得亚琛的艺术指导职位。同时，他为了自己职位的上升，利用了一切纳粹分子给予他的机会。因此，从政治上而言，卡拉扬确实是一个纳粹分子，而且他也是“二战”后首批接受审判的人。

但是，也有人对此持有不同的看法。他们认为卡拉扬不能算是战犯，因为他当时所处的环境，一切都在纳粹强权的统治之下，他的活动带有被迫的性质。在纳粹强权的环境下，卡拉扬做出当时的选择是可以理解的。因此，战后有一个专门成立的委员会为他请愿，要求免除他的罪责，而他也很快就脱离了与纳粹的关系。从另外一个角度上说，卡拉扬是一位献身音乐的指挥家，他的行为同战争和政治都是没有关系的，当然，也就没有纳粹战犯这一说了。

战后的几十年中，卡拉扬在指挥上的造诣逐步加深，他的身上有其他指挥家身上精确和浪漫的双重优点，是近乎完美的指挥家。其实，我们更应该看到的是卡拉扬在音乐上的作为和成就，而不是把注意力放在他是不是纳粹战犯上。

21. 弗洛伊德为什么要放弃性诱惑论？

作为一名伟大的性心理学专家，弗洛伊德曾提出过许多著名的性心理方面的理论。

弗洛伊德迷恋挖掘病人的私生活。他认为这样做不仅能够更好地去理解究竟是什么在困扰着他的病人，而且能够找到其他人行为背后的原因。弗洛伊德理论的一个代表性的原则是人类行为背后的动机力量是性的无意识力量。他认为所有的人包括儿童在内，都有强烈的性冲动，而且这种性冲动不仅驱动着性行为，还驱动着人类所有的行为。对个人来说，这是遭受困扰的主要来源，因为有些性行为是社会所不能接受的（当然，在儿童中和成人的某些特殊场合例外）。弗洛伊德认为，这种性冲动与社会生活的现实是有冲突的。冲突的结果决定了人的行为和日后的人格。

人们不难想象，在弗洛伊德生活的年代，他的理论中有关性的方面在整个社会产生了很大的震撼，因为那个年代，关于性和性能力的讨论是人们所忌讳的。就是在今天，他的理论仍受到广泛的批评，主要是由于他坚持认为儿童也有性动机（尽管他们是潜意识的）。

在弗洛伊德早期的论著中，曾多次提过性诱惑论，然而，他最终放弃了这个理论。

1897年9月，在给弗烈斯的一封信中，弗洛伊德说："我想告诉你一个极大的秘密，这几个月来我一直被它所缠绕着，它就是我对我的性诱惑论产生的疑惑。"弗洛伊德不再相信性诱惑论。

一些批评家认为弗洛伊德在解释他为何放弃性诱惑论时撒了谎，他说谎的原因更加不可告人，他是因为不想让别人发现他放弃性诱惑论的似乎更险恶的真正原因而撒谎的。

杰弗里·马森是美国精神分析学家，他试图找出弗洛伊德放弃性诱惑论的原因。

马森曾向安娜·弗洛伊德询问过删除这些材料的原因。安娜对他说，她不愿意读者被她父亲的疑惑搞糊涂。但这些疑惑对马森而言，具有极大的历史价值。这些信件不但说明弗洛伊德的病人对他进行猥亵的事确实存在，而且说明性诱惑论事实上也完全正确。

弗洛伊德为何会把自己的发现放弃了呢？马森推断，不但因当时这一理论使弗洛伊德的男同事遭到中伤，而且同事更因为到处泛滥的猥亵的说法而被含蓄地指控。由于弗洛伊德迫切地想得到同事的支持和赞同，所以就宣布不再相信这一理论。马森在他出版于1984年的书中这样写道："我极不情愿地发现弗洛伊德之所以放弃性诱惑假说是因为缺乏勇气。"

弗洛伊德作为一个最重要的思想家，虽然不被大多数狂热的批评者所承认，但其地位仍丝毫没有动摇。这些批评家只是认为弗洛伊德放弃自己的理论的观点是不正确的，他对性诱惑论的放弃也并非像他声明的那样彻底、及时。但大多数思想史学者则认为弗洛伊德放弃性诱惑论的动机不像马森说的那样卑鄙。他们认为，弗洛伊德过于简单的叙述，虽然是对事实的不忠，但却是为了使叙述更为夸张而采纳的方法。

知识链接

弗洛伊德对梦的分析

经过多年的实验和研究，弗洛伊德认为梦的实质“是一种愿望达成，它可以算是一种清醒状态精神活动的延续”，其中掺杂了高度复杂的智慧活动。他指出，人的愿望在梦中得到实现，可以得到精神上的安慰，也可以提高睡眠的质量。弗洛伊德曾经故意吃很咸的事物，少量饮水之后睡觉，结果他梦到自己在梦中痛饮甘泉。梦满足了他的愿望，因此他没有因为口渴而醒来。

弗洛伊德说，梦不论简单还是复杂，在本质上都是愿望的达成。儿童的心理比成人的心理要单纯，所以梦也比较单纯，分析起来不需要什么步骤。而成人的梦则不同，复杂、混乱、难懂，需要一定的分析技术。如果把儿童的梦比喻成“低等动物”，那么成人的梦就是“高级动物”。

第十四章

乐舞风流·趣话体育

1. 自然界有哪些“乐器”？

（1）音乐河。在委内瑞拉有一条能“演奏”音乐的河。原来，这条河在流动的过程中，被许多岩石分割成无数条溪流，最后穿出将近300米长的岩层。由于岩石缝隙宽窄不同，各条溪流的流速也会出现差异，于是发出各种声响，最后汇聚到一起就形成了动听的乐曲。

（2）音乐泉。在突尼斯有一眼泉，每当人们从泉水旁走过时，都会听到变化多端的乐曲。原来这眼泉的出水处有一块空心的岩石，泉水流到这里后就会被分成无数条细小的支流，当这些支流撞击岩壁时，就会发出声响，汇集到一起就形成了曲调丰富的音乐。

（3）音乐山。在墨西哥有一座死火山，山上到处都是洞穴裂缝，只要懂音律的人，叩击山上的石头，就能演奏出美妙的音乐来。这座山的音阶很丰富，抑扬顿挫、变化多端，如果多人同时叩击甚至能演奏出复杂的进行曲。即使在没人敲打的情况下，只要有风，也能发出声响。

（4）音乐柱。埃及有一根门柱，每当早晨太阳升起之时，就会发出像管风琴一样的声音。据分析，这属于一种热胀冷缩的现象。由于该门柱的历史比较悠久，中间有许多空洞，夜晚温度下降时，空洞中潜藏的空气收缩。等到早上太阳突然照射时，空洞里的空气迅速受热膨胀，由柱子上的小缝隙拥挤而出，于是就发出了声响奇特、旋律各异的乐曲。

（5）音乐石。这是一块巨石，位于加利福尼亚的沙漠中。每当皓月当空的夜晚，居住在附近的印第安人都喜欢聚集在这块巨石旁，燃起篝火，载歌载舞。年轻人用手拍打被滚滚浓烟笼罩着的巨石，就会发出奇妙的音乐来。据分析，这块巨石里有许多相连通的洞孔，每当人们燃起篝火时，滚滚浓烟一会儿被这些孔洞吸进，一会儿又被排出，这一进一出，自然就形成了不同的声音，再加上人们有节奏地拍打，那乐曲自然就非常动听了。

2. 卡拉OK是怎么产生的？

卡拉OK是一种伴奏系统，演唱者可以在预先录制的音乐伴奏下进行歌唱。“卡拉OK”能通过声音处理使演唱者的声音得到美化与润色，当再与音乐伴奏有机结合时，就变成了浑然一体的立体声歌曲。这种伴奏方式，给歌唱爱好者来了极大的方便和愉悦。

那么卡拉OK是怎么产生的呢？其发明的灵感有两种不同的说法。

第一种说法是，日本有一种风俗，一个男人如果回家太早的话，邻居们会以为他连个应酬都没有，进而看不起他。因此，很多日本男人下班后不得不聚集在酒吧或茶馆里，很晚才回家。后来他们觉得总这样也不是办法，应该找点娱乐项目，以消磨时间，于是就在酒吧里面边喝酒边用电视话筒等简单的工具来唱歌，后来随着科技的发展就演变成现在的卡拉OK。

还有一种说法是，制造这种伴唱机的灵感来自活跃于各酒店的“走唱乐团”。这种走唱乐团由2–5人组成，有人弹电子琴，有人唱流行歌曲，为客人助兴。

大约在1970年，日本出现了第一台伴唱机，不过那只是将留声机接上麦克风，让歌唱爱好者随着唱片同时歌唱。1978年，日本某公司正式研制出现在的伴唱机，3个月后，日本开始大量生产，不仅打开了日本国内市场，并且瞬间风行于整个东南亚。1983年9月，台湾产的伴唱机也正式推出，销售非常火爆。据统计，目前日本全国有30–40万家酒店安装有卡拉OK，供顾客们使用。

如今，卡拉OK已经风靡于世界各地，甚至走入了日常的家庭生活中。

知识链接

麦克风

麦克风是由Microphone音译而来，它是一种能够将声音信号转换为电信号的能量转换器件，也称为话筒、微音器。

麦克风的历史可以追溯到19世纪末，包括贝尔在内的几位科学家致力于寻找更好的拾取声音的办法，用来改进当时的最新发明——电话。期间，他们发明了液体麦克风和碳粒麦克风。

20世纪，麦克风由最初通过电阻转换声电逐渐发展为电感、电容式转换，新的麦克风技术层出不穷，这其中包括铝带、动圈等麦克风，以及当前广泛使用的电容麦克风和驻极体麦克风。

3. 竖琴是哪个国家的象征和标志？

竖琴是一种大型拨弦乐器，是现代管弦乐团的重要乐器之一，也是最古老的乐器之一。最原始的竖琴的来源已很难考证，人们普遍认为它是从弓演变而来的。竖琴的历史可以追溯到公元前4000年，埃及和中东都发明了形似竖琴的乐器。古埃及人将竖琴视为神圣的乐器，将其用于宗教仪式。考古学家在古埃及的文物中，发现了描绘着约有12个竖琴手的乐队在演奏的壁画。中东的一些地方曾发现过各式各样的古老竖琴的实物。在伦敦大英博物馆里，人们还可以看到一些古亚述王国竖琴的残骸及复制的古老竖琴。

竖琴的流传地区甚广，在欧洲、美洲和亚洲等地区也出现过类似竖琴的乐器，古埃及称之为贝尼琴，古希腊和古罗马称之为里拉琴，中国则称之为箜篌。

不仅在历史上，在文学和神话传说中也有许多关于竖琴的逸事传闻。在《圣经》中，犹太人是一个擅长弹奏竖琴的民族，以色列的第二个君王大卫就是其中的高手之一。在大卫还是个牧羊娃之时，犹太的第一个国王扫罗有头痛病，每次发作时都疼痛难忍，只有大卫的琴声能够安抚他。

然而在大卫王之后，竖琴却几乎销声匿迹。到了中世纪，竖琴才出现在爱尔兰、苏格兰和威尔士等凯尔特人的土地，并对这个地区的文化产生了极为重要而又深远的影响。

而今，竖琴早已成为爱尔兰的象征和标志。13世纪初的爱尔兰硬币就铸有竖琴图案，银器上也刻有竖琴的标记。

知识链接

常用的西洋乐器

西洋乐器主要是指18世纪以来，欧洲国家已经定型的弦乐器、管乐器、键盘乐器和打击乐器等。常用的西洋乐器主要有以下几种。

（1）弦乐器

弓拉弦鸣乐器：小提琴、中提琴、大提琴、倍低音提琴。

弹拨弦鸣乐器：竖琴、吉他、电吉他、贝斯。

（2）管乐器

①木管乐器

唇鸣类：长笛、短笛。

簧鸣类：单簧管、双簧管、英国管、大管、萨克斯管。

②铜管乐器

小号、短号、长号、圆号、大号。

（3）键盘乐器

钢琴、管风琴、手风琴、电子琴。

（4）打击乐器

有调打击乐器：定音鼓、木琴、钢片琴、管钟等。

无调打击乐器：小鼓、大鼓、三角铁、铃鼓、响板、砂槌、钹、锣。

4. 作曲家帕勒斯特里纳为什么会做修士？

意大利人帕勒斯特里那（约1525–1594年）被誉为16世纪最伟大的作曲家。他生活在宗教改革与反宗教改革激烈斗争的历史时期。尽管当时人文主义思潮已影响到整个宗教界，但他的创作风格仍属于严格的宗教圣乐范畴。他的作品全部都是宗教音乐，其中包括103

首弥撒曲、几百首经文歌，以及大量的奉献曲、赞美诗等。他创作的圣乐都是天主教音乐，把复音圣乐的发展推到一个高峰。

帕勒斯特里那晚年曾加入修士行列，个中缘由众说纷纭。多数人认为他妻子的死是主要原因。1580年，与他同甘共苦约30年的结发妻子被瘟疫夺去了生命，当年的12月，“经过慎重考虑之后”，他选择成为一名修士，一个月后便取得了教士职位。

还有人认为，帕勒斯特里那加入修士行列是其天主教信仰所致。帕勒斯特里那在1580年以前就是一个虔诚的天主教徒，并以创作天主教圣乐为其毕生的事业，他晚年甚至还为自己曾在年轻时创作过亵渎神灵的爱情歌曲而感到愧疚和不安。

也有人把帕勒斯特里那做修士的原因归结为经济因素，认为在他服务于西斯廷教堂期间，保罗四世继任教皇后严格履行教规：服务于教会合唱团的成员必须符合两个条件，一是修士，二是要单身汉。帕勒斯特里那这两个条件都不符合，因而被免职。当时他的物质生活并不富裕，赚钱是维持生计的需要，因此他不得不加入了修士行列。

关于帕勒斯特里那加入修士行列的原因，也许还有别的解释，然而，真正的原因恐怕只能是个不解之谜了。

5. 贝多芬秘密抽屉中的三封情书是写给谁的?

贝多芬（1770–1827）有着浪漫而又曲折的恋爱史，对爱情的体验也是他创作灵感的来源之一。1827年贝多芬去世后，人们在他写字台的一个秘密抽屉里，发现了三封没有寄出的、热情洋溢的情书，以及他曾经的恋人特雷莎的肖像。那么，这三封情书是写给谁的呢?

有人认为是写给意大利歌唱家朱丽叶塔的。贝多芬和朱丽叶塔于1800年相识并相爱。1801年，贝多芬为她写了一首《月光》钢琴奏鸣曲。然而他们的爱情遭到了朱丽叶塔父亲的反对，1803年，朱丽叶塔嫁给了加伦堡伯爵。贝多芬似乎心有不甘，他说：“我和她之间的真挚感情，不是她和她丈夫之间的感情所能比的。”18年后，贝多芬为了救济朱丽叶塔贫困的丈夫，还请求一位富商送给她一些钱。

朱丽叶塔给贝多芬内心留下的创伤不久就由她的两位表姐约瑟芬和特蕾莎抚平了。1804年，约瑟芬与贝多芬双双坠入情网，然而这份感情也因女方家庭的反对而夭折。约瑟芬曾对姐姐特蕾莎哀叹，贵族家的子女要按自己的愿望选择意中人是多么不容易。

还有人认为特蕾莎的可能性更大。三封信是和特蕾莎的肖像放在一起的，这足以证明特蕾莎在贝多芬心中地位的重要。他们于1809年相爱，特蕾莎曾把自己的肖像画赠给贝多芬，而贝多芬也把他的《升F大调奏鸣曲》献给她。特蕾莎终身未嫁。贝多芬晚年时，有位朋友无意中见到他捧着特蕾莎的肖像哭泣："你这样美，这样伟大，简直就是个天使！"

也有人认为是写给安东尼的。1810年贝多芬与安东尼相识并成为好朋友。然而，安东尼是有夫之妇，贝多芬显然不愿背上破坏道德的恶名，所以他一面在信中表白了对安东尼炽热的感情，同时也流露出由此而产生的痛苦。

这三封情书究竟是写给谁的呢？也许只有贝多芬自己最清楚。

6. 莫扎特的死亡是因为"黑衣使者"吗？

奥地利作曲家莫扎特（1756–1791）是欧洲维也纳古典乐派的代表人物之一，对欧洲音乐的发展有着巨大而深远的影响。

莫扎特是一位音乐天才，他3岁时便展露出极高的音乐天赋，4岁跟父亲学钢琴，5岁开始作曲。在他短短的一生中，共创作了22部歌剧、41 部交响乐、42部协奏曲，以及其他一些音乐作品。然而，天妒英才，莫扎特仅活了35岁便溘然离世，令人感慨不已，同时也引发了人们对他的死亡之因的兴趣。

很多人认为莫扎特的死与那个"阴间的索魂者"——据说曾经向染病在身的莫扎特索要《安魂曲》的神秘的黑衣人有关。那个高大阴冷的陌生人的出现，使莫扎特受到了很大的刺激，他从此心神不宁，疑神疑鬼，最终因劳累过度而离开人世。然而，最新的研究表明，《安魂曲》并非是受某位“无名氏”或“黑衣人”所委托，而是一位伯爵为悼念自己亡妻委托莫扎特所写。

很多人受文学作品的影响，认为莫扎特是被宫廷作曲家萨里埃利害死的，采用此说的影片《上帝的宠儿》甚至获得过奥斯卡8项大奖。然而这种说法并没有真凭实据，很多学者指出，萨里埃利年纪比莫扎特大，当时早已是功成名就的音乐家，他没有任何理由去加害莫扎特。这种谣传的形成，与当时意大利作曲家和奥地利作曲家之间的集体矛盾有关。

大多数医学家都认为莫扎特死于疾病，至于死于何种疾病，说法不一。有认为死于粟粒疹热的，有认为死于尿毒症的，有认为死于神经衰弱的，有认为死于肺病的，等等。由此我们可以推断，莫扎特最终可能是多种疾病缠身，他那无规律的生活习惯和不擅理财治家的妻子都为他的健康埋下了隐患，并最终导致了他的早亡。

7. 爵士音乐为什么会发祥于美国的新奥尔良？

爵士音乐作为西非音乐旋律及欧洲音乐和谐因素相结合的产物，在20世纪初美国黑人居住区广泛流行。那么，这种音乐为什么会产生于美国的新奥尔良呢？

美国一些黑人学者认为，当年，新奥尔良市斯特维尔的“不夜区”，每天晚上有很多乐队和音乐家通宵达旦地进行表演。这类演出在竹器、木鼓、班卓琴和响板等粗制乐器的伴奏下，再配以具有特殊旋律的刚果歌曲，显得非常高亢和豪迈。正是在这种形势下，著名黑人音乐家布迪·波尔登才成功组建了第一个爵士交响乐团。

有些学者从新奥尔良的音乐文化传统中寻找答案。他们认为有两种音乐传统汇聚于新奥尔良，即欧洲音乐传统和黑人音乐传统。两种音乐传统的结合便造就了这种世界上独一无二的音乐，与其他的音乐相比，爵士音乐的旋律更快，情绪也更为激昂。除此之外，演员在表演时还不断推陈出新，不断丰富其歌曲的主题。

有的学者认为新奥尔良爵士音乐的产生与黑人争取解放和自由的斗争是分不开的。在19世纪末和20世纪初，随着城市黑人在政治、经济和社会地位等方面的相对改善，他们的自我意识与争取自由和解放的要求更加强烈。在这种形势下，新奥尔良的黑人音乐家创造了爵士音乐，充分表达了黑人打破不合理的旧传统、挣脱束缚的强烈愿望。这也正是爵士音乐为什么对黑人如此重要的原因。

此外，有人认为爵士音乐是由于居民生活的需要而产生的。还有人认为新奥尔良多元化种族环境及其不同经历对爵士音乐的产生具有决定性的作用。

这些学者所阐述的理由，孰对孰错？如果都是合理的，那么孰主孰次？这仍然是值得学者们去研究和探讨的。

知识链接

爵士乐

爵士乐是一种起源于非洲的音乐形式，由民歌发展而来。从19世纪末开始，节奏明快、能够即兴创作的、带有显著非洲特色的黑人音乐，与新居住地的音乐结合起来，最终诞生了这种全新的音乐表达形式。爵士乐以传统音乐为基础，混合了布鲁斯、拉格泰姆及其他音乐类型，是一种“混血”音乐。它以其极具动感的切分节奏、个性十足的爵士音阶和不失章法的即兴演奏（或演唱），赢得了广大听众的喜爱。在不到1个世纪的时间内，爵士乐迅速发展成为美国本土产生的最具分量的音乐形式，甚至在世界的每个角落里都能找到它的影子。

8. 柴可夫斯基究竟死于霍乱还是自杀？

1893年，享誉世界的俄罗斯的伟大作曲家柴可夫斯基去世。当时，俄国朝野震动，沙皇亚历山大三世甚至感叹道：“俄国有这么多人，但上帝却偏偏选中了柴可夫斯基！”

100多年来，所有官方报道都说柴可夫斯基死于霍乱。然而，很多人对官方的说法表示怀疑。首先，按照常理，凡确诊为霍乱病患者的住宅要进行彻底隔离，可在柴可夫斯基患病期间，前去探望的人络绎不绝。在他辞世时，守在他身旁的据说有16人之多。其次，在柴可夫斯基去世后，他的尸体停放了两天，并没有按规定立即用镀锌的棺材密封起来。最奇怪的是，当人们列队经过柴氏的棺材时，还一一亲吻这位死于“霍乱”的人的脸。

20世纪80年代，有人根据柴可夫斯基在帝国法律学院的同班同学尼古拉·亚科比的遗孀提供的材料披露，柴可夫斯基是自杀身亡。

据说，1893年柴可夫斯基在圣彼得堡演出时，有位贵族交给亚科比一封信，让他亲自交给沙皇，信中控告柴可夫斯基引诱他的侄子搞同性恋。亚科比左右为难，此事对俄国乃至对全世界来讲，都是一件丑闻，何况沙皇又非常尊敬柴可夫斯基，此事一旦公开后果不堪设想。因此，亚科比找来7名原帝国法律学院的毕业生组成一个“荣誉法庭”，会晤了柴可夫斯基，并最终做出了要求柴可夫斯基“自杀”的“判决”，以挽回帝国法律学院和沙皇的颜面，并为柴可夫斯基提供了毒药。据说，柴可夫斯基服毒之后拒绝医生检查，4天后就命归黄泉了。

当时，无论是搞同性恋还是自杀，都为社会所不容。一旦柴可夫斯基的真正死因被公布，那么他就会被埋葬在边远的地方。所以，尽管当时有人知道事情的真相，却没有人公开这个秘密。

如今，柴可夫斯基是死于霍乱还是自杀，仍是悬案一桩。

9. 古埃及人有什么音乐成就?

埃及有近5000年的音乐史。考古学家在古埃及王宫、寺庙、坟墓等遗迹里都发现了音乐的影子，其中包括各种乐器，以及描绘有乐器、乐队的浮雕和壁画。从这些文物中，我们可以大致了解到古埃及人的音乐生活。

在古埃及，音乐是节日和祭祀仪式上的重要组成部分。同时，音乐在古埃及人的日常生活中也有着特殊的地位。人们认为音乐具有魔法作用，可以消除疲劳愁苦，抒发各种真情实感，所以在一般活动中也要奏乐。古埃及人还创造了与音乐相结合的民间歌谣，其中，劳动歌谣、爱情歌谣、家教歌谣是民间歌谣的主要形式。

法老时期的古埃及就已经拥有了很多种打击乐器和管弦乐器。打击乐器包括手拎鼓、响板、铃铛、拨浪鼓（一种宗教礼拜时所使用的乐器），以及经常被用来作为伴奏乐器的铃舌等。管弦乐器则包括笛子、喇叭、竖琴、七弦琴和琵琶等。公元前3世纪，古埃及亚历山大城出现了水压风琴，这种原始的管风琴声音嘹亮，体积庞大，主要用来为古代罗马人的戏剧表演和竞技活动伴奏助兴。公元前16世纪左右，古埃及还出现了合唱团，军乐也得到了很大发展。

在古埃及，地位最高的音乐人是神庙中的乐官，一般由女性担任，专属于某位神。为王室演奏的音乐人的地位也很高，他们被誉为是天才的歌唱家或演奏家，为人们所尊敬和崇拜。而处于最底层的则是那些为普通聚会和节日演出的音乐艺人，他们通常和舞蹈者一起合作演出。当然，在古埃及也存在一些业余的音乐爱好者，他们只不过是对音乐感兴趣而已，并不指望自己能在音乐领域里取得很高的成就。

10. “钢琴大王”是谁？

李斯特（1811–1886）是匈牙利音乐家，其钢琴演奏艺术和钢琴音乐创作在世界音乐史上占有非常突出的地位，被誉为“钢琴大王”。

李斯特的作品丰富多彩，极富想象力，是世界音乐宝库里的精品。在他一生创作的700多首作品中，主要有《匈牙利狂想曲》《浮士德交响曲》《但丁交响曲》《帕格尼尼练习曲》和《B小调钢琴奏鸣曲》等。

他创作的19首《匈牙利狂想曲》，在他的钢琴作品中占有特殊重要的地位。这些作品不仅充分发挥了钢琴的音乐表现力，还为狂想曲这个音乐体裁创作树立了杰出的典范。这些作品具有鲜明的民族色彩，结构精炼紧凑、乐思丰富活跃，音乐语言与音乐表现方法吸取了匈牙利乡村舞蹈音乐和城市说唱音乐中的精髓，乐曲的形式虽然不断发生变化，音乐风格却始终鲜明而质朴，体现了自然美和艺术美的完美统一。

李斯特是位伟大的音乐革新家，为推动新生音乐风格做出了重要贡献。在钢琴演奏方面，他首次使钢琴发出了类似管弦乐的音响，极大地增强了钢琴的表现力。他把钢琴当成乐队来使用，形成一种热情、优美、辉煌、豪壮的风格，开创了钢琴独奏会和背谱演奏的先河。他发明了交响诗这一体裁，并创作了13首交响诗。他还著书立说，出版多部与音乐相关的论文和书信集，他的论文《论艺术家的处境》对改善音乐家的社会地位起到相当大的作用。

李斯特有着强烈的民主思想和一颗真挚的爱国心，积极关注和支持自己祖国的民族解放运动事业。民族的历史和英雄人物，民间音乐的音调和节奏，在他的作品中完美地结合在一起，鼓舞了匈牙利人民的民族自信心和斗争精神。因此，李斯特被匈牙利人尊崇为伟大的“民族艺术家”。

知识链接

乐器之王——钢琴

钢琴作为一种键盘乐器，是世界上使用最为广泛的乐器，以其音量宏大、音域宽广、音律准确、转调方便、弹奏灵敏、表现力丰富著称，因此在乐器家族中占有着举足轻重的地位。

钢琴的用途非常广泛，除了作为一件重要的独奏乐器经常出现在音乐舞台上以外，还常常在重奏、合奏及伴奏中充当重要的角色。同时，钢琴也常常被作为作曲家创新的试验场，以及音乐教学的教具。此外，钢琴还是家庭练习用琴的常用乐器，从18世纪末以来，在欧美发达国家，钢琴一直是最主要的家庭键盘乐器。

正因为钢琴具有这些优秀的品质以及无法替代的艺术表现能力，才从成千上万种古今乐器中脱颖而出，成为“乐器之王”。

11. 世界名曲《我的太阳》中的“太阳”究竟指什么？

《我的太阳》是意大利著名作曲家卡普阿（1864–1917）于1898年创作的一首歌曲。这首歌民族风格浓郁、曲调优美，如今已成为一首家喻户晓的世界性民歌。它是各国音乐家在音乐会上经常演唱的曲目，也是世界各地声乐比赛中所演唱的重要曲目之一。

据说，在1952年举行的赫尔辛基奥运会开幕式上，当意大利运动员入场时，乐队没有按照规定演奏意大利国歌，而是突然奏起了《我的太阳》。当时现场的7万名观众先是一片哗然，随后也伴着节奏鼓掌合唱起来。

原来，在奥运会开幕前，意大利驻芬兰使馆没有向大会组织者提供国歌，而组织者也许是出于对意大利原墨索里尼政府的厌恶而没有索取乐谱。当意大利运动员入场时，乐队指挥发现没有意大利国歌乐谱，但他急中生智，马上指挥乐队演奏了《我的太阳》这首歌曲。由此可以看出这首歌的流行程度。

不过，如此流行的歌曲，依然有一个尚未解开的谜，那就是《我的太阳》中的“太阳”究竟指的是什么。

一些人认为《我的太阳》是一首情歌，卡普阿把自己的意中人（也有人说是意中人的笑容）比喻成太阳。

还有人认为它是一首歌颂兄弟情谊的歌曲。据说，有一对亲兄弟相依为命，哥哥为了让弟弟过上好日子而出外打工赚钱。哥哥即将出门远行，弟弟为他送行时唱了这首歌，把哥哥比作自己心中的太阳。

还有一个兼具友情和爱情的传说：兄弟俩爱上同一位姑娘，哥哥为了弟弟的幸福离家出走。弟弟含泪为哥哥送行，并唱了这首歌，同时把哥哥和爱人比喻成心目中的太阳。

由于卡普阿生前没有留下任何有关《我的太阳》的文字说明，因此“太阳”究竟指的是什么，只能由后人去猜测了。

12. 贝多芬的《第三交响曲》最初是献给拿破仑的吗？

贝多芬是人类历史上最伟大的艺术家之一。他的作品反映了当时的进步思潮，体现了他憎恨封建专制压迫的精神，和追求自由、平等、博爱的理想。

贝多芬是1789年法国大革命的坚定拥护者。1802年，贝多芬在好友——法国驻维也纳大使柏纳多特将军的提议下，着手写作献给拿破仑的《第三交响曲》。在当时贝多芬的心目中，拿破仑是摧毁专制制度、实现民主自由的英雄。

1804年，贝多芬完成了《第三交响曲》。然而，正当他准备将其献给拿破仑时，闻知拿破仑加冕称帝的消息。贝多芬怒不可遏地吼道："他只不过是一个凡夫俗子，现在他也想践踏人权，来实现自己的狼子野心了。他将骑在人民的头上作威作福，成为一个暴君！"于是，他把写给拿破仑的献词撕了个粉碎，摔在地板上，不许任何人把它捡起来。

过了很多天，贝多芬才把这部作品公之于世。后来，《第三交响曲》总谱出版时，标题页上印着："'英雄'交响曲——为纪念一位伟人而作。"从此，《第三交响曲》就被称为"英雄"交响曲。

知识链接

交响曲

交响曲是一种按照奏鸣曲原则构成的大型套曲形式，由交响乐队演奏。它源于意大利歌剧序曲，最后定型体现在海顿晚年的作品之中，海顿也因此被誉为"交响乐之父"。

交响曲由若干个独立但有内在联系的乐章组成，一般为四个乐章：第一乐章，快板，采用奏鸣曲式；第二乐章，慢板，采用复三部曲式或变奏曲；第三乐章，中、快板，为小步舞曲或诙谐曲；第四乐章又称"终乐章"，快板，采用奏鸣曲式或回旋曲等。

交响曲在音乐发展史上具有非常重要的意义，它充分发挥了各种乐器的功能和特点，比奏鸣曲拥有更宏大、更丰富、更震撼的表现力。

海顿、贝多芬、舒伯特、柏辽兹、舒曼、门德尔松、勃拉姆斯、柴可夫斯基、鲍罗廷、西贝柳斯、布鲁克纳、马勒等音乐家均有著名交响曲作品。

13. 美国的国歌是如何诞生的？

美国在确立法定国歌之前，举行仪式时可以唱《星条旗》，也可以唱《欢呼！哥伦比亚》或《美利坚》。1931年3月，经美国国会通过，并由胡佛总统签署，《星条旗》正式成为美国的国歌。

那么这首《星条旗》是如何创作出来的呢？

1812年，美国第二次独立战争（1812–1815）打响。此时新生的美国与英国相比处于绝对劣势。1814年8月25日，英军攻占华盛顿，并继续向巴尔的摩推进，形势非常危急。为了保卫巴尔的摩，美军死守位于交通要道的麦克亨利堡。

1814年9月12日夜，一位名为弗朗西斯·斯科特·基的律师带着美国总统的信件，来到英国战俘交换船上，要求释放他的朋友、著名医生威廉·比恩斯。英军当时正在攻打麦克亨利堡，基律师不能回去，不得不留在船上过夜。他亲眼看见了英美两军交战的惨烈场面，忧心如焚，彻夜未眠。破晓时见麦克亨利堡虽遭受到英军炮火的猛烈攻击，但它上空的星条旗仍迎风飘扬，基百感交集，挥笔写下一首名为《麦克亨利保卫战》的激动人心的诗篇。

这首诗当时被印成传单在军中散发，大大鼓舞了美军的士气。正是由于美军在麦克亨利保卫战中的顽强阻击，使英军占领巴尔的摩的企图彻底破灭。不久，英美双方签订协议，英国正式承认美国独立。美国开始走上富强之路。

《麦克亨利保卫战》后来被配上《安纳克利翁在天国》（本是由英国人约翰·斯坦福·史密斯作曲的一首情歌）的曲谱，从此在美国广为传唱，歌词中的“星条旗”一词也成为这首歌的歌名。

14. 舒伯特为什么要与贝多芬葬在一起？

舒伯特（1797–1828）是奥地利作曲家，他被认为是古典主义音乐的最后一位巨匠，同时也是浪漫主义音乐的早期代表人物之一。

1814年，舒伯特创作了他生平第一部音乐杰作《纺车旁的格丽卿》，开启了他创作灵感的闸门。仅1815年一年，舒伯特就写了140多首歌曲，其中有一天更是写了8首歌曲。1816年，舒伯特辞去工作，专门从事创作。由于没有固定工作，舒伯特一生清苦，甚至一直都没能买得起一架属于自己的钢琴。

舒伯特十分崇敬贝多芬，1822年曾把自己创作的4首钢琴变奏曲奉献给他。1827年，舒伯特曾两次探望病重的贝多芬，并参加了贝多芬的葬礼。1828年，也就是贝多芬去世的第二年，舒伯特一病不起。在精神恍惚中，他还发出呓语说："贝多芬不是睡在这里吗？"就这样，年仅31岁的舒伯特匆匆离开了人世。

按照舒伯特的遗愿，他的哥哥费迪南德把他的坟墓安置在维也纳的韦灵公墓，与贝多芬的墓地相邻。后来，舒伯特和贝多芬的坟墓一起被迁到维也纳的中央公墓。原来的韦灵墓地，成为舒伯特公园。

舒伯特的创作生涯虽然很短暂，却留给后人600多首婉转动听的艺术歌曲，他也因此被誉为"歌曲之王"。在这些艺术歌曲中，最有代表性的是《美丽的磨坊女》《魔王》《野玫瑰》《圣母颂》《菩提树》《鳟鱼》《小夜曲》等。此外，他还创作了18部歌剧、歌唱剧和配剧音乐，10部交响曲、19首弦乐四重奏、22首钢琴奏鸣曲、4首小提琴奏鸣曲等作品。

15. 什么是"交响芭蕾"？

20世纪50年代后期，舞蹈编导不得不绞尽脑汁来改变原有的艺术形式，来应对越来越挑剔的观众。有人尝试将本来并非为舞剧创作的交响乐进行改编后，将其与舞蹈结合在一起，"交响芭蕾"就这样诞生了。

交响乐是一种大型音乐，它通常能够表现出复杂多变的思想感情，表达人类的生命感受和哲理思索。而舞蹈则长于以虚拟、写意的手法表现日常生活和人物的内心世界，因此舞蹈形象与音乐形象有着类似的特性，同时舞蹈的结构也可以借鉴音乐的结构。二者的特点为舞蹈编导提供了灵感，进而将交响乐和芭蕾融为一体。交响芭蕾将情感诗意作交响化处理，通过形象对比、造型变化及舞蹈语言的复调性组合，显示出朦胧的意境和深邃的内涵，充分发挥了舞蹈本身的特性。可以说，"交响芭蕾"使古老的芭蕾艺术焕发了新的青春。

交响芭蕾可分为有情节和无情节两种。情节交响芭蕾代表作有柴可夫斯基的《胡桃夹子》《睡美人》《天鹅湖》等舞剧，它们要求以新的造型、新的舞蹈语汇表现音乐与剧情。无情节交响芭蕾代表作有福金的《肖邦组曲》和古尔特的《呼唤》等，它们虽然没有情节，但内容丰富，构成了一个艺术与生活相结合、音乐与舞蹈相交融的完美整体。

不过，有些艺人对交响芭蕾的概念的理解过于肤浅，往往会进入机械仿效音乐结构、不深入体会音乐内涵和艺术形象的误区。这导致某些“交响舞蹈”仅仅是追求表面形式，毫无内涵和技巧可言，在艺术表现力上很不理想。

知识链接

芭蕾

“芭蕾”是古典舞剧的统称，起源于意大利，兴盛于法国，其最主要的特征是女演员要穿上特制的鞋，立起脚尖跳舞。

芭蕾是由当时流行在宫廷里的哑剧、幕间剧和假面舞等形式融合演化而成的。1661年，法国“太阳王”路易十四创办了世界上第一所皇家舞蹈学校，对芭蕾进行了严格的规范，使其有了一套标准的动作和完整的体系。1672年，路易十四宣布允许职业舞蹈家演出贵族芭蕾，标志着芭蕾从贵族的自娱活动变成一门艺术。路易十四之后，芭蕾逐渐脱离宫廷，走向社会。

到了18世纪中期，纯粹以舞蹈及音乐来表达故事情节的“动作化舞剧”形式的出现，让芭蕾彻底脱离歌剧而成为一种独立的艺术，也就是目前芭蕾的原貌。

16. 何为钢管舞？

钢管舞是指以钢管为道具，通过攀爬、翻转、倒立等动作来完成舞蹈动作的一种舞蹈，被列为世界十大民间舞蹈之一。

关于钢管舞的起源说法不一。有人认为它是脱胎于12世纪一种与原始生殖崇拜有关的舞蹈。也有人认为钢管舞起源于19世纪末美国昼夜不息的建筑工地，一些建筑工人为了在苦中作乐，缓解身心疲惫，便拿着建筑钢管一边跳舞一边唱歌。

到了20世纪初，随着美国经济泡沫的破灭，钢管舞开始进入到色情场所，极具挑逗性的舞蹈动作，使其沦为一种艳舞。在当时，哪位社会名流一旦和钢管舞娘扯上关系，立刻就会被登在小报头条。如今，在某些色情成分比较浓的歌舞厅，依然可以看到这样的钢管舞。因此，在很多人的印象里，钢管舞是欧美色情场所中仅供成人欣赏的一种“娱乐”活动。

然而，到了21世纪初，经过改良的钢管舞在争议中慢慢为人们所接受，因为它能够使人的全身得到锻炼，钢管舞也逐渐演变成一种时尚的健身运动，在欧美女性白领中极受欢迎。

据说钢管舞有以下几种功效：可以减肥、健身、塑身；可以提升女性气质，增强自信；可以减缓工作和生活压力；可以有效治疗产后忧郁症等。著名的“英格兰运动”组织的一位发言人说：“只要是安全的运动，那些鼓励人们离开沙发的运动都值得提倡。许多女孩每天在舞杆旁边花上两小时，经过6周之后，便获得了新的自信。这说明钢管舞不仅仅是一项健身运动。”

17. 为什么说拉丁舞是三种文化的融合体?

拉丁舞又称拉丁风情舞，是一种大众民间舞蹈，其特点是随意、激情、放松、富有活力、节奏动感强，有较大的自由发挥空间。拉丁舞深受拉美人民的喜爱，是生活中不可缺少的一部分。

最初，拉丁舞是人们庆祝胜利或丰收的一种表达方式，后来渐渐被年轻人用来表达对心上人的爱慕之情。在其发展的过程中，曾经因为动作过于热情露骨、表达情感过于直率坦白而遭到排斥。然而，拉丁舞令人无法抗拒的魅力最终使其风靡全球。

拉丁舞是在拉丁美洲漫长的历史长河中逐渐形成的具有鲜明特点的艺术表现形式。拉丁舞包括伦巴舞、恰恰舞、牛仔舞、桑巴舞和斗牛舞，其中的每一个舞种都起源于不同的国家，有着不同的历史背景和演变过程。

新航路开辟后，在美洲进行殖民活动的欧洲人为了得到充足的劳动力，把大批黑人从非洲运送到美洲大陆。从此，欧、非、美三大洲的文化在美洲大陆上逐步融合。舞蹈作为各洲人民的主要娱乐方式之一，也在这种背景下相互吸收、借鉴和创新。随着后来欧洲宫廷舞蹈元素的渗入，这些民间舞蹈又有了进一步的规范、发展和完善。

第二次世界大战后，这些民间舞蹈被美国人传播到世界各地，尤其在欧洲大受欢迎。随后，欧洲人对其进行了规范和改革，终于在1960年将拉丁舞列入了世界性比赛，并将其分为伦巴舞、桑巴舞、恰恰舞、斗牛舞、牛仔舞5种，对它们的舞步、节拍等各方面都做了严格统一的规定。

18. 歌舞伎的创始人阿国一举成名后为何神秘消失？

歌舞伎、净琉璃和能并称为日本的三大传统戏剧，谈到歌舞伎，就不能不提歌舞伎的创始人阿国。阿国本是出云大社里的巫女，姿色出众，且舞技非凡。她曾组织一些年轻漂亮的女孩子四处“念经”，只不过这种“念经”比较特别，是以跳舞的方式念，而且还加入了简单的故事情节，这就是歌舞伎的早期形式。

相对于创造歌舞伎而言，阿国本人的故事似乎更吸引人。当她的表演获得众人认可的时候，她却忽然消失得无影无踪，这实在让人想不通。在阿国神秘失踪后，人们就再也没有见过她。那么，这位才貌双全的佳人究竟去了哪里？她为什么会在一举成名后便销声匿迹？她的失踪是有人故意设置的迷局还是她自己精心的安排？由于史书中关于阿国的记载很少，因此她的失踪也就成了千古之谜。

关于阿国失踪后的去向，有几种不同的猜测：有人说阿国在失踪后又回到故乡的出云大社做了巫女；有人说她去尼姑庵当了尼姑；还有人说她被当时的德川幕府秘密杀害；等等。说法众多，可每一种都没有确切的证据。毕竟没有人见过阿国的尸身，也没有人在她失踪后再见过她。所以，一切都还是谜。但不管真相如何，阿国对歌舞伎所做出的贡献都是不容否认的。日本人也给予了阿国公平的待遇，除了在岛根县建有“阿国塔”和“阿国碑”，每年还要举行大型的民间活动来纪念阿国。在歌舞伎的发展史上，阿国的名字将永远闪烁着璀璨的光辉，她作为歌舞伎创始者的地位也是不可动摇的。

19. 古印度的巫师为什么可以赤着脚在灼热卵石上翩翩起舞？

在哈拉巴文化遗址，考古学家发现了距今约4000多年的印章，上面刻画着在火上跳舞的人物形象。经过研究表明，印章上描述的就是充满神奇色彩的蹈火舞。

蹈火舞最初是古印度的一种宗教祭礼。每当大难临头时，人们就会在空地上挖一个大坑，坑里铺一些木柴，木柴上摆一些卵石，然后点燃木柴，将卵石加热到很高的温度。巫师便赤脚在滚烫的卵石上翩翩起舞，神态自若，口中念有咒语，请求神灵前来降妖除魔，消灾治病。

令人难以置信的是，赤脚的蹈火者的脚底并不会烫伤。难道真的有神灵在暗中保佑巫师？还是巫师懂得什么法术？这其中到底有什么奥秘呢？

有些学者认为印度巫师在蹈火时运用了一种气功，这种气功可以影响人的神经功能，进而使身体的某一运动器官与其相应的内脏器官协调一致，发挥出超常的力量而不致被烧伤。

还有人认为，蹈火者在跳舞时浑身是汗，在脚底与卵石接触的一瞬间，被汽化的汗水形成一个热气层，由于水蒸气的导热能力一般要比液态水差一些，因而这个热气层能够对脚底起到瞬间的保护作用。

然而这些说法都很难令人信服，印度的大多数巫师都不会气功，即使会气功的人也根本不敢去“赴汤蹈火”。况且蹈火舞持续的时间比较长，最短也在10分钟以上，再强的隔热能力也难使舞蹈持续这么长的时间。

随着岁月的流逝，蹈火舞逐渐流传到其他一些国家和地区。今天，蹈火舞依然在伊朗、巴尔干半岛、斐济群岛、苏里南以及非洲的一些部落流行。

20. 百老汇为什么会成为世界戏剧艺术的代名词呢？

百老汇，原意为“宽阔的街”，指的是纽约市以巴特里公园为起点，由南向北纵贯曼哈顿岛，全长25千米的一条大道。如今的百老汇已成为世界戏剧艺术永恒魅力的象征和代表，在41街至53街之间，汇集了众多遐迩闻名的剧院，每年都有几百万世界各地的观众来这里观看演出。

百老汇大街最初只是一条平凡的道路。19世纪初，纽约其他地区的一些剧院从业者来到这里，逐渐改变了这条默默无闻的道路的命运。建立于1810年的公园剧院是最早出现在百老汇大道上的剧院。而真正令百老汇大道声名远扬的百老汇歌剧院的前身“大都会演奏厅”，一度因经营不善而先后变成赌场、溜冰场和展览场等场所，直至1887年才改建成为现在的百老汇歌剧院。之后，在百老汇大街又出现了几家著名的剧院，比如美国剧院、奥林匹亚剧院等。20世纪中叶，百老汇歌剧院达到极盛，成为西方戏剧行业的一个巅峰代表。

然而，随着第二次世界大战的结束，新一代的年轻人有了新的价值观，爱上了摇滚乐，百老汇由于无法跟上时代潮流而逐渐衰落。直到20世纪70年代，一些作家把摇滚乐以及一些流行的概念带进了百老汇，才让百老汇重新崛起，创作出《猫》《剧院魅影》《悲惨世界》《西贡小姐》等著名剧目。

百老汇剧院区上演的剧目分为6种，根据各个剧目所占比例，依次为音乐剧、音乐喜剧、话剧、喜剧、舞蹈音乐会和个人秀。纽约超过100个舞蹈团和近60个音乐团体常驻于百老汇剧院区进行演出。百老汇已然成为世界戏剧艺术的代名词。

21. 为什么金像奖又被称为“奥斯卡”？

从1927年开始，“奥斯卡金像奖”每年都在美国洛杉矶举行，80多年来一直享有很高的声誉。

“奥斯卡金像奖”的正式名称是“电影艺术与科学学院奖”。1927年5月，美国电影界知名人士在好莱坞发起了一个“非营利组织”，定名为电影艺术与科学学院，它的宗旨是致力于推动电影制造业向更高层次、更高质量、更高技术方面发展。学院决定对在电影领域做出过杰出贡献的优秀人才授予“学院奖”。1931年后“学院奖”这个名称逐渐被其通俗称谓“奥斯卡金像奖”所代替，导致其正式的名称逐渐被人遗忘，如今已鲜为人知了。

关于“奥斯卡”这个名称的来历说法不一。

最流行的说法是这样的。1931年，艺术与科学学院图书馆的管理员兼执行董事玛格丽特·赫丽克无意中看了那座镀金塑像一眼，觉得很面熟。经过仔细端详后，她惊叫道：“这座雕像看上去怎么那么像我的叔叔奥斯卡呀！”正巧，有一位记者在学院里采访，他在隔壁的房间听到了玛格丽特·赫丽克的惊叫声，便在第二天的报道里在介绍镀金塑像时加上一句：“艺术与科学院的工作人员亲切地称呼他们的金塑像为‘奥斯卡’。”从此，这一称呼不胫而走。

著名演员贝蒂·戴维斯却把“奥斯卡”这一称谓的发明归在自己的名下。她说自己首次领金像奖时，无意中叫了一声丈夫奥斯卡的名字，被现场采访的记者听到，于是一下子传扬开来。

然而，贝蒂·戴维斯首次获最佳女主角奖是在1935年，那时“奥斯卡”这一称谓早已家喻户晓了。因此根据分析判断，第一种说法可信度最高。

22. 历届奥运会吉祥物是什么？

在奥运会历史上，吉祥物首次出现在1972年德国慕尼黑奥运会上。从此以后，吉祥物成为历届奥运会不可或缺的一部分，用来传达奥林匹克精神、当届奥运会的举办理念以及主办城市的历史文化和人文思想，营造奥运会的节日氛围等。

1972年慕尼黑奥运会吉祥物是一只德国猎犬瓦尔第（Waldi）。

1976年蒙特利尔奥运会吉祥物是一只海狸阿米克（Amik）。

1980年莫斯科奥运会吉祥物是一只名叫米查（Misha）的俄罗斯熊。

1984年洛杉矶奥运会吉祥物是名为山姆（Sam）的老鹰。

1988年汉城奥运会的吉祥物是一只小老虎虎多力（Hodori）。

1992年巴塞罗那奥会吉祥物是一只又像山羊又像狗的动物科比（Cobi）。

1996年亚特兰大奥运会吉祥物Izzy（伊兹），它是一个幻想出来的生物，也是奥运会第一个用电脑制作的吉祥物。

2000年悉尼奥运会吉祥物赛德（Syd）、米利（Millie）和奥利（Ollie），形象分别是澳洲本土动物鸭嘴兽、食鱼鸟和针鼹，代表了土地、空气和水。另外，奥利代表奥林匹克，赛德代表澳洲（悉尼），米利是一个信息领袖，代表千禧年。

2004年雅典奥运会吉祥物，是两个被命名为雅典娜（Athena）和费沃斯（Phevos）的娃娃。在古希腊神话中，智慧女神雅典娜和光明与音乐之神费沃斯是兄妹俩。

2008年北京奥运会吉祥物是历届奥运会中最多的。它们分别是奥林匹克圣火形象的福娃欢欢、大熊猫形象的福娃晶晶、鱼形象的福娃贝贝、藏羚羊形象的福娃迎迎和燕子形象的福娃妮妮。5个福娃的名字合在一起的意思恰好是“北京欢迎你”。

23. 古代奥运会有哪些竞赛章程和授奖仪式?

公元前561年，古希腊哲学家吕库拉古斯制定了《奥林匹克竞技会竞赛章程》，章程上的有关规定一直是奥运会必须遵守的规则。

（1）赛会的组织由地方官员和宗教领袖人物具体负责，他们有权决定运动员和观众的资格。

（2）赛会的仲裁委员会由宙斯神殿中的专职祭司和经过选举产生的裁判人员共同担任。

（3）凡在比赛中贿赂裁判或行为不检点的人都要处以巨额罚款。

（4）只有个人赛，没有团体赛。

（5）参赛者必须是纯希腊人，在政治、道德、宗教、法律上没有任何污点，其身份必须经过裁判员的证明。

（6）女子不能参加和观看比赛，否则将被扔下悬崖。

古代奥运会的授奖仪式庄严而隆重。授奖台设在宙斯像前，橄榄冠被放在一个特制的三脚台上。授奖时，先由报导官宣布运动员的姓名、比赛成绩以及身世背景等情况。然后由司仪把优胜者领到主持人面前，主持人为优胜者戴上橄榄冠。古代奥运会对优秀运动员的奖励主要是精神奖励，物质奖励也有，但非常微薄。

以橄榄枝作为古代奥运会的精神，寓意深刻，影响深远。古希腊人认为，橄榄树是神赐予人类和平与幸福的象征，因此用橄榄枝编织的橄榄冠是最神圣的奖品，能获得它是最高的荣誉。

优胜者还乡后，各城邦还会为他们举行盛大的庆功活动。后来希腊还规定免去优胜运动员对国家的义务，在剧场或节日盛会上有专门为他们设置的荣誉座位，某些城邦还发给优秀运动员终身津贴。

24. 古代奥运会有哪些竞赛项目？

赛跑

（1）短跑：长度为1个跑道长（192米）。

（2）中跑：长度为2个跑道长（384米）。

（3）长跑：长度为24个跑道长（4608米）。

（4）武装赛跑：早期参赛者都顶盔贯甲，手持盾牌，后来演变为赤身裸体手持盾牌参赛。长度为4个跑道长（768米）。场面壮观激烈，是古代奥运会的闭幕式。

各项赛跑中，运动员均为“裸奔”，跑姿与今天大体相同。

摔跤

比赛中，只要肩、胸、膝等部位触地，即被判为失去1分，如失去3分便被判为失败。

五项竞技

包括赛跑、跳远、掷铁饼、掷标枪和摔跤。

（1）赛跑：与单独进行的短跑一样。

（2）跳远：分立定跳远和助跑跳远两种。助跑跳远技术与现代大不相同。

（3）掷铁饼：竞技者先在手上沾满沙子或泥土，然后持饼前后摆动，用上一步或上三步法投出。当时铁饼无统一规格。

（4）标枪：有掷准和掷远两种。枪长约1.6米，粗细与食指相同。

（5）摔跤：只进行一局比赛便决出胜负，还禁止一些危险动作。

拳击

不分局数，不分级别，也不受时间限制，直到其中一方被打倒在地，昏迷或举起右手表示认输为止。

混斗

由摔跤和拳击混合而成的一个竞技项目，不像摔跤那样只将对手摔倒即可，而是要在规则允许的范围内攻击对手，直到对方丧失抵抗力或认输为止。

赛战车

比赛分为4马拉车赛和2马拉车赛，在长800米、宽320米的赛马场举行。战车约跑10千米。

赛马

马匹无马鞍，无马镫，全凭竞技者的技艺比赛。

赛车、赛马比较危险，某些奴隶主让奴隶代为驾车和骑马，如果得胜，荣誉归于主人，而真正的竞技者只能得到主人微薄的赏赐。

其他竞技项目

包括少年竞技项目（与成人项目规则不同），著名的学者、艺术家参加的艺术比赛等。

总之，古代奥运会的主要竞技项目多达十余项，比赛对抗性强，竞争激烈，有的项目甚至会出现伤亡事故。但古代奥运会体现了古希腊人坚强和勇敢的品质，及其崇高的理想和追求，为后世留下了宝贵的遗产。

知识链接

奥运“圣火”的由来

奥运会期间在主体育会场燃烧的火焰即是奥运圣火，它象征着光明、团结、友谊、和平、正义。

在古希腊神话中，普罗米修斯不仅创造了人类，而且还瞒着天神宙斯，从太阳神阿波罗那里盗取火种带到人间，从而使人类完成了向文明的最后迈进，而他自己却遭到宙斯的严厉惩罚。为了纪念普罗米修斯，在古代奥运会开幕前，人们聚集在奥林匹亚宙斯神庙前，从普罗米修斯的祭坛上取得圣火，之后，运动员们手持火炬奔赴希腊各个城邦。

现代奥林匹克运动恢复后，顾拜旦于1912年提出了点燃奥运圣火的建议，但由于第一次世界大战而耽搁。1928年阿姆斯特丹奥运会恢复了点燃圣火的传统。1936年柏林奥运会首次实行奥运火炬接力传递。

25. 马拉松比赛的距离为什么不是整数呢?

众所周知，马拉松赛是一项长跑比赛项目，其距离为42.195千米。这个比赛项目的距离为什么不像其他赛跑项目一样取整数呢?这要从发生在2500年前的一场战役说起。

马拉松本是希腊的一个地名，在雅典东北30千米处。公元前490年，波斯国王大流士一世率军入侵希腊，在雅典城东北的马拉松海湾登陆。当时雅典与波斯的兵力之比为1∶10，雅典处境岌岌可危。雅典一面进行全城总动员，加强戒备，一面派长跑健将斐迪庇第斯前往斯巴达求助。

斐迪庇第斯从雅典出发，沿爱琴海海岸，穿过伯罗奔尼撒半岛内山脉，仅仅用了一天的时间便跑到斯巴达，全程246千米。然而，斯巴达人却以祖先留下过月不圆不能出兵的规矩为由，不肯发兵援救。斐里庇第斯苦苦哀求却无济于事，只好跑回马拉松复命。

靠人不如靠己，雅典军队团结一心，同仇敌忾，依靠正确的战略战术和勇敢顽强的作战精神，在马拉松平原一举击溃波斯军队，史称马拉松之战。这场战役雅典牺牲192人，而波斯战死6400余人，损失了7艘战舰。这样一场酣畅淋漓的大胜让雅典人欣喜若狂，于是派遣斐迪庇第斯把胜利消息迅速告诉雅典人，好让全城百姓安心。

兴奋的斐迪庇第斯一口气从马拉松跑到雅典中央广场，全程42.195千米。到达目的地后他只说了一句“我们胜利了”，便体力衰竭，倒地而亡。斐迪庇第斯从此成为希腊人的民族英雄。

1896年举行首届奥运会时，顾拜旦采纳了历史学家布莱尔的建议，以这一史实为依据，创立了马拉松长跑比赛，比赛沿用当年斐迪庇第斯所跑的路线。1908年伦敦奥运会时，为方便英国王室人员观看马拉松比赛，将起点设在温莎宫的阳台下，终点设在奥林匹克运动场内，总距离为26英里385码，合42.195千米。国际田联后来将该距离确定为马拉松比赛的标准距离。

26. 什么是极限运动？

极限运动被称为勇敢者的运动，是结合了一些难度较高，且挑战性较大之组合运动项目的统称。它能够使人最大限度地发挥潜能，享受在跨越心理障碍时所获得的愉悦感和成就感。因此，它除了追求一般运动“更高、更快、更强”的竞技精神外，更强调勇敢的精神品质和过硬的心理素质。同时，它还体现了人类返璞归真、回归自然的理想，因此被世界各国誉为“未来体育运动”。

极限运动的项目一般都是近几十年才出现的，其领域涉及“海、陆、空”三维空间。主要项目有滑板、滑水、极限单车、攀岩、雪板、蹦极、冲浪、溯溪、越野、激流皮划艇、摩托艇、街区障碍赛等。

由于极限运动具有融入自然、挑战自我的“天人合一”的特性，使得极限运动能够风靡全球、长盛不衰。仅在美国，滑板爱好者就达几百万。不过，由于太过危险，在20世纪60年代，滑板运动曾被一些国家严令禁止，一度沦为“地下项目”，一直到80年代中期，滑板项目才重见天日。

为什么人们对惊险、刺激的极限运动乐此不疲，如此痴迷？一些专家认为，随着信息大爆炸的知识经济时代的到来，各种竞争越发显得残酷，导致人们的生活节奏越来越快，工作压力越来越大，生活空间越来越小。现实的生活环境使人们透不过气来，同时，原有的娱乐活动越来越无法满足人们的需要。从20世纪70年代的交谊舞、80年代的迪斯科，到90年代的保龄球、桑拿浴，都已经无法有效刺激人们麻木的神经。于是，人们便开始追求更加强烈的刺激，从而使郁积已久的感觉和情绪得以痛快地释放出来。而极限运动的兴起，正好满足了人们的这一需求。

27. 人类百米速度的极限是多少?

在北京奥运会男子百米飞人大战中，牙买加名将博尔特以9秒69的成绩轻松打破世界纪录。有学者在分析电视画面后表示，说如果博尔特在最后15米时不减速，他的成绩很可能达到9秒55。

那么，人类的百米速度极限是多少呢?

现在国际上流行一种速度推算理论，该理论将一些重大国际比赛上产生的百米世界纪录，进行了统计、分析和推理，得出世界纪录与时间之间的函数关系。根据这一理论，直到2030年以后，才会有人跑进9秒69。然而，博尔特创造的成绩，将这一理论推到绝境。

有些科学家认为，之所以会出现这种情况，是因为该理论只是一个纯数学的公式，没有将生理和心理等方面的因素考虑进去。一旦出现博尔特这样的“另类”，这一理论就会失效。为此，有些科学家试图对这一理论进行修改，并重新设定了百米速度极限。德国运动极限研究专家约翰·安马尔在修改了这一理论之后，推算出人类的百米极限为9秒2左右。他表示，男子百米世界纪录虽然还有可能继续被打破，但提升的空间只剩下0.5秒。近40年来，人类的百米纪录也不过仅仅提高了0.2秒。

这样说来，人类似乎无论如何也跑不进9秒了。在1936年柏林奥运会上德国选手杰西·欧文斯创下了10秒03的百米世界纪录后，很多权威专家对人类生理进行分析后断言：人类无论如何也跑不进10秒。然而，1968年墨西哥奥运会上，美国选手吉·海因斯以9秒95的成绩将科学家的预言击碎。他获胜后说了一句非常耐人寻味的话：

“上帝啊！那扇门原来虚掩着！”

那么，专家们预测的9秒大关难道就会牢不可破吗?

知识链接

男子百米世界纪录

2009年8月17日，牙买加名将博尔特在世界田径锦标赛百米飞人大战中，以9秒58的成绩夺冠，并刷新了他自己在北京奥运会上创造的9秒69的原世界纪录。

男子百米世界纪录的演变，自从有记录以来的1912年开始，至今已差不多百年。从10秒6开始，人类追求更快的雄心促使着百米世界纪录越来越惊人。自从1968年百米赛跑采取电动计时以来，在男子百米世界纪录演变史上，一共有8人创造过新的世界纪录（除去平世界纪录和被查出服用禁药的选手）。而在这大约40年的时间里，人类的速度极限提高了0.37秒。

28. 美国人认为最刺激、最具有挑战性的体育运动是什么？

1974年2月17日，一群体育爱好者聚集在夏威夷群岛的一个酒吧里争论：世界上究竟哪一种体育运动项目最刺激，最具有挑战性，最能考验人的意志和体能？有的说是渡海游泳，还有的说是长距离自行车，有的说是檀香山马拉松赛等。他们各抒己见，争论不休。

最后，美国海军中校约翰·科林斯提出一个建议：谁若是能在一天之内在海里游泳3.8千米，再骑自行车环岛骑行180千米，最后跑完42.195千米的马拉松全程，中途不休息，谁就是真正的铁人。科林斯的提议得到大家的支持。第二天有15人参加了比赛，其中包括1位女选手。结果有14人完成比赛，第一名的成绩为11小时46分。

这次比赛后，人们就把这种集游泳、自行车和长跑三种体育运动于一体，并对参赛者的体能、速度和技巧提出综合性挑战的运动项目称为“铁人三项”。并追认这次比赛为首届世界铁人三项锦标赛。一项极具挑战性的新型体育运动项目就这样戏剧性地诞生了。

铁人三项运动在夏威夷诞生后，最初仅在夏威夷和加利福尼亚流行，后来逐渐在澳大利亚、新西兰、西班牙、法国、英国、日本、中国等国家广泛开展，为全世界越来越多的体育爱好者所喜爱。

为了更好地发展该运动，国际铁人三项联盟于1989年4月正式成立，总部设在加拿大。国际铁人三项联盟规定了铁人三项比赛的比赛标准：游泳1.5千米，自行车40千米，跑步10千米，按游泳、自行车、长跑的顺序进行。如今这个比赛标准已被各级铁人三项比赛广泛采用。2000年悉尼奥运会首次将铁人三项列为奥运会比赛项目。

29. 现代五项运动的起源是怎样的?

在19世纪时，一位年轻的法国通信兵接受任务后，骑着战马奔驰在起伏不平的原野上，跨过一道道障碍。在冲击敌阵时，迎面过来一名剑兵勇士，法国军官与之比剑决斗，获得胜利。然而，他胯下的战马却被另一名敌兵射杀，军官不得不下战马，开枪击毙敌兵，徒步继续向前跑去。他渡过湍急的河流，终于将消息送达目的地。

据说，现代五项就是由顾拜旦根据那位历尽磨难的法国通信兵的故事创立的，并成为1912年斯德哥尔摩奥运会的正式比赛项目。现代五项主要是相对古代五项运动而言的。古罗马时代，斯巴达勇士参加的五项运动包括赛跑、跳远、标枪、铁饼和摔跤。现代五项与古代五项运动不同，按照比赛顺序依次为射击、击剑、游泳、马术和越野跑。

在射击比赛中，每个运动员要使用4.5毫米口径的空气枪，以站姿射击10公尺外的定靶，每人必须击发20发，每发之间不得超过40秒。击剑比赛使用的是重剑，采用循环制，每场时间为1分钟，如果在1分钟内双方均未能得分，则判双败。游泳比赛为200公尺的自由泳，不是比谁游得快，而是要按时间来记分。马术比赛中选手骑乘陌生的马匹跨越障碍，其中包括一道双重和一道三重障碍。参赛运动员在前四项比赛中的不同成绩折合为不同的积分，总积分的多少决定最后项目即3千米越野跑的起跑顺序。积分领先的选手先跑，选手之间的积分差距决定了他们起跑时间的间隔。最后，率先到达终点的运动员就是整个比赛的冠军。

30. 橄榄球的起源与足球有关吗?

橄榄球起源于英国，原名为拉格比足球。拉格比是一个英格兰小镇的名字，在这个小镇上有一座名为拉格比的学校。据说，1823年，该学校组织了一场足球比赛，当时比赛十分激烈，比分落后的一方猛攻对方球门，却久攻不下。这时有一个名为威廉·韦伯·埃利斯的队员非常冲动，居然抱起地上的球向对方的球门冲去。对方队员上前阻拦，都被他一一避开。最后，埃利斯终于把球扔进对方球门。

此先例一开，别人纷纷效仿，以后在学校的足球比赛中，抱球跑的现象经常发生。这个举动虽然违反了足球比赛的规则，却使比赛更加激烈，气氛更加火爆，慢慢被人们接受了，成为一种合法的动作。就这样，一项新的体育运动——拉格比足球诞生了。由于这种球的形状酷似橄榄，所以在中国又被称为“橄榄球”。

橄榄球场与足球场大小相仿，比赛队员也是双方各11名。比赛中可以踢，可以抱，显得比较粗野，因而上场队员都要佩戴头盔等护具。

尽管历史学家经过考证后发现，橄榄球的起源可能并非如此，然而这个传说已经深入人心，如今在拉格比学校内还有一块石碑，上面刻着“此碑纪念威廉·韦伯·埃利斯的勇敢行动”。甚至连国际橄榄球联盟的首要赛事——橄榄球世界杯赛的奖杯也称为“韦伯·埃利斯”杯。

从此以后，这项运动在英国广泛开展，并逐渐传入到其他欧美国家。许多国家都创造出属于自己风格的橄榄球运动，其中最为著名的就是美式足球，成为北美四大职业运动之一。NFL（美式橄榄球联盟）是世界最大的职业美式足球联盟，由32支来自美国不同城市的球队组成，无论是商业运作还是电视收视率，都是其他体育联盟望尘莫及的，是当之无愧的美国体育界大哥大。

31.“篮球之父”是谁？

1891年，在马萨诸塞州一所学校任教的詹姆斯·奈史密斯博士，为了让因寒冷而变得懒散的学生们在漫长的冬季保持健康的体魄，从当地儿童的游戏中得到启发，发明了一种室内游戏。

这种游戏中，奈史密斯把两个盛桃子的篮筐作为球篮，用铁丝网做挡板，用足球为比赛用球。他还根据当时流行的棒球、足球、橄榄球、曲棍球等球类项目的特点，制订出13条游戏规则。当时人们称这种游戏为“奈史密斯球”或“筐球”。后来，奈史密斯和同事们经过反复的商量，才将这种游戏命名为“篮球”。奈史密斯也就成了“现代篮球之父”。

最初，篮球比赛没有场地大小和人数的限制，只要双方人数相等即可。比赛开始，双方队员分别站在两端线外，在裁判员向球场中央抛球后，双方队员立即冲进场内抢球，并尽力将球投进对方的篮筐。根据规定，球员在接到队友传球时不可以再移动，场上最初的运球就是通过球员之间这样来回传球实现的。桃筐是有底的，球投入篮筐以后，必须有人登上专设的梯子将球从篮筐取出。据说第一场比赛非常“成功”，学生们打了整整一堂课的篮球，最终以1：0的比分结束了比赛。从此学生们上体育课再也不迟到了。

随着场地设施的不断改进，篮筐取消了筐底，并用铁圈代替桃篮，用木板制成挡板，场地画上了中线、中圈和罚球线，比赛改由中场跳球开始。场上比赛队员也固定为每队9人，有了后卫、中锋、前锋等位置之分。1908年，美国制定了全国统一的篮球规则。事实上，从奈史密斯的13条规则开始一直到今天，篮球比赛的规则被不断修改和完善。

篮球发明之后，迅速传遍整个美国，并逐渐发展成为一项世界性的运动项目。1932年，篮球被列入奥运会正式比赛项目。

32. 关于羽毛球的起源有哪几种说法？

羽毛球是世界性体育项目之一，关于它的起源，说法不一。

有人认为，羽毛球与中国古代的“板羽球”“打手毽”等游戏有关。板羽球也称为毽球，如今这种古老的游戏在中国贵州苗族民间依然流行。它是用木板拍打一个装饰球，游戏方式和规则与现代的羽毛球运动类似。

也有学者考证，羽毛球最早出现在14–15世纪时的日本。据说，当时的球是用樱桃核插上羽毛制成的，两人用木质球拍来回击球。由于樱桃核材质的球飞行速度太快，导致球的羽毛极易受损，再加上球的造价太高，所以这项运动流行了一阵子就消失了。

还有一种说法认为，大约在18世纪时，印度出现了一种与日本的樱桃核羽毛球类似的游戏。球是用绒线编织成球形，中间插羽毛制成的，看起来很像中国的毽子。玩法也是两人手执木质球拍来回击球。

现代羽毛球运动大约在1800年左右诞生于英国，据说是由网球派生而来。1870年，出现了用羽毛、软木做的羽毛球和穿弦的球拍。1873年，英国一位公爵在格拉斯哥郡伯明顿镇的庄园里与客人游玩，正在大家兴致勃勃之际，大雨不期而至。为了不让客人们扫兴，公爵就邀请客人在室内进行羽毛球游戏，受到客人们的欢迎。由于这项运动极富趣味性和观赏性，很快便风靡整个英国。伯明顿（Badminton）也就成了羽毛球的英文名字。

1893年，英国羽毛球协会成立，重新修订和统一了之前羽毛球比赛的规则，并于1899年举办了举世闻名的全英羽毛球锦标赛。1934年，国际羽毛球联合会成立，总部设在伦敦。1992年，在巴塞罗那奥运会上，羽毛球成为奥运会正式比赛项目。

33. 乒乓球运动是由网球运动派生出来的吗？

关于乒乓球运动的起源众说纷纭。按照最流行的观点，乒乓球运动创始于英国，是由网球运动派生而来的。

大约在19世纪晚期，网球运动在欧洲盛行。由于受到场地和天气的限制，英国有些大学生便在室内玩起了类似网球的游戏。以书做球网，用羊皮纸做球拍，在餐桌上打来打去。为了防止损坏室内物品，在橡胶或软木实心球外，往往还包上一层毛线。

这项游戏没有固定的规则，每局分数也很随意，有10分、20分为一局的，甚至也有50分、100分为一局的。发球时，可以像后来的乒乓球一样，把球先发到本方台面再跳至对方台面；也可以像网球一样，将球直接发到对方台面。由于这种运动受到网球运动的影响，所以当时的人们称之为“Table Tennis”，即“桌上网球”。

大约在1890年，一位英国人到美国旅行时，偶然发现了一种用赛璐珞（一种受热变软、遇冷变硬的人造塑料）制成的空心球，弹性很好。于是，他将这种球稍加改进后，逐步在英国和世界各地推广起来。也许是因为打这种球的时候会发出“乒乒乓乓”声音的缘故，1891年，另一位英国人申请“乒乓球”（Ping-pong）的商业专利权，并获得批准，乒乓球运动从此正式问世。

20世纪初，乒乓球运动在世界各地蓬勃开展起来。1926年，在德国柏林举行的国际乒乓球邀请赛，被追认为第一届世界乒乓球锦标赛（简称世乒赛），同时成立了国际乒乓球联合会（简称国际乒联）。世乒赛是国际乒联主办的一项最高水平的乒乓球赛事，最初每年举行一次，1957年后改为每两年举行一次。1988年，乒乓球运动成为奥运会正式比赛项目。

34. 网球为何使用“15”“30”“40”这种怪异的计分方式?

网球运动孕育在法国，诞生在英国。12–13世纪，法国僧侣们为了调剂刻板的教堂生活，经常用手掌击打一种类似小球的物体，这种“掌球戏”逐渐成为法国宫廷里的一种消遣娱乐活动。14世纪中叶，这种游戏传入英国，英国人将游戏用球称为“Tennis”，并流传下来。15世纪，这种游戏改为用拍板打球，并出现了一种用羊皮制作拍面的椭圆形球拍。1873年，英国人温菲尔德在羽毛球运动的启示下，发明了现代网球运动。

网球比赛采取4分球为1局，6局为1盘， 3盘2胜或5盘3胜制。和其他体育项目的计分方式不同，网球中得1分被计为“15分”，2分计为“30分”，3分计为“40分”。为什么会出现如此怪异的计分规则呢?

原来，最初的网球运动诞生时，人们为了计分方便，用可以拨动的时钟来计分，得1分就将时钟转动1/4，也就是15分（一刻钟），得2分就将时钟拨至30分。这便是“15分”“30分”的由来。也有人认为这种计分方式与六分仪（用来测定太阳或其他天体与海平线或地平线的夹角的光学仪器）有关，因为15°、

30°、45°、60°（六分仪的刻度弧为圆周的1/6）是六分仪上的几个重要刻度。

至于“40分”，更让人难以理解，它并不是15的倍数。在英文中，“15分”念作“fifteen”，为双音节，而“30分”念作“thirty”，也是双音节，“45分”念作“forty-five”，变成了三个音节，读起来有点拗口。据说，当初裁判员为了报分方便，就把它改为双音节的“40分”（forty）了。

35.《蓝色多瑙河》的作者是老约翰·斯特劳斯还是小约翰·斯特劳斯？

施特劳斯家族是19世纪维也纳最著名的音乐世家之一。人们提到的约翰·施特劳斯父子，一般是指老约翰·施特劳斯（1804–1849）和他的3个儿子——约翰·施特劳斯（1825–1899）、约瑟夫·施特劳斯（1827–1870）和爱德华·施特劳斯（1835–1916）。后人通常在父亲前面加上一个“老”字，以区别他成就更加辉煌的长子。

约翰·施特劳斯于1824年与作曲家兰纳成立了维也纳花园舞厅乐队，开始了创作圆舞曲的生涯。他一生共创作150多首圆舞曲，继承和发扬了奥地利民间舞蹈和舒伯特的圆舞曲、连德勒舞曲、古典乐派大师的风俗性小品的优良传统，同时吸收了德国南部民间音乐的素材。其作品具有铿锵的节奏和鲜明的管弦乐色彩，充满了火热的激情和旺盛的生命力，深受大众欢迎。为此，他被誉为“圆舞曲之父”。

小约翰·施特劳斯继承了父亲的事业，他的圆舞曲独具特色，旋律酣畅，柔美动听，节奏自由，生机盎然，是每年维也纳新年音乐会的重头戏。他曾带领乐队访问欧洲各国，使维也纳圆舞曲风靡整个欧洲。小约翰·施特劳斯是一个天才的音乐家，他把圆舞曲发展到了前无古人、后无来者的高度，被世人誉为“圆舞曲之王”。

小约翰·施特劳斯创作了《蓝色多瑙河》《维也纳森林的故事

圆舞曲》《艺术家的生活圆舞曲》《春之声圆舞曲》和《安娜波尔卡》等120余首圆舞曲。此外，他还创作了以《雷鸣电闪波尔卡》为代表的120多首波尔卡舞曲及几十首其他舞曲。1870年起创作了《蝙蝠》《罗马狂欢节》《阿里巴巴与四十大盗》《吉卜赛男爵》等16部轻歌剧，对于欧洲轻歌剧的发展有着非常深远的影响。

知识链接

圆舞曲

圆舞曲又称华尔兹，是在奥地利民间的连德勒舞曲基础上发展而来的一种三拍子舞蹈。节奏鲜明，动作轻快，旋律流畅，情绪热烈。跳舞时，一对对男女舞伴，按照舞曲的节奏旋转打圈，因而被称为圆舞曲。在所有优秀的圆舞曲中，以小约翰·施特劳斯的佳作《蓝色多瑙河》最为著名。

圆舞曲出现以前，欧洲上层社会中流行的都是四平八稳，温文尔雅，配合着小姐、太太们拎着裙子屈膝行礼等动作的舞曲，显得十分呆板。圆舞曲出现后，它的热情奔放、充满活力的特点，给城市中的舞曲带来了崭新的面貌和活跃的气氛。圆舞曲在18世纪后半叶用于社交舞会，在19世纪便传遍全欧洲，成为100多年来最受欢迎的舞曲体裁。

第十五章

传奇名画·神奇艺术

1. 为什么有人认为达·芬奇的很多发明是抄袭中国文明的成就?

达·芬奇（1452–1519）是意大利文艺复兴三杰之一，也是整个欧洲文艺复兴时期最完美的代表。他学识渊博，思想深邃，不仅是一位伟大的艺术家，而且还从事许多种自然科学和技术的探讨，成为文艺复兴时期最负盛名的艺术家、哲学家、工程师、机械师和科学巨匠。

达·芬奇在自然科学领域取得了很高的成就。他是第一个正确、全面地描述人体骨骼以及肌肉组织的科学家，并发现了血液功能；在哥白尼提出“日心说”之前，他就有过“太阳不动”的想法，否定了地球中心说，认为月亮只是反射太阳的光辉，并幻想利用太阳能；他设计了望远镜和聚光镜；他提出了连通器原理、惯性原理，发展了杠杆原理，指出了“永动机”作为能源的不可能性，还预示了原子能的威力；他研究过地形的演变和各种岩石的构造以及古生物的痕迹，最早确立了地史学和地质学的概念；他设计过飞行器、降落伞、攻城武器、簧轮枪、子母弹、三管大炮、战车、双层船壳战舰、潜水用具和轻便桥梁等；他设计了机器人、自动机床、纺织机、印刷机、起重机、钟表仪器和抽水机等；他设计过运河、水闸、拦水坝等方面的方案，还发明了室形水闸以及各种构造的扬水机。

然而，达·芬奇的成就却遭到英国历史学家凯文·孟席斯的质疑。孟席斯在自己的书中提出，达·芬奇的许多发明实际上是抄袭了中国几个世纪前就已经取得的文明成就。1430年，中国派出的特使曾经拜访过罗马天主教教皇，并向教皇尤金四世转交了天朝皇帝的大量礼品，礼品中包括一些详细介绍中国古代文明成就的书籍。后来，包括中国书籍在内的梵蒂冈部分秘密档案落入达·芬奇之手。因此，达·芬奇的很多发明创造实际是来源于中国，也就是说，中国的文明成就是文艺复兴的重要源头之一。这一观点还有待进一步研究和论证。

2. 凡·高的艺术作品为什么到他死后才得到社会的认可?

凡·高被称为“时代中最热情和最抒情的画家”。作为一位超前的艺术家，凡·高的作品中所包含的丰富的内涵、强烈的个性以及在形式上的独特追求，都远远走在时代的前面。他着意于内心真实情感的再现，而不是局限于描绘眼睛所看到的视觉形象，从而促成了表现主义的诞生。法国“野兽派”、德国的“表现派”以及20世纪初出现的“抒情抽象派”等，都深受他的影响。

正如某些“自我表现”论者认为的“艺术只是一种情感的宣泄”一样，凡·高的作品所采用的大色块堆积的手法、不符合常理的对比色运用以及情绪化的笔触，都使他的作品很难被同一时代的人们所接受。

凡·高所有杰出的作品，都是在他生命最后的6年里完成的。他后期的作品一改过去的沉闷压抑而变得热情明朗，似乎要用欢快的基调和升腾的希望来感染尘世的苦难者。他的代表作有《向日葵》《邮递员鲁兰》《包扎着耳朵的自画像》《星光灿烂》《凡·高的卧室》等。

凡·高生前只卖出一幅油画——1890年，比利时一位画家以400法郎的价格买下他的《红色葡萄园》。死后，他的名气越来越大，其作品成了亿万富翁炫耀的资本。

1987年，凡·高的一幅《向日葵》以3950万美元的高价卖出。同年，《鸢尾花》以5390万美元的天价售出，引起了全世界的轰动。1998年，凡·高的一幅自画像以7150万美元售出。1990年，《加歇医生》以8250万美元的价格拍出。7年以后，《加歇医生》又以9000万美元的价格被捧走。此外还有许多售价在千万美元以上的作品。

3.《最后的晚餐》为何以院长的身份来塑造犹大?

《最后的晚餐》是达·芬奇最重要的代表作之一，取材于基督教的一个重要传说。故事情节是耶稣已经得知自己被弟子犹大出卖，便与众弟子在逾越节的晚上聚餐，是为了当众揭露叛徒。当耶稣说“你们中间有一个人出卖了我”时，众弟子一阵骚动，每个人都做出了符合自己个性的反映，有的惊讶，有的困惑，有的恐惧，有的愤怒，整个场面陷于混乱之中。

在达·芬奇之前，这个题材被很多画家描绘过，然而由于画家们不擅于表现人的内心世界，从人物形象上难以区别善恶，便把犹大画在餐桌的对面，使其处在被孤立的位置上，与其他弟子在空间位置上进行明显区分。达·芬奇在这一点上取得了突破，他在日常生活中对各种不同性格人物的形象进行观察，从中获得很多经验和灵感，并将其应用在自己的作品当中。

由于叛变者的形象是很难画的，达·芬奇在描绘犹大的形象时，也颇费脑筋，几天未曾动笔。不懂艺术的修道院院长对达·芬奇非常恼火，以为他是有意怠工，因为当时请达·芬奇作画是按时付酬的。于是，他让总管去催达·芬奇尽快作画。总管向达·芬奇传达了院长的意思，达·芬奇知道这并非总管的本意，便对他说，这幅画马上就要大功告成，只是犹大的模特儿不好找，实在不行，只好拿院长的头像来凑合了。从此以后，院长再也不敢来打搅达·芬奇的工作了。

据说，米兰大公看到《最后的晚餐》中犹大的面孔时笑了起来："犹大简直和修道院院长一模一样，他妨碍你的工作，你巧妙地报复了他，就让他永远留在这张画里吧。正好，他总是把钱袋抓得紧紧的，舍不得在修道院的孩子身上花一分钱，使教士们吃尽了苦头。"可见，达·芬奇这样做并非完全出于个人的报复，而是发现院长和犹大在贪财这一点上是一致的。

4.《手拿烟斗的男孩》画的是谁?

2004年5月5日，在伦敦举行的苏富比拍卖会上，毕加索的《手拿烟斗的男孩》以1.04亿美元的天价成交，在当时创造了世界名画拍卖史的新纪录。那么，这幅被誉为"具有达·芬奇《蒙娜丽莎》的神秘和凡·高《加歇医生》的忧郁的唯美之作"，到底是怎样一幅作品呢?

1905年，23岁的毕加索搬到巴黎一栋被称为"洗衣船"的破旧公寓里居住。这栋公寓之所以被称为"洗衣船"，是因为只要风一吹，它就会像塞纳河上的洗衣船一样摇摆。毕加索就是在这种生活环境里，创作了《手拿烟斗的男孩》。

这幅被认为是毕加索最有诗意的作品，描绘的是一位神情有些忧郁的青春期男孩，他身着蓝色衣服，头戴花冠，手里拿着一支烟斗，显示出一种颓废的神态，画面的背景是两大束色彩艳丽的花。画面上的少年是谁?他是真人的肖像，还是虚构的人物?

有些人认为，这个少年的形象是虚构的，毕加索的创作灵感受到法国象征派诗人魏尔伦的影响。魏尔伦曾在诗中提到：在一座宫殿里有一群"年轻撒旦"，他们中最英俊的"恶魔天使"，是一个头戴花冠、爱做梦的16岁男孩，眼中充满了火焰和泪水。

不过，也有人认为画中的少年是真人的肖像，他就是居住在"洗衣船"附近的一个绰号为"小路易"的男孩。毕加索的原意是作一幅写实作品，但画到一半就因为失去了兴致而停笔。有一天，毕加索听到有人朗诵魏尔伦的诗句，突发灵感，回去在"小路易"的头上画了一个花环，这幅杰作就这样诞生了。

不过，这两种说法哪种更为准确，至今仍然无法确定。

5.《琉特琴演奏者》是男还是女？

卡拉瓦乔（1573–1610）是意大利杰出的现实主义画家，对巴洛克画派的形成产生过重要的影响。

《琉特琴演奏者》是卡拉瓦乔25岁时的风俗画。画中有一位肤色红润的青年，柔嫩的双手抱着一把琉特琴，灿烂的阳光照射在他面前桌子上的小提琴和乐谱上。他身上有种柔性的美，额头的卷发富有魅力，红润的双唇微张着像在唱歌，但他的眼神和嘴角却流露出一种内心的苦涩。琉特琴演奏者为了生计不停地演奏，青春将像桌子上的鲜花和水果一样枯萎、凋零。

意大利画家非常重视美感，但是，卡拉瓦乔的作品却与众不同。作为一个现实主义画家，他所要表达的是真实的世界，如果现实本来是丑陋的，那就只能按照其本来的面目来表达，而不能将其美化。同样，我们对这幅画观察得越仔细，就会觉得这张男孩的脸越真实，而不是越美丽。

首次看到这幅画时，人们往往很难分清画上的青年是男还是女。一位评论家在描述这幅画时曾经写道："一名身穿长袍的女子在弹琉特琴，她的面前放着乐谱。"《琉特琴演奏者》里的人物形象不但具有柔媚的特征，一些细节也暗示了作品的主题：画中的乐谱是一首情歌，开头第一句就是"我知道我爱你"。

那么，作者为什么会采用这种描绘手法？有人猜测，卡拉瓦乔本人或是委托他作画的人可能有同性恋倾向。卡拉瓦乔最初的赞助人蒙特主教生活放荡，据说他经常举办舞会，却拒绝女性参加，而是由穿女装的男青年冒充女人。而卡拉瓦乔也曾为他作过《被蜥蜴咬的男孩》等具有同性恋倾向的作品。

6.《伽拉忒亚的凯旋》源于怎样的故事？

拉斐尔（1483–1520）是意大利最伟大的艺术家之一，被誉为后世古典主义者不可企及的典范，与达·芬奇、米开朗琪罗并称为"文艺复兴美术三杰"。其代表作有油画《西斯廷圣母》、壁画《雅典学园》等。

壁画《伽拉忒亚的凯旋》源自一个凄美的神话爱情故事：独眼巨人波吕斐摩斯爱上了美丽的海中女神伽拉忒亚，然而伽拉忒亚却与英俊的牧人阿喀斯相恋。妒火中烧的巨人投掷石块将阿喀斯杀死，伤心欲绝的伽拉忒亚把自己的血液变成了西西里岛的河水，取名阿喀斯河。拉斐尔取材这个故事中的一小段：波吕斐摩斯爱上了伽拉忒亚，对她唱了一首情歌，粗鄙的声音引起了伽拉忒亚的嘲笑，于是驾起她的"小船"跑掉了。

拉斐尔描绘的就是伽拉忒亚跑掉时，与海中众神、水怪在一起的欢乐场景。海风吹散了伽拉忒亚的头发，掀起了她的衣服，将她的玉体展现出来，她正带着微笑转身去听那古怪的情歌。一群海神簇拥着伽拉忒亚，画面两边的两个海神正在吹海螺，前后各有一对海神在相互调情。画面上方的几个小爱神，张开了爱神之箭，对准伽拉忒亚的心。这幅画场面诙谐、色调鲜明，伽拉忒亚的形象甜美而不轻浮，充分体现了拉斐尔寓主题于轻松的风格特征。

7. 名画《格尔尼卡》有什么象征意义？

20世纪30年代，西班牙陷入内战。1937年，德军疯狂轰炸西班牙小镇格尔尼卡，将其夷为平地，导致2000名无辜平民丧生。作为一位有强烈正义感的艺术家，毕加索仅仅用了几个星期便完成一幅达27平方米的巨画《格尔尼卡》，以表达对法西斯兽行的强烈谴责和愤慨。

在这幅巨作里没有飞机和炸弹的形象，却聚集了残暴、恐怖、痛苦、绝望、屠戮、死亡、惊慌、逃亡、呻吟和呐喊。

位于画面中心的是一匹正在回首嘶鸣的濒死的马，它被一根由上而下的长矛刺中，象征受难的西班牙。它的上方有一盏耀眼的电灯，好像一只惊恐、孤独的眼睛。

马的左边是一头表情茫然的公牛，似乎对身边发生的事件漠然置之。对于牛的象征意义一直是有争论的，有人认为公牛象征强暴，代表的是凶残的德国法西斯；也有人认为牛也是这场战争的受害者。

在公牛头部的下方，一位悲痛欲绝的母亲正抱着死去的孩子号嚎大哭。地上躺着一具战士的尸体，他手握一柄断剑，剑旁是一朵正在生长着的白花，表示对人民英雄的哀悼。

画面最右边的一位妇女正从坍塌的楼房上跌落下来，是空炸受难者的真实写照，她那高举的双手显示出突如其来的灾难给她造成的无限惊恐，其绝望的姿态让人难忘。下方一位俯身奔逃的女子是那样的仓皇。在最显眼的地方，有一位妇女手持油灯从窗口探头出来，把这部惨剧展示在光明之下，象征着揭露黑暗。

毕加索以半抽象的立体主义手法，以及超时空的形象组合，成就了其一生中最成功、最重要的作品。在支离破碎的黑、白、灰色块中，散发着强烈的紧张感和恐怖气氛，展现出一幕震撼人心的历史悲剧，表现了画家对战争暴行的深刻痛诉和对人类苦难的强烈悲悯。70多年过去了，这幅巨作已经成为警示战争灾难的文化符号之一，也使格尔尼卡的伤痛永远留在了人类的记忆之中。

8.《无名女郎》究竟画的是谁？

19世纪中叶，随着农奴制的解体，俄国迎来了文化艺术的繁荣。到19世纪70年代，出现了著名的现实主义画派——巡回展览画派，它的创始人是克拉姆斯科依（1837–1887）。在他的作品中，非常注重艺术的民族风格、独创性和深刻的思想内容，对俄国画坛产生了非常重要的影响。

《无名女郎》是克拉姆斯科依的代表作，描绘了一位俄国知识女性的形象。在冬日的早晨，一位容貌可人、穿着大方的青年女郎，侧身端坐在马车上，用一种高傲而又自尊的目光看着观众。她的姿态和表情显示了当时一部分民主主义知识分子与社会格格不入的态度。

那么，画面上这个“无名女郎”的原型是谁呢？100多年来，很多人试图解开这个谜，但至今仍然没有令人信服的答案。

有人认为她是列夫·托尔斯泰的小说《安娜·卡列尼娜》中的主人公，因为19世纪80年代正是这部小说火爆之时，克拉姆斯科依受到它的感染，决定用画笔描绘出他心目中善良、美丽、独立、自强的“安娜·卡列尼娜”。这一说法不无道理，因为巡回展览画派有到文学作品中寻找创作题材的习惯，而且克拉姆斯托依与托尔斯泰又是交情过命的好友。

有人认为她是圣彼得堡亚历山大剧院的一位女演员，理由是在这幅画的背景上可以看到该剧院的建筑物。

有人认为她是克拉姆斯科依曾经的恋人，由于一切已成过往尘烟，自然不便将该画署上那个女子的真实姓名。

还有人认为她是俄国作家布洛克的小说《陌生的女人》中的女主人公。然而这种说法显然不能成立，因为这部小说出版的时候，克拉姆斯科依已经去世19年了。

克拉姆斯科依的学生列宾则认为，《无名女郎》并不是某一个人的肖像画，她只是作者心目中的一个理想女性，是众多现实形象的综合体。

9.《吻》是一幅表现色情的绘画作品吗？

奥地利画家克里姆特（1862–1918）是19世纪后期象征主义绘画中“维也纳分离派”的杰出代表。他的作品既有象征主义的哲理性，同时又吸收了东方艺术的装饰风格，注重空间的比例分割和线的表现力，对绘画艺术和招贴设计产生了极为深远的影响。

《吻》是克里姆特的代表作之一，描绘的是一对热恋中的青年男女。由于作品在制作过程中使用了大量的金属、螺钿等材料，因此画面呈现出金碧辉煌的效果，美不胜收。

《吻》引起了很多争议。有人认为《吻》就像克里姆特很多其他的作品一样，是一幅表达色情内容的图画。克里姆特在画中采用了可视的表示性爱的形象符号，即暗示观者画中二人在接吻之后就要发生性关系。比如，男人的衣饰有大量的长方形图案，这些图案大小不同，呈黑、白、黄三种颜色，象征了男人的棱角分明和坚硬；在腰部系着一条流动状图案的腰带，犹如精子一般，暗示了他体内的冲动。而女人衣服上则有很多圆形图案，主要分布在乳房、心脏、小腹、臀部和膝盖上，象征了女人的温柔、圆润和可塑性。

但也有不少学者反对这一说法，他们表示，虽然关于女性及性爱的内容在克里姆特的作品中占有特殊的地位，但这并不意味着《吻》就是一部色情之作。而且，尽管画里出现了原始人使用的性爱符号，但在19世纪末的欧洲，这类符号是否还具有“性”的含义是值得商榷的。而且，克里姆特的装饰风格在很大程度上来自东方艺术，而在东方艺术中，这些符号并没有性爱的含义。也许对画家本人来说，这些符号只是一种装饰而已，并无特殊意义。

知识链接

维也纳分离派代表人物

1897年，在奥地利首都维也纳，有一批画家、建筑师和设计师声称要与传统的美学观念划清界限，反对当时相对保守的维也纳学院派，并与之分道扬镳，故而自称分离派。分离派涵盖绘画、设计、建筑、装饰等领域，没有明确的纲领，其参与人物艺术风格多种多样，从广义讲是指思想和类型比较接近的艺术家群体。其代表人物有画家克里姆特，建筑家和设计师瓦格纳、霍夫曼、欧尔布里希、莫塞尔等人，其中以克里姆特和霍夫曼最负盛名。瓦格纳是霍夫曼等人的老师，其设计理念与建筑风格在19世纪80年代已体现出基本的分离派思想，因而被认为是分离派之父。

10.《奇袭》里被袭击的是谁？

亨利·卢梭（1844–1910）是位自学成才的法国画家，曾经参加过普法战争，40岁以后才开始从事绘画创作。由于他没有经过“专业训练”，所以他的作品里还保留了朴素的味道和稚拙的痕迹，也正是这种率真的画风使他在19世纪末的欧洲画坛上占有一席之地，曾经受到毕加索等人的推崇。卢梭想象力丰富，擅长于描绘神秘、奇特的事物，尤其在描绘充满幻想的热带丛林上颇具功力，为原始派开山祖师，其作品流露出一种神秘主义色彩。

卢梭最早的一幅关于丛林风景的作品是《奇袭》，又名《热带飓风与虎》，描绘的是一只老虎躲在丛林里的情形。据说，画面里的热带植物并不是卢梭到墨西哥写生得来的，而是从近在咫尺的巴黎植物园里观察到的形象，画中老虎的形象是从儿童图画书中借鉴来的。但无论怎样，这幅洋溢着孩童般纯真情感的画面都带给人们异乎寻常的感受。有人批评卢梭根本不懂绘画，而画家兼批评家菲利克斯·瓦洛顿则称赞卢梭“如孩童般的纯真”，并称其作品为“绘画的起点与终点”。

很多人在看过这幅画后都会迷惑，作品的名为《奇袭》，那么，这种“奇袭”从哪里表现出来的呢？有人认为，画面描述的是一道从天而降的闪电“奇袭”老虎。也有人认为，画中描述的是躲在丛林中的老虎“奇袭”猎物的情景：它悄悄地接近猎物，细雨打在即将跃起的老虎身上，闪电映照出它的身影。由于虎是临摹而来的，可能卢梭在临摹的时候，忘了临摹猎物，所以我们在画面上看不到被袭击的对象。

知识链接

原始派

原始派是20世纪产生于法国的画派，又称稚拙派。原始派在创作中极力主张返璞归真，追求原始艺术的那种浑然天成、自然淳朴、朴实无华的表现形式，认为那些没有基础和三维空间的原始绘画最能体现出人类的纯真无邪和朴素无华的本性。由于很多原始派画家很少或基本没有接受过较为专业的“技术培训”，在画面处理、造型特征和描绘技巧上显得非常稚嫩，一开始曾受到世人的嘲讽和鄙夷。从1908年起，原始派的作品开始引起前卫画家的重视，甚至被很多著名画家所推崇。原始派的开创者为亨利·卢梭，其他代表人物还有维万、博尚、邦不瓦、兰贝特等。

11. 有人在凡·高的画作中看到了物理公式，这是真的吗？

人们在凡·高的《星空》《麦田上的乌鸦》等作品里，可以发现一些旋涡式的图案，这种现象长期以来一直被人们看成是凡·高的一种艺术手法。然而，据近年来的某些科学家称，这些旋涡背后暗藏着湍流理论的影子。

湍流理论是流体力学的重要分支，也是流体力学研究的重要内容和前沿课题，曾被称为“经典物理学最后的疑团”。几个世纪以来，无数科学家试图用精确的数学模型来描述湍流现象，然而这个被认为比量子力学还要深奥的难题，至今依然没有取得突破。如今的现代湍流理论，其中一个重要基础，还是苏联科学家柯尔莫哥洛夫在20世纪40年代提出的“局部迷向湍流近似公式”。

科学家在对凡·高的一些作品进行研究后发现，这些画中光与影的模式，与流体力学中的旋涡，或喷气发动机喷出的气流极为相似，几乎完全符合柯尔莫哥洛夫提出的湍流公式。

值得注意的是，凡·高在创作这些作品时，精神非常不稳定，时而清醒，时而狂乱。而一旦恢复平静，他便失去了这种描绘湍流的能力，比如他服用过镇静剂之后创作的《包扎着耳朵的自画像》里便没有旋涡的影子。

科学家解释道，精神病人在发病时会产生异常的意识和幻觉，甚至还会有灵魂出窍的经历，正是这种意识和幻觉使凡·高得以洞察旋涡的原理。对于发病产生的幻觉，凡·高曾把它描述成“内心的风暴”，而他的医生则称之为“视觉和听觉的狂热幻想”。

全世界似乎只有凡·高具有这种“特殊能力”，其他画家的某些作品虽然看起来也包含湍流现象，比如爱德华·蒙克的名作《呐喊》中也充满了旋涡，而且他在创作时同样处于精神混乱状态，然而这些旋涡与柯尔莫哥洛夫的理论并不相符。

12.《马拉之死》独特的艺术构图是因为马拉患有湿疹吗？

马拉是法国大革命时期雅各宾派的主要领导人之一，后来遭到反对派分子的刺杀。马拉被刺的消息传出后，群情激愤。作为革命者之一的法国新古典主义大师雅克·路易·大卫（1748–1825），用他的画笔描绘了马拉被刺的情景。

《马拉之死》成功再现了马拉遇刺身亡的惨状。画面上赤裸着上半身的马拉倒在浴缸中，被刺的伤口清晰可见，鲜血正在从伤口中流出，染红了身下的浴巾。右手握着鹅毛管笔无力地垂落在浴缸外，旁边是带血的匕首。左手紧紧地握着凶手递给他的字条，女刺客就是利用马拉对她的同情趁其不备下的毒手。浴缸边的木柜上放置着墨水瓶、鹅毛管笔和一张刚刚写完的信笺，上面写着："请将这5法郎转给一位有着5个孩子的母亲，她丈夫已为祖国献出了生命。"整个画面有力地表现了马拉生活的简朴以及献身于革命的高贵品质，受到人们的称赞。

至于画家为何如此构图说法不一。绝大多数人认为，大卫是以马拉生前常常被迫在浴缸里工作这一真实场景作为创作素材的。法国大革命初期，处境非常危险的马拉，不得不长期躲在地窖里工作。阴暗潮湿的环境使马拉患上了严重的湿疹，因而被迫经常泡在带有药液的浴缸里坚持工作。

也有人认为大卫只是借鉴了他为另一位被暗杀的革命者所作肖像画的手法。在那幅画中，死者赤裸着上身倒在床上，伤口清晰可见，造型简单明快，在艺术处理上获得了很大的成功。大卫决定以同样的手法塑造马拉，所不同的只是死者的地点。

当然，还有人主张从纯艺术的角度来看待这个问题。他们认为大卫既是新古典主义画派的代表人物，又是一位写实派画家，既要注重深刻的内容和严谨的形式，又要强调作品的真实性、典型性，正是这种双重性决定了《马拉之死》的艺术构思。

13.《蒙娜丽莎》的原型是谁？

《蒙娜丽莎》中那个神秘微笑的女子的原型到底是谁？500多年来，人们一直为此争论不休。

有人认为蒙娜丽莎的原型可能是一位名叫伊莎贝拉的妙龄少女，据说她相貌娇美、体态丰盈，特别适合当模特儿。美中不足的是她的牙齿不仅黄黑，而且牙缝很宽，所以伊莎贝拉总不敢对着别人咧嘴笑。她万万没想到自己极力控制的笑容，在达·芬奇的笔下成为经典，使无数人为之倾倒。

有人认为蒙娜丽莎的原型是有着“悍妇”之称的意大利传奇女子斯福尔扎。斯福尔扎是米兰公爵的私生女，不仅长得漂亮，而且还非常勇敢。据考证，克雷迪所画的25岁的斯福尔扎，其傲然的神态、双手的摆法与神秘的笑容，与达·芬奇画的蒙娜丽莎如出一辙。研究人员在对比画中人物的五官结构后，更确信蒙娜丽莎就是斯福尔扎。

有人认为蒙娜丽莎其实是达·芬奇的一幅自画像。假如在计算机上把蒙娜丽莎的像与达·芬奇的一幅自画像重叠在一起的话，会发现两幅像的面部如出一辙。但反对者表示，这个结果只不过是同一个画家采用同一种画风造成的。

一位名叫吉乌赛普·帕兰蒂的学者对佛罗伦萨市档案进行了长达25年的研究后得出一个结论：蒙娜丽莎的原型名叫丽莎·格拉迪尼，她是佛罗伦萨一位名叫弗兰西斯科·吉奥康杜的丝绸商的妻子，他们共育有5个子女。

吉奥康杜是达·芬奇父亲皮耶罗的好友。蒙娜丽莎的画像完成于格拉迪尼24岁那年。当时达·芬奇正被一场财务纠纷困扰，皮耶罗为了帮助达·芬奇，自己出钱安排达·芬奇为朋友的妻子画了这幅画。帕兰蒂指出，皮耶罗曾不止一次以类似的方式帮助过达·芬奇。

帕兰蒂的观点得到越来越多专家的认可。

知识链接

蒙娜丽莎身后的背景

近年来，加利福尼亚大学教授卡罗·佩德雷蒂在达·芬奇绘画国际研讨会上宣布，在达·芬奇留给后人的杰作《蒙娜丽莎》中，蒙娜丽莎身后的背景是意大利中部阿雷佐市布里阿诺桥附近的景色。

佩德雷蒂表示，达·芬奇的出生地距阿雷佐市约100千米，他还曾经在阿雷佐市生活过，这一地区的原始景色与《蒙娜丽莎》的背景几乎完全一致，因此，达·芬奇采用这一地区的景色作为《蒙娜丽莎》的背景是完全合乎情理的。佩德雷蒂的研究成果得到与会很多专家的认可。同时，专家们表示，确定画像背景所在地将对解开蒙娜丽莎的身世之谜有所帮助。

14. 蒙娜丽莎在笑什么？

《蒙娜丽莎》是达·芬奇艺术成就的最高代表，同时也是一幅在国际上享有盛誉的艺术杰作。500年来，无数人为《蒙娜丽莎》那种神秘莫测的微笑所倾倒。那如丝如梦般的千古一笑，被人们称为“神秘的微笑”。

对于《蒙娜丽莎》的“神秘微笑”，不同的人，或者同一个人在不同的时间去看，感觉都会有所不同。有时觉得她笑得温柔腼腆，有时又觉得她的神态略带严肃，有时觉得她的表情暗含哀伤，有时甚至觉得她的笑是一种嘲讽和揶揄。人的笑容主要表现在眼角和嘴角上，而达·芬奇偏偏把这些部位画得模棱两可，若隐若现，让人有一种捉摸不透的感觉。荷兰阿姆斯特丹的一所大学应用一种“情感识别软件”，对蒙娜丽莎的表情包含的成分及比例进行了分析：高兴83%，厌恶 9%，恐惧6%，愤怒2%。

蒙娜丽莎到底在笑什么？很多解释让人哭笑不得。

有人认为蒙娜丽莎笑不露齿，是因为她口齿不齐。

有人认为蒙娜丽莎根本没笑，她做那样的表情只是为了掩饰自己没长门牙。

有人认为蒙娜丽莎中风了，所以她半个脸的肌肉是松弛的，脸歪着，所以看起来好像是在微笑。

有人根据蒙娜丽莎嘴角的弧度和她手轻放在腹部的动作，认为她微笑的原因是刚刚饱餐了一顿。

有人认为蒙娜丽莎怀孕了，所以她的脸上流露出满意的表情，皮肤细嫩，双手交叉着放在腹部。

有人认为蒙娜丽莎刚刚经历了性高潮，所以才会表现出令世人倾倒的微笑。

有人认为蒙娜丽莎因爱女夭折，郁郁寡欢，画上的表情不是微笑，而是哀伤。

更有甚者认为蒙娜丽莎是妓女，因而微笑中带着讥嘲和揶揄的味道。

人们的猜想越来越离奇，也使人越来越迷惑，至今没有任何一种观点让人信服。也许艺术天才的思想是难以揣测的。

15.《拉·福尔纳里娜》是不是拉斐尔的真迹?

拉斐尔在他37岁时英年早逝，当时的舆论普遍认为，拉斐尔因堕入情网而死，于是人们纷纷谴责拉斐尔的情妇——一位面包师的女儿，认为是她害死了这位伟大的画家。在拉斐尔去世75 年后，一幅名为《拉·福尔纳里娜》的肖像画在市场上出现，据说是拉斐尔生前专门为其情妇所画的。几百年来，没有人怀疑这幅名作的真伪。

然而近年来，一位名为切利尼的意大利学者推测，这幅画很可能是由他人伪造的。这一推测一经公布，立即引起了轩然大波。之后，佛罗伦萨的一家研究所对这幅作品进行了研究，发现了4个疑点：

（1）如切利尼所说，该作品分两次绘制而成，因为画中人物左臂的镯子上有“拉斐尔，乌尔比努斯”的字样，而据说最初写的是“拉斐尔，乌尔伯斯”。乌尔比努斯和乌尔伯斯指的都是拉斐尔的家乡，该女子戴有这样“标记”的镯子与拉斐尔敏感多虑的个性格格不入。伪造者很可能为了以假乱真，从而将拉斐尔的名字写在上面。

（2）有人认为那女子看起来一点儿也不美，根本不是什么窈窕淑女，倒像是一位荡妇。

（3）据分析，该作品的背景与其说是佛罗伦萨，倒不如说它更像意大利的北部。

（4）该肖像画未干时曾留下几个指纹。尽管目前还没有确凿的拉斐尔本人的指纹可以对照，但是，这家研究所正在对拉斐尔更著名的作品进行研究。如果两者的指纹相吻合，就证明《拉·福尔纳里娜》的确出自拉斐尔之手；否则，就说明它是一件伪造品。

然而，更多的学者认为对待这个问题应该采取谨慎态度，毕竟切利尼的观点只是一种猜测，同时这家研究所提供的证据也很不充分。

16.《查理四世一家》为什么要将王后置于画面中央？

《查理四世一家》是弗朗西斯科·戈雅的代表作之一。画面上本来是13人，王后站在正中，国王及众王子、公主环列左右，此外还画了几个随从仆役。但为了避开13这个数字忌讳，戈雅在阴暗处添画了自己的半身像。

这幅作品被认为是完美的肖像画杰作。画面上那些豪华的服饰在一道光束的映照之下，形成了极其绚丽的整体，体现了王室一家的富贵和威严。那么，这幅画到底蕴含着戈雅怎样的思想情绪，他在画面的处理上有什么寓意吗?

有些人认为戈雅是为了宣扬王室威严。据说查理四世看到这幅画后非常高兴，他认为这幅作品充分表现了西班牙王室的富丽堂皇，以及自己和王后至高无上的权势，于是马上授予戈雅“宫廷第一画师”的殊荣。

不过更多的人从这幅画中看出了相反的寓意。历史上的查理四世是个昏聩无能的君主，王后则是个歹毒狡诈的女人，国家大权被王后和她的情夫戈多伊所掌控。因此，很多人觉得正直的戈雅不会为这样的王室树碑立传。在他们看来，画面上的人物都是衣着华丽的“锦绣垃圾”，查理四世的昏庸傲慢、目光短浅，以及王后的阴险狡诈、飞扬跋扈都被刻画得入木三分。在这幅画中，王后被置于中央。一般认为，戈雅之所以这样做，是为了说明王后才是西班牙的实际统治者，而王室其他人物看起来像是一堆没有思想感情的行尸走肉。有人甚至将这幅画命名为“暴发户杂货铺老板的一家”。

然而这种说法也有难以自圆其说的地方。首先，戈雅是否真的具有公开讽刺一位至高无上的专制君主的勇气是值得怀疑的。其次，整个王室以及其他宫廷画师，难道就没有一个人看出戈雅的“画外之意”？

由于我们对戈雅与查理四世的交情知之甚少，不了解戈雅对查理四世一家的态度，所以我们不能轻易得出这幅作品是一幅讽刺画的结论。

17. 格列柯是艺术天才还是狂暴画家?

埃尔·格列柯（1545–1614）是16–17世纪的著名画家，其代表作有《圣母升天》《基督被捕》《托莱多风景》《莫里斯的殉教》《奥尔加斯伯爵下葬》等。

1545年，格列柯出生于克里特岛。早年，他在故乡学画。1560年，他来到意大利，投师于提香门下，醉心于米开朗琪罗和拉斐尔等大师的艺术。1577年，他来到西班牙，后来定居于小城托莱多，这成为他创作生涯上的转折点。1600年以后，格列柯性格变得越来越古怪、孤僻、狂躁、易怒。1614年格列柯去世后，他的名声随之衰落，作品也被人们冷落。直到19世纪，他的作品及其绘画风格才重新受到艺术界的重视。

格列柯的绘画风格与当时社会崇尚的现实主义风格大相径庭，他重视光线和色彩的使用，其笔下的事物常常处于激动不安甚至扭曲的状态，激荡而摇曳的光与色，使整个作品笼罩在一种神秘的氛围之中。

他的这种独特的绘画风格备受争议，使本来已经模糊的格列柯形象更加神秘莫测。有人高度评价格列柯，认为他的作品不仅是艺术，而且还充满了智慧。有人认为他拥有精湛的技艺，摒弃了平庸的细节，摆脱了矫饰主义。有人认为他的艺术之可贵，更在于它是一种用图像来表达内心感受的语言性艺术。很多人甚至称格列柯为近代印象派等现代画派的鼻祖。

然而，有些人的看法截然不同。他们认为格列柯是一个狂暴的画家、一个天生的疯子，他的性格与现实社会格格不入，他的作品是精神失常的产物。

也有人表示，对格列柯的看法要一分为二，虽然他在绘画风格上有荒唐、扭曲的一面，但他的作品正反映了当时西班牙社会的现实，因而也有其积极的一面。

18.《亚威农少女》是怎样的一幅作品？

1907年，26岁的毕加索时创作了《亚威农少女》。作品采用了蓝色背景，画面上5个裸体女人的肉体色调非常突出。画面左边的3个裸女形象，显然是古典型人体的生硬变形。毕加索没有采用传统的明暗法和透视法，而是简单地勾勒出她们的形状，头部、上身和下肢的不同位置排列明确，突出了她们前后的空间关系，给人以很强的立体感。

右边两个裸女那异常可怕的面容及体态，则充满了原始艺术的野性特质。上面那个女人的一只特大的鼻子占据了大半张脸，整个头部几乎都是用绿色线条画出了浓重的阴影。在下面那个女人的面部结构中，画家用弯曲的线条描绘了那只极其夸张的鼻子，把赤褐色的脸颊与鼻子一边深蓝色的阴影区分开来，呈现出立体感。

这幅作品的手法简练、线条明朗，仅在关键之处加以渲染，不加任何修饰。在整个画面结构布局上，画家通过很小的水果来反衬人物的巨大。立体的身形以及夸张的脸部，给观者以强烈的视觉冲击。

《亚威农少女》遭到社会各界的嘲讽和指责，甚至连毕加索的朋友也难以接受这样的作品。有人说毕加索想创造四度空间；有人说毕加索企图嘲笑现代艺术，并发誓要让毕加索“沉下去”；有人说毕加索是“用石蜡来代替我们吃惯的东西”；等等。

直到1937年，《亚威农少女》的价值才为人们所认识。这一年，它的转让价是240万美元。《亚威农少女》标志着毕加索与传统艺术方法的彻底诀别，同时也宣告了立体主义绘画艺术的正式诞生。

知识链接

立体主义

立体主义是西方的一种现代艺术形式和流派，1908年始于法国。立体主义主要追求一种几何形体的美，它摒弃了从一个视点观察和表现事物的传统绘画方式，把三维空间的画面在二维的平面之上表现出来。传统的明暗、光线等重要的表现手段让位于由线条所构成的几何形体、块面排列与交错的艺术情趣。立体主义在20世纪有两个派别，一个是以毕加索为代表的洗衣船派，另一个派别是蜂窝派。立体主义可以分为3个时期：一是初期发展阶段，主要追求单纯的几何形态；二是分析立体主义阶段，颜色依然比较单一；三是综合立体主义，开始关注画面的整体效果，色彩逐渐丰富起来，事物的外观形态重新得到重视。

19.《微笑的蜘蛛》的蜘蛛形象出自何处?

奥迪隆·雷东（1840–1916）是19世纪末法国象征主义画派的代表人物之一。他曾经参加过普法战争，直到1879年，他才决心从事绘画。雷东的美学思想，主要来自象征主义诗人和散文家马拉美等人的作品，他主张绘画是想象的结果，而不是视觉印象的再现。因此，他反对印象主义的追求色光的技巧，而致力于表现子虚乌有的鬼魅幽灵和幻觉形象。

《微笑的蜘蛛》是雷东的重要作品之一，画面上描绘的是一只硕大的黑色蜘蛛，其怪异的形象和整个作品的恐怖气氛，让人望而生畏、胆战心惊。我们知道，蜘蛛一共有8条腿，然而，这幅作品中的蜘蛛却多了2条腿，这到底是为什么？更可怕的是，蜘蛛的背部图案好像是一张人的面孔，露出狰狞阴险的微笑，似乎在等待着猎物来自投罗网。雷东创作这幅作品的目的是什么？他的灵感从何而来的呢？

有人认为，蜘蛛的形象源自一篇名为《颠倒》的小说，在这篇小说中，主人公的卧室里就悬挂着一些奇怪的图画，其中就包括一幅绘有长着人脸的恐怖蜘蛛的画作。有人认为画中的蜘蛛是雷东对自己思想情绪的艺术再现，比如蜘蛛向上翻动的眼睛是画家寻求精神自由的象征。也有人认为，雷东的灵感与19世纪后期的科学与社会思潮有关，当时达尔文的进化论风靡社会各个角落，人们普遍认为各种生物之间没有本质的区别，甚至还有人认为生物的进化依赖于混血物种。同时显微镜的广泛应用使人们进入微观世界。雷东可能受到过这些因素的影响而创造了《微笑的蜘蛛》。

20.《死神与樵夫》的寓意是什么?

让·米勒（1814–1875）是19世纪法国最杰出的现实主义画家之一，以表现农村题材而著称，被誉为“农民画家”。他的画风质朴、凝重，所塑造的形象严谨、崇高，富有纪念性。他主张用新鲜的眼光去观察自然，反对当时某些画家认为高贵的绘画必须表现高贵人物的错误理念。他的作品具有浓郁的农村气息，描绘和歌颂了农民的辛勤劳动和淳朴性格，并揭露和抨击了当时的剥削制度，曾受到资产阶级的诋毁。人们所熟知的《拾穗》便是米勒最重要的代表作，同时也是西方现实主义绘画艺术的代表作之一。

《死神与樵夫》也是米勒的重要作品之一，描绘了一幕令人恐怖的场景。画面上有一名年迈的樵夫，在打完柴回家的路上停了下来，想靠在一个土坡上休息一会儿，不料身穿白色衣服的死神向他来索命。死神背向观众，肩扛一把超大号的镰刀，左手举着象征光阴流逝的沙漏计时器，右手牢牢地扼住老樵夫的脖子，想把他拖走。面对死亡，可怜的樵夫紧紧抱住身旁的柴捆，无助地挣扎着。米勒以描绘农民生活著称，“死神”之类的主题在他的作品里极为罕见，那么，米勒创作这样的作品究竟有什么用意呢?

有人认为，这是一幅政治讽刺画，死神象征着法国的统治阶级，因此，作品的主题是对法国统治阶级对农民残酷的剥削和压榨进行无情的揭露和鞭挞。也有人认为，作品的真正主旨在于歌颂劳动者的坚忍和顽强，因为在当时有许多工作在林区的劳动者被法国当局视为“搞破坏”的激进分子。还有人认为这幅作品只是取材于17世纪一个法国作家的寓言故事，其中并没有多少政治色彩，毕竟米勒为人宽厚温和，他并不像库尔贝、杜米埃那样热衷于政治。上述几种说法中到底哪一种最符合米勒初衷呢？至今难下定论。

21. 塞尚为何被誉为“现代艺术之父”？

保罗·塞尚（1839–1906）是一位在西方艺术史上起着关键性作用的法国艺术家，是后印象派画家的代表人物，深刻影响了整个20世纪的绘画艺术。他是一个很少为人理解的孤独者，一生都是在别人的质疑和唾骂中度过来的，但他一次也没妥协过。为了表现自己的艺术观念，他终生奋斗不息，最后取得了巨大的成功。

塞尚认为："绘画并不等于盲目地去复制现实，它需要寻求各种关系的和谐。"从塞尚开始，西方画家从追求真实地描绘自然，转向自我个性的表达，并开始出现各种各样的形式主义流派，促成现代绘画潮流的形成。

塞尚强调绘画的纯粹性，重视绘画的形式构成，他将印象派敏锐的色彩感觉和古典主义大师们坚实而稳重的绘画技巧融合起来，创造出色彩感觉与造型风格相结合的艺术表现形式。虽然塞尚曾受到当时处于绘画主流地位的印象派的影响，对光线照射到不同质地表面上的效果有所关注，但他始终强调物体的形式结构和实体感，并于1877年放弃了印象主义。他认为"线条是不存在的，明暗也不存在，只有色彩之间的对比是真实存在的。物象的体积是在色调的层次感中表现出来的"。他的作品体现了他的艺术思想，表现出结实厚重的立体感，以及物体之间的结构关系，忽略了物体的质感及造型的准确性，甚至会放弃个体的独立性和真实感。

塞尚把自己的一生献给了绘画艺术，并建立起自己独特的绘画艺术观念，对西方现代主义美术的诞生和发展产生了极为深远的影响，被誉为"现代艺术之父"。他的代表作品有《埃斯泰克的海湾》《静物苹果篮子》《圣维克多山》《玩牌者》《穿红背心的男孩》等。

22.《记忆的永恒》寓意何在？

达利（1904–1989）是超现实主义绘画代表人物之一，被誉为"当代艺术魔法大师"。他能在不同领域、不同年龄、不同阶级、不同品位的人群中，拥有历久不衰的美誉。

达利具有非凡的才能和丰富的想象力，他通常把具体的事物进行任意夸张变形，使其变得怪诞离奇，再结合象征手法，把本来没有关系的诸多事物放置在同一个画面之中，创造出一种如梦如幻的"超现实境界”，表现出强烈的视觉冲击感。他的作品不仅能够开启人们的想象力，诱发人们的幻觉，更是以探索潜意识的意象著称。

《记忆的永恒》是达利早年的作品，典型地体现了达利的超现实主义画风。画面上有一片海滩，海滩上躺着一只身形看起来似马非马的怪物，它的头部是一个由睫毛、鼻子、舌头组合在一起的怪诞形象，很多人将其视为达利面部的变形。怪物的旁边有一个平台，平台上长着一棵枯树。最令人费解的是，出现在这幅画中的所有钟表都像柔软的面饼一样，或挂在树枝上，或搭在平台上，或披在怪物的背上。

画家创造这些怪诞的形象寓意何在？有人认为，作品表达了因时间的流逝而带来的紧迫感，也有人认为作品表现了画家“对阳痿的恐惧”。

据达利自己讲，他创作这幅作品是受到了弗洛伊德思想的影响，整个画面是他尽可能精确地记下自己的每一个意念和梦境的结果。达利认为，精神病人的言论和行为往往是人的潜意识的最单纯、最真实的反映，所以为了创作这幅作品，他曾亲自去精神病院与病人接触，以了解他们超现实的意识。这幅作品让观者看到了一个正常人在现实生活中根本无法看到的怪诞景象，体验一下精神病人式的对现实世界秩序的解脱，也许这正是作品的寓意所在。

知识链接

超现实主义画派

第一次世界大战结束后，整个西方世界弥漫着浓烈的悲观、厌世的情绪。身处乱世的艺术家开始对传统的艺术表现形式和审美观念失去兴趣，并最终与之分道扬镳。其中一些艺术家受到弗洛伊德的精神分析的影响，逐渐走上超现实主义之路，以一种全新的艺术形式来发泄对现实的不满，寻求一种精神上的解脱。

超现实主义画家常常把毫不相干的事物放在同一幅画面上，热衷于没有任何逻辑联系和理性约束的表现手法。力图把生与死、梦境与现实、过去与未来统一起来，其作品呈现出一种神秘、恐怖、荒诞的色彩，给人以梦中之感。代表画家有恩斯特、米罗、达利、马格里特等。

23.《扑粉的女人》画的是谁?

法国画家乔治·修拉（1859–1891）被认为是新印象画派（点彩派）的创始人。他把古典主义大师的技巧结构和印象主义的色彩运用融合起来，把最新的绘画空间概念、传统的幻象透视空间原理，以及色彩和光线的视觉方面的最新科学理论有机地结合在一起，并运用到自己的艺术实践当中，其艺术理念对20世纪几何抽象艺术有着深远的影响。在实际创作中，修拉将不同的纯色以点状并列在画面上，呈现出镶嵌般的色彩效果。

《扑粉的女人》是修拉点彩主义的重要作品之一，整个画面充满了朦胧色彩，描绘的是一个给自己扑粉的体态丰腴的女子。那么，这个女人的原型是谁呢？修拉在生前从未向别人透露过他是以谁为模特儿来创作这幅作品的。天妒英才，修拉32岁那年便匆匆地离开了人世。后来，有个叫玛德莱纳·克劳波劳兹的女子突然宣称她就是《扑粉的女人》中的主人公，而且披露她就是修拉的固定情人。这个消息轰动了整个法国艺术界，人们把克劳波劳兹与画面做了对照，发现二者的确有某些相似之处。

不过，很多人对克劳波劳兹的说法表示怀疑。由于修拉性格内向，对自己的私生活一直保密，尽管他和玛德莱纳·克劳波劳兹生下一个男孩，但他很少向别人透露自己的感情生活，甚至对自己的父母也采取这样的态度，因此很难断定画面上的女子就是克劳波劳兹。而且从画面形象来看，修拉几乎是用丑化的方式来描绘这个女人的，修拉为什么要丑化自己的情人呢？看来要想解开这个谜团，还是非常困难的。

24.《军官与微笑的少女》的作者是谁?

《军官与微笑的少女》描绘的是在一间屋子里，一名笑逐颜开的女子正陪着一位穿戴花哨的军人喝酒聊天。窗外苍白的光线透过明净的玻璃射进屋来，洒在人物身上，少女的脸庞、衣服以及她手中的酒杯，都闪烁着斑斑点点的光辉。值得注意的是，这位女郎虽然只与军人隔着一张桌子，但身材却比军人小得多，双方看起来好像距离很远。在20世纪时，这种效果不足为奇，使用广角镜头摄影就可以办得到。为此，有些学者猜测，画家在创作此画时可能使用了暗箱。

人们普遍认为这幅作品是荷兰画家维米尔的早期作品。维米尔在绘画的光线和色彩运用等方面颇有研究，他的作品，往往看起来通俗易懂，但其中却含有非常深刻的寓意。但也有学者对这种观点表示怀疑，理由是画面里的女郎表情非常丰富，而在维米尔的其他作品中却找不到类似的形象。还有一些学者认为这幅画是维米尔在另一位荷兰画家霍克（1629–1684）的影响下创作出来的，并且把这件作品当成是维米尔与霍克的交情的证明。

此外，关于这幅画中的军官与少女的关系也是众说纷纭。有人认为，二者的关系是妓女与嫖客的关系，因为在当时荷兰的画作中，用男女一起饮酒来暗示双方的妓女与嫖客的关系非常普遍。这种看法不无道理，因为在维米尔的另一幅画作《应酬女郎》中，那位戴宽边帽子的军官的身份就是嫖客。也有人持保守意见，认为仅仅从“饮酒”这个再普通不过的情节上就将二者归为嫖客与妓女未免过于武断，双方可能只是普通的男女恋人。

时至今日，《军官与微笑的少女》的作者，以及画作中两位主人公的关系都没有一个确切的说法。

25. 维米尔的《绘画的寓言》为何让人困惑？

维米尔（1632–1675）是荷兰最伟大的画家之一。生前，维米尔一直默默无闻，作品无人问津。直到200年后，他的画才在荷兰以外被人关注。维米尔的艺术风格别具一格，他的绘画布局合理、形体稳重、结构精致、色彩明朗和谐，对室内光线和空间感的把握非常到位。他刻画纺织品的精湛技巧使众多艺术大师叹为观止，一些伪造名画的高手也无法将维米尔成熟期的作品临摹出来。维米尔的作品大多取材于市民的日常生活，画面温馨、宁静、真实，表现了荷兰市民对洁净环境和优雅舒适生活的向往。

《绘画的寓言》描绘了画家正在对着模特儿写生的情景。画面上的画家就是维米尔，他正在背对着观众写生。女模特儿是一位头上戴着桂冠，一手拿着号角，另一手抱着书本的蓝衣女子。书本显得很厚重，看似一部历史典籍。墙上挂着一张尼德兰地图，屋顶中央悬挂一盏吊灯，地面上铺着黑白相间的地砖。厚重的帷幕使近景处在背光里，显得很阴暗，而窗外透进来的阳光则照亮了大半个画室，使两个人物都处于阳光之下，这一明一暗对比非常强烈。维米尔通过巧妙的透视处理，给整个画面造成极强的空间感，使人观此画如同身临其境一般。

让人困惑的是，这幅作品究竟表达的是什么主题？据说画中的女模特儿的原型就是维米尔的女儿，被认为是九个文艺女神（缪斯）之一的克利俄的象征。有人认为塑像、假面代表雕塑艺术，而帷幕象征建筑设计图，整个画面象征着绘画、雕塑与建筑的竞争。然而，这种观点未免过于牵强。

这幅画被公认为稀世之作，维米尔生前一直将其留在身边。维米尔去世后，他的遗产处理人将此画拍卖。300年后，希特勒将其从一个奥地利人手里夺过来。“二战”结束后，人们在一所监狱里找到这幅画。

26. 马奈的《奥林匹亚》的主题是什么？

马奈（1832–1883）是法国著名画家，尽管他生前拒绝参加印象派画家的联合展览，却仍被视为印象主义画派的奠基人。

马奈在西方美术史上是一个承上启下的重要人物，他的作品继承了传统绘画坚实的造型风格，同时又受到印象主义在光线和色彩的运用方面的影响。尤其为人称道的是，他的肖像画在对人物的性格和心理的刻画上非常深刻、自然。马奈受到日本浮世绘及西班牙画风的影响，大胆采用鲜明的色彩，摒弃传统的中间色调，将绘画从追求三元次立体空间的传统束缚中解放出来，朝二元次的平面创作迈出关键性的一大步。此外，马奈的画风带有自然主义色彩，他不会刻意去美化某一事物，其作品追求一种和谐、清晰而简约的效果。马奈在绘画艺术上的大胆革新，对莫奈、塞尚、凡·高等新兴画家产生了巨大的影响，进而将绘画艺术带入现代主义的轨道上。

1863年，马奈创作了《奥林匹亚》。画面上有一个躺着的裸女，她旁边还有一个黑人女仆，她手里捧着一束鲜花，画面右部的阴暗处有一只弓着腰的黑猫。朦胧晦涩的画面配上这样的标题，让人们不禁迷惑：作品的主题是什么呢？

多数学者都认为，这是一幅讽刺画，旨在批判学院派僵化的画风，至于裸女形象本身的含义并不重要。然而有些学者却认为，这个裸女其实是一个妓女，画家想借此表达对某种道德或性观念的看法，画面上的很多细节都体现了这一点。比如，裸女头上插着兰花，这种花在当时的欧洲人看来具有催情的作用；裸女只穿一只拖鞋，在古代欧洲这象征着女性失贞；手捧鲜花也有特别的寓意，据说，当时的客人在高级妓女起床后常常送给她一束鲜花；黑猫弓腰的动作则象征着性欲的旺盛；“奥林匹亚”这个名字是当时法国小说里妓女常用的名字，等等。不过，由于画家本人很少对自己的这件作品发表评论，因而，以上的说法是否准确还有待进一步的考证。

27.《三个哲学家》中的人物是什么身份？

乔尔乔涅（1477–1510）是第一个真正意义上的意大利威尼斯派画家，他的生平事迹鲜为流传，留存于世的作品也很少。因此，有关他的艺术和作品的研究考证在学术界一直备受争论。现在可以证实确为其真迹的仅有《卡斯特佛兰克的圣母》《暴风雨》《三个哲学家》《国王之礼敬基督》等有限的几幅，虽然数量少却个个都是稀世精品。乔尔乔涅的作品洋溢着一种神秘主义色彩，因此有人称他为“神秘画家”。

《三个哲学家》描绘的是三个人物，分别为一老、一中、一青，其中两人站着交谈论道，年轻人则坐在石阶上沉思不语。三人都被画在画面的右半部，左半部是幽暗山崖的一角，远景则是一片夕阳夕照下的山坡村舍。画面上的人物姿态各具特色，而在黝黑岩石和夕照远景的表现方面，其大胆而又和谐的用色技法在文艺复兴绘画史上尚属首次，开创了威尼斯画派以色彩表现为主的画风。

乔尔乔涅并没有为这幅画注明标题，也没有说明其主题。据说，《三个哲学家》这个名称是米开朗琪罗起的，但人们对这个名称似乎并不满意，于是又出现了《三个占星术者》《三个数学家》等名称。有人根据人物的服饰造型推测，画面描绘的是《圣经》传说中基督降生后前来朝拜的东方贤人，于是又将其命名为《三位博士》。

1932 年，有人用X光透视设备对这幅画进行了检测，发现画中人物的衣服曾经有过变动，右侧老人最初戴的不是头巾，而是类似古希腊的桂冠。中间的中年男子最初穿的不是东方服装，而是摩尔人的打扮。由此推断，画家最初或许是想画三个预言家。总之，关于画中三个人的身份众说纷纭，至今没有任何一种说法能让多数人信服。

28.《拿破仑加冕》为何会“跑题”？

《拿破仑加冕》是雅克·路易·大卫奉拿破仑的命令而作的，描绘的是1804年12月2日拿破仑在巴黎圣母院举行的加冕仪式。画面中心人物是身穿紫红丝绒与华丽锦绣披风的拿破仑，他从教皇庇护七世手中接过小皇冠，准备戴在已经跪在他面前的皇后约瑟芬的头上。拿破仑之所以请罗马教皇来参加仪式，无非是要借教皇的号召力来扩大自己的影响以及肯定其称帝的合法权。皇后长长的皇袍由两名贵族妇女提着，中间平台上坐着皇后的母亲，围绕中心周围站立着主教、权贵、大臣、将军、各国使节等，人物多达百人。整个作品场面宏大壮观，色彩富丽堂皇，充分体现了大卫的素描造型与色彩写生的深厚功底。为了使画面看起来尽可能真实，很多人的肖像都是请人物原型来做的模特儿。此外，大卫还找人帮他制作了一座模仿加冕仪式全景的木偶模型盘，以便按照实际情况进行画面光线的调整。

然而令人迷惑的是，这幅画没有直接描绘教皇为拿破仑加冕的情形，而是描绘了拿破仑给皇后加冕的场面。这到底是为什么？根据历史记载，在拿破仑加冕时，拿破仑拒绝按常规跪在教皇面前让他为自己他加冕，而是从教皇手里夺过皇冠自己戴上。为了回避这一事实，大卫煞费苦心地创作了这样一幅“跑题”的作品，既突出了拿破仑在画面的中心位置，同时也不至于让教皇难堪。

知识链接

新古典主义

在欧洲艺术史上曾出现过几次“复兴”古代艺术的思潮。第一次是文艺复兴；第二次是17世纪盛行于法国的学院派艺术思潮，被称为“古典主义”；第三次是18世纪末至19世纪初流行于法国的古典主义思潮，被称为新古典主义。

新古典主义画家崇尚古典风格，以古希腊罗马艺术的题材、风格和技巧为样板。其特征是选择重大而又严肃的题材，在构图上注重塑造性与完整性，在观念上强调理性而忽略感性，在技巧上注重素描而忽略色彩。由于当时正处于法国大革命时期，特殊的时代背景赋予了古典主义以新的内容，许多艺术家能够突破传统的束缚，创造出一些反映现实的作品，因而新古典主义又常被称为“革命的古典主义”。

29.《暴风雨》想要表达的主题是什么？

学术界关于乔尔乔涅作品真伪的问题一直争论不休，但对于《暴风雨》这幅作品，学者们却几乎一致认为它确实出自乔尔乔涅之手。

《暴风雨》被认为是绘画史上最富个性、最神秘的作品之一。据分析，这幅画大约创作于1505-1508年之间，被认为是西方绘画史上第一幅风景画杰作。画面的远景是一片依稀可辨的城市郊外景色，近景里有几株小树，一位裸体的年轻妇女在给怀里的孩子喂奶。在画面的左侧，有一位持矛伫立的年轻士兵回头注视着妇女。与这平静的场面极不相称的是，在人物的上方有一道闪电划过，如同一把利剑割裂了滚滚的乌云，表明暴风雨即将来临，极力烘托出一种山雨欲来风满楼的景象。人们在欣赏这幅作品时不禁要问：作品描绘的是什么故事情节？画中的妇女与士兵是什么关系？画面究竟表达了乔尔乔涅怎样的思想？

有人认为作品阐述的是中世纪的物质观念，用不同的形象来分别象征水、火、土和空气。也有人认为画面以雷声表示听觉，以树丛来表示味觉，以人的目光来表示视觉。不过这些只是对画面上的事物进行不同角度的猜测。近年来有人用X光透视设备对这幅画进行了检测，发现士兵像所处的位置最初画的也是一位裸体妇女。这种大幅度的改变，似乎表明画家创作此画的最初目的与人物之间的纠葛并无关系，他只是全心投入对风景的描绘和对气氛的营造之上。画家似乎想通过这种创作手法来告诫人们：天有不测风云，人有旦夕祸福，没有人能预料到下一刻会发生什么。

30. 浮世绘就是春宫图吗？

浮世绘是日本绘画艺术的一种，盛行于江户时代。“浮世”本是佛教用语，泛指人间世相、社会百态。而浮世绘以风俗、美人和风景等为题材，所表现的主要内容正是当时日本的风俗人情，世间万物，因此被人们称为“浮世绘”。

浮世绘曾在相当长一段时间内被人视为“春宫图”，以至于“浮世”一词在人们的印象中指的就是“烟花柳巷”。其实，这是一种误解。尽管很多浮世绘画面的人物多是青楼妓女或歌舞艺人，有些作品甚至带有非常浓重的情欲色彩。然而，从整体来看，春宫图在浮世绘中所占的比例只是很小一部分。绝大多数浮世绘作品向人们展示的都是日本的风土人情和锦绣河山。

浮世绘的起源可追溯到安土桃山时代流行的风俗画和美人画。到了江户时代，其题材大为扩充，市井风俗、观赏游乐、山水名胜、歌舞伎艺、力士相扑、花鸟鱼虫等，都成了浮世绘的题材。同时，浮世绘也从最初的毛笔画发展成为木版画。到了18世纪，随着木版画从墨色印刷发展到多色印刷，浮世绘进入了黄金时代。然而，到了19世纪初，随着内容变得越来越低俗，浮世绘逐渐走向衰亡，大量浮世绘作品被当成了废纸和包装纸。

令人意想不到的是，这些“废纸”传到西方以后，却被那里的众多艺术家当成了至宝，其东方神韵深深影响了马奈、莫奈、凡·高、修拉等一大批印象派绘画大师，进而掀起了一场绘画艺术的大变革，揭开了欧洲现代艺术的序幕。

31. 纳斯卡的巨型地画有什么特殊含义？

纳斯卡巨画位于秘鲁西南部的伊卡省，它的发现曾引起国际考古学界的极大震动，很多人甚至把它与世界七大奇迹相媲美。

纳斯卡巨画是镂刻在纳斯卡山谷中的一些奇怪的超大图形。有直线形、几何图形，还有飞禽走兽等图案，纵横交错的线条有点儿像今天的机场跑道。这些图案是如此之大，以至于只有从高空俯瞰才能看清图案的全貌。例如：一只50米的蜘蛛、一只翼展达120米的秃鹰、一条180米长的蜥蜴、一只100米高的猴子等。这些迷宫般的图案占地500平方千米，都用同一方法绘制——刮去沙漠赤色砾石表层，露出下面的淡黄岩石。

那么这些巨画出自何人之手？绝大多数科学家认为它们可能出自创造了纳斯卡文化的印第安人之手，理由是巨画的图像和纳斯卡地区出土的陶器碎片上的图案十分相似。根据有些实验，人们推测当时的印第安人可能曾利用当地材料制成热气球，并在上空观察他们的艺术成果。

那么，印第安人创作这些巨画的目的是什么？

很多学者认为巨画与印第安人的天文历法有密切关系。有人认为巨画是印第安人的天文日历，那些图像则是表示季节和时间的特殊符号。有人认为，巨画中的某些线条与冬至、夏至有关。还有人认为，巨画中的动物图形也许是不同星群形状的复制图，例如蜘蛛图案和猎户星座的形状很类似，而那些长短不一、形状各异的线条则表现了星辰运行的轨迹。

有些学者认为巨画可能是印第安人对天国的想象和憧憬。有些专家则认为巨画与印第安人的宗教祭祀活动有关，画中的动物是作为祭品专供天上的诸神欣赏的。一些秘鲁学者推断，每个图像可能是一个氏族图腾。还有些学者认为，纳斯卡巨画是秘鲁印第安人灌溉系统或道路的标志。

埃里克·冯·丹尼肯在他的《上帝的战车》一书中断言，纳斯卡荒原是一个轮廓鲜明的飞机场，而这些巨画是为外星人着陆而留下的标记。有的学者驳斥了他的论断，认为从现代科技角度看，太空船根本不需要机场，再说以纳斯卡荒原的土质，根本不适合作着陆地点。

究竟这些说法哪一种更接近事实呢？看来，人类要想解开纳斯卡巨画之谜，还有很长的路要走。

32. 古埃及人为什么要在坟墓中绘制壁画?

壁画是古埃及陵墓装饰中的重要组成部分，其主要特点是：用水平线来划分画面，使整幅图案呈横带状；追求平面的排列效果，人物形象的大小由地位尊卑和位置远近来决定；人物造型程式化，写实和变形装饰相结合；注重画面的叙述性，内容详尽，并与象形文字相结合，保证绘画的可读性和文字的绘画性。

那么，古埃及人为什么要在坟墓中绘制大量的壁画呢?

古埃及人相信“来世永生”，不仅要制作木乃伊、建造金字塔，还要把死者的生平描绘在墓壁上，这样，死者的生命就不会中断。因此，我们在古埃及墓葬的墙壁上，经常看到法老和贵族们自传式的绘画场面。如法老萨乌勒曾派遣大规模的商业船队去叙利亚，在他的墓室中就描绘了这支船队开往亚洲的情形。在许多贵族的坟墓中，都描绘了他们视察自己的领地、监督奴隶耕种以及私有的手工作坊的场景。

为了将生前的财富“转移”到死后的世界中去，有些壁画还绘有贵族生前拥有的各种财物。例如，一位祭司长的坟墓里画有带角的畜类近5000头，驴子700多只；一位大臣的墓壁上描绘了大量的鹅、鸭子和鸽子，并在铭文中详细记载了这些动物的具体数目。

为了在死后继续享受生前的快乐，古埃及坟墓里还有表现贵族生前娱乐生活的壁画。例如，在一位名为美那的贵族的墓壁上，绘有贵族们驾舟游玩的场面。画面上群鸟纷飞，鱼虾嬉戏，看起来惟妙惟肖，意趣横生。在另一位贵族的墓壁上，绘有一幅表现宴乐的图画，画面上的奏乐少女身披薄纱，体态轻盈，风姿绰约，让人不得不佩服古埃及艺术家的艺术功底。

33. 漫画是如何产生的？

漫画是一种运用变形、比拟、象征、暗示、影射等简单而夸张的手法来描述生活和时事的图画或图画组，其创作的目的一般是要达到讽刺或歌颂的效果。漫画作为一种独特的艺术门类，通常具有幽默诙谐的特征，深受世界各国人民的喜爱，被人们称为没有国界的世界语，并被西方某些艺术评论家们誉为“第九艺术”。

最早的漫画之一是达·芬奇的作品，他曾积极搜寻畸形的人作为模特，并描绘出较为夸张的人物肖像。有关资料表明，漫画作为一种独立的艺术形式是从意大利学院派创始人之一阿尼巴·卡拉契开始的。18世纪工业革命时期的英国，漫画艺术进入了黄金时代，诞生了讽刺漫画巨匠荷加斯，他的代表作《打瞌睡的教友》《时髦婚姻》《性格与漫画》等，标志着近代西方漫画的形成。

漫画固有的夸张变形的特点，及其指桑骂槐的讽喻效能，使其很容易成为政治派别斗争的重要工具。1730年以后，政治讽刺画成为英国资产阶级反对贵族统治的武器。在法国反对路易十六和查理十世的斗争中，讽刺画同样也发挥过重要作用。路易·菲利普曾经在1830年宣布了出版自由，但法国19世纪最伟大的现实主义讽刺画大师杜米埃，以及1830年创办的拥护共和政体的《漫画》周刊的一批画家的“肆无忌惮”，使得菲利普感到漫画比文章更具冲击力，于是不得不在1835年发布了限制出版物的禁令，这一禁令一直持续到1881年。

20世纪以来，随着个性化时代的到来，人们越来越关注自身生活和感觉的体验，曾经主要为政治斗争服务的漫画，逐渐发展成为具有人性化特征的幽默画，更加贴近寻常百姓的日常生活。同时漫画开始向多元化拓展，不断派生出不同形式、不同风格、不同内涵的艺术作品，使其争取到更大的发展空间。这个时期，漫画逐渐成为美国和日本的支柱产业，并把19世纪一枝独秀的漫画开山鼻祖英国远远地抛在身后，开创了现代漫画的新纪元。

34. 菲斯托斯圆盘上究竟印着什么？

1908年，考古学家在希腊克里特岛的费斯托斯皇宫遗址上，发现了一个公元前17世纪的赤陶圆盘。圆盘直径16.5厘米，上面总共印着45种241个形象和符号。其中有人物和人体的器官，包括男人、女人和小孩；有动物或动物的器官，包括猫、鸟、鱼、马、牛、羊等；有植物的花瓣和枝叶；有工具或武器，包括水准仪、角规、锤子、刀具、斧头、陶瓶、梳子、船只、兽皮、手套、手铐、狼牙棒、弓箭、盾牌等；还有少数形符看不出是什么图形。这些形符被竖线分隔成节，每节形符在2–7个之间，有些形符反复出现。

这些形符都是印在圆盘上的，印迹非常清晰，可能是趁泥饼未干之时，用金属印章在泥饼上印的。很多人认为这个圆盘可以算作最早的活字印制品，或者至少是一种朦胧的印制意识的体现。

那么，古人制作这个圆盘的目的是什么？有人从圆盘的外形和出土地点来推断，认为它可能与宗教祭祀活动有关，圆盘上的符号很可能是一首赞美神的颂歌。有人认为盘上印的是象形文字，上面的船只、弓箭、羽毛头饰和盾牌，证明这是一篇与战争有关的文献。有人认为圆盘是一个账单，上面记载着奴隶、动植物以及各种器物的数量。也有人认为圆盘上记载的是某种天文历法。

有人试图解读圆盘上的形符，却面临很多问题。比如，这篇文献是应该从圆心向外读，还是应该从外缘向圆心读？每个形符是否代表一个音节？每个形符节是否代表一个词或是一个词组？总之，至今还没有任何学者能够解读这些形符的意义，这只“空前绝后”的圆盘，浑身上下都是谜。

35. 洛可可艺术为什么被称为“路易十五式”？

洛可可艺术是流行于法国18世纪的艺术样式，开始于路易十四时代晚期，盛行于路易十五时代，因而又称为“路易十五式”。洛可可艺术风格的倡导者是路易十五的妻子蓬帕杜夫人，她不仅参与军政外交，还以文化“保护人”身份，对当时的艺术风格施加影响。

洛可可这个词是由法文Rocaille和意大利文Barocco 合并而来的。Rocaille 是一种用蚌壳与岩石制成的室内装饰；而Barocco就是巴洛克。就是说，洛可可艺术是巴洛克风格与中国装饰艺术相结合的、运用纹样曲线的、华丽雕琢、精巧玲珑的艺术形式。

洛可可风格首先用于建筑装饰艺术，并逐渐延伸至绘画艺术上。洛可可绘画以清淡鲜明的颜色和精致的曲线构图为特点，大多以爱情、调情、享乐为题材，其人物形象浓妆艳抹，性感十足，带有浓厚的情欲色彩，极力挑逗人们的感官神经。洛可可艺术的人物肖像画，表现的不再是神话人物或英雄圣徒，而是宫廷的权臣显贵，其主题逐渐离开宗教、国家等思想方向，不再表现人物的神圣庄严，而是朝着享受主义和伤风败俗的方向发展。洛可可的风景画则给人一种田园诗般的感受，一般描写的是达官贵妇在悠闲地游山玩水。

洛可可绘画艺术第一个代表画家是华托（1684–1721），他的代表作《发舟西地岛》画面迷离，人物雍容华贵，充分表现出洛可可绘画风格的精细和华美。华托的绘画艺术深刻影响到其后的布歇（1703–1770）、法戈纳（1732–1860）等画家，这些画家将洛可可绘画艺术发展到极致。

洛可可艺术后来被新古典主义所取代。

第十六章

传统宗教·要事趣事

1. 佛教起源于印度，为什么最大的佛塔却在印度尼西亚？

提到世界上最大的佛塔，人们自然会联想到佛教的诞生地印度。然而出人意料的是，世界上最大的佛塔——婆罗浮屠塔并不在印度，而是在印度尼西亚。这座巨大的佛坛矗立在印度尼西亚日惹市西北约40千米处的墨拉比火山的一个山丘上，它以精美的浮雕闻名于世，可与中国的长城、埃及的金字塔、柬埔寨的吴哥城并称为“东方文明的四大奇观”。

婆罗浮屠塔是用岩石砌成的实心塔，没有梁柱和门窗，共有9层，高31.5米。它并不是印度佛教文化的简单移植，而是融合了印尼文化的复合体。“婆罗”一词来自梵文，是“庙宇”的意思。“浮屠”则采用的是古爪哇文，有“山丘”之意。此外，婆罗浮屠塔周身一共有1400多块浮雕，是世界石刻艺术宝库。佛塔是公元8–9世纪印尼夏连特拉王朝建造的。这个王朝虽然给世人留下了千年不朽的伟大建筑，但有关它的文字记载却少之又少，从而引发了后人的种种猜测。

印尼为什么要建一座规模如此巨大的佛塔呢？佛教创立后不久便传入了印度尼西亚，当时的夏连特拉王朝是爪哇一个非常崇尚佛教的王族，并以佛教思想作为其统治思想。在王朝渐渐强大和兴盛起来之后，统治者为了让人们在心中树立一个崇拜的偶像，就动用了大量的人力、物力，建起了这座堪称“奇观”的佛教建筑。印度的学者认为，“夏连特拉”是梵文“山岳之帝”的音译，而“山岳之帝”又是当时印度对湿婆神的尊称，所以夏连特拉王朝很可能是为了尊重佛教而建造的这座佛塔。

无论婆罗浮屠塔是出于什么原因建造的，它都是佛教的文化遗产，值得我们去珍惜和保护。

2. 为什么会有千手观音?

千手观音又称为“千手千眼观世音”“千眼千臂观世音”，是阿弥陀佛的左胁侍，与右胁侍大势至菩萨及阿弥陀佛并称为“西方三圣”。

佛教典籍中记载，千手观音菩萨的千手是用来遍护众生的，千眼则用来遍观世间。看来，观音出现千手、千眼是应大众的需求。中国自唐代以后，千手观音像才在许多寺院中逐渐作为主像被供奉。千手观音的雕像或画像，一般是用42只手象征千手，每一只手中各有一眼，代表千眼。

佛教认为，众生有各种各样的苦难和烦恼，也有不尽相同的需求和愿望。因此，佛教中就应有众多相对应的无边法力和智慧，以便更好地度济众生。千手观音的出现是佛教发展的必然结果。《千手千眼观世音菩萨广大圆满无碍大悲心陀罗尼经》中记载，观世音菩萨在过去无量劫听千光王静住如来讲《广大圆满无碍大悲心陀罗尼经》时，受到感化，心中装满了众生的一切利益，所以发誓为了庇护一切众生的利益，自己要生出千手千眼。观音菩萨发誓之后，立刻就具备了千手千眼，有葡萄手、甘露手、白佛手、杨柳枝手等，可以变出如意宝珠、日精摩尼宝珠。自此之后，众生无论是想拥有财富，还是想消灾免难，千手观音都能大发慈悲，替他们达成愿望。信佛之人认为，只要虔诚地信奉千手观音，就能享受到“息灾”“增益”“敬爱”“降伏”四大益处。

3. 观音为什么要转换性别？

现在广为流传的观音像，在中国唐朝以前是男人的相貌。《华严经》中记载："勇猛丈夫观自在。"观自在指的就是观音，而"勇猛丈夫"则证明观音原为男子。

根据古印度佛教的雕塑和中国早期观音造像可知，观音都是男人相，嘴上两撇小胡子就是很好的证据。《悲华经》也有这样的记载："有转轮圣王，名无诤念。王有四子，第一太子名不眴，即观世音菩萨……"

观世音菩萨大概在东汉末年传入中国，到南北朝后期，出现了女性观音像，唐朝之后盛行起来。观音相貌丰腴也是受到唐朝文化的影响。《北齐书·徐之才传》中说："武成酒色过度，恍惚不恒，曾病发，自云初见空中有五色物，稍近，变成一美妇人，去地数丈，亭亭而立，食顷，变为观世音。"由此可见，观音是女性的形象在当时已经深入人心了。

那么，观音为什么要转化自己的性别，以女身教化众生呢？其实，观音的性别是根据众生的需求而来的。众生希望观音以男相来化度，观音就会显示男相，反之亦然。所以观音的性别不是观音本身的问题，而是众生的需求问题。观音后来固定成为女相，仔细推究起来有以下两个原因：一是在重男轻女的古代，女性的地位低下，所经受的苦难要比男性多。救苦救难观音救助世间的女子时，就以女相献身，解除她们身心上的痛苦。久而久之，人们就把观音的相貌定为女相了。二是女子心中的善良和慈爱，本来就胜过男子，观音以女相献身，只不过是将世间的母爱加以扩大和净化，降慈悲给每一个受难的世人。

4. 印度的僧人为何要结婚生子后才出家修行？

世界上所有的国家都把结婚看作是一件庄重而神圣的事情，印度也不例外。古印度有着独特的种姓制度和浓厚的宗教氛围，这使得印度人非常重视婚姻。他们认为，一个人只有结婚之后，才能生育后代和建立家庭，也才能实现"法""利""欲"和

“解脱”。

印度史诗《摩诃婆罗多》中记载，没有儿子的男人是有罪的。这与中国的“不孝有三，无后为大”颇为相似。印度人一生需要完成五大祭祀——梵祭、神祭、鬼祭、祖祭、人祭，进行这些祭祀的过程中，必须有妻子的加入和陪伴。因此，对印度的男子来说，结婚生子是一种义务，是必须履行的。

在印度，不管出身何等显赫，凡是想要出家修行的男子，必须在修行之前完成结婚的义务。从古印度的文献中，可以看出那些苦行僧或仙人，都是在完成生儿育女的世俗义务之后才出家的。

5. 古代的印度僧人穿什么样的僧服？

我们所知的古印度僧服，大都是根据佛经而来的。然而印度佛经有书面记载之时，已距佛陀逝世500年之久，期间佛经的传送都是口口相传，直到出现贝叶经书。所以，有关古印度僧服的情况，就出现了多种不同的说法，至于哪一种才是真实的情况，至今还无法完全弄明白。

有关印度僧服的样式，主要流传着3种说法——三衣、五衣和粪扫衣。

“三衣”是佛陀在世时定制的，指的是安陀会、郁多罗僧和僧伽黎，总称袈裟。“安陀会”的意译是中着衣，即由五条布缝缀成的衬衣，又称为“五衣”。“郁多罗僧”的意译是上衣，由七条袈裟组成，所以又叫“七衣”，是三衣中常穿之服。“僧伽黎”的意译是聚时衣，是大众集会或外出时为表威严而穿着的大衣，有三种等级，由9–25条布缝缀而成，又称为“祖衣”。三衣都是方形的样式，被称为“田相”。

“五衣”是在上述三衣基础之上，加上僧祇支和涅槃僧。“僧祇支”译为覆肩衣，是三衣的内衬。“涅槃僧”译为裙子。

“粪扫衣”又叫衲衣，据记载：“火烧牛嚼鼠啮死人衣月水衣等，天竺之人，弃之于巷野，与拭粪之秽物同，故名粪扫衣。浣洗缝治之而着于外也，又补纳粪扫之衣而着用之，故亦名衲衣，比丘着此粪扫衣，不更用檀越五施衣，为十二头陀行之一。”

有关“三衣”或“五衣”的制作，大乘佛典中规定，不准用上色或纯色的布料，新衣还必须点上其他的颜色，以破坏衣色的整齐美观。另外，佛陀规定用10种色彩混杂给僧衣上色。而《萨婆多毗尼毗婆沙》《五分律》《摩诃僧祇律》等典籍中则记载，僧衣不能用黄、白、黑、红、青等鲜艳色彩染制。但是从《魏志》卷三十引用《西戎传》中的文字可得知佛陀穿的是黄色的僧衣。《大唐西域记》《一切有部毗奈耶杂事》《善见律毗婆沙》等典籍中记载的僧衣也都有赤黄或赤色。这些典籍中相互矛盾的记载让世人心存怀疑，孰是孰非也很难断定。因此，古印度的僧服到底是何种样式、何种颜色，还有待于我们的进一步考证。

6. 为什么印度在佛教产生几百年后才开始出现人形佛像？

佛教在公元前6世纪就在印度产生了，然而直到公元1世纪，印度才出现了人形佛像，这是为什么呢？

印度历史上第一个统一的帝国孔雀王朝的第三代皇帝阿育王十分笃信佛教，在他统治期间，不仅派使节将佛教传播到阿富汗、缅甸、斯里兰卡等国，而且还为了藏佛陀舍利建造了几万座佛塔。在阿育王时代，留下了大量的佛传故事浮雕，而在这些浮雕中，都没有看到人形的佛像。这主要是受到了南传佛教观念的影响。

南传佛教认为，释迦牟尼是因为舍弃了肉体之躯，才进入了涅槃的境界，他是超越凡人的神，绝不能以凡人的姿态来显示佛的存在。因此，早期佛教雕刻中表现得最多的是佛传和本生。佛传是释迦牟尼悟道成佛的故事，本生是释迦牟尼前世普度众生的故事。佛传故事中仅以菩提树、法轮、台座、足迹等象征物暗示佛陀的存在。本生故事中则多以动物形象表示佛陀。因此，隐喻和暗示，是印度早期佛教雕刻在表现佛陀时所惯用的手法。

那么，人形佛像是何时在印度出现的呢？据考古发掘，印度人形佛像的起源，可以追溯到贵霜王朝迦腻色迦时代。孔雀王朝之后，贵霜王朝建立，东西方贸易及文化交流日益频繁，加上迦腻色迦时代的宗教政策比较宽容，佛教开始由南传向中期大乘转变。大乘佛教吸收了婆罗门教的多神论思想，附佛陀以化身，这引起了印度佛教艺术的改革。古希腊有模仿健美的人体建造神像的习俗，贵霜王朝在犍陀罗地区建起大批佛塔寺院的同时，也仿照希腊、罗马神像的艺术风格雕刻了大量佛像、菩萨像。自此，印度才开始出现人形佛像。

知识链接

古印度佛教的雕刻艺术

印度佛教雕刻艺术大致可分为3个阶段：早期王朝时代、贵霜王朝时代、笈多王朝时代。早期王朝时代，印度佛教雕刻多表现佛传和本生，没有佛陀的人形佛像，多使用隐喻和暗示的手法，表现得温和平静，又富有人情味。从贵霜王朝时代开始，印度佛教中出现人形佛像，雕刻艺术既有印度的传统艺术特色，又融合了西方的艺术风格。发展到笈多王朝，雕刻艺术已形成独特的印度派别，有印度式的生命感，肃穆静雅，表现出超然的理想美。

7. 日本佛教徒为什么要为猫超度灵魂？

在日本，猫是一种极受欢迎的动物，招财猫尤其流行。相传400多年前的江户时代，有一家名门望族越后屋。越后屋的少主整日沉溺于赌博，听不进任何人的劝阻，最后将家产败光了。少主的宠物是一只猫，平日里最受少主的优待，它不忍心少主受苦，于是就为少主衔来一枚金币。少主拿着金币就又去赌场了。输光了，就回来祈求猫再给他一个金币，但他也发现猫的身体越来越小了。后来，他得知猫是用自己的身体换的金币，非常伤心，可猫已经消失了，给他留下了3枚金币。少主因此而醒悟，用3枚硬币再次将家业兴盛起来。为了纪念自己的猫，他在家门前立了一座手拿金币的猫雕像。这一做法渐渐地被人模仿，发展成现在的招财猫。

如今日本已经形成特有的猫文化。猫是日本的吉祥物，日本各地都建有猫寺，虔诚的日本人每年都会举行猫祭，比较著名的猫寺有东京的豪德寺、自性寺、西方寺等。而且每座寺庙都有一个灵猫救人的感人故事。日本的佛教徒还会为死去的猫超度灵魂。这个仪式举行是为了纪念作为吉祥物的猫吗？或许这占有一定成分，但真正的起因与佛教的关联甚大。

据说佛教东传日本时，为了避免存储的佛经被老鼠咬坏，日本就从中国引进了猫。出土的8世纪中叶的日本古籍中记载，猫在佛寺担任看守文库免于鼠害的任务。还有记载说，日本宇多天皇曾接受过中国皇帝赠予的两只黑猫，之后猫在日本被视为吉祥动物。既然猫是佛经的看守者，为佛法的传播做出了贡献，那么佛教徒理当崇敬它，为死去的猫超度灵魂也在情理之中。

8. 奈良时代，为何会有众多僧侣不顾朝廷的禁令离开寺院？

日本奈良时代佛教的特点归纳起来主要有两点：一是统治阶级将佛教视为“镇护国家”的工具，僧侣犹如身披袈裟的公务员，一心关心和参与国家大事，忽视了宗教事务；二是大多数高僧沉溺于书斋学问，追求知识欲的满足，没有经历和兴致再去探究佛学哲理，更没有传播教义的热情。可以说，奈良时代的佛教已经沦为政治的工具，唯重知识，完全没有参悟世界、拯救苦难众生的佛法本意。

奈良时代，天皇颁布了《僧尼令》，规定“凡僧尼非在寺院，别立道场，聚众教化，并妄说罪福”。行基是奈良时代名噪一时的游化僧，《续日本纪》中记载，行基在民间“妄说罪福”，“诈称圣道，妖惑百姓”，闹得“道俗扰乱，四民弃业”，朝廷认为他的做法违犯了《僧尼令》，遂“布告村里，勤加禁止”。然而民间对此的态度则是截然相反的。据说，行基讲经之时，人们争相来拜。

公元736年，道璇东渡弘法，在奈良大安寺传授佛法，朝廷委其以要职。后来，道璇因不满日本佛教的世俗化而辞去职务，之后隐居比苏山寺，在读书、修行、参悟中度过余生。

由此看来，奈良时代已经有宗教信仰强烈的僧侣意识到佛教依附朝廷的弊端，他们不顾朝廷的禁令，毅然离开寺院，到民间传教。也有的直接隐居山寺，坐禅修行，参悟人生真谛。然而这两种僧侣对佛教政治化的反抗，终究是势单力薄，没有产生多少影响。

9. 普化宗的僧侣有什么奇特之处?

普化宗是日本临济宗中的一个派别，以中国唐代的普化禅师为鼻祖，又称为“普化禅宗”“虚无宗”。在日本，普化宗以心地觉心为始祖，以“明暗双打，虚无吹箫”为宗旨。普化宗的僧侣被称为普化僧、虚无僧、荐僧、暮露等。

普化本是一位法嗣，言行狂妄，经常手拿铎（古代乐器），口中唱着偈（佛经的一种），来往穿梭于城市之中。古时河南地区的一位叫张伯的人仰慕他的举止行为，就用竹管效仿他的铎音，被称为“虚铎”。后来，日本心地觉心来华。心地觉心欣赏“虚铎”的清调妙曲，并学习了其中的奥秘，带回日本发扬开来，并创立了普化宗。

普化宗的僧侣与其他僧侣相比有一些不同之处，他们游历四方，到处住宿，睡在草席之上。他们还蓄发，也没有受戒，胸前佩挂袈裟，吹奏着一种叫作尺八的乐器在民间乞讨米钱。普化宗的僧侣在日本曾经盛极一时。

江户时代，普化宗成为武士修行的宗派，若非为武士，不得进入此宗派，因此那时的虚无僧多是勇士浪人。他们身穿袈裟，头戴天盖（斗笠），吹着尺八，有的还被允许持有木太刀和怀剑。自江户中期以后，市井无赖多借口自己是虚无僧而横行于世。至明治四年，普化宗被废止，宗徒多被编入民籍。明治二十一年才又复兴起来。虽是这样，虚无僧的人数也已经大减，不像以前那样兴盛。

10. 日本的盂兰盆节与佛教有关吗?

盂兰盆节是一个迎接死去的各代祖先回家与后世子孙团聚的日子，又称“鬼节”“魂祭”“河灯节”等。“盂兰”是梵语，意为“倒悬”。“盆”是汉语，指盛供品的器皿。合起来就是说用盆盛供奉祖先的祭品，以解救死亡的祖先所受的“倒悬”之苦。

传说从旧历七月一日起，阎王爷就会把那些没有多少罪孽的鬼从鬼门关放出，好让他们回到阳间，与家人团聚。旧历七月十五日是死去祖先与家人团聚的最后一天。日本人非常重视这一天，无论离家多远，都会赶回家与祖先团聚。起初出嫁的女子在这一天是不能回娘家的，现在这一禁忌已经取消了。

每逢盂兰盆节，几乎所有的日本人都会放3天、7天或15天的假。日本的旧历原是采用中国的农历，后来采用了西历。所以，盂兰盆节在日本的8月份。佛寺是迎神、祈福、超度祖先的公众场所。盂兰盆节期间，日本的寺院要举行各种佛事活动。有的念诵盂兰盆经，有的则会举行供奉盂兰盆、献灯、跳舞等活动。

盂兰盆节源于佛经中目连救母的故事。目连是佛门弟子，知道他死去的母亲被列为饿鬼后，非常伤心。于是就用钵盛饭给母亲吃，但当母亲把饭送入口中之时，食物却变成了火炭，不能下咽。目连请求佛的帮助。佛说，他母亲罪孽深重，只有十方众僧一起念诵经文，才能超度他的母亲出饿鬼之列。目连按佛的意旨，解救了自己的母亲，并向佛建议佛家弟子行孝，亦应奉盂兰盆供养。后来，十方众僧所念的“代七代父母行禅定”的经就被称为盂兰盆经，也叫目连经。

虽然这个故事源于佛教典籍，但在印度却只是佛教徒的一个法会，不是一个节日。佛教盂兰盆经传入中国后，因其与中国提倡的孝道相同，所以备受各代帝王的推崇。在南朝梁武帝时发展成为盂兰盆节日，并与道教的中元节相结合。

11.“祇园会”与“祇园精舍”有什么关系？

“祇园会”是日本京都每年6月14日举行的祭典活动，可追溯到1100多年以前的平安时代。公元869年，京都蔓延疫病，很多人染疫病死去。当时，京都人都认为这是牛头天王或素盏鸣命在作祟。为了消灾祛病，生活安康，人们开始了祭祀神灵的活动，并信仰祇园神社（八坂神社的前身），供奉素盏鸣命。

具体的祭祀方法是根据当时全国藩国的数量制作66支长矛，之后送到神泉苑，举行降伏瘟疫的“御灵会”。后来，祇园神社兴盛起来，“御灵会”被称为“祇园御灵会”，简称为“祇园会”。起初，“祇园会”只在疫病流行时举行，没有一个固定的举行日期。从公元970年开始，“祇园会”逐渐被人们接受，不管有没有疫病，京都人总会定期举行“祇园会”。现在，“祇园会”已经成为京都夏季的象征。

“祇园精舍”虽然和“祇园会”看上去有相似之处，但却是两个完全不同的概念。祇园精舍是古印度佛教创始人释迦牟尼当年传法的另一重要场所，出现得比卫舍城的竹林精舍要稍晚一些，是释迦牟尼在世时规模最大的精舍，也是佛教史上第二栋专供佛教僧人使用的专用建筑物。

祇园精舍建在舍卫城南方城郊外不远处，占地约七甲，有七层楼高，建造得富丽堂皇，周围环境优美，好似一座人间天堂，远远胜过竹林精舍。精舍中除数百栋僧房外，还有礼堂、讲堂、集会堂、休养室、盥洗室、储藏室、诵读室、运动场、总会所等，设备非常齐全。精舍建好之后，还举行了盛大的庆祝活动。释迦牟尼在此度过了24个春秋，教化无数弟子，祇园精舍也因此而闻名遐迩。现今传诵的佛经大约有七八成都是从这里传诵开来的。

12. 神像的前面为何要点油灯?

在印度许多地方的宗教仪式上，我们会发现神像面前除了供奉各种水果之外，往往也会点燃油灯。这是为什么呢?

古印度文献中记载，有一位叫拉提卡的王后花费了大量的时间在神殿里放置点燃的油灯，仅是毗湿奴的神庙里就放置了1000盏油灯。许多人问她这样做的原因。拉提卡王后解释说，她能记起前世的生活，她的前世是一只老鼠，曾经试图从毗湿奴神庙中一盏将要熄灭的油灯里偷灯芯，但正当她抓起灯芯时，一只猫发现了她，并发出了可怕的叫声，胆战心惊的她立刻就逃走了。在逃跑的过程中，她不小心撞到了油灯，灯芯又着起来了。这样一来，她不但没有罪，反而因为救了灯中的火焰而受到了奖赏。她再次投胎时，降生成一个国王的女儿，后来嫁给了另一个国王。拉提卡说，她不经意间的行为都受到了神灵如此大的恩惠，那么捐助一盏灯所得到的恩惠岂不是更大？拉提卡为神殿捐油灯的行为确实让她得到了很大的恩惠，她死后进入了天堂，永远享受神圣的快乐。

基于这个传说，后世的人们都在神像前点油灯，以期获得神的庇佑。

13. 佛教的宇宙观在桑奇大塔中得到了很好的体现吗？

桑奇大塔是印度早期的佛教古迹，建于中央邦博帕尔城附近的桑奇山上。此处现存4座佛塔，桑奇大塔是指其中的1号塔。据考证，桑奇大塔始建于公元前3世纪孔雀王朝阿育王时期，当时的桑奇大塔只是一个土墩式的砖构覆钵塔。公元前2世纪巽加统治时期，对其进行了扩建。公元前1世纪，又在大塔的四周建造了4个刻有佛教内容浮雕的牌坊式石门。笈多王朝时期，还增加了新的佛像。

19世纪，英国殖民当局的考古学家发现了桑奇大塔的遗址。20世纪初，专家们对桑奇大塔遗迹的全貌进行了修复，并在附近的桑奇村建立了桑奇博物馆。

桑奇大塔充分体现了印度宗教建筑的独特风格，着重表现天与地、建筑与自然之间的密切关系，将宗教意义与象征意义融为一体。中国元代流行的覆钵式喇嘛塔、缅甸的大金塔和泰国的锥形塔都深受桑奇大塔的影响。

佛教的宇宙观以圆形为基本形状，认为整个世界是一个圆盘，以迷卢山（须弥山）为中心，所有行星都围绕它自东向西旋转，与太阳的运行轨道一致，也符合宇宙运动的节拍。按照这样的规律，循序渐进，就可以达到超越尘世的一种最高境界，也就是佛教说的“涅”。桑奇大塔就是按照这种佛教宇宙观而建立的。它圆顶上有三层伞状物，象征将极乐世界、佛塔周围的圣地、塔内的舍利联系到一起。

14. 基督教产生于何地?

在基督教的传播过程中,大部分人都认为其产生于公元1世纪的巴勒斯坦地区,而苏联科学院的著名宗教学者约·阿·克雷维列夫却在他的著作《宗教史》中提出了不同的观点。

克雷维列夫指出,《福音书》中说,想象中的基督教的创始人耶稣出生于巴勒斯坦,也在此被钉死于十字架上,所以这就将基督教和巴勒斯坦联系起来了。但是假如我们抛开耶稣是基督教创始人的束缚,用存在的事实来说明基督教产生的地点就会是另外一种情况了。

有大量的事实证明,基督教可能并非产生于居住在巴勒斯坦的犹太人中间,而是产生于散居在小亚细亚或埃及的犹太人中间。众所周知,《新约》和《启示录》都是用希腊文写成的。试想,在巴勒斯坦居住的犹太人用异国语言写书给巴勒斯坦人看的可能性能有多高?相反,散居在其他地区的犹太人是用希腊文说、读、写的,因此希腊文的《新约》和《启示录》很有可能是他们写成的。

从另一个角度看,公元1世纪中叶至下半叶,巴勒斯坦地区的政治气氛和思想气氛都非常紧张,最终在公元66–73年爆发了犹太战争。约瑟福斯·弗拉维优斯对这场战争进行了细致的描写。按说,战争发生之时基督教已经产生,原始的基督教社团也已经成立,可弗拉维优斯却没有提及任何有关基督教的问题。由于战争中基督教比其他教派的观点更为鲜明,这位史学家必然会在描写中以一定的形式提及,然而他却只字未提。这只能说明基督教社团当时还不存在。

而仅凭《新约》和《启示录》中文字显示出来的证据,推测基督教产生的地点,似乎又过于牵强。看来,这一问题还需要进一步的探讨。

15. 圣诞节一直被认为是耶稣的诞辰纪念日,但为什么有些学者认为它起源于太阳神节呢?

顾名思义,圣诞节即是庆祝耶稣诞辰的节日。据推测,圣诞节始于公元1世纪。由于耶稣的出生日期存在着争议,所以在公元后的前300年里,圣诞节是在不同的日期举行的。直到公元3世纪中期,基督教在罗马合法化,罗马主教才指定儒略历的12月25日为耶稣诞生日。后来，西方教会都承认这一天是圣诞日。而东正教由于没有接受格里历改革和修正后的儒略历，所以把圣诞节在1900年到2099年的这一段时间内延迟到1月7日。

耶稣到底是哪一天诞生的？这个问题还没有人能够回答。唯一记载耶稣诞生的《新约·路加福音》中有这样一段描述：天使对在伯利恒野地里的牧羊人说："不要惧怕，我报给你们大喜的信息，是关乎万民的，因为今天在大卫的城里，为你们生下了救主，就是主基督！你们要看见一个婴孩，包着布，卧在马槽里，那就是记号了。"牧羊人在天使离去之后，就前往伯利恒，按照指示真的在马槽里发现了婴孩，那个婴孩就是耶稣。

从地理和气候方面说，伯利恒在耶路撒冷的南边，每年的12月至次年的2月，都是寒冷的冬季，而且在古代，天气应该会更加寒冷。这时候牧羊人是不可能外出放牧的，而一个只包有一块布的婴孩被放在寒冷的马槽中更是不可能。据史料记载，伯利恒的牧羊人通常是在一年中的3月底至11月初外出放牧，这就说明，耶稣的生日应该是在3月底到11月初这段时间的某个日子，不可能是12月25日。

所以，有些学者认为，圣诞节并不是耶稣的生日，而是起源于太阳神节。古代的罗马人从每年的12月17日开始，会举行为期一周的农神祭典活动，这就形成了在每年岁末举行庆祝活动的文化传统。当罗马帝国建立后，将12月25日定为太阳神的诞生纪念日。公元336年，罗马教会将每年的12月25日定为主的降生节，用来纪念耶稣的诞辰。圣诞节由此流传开来。

16. 什么是"三位一体"？

三位一体又称为"三位一神""三一神"或"圣三一"。一般把基督教的圣父、圣子、圣神（天主教称呼圣神，东正教会和新教则称圣灵）称为"三位一体"，也就是"三个位格、一个本体"的意思。

基督教相信，天主是唯一的；圣父完全是天主，圣子完全是天主，圣灵完全是天主；圣父不是圣子，圣子不是圣神，圣神不是圣父。通俗地说就是：圣父、圣子和圣神的神性，本质上是同一个神性。基督教把详细叙述三位一体的教义称为“三一论”，大部分的基督教会已经接纳它为传统教义之一。

三位一体是基督教信仰的基础。是否相信三位一体，已经成为正统与非正统信仰的分水岭。《新约圣经》中没有明确使用“三位一体”一词，但一些相关的经文为三位一体提供了理论基础。《马太福音》记载：“所以你们要去，使万民做我的门徒，奉‘父’‘子’‘圣灵’的名，给他们施洗。”这里显示的是圣父、圣子、圣灵共享上帝之名。

第一世纪的基督教徒没有使用“三位一体”一词，但他们崇拜圣父，奉圣父、圣子、圣神的名受洗。第二世纪的教会父老，伊格那丢、游斯丁等，已经开始使用这个概念，但是没有明确地使用这个名称。最早使用“三位一体”的是拉丁教父特土良。他用“本体”来说明神性及神性所包括的一切，圣父、圣子、圣神的相互关系虽然不同，但本质是相同的。

17. 墨西哥的土著宗教与基督教有关系吗?

16世纪，西班牙殖民者侵入墨西哥，他们惊讶地发现，这一地区的印第安土著宗教在许多方面与基督教有着惊人的相似。这引起了不少研究者的兴趣，两者之间是否存在某种联系呢?

首先，土著宗教的一些标志与基督教的十字架非常相似。经研究得知，印第安人认为十字架代表火神，也代表太阳神及其使用者克扎尔科亚特尔。印第安人的生活中不仅有标有十字架的炉灶，而且在远古时代，查穆拉印第安人就已经开始崇拜圣胡安·查穆拉圣殿内院的三个巨大十字架。此外，西班牙殖民者在一些玛雅圣殿中也发现过许多十字架。

其次，西班牙人在研究了印第安人的某些宗教思想后，发现土著宗教中也有类似于基督教的圣父、圣子、圣灵的“三位一体”说。在尤卡坦半岛和恰帕斯地区，土著人崇拜创造之神伊索纳和一个子神巴卡布。巴卡布是伊斯切尔神的童贞女奇里维里亚斯之子，像耶稣被钉死在十字架上之后又复活一样，巴卡布被钉死在一个木桩上，3天之后复活。因此，16世纪的一些天主教神父认为，玛雅部落中存在着一种“前西班牙时期的基督教”。

另外，土著宗教和基督教在圣事仪式方面也存在着相似点。土著宗教中有一种类似于洗礼的仪式。按照教规，婴儿在出生8天或10的时候要接受一种沐浴，这一天也是婴儿获得名字的一天。祭司会给男婴一个圆盾或一支箭，给女婴一把小扫帚。玛雅宗教仪式的名称是“西伊尔”，是“再生”之意，这与基督教也非常相似。

为什么在宗教的标志、思想和仪式上，土著宗教与基督教如此相似？二者产生的社会环境和自然环境都截然不同，它们的相似性是人类宗教发展史的共性造成的吗？或者是古代或中世纪基督教传播导致的结果？无论这些问题的答案是什么，都没有确切的史料来证实。时至今日，这两种宗教的相似性还是一个未解之谜。

18. 基督教徒在胸前画十字的手势有什么寓意？

基督教徒在祈祷或祝福时，会在胸前画十字，这一手势起源于基督教的标志十字架。相传耶稣是被钉死在十字架上的，人们为了纪念耶稣，便将十字架定为基督教的标志。后来，基督教徒们开始在胸前画十字以表示对耶稣的虔诚，祈求耶稣宽恕他们的“原罪”，帮他们消灾解难，保佑他们平安。时间久了，在胸前画十字就逐渐成为一种定式，在做仪式、祈祷、祝福时，基督徒都要在胸前画十字。

今天，罗马天主教和东正教仍然沿用在胸前画十字的宗教传统，因为他们相信这样做可以使自己免遭厄运。两教派虽都是画十字，但其中也有一些不同。天主教徒是用整个手掌在胸前自上向下、自左向右画十字，顺序是额头、胸前、左肩、右肩。东正教徒是用拇指、食指和中指手指在胸前自上向下、自右向左画十字，顺序是额头、胸前、右肩、左肩。

传统画十字的做法是，用右手先额头到胸部，再从一个肩膀到另一个肩膀（西方人是从左肩画到右肩，东方人是从右肩画到左肩），最后再回到胸部。基督教的另一教派新教则主张简化宗教仪式，不要求教徒祈祷、祝福时在胸前画十字。他们认为，胸前画十字的做法在《圣经》中没有提到，而且最初的基督徒并不画十字，对基督的信仰看得主要是内心，仪式上无须太多礼节。

19. “大文字烧”与弘法大师有什么关系？

“大文字烧”是盂兰盆节中的一项活动，每年的8月16日举行。活动地点是京都市左京区如意岳上被称为“大文字山”（如意岳西侧半山腰标高466米处）的地方。8月16日晚上8点左右，大文字山一带就会燃起由75堆松树枝组成的“大”字，非常壮观。

关于这一活动的来历，主要有两种说法。一种是说，古代京都一带曾发生过饥荒和瘟疫，弘法大师点燃了由松树枝组成的“大”字，驱散了病毒和邪气，之后饥荒也很快得到了解决。为了纪念弘法大师的功德，人们就一直保留着燃烧“大”字的习俗。另一种说法是，古代如意岳山脚下的净土寺曾经遭遇过火灾，起火之际，如来佛祖显灵，在山顶放出光明。于是就产生了盂兰盆节在山上点火的习俗。后来弘法大师决定用火堆组成一个“大”字。

两种说法虽然不尽相同，但却都与弘法大师有关。弘法大师是日本真言宗的开山祖师，法号空海，公元804年，曾经与留学僧和遣唐使一起到中国学习佛法。相传弘法大师的书法造诣极高，曾为中国一家寺院修补脱落下来的王羲之亲笔题写的诗句。而在日本也流传着这样一句谚语：“弘法大师不挑笔。”意思是说，真正的书法高手是不挑剔书写工具的。为什么人们会将“大文字烧”与弘法大师联系到一起呢？可能是想让人们知道所燃烧的“大”字就像是弘法大师写的字一样，苍劲有力，气度不凡，适合节日的气氛。

知识链接

弘法大师对日本文化的贡献

弘法大师通晓梵文和汉文，曾出使过中国，他对日本文化有着不可磨灭的贡献。弘法大师是日本第一个通晓梵文的人，著有《梵字悉昙字释》，为梵文在日本的传播创造了条件。大师还通晓汉文，曾借鉴汉字草书创立了日本文字的平假名，并编著了日本历史上第一部汉文辞书《篆隶万象名义》。他的汉诗文被视为珍品，至今仍藏有大量抄本流传于世。他的《十住心论》是日本佛教史上划时代的著作；《声字实相义》是日本第一部极富哲理的语言哲学著作；《文镜秘府论》是研究汉诗文非常重要的文论史料。此外，弘法大师还创办了日本历史上第一所国民公学，并将中国唐代先进的采矿、水利等技术引入到日本。他对日本文化的贡献犹如山高。

20. 犹太教强大的凝聚力缘于何处？

犹太是一个历史悠久的民族，也是一个多灾多难的民族。长期以来，犹太人都过着四处流亡的生活。现在世界上的犹太人大约有1500多万人，因为长时间漂泊在世界各地，犹太人分属于十几个国家，说着不同的语言。即使这样，散居在世界各地的犹太人都认为自己属于犹太民族。这主要是因为他们都信奉犹太教。犹太教是维系犹太民族的纽带，也避免了他们被其他民族同化。

犹太教是犹太民族的祖先希伯来人摩西在去往埃及的途中创立的，他制定了著名的《十诫》，尊耶和华为唯一的神。以色列建国之后，宗教活动日趋增多。那么，这种强大凝聚力究竟缘于何故呢？

有的人认为，犹太教把自己说成是上帝的“选民”，位居其他民族之上，具有狭隘的民族意识，并规定不得与外族共食、通婚等戒律，以至于成为一个极为封闭的社会集团，所以他们不会轻易地改变自己的想法和做法。犹太人把遭遇的苦难看成是赎罪，并相信这只是暂时的，甚至认为他们背井离乡是因为背负着全人类的神圣使命。所以，因为这种使命感，他们拥有了强大的凝聚力。

而有些学者却对上述说法提出了异议，认为犹太人的遭遇说明他们不是上帝的选民，封闭的社会集团也不能完全抵御强大的同化压力。这些学者认为，犹太人有开放与兼容并包的机制，所以一直坚持到了今天。

也有的学者认为，犹太人所遭遇的苦难是其强大凝聚力的来源。犹太教在“巴比伦之囚”期间定型，其教义在苦难关头能迅速进入犹太人的心灵。还有一些学者认为这种强大的凝聚力与“巴比伦之囚”有关，但是他们偏向于犹太教士的灌输教育作用。教士是控制犹太世俗生活的权威，甚至还会处死不信奉耶和华的犹太人。

以上的种种说法，至今还没有一个得到一致的认同，都有各自的支持者和反对者。因此，“犹太教强大的凝聚力缘于何故”这一问题还需要进一步探讨。

21. 犹太人崇敬的摩西为什么会被认为是埃及人？

《圣经》中记载，大约在公元前13或14 世纪，摩西在上帝耶和华的指引下，领导在埃及为奴的以色列人，迁回了迦南地（巴勒斯坦和腓尼基的古称），并在西奈山上接受了上帝所给的戒律——摩西十诫。犹太人将摩西视为民族的解放者，因为他带来了宗教和法律而对其倍加尊崇。

一个对犹太民族贡献如此之大的杰出人物，其身份是不应该受到怀疑的。然而，近年来却有些学者认为摩西并不是犹太人，而是埃及人，他所传播的宗教也是从埃及带过去的。这又是怎么回事呢？怀疑者提出了以下几点理由。

（1）摩西的名字“Moses”一词来源于埃及词汇。美国的埃及学家布雷断特德在其《良心的曙光》一书中说，“Moses”在埃及语中的意思是“孩子”，根据埃及名字的特征，摩西名字的前面应该还缀有一个神祇的名字，只是这一名字在后来的流传中丧失了，人们逐渐就称呼他为“Moses”。

（2）有关摩西的传说与世界上其他民族的英雄神话不同。历史上的这类神话中的英雄，一般都是出身于贵族，因与贵族的思想不一致而遭到迫害，最终逃到一个低下卑微的家庭中，并在那里长大。而摩西的成长模式则正好是相反的。有人认为摩西是被埃及人抛弃，又被犹太人救起，而犹太民族不想把解救他们的英雄说成是外国人，于是就提到了他的身份，让其具有皇室血统。

（3）犹太教的教义和埃及第十八王朝时期法老阿蒙霍特普四世在全国推行的阿吞神教的教义有相似之处。法老阿蒙霍特去世之后，阿吞神教即被废除。然而一些新生事物必定有其历史渊源，犹太教也不例外。

（4）还有许多迹象暗示了摩西的埃及人身份，如，传说中摩西与犹太民族的人交谈时还需要亚伦从旁协助。假如他是犹太人的话，这不是多此一举吗？

以上的4点理由似乎说明摩西真的是埃及人，但也有值得商榷之处，尚不能形成定论。其实，无论摩西是埃及人还是犹太人，他对犹太教定型所发挥的决定性作用都是不容忽视的。

22. 摩门教徒为何要西迁犹他州？

美国的摩门教是19世纪在基督教基础上产生的一个宗教派别。摩门教的创始人是瑟夫·史密斯。1830年，他根据《圣经》，在俄亥俄州的柯兰特创建了摩门教。建教后不久，摩门教徒就开始了不断的迁移，相继迁入了密苏里州、伊利诺伊州、犹他州，并最终在犹他州定居。

摩门教徒为什么要不断迁移呢？历史学家经过长期的考察，得出了几种结论。

一些学者认为，摩门教徒的迁移与其宗教生活密切相关。摩门教实行一夫多妻制，崇尚过集体生活。正因为如此，他们经常受到异教徒的歧视和提倡自由主义生活的人的忌恨。他们的迁移可能是为了躲避干扰，为了过上平静的生活。

另外一些学者认为，摩门教徒因为受到政府的歧视和迫害才不得不不断迁移。据调查，摩门教徒迁到伊利诺伊州后，定居于一个叫瑙渥的地方，发展得很快，不久就超过了芝加哥，成为伊利诺伊州最大、最繁华的城市。因此，当局就杀害了史密斯及其兄弟。继承人布里格姆·扬与当局斗争了两年之久，最后还是不得不迁往异地。后来，他们来到了大盐湖盆地一个叫德塞列特的地方。虽然那里环境恶劣，但是在布里格姆·扬的领导下，人们开荒种地、兴修水利，不仅顺利地生存了下来，而且还吸引了海外教友。

还有的学者认为，摩门教徒百折不挠的迁移，并最终找到自己的“乐园”，是由宗教的本质所决定的。摩门教的迁移是19世纪乌托邦宗教运动中受迫害最严重，也是最成功的一个运动。摩门教的教义或许是他们精神的支柱。在摩门教徒的努力争取下，他们的居住地在1896年终于以犹他州的地位纳入了美利坚合众国。如今，世界各地都有摩门教的教徒。

或许，摩门教徒的迁移和上面叙述的每一个观点都有关系，迫使人们迁移的原因本来就是多方面的。

23. “基路伯”究竟是什么？

“基路伯”一词是从希伯来语音译过来的。“基路伯”是一个超自然物体，在《圣经》中被数次提及。《圣经·以西结书》第一章中描述了一同出现的四个“基路伯”的形象：“四者均以人面向前，右为狮面，左为牛面，后为鹰面……它们更随神灵，俱各笔直前行，并不转身。它们的外貌如燃烧的煤、点亮的灯，火在四生物之间上下翻腾。火是那么明亮，从中闪出电光。四个生物来回奔跑，仿佛雷电不断闪耀。”这一形象与以色列王所罗门所建神庙中绘制的基路伯的外貌颇为相似。

《圣经》中虽频频出现对基路伯的描述，但是却没有明确提及它究竟是什么，它有什么样的职能，又有什么象征意义。因此，后人对其产生了诸多争议。

在基路伯的起源问题上，现代学者认为它与古代罗马艺术中的小精灵有关，也就是文艺复兴时期的有翼男孩，但很多人对此提出了异议。也有的学者认为基路伯是美索不达米亚地区在古代流行的有翼巨牛，但经过考证，这一地区根本就不存在有翼巨牛的艺术品。《圣经》的资深研究者格·伊·赖特指出，基路伯只可能是腓尼基艺术中广为流行的有翼生物——斯芬克斯。

根据《旧约》的描绘，基路伯的职能可以分成两大类。一类是守护功能，守护着通往生命树的道路，阻止外人进入上帝的居住地。《创世纪》《列王记》《以西结书》中都有相关的说明。另外据《诗篇》和《撒母耳记》记载，基路伯很可能是上帝的坐骑。基路伯之所以具有这两种功能，可能与希伯来人的神观念由地神转向天神有关。

总的说来，人们在基路伯究竟是什么上还没有达成一致的意见，希望能有其他的史料出现打破这一局面。

24. “安息日”对犹太人来说有什么特别的意义?

安息日对犹太人来说是一个具有特殊意义的日子。《圣经》中记载：“到第七日，上帝造物的工作已经完毕，就在第七日歇了他一切的工作，安息了。”根据这一记载，人们在工作6天之后就要有一个休息日。按照上帝的旨意，所有信教的犹太人都要遵守安息日，以便让身体和精神得到休息和恢复。《出埃及记》中，以色列人受到指示，“要纪念安息日，守为圣日”，“要世世代代守安息日为永远的约”。

守安息日是犹太教的重要组成部分。安息日的早上，犹太人会到教堂中参加祈祷和崇拜仪式。午餐之后，会休息、阅读、学习、散步等，用来享受短暂的悠闲和宁静。安息日结束的时候，犹太人会点燃多条灯芯制成的“分别为圣烛”，信徒们还会相互念道：“愿你有美好的又一周！”

安息日不是星期天，而是星期六，在每个星期五傍晚点燃安息日的烛台就是安息日的序幕。点燃安息日的烛台现在已是宗教上安息日的礼仪象征，也带有神秘的含义。安息日又被称为“纪念创世之王”。《希伯来圣经》中记载，上帝的第一件创世之工是吩咐说：“要有光。”从此之后，宇宙中就有了光的照耀。安息日点燃烛台的简单动作象征着万物和造物主联结唯一的神秘时刻。

安息日是犹太人生活的焦点和核心，因为这个日子提醒犹太人们要记得宇宙和人类是如何被创造的，以及上帝和犹太人之间的立约。传统的犹太律法禁止在安息日从事劳务和工作，贸易、购物、家务、开车、写字，甚至是打电话都包括在内。在犹太人看来，这不是苛刻的规定，而是一种积极的、可以扶持生命的做法。这一天，犹太人可以控制自己的时间和计划，让自己用一天的时间来做最重要的事情——休息身体、复苏心灵，也能让自己腾出时间来陪伴亲人和朋友，还可以和上帝分享生命的美好。每个犹太人都可以在安息的24小时内与上帝、家庭、朋友产生连接。

25. 犹太人怎样称呼他们的上帝？

犹太人在不同的时期对上帝有不同的称谓。从上帝名字的演化上，不仅可以看出历代犹太人的上帝观，而且也可以看出他们对上帝属性的理解。

在《妥拉》中，上帝被称为“创造主”“拯救者”“律法的颁赐与至高主宰”。此外，上帝还拥有其他3个专属名号：伊罗兴、伊勒、沙代。《希伯来圣经》以及后来产生的犹太拉比文学与中世纪的哲学中，犹太人则根据上帝在他们心中的不同本性，和上帝在子民中扮演的不同角色来称呼不同的名字。

有时候，上帝的名字是“磐石”，代表着上帝有坚定稳固的特质。上帝也会被称为“王”“审判者”“主”，说明上帝在人间社会和属天国度中有着至高无上的权能。“父”“牧者”的名号则代表着爱和保护。“我们在天上的父”“万物的主宰”“居所”表明上帝有遍及宇宙的永恒属性和权能。此外，上帝的名字还有“恩赐的主宰者”“可称颂的至圣者”“无限者”等。

虽然都是不同的名号，但在希伯来文法中，这些称谓都是阳性名词。这主要是因为犹太信仰是在男性主导的族长中发展起来的，对上帝的称谓，也显示出男性权威的色彩。据考证，从犹太信仰起源开始，任何暗示上帝具有阴柔特质的名字都会被摒弃。这样做的原因，主要有两方面：一是犹太教想同信仰女神的宗教区分开来；二是要巩固上帝是独一的理念，而不是阴阳合体，这也是宣告上帝不可分割，用以对抗早期基督教会所带来的威胁。

26. 犹太人为什么要将赎罪日安排在新年期间？

犹太的赎罪日是从犹太新年算起为期10天的悔罪期的最后一天。虽说是一天，但实际上要进行25小时。犹太人用这25小时来进行祷告和悔罪。赎罪日的禁忌很多，要停止一切例行事务和“正常”的活动，表现舒适和奢华的东西也要一律禁止在这一天出现。此外，在这25小时内，犹太人不能吃喝任何东西。

赎罪日和安息日一样，是在傍晚时候拉开序幕。赎罪日从诵读“柯尔·尼德拉”祈祷文开始。祈祷文的主题是反映赎罪日的连贯不息，它指出犹太人的祷告在晚上达到升腾，早上到达上帝的面前，隔天的傍晚得到上帝的应允。

传统上，赎罪日的早上是《妥拉》诵读会，并举行仪式。大祭司会向上帝贡献一只山羊，并将另一只山羊（称为“代罪之羊”）送到旷野死地，借此象征羊已经将人们所犯的错带走。下午的仪式是诵读希伯来《圣经》里的《约拿书》。最后的仪式是在夜幕即将来临的时候诵读“结束祷文”。另外，天色完全黑下来的时候，犹太教徒还要诵读“信仰告白”。

犹太的新年与其他地方的不同，是在赎罪中度过的，这是为什么呢？犹太的新年、10天的悔改期以及赎罪日合在一起称为“最大节日”或“至圣节日”，希伯来文的意思是“可畏之日”。“可畏”有“强而有力”之意，这说明犹太新年中应该有的喜悦，在完成这项任务中的真诚、忏悔、所获得的赦免，以及上帝的祝福中得到了无限的满足。

27. 在犹太人的宗教仪式中所使用的“四类”有什么特别的寓意？

住棚节是犹太人的农业节日，为的是庆祝秋天的好收成，因此也叫“收获节”，为期7–8天，每年的犹太历黎月15日（相当于通用历法的9月底或10月初）展开庆祝。每年的秋收时节，犹太人总会住在搭盖在田园中的小棚子或茅草屋中。这些棚子是临时性的，但必须坚固，以便能让人住到节日的结束。棚子里还会塞满各种各样的水果、蔬菜，及其他农作物。

住棚节期间，犹太人会举行宗教仪式，在仪式上会使用“四类”。所谓的“四类”并不是四种事物，而是两样礼器：一样是镶着柳条和桃金娘叶的棕树枝，另一样是酷似柠檬的香橼果。

“四类”在犹太民族中是具有象征意义的。传统上，镶着柳条和桃金娘叶的棕树枝象征犹太人的坚韧毅力，香橼果则象征犹太人的善良。而这种说法放在住棚节中似乎有欠妥之处。有人认为，棕树枝和香橼果历来都是富足的象征，犹太人在丰收时节向上帝献上感恩之情，同时也祈求他在来年继续赐予他们丰富的农产，所以“四类”象征富足的可能性更大。相比之下，这种对“四类”寓意的解释更值得采纳。

住棚节上，犹太人会在诵读祝词的同时，将棕树枝和香橼果绑在一起向四面八方挥舞。这提醒人们，上帝无处不在。节日的头一两天，犹太人还会集体挥舞着棕树枝和香橼果绕行教堂。住棚节的最后一天被称为“伟大的和散那”。这一天，犹太人会边大声地赞美上帝，边用棕树枝拍打地面，可能这象征扬弃罪恶。“四类”在住棚节中寓意深刻，不可替代。

第十七章

风俗礼仪·民间习惯

1. 原始巫师为什么爱吃毒蘑菇?

考古学家的发掘和人类学家的调查都表明，在人类历史上，世界各地的巫师都曾把毒蘑菇称为“神菇”，并十分喜欢食用。专家推测，原始巫师是把能导致幻觉出现的毒蘑菇当成了神人交往、占卜、预言以及作法的媒介。因此，在古代，致幻作用的毒蘑菇与原始宗教是密不可分的。

中美洲和南美洲的墨西哥、阿兹特克、古巴等地食用毒蘑菇的风气在世界上尤为强盛，这与它们是世界上致幻菇出产最集中的地区有着直接的关系。这些地区不仅出产蛤蟆菌，而且有致幻作用更强的裸盖菇、球盖菇等。墨西哥印第安人的宗教中，就一直充满了对致幻菇神秘力量的崇拜。举行重大的宗教庆典时，除了要吟唱对鬼神祖先的颂歌外，还会有专门的祭司指导教徒们食用“提奥那纳卡托”（“神蘑菇”的意思）。而早在16世纪，印第安土著居民就有在黎明前吃致幻菇的习惯，把幻觉看成是天神的赐予和启示。美国真菌学家沃森在《索玛——不朽的神蘑菇》中指出，古印第安人崇拜的主神之一“索玛”，就是一种蛤蟆菌。而食用毒蘑菇的人主要是职业巫师和一些有幻游嗜好的人。

另外，在非洲的几内亚、亚洲的婆罗洲、印度和西伯利亚等地，以及欧洲北部北极圈附近的拉普人诸部落中，都曾盛行过吃致幻菇的风俗。甚至还有一些地区对致幻菇狂热的崇拜。一些典籍和学者的专著中就给我们提供了很好的文字证据。光印度教最古老的经典之一《梨俱吠陀》中，就有1000多首赞美蛤蟆菌的颂歌。

随着人类文明的不断进步，原始巫教的势头日益萎缩，崇拜和食用致幻毒蘑菇的风俗也几乎消失。而脑科学、精神病理学家等对致幻毒蘑菇却产生了浓厚的兴趣，希望能从中发现对人类有益的东西。

2. 雅典娜是怎样的神？

雅典娜是希腊奥林匹斯十二主神之一，罗马名字为密涅瓦。有关雅典娜的诞生，流传着这样一个传说：

智慧女神墨提斯是宙斯的妻子，她怀孕之后，曾对宙斯预言道："这个即将出生的孩子会比你更为强大，权力也会在你之上。"宙斯很害怕这个孩子的出生会中断他的统治，于是就将墨提斯吞到了肚子里，企图阻止孩子的出生。可是不久之后，宙斯就头痛难忍，他不得不让火神赫淮斯托斯用大刀砍裂他的头。谁也没有料到，在头开裂的时候，一个手拿长矛、身穿盔甲的漂亮姑娘从宙斯的头里跳了出来。这个姑娘就是墨提斯所怀的孩子——雅典娜。

众神之中，宙斯是最有威力的，墨提斯是最聪慧的智慧之神，雅典娜继承了他们的优点，成为威力与聪慧的化身。她不仅是国家的守护神，而且还是智慧之神。宙斯非常疼爱雅典娜，并让她做了王位的继承人。雅典娜心胸开阔，充满智慧。她高兴的时候，天空就是晴朗的；生气的时候就雷电交加。所以她是和平神、战神、美神、凶神。雅典娜是雅典的守护神，她虽为战神，却酷爱和平，所以雅典被称为"酷爱和平的城市"。

雅典娜也是艺术、工艺和妇女手工之神，她双手灵巧，却忍受不了别人的挑战，在被一位名叫阿瑞克妮的莉迪亚族少女的作品击败之后，一气之下竟然将她变成了一只蜘蛛。

通过其他一些传说，我们知道雅典娜还帮助过不少希腊英雄，如她帮助伊阿宋建造了阿耳戈斯船；帮助佩耳修斯割下了女妖美杜莎的头；特洛伊战争的参加者奥德修斯在海上漂流了10年后，在她的庇护下返回故乡；等等。

在雅典，古希腊人建造了一座供奉雅典娜的帕特农神庙，里面有古希腊雕刻家菲迪亚斯用黄金和象牙镶成的雅典娜神像。遗憾的是，帕特农神庙在中世纪之后遭到了破坏，现在仅存一些残迹。

3. 普罗米修斯为什么要忍受神鹰的啄食？

在希腊神话中，普罗米修斯创造了人类，也是人类的老师。他教给人类一切有用的东西，使人类美满、幸福。人类用爱和忠诚作为回报，然而宙斯却要人类敬奉他这位最高的天神，并拿出最好的东西献给他。普罗米修斯为此和宙斯争辩，惹怒了宙斯。宙斯对人类做出了惩罚，拒绝给人类完成文明所需要的最后物质——火。

普罗米修斯在载满火种的太阳车经过时，用茴香枝偷到了火种，并带给了人类。得知消息后，宙斯对普罗米修斯的行为极为不满，大发雷霆，命人用永远挣不断的铁链将普罗米修斯挂在高加索山陡峭的悬崖上，让他永远不能入睡。悬崖上的普罗米修斯，不能弯曲双膝，忍受着饥饿、风吹和日晒，胸膛上还钉着一颗金刚石的钉子。残忍的宙斯还派一只饥饿的神鹰每天去啄食普罗米修斯的肝脏。但被吃掉的肝脏，第二天还会完整地长出来。

普罗米修斯是可以选择结束这种痛苦的，但前提是他必须将人类使用的火种归还给宙斯。为了人类的文明，他选择了忍受痛苦。就这样，他度过了漫长的3万年。直到一个叫赫剌克勒斯的英雄射死了神鹰，并让宙斯与普罗米修斯恢复了友谊，普罗米修斯才结束了痛苦和折磨。

普罗米修斯为了人类的文明，自己承受了几万年的痛苦，每天都要忍受神鹰啄食他的肝脏。这虽然只是一个神话传说，但是普罗米修斯的精神却让我们感动。

4. 阿散蒂人为什么会将金凳子视为圣物？

阿散蒂位于加纳中南部，是加纳十个行政区之一。金凳子是阿散蒂王国的镇国之宝，也是王国存在的标志之一。它是用阿散蒂盛产的黄金制成。金凳子大概的形状是“工”字形，底座是圆形的，座面大约有一尺多长。座面中间平且宽，两端窄且圆，并微微向上翘起。支撑底座和座面的是一个高不足盈尺的很粗的圆柱，圆柱两边各有一个装饰性的齿状侧撑。有关圣物“金凳子”的传说很多，但其中有一种说法要相对权威一些。

加纳是西非地区的一个古老黑人王国，在古代管辖着许多小部落国。部落国有一个古老的传统，用当地特产的乌木精心制作的一把凳子（俗称“黑凳子”）供大酋长在登基和其他重大庆典时使用。后来，黑凳子发展成为部落国及其王权的标志。17世纪末，强大的阿坎人在加纳中北部建立了登基拉国。这个部落国拥有很多藩属国，每个藩国都背负着沉重的赋税。有些小国不堪重负，纷纷叛离，并决定建立联盟。其中比较强大的库马西部落国的大酋长奥比利·叶波阿借用自己的一个梦，号召所有叛离部落国建立起一个部落国联邦。

联邦刚建立，叶波阿就在战争中去世，奥赛·图图继任大酋长。而这时候联邦也需要一个国王来领导。在选举国王的时候，所有部落的大酋长都在场，亲眼看见了晴朗的天空突然乌云密布，几声震耳欲聋的雷声之后，一个金光闪闪的凳子从天而降，直落到奥赛·图图的怀中。法师安诺凯声称，从天而降的凳子，带来了阿散蒂国家的精灵，图图是阿散蒂的王中之王。人们对此深信不疑，图图也顺理成章地坐上了国王的宝座。部落国的大酋长都献出了象征自己王权的黑凳子，将它们烧掉，表示拥护联邦的首任国王图图。从此之后，金凳子就成为阿散蒂王权的象征，阿散蒂王国的标志。

虽然这只是传说，但这也有一定的可信度。加纳盛产黄金，被英国殖民者称为“黄金海岸”。当时的人们信奉祖灵和天神的原始宗教。图图也是利用了人们这种宗教信仰，顺利地达到了自己的政治目的。

5. 为什么用鸽子和橄榄枝来象征和平？

鸽子和橄榄枝象征着和平是尽人皆知的事情，可为什么要用鸽子和橄榄枝来象征和平呢?

据说，上帝因为不满人类的罪恶行为，一气之下用洪水将世界毁灭。但上帝在洪水来临之前，通知了唯一的好人挪亚，让挪亚建造一只方舟，装上能够繁衍的各种生物。在挪亚方舟上的生灵都躲过了洪水，继续生存下来，这就是著名的挪亚方舟的故事。

洪水平息之后，挪亚想知道洪水是否退尽，于是就放出了一只鸽子到外面打探。鸽子第一次回来是因为没有落脚之处，说明洪水还没有完全退去；第二次回来的时候嘴里衔着一根绿色的橄榄枝，说明洪水已经退去，树开始发芽生长了；鸽子第三次飞出去之后再也没有回来，说明洪水已经退尽，它找到了可以生存的陆地。于是，挪亚就把方舟上的生物放出，让它们繁衍，而挪亚一家也开始了新的生活。

《圣经》虽在公元前就已经问世，但口衔橄榄枝的鸽子图案直到17世纪才诞生。16世纪欧洲宗教改革运动中，鸽子被视为圣灵的化身。17世纪20年代，爆发的以德意志为主要战场的战争给人们造成了极大的创伤，鸽子开始充当和平使者。德意志帝国在各个自由城市发行了一套纪念币。纪念币上的图案就是一只口衔橄榄枝的鸽子。从此，鸽子和橄榄枝被世界上的宗教公认为和平的象征。18世纪后期，德国诗人席勒在著作《奥尔良的姑娘》中把宗教意义引入到政治中，鸽子和橄榄枝的象征意义在世界范围内普及。

6. 塞浦路斯为什么被称为“爱神的故乡”？

在西方，维纳斯女神家喻户晓，妇孺皆知。她是人们崇拜的诸神之一，罗马城中建有许多她的神庙。中世纪是教会统治的时期，女神维纳斯被教会划归成“异教女妖”，她的许多神像遭到了焚毁。文艺复兴时期，宗教禁欲主义的思想牢笼被彻底击碎，人们的思想自由起来，维纳斯重新获得推崇。

相传，维纳斯的故乡是塞浦路斯，她诞生在距海滨城市利马索尔17英里的彼特拉·图·罗米欧。这是一个山水环绕的地方，北边是连绵起伏的山丘，南边是一望无际的地中海。这里有传说中的维纳斯的诞生石。在蔚蓝色的海面上，矗立着3块巨石，中间的一块亭亭玉立，像极了传说中的维纳斯。在那里，我们仿佛看到爱与美的女神向我们走来。

塞浦路斯有关维纳斯的传说还有很多，西北部的小城波利斯还有著名的“爱神浴池”，传说维纳斯经常到这里来洗澡。塞浦路斯人把自己美丽的国家称为“爱神的故乡”，而这一美名也不胫而走，传到世界各地。

7. “金比罗”是谁？

金比罗节是日本的一个节日，每年的10月10日和11日在香川县的金刀比罗宫举行。那么，“金比罗”到底是什么呢？

据说，“金比罗”的日语译音来源于梵巴语，原意是栖息在印度恒河里的鳄鱼演变而成的神。佛教起源之后，金比罗演化成盘踞在印度灵鹫山上的一条尾部藏有珠宝的巨蟒，传说它还是药师如来手下十二名神将之一，专门负责普救众生。后来，金比罗神传到了日本，被描绘成具有蛇一样身体的水神。它可以保护海员的航海安全，也可以保证渔业的丰产，同时它也被当作保佑风调雨顺的龙王。在人们心中，金比罗神还可以治疗疾病、消灾避祸、带来好运。

金刀比罗宫位于香川县西部海拔521米的象头山山腰上，因为供奉着金比罗神而闻名，自古以来香火一直非常兴旺。14世纪室町时代，民间对金比罗神的信仰高涨，参拜金比罗神是一件较为兴盛的活动。至今，每到金比罗节，金比罗神信奉者都会从全国各地赶来参拜。节日期间，还会公开表演金刀比罗宫承传的金毗罗舞和踢球游戏等祭神仪式。

8. 富士山为什么会成为日本人崇拜的“灵峰”？

富士山位于本州境内，跨静冈、山梨两县，是日本第一高峰，最高点海拔3776米。自公元781年有文字记载以来，富士山共喷发过18次，最后一次是1707年，此后就变成了休眠火山。富士山的山麓处因火山喷发形成了无数山洞，其中的钟乳石似的冰柱非常漂亮。整个山体呈圆锥状，一眼望去，像极了一把悬空倒挂的扇子，有日本诗人曾称赞它“玉扇倒悬东海天”，“富士白雪映朝阳”。因为它的形状，无论从哪一个角度看，山都是一样的，山顶终年积满了皑皑白雪，日本人称之为“万年雪”。在富士山顶看日出、观云海是世界各国游客来日本必不可少的游览项目。

富士山是日本民族的象征，被日本人民誉为“圣岳”，也是日本人崇拜的“灵峰”。日本人以富士山为傲，以登上富士山顶为荣，从古至今，富士山就是他们的赞颂对象。《万叶集》中记载着奈良时代的诗人所作的赞美富士山的诗：

山峰高高耸，天云绕山边。
飞鸟难逾越，行云难近前。
熊熊烈火焰，熄于落雪烟。
壮观非言喻，其名无人填。
静谧难思议，生灵隐山间。
人称石花海，皆因被水圈。
山高水湍急，无人度此山。
镇国之神灵，属此大和山。
骏和富士岭，百看亦不厌。

日语中“富士”的读音与“不死”相同。在日本第一部物语小说《竹取物语》中，富士山被描述成能够炼制让人长生不死仙丹的圣地。因此，它自古以来就受到日本人的崇拜。此外，富士山在日本还有一个别称——“不二”，有独一无二之意。富士山每年都会迎来无数的旅游者，尤其是七八月份。

9. 为什么很多日本人要参拜杨贵妃？

位于日本京都市的泉涌寺供奉着唐朝杨贵妃的坐像。据说，泉涌寺建于1218年，它的前身是唐朝时期去日本留学的僧人空海建造的“法轮寺”，后来改名为“泉游寺”，再后来因为寺中有泉水涌出，所以又改名为“泉涌寺”。那么，寺中怎么会有杨贵妃的坐像呢？这是不是说明杨贵妃曾经到过日本？

相传，安史之乱时，虽然唐玄宗被逼无奈将杨贵妃吊死，但安禄山等人走后，她竟然又苏醒过来了。她乔装打扮一番，逃过了乱匪的盘查，在民间潜藏了多日，后来搭上即将回国的日本遣唐使的船，顺利逃到了日本，并在日本生活了多年。而这一消息唐玄宗也知道，泉涌寺中杨贵妃的坐像就是他为了给爱妃冥福而特意差人雕刻的。

今天，日本有关杨贵妃的遗迹除了泉涌寺之外，还有位于山口县的杨贵妃墓。前往泉涌寺参拜杨贵妃的大多是日本的年轻女性，她们参拜的目的大多是祈求本人或者是自己的后代也能像杨贵妃那样漂亮。另外，还有一种说法，参拜杨贵妃可带来良缘，并可保佑产妇平安。这大抵是源于杨贵妃和唐玄宗那段“在天愿作比翼鸟，在地愿为连理枝”的爱情，以及杨贵妃大难不死的好运。

10. 花草为何会受到日本人的敬重和崇拜？

花道是日本独特的传统技艺之一，在日本民族文化中占有重要的地位，受到日本人的广泛喜爱。很多人都知道日本人敬重和崇拜花草，但其中的缘由却很少有人知道。

日本地处温带，是一个被大海包围的岛国。海洋使得日本的气候温和，雨水充足。这给各种花草的生长提供了适宜的条件。日本四季的变化明显，但每月都有几种代表的花草进入繁盛期。在这种环境下，日本人用花草来做装饰就不足为怪了。可以说，花草是日本人生活中不可缺少的一部分。

据文献记载，日本人在平安时代就已经用樱花装点室内。14世纪室町时代前期，花会也发展起来。那时的花会是一种娱乐性聚会，公卿贵族、僧侣等分两组摆出自己的参赛作品，公开评定优劣。到15世纪，花会逐渐演变成公开的展览会，成为今天日本花道展览会的雏形。

日本人认为神灵无处不在。奇花异草的神秘莫测让他们觉得不可思议，在他们看来，花草的四季变化、各异形态和迷人的颜色，是有神灵在起作用。这就加重了他们对花草的敬重和崇拜。公元538年前后，中国的佛教传入日本。花草开始成为佛前的供品，被称为“供花”。日本人认为花草有两种性格，在参拜神佛时，花草是圣洁高雅的，而用来装饰时，又显得亲近自然。

经过几个世纪的发展，日本的花道依然是长盛不衰，这从侧面表现出了花草在日本人心中的崇高地位。

11. 偶人为何会受到日本人的特别重视？

偶人在日本有悠久的历史，日语称其为“人形”。偶人有木制、布制、泥制等种类。在日本，偶人不仅是儿童们喜爱的玩具，而且还是女孩节和端午节期间重要的装饰物，寄托着父母长辈对下一辈的良好祝愿。

偶人在日本特别受到重视。日本京都的宝镜寺，从1957年开始，每年的3月1日和10月15日都会举行春季和秋季偶人展览会，展出京都及日本全国各地的新旧偶人。不仅如此，宝镜寺每天还会为那些被损坏的偶人念经超度，超度之后还会郑重地给偶人举行土葬仪式。每年的10月14日是日本规模最大的偶人超度日，这一天会为来自世界各地的偶人举行盛大而又隆重的祭祀活动。此外，京都还有专门修复、珍藏和展示日本历代各种偶人的“嵯峨人形之家”博物馆。

偶人文化是日本民族文化中一个极为特殊的模式。日本人相信偶人是有灵魂和生命的，对偶人怀有敬畏之情。偶人因此受到日本人的特别重视，在日本人心目中占有重要的地位。

偶人在日本受到重视，还与3月3日的“偶人节”有关。偶人节也叫女儿节，偶人在此节日中扮演着重要的角色。

12. 日本人如何将自身的灾祸和污秽转移给偶人？

在远古时代，日本人出于宗教信仰和驱邪免灾的目的，开始制作偶人。初期的偶人是用土做的，称为“土偶”。佛教传入日本的同时，也给日本带去了佛像的雕刻艺术和剪纸艺术。这两种艺术都推动了偶人在制作上的发展。

根据日本人的信仰，人们可以将自身的灾祸转移到偶人的身上。日本史料上记载了转移灾祸和污秽给偶人的做法“祓”。所谓

“祓”，就是到河边或湖边举行洗浴消灾的祈神仪式。“祓”是偶人节中的一个习俗，仪式要在3月3日举行。这一天，人们会用偶人沾着河里的水擦拭自己的身体，然后将偶人带回家，放在房间内作装饰。这样，人身上的灾祸和污秽就会转移到偶人身上，也就可以保住自身的安全。

公元6–8世纪，日本出现了用纸剪成的偶人。这种偶人被称为“形代”。如果用剪好的纸偶在身体上抚摸一遍，然后将其放入河流或湖泊中漂走，那么纸偶就会将人身上的种种灾祸、污秽和灾难统统带走，从而达到祛病除灾、延年益寿的目的。

无论是哪种做法，将自身的灾祸和污秽转移给偶人已成为日本偶人文化中的一部分。

13. 美索不达米亚人为何求长生而不求永生？

古代美索不达米亚人相信人死后有来生，也相信有一个叫冥府的地方。冥府本是埃里什基嘉尔女神一人掌管，有一天，内尔伽尔率领14个恶魔入侵冥府，要求分享冥府的权力。为了获得和平，埃里什基嘉尔嫁给了内尔伽尔，并同意与他分享冥府的权力。

美索不达米亚人认为，人死后，灵魂要到一个凄惨的世界中报到。史诗《吉尔伽美什》中，恩奇就向吉尔伽美什描述，冥世是一个永恒黑暗的王国，所有的灵魂都挤到一起，人们生活的世界对他们来说是模糊的。美索不达米亚人相信，人不管在世的时候是善是恶，死后都会到冥世中报到。在美索不达米亚人的观念中，没有最后的审判和永生之说，他们认为所有的人死后唯一的去处就是阴森的地狱，天堂是神灵住的地方。美索不达米亚人供奉和祈祷神灵是希望在活着的时候能够享受到更多的福祉，他们的很多祷文中都是祈求长命百岁的。如：

啊，圣母，拉伽什城的创建者，
看，你的子民，在你的庇佑之下，多么健康富庶。
求你赐给他们平安，让他们长命百岁。
我们没有母亲，你就是我们的母亲；

我们没有父亲，你就是我们的父亲。

美索不达米亚人之所以求长生而不求永生，应该与他们的宗教观念和神话传说密切相关。

14. 羊羔为什么会成为美索不达米亚人的主要祭品？

古代美索不达米亚人像世界上其他的古代民族一样，都虔诚地信奉宗教。祭祀神灵是美索不达米亚人生活中不可缺少的一项活动。他们认为，生活中的一切都需要神灵的庇佑，要得到神灵的赐予就必须虔诚地祭祀神灵，以讨他们的欢心。

祭祀神灵主要分为进贡和献祭两种。美索不达米亚人认为，神和人是一样的，不但要吃穿住用行，可能还会结婚生子，因此进贡的贡品必须是人们生活中的必需品，如食物、牲畜等。贡品越多表明对神灵的态度越虔诚。美索不达米亚人每天都会有进贡活动，遇到重大的节日会更加隆重。根据阿卡德王朝时期的一份铭文我们得知，美索不达米亚人每天向太阳神进贡的贡品竟然包括20头羊、4头牛、6古耳谷物、3古耳面粉等。在盛大的节日中，贡品光是牲畜就有3500多头。

献祭是供奉神灵的又一重要活动，是美索不达米亚的宗教大典。献祭需要牺牲祭品敬鬼神。献祭的举行地点是神庙的顶端，因为美索不达米亚人认为神庙的顶端可以通天，只有在最高处才可以和神灵沟通。祭品最常见的是被屠宰的羊羔。

不论是进贡还是祭献，美索不达米亚人都会把羊当成首选，羊在所有贡品中的数量也是最多的。为什么会出现这样的现象呢？

美索不达米亚人认为，羊羔是人的代替品，向神灵奉献羊就是奉献人，奉献羊的生命就是奉献人的生命，因此，拿羊做祭品可以显示出美索不达米亚人对神灵的虔诚。

15. 在美索不达米亚的土地上，庙宇为何多得数不清？

在美索不达米亚的土地上，庙宇是一道亮丽的风景线。美索不达米亚人非常注重在生活中祈福和享乐，他们建造神庙是为了祭祀诸神，以便和神灵更好地沟通，让神保佑他们的生活平平安安。美索不达米亚地区的神庙是仅次于王宫的最好建筑，人们对神灵的虔诚信仰使得他们舍得出钱出力建造神庙，我们所熟知的巴比伦通天塔就是最好的证明。

美索不达米亚地区的宗教发展了数千年，经历了苏美尔人、阿卡德人、巴比伦人、亚述人的统治。每个民族在统治期间都创造了许多神，国神、城神、家神等，几乎人们的每一项活动都与神有关。苏美尔人甚至认为，空气中都充满了神。公元前9世纪，巴比伦神灵“人口”竟然超过了6.5万，也就是说只要是人们能够想到的东西，就有神在掌管。因为美索不达米亚的历代民族都是将神供奉在庙里的，所以这一地区就出现了数不清的庙宇，这也是美索不达米亚宗教的一大特征。

16. 书吏为何会受到美索不达米亚人的崇拜和尊重？

起源于美索不达米亚地区的楔形文字体系，具有复杂和神秘的特征。楔形文字符号的数目一共不到600个，常用的只有300多个。虽然数目并不算多，但是每个楔形符号却几乎都有两个以上的字义，平均起来每个符号还代表着四五个音节，因此要完全掌握这几百个楔形符号不可能是一朝一夕的事情。因此，掌握书写能力的只是社会上的一小部分人，他们因为垄断了社会中的文化知识，从而成为一个特殊的阶层。

在美索不达米亚人的眼中，文字是神赐予他们的，掌握文字的书吏便顺其自然地成了“众神的书吏”，因为他们能代表普通的老百姓和神进行沟通，表达出神的愿望。因此，书吏这个特殊的职业享有极高的社会地位，受到极大的崇拜和尊重。巴比伦出土的一块泥版上，写着这样一段话：“一个擅长写作的人，他会像太阳那样光芒四射。” 美索不达米亚人对文字和书吏的尊崇由此可见一斑。

书吏一般可以分为两大类：政府书吏和私人书吏。政府书吏为王室服务，他们又分为高级书吏和低级书吏。高级书吏一般会在国家的要害部门担任职位，为国王起草意旨、记录国家的政务、充当宫廷的顾问。低级书吏一般会担任土地和财产登记员、军事记录员、碑铭雕刻员、会计等。私人书吏一般服务于经济领域，担任商人们的秘书和计算员。

17. 巴比伦人为什么认为7月1日阴天是不吉利的?

在科学技术极为发达的今天，我们把“人能预言未来”“人类的命运与星象有关”“天气可以预言某些事情”等说法都划归到迷信的行列。然而，在几千年以前的巴比伦人看来，这些都是可以通过巫术和占星术来实现的。

巴比伦人认为，神不仅可以给他们带来物质利益，还赋予了他们预言未来的能力，主要通过托梦、创造神迹和显示预兆来传达旨意。巴比伦人大到国家征战出兵，小到商店开张都会通过占卜的形式来决定日期。虽然我们现在会觉得这比较荒唐，但是巴比伦人却深信不疑，后来巴比伦的占卜术还传到了欧洲，至今还有一些比较落后的地区在生活中使用这种占卜术。

巴比伦的占卜方式多得不计其数，但最常见的是肝脏占和星占。肝脏占是利用羊肝上千变万化的自然形状和斑纹进行占卜。星占术就是解读星星的活动，这可以算作现代天文的起源，只是当时解读的方式还比较愚昧。巴比伦人把天空看成是蕴含神力的领域。日月星辰的有无和升降都会激起他们的无穷幻想。他们认为天空和羊肝一样可以划分成不同的区域，每一个区域都相应地代表着地球上的一种事物，天空中的任何一种变化可能代表着国家或个人的命运。

通过对天象的研究，巴比伦人认为：如果7月1日是阴天的话，就定会发生战争；如果在7月13日和19日是阴天，国王必死；而如果7月30日阴天，那么国王将会长寿。由此看来，7月对巴比伦人来说较为重要的一个月份，而7月1日更是一个关键的日子，毕竟战争对人们的伤害是最大的。

18. 库斯科的贞女宫和太阳神庙为什么会被隔开？

库斯科的太阳贞女宫和太阳神庙，虽然同在一座城市里，但二者却相隔很远，彼此相距两个街区。这样的布局令许多人心生疑问：太阳贞女是太阳神的妻子，理论上两个宫殿不是应该紧紧相邻吗？为什么会被隔开呢？

这样做的目的其实是为了最大限度保证太阳贞女的贞洁。一个印加女孩一旦被选为贞女，就是太阳神的妻子，她的贞洁也不仅仅是她一个人的事情。在贞洁问题上，印加的统治者一方面要求贞女和其他人自律，另一方面为了预防万一，又做出了以上的决定。这样做既可以使男子不能轻易进入太阳贞女宫，同时也使太阳贞女们不能进入太阳神庙。

不仅这样，在太阳贞女宫的建造上，统治者也做到了处处小心谨慎。贞女宫主要部分的形状类似于钥匙，中间是一道狭长的通道通向贞女们的大房间，两边建有许多小房间。房间里总共有500多名年轻女子，她们是太阳贞女的仆人。虽是仆人，她们也必须是印加人的后代，也必须是处女。每个工作间外面还有几个妇女看守。这些妇女既是教给太阳贞女纺织技术的人，也是监视女仆的人，还是监护太阳贞女的人。

离贞女宫最近的男性是距贞女生活的大房间最远的便门外的200个守卫。每当有生活用品送来的时候，守卫们会负责运送到便门前，但不能踏入宫中半步。凡是踏入太阳贞女宫的男子都会被处以极刑。负责接收的妇女也只能从门内将东西拿进，不能走出便门半步。

19. 帕查卡马克是印加人极为尊敬的神，但为什么人们对这位神既不筑神庙也不予祭祀呢？

帕查卡马克神是印加社会后期受印加人崇拜的三大神明之一。与太阳神不同的是，帕查卡马克神存在的形式不是具体的实物，也不是某一种自然现象，而是以精神的形式存在，成为印加人的信仰。帕查卡马克神的出现反映出印加人认知上的进步。

“帕查卡马克”这个名字是由“帕查”和“卡马克”组成的。

帕查的意思是宇宙和世界，卡马克的意思是灵魂，在这里，卡马克做动词用，是“赋予灵魂”的意思。因此，帕查卡马克神这一称呼的意思就是赋予宇宙和世界的神。印加人认为，帕查卡马克创造了整个世界，他使宇宙有了生命，让万物生生不息。这么说来，帕查卡马克与西方人信仰的上帝非常相近。

印加人极为尊敬帕查卡马克，从不直呼他的名字。需要称呼他时，就会用一个恭敬的大礼来表示。印加人在太阳神和印加王面前也会行此大礼，以表尊重。行礼时，印加人肩膀收缩，将双臂直举过肩，手掌张开，手指伸直，望空而吻，之后，眼睛的视线从天上望到地下的同时，低下头，身子弯曲，做鞠躬的动作。

因为是精神上的神，印加人尊帕查卡马克为不曾见面的神，不给他建造神庙，也不向他祭祀物品。

据考古发现，帕查卡马克神可能在印加经历了一个发展的过程。帕查卡马克的信仰，是在第九代印加王帕查库蒂统治时发扬开来的。当时太阳神的祭司集团企图限制帕查库蒂的王权，为了解除危机，帕查库蒂提高了帕查卡马克神的地位和权威。之后，帕查卡马克逐渐成为贵族之间的神明。之所以没有推广到民间，大抵是帕查库蒂不想动摇太阳神在民间的地位。帕查卡马克没有在民间推广也是印加人对其不筑庙、不祭祀的原因之一。

20. 印加为什么很少使用人牲祭祀?

每一个民族的祭祀活动都离不开供奉祭品，印加人也不例外，而且印加祭祀活动中最重要的一项就是供奉祭品。印加人给太阳神准备的供品种类繁多，但归结起来，主要有两类。一类是各种家畜家禽，其中最珍贵的是雄性羊驼羔，次等的是成年公羊驼和不生育的母羊驼。印加人认为，如果能献上双生羊羔，太阳神会更为灵验，因为羊驼多胎是非常罕见的。此外还会有动物的脂肪。另一类是谷物、蔬菜、瓜果等，其中应季的鲜花和特别制作的香胶糖也是不可或缺的。

当国家发生新王加冕、王储诞生、印加王亲临战争等重大事件时，祭祀活动就会使用特别的祭品——人牲。被选中的人牲通常是一名儿童和一名美丽的少女。这种残酷的人牲在印加的使用率极低，而在其他地区的原始民族中却十分盛行。墨西哥的阿兹特克人以使用人牲闻名。美洲的有些地区在人牲的祭祀结束之后还会分食人肉。这样的情形绝不会在印加出现。

那么，印加为什么会有别于同时代的原始民族，极少使用人牲祭祀呢？整体说来，印加文明是比较成熟的农业文明，而其他的原始民族则多以游牧见长。观念的不同使得他们在人牲祭祀问题上产生了不同的看法。印加文明在成熟阶段已经形成了用农产品充当祭祀品的稳定格局，人作为最高级的祭品只是充当点缀。人牲多与武力相关，如印加在战争时会使用人牲。而阿兹特克是一个尚武的民族，不断进行扩张战争，采用人牲可以激起人们决斗的决心，以便更勇猛地投入战斗。

21. 印加统治者为什么要供奉其他民族的神像？

印加帝国曾经征服过许多民族，每征服一个民族，印加王首先做的就是向他们传播太阳神信仰的纯正教义。此外，印加王还会做一件令人费解的事情。许多强大的民族在征服其他民族之后，通常的做法是将他们信仰的神明雕像毁掉，破坏他们的信仰。而印加王非但不会这样做，还给其他民族的神明以一项特殊的礼遇——将它们运到首都库斯科集中供奉。

每当一个民族归顺印加之后，印加王就会派出专门的人员将此民族的神像运抵库斯科。运送神像的任务无论遇到什么情况都不能半途而废。据说印加在征服了南北两端最边远的奇利和基多之后，负责运送神像的队伍跋山涉水，走了数千里，花费了几个月的时间才将当地的神像运抵库斯科。运送到库斯科的神像，会被安置在一个大型的神庙中集中供奉。这个神庙称为“万神殿”。

印加王做出这样的决定，在外人看来是不可思议的行为，而对印加人来说，则是具有深远的意义。在印加人的意识中，把各民族的神像供奉到库斯科，就好像是将各个神明带到了印加王的身边，而这些神也就受印加控制了。

现在看来，这样的想法未免有些荒诞不经，然而在当时宗教至上的社会中，这种统治方式是非常见效的。不得不说，16世纪印加国土的不断扩大，与之有很大关联。

22. 用黄金塑造太阳神像的是印加人吗？

美洲大陆上流传着黄金之国和黄金之王的传说，黄金之王每天都会换一件装饰有金沙的新上衣。人们猜想印加王就是黄金之王。印加帝国后期，西班牙人征服了印加，囚禁了印加王，并要求印加人在一个高约6.6米，宽约5米的囚室中装满高约2.7米的黄金，以此来保释印加王。由此可以看出，印加的黄金矿藏的确丰厚。

印加人崇拜太阳神，并为它在印加各地建造了许多神庙，其中最有名的就是首都库斯科的太阳神庙，神庙的内部富丽堂皇，主殿中供奉着太阳神偶像。这个偶像的形象是拟人化了的，印加人将他塑造成一个向四周放射着无数金色光芒的人脸。这一人脸面具被雕刻在一个面积巨大、装饰着绿宝石等名贵珠宝的金盘上。太阳神的黄金面具占据了神庙东门前整整一面墙壁。之所以被安放在这里，是因为每天太阳升起后，阳光就会直射到金盘之上，发出耀眼的光芒，俨然是天上的太阳，这增加了太阳神在印加人心目中的威严。

印加人用黄金塑造太阳神像，除了考虑到视觉效果之外，还加入了他们的理念，当时的印加人认为，金子是太阳神的眼泪。

23. 印加人会对神灵发誓吗？

印加是一个政教合一的国家，这和欧洲中世纪的国家有几分相似，然而印加人的文化与征服这个国家的西班牙人却极为不同。征服印加之后，西班牙人视印加人为愚昧的其他宗教教徒，但却惊讶于他们成熟的社会制度。印加的人口众多，整个社会非常复杂。在西班牙人看来，上百个官员都无法管理好他们，而印加王只用了4个大臣就将复杂的社会治理得井井有条。

西班牙人来到这片土地之后，印加人才知道什么是“发誓”。对西方人来说，发誓是忠于自己信仰的一种行为表达。在西方法庭上，证人在出示自己的证词之前，都要经过一道必要的“发誓”程序，向他们信仰的上帝发誓自己是诚实的，说的话都是真话。而在印加则没有这样的发誓仪式及类似的做法。发誓在印加人的生活中，是多此一举。

这是不是说明印加人对信仰的神灵不虔诚、不敬畏呢？答案是否定的，这恰恰说明印加人对神灵的虔诚程度达到了一种至上的境界。按照印加人的宗教观念，他们的全部生活都受到神灵的掌控，他们所做的任何事情都逃不过神灵的眼睛。印加人不需要特意用发誓的方式来证明自己的真诚。

在印加人的心目中，印加王介于人和神之间。由于信仰的原因，他们不敢随便撒谎。撒谎的人犯的是滔天大罪，被发现后就会被处以极刑。这种严酷的刑罚，在加强了王权的同时，也规范了印加人的行为。对印加人来说，法官所说的话就是太阳神的人间代表所说的话。在神面前，他们不敢说谎，也无需发誓——信仰已经成为印加统治者治理社会的有效工具。

24. 大象为何是古印度人十分热爱和崇拜的动物？

据考古发现，大象在古印度的历史上占有重要的地位，它们不仅是权力和身份的象征，也是主要的交通工具。它们在哈拉巴印章和吠陀时代的岩画中都出现过，贵霜王朝的银币上也铸造上了大象，可见其非常受古印度人的热爱和崇拜。

古印度人使用大象的历史比使用马的历史要长得多，雅利安人到印度之后，印度人才开始了马的使用。古印度的主要陆路运输工具有牛车和大象。牛车可在较为平坦的道路上行驶，丛林、山地等地牛车无法通行，这时，大象就派上了用场，成为主要的交通工具。不仅这样，大象的体积庞大、力大无穷，也是古印度人重要的战争工具。

大象在经济交流中也占有重要的地位，古印度人用它来运输辎重。公元前3世纪，亚历山大征服印度受阻，撤退时就用大象将辎重经波兰山口和俾路支斯坦运回波斯。

此外，大象还是馈赠邻国的重要礼物。叙利亚在塞硫古王朝时期，与孔雀王朝保持着良好关系，曾接受过印度所赠送的大象。

知识链接

亚历山大征服印度

亚历山大征服波斯后，继续东征，公元前327年初，他又发动了对印度的进攻。当时印度西北部小国林立，独立但未统一，常年相互征战，这为亚历山大提供了良好的进攻机会。亚历山大利用以夷治夷的手段，软硬兼施，顺利征服了不少地方。直到攻打希达斯皮斯河（真纳河）东的一个叫波拉伐斯的国家时，才遇到了真正的对手。

波拉伐斯王国的国土虽然不大，但也算得上是一个强国。国王波拉斯能征善战，拥有30万步兵、4万骑兵、300辆战车和一个特殊的“军队”——200头战象。凭借强大的兵力和勇猛的战象，波拉斯虽然最终没能抵御得了亚历山大的进攻，但也让他损失惨重。征服波拉伐斯王国后，亚历山大因敬佩波拉斯的征战勇气，将王国继续交给他管理，并赐予了他更多的土地。

25. 印度人为什么将以牛粪铺地、抹身视为洁净之事？

印度人有一个奇怪的风俗，就是将用牛粪铺地、抹身视为洁净之事。中国古籍中有关这一风俗的记载甚多。如：唐玄奘《大唐西域记》中说，印度“地涂牛粪为净”。《岭外代答》记载：“西天南尼哔罗国……屋壁坐席，涂以牛粪。家置坛，崇三尺，三级而上，每晨以牛粪涂，梵香献花供养。”《西洋番国志》记录，印度西海岸的柯枝国，“人以黄牛粪烧白灰，遍涂身体上下”。

印度人为什么将肮脏牛粪视为洁净之物，并将其涂于地上、脸上呢？

较为普遍的一种解释是，这种做法与印度的宗教信仰有关。印度最古老的宗教是产生于约公元前1000年的婆罗门教。这一宗教崇拜的是自然神，牛神毗湿奴是三要的神袛之一，有“世界从梵天生，而梵天又从毗湿奴脐中生”的说法。相传，毗湿奴不仅有保护能力，而且能创造和降魔，有“救世主”“世界之主”等称号。公元12世纪，印度教内形成了一个以毗湿奴为最高天神的支派，这样，人格化的毗湿奴一直受到人的尊重。印度教的教义认为，牛的两只角是苏格鲁和凯拉斯圣山，牛脸、牛颈和牛背上则分别住着三大神，牛屎是圣河，牛奶是圣海，牛眼是日月神，牛尾是蛇王神，牛毛是印度教的3.3亿个神。按照这一说法，用牛粪铺地、抹身、搽脸等，相当于是在用圣河的水洗脸，当然是洁净之事。

26. 古代闪族中的“圣树”有什么象征意义？

在中东的闪族文化中，树木图饰很常见。这种树木图饰除有装饰作用之外，绝大部分具有严肃的宗教象征意义，人们对其怀有敬畏感，将其当成崇拜的对象。

希伯来人用枣椰树象征正人君子，《旧约》中说，“正人君子应像枣椰树一样繁茂，像黎巴嫩雪松一样旺盛”。人们用枣椰树来象征正人君子，多与其本身的特性有关。枣椰树往往生长在贫瘠的土地上，但却长得很茂盛，人们将它的叶子视为喜悦和狂欢的标志。它最好的果实结在生命的最后阶段。所罗门神庙内、外殿的墙上都装饰有枣椰树，是对那些常做善事的正人君子的褒奖。

橄榄树象征着和平是人所共知的事情。橄榄象征和平，起源于蛮族部落中的战败者若想求和，就要向胜利的一方交上一根橄榄枝。《圣经》中记载，挪亚让鸽子打探洪水是否退尽，鸽子衔回橄榄枝，代表水已退尽，人已平安。据希腊神话记载，雅典娜建成之后，波塞冬和雅典娜都想用自己的名字为其命名。为此，他们决定通过比赛来决定，谁能给人类最佳的礼物，就以谁的名字来命名城市。波塞冬变出了战马，雅典娜变出了橄榄树。显然和平更有利于人类，雅典娜获胜。

葡萄树是耶稣本人最早的象征符号之一。《圣经》中记载，耶稣曾对信徒们说：“我是真正的葡萄树，天父则是栽培者。他剪去我不结果的枝，涤净结果的枝，使之结出更多的果……我是葡萄树，你们是枝子。”另外，葡萄树还有平静、安宁的含义，丰硕的葡萄象征着家庭的欢乐。

闪族文献中，石榴树常常被视为古代仪式的宗教性符号，所罗门将其新娘的神庙比作石榴。由于石榴多子，它也被视为丰产和生命的标志。相应地，不结果实的石榴树就是荒芜和寂寥的象征。

除上述各种树木外，雪松、栋树、无花果树等在闪族文化中都具有不同的象征意义。如，雪松象征勇武有力，无花果树的繁盛象征着一个民族的和平与繁荣。

27. 诞生树和灵魂鸟是怎么回事?

马来半岛上的土著居民相信，有许多邪鬼会伤害出生的胎儿或新生的婴儿，所以他们在婴儿出生前后的仪式和禁忌非常繁杂，最主要的是诞生树和灵魂鸟的信仰和习俗。

妇女分娩后，女巫医负责割断婴儿的脐带，婴儿的父亲则以离婴儿最近的一棵树的名称为他取名。这棵树就是婴儿的“诞生和命名树”，女巫医割断的脐带及婴儿的胎衣也要埋在诞生树的下面。每一个人都不能伤害和砍伐自己的诞生树，同一类树也列在禁忌范围内，树上的果实也是不能食用的。土著人认为，诞生树与人的命运有很大的联系，树荣则荣，树衰则衰。

土著人还相信，将要出生的婴儿的灵魂藏在一只鸟的体内，这只鸟就是婴儿的“灵魂鸟”。虽然诞生树只有一棵，但同种的每一棵树都是灵魂鸟的栖息之地，它随着婴儿的灵魂不断地飞翔。而婴儿的灵魂鸟就是孕妇的灵魂鸟的后代，如果产妇在分娩期间不吃掉胎儿的灵魂鸟，就会导致胎儿出现死胎，即使不是死胎，在不久之后也会死掉。分娩之前，孕妇会在离家最近的诞生树上挂一圈芳香的树叶和鲜花，如果树太高，也可以将树叶和鲜花堆在树底下，但绝不能堆在将要埋藏婴儿胎衣的地方。因为灵魂鸟只有根据胎衣的埋藏地点才能辨认出孕妇的诞生树。

人们相信，灵魂鸟与婴儿的健康状况有极大的关联，如果灵魂鸟受到老虎或蛇灵魂的攻击，就会出现残废的情形。因此，每一个孕妇都有一个雕刻有巫术图案的、不带节的“诞生鸟”。孕妇将它藏在腰带下，不给任何陌生的男子看，意在祛病消灾。而诞生竹中放着灵魂鸟，孕妇吃下去之后才会使灵魂进入胎儿体内，让胎儿获得生命。因此，凯兰顿地区的塞芒妇女想要一个孩子时，就会说“吃鸟”。藏有灵魂鸟的“诞生竹”不是一次性吃完的。

“灵魂鸟”的信仰不仅在马来半岛流行，在世界上的其他民族中也存在着这样的信仰，虽然形式不同，但方式都是和鸟密切相关的。

28. 羽蛇神与中国龙有关系吗?

玛雅人的重要神明羽蛇神，在头形、身形及艺术表现手法上，与中国龙有着相像之处。那么，羽蛇神到底是不是中国龙呢？或者说，二者之间是否有着某种联系呢?

羽蛇神在玛雅文化中不断演变，逐渐演化成为上部羽扇形、中间蛇身、下部蛇头的形象。玛雅人称羽蛇神为“库库尔坎”，因其与雨季同来，在玛雅人心中，羽蛇神是有关播种、收获、五谷丰登的神祇。如此看来，羽蛇神和中国龙的信仰都与祈雨有关。

有人说，羽蛇神是由殷商时期的中国古代人传播到玛雅的中国龙演化而来的。假如这种说法成立的话，玛雅人就应该改为中美洲人。因为据考古发现，中美洲的许多民族也都崇拜羽蛇神，而且中美洲的古迹中也发现了与中国龙有关的雨水纹图案。但这也不能轻易得出中国龙与中美洲羽蛇神之间有联系的结论，因为这两种崇拜出现的时间上有许多不相符之处。

羽蛇神有羽扇之尾，保留了蛇身本形，而中国龙则是在不断的民族融合之中逐渐形成的，在人们心目中的地位也在不断地发展和演变。仔细分析，羽蛇神和中国龙这两种形象除了在形象上有相似之处外，其他的共同点几乎没有，它们各有各的特征。仅凭简单的形象相似，就将两种文化简单地联系在一起，是一种极为草率的行为。

29. 西班牙男女如何在婚礼上争夺家庭的主导权?

西班牙是一个激情洋溢的国度。西班牙人的婚礼也是热闹非凡的，而整场婚礼最热闹也最隆重的部分，就是新郎新娘切结婚蛋糕的时候，因为他们要通过这个仪式来争夺家庭的主导权。

当婚礼进行到一定时间，服务人员会端上绘有精美图案和“幸福”字样的大蛋糕。在众人热烈的欢呼声和掌声中，新郎和新娘手持一把长刀，准备切蛋糕。切蛋糕是现代婚礼中比较常见的仪式，但西班牙婚礼上的切蛋糕仪式却比较特别：在此之前，新郎和新娘要智斗一番，如果谁能率先脱下对方的一只鞋，谁就将获得今后家庭生活的主导权。

其实，这种仪式如今已经形成了一种固定的模式。在新郎和新娘切蛋糕的时候，新郎急于切蛋糕，而新娘则拼命阻止，可无奈新郎的手劲儿大，新娘使出浑身的力气也无法阻止刀子的下滑。这时，新娘急中生智，用脚踩在新郎的脚面上，以分散新郎的注意力。可没想到却让新郎顺势将蛋糕切成了两半，同时，新郎又弯腰脱下新娘的一只鞋，并高高举起，以示自己的胜利。当然，这都是新娘有意输给新郎的。在婚礼当天，新娘会特意穿上一双没有鞋带的鞋子，而且在新郎弯腰的时候，新娘会故意将脚抬高，以便新郎可以顺利脱下鞋子。

新娘为什么要故意输给新郎呢？难道她不想获得家庭的主导权吗？事实上，这种仪式本身就是一种游戏，不过是为了增添婚礼的喜庆氛围而设立的。所以，谁输谁赢也就无所谓了。不过为了让新郎在众人面前不失面子，新娘会自愿做出牺牲，将主导权“让”给新郎。

30. 太阳神阿波罗为何要戴着月桂花环?

从太阳神阿波罗的一些雕像和画像中，可以看到他的头上戴着月桂花环。那么，月桂花环有什么来历呢？

相传有一天，阿波罗接到宙斯的命令去射杀一个妖怪，回来的路上看到爱神丘比特在玩弄弓箭。阿波罗走到他面前，卖弄自己射杀妖怪的箭，还说了许多轻蔑的话。丘比特被他的话激怒了，于是想对他实施报复。丘比特有两支特制的箭，一支是黄金制造的，另一支是铅制造的。被黄金箭射中的人，会立刻深深陷入爱河，被铅箭射中的人，则会十分厌恶爱情。丘比特趁阿波罗不注意，用黄金箭射中了他，他立刻就对爱情有了强烈的渴望。正巧河神漂亮的女儿达芙妮走过，丘比特就用铅箭射中了她。

阿波罗见到达芙妮的第一眼就深深爱上了她，然而因为被铅箭射中，达芙妮非常厌恶爱情。阿波罗向达芙妮示爱时，遭到了严厉的拒绝。被爱情之箭射中的阿波罗并不灰心，他用琴弹起了动听的曲子，希望以此来打动达芙妮。琴声虽然吸引了达芙妮，但当阿波罗要拥抱达芙妮的时候，她却拔腿就跑，因为她厌恶爱情。

达芙妮在前面跑，不甘心的阿波罗就在后面追。达芙妮跑到河边向父亲河神求救。河神十分疼爱女儿，见情况危急，就将她变成了一棵月桂树。阿波罗看到自己心爱的人变成了一棵月桂树，十分伤心，也非常懊悔。阿波罗抱着月桂树说："我会永远爱着你，我要用你的枝叶做我的桂冠，用你的木材做我的竖琴，我还要让你永远年轻。"因此，阿波罗就戴上了象征爱情的月桂冠。

第十八章

传统风俗·节日宜忌

1. 原始人为什么要举行成丁礼？

成年对每个人来说都有着特别的意义，但现代人很少为了庆祝自己成年而举行什么仪式。在原始人的多种人生典礼中，成丁礼是非常重要的一个，这也说明了原始人对成年的重视。

虽说原始人一般都会举行特别而隆重的成丁礼，但每个民族所举行的成丁礼却有很大的差异，举行成丁礼的年龄也各有不同。有些民族的成丁礼属于标志型，即以某些明显的标志来标示其已经成年；有些民族的成丁礼属于技能型，即通过掌握某种生活技能来获得成年的资格；有些民族的成丁礼属于巫术型，即由巫师主持特别的巫术活动来宣示成年；等等。

各个民族的成丁礼可谓五花八门，有些还要忍受痛苦和折磨。如在巫师主持的成丁礼上，为了增添神秘感，巫师一般都会制造一些人为的痛苦，使受礼者接受种种考验，而后才能获得成年的资格。技能型的成丁礼也必须通过考试，虽然这样的考试并不难通过，但少数未能通过的人却会受到人们歧视，命运十分悲惨。

原始人为什么要举行成丁礼呢？专家们得出了两个原因。其一是原始婴儿的成活率非常低，能够被抚养成年是一件非常不容易的事，因此要特别庆祝一下，恭喜他成为一个真正的人；其二是对男女社交能力的认可。

当然，现代人对原始人的成丁礼认识得还不够充分，其中可能还有其他的原因，尚待人们的进一步研究与探索。

2. 绳纹时代有人工拔牙的习俗吗？

人工拔牙的情况在现代社会司空见惯。当某颗牙齿已经残损到将要危及牙龈及其他牙齿的时候，就可以通过人工拔牙的方式将其拔除。可在日本的绳纹时代，社会上却盛行人工拔牙之风，且拔除的牙都是健康的好牙。这又是怎么回事呢？

人工拔牙的习俗起源于岩宿晚期，发展和普及则是在绳纹时代。到绳纹晚期，成人的拔牙率基本可以达到百分之百。拔掉的牙齿以门牙和犬牙最为常见，拔牙的数目则有很大的不同，少则2颗，多则14颗，但一般都是偶数，且拔的时候要左右对称。拔牙多在人长到14–16岁的时候进行，即在人成年之后进行。

至于绳纹人为什么会有这种残忍的习俗，目前还没有形成统一的看法。有人说拔牙是结婚的标记，且结一次婚就要拔一颗牙齿，难道绳纹人一生要结几次婚吗？而且拔牙的数目都是偶数，这也是解释不通的。有人说拔牙是为了哀悼死去的亲人，且死一个亲人就拔一颗牙，这与上一种说法存在同样的问题，难道亲人都是成对死去的吗？所以说这种说法也是欠考虑的。

较为可信的一种说法是，拔牙是成人仪式的一部分。古代人常以承受某种痛苦来作为成年的标志，而拔牙则可能是绳纹人在成年时所要面临的考验。此外，从时间上看，拔牙也是在绳纹人成年的时候举行。所以说，拔牙可能是绳纹人成年的一种标志。当然，这种说法也缺乏确凿的证据，因此还不能形成定论。

3. 为什么有些原始人要残忍地杀害婴儿？

有研究表明，杀婴现象在原始社会十分普遍，是早期人类社会存在的一种劣俗。虽然这种劣俗有些残忍，但却持续了相当长的时间，还曾一度盛行。那么，原始人为什么要残忍地杀害婴儿呢？

有人认为是物质资源的匮乏导致了人们的杀婴行为。因为生活艰难，食不果腹，原始人不得不将一些生存能力较差的畸形儿杀死，以保证自己和生存能力较强的孩子可以存活下去。有些民族在养大第一和第二个孩子之前，会将所有新生儿都杀死，其目的就是为了避免这些新生儿和他们的哥哥姐姐争夺食物。

有人认为，原始人杀害婴儿其实是要控制人口的增长。从各个时期的人口状况来看，杀婴确实起到了调节人口的作用。研究者发现，原始人杀害婴儿是有性别考虑的，他们更多杀害的是女婴，这就使得社会的男女性别比偏大。女性数量少，其实也就是在控制人口的增长。

还有人认为，杀婴只是一种宗教仪式，至于缓解食物匮乏、控制人口数量等都只是客观效果而并非原因。他们称原始人是十分爱护婴儿的，因此他们会把他们认为最珍贵的礼物——婴儿献给天地鬼神。在原始人看来，只有这样做才能保佑整个部落繁荣昌盛。由于原始人的转世思想，他们并不会因为婴儿的死去而过分悲伤，他们相信死去的孩子是会复生的。

近年来，一些学者又提出了原始人的杀婴行为只是他们从其动物祖先那里继承来的某种兽性，而这种兽性又是对生物种群的进化有利的，因此被保留了很长一段时间。

4. 原始部落的“处女禁忌”是怎么回事？

在原始部落的婚礼仪式上，有一道特别的程序，即当婚礼现场狂欢到高潮时，部落里的一些人会将新娘簇拥到另一间房间里，而后用石器或其他工具划破她的处女膜。最后，再由一个人向大家展示这个沾有处女血的器具。

这种“处女禁忌”现象曾经在原始部落中非常普遍，但各个部落之间又有所不同，主要表现为破除处女膜的人物及方式的不同。有些部落由年老的妇女弄破处女膜；有些部落由新娘的父亲充当这种奇怪的角色；有些部落请巫师帮助弄破处女膜；有些部落由新娘自己用木制的“神像生殖器”破除童贞；有些部落由新郎的朋友完成与新娘的初次交配；等等。总之，破除新娘童贞的人一定不是新郎，这又是怎么回事呢？为什么原始人如此不重视处女的童贞呢？

有人认为这是对古代群婚生活的一种回忆和告别，是史前人类性自由的残留现象。有人认为这是原始人对处女流血的一种恐惧，他们害怕这种神秘的流血现象会给他们带来可怕的灾祸，而这种灾祸又是与新婚的喜悦相冲突的，所以要由第三者来承受这可能的灾祸。还有人认为这是期待和焦灼心理在起作用。原始人在遇到各种新奇的事物时都会产生一种神秘而紧张的心理，于是便形成了种种奇怪的仪式。

弗洛伊德认为，女性在初婚时由于肉体受损，会产生一种自恶的心理，这种心理往往表现为对逝去童贞的怅惘和惋惜，相应地，就会对夺取其童贞的人产生恼怒。为了避免女子对将要与其相伴一生的男人产生恼怒，这种破除其童贞的事都是由第三者来完成的，而不是新郎自己。此外，原始人也认为女子是神秘而令人恐惧的，男人因为害怕女子在初婚时会对自己不利，便由其他人代自己完成与新娘的初次亲密接触。

由此看来，在当时，“处女禁忌”对男子和女子以及他们的婚姻都被认为是有利的，是人类迈入一夫一妻制家庭的重大事件，具有一定的意义。

5. 古埃及人为什么要剃光头发戴假发？

古埃及人特别重视自己的仪表。他们不仅早就开始使用香料、香膏等化妆用品来提升自己的魅力，而且还披金戴银，将自己打扮得“珠光宝气”。可让人不解的是，如此注重仪表的古埃及人却个个都是秃子。当然，他们不会光头上街，而是在出门前戴上假发。这就更让人纳闷了，为什么要剃光自己的头发戴假发呢？

按常理分析，戴假发通常有两种原因：一是由于疾病或遗传等原因造成发稀少，看上去很不雅观，所以才戴上假发以遮盖自己本来的头发；二是因为自己想换个发型，但自己的头发又满足不了新发型的条件，或者即使可以满足也不愿意花费时间，这时就可以戴上合适的假发来应急。那么，古埃及人戴假发是属于哪种情况呢？

答案是哪种都不属于。

古埃及人特别爱干净。他们不仅每天早晚要各洗一次澡，而且还要每隔三天把全身刮一遍。尤其在进行宗教仪式的时候，更是要将身体彻底地清洗干净，就连法老也必须沐浴更衣。因为在宗教仪式中，不洁被认为是对神的大不敬，所有不洁之人都会受到神的惩罚。所以，古埃及人特别注重自身的清洁卫生。而在人身上，最容易藏污纳垢的就是头发和胡须。为了保证自己的清洁，他们干脆将头发和胡须全部剃掉，永除后患。不过注重仪表的古埃及人怎么能光着头出门呢？于是各种各样的假发与假胡须就出现了。

由此看来，古埃及人剃光头发是为了清洁，戴上假发则是为了漂亮。剃光头发戴假发，就可以既保持清洁又不影响美观了。

6. 沦为古罗马的女奴后还可以重获自由吗？

在古罗马，女奴的地位极其低下，她们可以像商品一样被随意买卖。当时的女奴交易与今天的拍卖活动颇为相似，女奴们被脱光了衣服，贴上标签，站在台上供众人观赏，台下的买主则通过竞价的方式来购买女奴。由此可见，女奴是没有任何人身自由的。

古罗马的女奴多来自被罗马帝国征服的部落氏族。那么，在沦为古罗马的女奴之后，是不是就不可能再有自由了呢？也并非完全如此。如果一直保持女奴的身份，显然是不可能有自由的，但如果身份发生了转变，那么重获自由就不是不可能的。当然，这种转变并不是女奴本身所能决定的。

在公开拍卖的过程中，某些女奴可能会被角斗士学校看上，被训练成女角斗士。这些女奴是十分幸运的，因为她们得到了改变自己命运的机会。不过被角斗士学校选中可没那么容易，角斗潜力、战斗技能、出众的相貌，这三样中至少要具备一样，否则就别想进入角斗士学校。

在经过角斗士学校的培训以后，女奴们就成了女角斗士，并开始进行正式的角斗。角斗的过程是充满艰辛和危险的，不过只要成为角斗士中的佼佼者，取得角斗的胜利，那么就会赢得观众的尊敬和喝彩，而且还可以获得她们最为向往的自由。成为一名成功的女角斗士有很多好处，除了自由之外，还可以聚敛大量的财富，享有较高的名望。

尽管从一个女奴到一名成功的女角斗士的道路是曲折而漫长的，但这却是改变女奴命运的唯一方式。所以，为了重获自由，被选为角斗士的女奴们都会拼尽全力。

7. 白鹅和狗为何会被古罗马人抬着在街道上游行？

古罗马人有一个奇特的风俗：每到特定的时日，他们就会抬着白鹅和狗在罗马的大街上游行。虽然同样被抬着游行，但这两种动物的待遇却完全不同。白鹅是盛装出场，而狗则被钉死在十字架上。这是怎么回事儿呢？

事情还要从高卢军队与罗马军队的大战说起。公元前390年，高卢大军大肆进攻罗马。在这场大战中，罗马人遭遇了前所未有的惨败，而他们失败的这一天，也就是公元前390年7月18日，则被定为了国耻纪念日。

后来，罗马军队退守到了卡庇托林山岗，那里地势险要，易守难攻，高卢人的几次进攻都失败了。于是，高卢人改变了策略，决定对罗马人实行长期的围困，让他们断水、断粮而主动投降。僵持了几天，罗马人等不了了，他们不能坐以待毙，所以决定派一名勇敢的年轻人和城外的援军取得联系。不幸的是，这个年轻人刚一下山就被利剑刺穿了心脏，而高卢人也由此发现了一条上山的秘密通道。

高卢人马上选择了几十个最勇敢的年轻人，决定趁夜色偷袭山岗。山岗上静极了，高卢人的动作也十分轻，当他们向上攀登的时候，连狗都没能听到他们的声音。可就在高卢人马上就要登上山顶的时候，山岗上的白鹅却叫了起来。这一叫惊醒了罗马士兵，他们很快发现了高卢人，从而保住了山岗。

自此，白鹅就被视为罗马的救星，“白鹅拯救了罗马”也成为罗马人的谚语，而狗则成了不可饶恕的罪人。所以，白鹅和狗都会被抬着上街游行，但意义却完全不同，所受到的待遇也完全不同。

8. 印加的贵族男子为什么都必须接受“瓦拉库”考验？

“瓦拉库”考验是所有印加的贵族男子都必须接受的一项重大考验。只有通过“瓦拉库”考验，获得“瓦拉库”称号，印加男子才算正式步入了成年社会。因此，“瓦拉库”考验也被称为印加贵族的成人礼。要完成男孩向男人的转变，“瓦拉库”是必须接受的考验。

在男孩子长到16岁以后，就可以接受“瓦拉库”考验了。这项考验是由应试者敬畏的尊长来主持的。如果男孩子在为期一个月的考验过程中碰到了困难，这位尊长也会提供适当的帮助。

“瓦拉库”考验的第一项内容是为期6天的斋戒。在这6天的时间里，应试者们只能以一罐清水和一把生“萨拉”为食。之所以设计这样的考验，是为了考验他们是否能够忍受住非常时期的饥渴，以应对将来在战场上缺水少粮的情况。

斋戒过后，应试者被允许进食少量的食物，接着便开始进行下一个项目——长跑。这是一个锻炼耐力的项目，只有前十名可以通过这项考验。翌日，真刀真枪的较量就正式登场了。应试者被分成两组，一方模拟攻城，一方模拟守城。如此既锻炼了他们的作战能力，也提高了他们的实战经验。

接下来，应试者还要面临多种考验，其中最值得的一提的就是对勇气的考验。有人会在应试者的鼻尖前舞动长矛棍棒，这时应试者必须面不改色，甚至连眼皮都不能眨一下，方可通过考验。

此外，应试者还会每天听一位德高望重的前辈讲述他们的家族史，接受道德教育。一个月下来，如果应试者可以通过所有的考验，那么他就会被授予“瓦拉库”称号，从此正式成为能够肩负使命的成熟男子。

9. 日本的武士道精神是如何形成的？

武士道是日本历史长期发展的过程中形成的一种特有精神，平安时代随武士团逐渐产生，到镰仓幕府时代兴盛和发展起来，最终在江户时代正式理论化。

武士道的形成经历了一个逐渐演变的过程，但始终与中国的儒家思想和佛教密不可分。平安时代后期，朝廷势力渐衰，地方上庄园领主之间的斗争日益激烈。各庄园主纷纷建立自己的武装，以保卫和侵占土地。地方行政官为保自身利益，也建立直属武装。于是，各地逐渐出现了以战斗为业的武士。最初是武士团，武士团是相对封闭的集团，其中主要的关系是主从关系和家族关系，规范着两种关系的，是"忠"和"孝"。

武士家族的特色是父权强大，因此这就出现了"忠"与"孝"互相矛盾的情况。"忠""孝"何为重？对此，镰仓时代的武士尚未形成统一的认识与规范，因此，武士道也没有形成统一清晰的理论。室町时代，儒家的道德观逐渐成为理论化的武士道的重要内容，强调无条件的"忠"和"孝"。进入江户时代，武士的社会机能和生活方式发生了重大变化，山鹿素行"士道论"和"卓而独立"的思想对武士集团影响巨大，武士道精神此时形成。

总体来说，最初的武士道倡导忠诚、信义、廉耻、尚武、名誉。然而，武士道是封建幕府时代政治的产物，并没有吸收到儒家思想和佛教的真谛，只是用到了某些极为表面的东西。日本民族固有的神道教，给武士道提供了儒家思想和佛教不能提供的信念，这种信念导致武士道的人格容易出现极端的两重性，如，自狂却自卑；信佛却嗜杀；礼貌却野蛮；科学却迷信；欺软却顺强等。

10. 古印度妇女为何宁愿被焚烧也不愿守活寡？

辉煌灿烂的古印度文明曾经让世人瞠目，然而更让人不解的却是古印度人焚烧寡妇的习俗，这在世界上都是绝无仅有的。尤其值得一提的是，这种在外人看来十分残忍的陋习在印度人看来却是异常神圣的，而且印度妇女一旦成了寡妇，也愿意纵身火海。这究竟是怎么回事呢？

原来，焚烧寡妇是寡妇随葬的一种形式，起源于雅利安人的吠陀时代。不过在吠陀时代，焚烧寡妇尚属个别现象。随着印度教的形成和种姓制度的完善，真正的寡妇随葬才开始出现。当时，寡妇随葬是被极力倡导的。立法者宣称："若殉夫而死，可赢得来生幸福。凡女人甘愿与亡夫之身同焚者，不但今世可流芳青史，且其来生必享无穷之快乐。"寡妇可以与丈夫的尸体一起燃烧，也可以单独自焚。如果死者有很多妻子，则只有正妻能与死者一起焚烧，其余的都要单独自焚。

此外，寡妇愿意随丈夫而去还有一个重要的原因，那就是她们即将面对十分悲苦的生活。《摩奴法论》规定："妇女不当独立"，"寡妇禁止再嫁"，"丈夫死后，寡妇以花根、果为食，以消瘦身体，并且不准再提其他男子的姓名"。如此悲苦的生活是很多寡妇都无法忍受的，因此她们甘愿一死，也不愿在世上活受罪。

11. 犹太男子为什么要行割礼？

割礼是对男孩施行的一种特别的宗教仪式，曾在很多民族中广泛流行。直到今天，犹太男子也仍然要行割礼，而且必须由专职的宗教祭司负责操作。割礼是犹太人一生中最重要的仪式，也是一个犹太人开始信奉犹太教的标志。只有在行过割礼之后，才算正式皈依了犹太信仰。

犹太的割礼是在婴儿出生后的第八天进行，之前人们只能叫他"小宝宝"，没有正式的身份和姓名。如盖勒所说："通过仪式，犹太人跟盟约和弥赛亚连接在一起，犹太小孩经历转变，而成为真正的犹太人，是某犹太人父母的孩子……婴儿被改造，领受姓名，被赐予宗教和历史、根源和目的，既沉重又雀跃。"这就是说，犹太割礼实际上是要建立一种盟约，通过这种盟约将男婴与神和犹太人连接起来。

犹太人行割礼的习俗源自他们的祖先亚伯拉罕。据《圣经》记载，亚伯拉罕在99岁的时候听从上帝的旨意行了割礼。上帝告诉亚伯拉罕，以后所有的犹太男子都要在出生后的第八天行割礼。这种仪式被一直保留到了现在。

行割礼当天，婴儿被包裹在洁净的襁褓里，在父亲、外公和祖父的陪同下等候神职人员来行割礼。负责行割礼的人必须是犹太人，而且必须是一名经过犹太律法训练并有意识地遵守律法的人，通常还要有医生认可证明。行割礼的过程很短，行礼者会迅速用铁器挑起婴儿包皮的前端，而后用刀具麻利地切下前端包皮，再涂上药粉并用纱布将阴茎包裹起来，整个过程就结束了。之后，还会为婴儿取正式的希伯来名字。

割礼在犹太社会广泛流行，可以说有犹太人的地方就有割礼，但犹太人只为男孩举行割礼仪式，而女孩则不需要接受类似的考验。

12. 犹太人为什么不能吃动物的后腿?

犹太人有着严格的饮食条例。他们将食物分为“可食”与“不可食”两种。至于“可食”与“不可食”的划分标准，则是完全按照《妥拉》来进行的。比如说在动物中，只有反刍并且分蹄的动物才是“可食”的，而“可食”的动物又必须按照“屠宰规定”来屠宰，否则也是“不可食”的。此外，自然死亡或被其他动物“撕裂”而死的动物也是不能食用的。

《妥拉》中有何“屠宰规定”呢？首先，“屠宰”必须由经过专业训练且熟谙屠宰技巧的“教仪屠宰师”来操作；其次，屠宰的过程必须简短，以最人道的方式进行，不能给动物造成痛苦。

严格按照“屠宰规定”宰杀后的动物是不是就可以毫无顾忌地食用了呢？答案是否定的。宰杀后的动物还必须经过两种特殊的处理：其一是将动物的血液清除，如不能清除的，则必须用烧烤的方式处理；其二是剔净动物的肥脂。将血液和肥脂清除干净以后，若要动物肉品变成“可食”，还要切下动物的后腿。犹太人为什么不能吃动物的后腿呢？据说当初犹太人的先祖雅各在与上帝角力的时候，虽然最终获得了胜利，但却在角力的过程中受了伤，并成为了跛子。所以，《妥拉》命令道：“故此，以色列人不吃大腿窝的筋，直到今日，因为那人摸了雅各大腿窝的筋。”

13. 在“住棚节”的第7天，犹太人为何要用棕树枝拍打地面？

“住棚节”是犹太人喜庆丰收的农业节日，故也有“收获节”之称。住棚节从犹太历提示黎月的十五日开始庆祝，为期7–8天。在此节期里，人们会分别举行不同的庆祝活动，其中，以“完全好日子”的庆典最为隆重。

所谓完全好日子，指的住棚节的头一天或头两天。在此期间，除了要举行隆重的庆祝仪式之外，还必须遵守很多特殊的规矩。过了完全好日子，就到了“中间日”。中间日也被视为“半个节日”，为期5–6天。在中间日，虽然会照常举行一些庆祝活动，但犹太人的日常作息已经恢复到平常的状态，不必再遵守完全好日子的规矩。

在住棚节的第七天，犹太人会举行一项特别的仪式，即用棕树枝拍打地面，这是为什么呢？原来，按照《希伯来圣经》的说法，住棚节的节期为7天，而第七天恰好为住棚节的最后一天，因此这一天也被称为“伟大的和散耶”，并拥有完全好日子的庆典仪式。因为地位崇高，犹太人会特别重视这一天的活动；又因为是节期的尾声，犹太人也会借此对从犹太新年到这一天做一个了结，而用棕树枝拍打地面则可能有驱除罪恶之意。

知识链接

住棚节的来历

最初的以色列人曾长期漂流旷野，居无定所。后来，他们在以色列地定居下来。每到秋收时节，他们就会在田园中搭建的小棚子或茅草屋中住下来。为了怀念先民的足迹，也为了庆祝秋收的喜悦，犹太人将每年的秋收时节定为住棚节。为了体会先祖们昔日的旷野之旅，犹太人会特意修建一座临时性的小棚子或茅草屋，以供住棚节期间用餐和会客使用。

14. 逾越节期间为何禁止食用一切含酵的食物？

逾越节自犹太历尼散月的十五日开始，为期7–8天，是为了纪念犹太人出埃及的历史事件而设的节日。此外，该节日还有一个寓意——庆祝春天的到来和万物的重生，因此这个节日也被称为“犹太春节”。

逾越节的规矩特别多，尤其在饮食上，吃或不吃什么更是成为守节的重心。在逾越节期间，所有发酵的食物都是禁止食用的，一切含酵的食材都是禁止使用的，就连平常用来预备及盛装含酵食材的器皿也要全部收起来。总之，所有犹太家庭都必须保证家中是完全无酵的，为此，他们还会在节前进行一次“大扫除”，将家中所有的含酵食材清理干净。

为什么逾越节期间必须严格禁酵呢？原来，当初犹太人逃离埃及的时候，由于时间仓促，又急着赶路，来不及将面包烘烤到发酵蓬松的地步，因此他们吃的都是没有发酵的面包。逾越节是为了让后人体会到先祖们当初逃离埃及的艰辛，让每个犹太人都有身临其境的感觉。所以，在逾越节期间，犹太人不能食用一切发酵的食物，而只能像他们的祖先那样吃一些无酵饼。

在逾越节期间，所有用小麦、大麦、黑麦、裸麦和燕麦制成的食物都是禁止食用的，因为这5种谷物可以用来制造有酵面包。此外，在烹煮过程中会膨胀的食物也在禁止之列，如米及豆科植物中的豌豆、豆荚、扁豆、粟子、玉米等。

如今，绝大多数犹太家庭在逾越节还是严格禁酵的。

15. 搬入新居时，犹太人要举行什么特别的仪式？

乔迁新居是一件让人高兴的事。中国人有宴请宾朋以贺乔迁之喜的习俗，而在犹太社会，则要为新房举行献屋礼。每当有犹太家庭或犹太人搬入新居时，就会举行这种特别的仪式，以示这个家庭或个人正式迁入新居。

犹太人为什么要为新房举行献屋礼呢？因为在犹太人看来，房屋不仅是供人居住的地方，而且也是实践犹太信仰和犹太人传统价值观的场所，是非常神圣的。也就是说，犹太人的房屋并不是单纯的居住场所，他们将房屋称为“小圣所”，将里面的饭桌称为“小圣坛”。所谓献屋礼，即是要将房屋献给上帝，举行过献屋礼的房屋才是被上帝所承认的，才是神圣的。

在犹太献屋礼中，最核心的一道程序就是要将“门柱圣卷”安在房屋的门柱上。这种做法源自《妥拉》中的一道命令：“以色列啊，你要听！耶和华——我们的上帝是独一的主。你要尽心、尽性、尽力爱耶和华——你的上帝。”接着，《妥拉》又说道：“我今日所吩咐你的话（爱耶和华——你的上帝）都要记在心上，也要殷勤教训你的儿女。无论你坐在家里，行在路上、躺下、起来，都要谈论。也要系在手上为记号，戴在额上为经文；又要写在你房屋的门框上，并你的城门上。”

起初，人们只是将经文写在门柱上，当这种原始的做法不再实际以后，人们就开始将其写在一片羊皮纸上，然后塞进一个固定在门柱上的小圆筒里。这个小圆筒一般都是一件精美的艺术品，且可以轻易固定在门柱上。后来，这个小圆筒就被称为“门柱圣卷”。

“门柱圣卷”要倾斜固定在右门柱上，且顶端要朝向房内。有人说这样做是寓意上帝和他的话要进入房内，也有人说这是古代拉比贤哲们介于垂直和水平之间的折中处理。在有些传统的犹太家庭，不仅大门门柱上有“门柱圣卷”，而且在每个房间门柱上，也要安置“门柱圣卷”。每当犹太人进出家门的时候，都会亲吻自己的指尖，再触摸“门柱圣卷”，以示对上帝与其诫命的爱慕之情。

16. 犹太男子为何不在公共场合碰触自己的妻子，也不与任何女人握手？

夫妻牵手挽臂出现在公共场合是再平常不过的事，而这通常也是夫妻感情融洽的表现，可在犹太社会，却从来看不到这种现象。出现在公共场合的犹太男女都保持着一定的距离，即使是夫妻也没有任何接触行为。更让人感到诧异的是，犹太男子从不与任何女人握手，这种礼仪似乎并不被犹太人所接受。

不知情的外族人一定会非常不解，犹太男子为何不在公共场合碰触自己的妻子，也不与任何女人握手呢？是犹太人太过保守还是有其他原因？

其实，犹太人的这种习俗是由一条禁令衍生出来的。《妥拉》规定："女人行经不洁净的时候，不可露她的下体，与她亲近。"犹太人认为，女人处在经期时要遭受体液的流失，或者说正在丧失潜在的生命，因此无法全心全意参与并遵行犹太教仪，故被认为是不洁的。当然，这种不洁指的是教义上的不洁，而并非身体上的不洁。

根据规定，女人在5天的经期及后续7天的"经血排净"期是不能与丈夫行房的。如果经期在第5天没有结束，那就要在经期结束后开始推算7天。在这段时间内，夫妻不仅不行房，而且还不亲吻和抚摸对方，有些夫妻甚至会分床就寝，直到12天期满。

由此可知，犹太男子不在公共场合碰触自己的妻子其实是为了保护妻子的隐私，以防让外人看出她们是否有月事；而不与任何女人握手则是为了更好地遵行禁令，因为他们不知道其他女人是否正处在月事中。久而久之，这种行为就变成了一种习俗，而且是一种类似法律的传统习俗，一直延续至今。

17. 犹太人为什么只为男孩举行成人礼?

对于成年的界定，各民族略有不同，而具体到某个民族，男女又可能存在差异。就犹太民族来说，男孩在十三岁又过一天成年，而女孩则在十二岁又过一天成年。在犹太社会，举行成人礼仍然是庆祝成年最普遍的做法，不过这种仪式却只为犹太男孩举行，而犹太女孩则不享有这样的待遇。为什么只为犹太男孩举行成人礼呢?

按照传统的犹太信仰，男孩在成年之后就必须承担起诫命的履行，满足礼律的要求，每一个成年男子都会被算入"举行犹太教仪式的基本人数"之中，他们会被要求在会堂中做"阿利亚"、在晨间仪式时系上经文匣以及在赎罪日禁食。而这些责任与义务，女孩是不需要背负的。

男子成人礼在任何一次有诵读《妥拉》的犹太教仪式中都可以举行，但一般都会选在星期六的早晨举行。在仪式上，刚成年的男孩会被要求到讲坛上做“阿利亚”，并常要带领部分崇拜仪式，如诵读《妥拉》经文、对诵读经文发表评论等。由于这些事情都与女孩无关，且女孩不像男孩那样背负礼仪律，因此并不需要为女孩举行成人礼。

不过近些年来，由于女性在犹太社会中扮演着越来越重要的角色，其所承担的责任与义务也越来越不容忽视，因此，女子成人礼开始悄然兴起。在自由派的犹太社群中，女子甚至与男子享有同样的权利和义务。

18. 日本人为什么要“守灵”？

日本的丧葬习俗十分繁缛，其中最值得一提的就是“守灵”。中国人对“守灵”一定不会感到陌生，因为这是中国的一项古老习俗。古人认为，人死后会在三天内回家探望，因此亲人们要在灵堂内守候三夜，等待死者的灵魂归来。如果说中国人守灵是在期待与死者的最后一次“团聚”，那么日本人守灵又是出于什么样的原因呢？

据中国古籍《魏志·倭人传》和日本古籍《古事记》《日本书纪》记载，远古时代的日本人在亲人死去后是异常喧闹的，他们不仅不会将死者立即埋葬，而且还会围着尸体通宵达旦地跳舞号叫，且锣声不停，鼓声不断。更为夸张的是，当亲人们想吃饭的时候，还会抱起死者的头喂其汤饭；想睡觉的时候，则会睡在尸体旁边。他们会像对待活人一样对待尸体，仿佛他并未死去。如此看来，日本人这样做的目的应该是希望将死者唤醒。

日本人为什么认为他们可以将死去的人唤醒呢？这是因为在日本人的观念中，死亡有“真死”和“假死”之分。呼吸停止、身体变凉都是“假死”的表现，只有尸身腐烂才是“真死”的征兆。也就是说，当人停止呼吸、身体变凉以后，日本人并不相信他是真的死去了，他们相信通过大声的呼叫和喧闹可以让这种“假死”的人重新活过来。所以，在人死去以后，亲人们会在一旁不停地喧闹，直到其尸身开始腐烂，人们才会离去。

“守灵”即是在日本人这种古老的习俗基础上发展而来的，它虽然不同于远古的“围尸喧闹”，但两者间的渊源关系却是不容否认的。其实，无论是中国人的守灵还是日本人的守灵，都是要表达对死者的缅怀。至于其最初的意义，可能已经不再重要了。

19. 为什么很多日本人都有大海情结?

日本是一个岛国，四面临海，日本文化就是在大海的包围下逐渐发展起来的。也许是因为地理环境的关系，很多日本人都对大海有一种特殊的情感，这种情感反映在日本文化上，便是日本人的大海情结。那么，日本人的大海情结是如何形成的呢?

早在绳纹时代，日本人就与大海结下了不解之缘。了解日本历史的人都知道，在绳纹时代以前，日本人是以打猎为生的。到了绳纹时代，日本人的生活习惯发生了巨大的变化，他们的生活重心由森林转向了大海，开始捕捞海里的鱼类。人们在绳纹遗址上发现了大量的渔具，其中包括鱼钩、鱼叉、鱼标等，非常丰富。至此，日本人实现了由猎人向渔民的转变。

除了在近海捕捞之外，绳纹人还制作了木舟，驾舟出海捕鱼。在绳纹遗址的贝冢中，发现了海豚、鲸鱼、鲨鱼等鱼骨化石。这些鱼类是不可能在岸边或浅滩被捕捉到的，如果不是绳纹人出海捕捞，又怎么可能捕得到呢?

由此看来，自绳纹时代起，大海就在日本人的生活中发挥了重要作用，同时也对日本文化的发展做出了重要贡献。大海里的鱼类为绳纹人提供了丰富的食物，而绳纹人也因此成为出色的渔民。此外，绳纹人出海捕鱼也拉开了日本人远航的序幕，并开启了日本封闭的大门。自此以后，外来文化源源不断地经由大海传入日本，日本人也远航到其他国家，实现了各国之间的物资交流。

可以说，日本人的大海情结产生于绳纹时代，并就此根植于日本人的血脉之中，一直维系到今天。

20. 每逢新年，日本人为什么在家门口放一棵松树？

新年是日本最重要的节日，相当于中国的春节，但节期在阳历的1月1日。每到新年，全日本都会笼罩在一派喜庆祥和的氛围之中。如果在这一天来到日本，还可以看到一种奇异的现象，那就是每家每户都有一棵“门松”。如果说贴春联是中国人庆贺春节的传统方式，那么摆“门松”是不是也是日本人喜庆新年的特有习俗呢？

日本人摆“门松”的习俗由来已久。起初，人们不仅摆“门松”，在院子和房间里也要摆放松树，有时一个家庭甚至要摆放三十几棵松树。在镰仓时代，摆放的树种也不局限于松树一种，杉树、山茶树、朴树等都可以用来摆放。至于仅在门口摆放松树，则是在日本进入中世以后才出现的习俗。

日本人为什么要在新年摆放“门松”呢？这是因为在日本人的观念中，松树是祖先灵魂的附着体，将松树摆在门口，祖先的灵魂就可以借由松树之体回来保佑家人。古代的日本人是非常注重这项习俗的，尤其是处在本命年的男子，更是提前十多天就将松树采回来，通常还要举行一个“迎送”的仪式，以示虔诚。

“门松”一般会摆放到1月15日，至少也要摆放到1月7日，只摆放一夜就撤掉的做法是日本人最为忌讳的。不过现在的日本人已经很少摆放真正的松树了，他们大多会在商店买一些松枝类的饰品，或者买一棵塑料制成的松树代替。

21. “拷问果树”是怎么回事？

“拷问果树”是日本人在小正月举行的一项活动。这里的“正月”与中国的正月有所不同，日本人将元旦称为大正月，而将1月15日称为小正月。小正月也被称为“小年”，当天会举行一些传统的民俗活动，“拷问果树”就是小正月早晨举行的一项活动。

“拷问果树”如何进行呢？既然被“拷问”的是果树，那么果树自然是必不可少的。活动开始，由一个人手持斧头，一边砍伤果树的树干，一边对着果树大声发问：“你结果不结果，不结果的话就砍倒你。”果树当然是不能回答的，因此要由另一个人站在果树旁代果树回答：“结果，结果。”如此，“拷问果树”活动就结束了。举行这项活动的目的当然不是为了向果树“兴师问罪”，而是为了祈求来年的丰收。

小正月期间的各种活动都是在农村举行的，随着日本的城市化，小正月的种种习俗已经基本绝迹了，其中也包括这新奇而有趣的“拷问果树”。

22. “撒豆”是为了驱晦气，迎好运吗?

日本人有在2月3日夜晚抛撒“福豆”的习俗。这种习俗在日本的南北朝时期就已经出现，并一直延续到了今天。每到2月3日夜晚，不仅每家每户都要举行抛撒“福豆”的活动，而且在各地的神社和寺庙中，还会举行盛大的“撒豆”仪式。由此可见日本人对这一传统活动的重视。

日本人为什么要在2月3日夜晚抛撒“福豆”呢？这还要从中国古代的一个民间习俗说起。2月3日是立春的前一天，正处在季节更替之际。每到这一天，人们就会在自家的门口插上穿了鱼头的刺叶桂花树树枝，以其作为符咒来驱鬼辟邪。到公元8世纪末，这一习俗传入了日本，但后来又得到了进一步的发展，出现了新的习俗。“撒豆”就是后来增添的活动内容，其目的也是为了驱除晦气，迎来好运。

如今，中国的这一传统习俗已基本消失，而在日本，2月3日则被定为了一个节日，称为“节分”。每到“节分”的夜晚，人们就会一边喊着“鬼出去，福进来”，一边抛撒“福豆”。除了抛撒“福豆”，人们还要在这天晚上吃“福豆”。日本人认为，如果吃掉的“福豆”数目与自己的年龄相同，就可以达到祛病免灾的目的。

对于那些恰逢本命年的人来说，“撒豆”会显得特别重要，而寺庙的“撒豆”仪式也是由本命年的男子主持的。此外，在“节分”当晚，所有本命年的人还要举行免灾仪式，以求得来年的平安。

23. 七夕也是日本人的节日吗？

七夕是中国人的传统节日，也被称为中国的“情人节”，受到了不少青年男女的追捧。不过七夕却不仅仅是中国人的节日，它同时也是日本人的节日，而且日本人过七夕的历史已经相当长了。在很久以前，牛郎织女的传说就传到了日本。

日本人如何过七夕呢？不同时代、不同地区的人迎接七夕的方式都是不同的。远古时代的少女在七夕时会将自己关在房内织布，耐心等待与将要降临的“神”做得一夜“夫妻”，她们认为这样可以请“神”带走全村的灾难；奈良时代的妇女则希望通过七夕提高自己的缝纫和裁剪技能，与中国的乞巧说颇为相似。

对于这个与爱情有关的节日，日本的贵族妇女是过得最浪漫的。她们会在七夕前制作特别的诗笺，上面写有自己创作的各种情诗艳词，并将其与彩纸一起系在细小的竹子上，将自己的庭院装点得五彩斑斓，充满诗情画意。到了七夕夜里，这些竹子会被放入河里或海里，任其自行漂流。这一习俗被称为“七夕送”，也被称为“七夕流”。后来，城市妇女也普遍以这种方式庆祝七夕。

在农村，妇女们则没有这样的闲情逸致，她们更倾向于将七夕看成是盂兰盆节的一部分，称其为“盆始”。到了七夕，妇女们不会做特别的事情来庆祝七夕，反倒开始为盂兰盆节做准备。

由此看来，日本的七夕节虽然源自中国，但毕竟已经独自发展了相当长的一段时间，因此有许多观念与习俗都发生了改变。

24. 玛雅人有供奉死去亲人的习俗吗？

供奉祖先的牌位是很多民族都有的习俗，其目的自然是为了缅怀先人，并求得先人的保佑。在玛雅社会，也有供奉死去亲人的习俗，不过玛雅人的供奉方式却比较特别，他们供奉的并不是死去亲人的牌位，而是死者的头部塑像。更让人毛骨悚然的是，这个头部塑像竟然和真人一样。

按照玛雅的丧葬习俗，人死后是要火葬的，然后再将骨灰收藏在瓮中下葬。既然如此，这个栩栩如生的头部塑像又是从何而来的呢？如果仅是个艺术品，真的能够做到如此逼真吗？其实，玛雅人是用一种特殊的方式来制造塑像的。首先，他们用火将死者的尸体处理一下，待骨肉分离以后，便将头后部锯下来，只留下前部的骨架，然后再用松脂捏出脸部的肉来。这样，做出来的塑像就与真人一模一样了。

这种处理方式虽然可以塑造出逼真的塑像，但技术比较烦琐，成本也比较高，因此通常只被统治者采用。普通的玛雅人多使用木雕像，在后脑壳留一个开口，将骨灰倒入，而后用死者相同部位的头皮来覆盖。木雕像也要求尽可能与死者本人相像，但其逼真程度显然无法与经过特殊处理的松脂塑像相比。

玛雅人为什么对死者的面容如此重视呢？他们千方百计地保存死者真容，并不仅仅是为了缅怀先人，同时也是玛雅人永生愿望的体现。正如玛雅神话中所说的那样："死者不会永远留在冥界。他们像树上的绿叶，秋天凋谢，而春天又会再生。死去的亲人都会和春天一道回到我们身旁。"

25. 眼睛的造型为什么会成为古埃及人献给死者的重要祭品之一？

在祭拜死去的亲人时，祭品是必不可少的。祭品的种类非常丰富，包括酒食、牲畜、器物等。在古埃及人献给死者的祭品中，一般都可以找到眼睛的造型，它可能单独出现，也可能附着于某件器物之上。为什么古埃及人要将眼睛的造型作为祭品献给死者呢？

其实，古埃及人的这种做法源自荷拉斯将眼睛献给其父亲的神话。相传荷拉斯是冥神奥西里斯与伊西斯之子。奥西里斯被自己的弟弟塞特谋害，荷拉斯决定为父报仇。在与塞特搏斗的过程中，荷拉斯失去了左眼。后来在月亮神的帮助下，荷拉斯终于在一个月圆之夜打败了塞特，夺回了自己的左眼。

为什么荷拉斯会得到月亮神的帮助呢？原来，荷拉斯的两只眼睛非同一般，它们分别代表太阳和月亮。其中，左眼代表月亮，而右眼则代表太阳。荷拉斯在搏斗中丢掉了左眼，月亮神自然不会不管，于是帮助其打败了塞特。

在夺回左眼之后，荷拉斯将自己的左眼献给了死去的父亲——冥神奥西里斯。后来，人们也纷纷效仿荷拉斯的做法，将“眼睛”献给死去的亲人，以求得到亡灵的保佑，而眼睛的造型也就成了献给死者的重要祭品之一。

26. 古埃及医生在为病人治病时，为什么还要念咒语？

在古代，巫术几乎是无所不能的。从保佑家人平安，到祈求风调雨顺，就连医生为病人治病，都带有浓重的巫术色彩。

巫术在人类文明早期受到了各个部族的重视，在古埃及社会也是如此。古埃及的医学曾经在世界享有盛誉。早在公元前5世纪，古埃及人就已经掌握了丰富的医学知识和多种疾病的治疗方法。在一个大臣的陵墓入口处，还发现了一张迄今为止最早的手术图。可尽管如此，古埃及的医生还是没有忘记巫术。他们在为病人进行药物治疗的时候，也会同时伴以巫术，而医生最常用的巫术就是念咒语。

医生为什么要念咒语为人们治病呢？这是因为在古埃及人的观念中，疾病都是由于恶魔附体而引起的，是恶魔将邪恶和毒物带入了人的身体，使人备受疼痛的折磨。所以，医生必须将恶魔赶走，才能为病人解除痛苦。如此便不难理解医生为什么会在为病人治病时口念咒语了。此外，医生还会将木像、念珠等具有“驱魔”能力的物品放在病人身上，帮助病人驱魔。由此看来，古埃及的医生其实是医生与巫师的结合体，既进行医学治疗，又进行巫术活动。不过这种巫术确实可以对病人起到一种心理治疗的作用，从这方面讲还是有积极意义的。

27. 犹太人为何排斥火葬?

火葬是一种处理尸体的方式。自20世纪以来，火葬被很多国家所提倡，尤其在日本，火葬的比率已经超过了90%。然而在犹太社会，火葬却是被坚决禁止的，这又是为什么呢?

在犹太人看来，身体是盛放灵魂的神圣容器，是上帝用泥土创造出来的。对于这项杰作，只有上帝才有权力处置它，人类本身是没有这样的权力的。因此，犹太人对肉身保持着高度的尊重，当人死去以后，他们会将肉身送回到其本来的所在，照着上帝创造它的方式再让其回到上帝的身边，交由上帝去处置。这就是说，人的尸体只能被埋入泥土之中，因为泥土才是肉身的本源。

由此可知，像火葬这种摧毁肉身的行为显然是犹太人无法容忍的，因为这根本就不在人的职权范围之内。

除了火葬之外，其他毁坏肉身及阻止肉身回归尘土的丧葬方式也都是犹太信仰所禁止的。被犹太人普遍采用的丧葬方式是土葬。按照犹太律法，一个人死后，要尽快将其下葬，一般都在24小时之内，最迟也不会超过48小时。不过如果死者的近亲不能及时赶来或者恰好赶到某个犹太节期，又或者是政府下令要求延迟下葬，则可以适当延迟下葬时间。

第十九章

日常生活·千差万别

1. 观看角斗士表演因何会成为古罗马人的一大喜好?

观看角斗士表演是古罗马人酷爱的一项娱乐活动。角斗士经过奴隶主的专门训练，在角斗场上与对手拼死格斗，对手可能是与之相同的角斗士，也可能是凶猛的野兽。如果角斗中一方被击败，他的生死就落在了有地位的人或女巫的手上。角斗结束后，会有专门的人用烧红的铁棍检查被打死的角斗士，如果还活着，就用大铁锤将其敲死。这种残忍的角斗表演，最早开始于公元前264年，直到6世纪才逐渐在罗马消失。

那么，是什么原因促使古罗马人喜欢观看如此残忍的表演呢?对这一问题的解释说法不一，但主要有以下3种。

第一种说法是，角斗是罗马人从伊达里亚人那里学来的，与宗教和祭祀有关。古罗马人相信，死者可以用血来赎罪，他们会杀死战俘和奴隶来祭祀祖先。古罗马出现的第一次角斗就是为了纪念死去的贵族。另外，检查角斗士是否死亡的人会打扮得像信使神墨丘利，拖走尸体的人也会模仿阴间鬼怪的姿势。

第二种说法认为，角斗和政治活动有很大的关联。古罗马的政治活动主要有3种场合：元老院、浴场和角斗场。有野心的贵族会用举办角斗讨好平民的方式，争取更多的支持。角斗士的表演从另一角度上说就是贵族们炫耀地位的大屠杀。据说有一位贵族因为他的角斗士被杀，政治地位岌岌可危。奥古斯都皇帝曾用限制角斗的方式笼络平民。

第三种说法是，喜欢观看角斗是因为古罗马人有尚武的风气。古罗马人长期处于对外扩张的状态，势力曾扩及欧亚非三洲。古罗马帝国时期曾经有200年的和平时期，为了在这一时期不让罗马人丢掉尚武的精神和战斗的传统，他们就制造“战争”，供人们娱乐的同时，培养人们战争的风气。古罗马时期的皇帝甚至有时候还会披甲上阵，与角斗士战斗。

2. 罗马新娘出嫁时，人们为什么要愉快地呼喊“塔拉西乌斯”？

世界各地的婚礼千差万别，各具特色。罗马的婚礼非常热闹，除了抢婚之外，人们还常常大声地呼喊“塔拉西乌斯”，直到将新娘“抢进”新郎家为止。塔拉西乌斯是谁？罗马人为什么要在结婚的时候大声呼喊他的名字呢？

关于这种奇特的婚俗，主要有两种不同的说法。一种说法认为，塔拉西乌斯是罗马的一个有为青年，在当地有很高的声望。在罗慕洛抢亲的事情发生后，几个地位低下的人共同抢到了一个姿色绝佳的美丽女子，这让当地一些地位显赫的人很是嫉妒。于是，他们主张将这个绝色女子送给年轻有为的塔拉西乌斯。这一建议得到了大家的赞同，而这位绝色女子也成了塔拉西乌斯的妻子。后来，罗马人就形成了在结婚当日愉快地呼喊“塔拉西乌斯”的习俗，以示对新婚夫妻的祝福。

另一种说法是说，塔拉西乌斯是一个有为的青年，非常勇敢，也很受人尊敬。一次，一个罗马少女在白日里遭人抢，情急之下，她忽然想到了塔拉西乌斯，于是就大声呼喊塔拉西乌斯的名字。劫匪以为少女是塔拉西乌斯的女朋友，就不敢再抢了。所以，人们在婚礼上大喊“塔拉西乌斯”，就是为了吓走那些虎视眈眈的劫匪。

此外，也有人说“塔拉西乌斯”有纺织的意思，在婚礼上呼喊

“塔拉西乌斯”，其实是对新娘喊的，目的是激励新娘，让其在婚后辛勤地劳动。

3. 苏美尔时期会有人因为高价出售啤酒而被扔到河里吗?

现在如果有人高价出售自己酿制的啤酒，只要有人购买，那就不是问题，没有人会因为高价出售啤酒而被扔到河里。但在古巴比伦时期，苏美尔人却会以这种方式来惩罚高价出售啤酒的妇女。

距今4000年前，苏美尔人已经较大规模地制作面包和酒了。面包制作技术的发展，刺激了啤酒的生产。有些学者认为，埃及人最早发明了酿酒，而实际上，苏美尔人才是最早的酿酒者。从译读的苏美尔文明时期的泥版可知，至少在公元前6000多年前，苏美尔人的酿酒技术就已经比较成熟了，这要比埃及的酿酒业至少早2000年。苏美尔人懂得复式发酵法，通过发酵大麦、小麦、黑麦等粮食制成饮料。考古学家也发现了当时发酵的作坊，作坊里有酿酒用的炉子，以及各种装酒的坛子和圆桶。

苏美尔时期的酒主要是啤酒。在属于那个时候的石刻和壁画中，大多有饮酒的场面。啤酒的主要酿造者是妇女。当时，美索不达米亚地区有许多家庭式小酒馆。妇女可以自己酿酒，然后在自家的小酒馆中销售，不过她们不能随意定价。《汉穆拉比法典》的第108条和第111条规定，高价出售啤酒的妇女要接受被扔到河里的处罚，假如有妇女允许凡人在她们的酒店饮酒，并且不向当局报告，就会被判处死刑。

酒是苏美尔人最喜欢的饮料，他们将每年收成的40%左右用于啤酒制作。宗教祭祀人员每天都会获得配给的啤酒，地位越高，获得的啤酒就会越多。

4. 古巴比伦女性身戴橄榄枝有什么寓意?

《汉穆拉比法典》对巴比伦的婚嫁制度做出了规定，结婚双方必须缔结婚约，没有婚约的婚姻不受法典承认。婚约的缔结由双方的父亲完成。男女双方在结婚前要先相互交换礼品。男方先下聘，女方则会以高于聘礼的物品作为嫁妆。结婚之前，男女双方还要在亲戚朋友的面前举行订婚仪式。这个仪式之后，女子就正式成为未婚夫的家庭成员了。当然，新娘要获得法律和习俗上的认可，还必须等到正式结婚之后。

在婚姻中，男性和女性的地位是不平等的，男性占有绝对的统治地位。如果他不满意妻子，就会将嫁妆还给她，将她扫地出门。但妻子即使不满意丈夫，也不能这样做。男性会以妻子不孕、通奸、性格暴躁、持家无道等理由休妻，甚至还可以将妻子处死。妇女的地位如此低下，丈夫在婚后纳妾也就是较为平常的事了。假如一名女性成为一个男人的小妾，她就要通过一定的方式让别人知道——身上戴一枝橄榄枝。

古巴比伦时期，婚前性行为较为普遍，男女双方如果同意就可以在一起，不同意则可以随时分开。成为别人的小妾之后，性关系就不能随便了，否则就会被视为和别人通奸。《汉穆拉比法典》规定，有夫之妇若与人通奸，奸夫淫妇都要被溺死。

巴比伦女性的地位虽然低下，但法律也给出了适当的保护。如果妻子能够证明丈夫无理由地虐待她或有外遇，就可以携带嫁妆和她拥有的财产回娘家居住。另外，如果丈夫应征入伍或在外经商超过一定年限，妻子的生活没有着落，妻子就可以与其他男性姘居，而丈夫不能以此为由休妻。

5. 巴比伦的巫医给病人开的药方为什么多是一些让人呕吐的东西?

大约公元前3000年，古巴比伦就产生了医学萌芽。据《汉穆拉比法典》记载，当时医生这个职业已经从宗教祭司中分离出来，成为独立的职业。当时医生的艺术已经很高明，不仅可以用青铜刀给白内障和肿瘤患者开刀，还掌握了用钻具开颅骨的技术。法典还对医生的酬金和处罚做出了规定。家庭越是贫穷的人，看病时需要支付的酬金就越少。医生治病时如果给病人造成了人身伤害，要做出相应的赔偿，最严厉的处罚是剁去双手。

而当时美索不达米亚的医生并不是只有职业医生，还有一种叫“阿什普”的巫医，他们主要利用巫术和装神弄鬼来“治病”，可以说就是用一些手段蒙蔽患者。美索不达米亚的职业医生称为“阿苏”，他们主要靠药物和器械替人治病。

但由于当时美索不达米亚人普遍迷信，相信疾病是由鬼怪、星辰和血引起的，药物和器械是治疗不了的，要以符咒、巫术、祈祷来医治，因此“阿什普”比“阿苏”更受人们的欢迎。当时的巫医给病人开的药方多是令人呕吐的东西，如蛇肉、变质的东西、碎骨，以及人的粪便等。他们这样做不是为了清除病人身上的病症，而是为了驱赶和恐吓人体内的魔鬼。巴比伦这种迷信思想，在很大程度上阻碍了巴比伦医学的发展。

6. 亚述贵族为什么喜欢狩猎？

休闲娱乐并不是现代人的专利，大量出土的泥版和雕刻艺术显示，几千年前的人们也懂得打发休闲时光。美索不达米亚人的休闲生活十分丰富，包括聚会、听音乐、舞蹈、嬉戏玩耍等娱乐性活动以及狩猎、体育、拳击等竞技性活动。亚述贵族最喜欢的娱乐活动是狩猎。

亚述本来就是一个尚武的民族，具有黩武主义特征。亚述贵族喜欢狩猎与之有密切联系。几乎所有亚述时期的浮雕、雕像、铭文都记载过亚述人的狩猎活动。对亚述国王来说，狩猎也是一场战争，猎杀动物可以展示国王的军事素质，炫耀自身强大的实力，达到让人们拜服的目的。这样，贵族就将娱乐和统治很好地结合在一起，是一项一举两得的活动。另外，亚述贵族的狩猎活动还带有浓厚的宗教色彩。射杀狮子等凶猛的野兽被视为神灵赋予国王的神圣职责。

亚述人还建有面积巨大的“动物公园”，里面圈养着许许多多动物，如狮子、瞪羊等。国王、大臣等贵族会将这些野兽驱赶到某个地方集中猎杀，有时候也会采用网猎的形式。目前这项运动在世界上已经绝迹了。

7. 美索不达米亚人是如何哀悼死者的?

土葬是美索不达米亚人普遍采用的埋葬方式。在苏美尔，普通百姓死后所使用的棺材和墓室都比较简陋，随葬的物品比较少，因为他们不像埃及人那样相信有来世报应。埋葬的地点不固定，有的会被埋在房间的地板下，有的则会埋在自家的院子里。王公贵族的丧事则要体面一些。苏美尔的国王死后，会有3天的吊唁期。棺材是用贵重的石料或石灰石制成的石棺，墓穴用砖砌成，有大量的随葬品，也有不少殉葬的仆人。

人死后，要进行洗浴和化妆，然后，用亚麻布将尸体包裹起来，放进棺材。接着就会给他举行吊唁仪式。仪式上会有一批用特殊的行为来哀悼死者，如人们会摘掉头饰和帽子，撕碎自己的衣服，穿上丧服，撕扯自己的头发和胡须，扑在地上，并用刀划破自己的身体。我们可以在史诗《吉尔伽美什》中找到相应的记录。史诗记载，恩奇死后，吉尔伽美什将他的尸体用亚麻布包好，放进棺材。之后主持哀悼仪式的祭司开始组织死者的吊唁仪式。仪式上死者的亲属、较为亲近的朋友就做出了以上介绍的特殊动作。

由史诗的记载可知，用刀划破自己的身体，撕扯自己的头发和胡须等行为，只有死者的亲属和比较亲近的朋友才会做，而不是所有人都要做。

8. 奉行近亲婚配的印加贵族为何个个生得相貌堂堂?

遗传学已经向人们证明，近亲婚配不利于下一代的整体素质，各种遗传病的发生率也比较高。可是在印加，奉行近亲婚配的印加贵族却个个生得相貌堂堂。仅从长相上，印加贵族就已经高人一等了。当第一批欧洲人来到印加时，无不对印加贵族的相貌交口称赞。这似乎与遗传学的规律不太吻合，难道印加贵族是遗传学中的特例吗?

在蒙昧的古代，当人们无法解释某种现象时，就会将其神秘化。对于印加贵族的长相，人们认为那是天生高贵的象征。印加贵族也恰恰是利用了这一点，维护了自己的统治特权和神圣地位，拉开了与普通百姓之间的距离。当然，这样的说法是无法使人信服的。从科学的角度来看，印加贵族出众的相貌应该归因于其贵族谱系中的优良基因。可是，近亲婚配如何能产生优良的遗传呢？

印加贵族是严格奉行近亲婚配制度的，他们只能在自己的王族内部选择结婚对象，而最为高贵的印加王更是只能与自己的亲姐妹成婚。如此看来，印加王和许多印加贵族应该都是近亲婚配的产物，然而事情却并非如此。因为印加贵族享有种种特权，这种特权体现在婚配上，就是印加贵族可以随意宠幸民间的美女，使得新的优秀基因得以进入印加王室，从而改良了印加王族的遗传状况。

此外，印加贵族自身对相貌也是十分重视的，他们会不遗余力地对自己的相貌进行人工改造，以达到自己的审美标准。所以说，印加贵族的相貌堂堂与近亲婚配并没有必然的关系，是从民间引进的优良基因和后天的大力改造共同成就了他们的出众相貌。

9. 印加人为什么都有硕大的耳朵？

对耳朵的审美标准，世界各国各有不同。在中国，人们曾将“双耳过肩”视为福相，可这样的“有福”之人在华夏大地根本找不到。而在千里之外的印加，中国人眼中的“有福”之人却随处可见。这是怎么回事？

印加人之所以拥有硕大的耳朵，完全是因为他们将大耳朵视为美丽和高贵的标志。尤其是印加贵族，他们的大耳朵更为夸张。至于印加王，他的耳朵之大就更不用说了，堪称全国之最。也就是说，印加人虽然都有大耳朵，但具体还是有所不同的。总的来说，身份越高贵的印加人，其耳朵就越大。

印加人的大耳朵是天生的还是后天形成的呢？从世界上其他民族的耳朵形状上看，印加人这种“美丽”的耳朵并非天生，而是后天形成的。因为作为同一种族的人类，不可能存在如此之大的体表差异。那么，印加人的大耳朵是如何形成的呢？

仔细观察就会发现，印加贵族都带有沉重的耳饰，似乎要将他们的耳朵坠断。由此可以推知，这种耳饰的作用应该就是要将印加人的耳朵拉长变大。当印加的贵族男子成年时，他们就要用金针在耳朵上穿出一个硕大的孔洞，并佩带上巨大的金耳饰，以此来象征成年。这个过程通常是在成年仪式上完成的。此后，还要不断增加耳饰的重量。这样，在耳饰重力的作用下，耳朵自然也就越来越大了。

10. 印加贵族享用的“库卡”与可卡因有什么关系？

在印加王的身后，常背着一种叫作“丘斯帕”的布袋，其中盛装的是一种名为“库卡”的植物。在印加，这种植物只有印加王及其亲属才能享用。提到库卡，大多数人都会感到陌生；不过要说起“可卡因”，可就没有几个人不知道了。那么，印加贵族享用的库卡与可卡因又有什么关系呢?

库卡是一种热带植物，而当时的印加就盛产这种植物。库卡具有麻醉迷幻的作用，因此很多印加贵族都很喜欢咀嚼库卡叶子的感觉。此外，库卡还可以入药，其止痛、提神功效非常显著。当身体疼痛的时候，只要咀嚼几片库卡叶，一般都可以得到缓解。正因为库卡有着如此神奇的功效，所以印加贵族才视其为珍宝，只供本族成员享用。不过有时候，地方的酋长也可以得到印加王赏赐的库卡叶。直到印加帝国灭亡，库卡才流入民间。

后来，西班牙殖民者也发现了库卡的妙处，开始大量吸服，并将这一嗜好带回了欧洲。传到欧洲以后，库卡有了一个学名，叫作古柯。仅仅是咀嚼古柯叶一般不会让人上瘾，真正让人欲罢不能的是古柯碱。古柯叶中含有多种植物碱，其中含量最高的就是古柯碱。人在服用古柯碱后，会立即精神倍增，异常亢奋。其实，可卡因就是古柯碱，只不过是经过提纯的古柯碱。

由此看来，库卡与可卡因确实有着密切的关系。

11. 印加王为什么要佩戴两根“科雷肯克”鸟的羽毛？

印加王为了突出自己地位的崇高和与众不同，在自己的装束中加入了很多特别的元素。比如说其头上佩戴的一挂颜色绯红的流苏。印加王的流苏由当地最好的比古那羊毛织成，形状与“刘海”

很像，长约四指，其功用与王冠是一样的。佩戴时，流苏从一个太阳穴缠至另一个太阳穴，垂挂在前额上。

在流苏上，印加王还要佩戴两根“科雷肯克”鸟的羽毛，这也是印加王的独特之处。为什么印加王要佩戴两根科雷肯克鸟的羽毛呢？相传科雷肯克鸟是天性高贵的灵性之鸟，居住在距库斯科150千米处的维尔卡努塔雪山脚下。这种鸟极为罕见，世界上只有两只，一雌一雄。因此，要遇见这种鸟非常不易，要从其身上摘取羽毛就更加不易了。而印加王头戴的羽毛又只能从鸟的两翼摘取，这就越发增加了摘取羽毛的难度。

在印加，科雷肯克鸟被视为神鸟，受到了特别的保护和礼遇。如果没有国王的命令，任何人都不能去捕捉它们，更不能伤害它们，否则就会被处以极刑。就是印加王，也不能随意下令捕鸟。一位印加王一生只会佩戴两根羽毛。因此，只有当下一任印加王继位时，才能再次派人捕鸟。在捕鸟时，动作也要十分轻微，而且在拔下羽毛后就要将其放归山林，不能有任何伤害和亵渎的举动。

其实，印加人制造这么多说法，无非是要说明印加王头上所戴羽毛的来之不易，如此便可凸显出它的神圣和印加王的崇高，使人们对印加王更加敬畏。

12. 手持“钺”是印加王储的象征吗？

在印加，并不存在残酷的王位之争，因为王储在印加王长子出生的那一刻就已经确立了。因为天生的王储身份，印加王的长子在被他人羡慕的同时，也会拥有一番经过特别设计的成长经历。就连在穿着打扮上，王储也是有别于其他王子的。比如说当王子成年之后就可以佩戴流苏，只是王储的流苏是黄色的，而其他王子的流苏的颜色却是红黄相间的，且只能垂于右鬓，不能垂于前额。

虽说长子是必然的王位继承人，不过要使王储的身份得到正式的政治确认，还需要举行隆重的加冕仪式。在仪式上，除了要为王储佩戴流苏之外，还要授予他一件器具。这件器具的意义非同小可，在印加被视为王储的象征。如果没有它，加冕仪式就无法进行。究竟是什么样的器具如此重要呢？我们可以称它为“钺”，在印加语中也叫“昌皮”。

钺与印加人的主要兵器戟颇为相似，只是少了一个枪尖。不过钺的兵器功能并不完善，也许正因为如此，钺才成为印加王储手中的器具，而戟则与此无缘。在加冕仪式上，钺由一位德高望重的长者交到王储手中的，而在交付的同时，长者还要响亮地说道：“奥卡库纳帕克。”意思是让那些邪恶之徒饱尝它的厉害。王储从长者手中接过钺，从此便拥有了惩罚罪恶的权力。

由此可见，钺的意义是介于兵器与礼器之间的。

13. 印加百姓为何在中午和晚上吃饭的时候敞门开户？

玛雅是个夜不闭户的世界，而印加则是个食不闭户的社会。在印加的法律中，有这样一项规定：所有百姓在中午和晚上吃饭的时候，都必须敞门开户。那么，印加的食不闭户反映了印加社会的什么特点呢？

玛雅人敢于在夜晚敞门开户是因为他们知道没有人会在夜晚走进他们家中，与此相反，印加人在中午和晚上吃饭的时候敞门开户则是因为他们知道随时都可能有人来到他们的家中。为了表示欢迎，他们会将门户敞开，随时准备将来访之人迎请进来。究竟是什么人要在人家吃饭的时候前去造访，而且还要主人开门迎接？其实，他们是法官手下的官员，有时也可能是官员的手下。

这些官员在吃饭的时候走进百姓家是要做什么呢？这些官员的职责是巡查神庙、公共场所和私人的房舍，无论在哪里巡查，当地的人都必须极力配合他们。他们是可以随意出入私人房舍的，而私人房舍也必须随时准备接受检查，即使在吃饭的时候，也是如此。如果有哪户人家关上了门，则有逃避检查之嫌，是会受到惩罚的。

进入百姓家巡查的官员主要会检查夫妇是否安分守己、勤俭持家，孩子是否听话，家具是否摆放整齐，家中是否清洁等。在检查过后，官员们会做出评价，评价高的家庭将得到奖励，而评价低的家庭则要接受法律的惩罚。

14. 发生月食时，印加人为什么要用棒子狠狠地打狗？

由于印加人的极度迷信，故在发生异常的天体现象时，他们也会做出种种荒唐的行为。比如说在发生月食时，印加人除了敲锣打鼓制造声响之外，还会将村里所有的狗都聚集在一起，举起棒子狠狠地打狗。

印加人为什么要在月食发生时打狗呢？是他们讨厌狗还是月亮不喜欢狗呢？其实，印加人对狗并没有厌恶之情，而月亮对狗更是有着别样的好感。在印加的神话中，狗对月亮是忠心耿耿的，所以月亮对狗十分信任。既然如此，印加人为什么还要打狗呢？原来，印加人认为月食是月亮生病的表现，且月面缺损得越厉害就说明月亮的病情越严重。如果发生月全食，那就说明月亮已经病入膏肓，濒临死亡了。而一旦月亮死亡，它就会坠落人间，将所有的人砸死。

印加人害怕月食，因此每当月食发生时，他们就会想尽办法将月亮唤醒。敲锣打鼓、制造各种声响，即是为了唤醒月亮。而用棒子打狗，也是为了利用月亮对狗的怜悯之心，使其从沉睡中苏醒过来。此外，年幼的孩子们也会大声号哭，哀求月亮尽快好起来，不要危及人间的生命。月亮在听到这些声响后，就会因为念及人们和狗的安危而恢复生机。

当月食过去以后，印加人会举行庆祝活动，感谢月亮眷顾人间。

15. 在印加，为什么身份越高贵的女子在婚姻上的选择空间越小？

在等级森严的古代社会，婚姻要讲究门当户对，处在同一等级的人结合的概率最大。当然，不同的等级之间也是可以通婚的，不过只有身份高贵的人选择比自己身份低下的人，而身份低下的人却不能选择比自己身份高贵的人。这就是说，身份越高贵的人，在婚姻上的选择余地就越大。然而在印加，女子的身份越高贵，在婚姻上的选择余地就越小，这又是怎么回事呢？

印加是一个非常注重血统的民族，尤其是印加贵族，更是对自身的贵族血统极为重视。印加贵族奉行近亲婚配，其目的就是要保持血统的高贵。不过跨等级婚姻在印加社会并不是不存在的，只是所有的跨等级婚姻都是清一色的男子降级迎娶比自己身份低下的女子，而女子降级嫁给比自己身份低下男子的状况则从未发生过。印加的贵族男子常常有很多妻妾，除了妻子是近亲之外，其他妾室可以是比他身份低下的民间女子。

贵族男子的特权是贵族女子不可能拥有的。首先，女子只能嫁给一个丈夫，不可能同时拥有多个丈夫；此外，在印加人的观念中，女子高攀是令人羡慕的，而主动下嫁则会为人所不齿，因为那无异于降低了自己的社会等级，所以女子不能选择比自己身份低下的男子。这样一来，贵族女子在婚姻上的选择余地就很小了。

如果是具有王族血统的女子，那么她在婚姻上的选择就只有3种。第一种选择是嫁给太阳神，成为太阳贞女；第二种选择是嫁给印加王，成为王后；第三种选择就是嫁给一位具有纯粹王族血统的印加王公。从这个角度讲，这些身份高贵的女子可能还没有那些平民女子幸福。

16. 古印度人奉行素食主义与牛有何关系？

素食主义是现代人为了健康和长寿而提出的新概念，可早在5000多年前，古印度人就已经开始奉行素食主义了。不过古印度人提倡素食主义最初可不是出于对健康的考虑，而是源于对牛的爱护和崇拜。对古印度人来说，素食主义绝不仅仅是一种生活习惯，它更是一种哲学和一种信念，根植于古印度人的内心深处。

牛在古印度社会的地位极为崇高，被印度人奉为不可屠杀的牲畜。在古印度史诗《摩诃婆罗多》中，就曾向那些随意宰杀母牛的人发出了可怕的警告：“被宰母牛身体上的牛毛有多少根，那么，所有杀死、吃掉和允许屠宰母牛的人就会在地狱腐烂多少年！”为什么古印度人对牛如此崇拜呢？这是因为牛作为农业生产的支柱，为印度人带来了文明和财富，尤其是母牛，不仅能耕作，还可以提供奶制品，因此其地位更为崇高。在印度的艺术作品中，牛是最常见的形象，由此也可以看出印度人对牛的崇拜。

渐渐地，古印度人将对牛的爱护延伸到了其他动物身上，最后就变成了不再宰杀任何动物。在《摩诃婆罗多》中，也向人们提出了素食的建议："希望拥有良好的记忆力、美貌，能够健康长寿，具有道德和精神力量的人，应当禁止食用动物食品！"

17. 在祈求赌博的好运气时，古印度人会念什么咒语？

赌博是古印度人最喜爱的休闲活动之一，曾经在古印度社会十分盛行。据考证，古印度人的赌博起源于哈拉巴文明。在印度的古老海港罗塔尔，出土了一些立方体的骰子。在摩亨佐·达罗遗址，又发现了很多雕刻的象牙筹码。在印度的神话和传说中，也有很多是关于赌博的故事。

在《摩诃婆罗多》中，般度五子因为赌博而被迫流浪森林，并由此引发了一场大战。在《森林篇》中，则讲述了一个更加神奇的故事：尼奢陀国王那罗本是一位技艺非凡的贤明君主，可就因为在与兄弟布湿迦罗赌骰子时一时糊涂，结果不仅输掉了自己的江山和财产，而且还被迫流落他乡。后来，他成了波尔那国王的车夫，并依靠自己非凡的车技获得了国王的信任。最后，国王愿意用自己高超的数学知识和掷骰子技术换取他的神奇车技。那罗在掌握了国王传授的技艺之后，又回到了尼奢陀国，并从其兄弟手中赢回了曾经失去的一切。由此可见，赌博在印度不仅有着悠久的历史，而且也流行于社会的各个阶层之中。

虽说赌博是一种休闲活动，但每个人都希望自己赌赢。抛开赌注的大小不说，这也是人类的求胜心理在作怪。因此，为了求得赌博时的好运气，帮助自己赌赢，古印度人还要念上一段咒语："如雷霆一般地常常不可抵抗地把树轰毁，所以我今天要以骰子不可抵抗地击败赌棍！"不管这种咒语是否灵验，人们在念完之后，就会有如获得力量一般，全身心地投入赌博活动之中。

18. 练习瑜伽真的可以使人解脱吗？

古印度人盛行修炼瑜伽，据《薄伽梵歌》记载，修炼瑜伽必须找一个僻静的地方，并将一些草铺在地上，盖上一张鹿皮或羊皮，制造一个底座。底座不能太高也不能太低。然后，双脚盘坐，也就是我们熟悉的“莲花坐姿”。修炼瑜伽的人要身体、头、颈直立，清除杂念、平心静气，通过控制心灵和器官，将心意集中到一点，使自己与天神合一。据说能达到这种境界的人，就可以获得解脱。

瑜伽功是一项古老而神秘的修炼活动。古印度的瑜伽修行者主要是一些苦行僧和隐士，他们置身于深山、幽洞之中，不受世俗的打扰，追求心中所求，磨炼自己的意志，以求能达到心神合一的境界。相传，史诗《罗摩衍那》的作者蚁蛭仙人在山中修炼瑜伽功时，就达到了心神合一的境界，以至于大量蚂蚁爬上他的身体，他都不以为意。

瑜伽，有“和谐”“一致”的意思。瑜伽的境界就是摒弃五官的活动，将所有的感官关闭，将意念集中于心，让生命的重量都定于头顶之上。瑜伽的境界是所有物质欲望都消失的境界。达到这种境界的人，能忘却人世间的一切苦难，进入一种超然的境界。这对人们来说，或许就是一种解脱吧。

古印度的瑜伽最早可追溯至公元前3000年前，后来雅利安人在征服印度的过程中，吸收和继承了瑜伽，公元前6世纪佛教兴起之后，瑜伽成为佛教的修行方法之一。现在瑜伽已经作为一种健身美体的运动传遍全世界。

知识链接

瑜伽“七轮”

根据瑜伽功的解释，一个人盘膝而坐后，从下往上一共有7个气轮，又叫“七轮”，也称“心灵光辉的七轮”，依次是底轮、脐轮、腹轮、心轮、喉轮、额轮、顶轮。练习瑜伽需要长期锲而不舍的坚持，按七轮来说，是一个从下到上的过程，境界达到的时候就会形成一个以顶轮为中心的统一体。

每一个气轮都由一个特定的莲花图案来表示，莲花的瓣数越多，能量就越强。气轮的莲花瓣数从下往上依次增加。每一个气轮都有对应着身体中某些重要的器官和系统，而且也对应着一个梵咒。

现代瑜伽理论体系认为，人体的能量通过各个经脉流通，这些经脉的交会处就是气轮。经现代医学证明，七轮所处之地正是人体的神经、循环、内分泌系统的密集处。

19. 犹太新郎送给新娘的戒指为何不镶任何珠宝？

在世界上的很多国家，戒指已经成为青年男女的定情信物。当男子向自己爱慕的女子求婚时，戒指是必不可少的。而如果一个女子戴上男子送的戒指，则表明她已经答应了男子的求婚，其他男子就不要再有什么非分之想了。在新婚庆典上，交换戒指也是固定的程序，是两个人结束爱情长跑正式步入婚姻的见证。

可以说，戒指在爱情与婚姻中扮演着越来越重要的角色，有些女子甚至以男子送的戒指来评定其对自己的爱情。因此，镶嵌了各种珠宝的戒指向来都备受欢迎。如果在新婚庆典上，新郎将一枚镶有大钻石的戒指戴在新娘的手上，那么新娘也是非常有面子的。可如果新郎送给新娘一枚不镶任何珠宝的戒指，新娘又会作何感想呢？会不会觉得新郎太小气，或者一气之下拂袖而去呢？在犹太社会，这种情况绝对不会发生。

按照犹太的习俗，新郎要在新婚庆典上向新娘赠送有价物品，并诵读结婚誓言。这里所说的有价物品只要是新郎所有的，就都符合犹太律法的规定，但一般都以戒指作为赠送礼。如果新郎要以戒指作为有价物品赠送给新娘，那么这枚戒指必须是由纯金打造的，而且不能镶嵌任何珠宝。为什么会有这种奇怪的规定呢？

原来，犹太人对黄金的鉴别能力比较强，大多数人都知道黄金戒指的成色和价格，而对珠宝则难辨真假。如果是纯金戒指，新娘就可以估算出它的大致价值；但如果是镶嵌了珠宝的戒指，则无法做出准确的估算。由此看来，这种规定的目的其实是为了防止新郎以假乱真，用赝品糊弄新娘。

20. 犹太社会为何很少发生离婚的现象?

犹太社会是典型的男权社会，男尊女卑的思想极其严重。在这种社会背景下，女性是没有地位的，她们只能从属于男性，受男性的支配。男性可以随意休妻，而女性却不能单方面解除婚约。更为可悲的是，女人还不能继承丈夫的财产。也就是说，如果一个女人被她的丈夫休掉，那么她将一无所有，除非她的儿子为其提供生活来源，否则她的生活将陷入困顿。

大约在2000年前，“婚书”的出现彻底改变了女性在婚姻中的被动地位。“婚书”规定，男子必须拨出一部分钱给妻子，作为妻子的个人财产，否则他们的婚姻就无法生效。如果男子在日后抛弃了妻子或者死亡，那么这笔钱就会直接由妻子继承，作为其赡养费。这样一来，女子就不会在失去丈夫后一无所有了，而男子也往往因为有钱财的顾虑不至于轻易抛弃妻子。

有些男子家境贫寒，他们甚至连“婚书”中所要求的金额都拨不出来。在这种情况下，有些新娘会同意对方以某件私人物品作为履行担保，但如果男方要休掉妻子，则必须将“婚书”中规定的保证金额支付给妻子。有些犹太男子由于无法累积到“婚书”所要求的金额，也就使得本该发生的离婚被无限期地拖延了下去。

当然，对于有钱的犹太男子来说，付给妻子一定数额的保证金是不成问题的，因此“婚书”也制约不了他们。但对于大多数犹太男子而言，“婚书”则让他们放弃了休妻的想法，而“婚书”也成了世界上第一份保护女性权益的文件。

21. 玛雅人为什么对狗有着深厚的情感?

在玛雅的雕塑作品中，我们可以发现很多是用来表现狗的，而且玛雅人似乎对狗特别偏爱，他们不是以忠诚、勇敢等艺术形象来表现狗，而是像孩子那样来表现它。将狗视为自己的孩子，这在其他民族中绝对称得上奇闻，可玛雅人早就见怪不怪了。那么，玛雅人为什么对狗有着如此深厚的情感呢？也许在玛雅人的洪水神话中，我们可以找到答案。

相传有一个玛雅小伙子，整日以伐木垦荒为业。一次，他发现被自己砍倒的大树在第二天早晨又长得好好的。于是，他决定再次砍倒大树，看看会发生什么。结果，在他砍倒的大树的树桩中，走出来一个手持拐杖的老妇人。老妇人举起拐杖指向四周，刚刚被砍倒的大树就又重新活了过来。原来，这个老妇人就是大地女神，主宰着众生的生死。

小伙子对女神的做法非常不满，认为她耽误了自己干活。女神则温和地告诉她："你不听我的忠告，干再多也是徒劳无功。5天后，将会有一场大洪水，洪水会把邪恶的人和兽都淹死，世界上的一切将重新开始。你必须赶快打造一个封闭严密的大木箱，到时候躲进去避难，你还得带上5粒玉米种子，5粒豆种，5根保存火种的松枝和一条黑狗。"

小伙子按照女神的话做了。第五天，果然发生了大洪水，一切都被洪水吞没了，只有大木箱安然无恙。大木箱在水中漂流了6年，最后在鹦鹉啄出的一块谷地上停留了下来。小伙子带着那条与他相依为命的黑狗，开始在谷地上伐树垦荒。白天，他到外面干活，黑狗就留在家中看家。晚上，当他回到家中的时候，却发现香喷喷的豆饭和玉米饼已然在那里等候他了。接连5天，天天如此。小伙子很是纳闷，究竟是谁在他回来之前就把豆饭和玉米饼做好了呢？他决定查个究竟。

第六天，小伙子像往常一样出门干活，不过走了没多远就回来了。他没有直接回家，而是躲在洞外的树丛中偷看，让他意想不到的一幕出现了。黑狗脱下皮，摇身一变，变成了一个漂亮的姑娘，接着便开始磨谷子。小伙子偷偷走过去，将狗皮扔进了火里。姑娘大吃一惊，接着发出了凄楚的哀鸣。小伙子安慰着姑娘，又喂了一些稀粥给她，终于使姑娘安静了下来。

后来，小伙子和姑娘结成了夫妻，并生育了很多后代，人类也开始重新兴旺起来。

这也许就是玛雅人对狗有深厚情感的原因。

22. 玛雅妇女会因为没给丈夫准备洗澡水而挨打吗？

在玛雅社会，妇女是非常没有地位的。她们只能依附于自己的丈夫，而没有丝毫的自主权利。她们不能参加宗教仪式，不能进入庙宇，甚至不能在街上正视男子。如果与男子相遇，她们也只能侧身而过。

玛雅人从小时候起就被灌输以“男尊女卑”的思想。在这种教育方式下，男孩会心安理得地接受女性的服侍，而女孩也会把服侍男性看成理所当然的事。由于从小就接受了性别教育，因此他们在长大后可以迅速适应角色，以保证玛雅社会“男尊女卑”的社会关系结构。

男权社会在古时候非常普遍，但像玛雅社会那样推崇男权的却并不多见。如果说妻子服侍丈夫是所有男权社会的共同之处，那么制定服侍标准的法律条文则是玛雅社会的专利。玛雅妇女必须小心翼翼地服侍她们的丈夫，稍有疏忽就可能遭到丈夫的毒打，而她们只能默默地忍受。因为男人的行为不但被社会所认可，而且也是受法律保护的。

当男人干完农活回到家中的时候，妻子不仅要备好可口的饭菜，还要准备好一盆热水和干净的换洗衣服。玛雅并不是一个特别爱清洁的民族，但玛雅男人却必须每天洗一个热水澡。这种近乎奢侈的生活程序其实只是为了彰显男性的至高地位，同时也是要提醒玛雅妇女无怨无悔地服侍自己的丈夫，时刻不忘自己的从属地位。

玛雅的男子竟然可以因为妻子没给自己准备好洗澡水就殴打她，而且这一点还被写进了西班牙统治时期的法律条文。由此可见，玛雅妇女不仅毫无尊严和地位，其命运也是十分悲惨的。

23. 在结婚之前，玛雅男子都要在未来丈人家当六七年的“长工”吗？

玛雅男子虽然在社会上处于绝对的优势地位，可以尽情享受妻子的服侍，但他们要娶到一个妻子也并不容易。除了大量的聘礼之外，他们还必须在未来的丈人家做6–7年的长工，而且就算是这样，他们也未必能如愿娶到妻子。如果丈人不满意，不愿意将女儿嫁给他，那么这六七年的“苦役”就白服了。

玛雅人的婚姻生活异常平淡。在玛雅社会，基本看不到轰轰烈烈的爱情，两情相悦也从不被人们看重。在婚姻问题上，无论是男人还是女人，都是没有自主权利的，他们只能听从父母之命。对玛雅人来说，所谓爱情，不过是在家庭生活中尽到自己的责任与义务罢了。

通常情况下，玛雅男女的婚姻在童年就已经谈妥了，不过并不会马上为他们举行正式的典礼，而是要等到年龄适当的时候。此外，议婚论嫁必须有媒人，否则就是件可耻的事情。在为子女择偶之事上，母亲是没有发言权的，全部都要由父亲做主。男孩的父亲选择儿媳妇的标准是门当户对，而女孩的父亲则可根据未来女婿在家中做工的表现决定是否将女儿嫁给他。

玛雅男子为什么一定要在未来丈人家做6–7年的长工才能娶到妻子呢？其实，男子在未来丈人家劳动是为了赚出妻子的“赎身费”。女子在出嫁之前都是家中的劳动力，一旦出嫁，家中就失去了一个劳动力，为了弥补女家的损失，男子必须付出6–7年的劳动，否则就别想娶到妻子。

24. 绳纹人的典型形象是什么？

在日本各地有关绳纹文化的博物馆中，所陈列的绳纹人的复原模型或图像，几乎都是一个模式：男女老少都穿着上下相连的兽皮，用腰带系好，袒臂赤脚，披头散发。绳纹人的衣着发式果真如此吗？

考古发掘证明，绳纹人已经掌握了原始编布和织布的技术。考古学家在绳纹遗址发现了编布、织布压痕，以及一些编布的实物。由此可以推测，绳纹人已懂得利用植物纤维“编”布，进而发展到用简单的机器“织”布。因此绳纹人不必再为动物皮毛的来源担忧，布料已成为制衣的重要材料。当然，布衣的出现并不意味着皮衣会立刻退出历史舞台。天冷时，绳纹人很可能将布衣穿在里面贴身，外面再套件皮衣来御寒。也可能干活时穿皮衣，而平时穿布衣。

由此可见，绳纹人的衣着并不像很多人想象的那样原始而又简陋。事实上，绳纹人有着强烈的审美意识，把他们描绘成“披头散发”也是失之偏颇的。考古学家从很多绳纹时代的遗址中发现过涂漆的木梳，可见绳纹人是梳头的。绳纹人还非常注重发型。从出土的陶俑来看，绳纹人“披头散发”的十分罕见，尤其女性的头型比较多样，有些盘成山形，有些中分为两簇。

在绳纹时代遗址出土的骨角器中，除了一些生产工具外，还有很多装饰品，其中包括各种各样的发饰。而要使这些发饰派上用场，必须将头发盘结梳理起来，这也说明“披头散发”不是绳纹人的典型形象，至少不是绳纹女性的典型形象。

25. 远古时代的日本人对颜色的感情怎样?

在远古时代，日本只有4个与颜色有关的词汇，分别是黑、白、赤和青。因此，在日语中，黑色、白色、赤色和青色也就成为最原始的色彩词汇。对于这4种原始的色彩，远古时代的日本人肯定会有不同的情感。那么，为什么说他们喜欢白色而厌恶黑色呢？在当时的文学作品中，也许会有我们想要的答案。

在日本的“记纪文学”中，记载了这样一段神话故事：天照大神的弟弟由于自小被母亲娇生惯养，十分顽劣任性。他在受到父亲的斥责后就逃到了姐姐那里，可时间久了又觉得无聊，于是便制造了种种恶作剧。最初，姐姐都忍气吞声，不与他计较，但没想到弟弟非但不收敛，而且还得寸进尺，做出更荒唐的事来。姐姐终于忍无可忍，但又拿弟弟没有办法，一气之下躲进了天岩洞。

天照大神躲进洞中，人间自然就失去了光明。为了请天照大神走出岩洞，各路神仙想尽了办法，可是怒气难消的天照大神就是不肯出来。后来，一位名叫天佃女命的伎艺之神在洞外跳起了脱衣舞，惹得在场的诸神哄堂大笑。笑声震天动地，使得天照大神也忍不住好奇，走到洞口观看。结果刚一走到洞口，就被大力神拉了出来，世界又重现了光明。众神都激动得齐声欢呼：“啊！面白！”

在“记纪文学”的其他神话故事中，各路仙家也都是以白色的动物显现出来。由此可见，远古时代的日本人是喜欢白色而厌恶黑色的。另外，在日本的文史资料中，也可以发现日本人厌恶黑色的证据。如在圣德太子制定的“冠位十二阶”中，黑色被排在了最后一位；在日本的古代法典《养老律令》中，也将黑色定为最低官员使用的服装颜色。

26. 平安时代的日本女性为什么以黑齿为美？

虽说日本人曾极度厌恶黑色，但自进入平安时代以后，情况却发生了根本性的变化。日本人不仅消除了对黑色的偏见，而且还视其为美色。一时之间，各种各样的黑色制品随处可见。日本女性更是将门牙涂成了黑色，并美其名曰“御齿黑”。

当时以黑齿为美，但这种“美”并不是所有日本女性都可以拥有的。当时，只有皇亲国戚家的金枝玉叶才有将门牙涂黑的资格，普通百姓家的平民女子是不配拥有黑齿的。如此一来，黑齿又成为身份与特权的象征。

后来，染黑齿的习俗逐渐摆脱了身份的局限，普通女子也得以分享这种“美”。那么，当时的日本女性是如何将门牙涂黑的呢？对于第一次涂黑牙齿的女子来说，整个过程是非常正式的。首先，会举行一个名为“御齿黑始”的仪式。然后，再由亲友中德高望重的妇女来操作涂黑齿的过程。具体的操作办法是：将铁屑放在浓茶和醋中浸泡，制成铁浆，接着用笔蘸着这种铁浆涂在女子的门牙上。如果操作者技艺高超，染黑的牙齿将会又黑又亮。

在平安时代，黑齿是未婚的象征，女子将门牙涂黑，即是在向他人昭示自己的未婚身份。到了江户时代，虽然延续了涂黑齿的习俗，但其含义却发生了变化，黑齿不再是未婚的象征，而是成了已婚妇女的标志。

到明治维新以后，由于国民观念更新，日本人终于意识到了“御齿黑”的弊端。于是，在明治六年，日本天皇宣布废弃“御齿黑”这一陋习。自此，日本女性彻底告别了黑齿，开启了以朱唇皓齿为美的崭新时代。

27. 日本人是怎么送礼的?

日本人非常喜欢送礼，并形成了一种独特的馈赠文化。不过日本人不会随意接受别人的礼物，因为缘由不明的礼物会让他们感到不安。因此，在送礼时，一定要讲明缘由。在礼物的选择上，日本人也非常讲究。礼物并非越贵越好，相反，贵重的礼物反倒会给收礼人造成一种压力，所以日本人很少送别人贵重的礼物。如果要给领导送礼，就一定不能送鞋，那被认为是非常失礼的行为。

如果要送新婚贺礼，一定要在婚礼现场当众赠送，且赠送的礼物以实用、别致为宜，尽量避免与别人重复。如果要送生日礼物，则因人而异：家人可送生日蛋糕，朋友可送鲜花、领带或迎合其个人爱好的东西。如果是男士送女士生日礼物，要避免送化妆品，以免产生误会，因为女方可能会觉得男方爱慕她或嫌她长得丑。有些老人会过六十大寿，这时可以送给他红头巾等具有返老还童意义的礼品。看望病人可以送鲜花、日用品等，也可以送一些为病人解闷的物品，但切忌送中药或补品。

在日本，每年两次的“节日送礼”最能体现日本的民族特色。这两次“节日送礼”分别是7月1日至15日的“中元节送礼”和12月1日至20日的“年终送礼”。这两次送礼的内容大致相同，多是当地的特产或日用品。需要注意的是，每年送给同一个人的礼物应该尽量相同，即使不能相同，价值也要相等。如果两年所送的礼物反差很大，就会让收礼人费解甚至不快。

此外，日本人还有很多送礼的礼节。比如说小孩上学的时候，爷爷奶奶要送书包；孩子升初中的时候，要送孩子钢笔、手表等物品；孩子升大学的时候，要在外面请孩子吃饭。

日本人送礼的礼节如此烦琐，足见其对送礼的讲究了，这可能也是日本人送礼送出了名的重要原因。

第二十章

百事百物·探根求源

1. 古代的匈奴人为什么要用骷髅制作器物？

在《汉书·张骞传》中，有一段这样的记载："时匈奴降者言匈奴破月氏王，以其头为饮器，月氏遁而怨匈奴，无与共击之。"从这一段文字中，我们可以看出，匈奴人杀死月氏首领后，居然用月氏首领头盖骨作"饮器"。此举引发了月氏人的仇恨，但月氏苦于没有支援力量，无法去攻打匈奴为首领报仇。

这段文字的"饮器"一词引发了后世人的争议。三国时期的韦昭认为这种"饮器"是椑榼，即一种椭圆形盛酒或盛水的器具；晋灼则认为此"饮器"是虎子，即溺器（便壶）。但唐朝的颜师古不同意这两种说法，他引用《汉书·匈奴传》中"以老上单于所破月氏王头为饮器者，共饮血盟"为证据，认为"饮器"就是指饮酒用的器具。

究竟谁说的是对的呢？为什么匈奴人要用骷髅做成"饮器"呢？或许我们可以从中亚、北亚一些游牧民族的习俗中探知一二。

公元前5世纪的希腊史学家希罗多德在《历史》中谈到了中亚的伊赛多涅人有一种风俗：当一个人的父亲死后，他们便会把死者的肉与羊肉混在一起供大家食用，把头的皮肉去掉之后镀上金当成圣物保存下来，每年还会为之举行盛大的祭典。13世纪的鲁不鲁乞在《东游记》中也记载了吐蕃人类似的风俗：他们会用死去父母的头盖骨做成漂亮的高脚杯，他们认为这样能在喝饮料的过程中回忆起父母。而《魏书·高车传》记载有："肃宗初，弥俄突与蠕蠕主丑奴战败被擒，丑奴系其两脚于驽马之上，顿曳杀之，漆其头为饮器。"《续通考》则记载的是西夏人争斗双方解除仇恨时，就会把狗血和酒装在骷髅饮器中共饮之，发誓不再复仇。

从这些历史记载中可以看出，骷髅器物的功能或为纪念亲人，或为仇视敌人，或为发誓和解。而从有关匈奴人制作骷髅器物的记载来看，不管是当作酒杯还是便壶，都表示着对敌人的仇视，因为他们认为把敌人的头颅制作成骷髅器物具有增强自己、削弱敌人的神奇魔力。

2. 玛雅人为什么要用可可豆做货币？

玛雅的城市很多，在公元后的800多年里，各个不同的玛雅部落共建立了100多个城市。城市的兴盛表明了古代玛雅的经济比较发达，究其原因，很大程度上应该归功于玛雅人发达的手工业。玛雅人会用陶土制成各种器皿，用燧石或黑曜石制成各种工具和武器，用棉花织成布匹，用金、银、铜和锡等制成合金，加工成各种器皿和装饰品。

手工业的发达使物品有了交换的需求，由此催生了市场交易。玛雅的市场十分发达，一般的集镇和城市都有交易市场，玛雅人可以在市场上自由地进行交易。

在人类没有发明纸币前，一般是以金银充当物品交换的货币，但玛雅人的"货币"既非金亦非银，而是可可豆。比如，一只兔子值10粒可可豆，一个奴隶约值100粒可可豆等。玛雅人为什么要用可可豆做货币呢？用这种年年收获的可可豆做"货币"会不会引起"通货膨胀"呢？一般关于玛雅商贸的资料中并没有涉及这个问题，即使有也语焉不详。

事实上，玛雅人的可可豆并不是一个可以与货币相提并论的东西，它很可能只是一个便于计数的交换单位，以可可豆的比例去衡量不同物品的价值。可可豆也不是玛雅人唯一使用的"货币"，他们偶尔也使用贝壳、布帛、铜铃、小斧等作为交换媒介。由此我们可以看出，玛雅人并没有严格规定货币本位，他们使用可可豆之类的“货币”最大的原因，可能就是这些小物品在贸易中便于携带。

3. 箸墓有着怎样动人的传说?

箸墓位于日本奈良县，全长有276米，大约建造于3世纪或4世纪初期，是日本最早的前方后圆的古坟之一。

据《日本书纪》中所说，箸墓是白天由人类、晚上由神建造而成的。关于箸墓的由来，《日本书纪》中还记载着一段凄婉动人的爱情故事。

据说，古时候，日本有位公主生得十分端庄美丽。后来，公主嫁给了三轮山之神大物主为妻。婚后她发现，丈夫每天总是到了晚上才回来，第二天天还没亮就会走。有一天，公主便恳求丈夫不要走，她想看一看心上人究竟是什么样子的。大物主答应了，便告诉公主说第二天早上打开梳妆盒的时候，就会看到他。大物主还提醒公主不管看到什么，都不能害怕，公主应允了。

第二天早晨，公主满怀期待地打开了梳妆盒，她看到盒中有个东西在蠕动，拿起一看，原来是条极小的蛇。这时，她才知道她的丈夫的真身是一条蛇。她失声惊叫，早把说过的绝不害怕的诺言忘了，扔下梳妆盒就跑开了。大物主看到公主如此表现，感觉这是对他的一种侮辱，于是就变回了人形飞回了三轮山，再也没有回来找公主。公主后悔莫及，便用箸（筷子）自杀了。公主死后，所建的坟墓被称为“箸墓”。

4. 酸奶是怎样产生的?

酸奶是一种半流体的发酵乳制品，因其含有乳酸成分而带有柔和的酸味，乳酸可以帮助人体更好地消化吸收奶中的营养成分。

酸奶在全世界流行起来是在第二次世界大战以后。当时一位叫伊萨克·卡拉索的西班牙商人在美国建立了一家酸奶工厂，他以前也开过酸奶工厂，只不过那时他是把酸奶作为一种“长寿饮料”放在药店销售，销量很不理想。所以这次他吸取了教训，不再把酸奶放在药店销售了，而是放到咖啡馆、冷饮店出售，并加大广告宣传力度。很快，美国人就喜欢上这种营养价值高的酸奶了，不久，酸奶便风靡世界。

有关酸奶的起源，据说最早是由保加利亚人制成的。很久以前，生活在保加利亚的色雷斯人过着游牧生活，他们身上常常背着灌满了羊奶的皮囊，带着羊群在大草原上放牧。由于外部的气温，加上人的体温等作用，皮囊中的羊奶常常变酸，而且还会变成渣状。当他们要喝时，常把皮囊中的奶倒入煮过的奶中，煮过的奶也会变酸，这就是最早的酸奶。

20世纪初期，俄国科学家伊·缅奇尼科夫专门研究人类长寿问题时，来到了保加利亚进行调查，发现这里长寿的人生前都爱喝酸奶。缅奇尼科夫对色雷斯人喝的酸奶进行化验后发现，酸奶中有一种能有效消灭大肠内的腐败细菌的杆菌，并将它命名为“保加利亚乳酸杆菌”。伊萨克·卡拉索开始制造酸奶就是从伊·缅奇尼科夫研究成果得到启发的。

其实在公元前200多年，印度、埃及和古希腊人就已经掌握了酸奶的手工制法，在中国古代医书《齐民要术》中也有如何制造酸奶的记载。不同于现代酸奶的是，古代的酸奶是靠天然发酵制成的，而现代酸奶则是由纯种的微生物菌种制作的。

5. 英国人为什么对红茶如此钟爱？

在当今世界上，除中国的茶文化之外，日本茶道文化及英国红茶文化也在世界范围内享有盛誉。自17世纪英国人接触到红茶以来，经过300多年的发展，终于形成了一套优雅的红茶文化，并成为世界红茶文化的主流。

红茶原产于中国，漂洋过海传入英国时，由于长途贩运，数量不多，故价格十分昂贵。只有富有的英国贵族才有钱品尝到这种珍贵奢华的红茶。由于英国贵族阶层的喜爱与推荐，红茶逐渐成为英国王室和上层人物的宠物。后来，红茶逐渐普及英国的百姓人家，成为英国人日常生活中不可或缺的部分。

在一天中的不同时刻，英国人会多次将手头之事暂停下来喝杯茶。一大清早苏醒时分是晨间茶，然后是早餐时分的早餐茶，早上11点左右在办公室里休息时分喝一杯早午茶，午后3点到5点则是至少一到两次的下午茶，到了晚餐后，也许还来点清爽解腻的晚餐茶……

英国人喝早餐茶的风气据说是深受英国女皇爱好饮茶的影响。而下午茶则是19世纪安娜玛丽亚女爵带动的，安娜玛丽亚很懂得享受生活，每天下午她都会差遣女仆为她准备一壶红茶和点心，她觉得这种感觉真好，便邀请友人共襄盛举。很快，下午茶便在英国上流社会流行起来。之后，维多利亚女王更是每天喝下午茶，将下午茶普及开来。

英国人钟爱红茶，并赋予红茶优雅的形象和华美的品饮方式。由此而形成了内涵丰富的红茶文化，更将红茶推广成国际性饮料，红茶文化随之在全世界传播。

6. 芳香四溢的香槟酒是如何产生的?

香槟酒具有奢侈、诱惑和浪漫的色彩，是葡萄酒中之王，产于法国巴黎东北部的香槟地区。香槟区很早就是一个葡萄酒产区，其酿酒历史可以追溯到2000多年前，当时香槟区的一个主教用他所知道的知识栽培葡萄并酿造成酒送给当时的法国国王。从公元987年开始，法国的国王在香槟区的兰斯接受加冕成为一项传统，前后共有37位国王在此加冕。由此，兰斯成了中世纪法国的宗教和政治中心，这也让周围葡萄园的建设受益匪浅，葡萄酒借此开始了它的辉煌时期。

虽然香槟区的酿酒历史很悠久，但直到17世纪中叶，世界上才出现第一瓶香槟酒。1668年，香槟区有位叫佩里农的传教士，因为喝腻了酒味浓郁的葡萄酒，便突发奇想，要酿造一款甘甜清爽的酒。于是，他像做化学实验一样，将各种葡萄酒随意勾兑后，用软木塞密封放进酒窖。第二年春天，当他取出酒瓶时，发现瓶内酒色清澈透明，他一摇酒瓶，只听到砰的一声，瓶塞被冲飞，酒喷出了瓶口，酒的芳香也四处弥漫开来。大家争相品尝这种新酒，把这种酒称为“爆塞酒”“魔鬼酒”。后来，人们用产地的名称呼这种酒，香槟之名由此传播开来。

7. 高跟鞋是怎样产生的？

穿上高跟鞋能使女人的站姿、走姿都富有风韵，因而成为女子钟爱的物品，盛行全球。关于它的由来，有很多种说法。

一种传说是，15世纪时，威尼斯有个商人娶了一位美丽迷人的女子为妻，商人经常要出门做生意，他担心自己不在时漂亮的妻子会风流，就给妻子定做了一双后跟很高的鞋。因为威尼斯是座水城，船是主要的交通工具，商人认为妻子穿上高跟鞋无法在跳板上行走，这样就可以把她困在家里。可他的妻子看到这双奇特鞋后，觉得十分好玩，就让佣人陪着她走街串巷，上船下船，出尽了风头。人们觉得她的鞋很美，讲求时髦的女性争相仿效。于是高跟鞋很快就流行开了。

另一种说法是，路易十四王朝时期的法国，王宫里许多年轻貌美的宫女常常溜出宫去参加各种民间的社交活动。路易十四很生气，颁布了一系列宫廷禁令，但仍阻止不了宫女们的外出。后来，他便想了一个办法，授命鞋匠设计一种刁钻的鞋子以整治那些爱溜出去的宫女。这种鞋后跟很高，宫女们穿上行动十分不便，因此也不能轻易出宫了。可经过一段时间的磨合后，宫女发现穿高跟鞋能使身材显得修长优美，竟喜欢上了高跟鞋。巴黎的时髦女性见到这种高跟鞋，大为赞叹，竞相仿效。于是，高跟鞋由宫廷传遍法国，又传遍了世界。

一般人认为高跟鞋是起源于西方的，但实际上在中国明朝就有了最早的高跟鞋。明朝时新的女鞋，鞋底后部装有4厘米至5厘米高的长圆底跟，以丝绸裱裹。北京定陵就曾出土尖翘凤头高底鞋，鞋长12厘米，高底长7厘米，宽5厘米，高4.5厘米。

8. 最初的手套是用来保暖的吗?

手套刚产生时并不是为了实用，只是到近代，它才用来御寒保暖，或是作为人们工作时候的防护用品。

最初的时候，手套是用来保护皮肤不受损伤的。古罗马时期，一些贵族和武士到野外打猎时常随身带着经过训练的雄鹰。这些雄鹰就停在他们的手腕上，雄鹰尖利的脚爪往往会把他们手腕上的皮肤抓破。于是，古罗马人就戴上长臂手套，用来保护皮肤。

在欧洲宗教界，神职人员戴白手套，表示圣洁和虔诚，至今仍有某些教派的宗教仪式，必须戴白手套。19世纪前，白手套的神圣作用扩大到国王发布政令、法官判案上，甚至将军、骑士们也戴起白手套表示为神圣而战。

欧洲曾用手套象征权威和圣洁，所以早年的欧洲骑士，将白手套戴上，表示执行神圣公务；摘下手套拿在手中，表示潇洒闲暇；把手套扔在对方面前，表示挑战决斗；被挑战的骑士拾起手套，宣示应战。

女人戴手套多为高雅美丽，所以古欧洲有丝绸、丝绒等质地的装饰手套，19世纪还出现手绘和黑色网织手套，给人以神秘的感观。

9. 早餐麦片是如何发明的?

1858年，加力伯·杰克森按照素食的原则，再参照冷水疗法，在纽约丹维尔创设了一家健康中心。1865年，一位名叫爱伦·怀特的基督教徒在这个中心深受启发，她决定也设立一家像丹维尔这里一样的健康中心。一年之后，她和教友在密歇根一座小镇买下7英亩农场，成立了自己的健康中心。

爱伦·怀特给健康中心制定了非常严格的规定：不得有轻浮的言行、不能下棋、吃很多燕麦布丁、一些宗教活动与冷水治疗的菜单不包括茶与烟草。由于这些死板的规定再加上爱伦·怀特不善经营，健康中心成立后不久便面临财务困境。

在这种情况下，爱伦·怀特不得不把健康中心转让给一位名叫约翰·凯洛格的年轻人。凯洛格接手健康中心后，进行了一系列改革。他开设了关于护理、医学教育与家庭经济等课程，对病患采取周到且细致的服务，并不定期举办一些活动。

一天，健康中心为病人准备了一些麦类早餐食品，做好后因为搁置而错过了大家的用餐时间。凯洛格就把这些麦类食品放到锅里煮滚成糊状，然后再用滚筒压平，再从滚筒上刮下来薄片烤成脆片。令他惊奇的是，这种薄薄的小片片清香润滑，十分好吃。由此，他意识到他发现了一种新的、好吃的麦片。1893年芝加哥世博会上，凯洛格邀请参观者免费品尝这种美味而又有健康概念的麦片食品，得到了大众的认可。

在此之前，世界各地的早餐不尽相同，有多少种不同的文化，就有多少种不同的早餐。但1893年以后，凯洛格早餐麦片开始风靡全世界，改变了人们吃早餐的习惯。

10. 港口、码头等地的服务队员为什么要戴红帽子？

在车站码头，总会看到一些戴着红帽子的人为乘客搬运行李包裹，或者提供一些其他的服务。为什么这些服务人员要戴红帽子？红帽子的由来是什么呢？

18世纪末，为了推翻封建专制制度，建立资产阶级的政治统治，法国人民纷纷举起武器进行革命。在资产阶级民主思想和巴黎民众革命情绪的影响下，国王路易十六的部分卫队也秘密加入了革命阵线。由于泄密，有一些卫队成员被国王抓了起来。

路易十六十分恼火，但由于当时正处在革命时期，为了避免激起民众更大的愤怒，他不敢处死这些人。但死罪可免，活罪难逃，路易十六罚他们在巴黎的公共场所做苦役，还给每个人戴上特制的红帽子便于监督。因为红帽子十分引人注目，这些人想要在监视之下逃走是十分困难的。

这些卫队成员的遭遇引起了巴黎革命群众的同情，在营救无果的情况下，有一些人便以实际行动来支援这些人，他们自愿戴上红帽子和被抓的国王卫队成员一起做苦工。后来，红帽子越来越多，一些不明就里的巴黎市民还以为戴红帽子是一种时髦，也纷纷佩戴红帽子。到最后也就分不清楚谁是被捕的卫队成员，谁是普通的巴黎市民了。由此，红帽子起到了一种掩护作用。随着革命的进行，红帽子又被人们视为革命的符号。

后来，红帽子传到中国。20世纪二三十年代，很多的车站码头给行李搬运人员佩戴了红帽子。因为红帽子十分容易识别，让人一看就知道是行李服务人员，这样，就可以更方便地为需要帮助的人提供服务。这种做法就这样一直流传下来，红帽子也就成了今天港口码头等地的服务队员的标志。

11. 厨师为什么要戴白色的高帽？

在饭店、餐馆里，每个厨师都戴有一顶白色的高帽。戴上这种帽子，给人一种干净卫生的感觉。在炒菜的时候，帽子可以避免厨师的头发、头屑掉进菜里。同时，厨房温度比较高，因为这种帽子具有较大空间，也可以使厨师不至于太热。但是，厨师最初戴白色的高帽子并不是从卫生角度考虑的，而仅是作为一种标志。

在中世纪，希腊战乱纷起，入侵者见人就杀，唯有修士不杀，因为修道院是神圣不可侵犯的，于是人们纷纷到修道院避难。一次，有几个名厨逃到修道院，为了安全，他们也换上了道士的黑衣黑帽。厨师与修士同吃同住，每天还为修士烧饭做菜。日子一长，为了区别于真的修士，他们把戴的黑帽改成白色高帽。

战乱平息后，厨师们都回到了各自的饭店，却还是喜欢戴白色高帽在厨房里操作。因为都是名厨，其他地方的厨师也开始仿效，纷纷戴上这种白色的高帽子。久而久之，戴白色高帽子便成了厨师的一种标志。

关于厨师戴白高帽的由来还有一些十分有趣的故事。据说，200多年以前，法国有位名厨叫安德范·克莱姆。安德范性格开朗风趣且很幽默，又爱出风头。一天晚上，他看见餐厅里有位顾客头上戴了一顶白色高帽，款式新颖奇特，引起全馆人的注目，便模仿着为自己也定制了一顶白色的高帽。之后，他戴着这顶白色高帽，在厨房与大厅间进进出出，果然引起所有顾客的注意。很多人感到新鲜好奇，纷纷光顾这间餐馆，使餐馆的生意越来越兴隆。后来，巴黎许多餐馆的老板都意识到了白色高帽的吸引力，也为自己的厨师定制同样的白高帽。久而久之，这白色高帽便成了厨师的一种象征和标志。

更有趣的是关于这种白帽子的高度，据说有关部门还制定了戴帽的标准，根据厨师技术水平的高低和厨师工龄的长短，分别规定厨师所戴帽子的高低，使人们一看帽子便知道这位厨师的烹饪水平，帽子越高，手艺也就越高超。

12. 餐巾的产生与男人的大胡子有什么关系?

餐巾是宴会酒席上的一种专用保洁方巾，在各种宴席上，都少不了餐巾。餐巾不仅是一种卫生用品，还可起到装饰和美化席面、渲染宴会气氛的作用。餐巾可根据不同宴席的要求折叠成千姿百态的花形，如新婚之喜可叠出“喜鹊登梅”“鸳鸯戏水”“千年百合”等。

那么，餐巾是如何产生的呢?

餐巾的由来有着漫长的历史，可追溯到古代。据说在15、16世纪时的英国，因为还没发明剃刀，男人们都留着大胡子。那时也没有刀叉，人们在吃肉食时都用手抓。这样，男人们很容易就把胡子弄得全是油腻，他们便扯起衣襟擦嘴。家庭主妇们见到这种既不卫生又失大雅的动作后就想了个办法——在男人的脖子下挂块布巾，这就是最初的餐巾。后来经过改进，也就逐渐演变成现在宴席上用的餐巾。

其实，中国古代就有关于餐巾的记载。《周礼》中就记载了周朝设置“幕人”专管用毛巾覆盖食物。这种用以覆盖食物的毛巾，可以说是世界上最早的餐巾。到了清代，皇帝用餐时使用的是一种称为“怀挂”的餐巾。“怀挂”十分别致，比一般的西方餐巾要华贵得多，它用明黄（皇帝御用的颜色）绸缎绣制而成，绣工精细，花纹别致，上面还绣有福寿吉祥图案。“怀挂”使用起来十分方便，它的一角还有扣绊，就餐时直接可以套在衣扣上。

13. 西服的衣袖上为什么要钉三颗纽扣?

西服的衣袖下面沿口都钉有三颗小扣，既可防止衣袖磨损，又能起到很好的装饰作用。这三颗小扣是如何产生的呢?

据说这种做法是拿破仑创造的。法国热月革命后，热月党人解散国民公会，成立新的政府机构督政府。此时，虽已结束恐怖时期，但政局仍然不稳，欧洲反动势力组成反法同盟，严重威胁法国安全。1796年，督政府派拿破仑远征意大利。拿破仑率领军队进攻意大利，击败了奥地利，并侵入埃及，取得了重大胜利。战争胜利后，拿破仑举行了阅兵仪式。当他神气十足地检阅作战部队时，却发现了一个不和谐的地方——很多士兵的袖上沾着脏东西。原来在行军途中，拿破仑的军队翻越阿尔卑斯山时，由于山上天气寒冷，很多士兵感冒了，没有手帕，他们只能用袖子来擦鼻涕。拿破仑认为这样会有损军威，为了让士兵改掉这坏习惯，他便让军需官在军装衣袖沿向上的一面钉上三颗铅纽扣。这样，士兵就不再用衣袖擦鼻涕了。

后来，拿破仑给每个士兵配发了手帕，袖沿上钉扣子就没有必要了。一个掌管文件的军官却从这件事受到启发，认为把纽扣钉到袖子向下一面的沿上，可以减轻袖子接触桌面的磨损，于是他便把这个想法汇报给拿破仑。拿破仑认为比较实用，同意了这个方案，于是法国军官的衣袖下面沿口钉上了三颗纽扣。后来，法国的服装设计师们把这种形式移用到普通人的上衣上，并沿袭至今。

14. 裤线是怎样产生的?

裤线是指从裤管正中从上到下熨成的褶子，穿上这种在裤管中间压制了裤线的裤子能使人显得挺拔、俏丽。那么，裤线是如何产生的呢?

在裤管中间留裤线的做法源于英国的爱德华七世。当爱德华还是王子的时候，有一次他去一家裁缝店买裤子，他看上了一条裤子。这条裤子因为叠放了一段时间，所以当爱德华打开这条裤子的时候，裤管前后的中间都已经形成了一道折痕。当时，裁缝吓坏了，一再地向王子请罪。但爱德华王子却很喜欢这样的折痕，因为这些折痕使裤管显得很直挺。他试穿之后，十分满意，就直接穿上了这条带折痕的裤子回去了。后来，他又多次穿起这种有折痕的裤子，于是，很多人开始效仿他，在裤管上折一条痕印的做法很快就流行起来。

后来，人们不满足于裤管折叠后自然形成的折痕，进一步使用熨烫的方法，使裤管上的折痕更加明显，这种折痕就是我们今天所说的裤线。

15. 军装为什么要用绿色?

在古代，军装并没有特殊的颜色要求，主要作用是保护身体不受伤害和表征权力、地位，所以产生了各式各样的盔甲：黄金的盔甲（国王穿戴）、银盔甲（王子和王宫贵族穿戴）、钢盔甲（大将军和骑士穿戴）、铁盔甲（一般的校官和尉官穿戴）、牛皮盔甲和竹盔甲（士兵穿戴）。现在，世界上的军装大多数是绿色的（草绿、深绿或者黄中偏绿），为什么要采用绿色呢?

绿色军装源于英国与布尔人的战争。19世纪末，英国发动了对南非的侵略战争。当时，南非有一个叫“布尔”的倔强民族，他们为了保卫国家进行武装反抗。在经历初期的失败后，布尔人发现英军有一个很大的特点——都穿着红色军装。红色军装在南非的森林里和热带草原的绿色背景中极易暴露。布尔人从这里得到启发，把自己的服装和枪炮涂成草绿色，这样一来，布尔人很容易发现英军，英军却不容易发现布尔人。布尔人常常神不知鬼不觉地对英军发起偷袭，打得英军措手不及。

后来，失败的英国吸取教训，为了在陆战中有效伪装，英国陆军都换上了以黄绿色为主色调的军服。由此可见，军装采用绿色是从实战的教训中总结出来的。从此，绿色军装很快就被许多国家的军队所效仿采用。

随着军事科技的进步和战场条件的变化，军服开始按照不同场合区别出礼服、常服、作战服。绿色伪装更适合用于作战服，而礼服、常服不再必须使用绿色，但很大程度上仍作为一种习惯保持下来。现在各国的陆军礼服、常服除了绿色，还有灰色、黑色等。而有伪装要求的作战服也不再采用单一的绿色，而是更先进的适应不同环境的各种迷彩花色，如“丛林”色（绿、棕、黑为主）、“沙漠”色（土黄、浅绿、白为主）等。

16. 世界上最早的蹲式厕所是什么样的?

古印度是人类文明的发源地之一，其在文学、哲学和自然科学等方面对人类文明做出了独创性的贡献。同样，在城市卫生设施方面，古印度也是世界上最富有创造性的地区之一。在5000年前的古印度城市，就已经有了下水道和厕所。当然，我们不能否认同一时期的美索不达米亚和埃及，他们也建造了类似的卫生设施。

不过，在这一方面古印度还是有着美索不达米亚和埃及所不能企及的成就。公元前3世纪，在古印度文明的典型代表——摩亨佐·达罗城，出现了世界上最早的蹲式厕所。这令20世纪的考古学家们都惊叹不已。那么，这种蹲式厕所有何过人之处呢?

根据后世对古城进行挖掘的情况可以看出，摩亨佐·达罗的蹲式厕所修建得十分整齐，全部用石砖为建筑材料。让人惊奇的地方是这种蹲式厕所的便池开有一条竖槽，这样污水就可以通过它直接流向排水沟或污水坑里，十分卫生。5000多年就有如此先进的设计，难怪考古学家曾称赞：这种卫生设施质量之高足以让当今世界许多地方涎羡不已。

17. 芭比娃娃是如何产生的?

半个世纪以来，芭比娃娃几乎已经成为全世界小女孩的心爱之物。现在，芭比娃娃已经销往世界上150多个国家，总销售额超过10亿元。

芭比娃娃的创造者是美国美泰儿玩具公司老板娘露丝·汉德。1945年，露丝和她的丈夫埃利奥特·汉德勒与朋友曼特森开办了一家公司，公司取名为美泰（MATTEL），MATT取自曼特森的名字，而EL来自埃利奥特的名字。

当时，露丝已经有了一个女儿。一天，她突然看见女儿芭芭拉正在和一个小男孩玩剪纸娃娃。这些剪纸娃娃不是当时常见的那种婴儿宝宝，而是一个个少年，有各自的职业和身份。露丝意识到，孩子们需要一些略为成熟的玩具娃娃，而不是那些“幼稚”的小宝宝玩具。由此，在她脑海中产生了一种不同以往的玩具娃娃的想法。

虽然有了想法，但实现的路程却是艰辛的。到底要把自己的娃娃做成什么样子呢？露丝自己也没有答案。当时，露丝获得了去德国出差的机会，在那里，她看到了一个叫“丽莉”的娃娃。这种玩具娃娃有着长长的头发，身穿华丽的衣裙，而且穿着非常“暴露”。露丝买下3个“丽莉”带回美国，她告诉公司的男同事，自己想设计出一种类似“丽莉”一样的“成熟”玩具。但是她的想法并没得到大家的支持，同事们都认为“丽莉”衣着太暴露了，不适合给孩子们。

露丝并没有气馁，她坚信小女孩不光需要跟自己年龄相仿的玩偶，更需要一个自己长大后的理想形象。于是，在公司技师和工程师的帮助下，露丝创造了一个外形摩登、身材性感、清新动人的小娃娃，她以自己女儿的小名“芭比”来命名，芭比娃娃就这样诞生了。

18. 香水本来是酬神上供的，为什么会变成一种香体液？

香水这个词，是拉丁文衍生而来的，意思是穿透烟雾。《旧约圣经》提到香水，通常指一种香料经过烘熏形成的物品，这与拉丁文的定义相符。香料（香水）最原始的用途就是酬神上供。

古罗马有一群女信徒一生只有一件工作——维持香火永远不灭，因为古罗马人认为如果祭祀女神的香烟中断的话，罗马城将会沉没在地狱的深渊里。在古波斯，香水是身份和地位的象征，皇帝永远是最香的人。希腊人也把香水神化了，认为香水是众神的发明，闻到香味则意味着众神的降临与祝福。

人类最早的香水是埃及人发明的可菲神香。但因当时并没有发明精炼高纯度香精的方法，所以这种香水准确地说应该称为香油，它是由祭司和法老专门制造的。

埃及使用香料的历史可上溯到公元前3000年左右，远早于其他的文明。古埃及的大型宗教祭祀活动中，都会使用香料。古埃及时期，在公共场所不涂香水是违法的。新王国统治时期，香水开始用于节日的装扮中。

埃及的妇女是使用香水的先驱者，她们首次将香油和香精油作为化妆品，埃及艳后就经常用各种不同味道的香水和香油来装扮自己和她的船队。从此，香水成为人们追求美的一种物品，成为人们日常生活中的香体液。

11世纪时，东方灿烂的文化被带到欧洲。随着东西方贸易的不断加强，香水也逐渐为欧洲人所接受和喜爱。

19. 高尔夫球上为什么会有小坑?

统计发现，一颗表面平滑的高尔夫球，经职业选手击出后，飞行距离大约只是表面有凹坑的高尔夫球的一半，这是因为球的飞行轨迹会受到重力以及空气动力学的影响。

常打高尔夫球的人肯定会发现，高尔夫球的表面布满了许多“小坑”，这些小凹坑有什么用处?

根据空气动力学，可以把高尔夫球飞行过程中的力分成两部分：阻力及升力。阻力的作用方向与运动方向相反，而升力的作用方向则朝上。高尔夫球表面的小凹坑可以减少空气的阻力，增加球的升力，从而让高尔夫球飞得更远。

一颗高速飞行的高尔夫球，其前方会有一个高压区。空气流经球的前缘再流到后方时会与球体分离。同时，球的后方会有一个紊流尾流区，在此区域气流起伏扰动，导致后方的压强小，压力较低。尾流的范围会影响阻力的大小。通常说来，尾流范围越小，球体后方的压力就越大，空气对球的阻力就越小。小凹坑可使空气形成一层紧贴球表面的薄薄的紊流边界层，使得平滑的气流顺着球形多往后走一些，从而减小尾流的范围。因此，有凹坑的球所受的阻力大约只有平滑圆球的一半。

高尔夫球上小凹坑也会影响它的升力。一个表面不平滑的回旋球，会像飞机机翼一样偏折气流，从而产生升力。球的自旋可使球下方的气压比上方高，这种不平衡可以产生往上的推力。高尔夫球的自旋大约提供了一半的升力，另外一半则是来自小凹坑，它可以提供最佳的升力。

大多数的高尔夫球有300-500个小凹坑，每个坑的平均深度约为0.025厘米。因为阻力及升力对凹坑的深度很敏感，所以即使只有0.0025厘米这么小的差异，也可以对高尔夫球的轨迹和飞行距离造成很大的影响。

20. 一个星期为什么有7天?

现在世界各国通用一星期7天的制度。星期制最早由君士坦丁大帝制定，他在公元321年3月7日正式宣布7天为一星期，这个制度形成定律后一直沿用至今。

一星期7天的制度起源于古代巴比伦历法。早在公元前2000年，巴比伦人就能区分恒星和行星。他们认为行星一共有7个：金星、木星、水星、火星、土星、太阳、月亮。巴比伦人还筑起建筑来祭祀这7个星神，他们认为这7个星神是轮流值日的，太阳神马什、月神辛、火星神奥尔伽、水星神纳布、木星神马尔都克、金星神伊什塔尔、土星神尼努尔达7星共值一周。

他们每一天祭祀一个神，7天一个周期，而且每一天都以一个星神的名字命名。太阳神沙马什主管星期日，称为日曜日；月神辛主管星期一，称为月曜日；火星神奥尔伽主管星期二，称为火曜日；水星神纳布主管星期三，称为水曜日；木星神马尔都克主管星期四，称为木曜日；金星神伊什塔尔主管星期五，称为金曜日；土星神尼努尔达主管星期六，称为土曜日。由于这7日都是天星值班的日期，就称为“星期”。

“星期制”后来传播到犹太地区。犹太人把它传到埃及，又从埃及传到罗马。公元3世纪以后，“星期制”传入欧洲各国。明朝末年，星期制随着基督教传入中国。

一星期又称为一礼拜，这是后来基督徒把一星期作为参拜上帝的宗教仪式的周期，故称为“礼拜”。

21. 英语中的星期有什么特别的来历？

Monday（星期一）：根据西方传说，Monday的意思是moon’s day（属于月亮的日子），因为西方人把这一天献给月之女神。古时候西方人相信，月的盈亏会影响农作物的生长，也会影响医疗。

Tuesday（星期二）：Tuesday是由古英文字Tiw演变来的。Tiw是北欧神话里的战神，但在北欧神话中不叫Tiw而叫Tyr。相传在他的那个时代，有一个狼精经常出来扰乱世界，为了制伏狼精，Tyr的一只手也被咬断了。

Wednesday（星期三）：Wednesday在古英文中的意思是Woden’s day。Woden是北欧诸神之父。为制伏狼精而牺牲自己一只手的Tyr，就是他的儿子。Woden领导神族跟巨人族作战，他曾牺牲自己锐利的右眼，跟巨人族换取“智慧”的甘泉。他也曾深入地层，从巨人族那里偷取“诗”的美酒。西方人为了追念这位主神，就根据他的名字创造了Wednesday这个字。

Thursday（星期四）：Thursday在古英文中意思是Thor’s day。Thor是北欧神话中的雷神，经常带着一把大铁锤。相传有一次，他的大铁锤被一位叫Thrym的巨人偷走了。Thrym扬言，要神族答应把美丽的爱神Freya嫁给他作为交换。然而Freya抵死不从，于是神族想了一个办法，由Thor男扮女装，穿上Freya的衣服假装嫁给Thrym，Thrym不疑有诈，把铁锤交给新娘。于是Thor抢回了自己的武器，立即把Thrym给杀了。

Friday（星期五）：Friday在古英文中意思是Frigg’s day。Frigg是北欧神话中主司婚姻和生育的女神，也是Woden的妻子。相传她平日身披闪耀白长袍，住在水晶宫中，和侍女们一起编织五颜六色的彩云。

Saturday（星期六）：Saturday在古英文中的意思是Saturn’s day。Saturn是罗马神话中的农神，掌管五谷。

Sunday（星期日）：Sunday在古英文中的意思是sun’s day（属于太阳的日子）。对基督徒而言，星期日是“安息日”，因为耶稣复活的日子是在星期日。约在公元300年，欧洲教会和政府当局开始明订星期日为休息的日子。

22.“闰秒”是怎么回事?

目前全球有世界时和原子时两个时间系统——基于地球自转的天文测量而得出的世界时（UT1）和以原子振荡周期确定的原子时（TAI）。前者以地球自转周期的天文观测为基准，后者则以稳定的原子振荡周期来确定“秒”的长度。由于地球自转速度不匀，天长日久，两者之间会出现细微差距，一般来说1–2年会差1秒。

相对于以地球自转为基础的世界时来说，原子时是均匀的计量系统，这对于测量时间间隔非常重要，但世界时时刻反映了地球在空间的位置，这也是需要的。为兼顾这两种需要，引入了协调世界时（UTC）系统。

协调世界时（UTC）在本质上还是一种原子时，因为它的秒长规定要和原子时秒长相等，只是在时刻上，通过人工干预，尽量靠近世界时。

当协调世界时和世界时之差即将超过±0.9秒时，就会对协调世界时做一整秒的调整，使协调世界时和世界时的时刻之差保持在±0.9秒以内。这一技术措施就称为“闰秒”，增加1秒称为正闰秒；去掉1秒称为负闰秒。是否闰秒，由国际地球自转服务组织（IERS）决定。

差了这1秒钟，会对日常生活产生什么样的影响呢？据介绍，如果某个国家单独拒绝“闰秒”，一些高精度的系统就无法和世界其他实施闰秒的国家相衔接。在航天、电子通信、电力、金融以及交通等行业也都可能出现“卡壳”的现象。1秒钟也和人们的生活密切相关。比如，汇率变动的时间单位介于秒和毫秒之间；而在进行证券交易时1秒钟的误差，也会影响到交易的正常进行。

23. 邮票为什么会有齿孔？

现在的邮票四周都有齿孔，既便于撕开又很美观。1840年，在英国诞生了世界上第一枚邮票，当时，邮票的四周并没有齿孔。此后10多年间，英国各地都是一大整张邮票在贴信前或出售时，必须用剪刀一枚枚剪开，非常麻烦。邮票齿孔是怎样发明的呢？

1848年冬季的一天，英国伦敦下着大雪，一位记者一边吃饭一边把当天的新闻写成稿件，然后他把稿件分装在几个大信封里，准备寄往外地的几家报馆。可当他取出刚刚从邮局买来的一大整张邮票，准备剪开贴在信封上时，却怎么也找不到剪刀。怎么办？焦急之中他灵机一动，从衣襟上取下别在西装领带上的一根别针，用针尖在邮票空隙间，刺了一连串均匀的小孔，然后轻轻一撕就拉开了。

这位记者的举动被一旁的亚瑟·亨利看到了。亨利是一名铁路工作人员，在他日常工作中，他常见到车票票根上的齿孔，因此他就想如果能制作一台打孔机，把一大整版邮票的空隙处打上齿孔，就能轻易地用手撕开了。这个想法让他十分兴奋，回到家里，他连夜奋战设计出一台邮票打孔机。

1854年，结过几次改进后，亚瑟·亨利的邮票打孔机被英国邮局正式采用，同年，英国邮局发行了世界上第一枚带齿孔的邮票。随后瑞典也开始使用有齿孔的邮票，接着挪威、美国、加拿大相继采用邮票打孔机，使用有齿孔的邮票。此后，有齿孔的邮票便推广到全世界各个角落。

24. 斑马线从何而来？

当你在城市的街道上漫步时，你会看到在拐弯、T字、十字路口的路面上，画着一道一道的白线，这就是人行横道线。因为它洁白、醒目，像斑马身上的百斑线，因而又称为斑马线。这是为了维护交通安全、保障人身安全和人们的家庭幸福而画的交通标志。

斑马线最初的名字叫跳石。古罗马庞培城的一些街道上，车马与行人交叉行驶，经常使市内交通堵塞，还不断发生事故。为了解决这个问题，人们便将人行道与马车道分开，并把人行道加高，还在靠近马路口的地方砌起一块块凸出路面的石头——跳石，作为指示行人过街的标志。行人可以踩着这种跳石，慢慢穿过马路。马车运行时，跳石刚好在马车的两个轮子中间，刚好也可以通过，不过马车必须得减缓速度，才能寻找到最佳通行线路。如果加速前进的话，就有可能直接轧在跳石上，导致翻车。后来，许多城市都使用这种方法。

19世纪末期，随着汽车的发明，城市里的车越来越多，加之人们在街道上随意横穿，从前的跳石已经无法达到避免交通事故的目的了，反而使交通越来越拥挤。20世纪50年代初期，英国人在街道上设计出了一种横格状的人行横道线，并规定行人横过街道时，只能走人行横道，车过横道线遇见有人时必须停止。随后，伦敦很多街道都采用了这一做法，于是出现了一道道赫然醒目的横线，斑马线也由此为全世界所采用。

25. 交通灯为什么要选择红、黄、绿这三种颜色？

最早的交通灯出现于1868年的英国伦敦，那时的交通灯只有红、绿两色，而且还只是一盏煤气信号灯，得由一名手持长杆的警察牵动皮带才能转换灯的颜色。后来，人们在信号灯的中心装上煤气灯罩，前面放红、绿两块玻璃交替遮挡。不过，这种煤气交通灯很不安全，有时会突然爆炸自灭。一次，一个正在值勤的警察还因此送了性命，交通灯因此被取缔。直到1914年，美国出现了交通信号灯，这时已经采用“电气信号灯”。后来经过改良，再增加一盏黄色的灯，这才组成一个完整的信号系统。红灯表示停止，黄灯表示准备，绿灯则表示通行。

为什么要选择红、黄、绿作为交通灯的颜色呢？这其实与人的视觉机能结构和心理反应有关。

人的视网膜含有杆状和3种锥状感光细胞，杆状细胞对黄色的光特别敏感，3种锥状细胞则分别对红光、绿光及蓝光最敏感。由于这种视觉结构，人最容易分辨红色与绿色。虽然黄色与蓝色也容易分辨，但因为眼球对蓝光敏感的感光细胞较少，所以分辨颜色，还是以红、绿色为佳。

同时，要以颜色表达热或剧烈的话，最强是红色，其次是黄色。绿色则有较冷及平静的含义。因此，人们常以红色代表危险，黄色代表警觉，绿色代表安全。

另外，由于红光的穿透力最强，其他颜色的光很容易被散射，在雾天里就不容易看见，而红光即使空气能见度比较低，也容易被看见，不会发生事故。

26. 圣马力诺共和国为什么没有红绿灯也不堵车？

圣马力诺共和国是欧洲最古老的袖珍国家之一。它是一个“国中之国”，四周被意大利包围。地形以中部的帝塔利诺山为主体，丘陵由北向西南延展，东北部位是平原。该国风景秀丽，每逢旅行旺季，街市人头攒动，车流不息。圣马力诺一半以上的国民收入来自旅游业，旅游业是该国的支柱产业。

圣马力诺只有2万多人口，却拥有各种汽车5万辆，而且圣马力诺国土面积十分小，它是欧洲的第三小国。这样看来，该国交通状况应该是十分拥挤的。但事实上，这里的道路十分顺畅，极少有堵车现象，偶尔塞车也不必担心，很快就会恢复通畅。同时，圣马力诺还有一个很特别的地方，那就是各种大小交叉路口都看不到一个红绿信号灯。

没有红绿灯，交通却井然有序，这肯定会让你感到困惑。人们很自然地会想是因为该国国民素质很高，每个人都很自觉遵守交通规则，才会不堵车。这当然是一个原因，但真正的原因不在于此。如果开着车在圣马力诺兜几圈，就会发现这里的道路几乎全部是单行线和环行线，一直开到底，就会不知不觉地又原路返回了。在没有信号的交叉路口，驾驶人员都会自觉遵守“小路让大路、支线让主线”的规则；而且各路口上都标有醒目的“停”字，凡经此汇入主干道的汽车都会停车观望等候，确实看清干线无车时才能驶入。

可见，科学的公路设计和交通管理才是圣马力诺没有红绿灯也不堵车的真正原因。

27. 世界上最宽的马路在哪里?

世界上最宽的马路位于阿根廷的布宜诺斯艾利斯。这条让人不可能忽略的最宽大道名称叫“七九大道”，七九大道宽148米，双向共18条行车道。

“七九大道”全称是“七月九日大道（AV.9 DE JULIO）”，是为纪念阿根廷1816年7月9日独立而命名的。在七九大道的两条宽大的隔离带上，栽种着棕榈和木棉，树下是龙舌兰等各种灌木和花草。也许是七九大道太过宽阔，在路上的隔离带两边和花草树木的中间都设有人行道，人们横过马路的时候甚至可以在这里小憩，也可以在这里散步休闲。

七九大道除了宽阔之外，它吸引人的另一方面是因为这条大道的两边几乎汇集了布宜诺斯艾利斯所有的标志性建筑，这些建筑记载了阿根廷沧桑的岁月。

七九大道呈南北走向，北部与东西走向的考林特斯大道交叉形成一个广场，广场上矗立着一个高大的白色大理石方尖碑——独立纪念碑，高79米，标志着国家独立日七月九日。

28. 理发店为什么要以三色柱为标志?

大多数理发店的门口都有一个旋转的红、白、蓝三色柱，这几乎成了理发店的一个标志了。这是为什么呢？据法国人梅亚那克1540年设计的国际通用标志，红色代表动脉、蓝色代表静脉，白色代表绷带，理发店为什么要用代表动脉、静脉和绷带的颜色做标志呢？

在中世纪的西欧，流行的观点认为人之所以生病，主要是因为体内各元素不平衡，只要引出多余的元素，就会恢复健康。欧洲人普遍认为“放血是康复之始”，因为血液被他们认为是最容易引出的一种“元素”。但遇到有人需要放血时，医师却不肯动手，他们认为这是下等人做的事。怎么办呢？后来他们就委托理发师来做，于是理发师就成了业余外科医师。1540年，英格兰国王批准了理发师拥有外科医师行医资格。因为红色代表动脉，蓝色代表静脉，白色代表纱布，所以理发师选用这三种颜色的柱子作为他们行医的标志，并挂在理发店门前。1745年，英王乔治二世敕令成立皇家外科医学会，外科医师从此与理发师分家，但理发店门前的三色柱却一直沿用下来。

关于用三色柱作为理发店标志还有其他的一些说法。一种说法是在法国大革命期间，有一家理发店是革命党人活动据点。一次，在理发师的掩护下，一个革命党主要领导人在追捕中得以脱险。革命胜利后，为表彰其功绩，特许他以国旗的颜色——红、白、蓝作为标志。另一种说法认为是在法国大革命期间，地下工作者为了便于联络，商定以理发店的三色花柱为标志，规定哪间理发店的花柱旋转了，就意味着革命者将在这里活动，后来花柱成了革命的象征。世界各国理发店纷纷效仿，三色柱于是就流传开来，成为理发店的标志。

现在，很多的理发店为了招徕顾客，采用了很多其他的标志或装饰，也不一定全都是以三色柱为标志了。

29. 巴贝吉计算机的发明与提花丝织机有什么关系？

在人类所有的发明中，计算机的发明是最伟大的一种发明。电子计算机的诞生，极大地改变了世界，也极大地改变了人类自身。

1812年，21岁的巴贝吉正在剑桥大学的分析学会中重新制定航海表。他发现1766年编定的航海表中有许多错误，而重新制定要经过极其繁复的计算。一天傍晚，计算了一天的巴贝吉疲劳过度，神思恍惚地睡着了。他做起了梦，梦中他看到一架会计算的机器，无论多么复杂的数字，无论多么复杂的公式，它都能一口吞下，然后很快地吐出正确的结果。

从此以后，巴贝吉把这个梦牢牢地记在心上。他就开始考虑利用机器来进行计算的可能性，有一天，他从法国人杰卡德发明的提花编织机上获得了灵感，杰卡德编织机有一个特殊的装置——穿孔卡片，这个装置能使编织机按照预先设定的图案自动运行，让机器编织出绚丽多彩的图案。这个穿孔卡片控制机器运转的设计使巴贝吉突发灵感，他决心制造一台能够自动运算的机器。为此，他历经10年，终于做成了一台“差分机”。所谓“差分”，就是把函数表的复杂算式转化为差分运算，用简单的加法代替平方运算。我们常把“差分机”称为巴贝吉计算机，巴贝吉计算机可以处理3个不同的5位数，计算精度达到6位小数。

成功的喜悦激励着巴贝吉，他连夜奋笔上书皇家学会，要求政府资助他建造第二台运算精度为20位的大型差分机。然而，第二台差分机在机械制造过程中，因为主要零件的误差达不到每英寸千分之一的高精确度，以失败告终，但他把全部设计图纸和已完成的部分零件送进伦敦皇家学院博物馆供人观赏。

第二十一章

天文地理·生物科学

1. 银河系的中心到底是什么？

在科学技术不发达的古代，无论是中国人还是西方人，都毫无例外地把人类居住的地球看成是宇宙的中心，这就是有名的“地心说”。直到16世纪，哥白尼才提出了“日心说”向“地心说”挑战。经过长时间艰苦的努力，哥白尼的“日心说”才逐渐占了上风，取得了这场争论的胜利。“日心说”的主要贡献是把地球降为一颗普通行星，而把太阳作为宇宙中心天体。到18世纪，赫歇尔又进一步指出，太阳是银河系中心。到20世纪，卡普利批驳了太阳是银河系的中心的说法，他把太阳流放到银河系的悬臂上，认为太阳离银河系中心有几万光年之遥。

当太阳“离开银心”之后，谁坐镇银河系的中心就成了天文学家特别关注的大问题。因为，银心距离人类并不算太遥远，理应把它的“主人”搞清楚。但是，由于银心处充满了尘埃，对银心的观测并不容易，要想透过这层厚厚的面纱，看清银河系中心的真相，实在不容易。

随着科学技术的进步，观测银河系的手段也在不断改进，人们对银心的了解也在不断增加。这种方法主要是接收尘埃无法遮挡的红外线和射电源，然后再对其进行分析研究。就像医生测人体心电图一样，天文学家们从红外线和射电波送来的大量有用信息来观测银河系的内部结构。

最先接收到银心射电波的科学家是美国贝尔实验室的工程师詹斯基。

由于银心核球的红外线和射电波信号很强，詹斯基认为，它似乎不是一个简单的恒星密集核心，而很可能是质量极大的矮星群。1971年，英国天文学家提出了这样的假设：核球中心部有一个大质量的致密核，或许还是一个黑洞，其质量约为太阳质量的100万倍。这种假设有一个前提，那就是如果核球中心真有一个黑洞，那么银心应有一个强大的射电源。于是，天文学家们开始了对银心射电源的探测。

20世纪80年代，美国天文学家探测到以每秒200千米的速度围绕银心运动的气体流，这种气体流离中心越远速度越慢，他们估计这是银心黑洞射电源的影响造成的。另一些美国天文学家也宣布探测到银心的射电源，这说明银心可能是一黑洞。

但这种说法遭到了苏联的天文学家的质疑，他们认为证明银心是黑洞的证据不足，并进而提出了另外一种假设：银心可能是恒星的诞生地，因为其中心有大量的分子云，总质量为太阳质量的10万倍，温度为200–300开尔文。

由于天文学家对于银心是否为一黑洞的问题争论不休，为了解决这个问题，美国天文学家海尔司提出了一个假设，即一对质量与太阳相当的双星从黑洞旁掠过时，其中一颗被黑洞吸进后，另一颗则以极高速度被抛射出去。这个判据得到了天文学家们的认同。但经过计算，根据掠过黑洞表面的距离，这样的机会并不大。海尔斯的判据虽不能最终解决问题，但不失为一条探测的路子。然而，要最终搞清楚银心的构成大概仍有许多工作要做。

2. 太阳还能燃烧多久？

太阳是我们赖以生存的能量源泉。如果没有太阳，地球上的人类、动物和植物都无法生长，我们美丽的地球将会一片死寂。太阳如同火焰，带给人类温暖和光明，从古至今被视为至高无上的象征。太阳会有衰老死亡的一天吗？它的未来将会如何？

在宇宙中，太阳是离地球最近的恒星。其核心温度高达1500万–2000万开尔文，每秒都有6亿多吨的氢聚变为氦，每四个氢原子核在这一过程中聚变为一个氦原子核，太阳也就因此向外辐射出一小部分的能量。地球植物的生长、矿藏的形成、大气循环、海水蒸发、云雨生成等，均源于太阳的活动。10亿年来，地球的温度变化很小，不超过20℃。这是太阳稳定活动的证据，这也为生命的孕育、演化打下良好基础。

太阳上的氢聚变反应至今为止已经历了几十亿年，从不间断。氢持续减少，氦不断产生，太阳的未来是怎样的呢？

恒星演化理论诠释了“主星序阶段”，即从恒星中心核内的氢开始燃烧直至全部生成氦。恒星在这个阶段上称为“主序星”。各恒星体根据各自质量在主星序中存在的时间是不同的。天文学家爱丁顿发现恒星体的质量与它为抗衡万有引力而产生的热量成正比；星体膨胀速度与产生热量成正比。产生的热量越多，星体膨胀速度越快，相应地留在主星序中的时间越短。太阳现在就处于主星序阶段，科学家计算，太阳最多有100亿年左右的时间停留在主星序阶段，至今为止它已有46亿年处于这一阶段了。大于太阳15倍质量的恒星只能在主星序阶段停留1000万年，相当于1/5太阳质量的恒星则可以存在长达1万亿年之久。

恒星漫长的青壮年期——主星序阶段一旦度过，进入老年期就会成为“红巨星”。在这个阶段，恒星将膨胀到大于本来10亿倍的体积，因此被称为“巨星”；之所以被加上“红”，是由于随着恒星迅速膨胀，其外表面越来越远离中心，温度也随之降低，发出的光也愈发偏红。红巨星尽管温度降低，光度却增大，变得极其明亮。人类肉眼能看到的亮星，就有许多是红巨星。最为我们熟悉的即是猎户星座的“参宿四”，其直径为太阳直径的800倍，达11亿千米。若“参宿四”在太阳的位置发光，红光会遍及整个太阳系。“主序星”到“红巨星”的衰变过程，变化不仅是外在的，内核也发生了巨大的转变——从“氢核”成为“氦核”。氦核逐渐增大，氢燃烧层也不断向外扩展。

一旦形成红巨星，它便会发展到恒星演化的下一阶段——“白矮星”。外部区域迅速膨胀，氦核受反作用力向内收缩，其中物质温度增高，内核温度最终将超过1亿度，引发氦聚变。氦核经过几百万年燃烧殆尽，而恒星的外壳混合物仍然以氢为主。这时恒星结构复杂了许多：氢混合物外壳下隐藏着一个氦层，还有一个碳球埋藏在内。这样，恒星体的核反应更加复杂，其内部温度上升，最终使其变为其他元素。红巨星外部与此同时也开始急剧地脉动振荡：恒星半径大小不定，稳定的主星序恒星变为多变的大火球。火球内部的核反应更加动荡，忽强忽弱。恒星内部核心的密度增大到每立方厘米10吨左右，此刻一颗白矮星便诞生在红巨星内部。

白矮星的特征是体积小、亮度低、质量大、密度高。例如天狼星伴星，体积类似地球，却差不多和太阳一样重！它的密度为每立方米1000万吨左右。由白矮星的半径和质量，算出其表面重力差不多是地球表面重力的1000万-10亿倍。

由于没有热核反应来为单星系统提供能量，白矮星一边发光，温度一边降低。100亿年的漫长岁月过去后，白矮星将停止辐射而死亡。躯体会变成硬过钻石的巨大晶体——“黑矮星”，在宇宙中孤单地飘浮。

一些科学家认为，几十亿年后，太阳会在快要灭亡时迅速膨胀，所有太阳系内的星体和星际物质都会被“吞噬”掉。到那时，太阳会剧烈地抖动，大量物质在脉动过程中被抛入星际空间，而太阳会失掉大部分的质量，其余部分则缩为白矮星。银河系中发现的大量变星表明，恒星死亡过程中脉动和质量的抛失极为普遍，一些变星每年能够抛出等同于地球质量的大量物质。

一些科学家认为，虽然目前还不太清楚恒星的演化过程，但50亿年后，可以基本肯定太阳会成为红巨星。随之地球上的一切生命都会灭亡，地面温度将高于现在2-3倍，北温带夏季最高温度会达到100度；而地球上的海洋也会蒸发成为一片沙漠。太阳大概会在红巨星阶段停留10亿年，光度会提高到今天的几十倍；体积也将会极大地膨胀，若从地面观察，会看见整个天空都是太阳。

当然“世界末日”距现在还很遥远，但因为提前几十亿年了解这样的“大结局”，人们不禁会疑惑：“生命的进化必将是一场悲剧，那其意义究竟为何呢？”

3. 真的有太阳系地外生命吗？

地球是幸运地拥有生命的唯一天体吗？人类是孤独的吗？在广袤无垠的宇宙中，是否还有同样具有生命的天体？

自从人们知道了地球不是宇宙的中心，就开始猜测有地外文明的存在，也创造出了关于外星生命的神话传说。

随着现代天文学、生物学、无线电技术和航天技术的日益发展，更多的人开始接受这样的观点：宇宙中的天体数目如此庞大，其中不可能没有适合生命生存的另一个天体，不可能没有与我们地球人相似的、有智慧的、能创造自己文明的生物存在；甚至很有可能有些地外生物创造出的文明比我们地球上的人类文明更为先进，更为优秀。对地球外文明的研究早已不是人们所传说的神话故事，而成为一门严肃的科学。

人类对地外生命的研究由来已久，离地球较近的月球首先进入了人类的视野。早年有人猜想月球很可能是一个空心体，里面居住着外星人。其主要理论依据是因为当年阿波罗登月飞船在月球上登陆的时候，指令舱中的记录仪记录到的持续震荡波长达15分钟，这一结果使科学家感到极为惊异。有学者认为，如果月球是实心体，那么在碰击后产生的震荡波不会回荡这么长时间，至多维持5分钟。由此，便出现了月球可能是空心体的设想。但在仔细研究月岩标本后，科学家发现其中金属含量较高，而且其中的亲氧金属如铁等并没有被氧化。据此有人居然得出了一个大胆的结论，说月球很可能是一个空心体，而且是外星人人工制造的。也有了诸如月球的内部可能是一个奇特的生态系统，也许居住着一些比人类更文明的“月球人”，那里可能是外星生命为了监视地球而设置的一个巨大的航天站等各种奇思妙想。但是这种种设想都被无情的事实推翻了，一切不过是人类依据科学观测所做出的主观猜想，也可以认为是半真半假的神话故事。

而在19世纪30年代，曾出现过一个“月亮骗局”的故事，影响极大，轰动一时。事情的经过是这样的：1835年8月美国新创办了《纽约太阳报》，该报为吸引读者和打开销路、扩大销量，便诚邀英国作家洛克为自己撰稿。当时英国天文学家约翰·赫歇耳正前往非洲南部的开普敦去观测研究南天星空。洛克便选中了这件事，用自己的生花妙笔杜撰出了一个神奇而又引人入胜的月亮的理性生物的故事。他在故事中说，赫歇耳的望远镜在不久以前已能分辨出月球表面有约18英寸，即约45厘米大小的物体。用这样高分辨率的望远镜，他看见了月亮上有鲜花，还有紫松等树木，也有一个碧波千里的湖泊，还有一些类似野牛、齿鲸等的大型动物。他还惊讶地看到了一种长有翅膀并且外貌有些像人的动物。文章这样写道：“他们的姿势看上去充满了热情而且很有力度，因此我们推论这种生物是有理性的。”结果许多人对这一重大新闻深信不疑，人们奔走相告，该报一度成为当时最畅销的报纸。

天文学家们很快把这个骗局拆穿了。科学证明，如果要把月面上45厘米大小的物体分辨出来，光学望远镜的口径至少需要570米那么大，这么大的望远镜到今天人们仍没有能力造出来。同时，当时虽然还没有一位天文学家登上月球亲眼看见月球的样子，但由地面天文观测分析也能推知，月球上没有水，也没有大气，是一个死气沉沉的荒凉世界。

随着科学技术的发展，人类对地外生命的研究也变得更加科学。为了寻找地外生命，科学家们首先研究了地球人的进化过程。他们认为：地球人虽是“万物之灵”，具有很高智慧，但起源也和地球上的动植物一样，是从地球上进化而来的。换言之，地球上的碳、氢、氧、氮等元素，先是发生了长期的化学变化和物理变化，后来又经历了复杂而漫长的生物演化过程，最后才演化出了人类。科学实验也已经证明，人类生命的化学基础是蛋白质和核酸，而蛋白质又是由各种氨基酸构成的，氨基酸则是由复杂的有机分子组成的。在宇宙中，不仅碳、氢、氧、氮等元素广泛存在，而且在温度极低的星际空间也发现了几十种复杂的有机分子，在许多陨石中甚至还找到了十几种重要的氨基酸的存在。这就可以认定，只要地球外的星球环境适于生命体的存在，那么很可能会发生大量的有机体演化。

当然，如果以我们地球生命的形成、演化历史作为标准，还需要很多条件才能从氨基酸逐渐演化成生命。如合适的温度、足够厚的大气层的保护、水的存在、液态的氨或甲烷的存在、足够长时间而且较为稳定的光和热。

在宇宙中，地球只是一个再平凡不过的行星，但对于我们人类来说，它是生命的摇篮，是最重要也是最熟悉的天体。地球是如此适合我们人类生活，有充足的水，空气中富含氧气，温度不冷不热，这与它距离太阳的位置等条件有关系。譬如水星和金星是离太阳最近的两颗行星，水星的白天热得如火，夜晚却冷得比冰还凉；厚厚的金星大气成分以二氧化碳为主，温室效应很明显，导致环境极为恶劣，任何生物都生存不下去。火星在地球轨道以外，虽说距离太阳并不是很远，但比起地球来，不但气候极其寒冷，而且根本没有水，生物在这种情况下也不可能生存下去。土星和木星上没有任何生命存在，这一点十几年前宇宙飞船的空间探测就已证实了。位于太阳系边远空域的两颗大行星是天王星、海王星，科学家们通过空间探测以及各种地面观测知道，它们同样不具备适宜智慧生命生存的环境。到目前为止，所有的太阳系探测结果都表明，太阳系中的行星中只有地球是适于像人类这种智慧生命生存繁衍的星球。

不过一些科学家，尤其是化学家认为，生命可能不需要以碳和水为基础。在高温情况下，生命的化学基础有可能是硅。另一种有理性的生命不一定有物质外壳，其可能是以能的形式存在。

由此看来，太阳系中是否存在有生命的星球，至今仍无定论。不过，随着科学技术日新月异的发展，人类探索太空的足迹将会出现在更多的星球上，到那时这个问题一定会有答案。

4. 火星上有生命吗?

在1890年，美国天文学家珀西瓦尔·罗威尔利用大型望远镜观测火星，偶然发现在火星表面存在着一些沟壑，这些东西和地球上人工开凿的运河看起来极为相似。人们开始怀疑有“火星生命”的存在。大量关于“火星人”的科幻故事从此也广为流传。科学家们一直相信火星上有水资源的存在，而且可能是在火星两极或大气高层中以冰雪及水蒸气的形式存在的。甚至有许多科学家相信，火星上也可能曾分布有河流和冰川。因为从目前观测到的照片来看，火星上有许多峡谷和沟壑看起来应该是水流冲击而成的。为了证明火星上的确有生命之源——水的存在，美国和苏联两个超级大国从60年代起就开始了大量的火星探测工程。

1960年10月，苏联先后两次发射了火星探测器，但不幸的是都没有飞到火星的轨道就失事了。

1962年11月1日，苏联又发射了三个火星探测器，其中一个在飞往火星的途中与地球失去了联系，而另外两个只飞到火星的轨道上便停留在那里了。

1964年11月28日，美国发射了“水手4号”探测器。在1965年7月14日飞至距火星9280千米的地方，成功地在近距离拍到了22张这颗红色星球的照片。

1971年5月19日和5月28日，苏联连续发射了“火星2号”和“火星3号”探测器。同年的12月15日，苏联的“火星3号”首次在火星上着陆，并从火星表面向地球发送数据达20秒。

1971年5月30日，美国又成功发射了“水手9号”探测器，同年11月14日驶入距火星1280千米的轨道，并在该轨道上运行将近1年时间，拍摄照片7328张。依据这些照片资料，美国第一次为火星上的高地、火山、洼地和峡谷等地形命名。

1975年8月20日和9月9日，美国又分别发射了“海盗1号”和“海盗2号”探测器。1976年7月20日和9月3日，这两个探测器依次在火星上软着陆成功，大量新的宝贵数据和图像被发回了地球。其中的“海盗1号”在火星上工作了6年，两次登陆都没有在火星上找到任何有生命的特征或痕迹。

由上述事实可看出，在这些早期的火星探测中，最后成功的应该是美国的“海盗1号”和“海盗2号”探测器。美国宇航局1975年发射了这两艘“海盗号”火星探测器。探测器经过为期1年的星际旅行，终于成功进入了火星大气层，并分别在火星软着陆。科学家们在这两个着陆器上装备了大量的精密仪器。利用这些仪器能分析火星的土壤，同时也能对火星上的气压、风速、温度等指标进行测量，并确定了组成火星大气的元素构成。为了探测火星上是否存在生命的迹象，还专门设计了一些实验。在这些实验中，先是用机械手臂挖掘采集了火星的土壤样本，再通过实验来对土壤样本进行分析研究，结果发现火星土壤中释放出气体。然而那时的科学家却将之归因于化学反应。

在1999年，曾为美国宇航局工作过的南加利福尼亚大学的神经生物学家约瑟夫·米勒却要求美国宇航局重新研究20多年前的实验结果。因为米勒坚信，美国宇航局在1975年发射的“海盗号”火星探测器探测收集到的资料中，有可以证实火星上存在生命的证据。但后来有关的资料丢失了，致使人们知道这个发现时，已经晚了25年。到目前为止，美国宇航局的研究还只能证明火星表面发生过化学反应。米勒进一步指出，是美国宇航局把实验的数据弄丢了。美国宇航局考虑了米勒的意见，彻底查找了档案里的资料，终于有一份被忽视已久的电脑记录被找了出来。由于这份记录所用的是极为陈旧的编码格式，已经没有能识别这种编码的程序设计师在世。因此米勒只能靠美国宇航局人员保留下来的数据备份进行自己的研究工作。那些数据很少，只是原来的1/3而已。米勒把资料集中起来进行分析，终于得出结论，认为在火星上很可能有生命出现。2001年11月28日，他在参加圣迭戈召开的科学研讨会时，将研究成果公布于世。

进入90年代以后，由于苏联的解体，火星探测几乎成了美国人的“专利”。美国在这期间先后进行了多次火星探测。

1992年9月24日，为了考察火星的地理和气候状况，美国发射了“火星观察者号”探测器，为载人飞船今后飞往火星探测道路。

1996年，美国将“火星探路者号”探测器发射到太空中，并把相当多的火星照片发回地球。3个月后，美国“火星全球测量者号”探测器进入火星轨道，开始绘制火星地图。

2001年10月29日，美国火星探测器“2001火星奥德赛”又在火星上取得了大量的探测结果。

2001年11月底，美国科学家对火星探测器发回的新照片进行了研究，后来提出了火星表面部分地区很可能存在水的固态形式（即冰）的设想。火星上曾经有水的猜测终于为这项新研究所证实，同时这项新研究也支持了火星早期时候有可能存在生命的假设。这项研究结果认为，火星表面在早期也是分布着大量的广阔的海洋，甚至估计火星上每平方英里拥有的水量比地球还多。

美国布朗大学的科学家在英国《自然》杂志上发表文章说，“火星全球测量者号”探测器仍在围绕火星飞行，并向地球发回了8000多张高清晰度照片。在对这些照片进行研究后，发现有一种地形较为光滑。科学家认为，这种地形表明该区域的土层是多孔的土壤里面渗入了水后结冰、凝固而成的，或者是水混合了冰、尘土和岩石所成的状态，在火星表面形成了一层厚度达90厘米的覆盖层。在庞大的火星表面，从火星寒冷的南极直到大约南纬60° 的很大一片区域里都被含水区所占据。

据估计，火星上共有约1.5万–6万立方千米的冰是以这种形式存在的，融化后整个火星表面便可以铺上一层厚度为10–40厘米的水。由于在这类地形上基本没有发现陨石坑，科学家推测它们的年龄不到10万年，应该是很年轻的。

研究显示，在火星大气高层中包含着大量的氢原子。组成水分子的主要元素便是氢原子，这些氢原子应该是水分子分解后形成的，而且由于氢原子的质量相比较于同样构成水分子的氧原子是比较低的，所以氢原子最后才会升至大气高层。

虽然目前只找到了水分解反应的产物之一——氢原子，但是这一发现对于推测火星曾经有过的含水量大有帮助。

研究还表明，早期的火星上有一个水样的海洋，海洋的深度最深可达1.6千米。由于发生了化学反应，加上小行星和彗星撞击火星，致使火星在过去几百万年中逐渐失去了足够覆盖火星27米高的水分。

研究人员认为，水仍然存在于火星土壤深处，或者是处于冰冻状态。

假如最后可以证实这一发现，连同其他火星上有水的证据，便会使火星上曾经存在液态水甚至简单生命的可信度大大提高。假如人类可以进一步探测出充足的水资源，这会使人类上火星考察乃至移居火星更加容易。说不定有一天，人类就会成为“火星生命”呢！

5. 尼斯湖怪兽到底是什么？

1933年8月的一天清晨，英国兽医学者格兰特骑摩托回家，半途上看见一只水怪，长有4.5米到6米，他从车上跳下来观看，只听见水怪鼻中呼呼作声，随即跳入水中不见了。差不多与此同时，一对到这里旅行的约翰·麦凯夫妇和修路的工人也看到了它。这个神秘的怪物在湖中游弋着，弄得湖水哗哗作响。它露出了两个驼峰似的脊背，皮肤呈灰黑色，有点类似大象，满是皱纹。它时而伸出像蛇一样细长的脖子，时而又沉入水中。发现它的人对它的巨大身体特别感到吃惊。根据他们的推算，怪兽大约有15米长，很像早已绝灭了的蛇颈龙一类的动物。

不久格兰特和约翰·麦凯夫妇惊人的奇遇就轰动了英伦三岛，也引起了全世界人们的好奇。人们第一次听说，一个湖里居然还生存着我们从来不认识的庞然大物！一时间，尼斯湖闻名天下，好奇的英国人、记者、旅游者、生物专家们纷纷云集现场，希望目睹一下这个怪物。有些科学家干脆住在湖边，希望发现它并加以考察。《泰晤士报》则派出记者和聘请来的画家，带着摄影机，举着画板准备为它写出惊人的报道。但是，这个怪兽却像有意捉弄人似的，除了偶尔在什么地方突然露一下脊背，或者伸出它的长颈在湖面晃晃外，便长时间地销声匿迹了。人们给这个怪兽起了个好听的名字——尼西，意即尼斯湖里有趣的怪物。但使记者和画家们失望的是，尼西的具体面貌始终未曾见到。

其实，发现尼斯湖怪兽的并非只是格兰特和约翰·麦凯夫妇以及后来的一些目击者。当人们探访尼斯湖怪兽的来龙去脉之后才发现，尼斯湖怪兽的传说已持续了将近1500年。在湖中有某种奇怪动物的说法，一直被当地居民作为生活中的神秘事物之一所接受。早在1802年，就有记录在案，一个叫亚历山大·麦克唐的农民就曾经见过“尼西”。当时这只怪兽离他不过四五十米，他看得很清楚，身躯庞大的“尼西”突然露出水面，用短而粗的鳍划水。

1880年初秋，一只在尼斯湖上航行的游艇，突然间被一只有着细长脖子、长着三角形脑袋的黑色怪兽给弄翻了，船上的游客全部丧生。

同一年，有人潜到岸边的湖底，寻找一艘沉船，突然这个人从湖底发出求救信号。当人们把他拖到岸上时，只见他脸色煞白，神情恍惚，一句话也说不上来。事后，过了好几天，他才说出了使他惊恐万状的事。原来在沉船附近，他看到了一个巨大的怪物，趴在湖底的岩石上，看上去活像一只有20米长的怪蛙。

说也奇怪，英国最早的一部叙事诗就和怪兽有关。传说英国盎格鲁—撒克逊时代，有个名叫贝奥伍尔夫的瑞典英雄，他打死了一头巨大的像龙一样的怪兽，保护了人民。这一传说至今仍在斯堪的纳维亚半岛传诵。7世纪末时，英国人将此写入了史诗，书名就以这位英雄的名字命名。被他杀死的像龙的怪兽被描绘得有点像尼西。

人们不禁要问，即使我们接受了报纸上的说法，湖中有可能存在着怪兽，那么一个巨大的动物隐藏在尼斯湖的泥潭水中，其存在的证据又是什么呢?

1934年4月19日，即报纸上刊登发现尼斯湖怪兽的一年之后，一位英国的外科医生在尼斯湖畔，终于拍摄到了第一张尼斯湖怪兽的照片。这张照片不仅使关心尼西的人欣喜若狂，而且在整个20世纪的大多数时间里，引起了人们对尼西热情的寻觅，并且至今也没有迹象表明这种热情在衰退。这位居住在伦敦哈利街的医学顾问（哈利街是伦敦市最著名医生们的居住街）罗伯特·肯尼斯·威尔逊博士也是一位尼西迷，他经常在尼斯湖畔开车巡视，希望与尼西碰面。4月19日这一天，他开车到尼斯湖畔的因弗莫里斯顿附近，突然看见湖面游着一个从未见过的动物。尽管离得很远，他还是迅速地举起相机按下了快门，一连拍了4张照片，其中的两张后来保存了下来。这两张中就有那张轰动了世界的尼西影照。照片上呈现了一个长拱形的颈部耸立水面、厚厚的身体浮于湖面涟漪中的景象，看上去像是一个长脖子、小脑袋的不明动物在湖中游着，湖水因它的游动而向四周扩散着圆弧形的波纹……也许因为威尔逊太希望得到一张尼西的照片了，也许尼西发现有人在窥视它，很快就潜下湖去了。

总之，威尔逊只成功地拍摄了几张照片而没有来得及仔细观察怪兽的模样。不久这张照片刊登在英国的《每日邮报》上，立刻引起了人们广泛的兴趣，同时也引来了激烈的争论。一些物种学家说，那张照片上露出水面的不过是潜水的水獭的尾巴放大了尺寸而已，而一些人则争辩，照片上动物的概貌有力地支持了几十个目击者描述的可靠性……直到今天这个争论仍然没有结束。但不管怎么说，人们终于从这张照片上得到了一个证据，就是说，湖中的确有着不知名的动物存在。

6. 太平洋怪兽是蛇颈龙、鲨鱼，还是爬虫？

1977年4月25日，日本大洋渔业公司的一艘名叫“瑞洋丸”号远洋拖网船，在新西兰克拉斯特彻奇市以东50多千米的海面上捕鱼。当船员们把沉到海下300米处的网拉上来时，意想不到的是拉上来一只庞然大物。网里是一具见所未见的怪兽的尸体。为了看清楚它的全貌，船员们用起重机把它吊了起来。尸体中散发出来一股强烈的腐臭，一小部分肌肉和尸体上的脂肪，拉着长长的黏丝掉在甲板上。这下人们看清楚了：这是一个类似爬虫类动物的尸体。尽管尸体已经腐烂，但整个躯体却完整地保存着，可以清楚地看到它的脖子长长的，脑袋小小的，肚子很大（腹部已空，五脏俱无），而且长着4个很大的鳍……怪兽身长大约10米，颈长1.5米，尾部长2米，重量约2吨，估计死去已经月余。它肯定不是鱼类，也不像是海龟，在海上捕鱼多年的船员谁也不认识它。人们正在议论纷纷之际，船长闻讯赶来，见大家在欣赏一具腐臭的怪物，大发脾气，为了避免自己船舱里的鱼受到损失，他命令船员们把怪物立即丢到海里去！所幸的是，随船有位矢野道彦先生，觉得这是个不寻常的发现，在怪兽被抛下大海之前，拍摄了几张照片并做了相关记录。

消息传到日本之后，举国震动，尤其是动物学家、古生物学家们更是兴奋，他们在对照片进行了分析之后认为："这不像是鱼类，一定是非常珍贵的动物。""非常惊人呀！这是不次于发现矛尾鱼那样的世纪性的大发现。""本世纪最大的发现——活着的蛇颈龙"……消息随之传遍了全世界，各国报刊都很快转载了照片，发了消息。各国著名生物学家都对这件事给予了极大的兴趣和关注。

但怪物已经被丢弃了，尽管大洋渔业公司立刻命令在新西兰海域的所有渔船，到现场去重新捕捞怪兽尸体，但由于消息发表之日（7月20日）与丢弃怪物之日已相隔3个月，人们只能徒劳而返。不过，这次发现总算给生物学家们保留下了3个线索：一是怪兽的4张彩色照片，二是四五十根怪兽的鳍须（鳍端部像纤维一样的须条），三是矢野道彦先生在现场画的怪兽骨骼草图。

（1）照片：从照片来看，它的头部甚小，与现存的所有鲸鱼类的头骨迥然不同，而且颈部奇长，特别是有4个对称的大鳍，这就没有其他海洋动物或鱼类可以与它相提并论了。

（2）鳍须：这是留下的唯一重要物证。它是怪兽鳍端的须状角质物。长23.8厘米，粗0.2厘米，呈米黄色的透明胶状，尖端分成更细的3股，很像人参的根须。

（3）骨骼草图：草图左上方写着："10时40分吊起，尼西（即尼斯湖里的怪兽）拍了照片。"怪兽骨骼长10米，头和颈部长约2米，其中头部45厘米，颈的骨骼粗20厘米，尾部长2米，根部粗12厘米，尾端部粗3厘米，身体部分长约6.05米。

虽然上述这些记录和证据是非常宝贵的，而且成为科学家们研究、鉴定、探讨的依据，但是要依靠它们来确定怪兽究竟属于哪一种动物，还缺少根本性的依据。因为没有实物，无法与已知的各种动物和古生物的化石骨骼做比较，也就无法对比鉴定。所以，科学家们至今还对这个怪物到底是什么的问题争论不休。

有人怀疑它是7000万年前便已绝灭了的蛇颈龙的子孙。其中一个主要的依据，是它有那样长的颈。许多学者据此认为它是“活着的蛇颈龙”。日本横滨国立大学的鹿间时夫教授认为：“从照片上看，仅限于爬行类，然而可以考虑太古代生息过的蛇颈龙，可以说是发现了名副其实的活着的化石。”这种说法曾经轰动一时，甚至有报纸认为：“这是本世纪的最大的发现！”

但是不久，东京水产大学对怪物须条进行了蛋白质的分析后，发现它的成分酷似鲨鱼的鳍须，于是报纸、新闻又转向“鲨鱼说”，一时间“巨鲨”“一种未见过的鲨鱼”的说法又充斥了报纸杂志。英国伦敦自然史博物馆的奥韦恩·惠勒说：“这个猎获物大概是鲨鱼，以前在世界各海滨附近曾发现许多别的怪物，结果弄清楚后，都是死鲨鱼。鲨鱼是一类软骨鱼。它们没有硬骨架。当鲨鱼死后，尸体逐渐腐烂时，头部和鳃部先从躯体脱垂，这样就形成一个细长的‘颈’，末端像个小小的头。许多日本渔民，甚至更为内行的人都被类似蛇颈龙的形状所愚弄……”这种说法似乎很有道理，而且一时间许多持有蛇颈龙说法的人也都放弃了自己原来的主张，认为怪兽就是鲨鱼，言之凿凿，仿佛已成定论。

但是，对怪物须条进行重复测试后，又不能肯定它是鲨鱼了。一些科学家和日本记者提出了种种否定它是鲨鱼的根据：

其一，鲨鱼的肉是白的，姥鲛的肉是粉红色的，而怪兽则是赤红的。

其二，鲨鱼没有排尿器，体内积蓄的尿是利用海水的浸透压力，从全身排出的；因此，鲨鱼的肉有一种尿特有的臭味，有经验的渔民都会闻出来。“瑞洋丸”的渔民们正是由于这一点而否定了它是鲨鱼。

其三，如果真是鲨鱼，那么具有软骨架的鲨鱼，在死了半年之后，是绝对不会被起重机吊起来的。因为尸体开始腐烂，软骨也开始腐烂，尸体的软骨架绝对经受不住大约两吨的自重。对此，许多鱼类学权威都认为这是否定“鲨鱼说”的一个重要论据。

其四，怪兽有较厚的脂肪层，包裹在全身的肌肉上，而鲨鱼只在肝脏里才有脂肪。

于是，从“鲨鱼说”又转回到“爬行类动物说”。证明怪兽可能是爬行类动物还有一个重要的论据，即怪兽的头部呈三角形，这是爬行类独具的特点。

到现在为止，围绕着这个奇怪的太平洋怪兽到底是什么的问题，科学家们仍然在议论纷纷，人们都盼望在南纬43° 53′、东经173° 48′曾经打捞上怪兽尸体的地方，有一天会再现怪兽的踪影。

7. 动物为什么选择集体自杀?

一个风雨交加的夜晚，印度北部有一个小村镇的一伙村民，正举着火把寻找一头失踪的水牛，忽然发现大群的鸟向人们扑来，跌落在火把周围。它们不再飞回空中，也不愿吃东西，不到两天，全部死去。在这里，每年都有大量的鸟群“自杀”。每当秋季风越大、雨越多的时候，到这里“自杀”的鸟也越多。令人奇怪的是，这一现象只发生在这个丛林中的小村附近，而不发生在其他地方，这其中的原因是什么呢?

其实，一些动物的集体“自杀”现象早已引起了科学家们的研究兴趣。1946年10月10日，835头虎鲸凶猛地冲上了阿根廷马德普拉塔城海滨浴场，结果全部死亡。1980年6月30日上午，有58条巨鲸游上澳大利亚新南威尔士州北部海岸西尔·罗克斯附近的特雷切里海滩死亡。1976年10月，在美国的科得角湾沿岸的辽阔的海滩上，有成千上万的乌贼登岸“自杀”。

一些科学家猜测，鲸可能是遇上了凶猛的鲨鱼或受到其他动物的威胁，仓皇逃命而窜上了海滩；也有的学者认为，这可能由于鲸一时贪玩或在浅海边上找吃的，而不慎搁在海滩上，游不回去了。

显然，这些理由都比较牵强。

还有科学家认为，鲸“自杀”的地方，大多是在海岸平坦或泥沙冲积成的海滩。这种地方，往往不能很好地将“超声波”反射回去。这就使鲸发出“超声波”后，接收回声发生困难，造成确定方向、浮测目标“失灵”，而发生“盲目行动”，冲上海滩死亡。后来，有两位美国科学家在死鲸的耳朵里，发现很多寄生虫，他们据此认为，就是这些寄生虫，影响了鲸的耳朵功能，造成了悲剧。

与鲸相反，陆上动物旅鼠曾多次集体奔入大海“自杀”。在澳大利亚昆士兰地区，曾发生过13次规模宏大的旅鼠投海“自杀”事件。这又是什么原因呢？有人认为这是旅鼠为了求生而采取的手段，早在1万多年前，它们就有规律地跨越波罗的海和北海到对岸的陆地去另觅乐土，那时海峡尚窄，泅渡到对岸很容易。后来由于地理环境的变化，海水已经是越来越湍急，但是旅鼠却一无所知，仍然一如既往地跳入海中，由于无法抵抗海水的冲击，结果就发生了大规模的旅鼠死亡事件。但是这无法解释旅鼠呈周期性死亡的现象，因为人们提出了这样的疑问：难道旅鼠不会从一次又一次的失败中总结教训，另辟新途？

还有人认为这是旅鼠们实行的一种“计划生育“的手段。因为这种旅鼠的繁殖力特别强，过多的旅鼠破坏了居住地的生态平衡，为了缓解这种状况，其中的一些旅鼠就选择了自戕。这样的解说实在是有一些令人难以信服。如果真的是这样的话，那么造物主是不是过于残忍了一些？

动物集体自杀的现象在我国也曾发生过。1975年的冬季，我国海城地区发生了一次大地震。而在地震发生的前十几天，成批的冬蛇集体自杀。经过了十多年的研究，科学家们还是没有弄清楚其中的缘由。只是提出了三种解释：

一是地声说。科学家认为在地震发生前地壳深处会发出一种细小的声音，但是人是听不到的，由于蛇的听觉很灵敏，能够听到，以为是大祸临头了，所以爬出了洞。

二是地气说。这种观点是说在岩层的强烈摩擦中，会产生大量的氡气，大量的氡气积聚在蛇洞中，使冬眠的蛇清醒被迫爬出洞。

第三种说法就是地热说。这是目前比较流行的一种说法。因为蛇是冷血动物，体温会随外界温度的变化而变化。在地震前，由于岩石的摩擦产生了大量的热，使地温升高，蛇从冬眠状态醒来，纷纷出洞觅食，结果被冻死。

这三种解释都有一定的道理，但还是存在一些疑点。蛇是一种反应比较迟钝的动物，上述的变化都发生在地震前很短的时间内，蛇又怎么会在地震发生的十几天前就感觉到呢?

动物界昆虫类的自杀事件似乎不是很多，但是这些低等的动物自杀的原因往往更令人不解。其中，蝎子的自杀就是一例。动物学家研究发现，无论是在自然条件下，还是在实验的条件下，蝎子都是对火畏若神明的。遇到火的时候，就躲在碎石下、树叶下或者土洞中不出来，更为奇怪的是，要是用大火将它们团团围住，它们会弯起尾钩刺向自己的背部，不一会儿就会死亡。对于这种现象，有人认为这是蝎子在长期的进化的过程中形成的，是一种遗传的结果。有人对此提出异议，因为根据科学家和生物学家的检测结果，蝎子不是死于自己的蝎毒。还有人说是由于蝎子天生在阴暗潮湿的环境中生活，突然见到光明，为了保护自己，就假装自戕而死。事实究竟如何，还有待查证。

动物自杀的记录到现在已经100多年了，这种现象至今仍是有增无减，科学家们尽管对此现象做了大规模的调查研究，但仍然没有令人信服的权威性的答案。

8. 动物之间为什么会发生争斗?

在地球上，除了人类以外，动物界也是经常发生大大小小的争斗。在以往的很长时间内，动物学家们都认为大多数的动物并不会杀害它们的同类。动物之间经常会发生侵犯的行为，主要是一种耀武扬威的姿态，而不是残杀性的。有时为了集体的利益，它们通常是相互合作的。

比如说在草原上生活的土狼，为了捕捉长耳兔经常采用接力的方法来弥补体力的不足。当第一条土狼追到体力不足的时候，就把长耳兔沿着对角线的方向追赶到一个隐蔽处，等在那里的另一条土狼会跳出来接着追赶，第一条土狼趁机抄近路跑到前边，等到充分的休息后，再接着追下去，就这样两条土狼轮番地追赶，直到兔子筋疲力尽成为土狼的口中美食。

还有一种长鼻浣熊，生活在中南美洲。喜欢吃栖息在树上的一种蜥蜴，可是对于浣熊来说，到树上捉蜥蜴是不容易的，它们就采取兵分两路的方法，一个在树下等，另一个则到树上把蜥蜴赶下树，彼此配合来捕捉蜥蜴。

但是，几十年来，通过大量的观察，科学家们发现，在动物中间也存在着争斗的现象。而且在争斗的过程中还有着一定的规则，任何一方都是严格遵守决不违背。我们来看下面的一些资料。

蝙蝠的争斗方式是将身体倒挂在石岩上，彼此通过鼻子的碰撞来发泄愤恨。

蛇类相斗时从不以毒牙加害对方，常常采取的方式是将尾部交缠在一起，挺起胸膛竭力将对方的头部按下，谁将对方牢牢按压住几秒钟，谁就是胜者。

雄旱龟在彼此相斗时，仅仅将对手翻个仰面朝天失去战斗力就算赢家。

鸟类之间的竞争准则很多。如鸽子之间仅仅是以发怒的一方羽毛横竖挺着胸在另一方面前踱步的方式来进行对抗。谁的外貌显得雄壮威武谁就为胜利的一方。红眉雄黑禽鸡在争斗时要先发出一阵啾啾声，然后张开翅膀像公鸡一样厮杀，胸脯碰撞，相互击打，看起来就像一大团羽毛在狂飞乱舞。

大型的动物中，争斗方式比较奇特的要数棕熊了。雄性的棕熊在发情的期间会变得格外的凶悍，不仅会因争夺配偶斗得头破血流，还会疯狂地袭击附近的民宅。

对于动物来说在争斗中总是以最强壮的器官作为理想的兵器。袋鼠的争斗很像是“拳击”，因为它们自信自己的前爪最有力。海狸争斗的武器是尾巴，而长颈鹿是用脖子来击打对方。有蹄类的动物常常将角作为自卫的武器。但是对于过于锋利的武器，动物之间也是要遵循一定的规则的，直角羚从不在同类的争斗中使用角。而鹿和驼鹿则在准备争斗的时候，目不转睛地盯着对手，直到弱小的一方认输为止。狼和狗在争斗中如果认输时，会把身体中最薄弱的咽喉暴露给对方，而胜者决不会再碰负者一下。

当然，在动物中也有一些相互残杀的例子。有记载的最触目惊心的一个例子是在20世纪70年代，一群约15头黑猩猩，以每次杀死一头雄性黑猩猩的方法，杀死了邻近的一小群黑猩猩。

对于动物之间的这种争斗和残杀，有一些是可以找到原因的。比如为了争夺配偶、领地或者食物等。美国动物学家曾经亲眼看见过象海豹为了争夺首领而厮打的场面。当两头雄性象海豹中的一头被打得晕倒在地的时候，一群雄性的象海豹扑到战败者的身上，把它折磨致死。在1990年的6月澳大利亚曾发生过一起大群企鹅自相残杀的事件。这场残杀导致大约7000只企鹅丧生。其中有雏企鹅6000只。而科学家们对于事件的原因却是无法解释。

社会生物学家对于动物之间的争斗现象是这样解释的。他们说这完全是出于动物的一种自私的本性。所有的动物都想把自己的基因或者亲属的基因传到下一代去。所以，它们进行漫山遍野的厮杀，只是为了让自己的后代进行繁殖，并不是为了种族的利益去牺牲。因此在一个亲属关系比较稳定的群体里很少发生剧烈的厮杀。

而动物学家却认为，动物是不存在传宗接代的自觉意识的。它们所进行的争斗和残杀原因很可能是偶然的。随后发生的大规模的征战很可能是由于受到刺激而引起的。而且在缺乏信息交流和手段的动物中是很容易发生这种情况的。

动物学家们有着不同的观点，但是有一点意见是统一的，他们一致认为动物之间进行的不流血的争斗有着积极的生态学的意义。年轻而健康的动物虽然在争斗中败北，却为以后获得幸福准备了条件，而在争斗中以流血殆命的动物也是自然淘汰的一种途径，也就是说残杀的威胁可能有助于形成动物的行为，对于物种遗传是有利的。但是，真正引起动物们争斗的谜底是什么？人类至今不得而知。

了解世界文化概貌，就看这一本
掌握世界文化精髓，只在一问一答间